ISBN 978-0-259-14312-3
PIBN 10686494

Neues Archiv

der

Gesellschaft für ältere deutsche Geschichtskunde

zur

Beförderung einer Gesammtausgabe
der Quellenschriften deutscher Geschichten des Mittelalters.

Vierunddreissigster Band.

Erstes Heft.

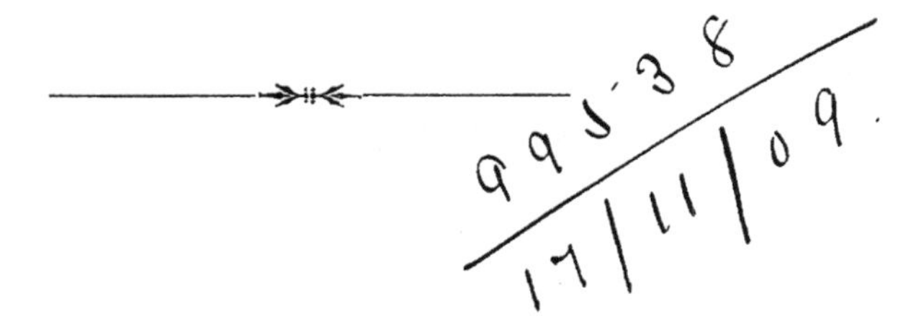

Hannover und Leipzig.
Hahnsche Buchhandlung.
1908.

Hannover. Druck von Friedrich Culemann.

Bericht

über die

vierunddreissigste Jahresversammlung

der Zentraldirektion

der

Monumenta Germaniae historica.

Berlin 1908.

Die vierunddreissigste ordentliche Plenarversammlung der Zentraldirektion der Monumenta Germaniae historica vereinigte in den Tagen vom 9. bis 11. April 1908 mit Ausnahme des durch eine Badekur verhinderten Herrn Geh. Justizrats Brunner die sämtlichen Herren Mitglieder: Prof. Bresslau aus Strassburg, Geh. Regierungsrat Prof. Holder-Egger und Wirkl. Geh. Oberregierungsrat Koser von hier, Staatsarchivar Archivrat Krusch aus Osnabrück, Hofrat Prof. Luschin Ritter von Ebengreuth aus Graz, Prof. von Ottenthal und Prof. Redlich aus Wien, Geheimrat Prof. von Riezler aus München, Geheimrat Prof. Schäfer und Geh. Hofrat Prof. von Simson von hier, Geh. Hofrat Prof. Steinmeyer aus Erlangen, Prof. Tangl von hier, Prof. Werminghoff aus Königsberg i. Pr. und Prof. Zeumer von hier.

An neuen Veröffentlichungen liegen vor:

In der Abteilung Scriptores:

Scriptorum tomi XXXII. pars altera (enthaltend die Schlusshälfte, Appendices und die Register zu der Chronik des Minoriten Salimbene de Adam, herausgegeben von O. Holder-Egger).

In der Sammlung der Scriptores rerum Germanicarum:

Annales Marbacenses qui dicuntur. (Chronica Hohenburgensis cum continuatione et additamentis Neoburgensibus). Accedunt Annales Alsatici breviores. Recognovit Hermannus Bloch.

Vom Neuen Archiv der Gesellschaft für ältere deutsche Geschichtskunde unter der Redaktion von O. Holder-Egger:

Bd. XXXII, Heft 3 und Bd. XXXIII, Heft 1 und 2.

Im Druck befinden sich vier Quart- und zwei Oktavbände.

In der Serie der Scriptores rerum Merovingicarum hat Herr Staatsarchivar Archivrat Krusch in Osnabrück in Verbindung mit Herrn Privatdozenten Dr. Levison in Bonn den Druck des fünften Bandes vom 10. bis zum 31. Bogen gefördert. Für die Vorbereitung des weiteren Manuskriptes, in welchem u. a. die historisch sehr ausgiebigen Passionen des Bischofs Leudegar von Autun durch Herrn Krusch fertiggestellt sind, wurden Hss. aus Berlin, Boulogne, Colmar, Dijon, St. Gallen, Paris und Wien herangezogen; Auskunft über eine Hs. in Avita wird dem Kanonikus Herrn Sylvain Nesan daselbst gedankt. Die Aufstellungen des Herrn P. Vielhaber über das von ihm aufgefundene alte Salzburger Legendar und die älteste Passio Afrae sind von Herrn Krusch im Neuen Archiv XXXIII nachgeprüft worden.

Die wissenschaftliche Ausbeute einer im Herbst 1907 unternommenen Reise des Herrn Dr. Levison nach Italien ist den Scriptores rerum Merovingicarum durch einige wertvolle Kollationen, in erster Linie aber dem Liber pontificalis zugute gekommen. Auch bei diesem Anlass hat der Herr Präfekt der Biblioteca Apostolica Vaticana, P. Franz Ehrle, die Interessen der Monumenta Germaniae durch das unserm Mitarbeiter bewiesene Entgegenkommen in wirksamster Weise unterstützt. Neben ihm gilt der Dank des Herrn Dr. Levison für die Begünstigung seiner Forschungen in Rom dem Monsignore Mercati von der Vaticana, den Herren Prof. G. Buonanno von der Angelica, J. Giorgi von der Casanatense, A. Pelizzari von der Vallicellana, sowie ausserhalb Roms den Herren Direktor della Torre vom Museo Archeologico in Cividale, Commendatore Biagi von der Laurentiana in Florenz, Monsignore O. Parenti und Canonico Guidi in Lucca, Prof. F. Carta in Modena, Legranzi, Vater und Sohn, in Sandaniele, Don Spagnolo in Verona. Die Arbeiten in Rom wurden auch durch die überaus grosse Gefälligkeit des Bollandisten Herrn Albert Poncelet wesentlich gefördert, der das Register zu seinem in Vorbereitung befindlichen Katalog der lateinischen hagiographischen Hss. der Vaticana sowie die noch nicht veröffentlichten Teile des Katalogs der gleichen Hss. der andern römischen Bibliotheken Herrn Dr. Levison vor Beginn der italienischen Reise zur Einsichtnahme nach Bonn schickte. Ebendort wurde die Vergleichung weiterer Hss. aus Frankreich, darunter einer aus St.-Omer, bewirkt; die aussergewöhnlichen Erleichterungen, die dabei die Bibliothèque Nationale in Paris dank dem Entgegenkommen des Herrn H. Omont eintreten liess, verdient hier besondere Erwähnung. Einzelne Nachweisungen verdankt Herr Levison noch den Herren H. Lebègue in Paris, F. Schneider in Rom, Oberbibliothekar F. van der Haeghen in Gent und (in Bezug auf eine Hs. in Auxerre) Herrn cand. phil. J. Fasbinder in Brühl.

Dem in der Hauptserie der Abteilung Scriptores in diesem Augenblick zur Ausgabe gelangenden zweiten Halbbande des Tomus XXXII (mit dem Schluss der Chronik des Minoriten Salimbene de Adam, vier Appendices und den Registern) wird der Abteilungsleiter Herr Geheimrat Holder-Egger die Vorrede und den Titel später nachfolgen lassen. Nach völligem Abschluss des Bandes soll zunächst der Druck der noch ausstehenden zweiten Hälfte des XXX. Bandes beginnen. Inzwischen hat der ständige Mitarbeiter dieser Abteilung Herr Dr. Schmeidler im Neuen Archiv XXXIII, 1 die im vorigen Bericht in Aussicht gestellte Vorstudie für seine Ausgabe des Tholomeus von Lucca veröffentlicht; eine zweite Studie wird demnächst folgen.

Aus den vorangegangenen Jahresberichten erhellen die Gründe, welche die Leitung der Abteilung Scriptores fortgesetzt veranlassen, auf die Herstellung von Schulausgaben für die Serie der Scriptores rerum Germanicarum ihr besonderes Augenmerk zu richten. Im Anschluss an seine nunmehr erschienene Bearbeitung der Annales Marbacenses, mit einem Anhang kleinerer Elsässischer Annalen, hat Herr Prof. Bloch in Rostock einen umfangreichen Bericht über seine einschlägigen Untersuchungen als erstes Heft der Regesten der Bischöfe von Strassburg veröffentlicht. Eine neue Ausgabe der Annales Xantenses (790 bis 870) und Annales Vedastini (von St. Vaast zu Arras, 874—900) hat unser Mitglied Herr von Simson übernommen, für letztere zum Ersatze für die Ausgabe von C. Dehaines (Les annales de Saint-Bertin et de Saint-Vaast, Paris 1871), die alsbald nach ihrem Erscheinen durch G. Monod und G. Waitz als verfehlt erkannt worden war. Für den Helmold hat Herr Dr. Schmeidler die Vorrede und zum grössten Teil auch den Text im Manuskript eingeliefert. Auch die Bearbeitung der Chronik Ottos von Freising ist von Herrn Dr. Hofmeister im wesentlichen abgeschlossen worden; die Untersuchung der Randglossen aus dem 13. Jh. in der Jenaer Hs. hat auffallende Berührungen mit den Annalen Romualds von Salerno ergeben, die zu erklären noch eine eingehende Untersuchung erfordern wird. Ueber eine aus Niederaltaich stammende, 1870 in Strassburg verbrannte, Hs. der Chronik haben sich wichtige Angaben in einem Exemplar der Editio princeps gefunden, das sich heute als Eigentum des historischen Vereins für Mittelfranken auf der Regierungsbibliothek zu Ansbach befindet und von deren Vorsteher, Herrn Prof. Preger, freundlichst hierhergesandt wurde. Durch Auskunftserteilung verpflichteten den Bearbeiter der Direktor des British Museum in London, Sir Edward Maunde Thompson, die Herren Stiftsarchivare von Rein und von Admont, P. Anton Weis und P. Friedrich Fiedler, sowie Herr Dr. G. Leidinger in München. Die Arbeiten für die Ausgabe der Chronik des Cosmas von Prag erlitten eine Unterbrechung durch die dienstlichen Aufgaben, die an den Landesarchivar Herrn Dr. Bretholz in Brünn mit der Ueberführung des mährischen Landesarchives an eine neue Stätte und mit der Abfassung einer Geschichte des Archivs herantraten. Im Zusammenhang seiner Nachforschungen für die Annales Austriae wurde Herr Prof. Dr. Uhlirz in Graz auf eine der Geschichtsquellen von Kremsmünster geführt; ihre Unterstützung liehen ihm, zumal auch durch Zusendung von Hss., die Direktion der k. und k. Hofbibliothek in Wien, die hochwürdigsten Herren Aebte Leander Czerny von Kremsmünster und Stephan Rössler von Zwettl und die Herren Patres Benedikt Hammerl, Beda Lehner und Bernhard Pösinger. Der Druck des Liber certarum historiarum Johanns von Victring in der Ausgabe des Herrn Dr. Fedor Schneider ist infolge unvorhergesehener Hemmnisse nur bis zum achten Bogen vorgeschritten. Von der durch den Abteilungsleiter besorgten Ausgabe der Cronica Alberti de Bezanis sind noch der Schlussbogen des Textes, Vorwort und Register abzusetzen.

In der Serie der Deutschen Chroniken hat die für das Berichtsjahr in Aussicht genommene Drucklegung der Manuskripte des Herrn Prof. Seemüller in Wien (Vorrede und Register zu der Oesterreichischen Chronik von den 95 Herrschaften) und des Herrn Dr. Gebhardt in Erlangen (Gedicht von der Kreuzfahrt des Thüringer Landgrafen Ludwig III.) noch ausgesetzt bleiben müssen. Herr Dr. Hermann Michel in Berlin hat für die Sammlung der Historischen Lieder in deutscher Sprache aus der Zeit bis 1500 das durch seinen von dieser Aufgabe zurückgetretenen Vorgänger, Herrn Privatdozenten Dr. Heinrich Meyer in Göttingen, gesammelte weitschichtige Material durchgearbeitet, das aus den für das Archiv der Deutschen Kommission der Berliner Akademie seit einigen Jahren gesammelten Handschriftenbeschreibungen wertvolle Bereicherungen erhält. Die Bearbeitung der historischen Gedichte Suchenwirts wird auf der Grundlage der von dem verstorbenen Prof. Dr. Kratochwil hinterlassenen Kollektaneen, deren Ankauf durch die Zentraldirektion in dem Berichte von 1906 ewähnt wurde, Herr Dr. Johannes Lochner übernehmen, wie Herr Dr. Michel uns durch beider Lehrer, Herrn Geh. Regierungsrat Prof. Dr. Roethe, empfohlen.

Innerhalb der Abteilung Leges hat Herr Geheimrat Brunner die Neubearbeitung der Lex Anglorum et Werinorum mit Herrn Dr. Freiherrn von Schwerin, Privatdozenten an der Universität München, verabredet. Im Neuen Archiv lässt zur Zeit Herr Prof. von Schwind in Wien eine weitere kritische Studie über die Lex Baiuvariorum drucken. Herr Prof. Dr. Seckel hat die Untersuchung der Quellen von Buch 2 und 3 des Benedictus Levita dem Abschluss entgegengeführt und wird darüber im Neuen Archiv berichten; im Verfolg seiner im Herbst v. J. in Rom für den Benedictus angestellten Handschriftenforschungen hat er von mehreren hundert Blättern der beiden wichtigsten römischen Codices, des Vaticanus 4982 und des Palatinus 583, photographische Reproduktionen herstellen lassen. Die Ankündigung einer Untersuchung von Jusselin über die tironischen Noten in den Merowingerdiplomen hat dem Bearbeiter der fränkischen Placita, Herrn Prof. Dr. Tangl, Veranlassung gegeben, die Drucklegung seiner Ausgabe noch zurückzustellen. Nachdem die inzwischen in der Bibliothèque de l'école des chartes erschienene Arbeit jetzt in ihren Ergebnissen von Herrn Tangl geprüft worden ist, kann der Druck der Placita beginnen. Die dem Bearbeiter durch Herrn Privatdozenten Dr. Rauch geleistete Unterstützung erstreckte sich vornehmlich auf eine gesonderte Behandlung der bayrischen Gruppen; durch Hinweise auf ganz entlegene Drucke förderte die Arbeit Herr Prof. Dr. Wilhelm Sickel in Strassburg.

Unter Leitung des Herrn Prof. Zeumer wurden in derselben Abteilung die Arbeiten für die Lex Salica, die Concilia und die Constitutiones fortgesetzt, für die Tractatus de iure imperii saec. XIII. et XIV. selecti begonnen. Herr Dr. Krammer hat die Untersuchung des gegenseitigen Verhältnisses der einzelnen Hss. der Lex Salica innerhalb der Handschriftengruppen durchgeführt und die Konstituierung des Textes der von ihm mit A bezeichneten Klasse (sonst III, in der statt der bisher immer zugrunde gelegten Hs. von Montpellier H 136 die Pariser Lat. 4627 sich als die beste erwiesen hat) soweit gefördert, dass mit dem Druck im laufenden Jahre begonnen werden kann. Die bereits weit vorgeschrittene Drucklegung des zweiten Bandes der fränkischen Concilia hat infolge der Uebersiedelung des Herrn Prof. Dr. Werminghoff nach Königsberg eine Verzögerung erlitten, da der Herausgeber den Index verborum noch nicht abschliessen konnte. Herr Dr. Schwalm hat auf zwei Forschungsreisen das Material für die Constitutiones in süd- und westdeutschen sowie in zahlreichen italienischen Archiven ergänzt. Der Druck des zweiten Halbbandes von Tomus IV ist trotz der Unterbrechung durch diese Reisen schnell bis zum Bogen 161 vorgerückt; unter den bisher ungedruckten Stücken dieses Halbbandes verdient besonders hervorgehoben zu werden die von Herrn Prof. Dr. Redlich vor einigen Jahren aufgefundene Abrechnung des Burggrafen von Rheinfelden über die Verwaltung der Burg in den Jahren 1304 bis 1306, die Herr Dr. Franz Wilhelm bearbeitet hat. Die Drucklegung der Akten Friedrichs des Schönen und Ludwigs des Bayern wird nach dem Stande der Arbeiten des Herrn Dr. Schwalm dem Abschluss des vierten Bandes unmittelbar folgen können. Für diese Regierungen werden die Bände V, VI und VII der Sammlung offen gelassen, während der voraussichtlich noch im laufenden Jahre in Druck zu gebende, von dem Leiter der Abteilung bearbeitete Bd. VIII mit etwa drei weiteren Bänden für die Zeit Karls IV. bestimmt ist. Als eine Vorarbeit für seine Ausgabe der Akten dieses Herrschers hat Herr Zeumer sein Buch 'Die goldene Bulle Kaiser Karls IV.' (Quellen und Studien zur Verfassungsgeschichte des Deutschen Reichs im Mittelalter und Neuzeit, Bd. II) veröffentlicht. Sein Mitarbeiter Herr Dr. Salomon besuchte im März d. J. die Staatsarchive zu Darmstadt (für die Konzeptensammlung des Rudolf Losse), Coblenz, Düsseldorf und (zumal behufs Durchsicht der grossen Kindlingerschen Abschriftensammlung) Münster, sowie in Trier das Stadtarchiv und die Stadtbibliothek, auf der das sogenannte Balduineum Kesselstadense ausgebeutet wurde. Weiter haben Herr Dr. Salomon und bis Ende Dezember 1907, d. h. bis zum Ablauf seines ihm von der Staatsarchivverwaltung erteilten Urlaubs, auch Herr Dr.

Lüdicke zahlreiche von auswärtigen Archiven an das hiesige Geheime Staatsarchiv leihweise übersandte Stücke, darunter die beiden nichtillustrierten Codices Balduinei des Coblenzer Staatsarchivs und Urkunden aus dem Dortmunder Stadtarchiv, hier am Orte bearbeitet. Im Zusammenhange dieser Arbeiten entstanden die beiden im Band XXXIII des Neuen Archivs veröffentlichten wertvollen Untersuchungen: R. Lüdicke, Die Sammelprivilegien Karls IV. für die Erzbischöfe von Trier; R. Salomon, Rechnungs- und Reisetagebuch vom Hofe Erzbischof Boemunds II. von Trier 1354—1357. Seine für die Vervollständigung des Materials für die Constitutiones so erfolgreichen Nachforschungen in Rom hat Herr Dr. Kern im Berichtsjahre eine Zeit lang noch fortgesetzt; andere Ergänzungen übermittelte er uns demnächst aus dem Towerarchiv zu London und aus Oxford.

Aus der Zahl der politischen Traktate des 13. und 14. Jh. wird als erster demnächst die 'Determinatio compendiosa de iurisdictione imperii' in den Fontes iuris Germanici erscheinen, die nach der Annahme ihres Bearbeiters, des Herrn Dr. Krammer, nicht nach 1298 entstanden sein dürfte. Die Ausgabe des Marsilius von Padua hat Herr Prof. Dr. Otto in Hadamar übernommen, nachdem er durch das Königlich Preussische Unterrichtsministerium auf die Bitte der Zentraldirektion zeitweilig von einem Teil seiner Schultätigkeit entlastet worden ist. Zur Bearbeitung der durch den vorjährigen Beschluss in das Programm der Fontes iuris Germanici aufgenommenen Sammlung der Hof- und Dienstrechte des 11. bis 13. Jh. ist auf Empfehlung des Herrn Prof. Dr. Dopsch in Wien, der selber diese Edition nicht auf sich nehmen konnte, Herr Dr. Ferdinand Bilger in Heidelberg gewonnen worden.

Als Vorarbeit für die Ausgabe der Urkunden Ludwigs des Frommen und seiner Nachfolger veröffentlichte der Leiter der Abteilung Diplomata Karolinorum, Herr Prof. Tangl, im ersten Heft des 'Archivs für Urkundenforschung' die im Vorjahre angekündigte zusammenfassende Behandlung der tironischen Noten in den Karolingerurkunden. Auch die dort sich anschliessende Untersuchung von Herrn Prof. Bresslau über die Bedeutung des 'ambasciare' bezeichnet in ihren Ergebnissen eine wesentliche Förderung der der Urkundenkritik für diese Periode gestellten Aufgaben. Die vergleichende Kritik der Urkunden Ludwigs des Frommen führte, von der Immunität für Halberstadt ausgehend, zu einer zusammenfassenden Bearbeitung der älteren Königsurkunden für die sächsischen Bistümer. Es ergab sich, dass die Halberstädter Fälschungen in den sechziger Jahren des 10. Jh. entstanden sind, und zwar in Anlehnung an die Gründungsurkunden für Brandenburg und Havelberg. Für die Bearbeitung der Osnabrücker Gruppe gestattete der Hochwürdigste Herr Bischof Dr. Hubert Voss mit grösster Zuvorkommenheit die Einsichtnahme in die Diplome des bischöflichen Archivs. Gemeinsam mit seinem Mitarbeiter Herrn Archivassistenten Dr. Müller unterzog Herr Prof. Tangl die Urkunden Ludwigs einer systematischen Schrift- und Diktatvergleichung, unter besonderer Heranziehung der Formulae imperiales, dieser für Kaiserurkunden einzigen Formelsammlung der Karolingerzeit. Von der jetzt hinter ihm liegenden Editionsarbeit für den Nithard, bei der er in unserer einzigen Nithardhs. zu St.-Médard bei Soissons jene Interpolation festgestellt hatte, gelangte Herr Dr. Müller zu einer Prüfung der gesamten Literatur dieses Klosters bis ins 13. Jh. hinein; bei Vergleichung mit den älteren Urkunden des Klosters vermochte er ein Ineinandergreifen von Urkunden- und Legendenfälschungen nachzuweisen und damit ein für die Diplome des 9. Jh. unmittelbar in Betracht kommendes kritisches Ergebnis zu gewinnen.

Der Druck der Urkunden Konrads II. ist im vierten Bande der Diplomata regum et imperatorum Germaniae dank der Mühewaltung des Herrn Prof. Bresslau in Strassburg und seiner Mitarbeiter, der Herren Dr. Hessel und Dr. Wibel, mit dem 52. Bogen vollendet. Noch abzusetzen sind eine Anzahl von Nachträgen zu den im dritten Bande veröffentlichten Diplomen Heinrichs II., die Exkurse und die im Zettelapparat fertiggestellten Register. Für einen Exkurs über die vielbesprochene Frage der Reinhardsbrunner Fälschungen, in der Herr Dr. Wibel doch noch bestimmtere Ergebnisse als bisher vorlagen zu erzielen hofft, hat die Herzogliche Archivverwaltung in Gotha durch Uebersendung einer sehr grossen Anzahl von Urkunden des 12. Jh. die Arbeit erheblich erleichtert. Neben ihrer Betätigung für die Fertigstellung des vierten Bandes hat die Strassburger Abteilung die Vorbereitung des fünften Bandes so weit gefördert, dass der Druck in absehbarer Zeit beginnen kann; die Erledigung der bis zuletzt ausgesetzten Goslarer Urkunden ermöglichte sich durch deren von dem Magistrat zu Goslar nunmehr genehmigte Uebersendung nach Strassburg.

Der Leiter der Wiener Abteilung der Diplomata, Herr Prof. Dr. von Ottenthal, widmete seine Arbeit unter Beihilfe des Herrn Dr. Samanek vornehmlich denjenigen norddeutschen Urkundengruppen der staufischen Periode, deren Originale mit Lothar III. einsetzen; nur eine verhältnismässig kleine Nachlese sollte für die Urkunden, die von der Versendung nach Wien ausgeschlossen blieben, an den einzelnen Aufbewahrungsstätten noch bewirkt werden. Herr Dr. Hirsch hat im Anschluss an die Durcharbeitung der süddeutschen Empfängergruppen zwei grössere Abhandlungen ('Studien über die Privilegien süddeutscher Klöster des 11. und 12. Jh.' und 'Die Urkundenfälschungen des Klosters Prüfening') in den Mitteilungen des Instituts für Oesterreichische Geschichtsforschung veröffentlicht und sich sodann den literarischen und photographischen Sammelarbeiten und sonstigen Vorbereitungen für die im März d. J. von ihm angetretene Forschungsreise nach Italien zugewandt; hier werden die Archive und Bibliotheken von mehr als 30 Städten für die Erledigung von 45 verschiedenen Urkundengruppen zu besuchen sein. Durch diese Vorarbeiten hat der bibliographische Apparat, um dessen weitere Ausgestaltung auch Herr Dr. Samanek unausgesetzt bemüht gewesen ist, eine ansehnliche Vermehrung erfahren. Für die Zusendung von Originalen erstattet Herr Prof. von Ottenthal seinen Dank dem Königlich Preussischen Staatsarchiv zu Magdeburg, dem Königlich Sächsischen Hauptstaatsarchiv zu Dresden, der Universitätsbibliothek zu Göttingen und den Magistraten der Städte Duisburg und Quedlinburg; mit freundlichen Einzelbeiträgen unterstützten ihn die Herren Prof. Dr. Bresslau und Dr. Salomon.

Die Abteilung Epistolae konnte den für das vergangene Jahr angekündigten Druck der Briefe des Papstes Nikolaus I. noch nicht beginnen lassen, weil sich dem Bearbeiter, Herrn Dr. Perels, die Notwendigkeit ergab, für gewisse Abschnitte neue Kollationen aus Rom und Paris zu beschaffen. Versuche des Herrn Abteilungsleiters Prof. Werminghoff, für die Bearbeitung kleinerer Briefgruppen geeignete Kräfte zu gewinnen, führten wenigstens in einem Falle zu einem Ergebnis, indem Herr Gymnasialdirektor Dr. W. Henze in Berlin für die Briefe Kaiser Ludwigs II. sich zur Verfügung gestellt hat.

In der Abteilung Antiquitates hat Herr Prof. Dr. Strecker hierselbst die von ihm übernommenen Arbeiten für die Fortsetzung der Serie Poetae Latini begonnen. Da unter den nachgelassenen Papieren P. von Winterfelds und L. Traubes Aufzeichnungen, die dem Fortsetzer als Anhaltspunkte dienen könnten, nicht vorhanden waren, so bestand die Aufgabe zunächst darin, einen Ueberblick über den dem nächsten Halbband der karolingischen Dichtungen zuzuweisenden Stoff aufzustellen. Daran schloss sich die Bearbeitung zweier Hss. mit Rhythmen, einer Brüsseler und einer Leidener. Für die Ausgabe der Sequenzen hat Herr Bibliothekar Dr. Werner in Zürich nach Rückkehr von seiner ertragreichen Pariser Reise die Herstellung der Texte, soweit es seine angestrengte Tätigkeit gestattete, fortgesetzt. Herr Prof. Dr. Ehwald in Gotha hat das Manuskript seiner Ausgabe des Aldhelm von Sherborne zum grossen Teil druckreif hergestellt, gedenkt aber mit dem Druck erst nach Abschluss der ganzen Arbeit zu beginnen. Die Edition der Nekrologien des östlichen Teils der alten Diözese Passau, d. h. der Wiener Erzdiözese und der Diözese St. Pölten, hat an Stelle des Erzbischöflichen Bibliothekars Herrn Dr. Fastlinger, der von diesem Teil der Aufgabe aus Gesundheitsrücksichten zurücktreten musste, Herr Pfarrer Dr. Adalbert Fuchs O. S. B. zu Brunnkirchen in Niederösterreich mit vollem Einsatz seiner Arbeitskraft in Angriff genommen. Bereits ist ein erheblicher Teil des Materials nicht nur zusammengebracht, sondern auch textkritisch durchgearbeitet worden. Inzwischen hat Herr Dr. Fastlinger für den bayrischen Teil der Passauer Diözese, für den er dankenswerterweise die begonnene Arbeit zu Ende zu führen sich bereit erklärt hat, das Engelszeller Nekrologium, ein bis in das 12. Jh. zurückreichendes Garstener Totenbuch und das schon von Erben bearbeitete kalendarische Nekrologium von Matsee erledigt und in den Stiftern St. Florian und Kremsmünster einen reichen Schatz an nekrologischen Fragmenten gehoben; den Beginn des Druckes kündet er für das Ende dieses Jahres an. Wesentlich beschleunigt wurde der Fortgang seiner Arbeit durch die bereitwillige und verständnisvolle Unterstützung, die Herr Dr. Fastlinger bei den Herren Diözesanarchivar Prof. Dr. Konrad Schiffmann in Linz, Bibliothekar Dr. Justinus Wöhrer im Stift Wilhering und Stiftsbibliothekaren Prof. Dr. Franz Asenstorfer in St. Florian und P. Beda Lehner in Kremsmünster gefunden hat.

Wie den vorstehend bereits genannten wissenschaftlichen Anstalten und einzelnen Gelehrten weiss sich die

Zentraldirektion für die Förderung ihrer Aufgaben auch im abgelaufenen Geschäftsjahre dem Königlich Preussischen Historischen Institut zu Rom und den Herren Beamten der Handschriftenabteilung und des Zeitschriftenzimmers der Berliner Königlichen Bibliothek zu lebhaftem Dank verpflichtet.

Unser Mitglied Herr Werminghoff hat, indem er zu Beginn des letzten Wintersemesters als ordentlicher Professor einem Rufe nach Königsberg folgte, die ständige Mitarbeiterschaft an den Monumenta Germaniae aufgeben müssen, wird aber die Leitung der in der Abteilung Epistolae zur Zeit im Gange befindlichen Arbeiten bis auf weiteres beibehalten. Anlässlich dieser Veränderung hat mit dem neuen Etatsjahr das Reichsamt des Innern für die Förderung unserer Aufgaben die Mittel zur Remunerierung zweier ständiger Assistenten bereitgestellt. In die beiden neuen Stellungen treten ein der älteste unserer hiesigen Mitarbeiter, Herr Dr. Mario Krammer, dem wie bisher die für die Abteilung Leges übernommenen Arbeiten obliegen, und der Privatdozent an der Berliner Universität Herr Dr. Erich Caspar, der seine Tätigkeit für die Monumenta, und zwar für die Abteilung Epistolae, im Herbst d. J. beginnen wird. Dank der Fürsorge des Herrn Staatssekretärs des Innern ist ferner die jährliche Dotation der Monumenta Germaniae durch das Reichshaushaltsgesetz von 1908 um den Betrag von 5000 Mark erhöht worden.

II.

Die Entstehung und Ueberlieferung der Annales Fuldenses.

II.

Von

Siegmund Hellmann.

III.

Bisher hat sich unsere Untersuchung ausschliesslich mit der ersten, bis 887 reichenden Fassung der Annalen beschäftigt, die durch die Hss. der Klasse A repräsentiert wird. Neben sie tritt mit dem Jahre 882 die zweite, durch B vertretene. Unterscheidet sich bis dahin B von A nur durch einzelne Lesarten und ausserdem durch Zusätze zu den Jahren 863, 864 und 865, die uns noch beschäftigen werden, so setzt nunmehr nach Sprache und Tendenz ein völlig neuer Text ein. An Stelle des geglätteten Latein der Annalen, das die besten Traditionen der karolingischen Periode hochhält, tritt eine Verwilderung, die uns wieder daran erinnert, dass die Reformbestrebungen des grossen Kaisers doch nicht in allen Teilen seines Reiches gleichmässig durchgedrungen waren, und während in der in A überlieferten Fassung (I) Karl III. auf das schärfste angegriffen wird, ersteht ihm in II (B)[1] ein Verteidiger und Lobredner. Nach dem Sturze des Kaisers tritt dieser sofort auf die Seite seines Nachfolgers, und die ganze Regierungszeit Arnulfs wird in ähnlich apologetischer Weise behandelt. Wie weit dann die Annalen noch weiter fortgeführt wurden, ist fraglich. Unsere Hss. differieren in Bezug auf den Schluss des Werkes[2]; diejenigen von ihnen, die am weitesten reichen, berichten zum Jahre 901 noch den Friedensschluss mit den Mährern, die Verwüstung des östlichen Kärnthen durch die Ungarn und schliessen mit der Nachricht, dass Ludwig das Kind durch Schwaben nach Franken zog, um dort Ostern zu feiern. Allerdings lässt Adam von Bremen die Annalen, die er wiederholt zitiert, erst beim Tode Ludwigs des Kindes endigen[3], freilich ohne gerade in diesem lezten Teile

1) Die Bezeichnungen I und II für die beiden Rezensionen wurden gewählt, um nicht Verwechselungen mit A und B aufkommen zu lassen. Denn diese bezeichnen nur Handschriftengruppen, Etappen der Ueberlieferung, nicht Rezensionen oder deren Verfasser, und II ist zwar mit B identisch, nicht aber I mit A; vielmehr deckt sich I mit *Ω*, also dem ursprünglichen Verfasser der Annalen. 2) Vgl. unten. 3) I, 54: 'in isto Ludvico vetus Karoli finitur prosapia. Hactenus etiam Francorum

noch aus ihrem Texte Anführungen zu bringen. Allein da sich bei keinem anderen der zahlreichen späteren Benutzer des Werkes[1] eine Spur davon findet, dass es wirklich soweit gereicht hätte, ist der Wert seiner Angabe mit Recht in Zweifel gezogen worden[2]. Indessen sind wir trotzdem nicht genötigt, das Ende der Annalen auch wirklich da anzusetzen, wo unsere Hss. abbrechen; vielleicht sind wir doch imstande, sie wenigstens noch ein Stück weit darüber hinaus zu verfolgen, und zwar mit Hülfe des Chronicon Suevicum universale, das die Annales Fuldenses gekannt und benutzt hat. Wir besitzen dieses Werk nicht mehr selbst, sondern können nur noch seine Benutzung bei Späteren nachweisen: in der sogenannten Epitome Sangallensis, die zuerst Sichard bekannt gemacht und neuerdings erst Bresslau wieder herausgegeben hat, bei Hermann von Reichenau, und endlich in einer teilweise auf Hermann und Berthold beruhenden Kompilation[3]. Die letzte Nachricht, die man in diesen Quellen auf die Annales Fuldenses zurückzuführen pflegt, so weit wir sie besitzen, ist die von der grossen Niederlage der Ungarn, die sie durch Markgraf Liutpold im Jahre 900 erlitten. Dann beginnen Nachrichten über schwäbische und fränkische Angelegenheiten und die Sukzession der Päpste; die bayrisch-mährisch-ungarischen Dinge jedoch werden völlig übergangen, ganz im Gegensatz zu früher, wo sie im Anschluss an die Ann. Fuld. ausführlich behandelt worden waren, und erst 907 finden wir wieder eine Notiz über einen Zusammenstoss zwischen Bayern und Ungarn. Dazwischen aber liegt ein kurzes Stück, das die Vorgänge im Osten behandelt.

901 Ungarii Carentaniam invadunt et in sabbato commissa pugna occiduntur[4]. Eodem anno Moymarius dux Marahensis et Isanricus Noricus comes, qui ad ipsum transfugerat, cum Ludovico rege pacificati sunt.

902 Ungarii Marahenses petunt pugnaque victi terga verterunt[5].

---

tendit hystoria'. — Die Stellen, an denen Adam die Annalen benutzt hat, sind aufgezählt in der Schulausgabe S. III, Anm. 5 und 6. 1) Ueber sie vgl. Abschnitt IV. 2) Von Wattenbach in der 2. Auflage der Uebersetzung, Geschichtschreiber XXIII, S. XIII. 3) Vgl. H. Bresslau in dieser Zeitschrift II (1877), 566 ff. und später besonders XXVII (1902), 127 ff. 133 ff. 160 ff. 4) So in der durch die Göttweiher Hs. und Sichards Ausgabe vertretenen Kompilation. Bei Hermann lautet die Stelle: 'Ungarii Carentanum petentes commissa pugna victi caesique fugerunt'. 5) 'Eodem anno Moimarius et Isanrichus cum rege pacificantur . . . . . Ungarii a Maruis occiduntur' die Epitome, MG. SS.

Ich möchte nicht behaupten, dass dieses Fragment vollständig den Ann. Fuldenses zuzuschreiben sei, wenngleich wenigstens die Nachricht von einem Vorstoss der Ungarn gegen Kärnthen in ihrem Jahresbericht 901 wiederkehrt. Wohl aber wird aus ihnen die Nachricht über die Unterwerfung Isanrichs stammen, denn sie sind die einzige Quelle, die 899 seinen Abfall und seine Flucht zu den Mährern meldet.

Die Erklärung des Verhältnisses der beiden Rezensionen entnahm die Forschung bisher mit Vorliebe der Anschauung von einer offiziösen Geschichtschreibung: das Jahr 882 und das Ableben Ludwigs des Jüngeren sollte einen Wendepunkt in der Geschichte der fuldisch-mainzischen Annalistik bedeuten. Wie Liutward von Vercelli in dem Amte des Erzkaplans an die Stelle der Mainzer Erzbischöfe trat, so wäre auch der Auftrag zur Aufzeichnung der Reichsgeschichte in andere Hände übergegangen. Zwar habe man in Mainz eine Abschrift der Annalen zurückbehalten, aber das Original habe abgegeben werden müssen, und an dieses oder vielmehr an eine erneute Abschrift[1] habe sich in Bayern eine Karl dem Dicken günstige Darstellung angeschlossen, während dem Mainzer Annalisten nichts übrig geblieben sei, als seinem Groll über die Veränderung der Lage in einer scharf gegen den Hof sich richtenden Fortsetzung Luft zu schaffen.

Wir wissen bereits, dass die Voraussetzungen, von welchen diese Anschauung ausgeht, nicht haltbar sind; viel eher könnte man sich noch der Ansicht zuneigen, dass eine verstümmelte, nur bis in den Anfang des Jahres 882 reichende Hss. im Südosten des Reiches eine Fortsetzung erhalten habe[2]. Indessen, wenn die Wissenschaft im allgemeinen dazu neigt, der einfachsten Lösung eines Problems die grössere Wahrscheinlichkeit zuzusprechen, so wird man diesmal doch versuchen dürfen, die Schwierigkeiten auf einem anderen Wege zu beseitigen, der zwar weiter ausbiegt, aber bestimmter ans Ziel zu führen verspricht.

Die letzten Nachrichten, welche I und II in voller wörtlicher Uebereinstimmung geben, sind der Tod Ludwigs des Jüngeren, der Vorstoss der Normannen bis Coblenz, die Neubefestigung von Mainz. Dann treten die beiden

---

XIII, 66. Es ist irreführend, wenn Bresslau sie Chronicon Suevicum universale überschreibt, da sie nach seiner eigenen Ansicht nur ein Auszug aus diesem grösseren Werke ist. 1) Vgl. Kurze, Abhandlung S. 95 f. 2) So Wibel S. 264. 266.

Rezensionen auseinander: I berichtet die Einäscherung von Trier und die Niederlage des Bischofs Wala von Metz durch die Normannen, II spricht nur im allgemeinen von ihren Verheerungen und ihrem Rückzug in das befestige Lager von Elsloo. Gleich darauf aber zeigt sich wieder in den Worten, mit welchen II den Abzug Karls III. aus Italien ins fränkische Reich erzählt, zwar nicht wörtliche Uebereinstimmung mit I, aber doch unverkennbare Anlehnung[1]. Reichte aber das Exemplar, das II benutzte, weiter als die wörtliche Uebereinstimmung am Anfang verbürgt, so kann es ebensogut auch vollständig gewesen sein, und ging II an einer Stelle so frei mit seinem Texte um, so kann er das auch mit seiner ganzen Vorlage getan haben. Dann sind wir also nicht mehr genötigt, die Existenz einer zweiten Version neben der ersten mit der Verstümmelung einer Handschrift zu erklären, sondern es erhebt sich die neue Möglichkeit, dass II die Annalen zwar in ihrem vollen Umfange bis 887 vor sich gehabt hätte, wie auch wir sie aus der Hs. 2 kennen, dass er aber mit voller Absicht von ihrer Darstellung abgewichen wäre. Die entgegengesetzte Tendenz der beiden Berichte würde uns auch einen Schlüssel für die Lösung dieses Geheimnisses geben: II hätte auf den gemeinsamen Grundstock der Annalen einen neuen Bericht gesetzt, um den leidenschaftlichen Angriffen auf den toten Kaiser, die er vorfand, eine Apologie gegenüberzustellen, die dem Einflusse des ersten Annalisten bei dem Urteil der Nachwelt entgegenarbeiten und das Andenken des Toten retten sollte.

Die Unterschiede, welche sich zwischen den beiden Berichten der Annales Fuldenses und der übrigen zeitgenössischen Geschichtschreibung ergeben, bestätigen diese Vermutung.

Wie man weiss, fliessen uns die Quellen für die Geschichte des letzten echten Karolingers nicht sehr reichlich. Von den Annalenwerken, welche wir für jene Periode zu Rate zu ziehen gewohnt sind, bricht das eine, die Xantener Annalen, lange vor seiner Zeit ab, ein anderes, die Bertinianischen, behandelt nur, und zwar auch nur kurz, Karls Regierungsantritt und seine erste Unternehmung gegen die Normannen, um dann gleichfalls zu schliessen; auch die Fortsetzung, die Notker dem Breviarium Erchanberti gab, reicht nur an den Beginn von Karls Regierung heran. Endlich gehen die Annales Vedastini zwar ein beträcht-

1) Vgl. das Kleingedruckte bei Kurze S. 107.

liches Stück über sein Ende hinaus, allein sie haben vor allem westfränkische Angelegenheiten im Auge und sind fast völlig absorbiert von der Normannennot, die ihrer reichen und eindrucksvollen Darstellung eine düstere Färbung verleiht. So ist auch Reginos Bericht vor allem den nordischen Feinden und ihrer Abwehr gewidmet, und erst bei Karls Absetzung und Tod erweitern sich seine knappen Notizen zu grösserer Ausführlichkeit. Von allen diesen Darstellungen heben sich scharf die beiden Berichte der Annales Fuldenses ab. Wie die Bertinianischen Annalen, wie die älteren Teile der Annales Fuldenses bis 882 geben sie Reichsgeschichte im entschiedensten Sinne des Wortes, der Kaiser und sein Hof stehen im Mittelpunkte ihrer Darstellung. Gemeinsamkeit zeigen sie auch in der Auswahl des Stoffes, denn bestimmte Nachrichten treffen wir nur in ihnen an. Zwar findet nicht jede Notiz in I ihr Aequivalent auch in II, und während dort die Normannenkämpfe die Darstellung stark in Anspruch nehmen, treten hier die Nachrichten aus dem bayrisch-mährischen Interessenkreis so stark hervor, dass man übereingekommen ist, den Verfasser im Südosten des Reiches zu suchen. Aber die Vorgänge in Italien, die Veränderungen, die sich mit dem päpstlichen Stuhle ergeben, berühren von allen cisalpinen Quellen die Annales Fuldenses allein, und nichts ist bezeichnender, als dass sich in ihren beiden Rezensionen ausführliche, bis ins Kleinste gehende Schilderungen des Zuges gegen Elsloo finden, deren Umfang völlig aus dem Rahmen heraustritt, der sonst der Darstellung gespannt ist, während die übrigen Quellen das Ereignis nur kurz und in wenigen Sätzen behandeln. Und endlich ist den zwei Berichten gemeinsam gegenüber allen anderen Quellen zwar nicht die Tendenz, denn diese ist in beiden gerade die entgegengesetzte, wohl aber die scharfe Hervorkehrung einer Tendenz in Ansehung der Persönlichkeit Karls III. überhaupt. Wir finden seine Regierungshandlungen auch anderwärts meist verurteilt, seine persönlichen Eigenschaften, die ihn wie sein trauriges Ende dem kirchlichen Fühlen der Schriftsteller empfahlen, rühmend hervorgehoben. Aber nirgends wieder treten sich Hass und Hingabe so lebendig entgegen, nirgends wieder äussert sich auf der einen Seite der Unwille und die zornige Entrüstung so stark, späht man auf der anderen Seite so ängstlich nach Mitteln, mit denen sich die Blössen des kaiserlichen Regimentes verdecken lassen, wie in den Annales Fuldenses, die ihr Parteieifer selbst das Wunder verwenden lässt[1]. Unter gewöhnlichen Verhältnissen würde eine solche Uebereinstimmung vielleicht nicht viel zu besagen haben; erhebt sich aber ein solcher Doppelbericht auf gemeinsamer Unterlage, zeigt die eine Darstellung wenigstens am Beginne Spuren einer Benutzung der anderen, so mögen wir zuversichtlich behaupten, dass sie sie in ihrem vollen Umfange kannte, und bewusst und in bestimmter Tendenz von ihr abwich.

Wir werden erwarten dürfen, die Spuren einer solchen Auseinandersetzung zwischen den beiden Verfassern bei einer Vergleichung ihrer Texte wiederzufinden.

Beide Rezensionen beginnen ihre Darstellung der Regierungszeit Karls mit einem Berichte über die Expedition gegen Elsloo, dessen Ausführlichkeit in I wie in II vorhin mit zu den Momenten gerechnet wurde, die ihre Verwandtschaft dartun. Man kennt die Vorwürfe, welche die Entrüstung über diese in der ostfränkischen Geschichte bisher unerhörte Schmach den ersten Verfasser gegen den Kaiser und seinen Ratgeber Liutward von Vercelli schleudern lässt: ein elender Friede, der durch die Bestechlichkeit Liutwards herbeigeführt wird und bei dessen Abschluss Karl sich übertölpeln lässt[2], treuloser Ueberfall von Seite der Normannen, der mit der Taufe und Belehnung Gottfrieds belohnt wird, Plünderung der Kirchen zur Befriedigung der finanziellen Forderungen der Normannen, strenge Bestrafung der Franken, die einen von ihnen in der Gegenwehr töten, das sind die Züge, mit denen I sein Bild malt[3]. Sie sind in II teils unterdrückt, teils charakteristisch gefärbt. Der Kaiser erscheint als das Opfer widriger Zufälle und höherer Mächte. Verrat ist auch hier im Spiele, aber er geht nicht von Liutward aus, der an dem Verfasser auch später noch

1) Vgl. in I das plötzliche Ende von Liutwards Neffen, dem der Onkel eine aus dem Kloster geraubte Nonne zur Frau gibt, und die Vision, durch die es bekannt wird (887), in II die Schilderung des Leichenbegängnisses Karls. 2) 'Gotafridum .... more Achabico quasi amicum suscepit', wohl mit Beziehung auf 3. Reg. 20, 4: 'responditque rex Israel: iuxta verbum tuum, domine mi rex, tuus sum ego et omnia mea'. 3) Die Beute der Normannen ist so gross, dass sie 'CC naves onustas' nach Hause schicken können. CC darf hier nicht wörtlich übersetzt werden; es ist vielmehr = 'sexcenti', ebenso wie beispielsweise Ann. regni Franc. 810, 815. Der Gebrauch des Wortes in dieser Bedeutung scheint besonders aus der römischen Dichtung zu stammen, vgl. E. Wölfflin im Archiv für lateinische Lexikographie IX (1896), 1882. — In den Ann. Bertiniani erscheinen, wohl in ähnlicher Bedeutung, Ausdrücke wie 'ducenti et eo amplius', 'plus quam ducenti' u. s. w.; vgl. 861, 862.

einen Anwalt findet, sondern eine fränkische Abteilung, die dem Heere vorausgeschickt wird und die Normannen überfallen soll, vermag ihren Auftrag nicht auszuführen, weil die Bestechlichkeit in ihren Reihen einen Boden findet. Dann erschreckt ein gewaltiges Gewitter das fränkische Heer und bringt es in Unordnung, und wenn für I der Friedensschluss doppelt unbegreiflich ist, weil die Normannen, auf's äusserste bedrängt, stündlich den Sturm erwarten müssen und den sicheren Tod vor Augen haben ('cumque iam expugnanda esset munitio et hi, qui intus erant, timore perculsi mortem se evadere posse desperassent'), so erscheint in II diese Lösung als ganz natürlich: die Länge der Belagerung — tatsächlich gibt dieselbe Quelle ihre Dauer im selben Atem auf zwölf Tage an —, noch dazu im Sommer, die Ausdünstung der Leichen, das Beisammensein so grosser Menschenmassen bringt Krankheiten bei den Belagerern zum Ausbruch, und der Verfasser versäumt nicht, durch stilistische Mittel, die Häufung von Demonstrativen und die Anwendung des Hyperbaton, die Furchtbarkeit dieser Momente und damit die Erklärlichkeit der friedlichen Lösung besonders hervorzuheben: 'igitur per tot dies obsidens tam magnus exercitus, aestivo in tempore . . . . . aegritudine correptus ac pertaesus est'. Etwaiger Zweifel wird mit dem Hinweis zurechtgewiesen: 'nec minus inclusi simili molestia premebantur'. Die Verhandlungen mit den Normannen, die nun berichtet werden, lesen sich wie ein Erfolg Karls. Zwar wird über die Frage, von wem die Initiative ausging, vorsichtig hinweggeglitten: 'consultum est ex utraque parte'; aber nachdem von fränkischer Seite Geiseln gestellt sind, kommt der Normannenführer Gottfried[1], obwohl militärisch noch immer der stärkere ('qui manu validior erat'), aus seinem Lager heraus und dem Kaiser eine bedeutende Strecke ('supra sex miliaria') entgegen. Es folgt der Friedensschluss und die Taufe Gottfrieds, der nach zweitägigem Aufenthalt im Lager zurückkehren darf, aber nicht, ehe die fränkischen Geiseln entlassen sind: 'tum remissis nostris obsidibus de munitione ipse e contrario cum maximis muneribus remissus ad sua'. Jedes Wort ist hier berechnet: die 'Geschenke', deren Wert weiterhin genau angegeben wird[2], sind die Kirchenschätze,

---

1) Wenn er, worauf Dümmler, Ostfr. Reich III, 203, Anm. aufmerksam macht, 'Sigifridus' genannt wird, so handelt es sich nur um einen Lapsus calami; 885 erscheint der richtige Name. 2) Ob hier nicht ein Schreibfehler vorliegt? I beziffert den Wert des Tributes mit

die in I den Normannen ausgeliefert werden, und 'remittere', das hier auf ihren Führer Anwendung findet, ist ein Ausdruck, wie man ihn sonst von Gefangenen gebraucht, die man entlässt, oder von Gesandtschaften, die ihren Auftrag erledigt haben [1]; seine richtige Beleuchtung erhält es durch die Gegenüberstellung mit dem vorausgehenden 'remissis nostris obsidibus'. Von der Brandschatzung der Kirchen, dem Verrat der Normannen, der Bestrafung jener Franken, die in der Notwehr handeln, erfahren wir nichts. Mit einem Erfolg ('compositis rebus') kann Karl zurückkehren, und vielleicht nirgends ist das eigentümliche Verhältnis der beiden Rezensionen, die stille Polemik von II gegen I so gut zu fassen wie am Ende dieses Berichtes. In I löst sich das fränkische Heer zähneknirschend auf ('unde exercitus valde contristatus dolebat super se talem venisse principem, qui hostibus favit et eis victoriam de hostibus subtraxit, nimiumque confusi redierunt in sua'), in II erteilt ihm Karl die ersehnte Erlaubnis zur Heimkehr ('rex in Confluente castello cuncto exercitui amabilem licentiam redeundi concessit').

Die weiteren Zusammenstösse mit den Normannen nehmen in I einen breiten Raum [2] ein und mit ihnen tritt der Held jener Kämpfe, der Markgraf Heinrich, in den Vordergrund: er erscheint fast wie der Gegenspieler Karls. Dagegen läst II die Normannen zurücktreten und mit ihnen Heinrich: es erwähnt nur seine Teilnahme an der Expedition gegen Elsloo, wo er als Führer der Abteilung erscheint, von der Angehörige durch Verrat die ursprünglichen Absichten Karls vereiteln, dann die Verteidigung von Prüm [3], endlich seinen Tod vor Paris. Man wird einwenden, dass dem bayerischen Annalisten diese Vorgänge ferner lagen

---

2412 Pfund, II mit 2080 'vel paulo plus'. Die Differenz ist in Ansehung der Tendenz von II zu geringfügig. 1) Vgl. z. B. Ann. Fuld. 890; Ann. regni Franc. 811; Bert. 863, 864, 876. 2) 885 wird von einer Niederlage der Sachsen durch die Normannen berichtet. 'Interea Prisiones qui vocantur Destarbenzon quasi a domino destinati parvissimis, ut eis est consuetudo, naviculis vecti supervenerunt et eos a tergo inpugnare coeperunt'. Man darf aber nicht übersetzen: 'da kamen, wie von Gott gesandt, die Friesen, die Destarbenzen heissen', sondern 'quasi a domino destinati' ist zu Destarbenzon zu ziehen, dessen etymologische Erklärung es bilden soll. Vgl. z. B. die Erklärung für Pelasgi und Sarmatae bei Isidor (Etym. IX, 2, 74 und 93). — Aehnliches scheint auch in dem 'Saxones agiles ex altera ripa fluminis agiliter agebant' der Ann. Xant. 864 (MG. SS. II, 231) zu stecken. 3) Wenn von dieser gesprochen werden darf, und es sich nicht nur allgemein um die Abwehr eines normannischen Einfalles handelt; vgl. unten.

als dem Verfasser von I, der in einer Gegend schrieb, wo man die Gefahr einer Ueberflutung durch die Normannen stündlich vor Augen hatte. Wenn wir aber beider Berichte über ein Ereignis prüfen, das einen Abschnitt in der Geschichte dieser Kämpfe bildet, über den Untergang Gottfrieds und die damit in Zusammenhang stehende Gefangensetzung und Blendung seines Schwagers Hugo, so werden wir bald anderer Ueberzeugung werden. Wir besitzen einen ausgezeichneten Zeugen für diese Vorgänge an Regino; die Ausführlichkeit und Zuverlässigkeit seines Berichtes ist darin begründet, dass er ihn den Erzählungen des unglücklichen Hugo entnehmen konnte, den er selbst in Prüm zum Mönche schor. Nach dieser Darstellung ist nicht zu zweifeln, dass Heinrich die treibende Kraft bei diesen Vorgängen war, dass er aber in steter Uebereinstimmuug mit Karl handelte. Dagegen scheidet in den beiden Versionen der Annales Fuldenses Karl persönlich aus, und in II ist auch die Teilnahme Heinrichs völlig unterdrückt. Der Grund liegt in der verschiedenen Beurteilung der Ereignisse, die sich auch in charakteristischen Differenzen der Darstellung spiegelt. In der älteren Fassung hat Gottfried sein Los verdient; sie erinnert an den Eid, den er dem Kaiser geschworen und den er eben brechen wollte[1], und dass er und seine Begleiter bei einer Unterhandlung niedergehauen wurden, ist der Lohn dafür, dass sie Heinrich auf alle mögliche Weise gereizt haben. Gottfrieds Untergang erscheint nicht als ein raffiniert vorbereiteter Gewaltstreich wie bei Regino, sondern fast wie ein Gottesgericht; er fällt 'domino illi condignam infidelitatis suae mercedem retribuente'. Ganz anders ist die Auffassung in II. Zunächst wird hier Gottfried der Titel 'rex' erteilt, den ihm I beharrlich vorenthält: es nennt ihn nur 'praedictus Gotafrid' oder 'Gotafrid Nordmannus'; dann unterbleibt jede Anspielung auf den Frieden von Elsloo, und endlich hören wir auch nichts davon, dass Gottfried selbst verräterische Absichten gehabt habe, sondern lediglich, dass sie ihm zur Last gelegt wurden: 'Gotafridus rex accu-

1) Dümmler, Ostfr. Reich III, 237, Anm. 2: 'die Worte der Ann. Vedast. 885: "Godefridus Danus, qui disponebat suam immutare fidem", deuten wohl auf eine Verbindung mit heidnischen (von mir gesperrt) Dänen'. Es handelt sich nicht um einen Abfall vom Christentum, sondern um Eidbruch. Vgl. dieselbe Quelle 884. Die Normannen erzwingen im westfränkischen Reiche Entrichtung von Tribut. 'Tandem soluto tributo, mense Octobrio finiente adunantur Franci, ut, si Nortmanni inmutari fidem vellent, eis resisterent'.

satur[1], ut in regnum Francorum cum Nordmannis consuleret', und mit deutlichem Tadel gegen die Veranstalter des Mordes wird zu verstehen gegeben, dass in Gottfrieds Falle Kläger und Richter eine Person waren: 'ab ipsis etiam accusatoribus occisus est'. Den Bericht über die Blendung und Internierung Hugos begleitet I mit Worten, die wie Befriedigung klingen[2]. II drückt sich auch hier zurückhaltender aus; es entscheidet nicht über Recht und Unrecht, sondern hebt nur die Untunlichkeit von Hugos Beginnen hervor: 'Hugo filius Hlotharii incaute in regno imperatoris agens oculorum luce orbatus est'. Die Erklärung für diese Divergenzen ist nicht weit zu suchen. Dass Gottfried und sein Schwager Hugo zu einer Gefahr für das Reich werden konnten, daran war zuletzt der Friede von Elsloo Schuld, der den Normannen die Festsetzung im Reiche ermöglichte. Wer ihn verdammte, musste auch die Beseitigung Gottfrieds rechtfertigen, wer ihn beschönigte, war durch seinen Abfall in Verlegenheit gesetzt und musste die Dinge zu verschleiern suchen. Dort nannte man Karl nicht, um ihn nicht Teil an dem Verdienst nehmen zu lassen, das man dem Täter vindizierte, hier, weil man ihn von dem, wenn auch versteckten, Vorwurf des Treubruchs freihalten wollte; aber man unterdrückte auch den Namen des Markgrafen, um ihn nicht vielleicht einem kritischeren Leser zu übermitteln, der sich über die Ermordung Gottfrieds doch ein selbständiges Urteil gebildet haben würde.

Die Darstellung der Ereignisse in Italien, welche grossenteils überhaupt nur in unseren Annalen berührt werden, zeigt dieselbe bewusste, stillschweigende Gegnerschaft von II gegen I.

Gleich die Papstwahl des Jahres 882 lässt beide Rezensionen charakteristisch einander gegenübertreten. In I wird der Tod Johanns VIII. lediglich referiert, in II hören wir, dass er ein Opfer des Neides seiner Verwandten wurde, aber auch, dass der Mörder sofort auf unerklärliche Weise dem Tode verfiel: das Ende des Papstes, der Karl die Kaiserkrone aufsetzte, soll mit dem Schimmer des Wunderbaren umgeben werden. Die Wahl seines Nachfolgers Marinus wird in I als unkanonisch getadelt, wie wir wissen, mit Recht, denn Marinus war, wie auch I selbst anmerkt, vorher Bischof und zwar von Caere[3]; in II wird keck der

---

1) So, nicht 'accusatus', sämtliche Hss. 2) 'finem suae habuit tyrannidis'. 3) Vgl. Dümmler a. a. O. S. 214 und die daselbst Anm. 4 verzeichneten Quellenstellen.

Tatbestand gefälscht und Marinus, der wie sein Vorgänger auf Karls Seite stand, zum Archidiakon gemacht. Es war wohl diese Wahl, die Karl im April 883 nach Italien rief[1]. Eine der hauptsächlichsten Sorgen, die ihn hier beschäftigten, war das Anwachsen der Macht Widos von Spoleto. Das Einschreiten Karls beantwortete Wido durch ein Bündnis mit den Sarrazenen, das uns auch Erchempert verbürgt[2], eine Strafexpedition unter Berengar von Friaul blieb erfolglos. Soviel können wir aus beiden Berichten herauslesen. Allein wie verschieden stellen sie den Verlauf im Einzelnen dar! In I trägt Karl die Schuld an der Rebellion Widos; er bringt den ganzen italienischen Adel gegen sich auf, denn er entzieht Wido und anderen Grossen die Besitzungen, die sich in ihren Familien seit Generationen fortgeerbt hatten, und übergibt sie Persönlichkeiten, die nicht als ebenbürtig angesehen werden können[3]. Die Folge sind revolutionäre Bestrebungen, deren Urheber dann versuchen, ihren Machtbereich auch noch über seine früheren Grenzen hinaus auszudehnen. Zuletzt beendet den Kampf ein Abkommen, bei dem der Kaiser und die aufständischen Adeligen wie gleichberechtigte Parteien einander gegenübertreten: 'cum Witone et caeteris, quorum animos anno priore offenderat, pacificatur'. Ueberall erscheint Karl als der mittelbar oder unmittelbar Schuldige, der Bund seines Gegners mit den Sarrazenen, der diesem die Sympathien des christlichen Lesers rauben konnte, wird sorgsam verschwiegen. Dagegen hören wir in II, dass sich Wido einer Majestätsanklage durch die Flucht entzieht und nun durch ein Einverständnis mit den Sarrazenen ganz Italien in Schrecken versetzt. Dass Berengars Zug nur teilweisen Erfolg hat, ist nicht seine oder des Kaisers Schuld, denn Krankheiten lähmen das Heer. Sie suchen ganz Italien heim und verschonen auch den kaiserlichen Hof und die Person des Kaisers selbst nicht. Wir wissen, dass dies keine leere Ausflucht ist, denn noch besitzen wir die Urkunde Karls vom 30. Juli 883, mit welcher er der Kirche von Bergamo, wo er von seiner Krankheit genesen war, frühere Rechte bestätigt und neue verleiht[4]. Zuletzt endet doch alles mit einem Erfolg für Karl; nachdem ein bayerisches Heer gegen Wido abgeschickt worden ist, reinigt

1) Dümmler a. a. O. S. 215. 2) Dümmler a. a. O. S. 218. 3) 'multo vilioribus dedit personis'. 4) Böhmer - Mühlbacher, Regesten n. 1671 (1627), vgl. 1663a.

er sich in den ersten Tagen des Jahres 885 mit einem Eide und wird nun wieder zu Gnaden aufgenommen.

Am stärksten weichen die beiden Rezensionen in der Darstellung der Beziehungen des Kaisers zu den Päpsten während der Jahre 885 und 886 von einander ab. In I lädt Karl Hadrian III., den Nachfolger des Marinus, in das fränkische Reich ein; er will, wie der Verfasser unter heftigen Ausfällen angibt, mit seiner Hülfe einige Bischöfe ungerechter Weise ('inrationabiliter') absetzen und seinem unehelichen Sohne Bernhard die Nachfolge zuwenden. Diese Absichten werden durch Hadrians Tod vereitelt. Da die Wahl seines Nachfolgers, Stephan VI., ohne die Zustimmung des Kaisers erfolgt, schickt dieser Liutward von Vercelli nach Rom, um Stephan zusammen mit anderen Bischöfen abzusetzen. Allein die kaiserlichen Bevollmächtigten können ihren Auftrag nicht ausführen, da ihnen Stephan die Unterschriften seiner Wähler entgegenhält. In II hören wir weder von den Plänen Karls, die er bei der beabsichtigten Zusammenkunft mit dem Papste verfolgen will, noch etwas von einer Krise anlässlich der Papstwahl. Wir erfahren nur zum Jahre 885, dass der Kaiser dem Papste entgegenzieht, dieser aber unterwegs stirbt. Anfang 886 geht der Kaiser dann auf päpstliche Einladung — weder der Name Hadrians noch derjenige Stephans werden genannt — nach Italien und schickt Liutward nach Rom; dieser erreicht unter anderem auch, dass einige Bischöfe, deren Diözesen durch heidnische Einfälle verwüstet sind, andere, eben erledigte Sitze angewiesen erhalten. Die Forschung hat bisher, wie sie das mit den beiden Berichten der Annales Fuldenses überhaupt zu tun liebte, diese Darstellungen in der Regel kompilierend mit einander verbunden, indem sie eine zweimalige Sendung Liutwards nach Rom annahm[1]. Indessen verbietet sich das schon durch die chronologischen Ansetzungen; denn beide Rezensionen knüpfen übereinstimmend seine Absendung an den Aufenthalt Karls in Bayern (II präzisiert: in Regensburg) Weihnachten 885 an. Vielmehr haben wir auch hier ein Stück der versteckten Polemik vor uns, mit welcher II die ältere Darstellung verfolgt. Es verschweigt die Absichten, die dem Kaiser in Bezug auf seine Nachfolge untergeschoben werden, der Zug nach Italien, der in I ganz ausfällt, wird nicht wegen der durch die

---

1) Vgl. Dümmler a. a. O. S. 247 ff.; Böhmer-Mühlbacher n. 1716a und 1717b; E. Mühlbacher, Deutsche Geschichte unter den Karolingern S. 610 und 612.

Neuwahl geschaffenen Situation unternommen, sondern ist durch eine Einladung des Papstes veranlasst[1], und damit ändern sich auch Charakter und Ergebnis von Liutwards Sendung: in I soll er den Papst absetzen, in II wird über den Zweck seiner Reise nichts gesagt, in I muss er unverrichteter Dinge wieder abziehen, in II hat er vollen Erfolg: 'multimodis rebus, prout complacuit, dispositis'.

Auch der weitere Verlauf der Erzählung in den beiden Rezensionen würde einen interessanten Gegensatz ergeben. In I tritt gegen Ende der Erzählung Liutward von Vercelli in den Vordergrund, gegen ihn als den Missächter alles Rechtes wendet sich der Zorn des Annalisten[2]; in II erscheint er als der Vergewaltigte. Dort kommt es wie eine Erleuchtung über Karl, dass er den treulosen Ratgeber entfernt, hier fällt der Bischof einer Verschwörung der Alamannen zum Opfer. In der älteren Darstellung stachelt Liutward zur Rache Arnulf gegen den Kaiser auf, bei dem jüngeren Annalisten hat er keinen Anteil an der Schlusskatastrophe: diese wird durch eine Krankheit Karls zum Ausbruch gebracht, und sein Versuch einer Gegenwehr misslingt durch den Abfall gerade der Alamannen, denen er das meiste Vertrauen geschenkt hat. Indessen ist es nicht notwendig, die Gegenüberstellung für den ganzen Umfang der beiden Berichte durchzuführen: sie würde nur oft und oft Gesagtes wiederholen können. Es galt ohnehin nur zu zeigen, dass die Haltung der Darstellung von II durchaus zu der Anschauung passt, dass ihrem Verfasser der g a n z e Bericht von I, und nicht nur ein Bruchstück vorgelegen habe. Nur darauf sei noch hingewiesen, dass bei dem Tode Karls die Tendenz sogar in der Komposition von II ihren Ausdruck findet. Der Verfasser entfaltet hier den ganzen Apparat, den die Legende der Geschichtschreibung zur Verfügung stellte. Nur kurze Zeit kann sich Karl an den Zufluchtsstätten erfreuen, die ihm Arnulfs Gnade gelassen, da nimmt ihn der Tod hinweg; während er zu Grabe getragen wird, steht der Himmel offen — jedem Leser kamen dabei von selbst die Worte in den Sinn, die in dem Berichte der Evangelien aus der Höhe tönen, und die der Annalist zu

---

1) Der durch das Anwachsen der sarrazenischen Macht zu dieser Aufforderung gedrängt worden sein wird, vgl. Böhmer-Mühlbacher n. 1717b. 2) Der Vorwurf 'philargyria caecatus' scheint berechtigt gewesen zu sein; vgl. die von Dümmler a. a. O. S. 282, Anm. 4 beigebrachte Stelle aus Regino.

setzen diskreter Weise unterliess[1] — und lässt erkennen, dass irdische Niedrigkeit dort ihr Entgelt findet. Wir können aus den Worten Reginos und der Annales Vedastini den Eindruck ermessen, den Karls jäher Sturz und Tod auf die Zeitgenossen machten, und noch bei Otto von Freising[2] zittert etwas von der Tragik nach, die sie im Angesichte dieses Schicksals empfanden. Aber nirgends sonst wird Karls Fall so zur Glorifizierung seiner Persönlichkeit und zur Rechtfertigung seines Regimentes verwendet, wird die Zuversicht, dass er vor Gott seinen Lohn gefunden haben werde, so bestimmt ausgesprochen[3], wie in den Annales Fuldenses, in denen jedes Wort darauf berechnet ist, bei dem Leser Stimmung zu erwecken und seine Parteinahme zu beeinflussen. Und diesen Bericht, der mit allen Mitteln darauf hinarbeitet, Eindruck zu machen, bringt der Annalist nicht, wie es das Datum von Karls Tode[4] erfordert hätte, zum Jahre 888, sondern er knüpft ihn unmittelbar an die Schilderung seiner Absetzung an und lässt ihn den Abschluss des Jahresberichtes 887 bilden. Der Verfasser durchbricht also das annalistische Prinzip, um eine erhöhte Wirkung zu erzielen, und es ist nicht ausgeschlossen, dass er ursprünglich mit diesem Effekt seine Erzählung abschloss und erst später, nach einer Pause, sie wieder aufnahm und fortführte.

Längst ist bemerkt worden, dass die weitere Erzählung der Annalen Arnulf ebenso günstig gegenübersteht wie seinem Vorgänger. Gleich nach seiner Erhebung, noch zu Lebzeiten Karls, wird er 'rex' genannt, und weiterhin ist die Parteinahme und das Interesse des Verfassers so ausgeprägt, dass man geglaubt hat, auch hier von Reichsannalen sprechen zu dürfen[5], wozu es nur nicht recht passen will, dass beispielsweise Arnulfs Tod zu einem falschen Jahre, zu 900 berichtet wird. Andererseits darf man sich von dem Parteiwechsel des Berichtes der Annalen doch nicht verleiten lassen, mit der Absetzung Karls einen Wechsel der Verfasser anzunehmen. Denn wenn die

1) Vgl. Matth. 3, 16—17, Marc. 1, 10—11, Luc. 3, 21—22. 2) Chron. VI, 9. 3) Aber vgl. Ann. Alamann. 887 (bei Dümmler a. a. O. S. 286, Anm. 4): 'Karolus imperator regno terrestri privatus' und Regino 888: 'coronam vitae, quam repromisit deus diligentibus se, aut iam accepit, aut absque dubio accepturus est'. 4) 13. Januar 888. 5) So schon Eckhart, De rebus Franciae orientalis II, 722, der die Annalen in Arnulfs Kanzlei entstanden sein lassen will, getreu seiner Theorie über den offiziellen Charakter der damaligen Geschichtschreibung. Vgl. Sickel, Acta Karolorum I, 83 Anm.; Wattenbach, Geschichtsquellen I[7], 213, Anm. 3.

Wissenschaft auch an dem Beispiele des sogenannten Fredegar und der Weltchronik Ekkehards gelernt hat, mit einem solchen stets da rechnen zu müssen, wo innerhalb eines Werkes ein schroffer Parteiwechsel stattfindet, so steht einer Anwendung ihrer Erfahrungen auf unseren Fall doch ein gewichtiges Moment entgegen: die sprachliche Einheit des ganzen Werkes, soweit es uns noch vorliegt.

Bei dem Versuche, den Sprachgebrauch von II zu beobachten, stossen wir nun allerdings sofort auf bedeutende Schwierigkeiten. Sie sind begründet in der grossen Freiheit, mit welcher der jüngere Annalist der Sprache gegenüber steht. Der ältere, der Urheber des von uns mit Ω oder I bezeichneten Werkes, gehört sicher zu den besten Stilisten seiner Zeit; er vereinigt Klarheit und Gewandtheit des Ausdruckes mit sprachlicher Korrektheit. Aber dieser Vorzug wird mit einer Schwäche erkauft, mit dem teilweisen Verzicht auf die Bewegungsfreiheit gegenüber dem sprachlichen Materiale. Die Schule legt dem Verfasser gewisse Fesseln an: sie siebt und sichtet die Diktion, lässt nur bestimmte Ausdrücke als korrekt zu und zeitigt so jene stereotypen Wendungen, die es uns vorhin so sehr erleichterten, die sprachliche Einheit der Annalen bis 887 darzutun. Prüft man dagegen die Latinität von II, so fragt man überrascht, ob die Bestrebungen Karls des Grossen den Südosten seines Reiches denn niemals erreichten oder ob ihr Einfluss schon so schnell wieder überwunden worden war. Es hat dem Verfasser vielleicht nicht gänzlich an Kenntnis der Klassiker gefehlt[1], und deutlich vermögen wir zu erkennen, dass das Vorbild seines stilgewandteren Vorgängers nicht ohne Einfluss auf ihn geblieben ist[2]. Aber der durchschnittliche Eindruck, den wir von seinem Werke gewinnen, ist doch der einer sprachlichen Barbarei, welcher sich in jener Zeit nicht viel an die Seite stellen lässt; ihre hervorstechendsten Merkmale sind der Gebrauch des Participiums statt des Indikativs — man wird vielleicht sagen dürfen, das Wiederauftauchen dieses Gebrauches —, die teilweise Verwischung der Kasusbedeutungen, namentlich der Gebrauch des Akkusativs statt des Nominativs, endlich die indikativische Anwendung mancher Konjunktionen, die

---

1) 'Belligera manu' (884, Kurze 110, 23) stammt aus Ovid, Ars am. II, 672, 'Hrenusque bicornis' (889, Kurze 117, 22) aus der Aeneis VIII, 727. Vgl. das oben Band XXXIII, S. 713, Anm. 2 über die Form 'Regino' gesagte. 2) Vgl. unten, Abschnitt IV.

den Konjunktiv verlangen. Auf der anderen Seite finden wir freilich ein unbekümmertes Zugreifen nach dem Sprachgute, das nur an die Prägnanz des Ausdruckes denkt und nichts danach fragt, ob er mit dem von der Schule gebilligten Formelschatz übereinstimmt oder nicht. Dadurch wird der Sprache gegenüber grössere Freiheit gewonnen und grösserer Reichtum des Ausdrucks ermöglicht, nur dass diese Errungenschaften wieder unsere Aufgabe nicht unwesentlich erschweren. Es ist eine Erscheinung, die in der Geschichte der lateinischen Literatur des Mittelalters keineswegs vereinzelt dasteht. Wollen wir noch ein Beispiel dafür, so brauchen wir nur etwa an Gregor von Tours zu denken. Der Eindruck, den er hervorbringt, wurzelt in der Klarheit und Lebendigkeit seiner Anschauung; ihr entspricht ein Erzählertalent, wie wir es zum zweiten Male in der mittelalterlichen Literatur vielleicht vergebens suchen. Aber es ist sehr fraglich, ob diese Gaben so zur Entfaltung gekommen wären, wenn das Latein, das Gregor schrieb, noch das gebundene, streng formulierte der Antike gewesen wäre. Gerade die Freiheit, deren er sich dem Sprachschatze gegenüber erfreute, die Verwilderung, die der strenge Grammatiker an ihm zu tadeln neigt, haben die Treffsicherheit seiner Ausdrucksweise vielleicht erst ermöglicht, während wir umgekehrt sagen dürfen, dass die Karolingerzeit, die vor allem nach Glättung der Sprache strebte und die Literatur wieder in die Fesseln der antiken Vorbilder schlug, die Wiederholung einer literarischen Erscheinung wie Gregor vielleicht unmöglich gemacht hat[1].

Eür die sprachliche Einheit des Werkes hat schon Kurze Parallelen zusammengestellt[2]; er ist allerdings bei dem Jahre 897 stehen geblieben, da er annahm, dass palaeographische Momente in der von ihm bevorzugten Hs. 3 hier einen Verfasserwechsel postulierten. Wir werden noch sehen, dass das nicht der Fall ist[3]; einstweilen genügt es uns, sein Beweismaterial, soweit es verwendbar erscheint, wieder aufzunehmen und zu erweitern, gleichzeitig es aber auf den ganzen Umfang des Werkes auszudehnen, soweit es uns erhalten geblieben ist, also bis zum Jahre 901.

882. civile bellum inter Saxonibus et Thuringis exoritur; 896. dei nutu subito inter obsessis et obsidentibus insperate contentio exoritur.

1) Etwas Analoges kehrt in der späteren französischen Literaturgeschichte wieder. Vgl. was H. Taine im dritten Buche des Ancien régime über den Esprit classique und Saint-Simon sagt. 2) Abhandlung S. 151 ff. 3) Dagegen schon Buchholz, Hist. Zeitschr. LXIX (1892), 512.

882. Langobardis, Alamannis Francisque secum assumptis; 884. quibusdam Pannoniorum secum assumptis; 888. rex autem paucis secum assumptis; 891. Alamannico exercitu inutile secum assumpto; 892. rex equidem assumptis secum Francis, Baioariis, Alamannis mense Iulio Maraviam venit; 900. Baiowarii per Boemanniam ipsis secum assumptis regnum Marahavorum . . . . inruperunt[1].

883, 884, 886. in id tempus; 900. in id ipsum tempus.

884. igne et ferro maximam partem devastat; 891. Nordmanni devastata ex maxima parte Hlotharici regni regione; 900. ipsi namque eadem via, qua intraverunt, Pannoniam ex maxima parte devastantes regressi sunt.

884. ibi inter alia veniens Zwentibaldus dux cum principibus suis . . .; 887. ibi inter alia Berngarius ad fidelitatem Caesaris pervenit; 901. ibi inter alia missi Marahavorum pacem optantes pervenerunt.

887. mortuo itaque Buosone parvulus erat ei filius de filia Hludowici Italici regis; 900. Luduwicus filius eius, qui unicus tunc parvulus de legali uxore natus illi erat.

888. rebus ab utraque parte, prout placuit, prospere dispositis, unusquisque reversus est in sua; 900. quo peracto, unusquisque redierunt in sua.

888. ipse vero oppido Tarentino regi se praesentavit; 894. primores itaque marchenses . . . . regi se praesentavere; 899. demum ipse Isanricus . . . . exivit et imperatori sese praesentavit.

889. consultum est, ut eodem tenore primores Francorum prout Baioarii iuramento confirmarent, ne u. s. w.; 901. qui eodem tenore, ut in Baiowaria firmatum fuit, ipsum ducem et omnes primates eius . . . . iuramento constrinxerunt.

889. advenientibus etiam ibidem undique nationum legatis . . . . pacifica optantes; 895. legatos Obodritorum curte regia Salz munera secum deferentes ad regem pacifica optantes pervenerant; 901. ibi inter alia missi Marahavorum pacem optantes pervenerunt.

---

1) 'Assumptis secum' einmal auch bei Regino 873 (Kurzes Ausgabe S. 106).

889. adventientibus etiam ibidem undique nationum legatis ...., quos rex audivit et sine mora absolvit; 897. Cesar vero curte regia Otinga natalem domini celebravit, adventientibus ibidem ad eum Maravorum missis ..., quos rex, ut audivit, absolvit et sine mora abire permisit; 897. adventientibus ibi ad eum cum muneribus Soraborum missis, quos, ut audivit, absolvit et abire permisit.

891. qui talem victoriam suis tribuit, ut uno homine tantum occiso de parte Christianorum compertum est, tanta[1] milia hominum ex altera parte perierunt; 900. tanta dei gratia Christianis occurrit, ut mille CC gentilium inter occisos et, qui se in Danuvio merserant, perempti inveniuntur; vix tantum unum de Christianis occisum in apparatu belli inveniunt.

892. missos etiam suos inde ad Bulgaros et regem eorum Laodomir ad renovandam pristinam pacem .... transmisit; 900. missos illorum sub dolo ad Baworios pacem obtando regionem illam ad explorandum transmiserunt; vgl. 891. rex legatos suos pro renovanda pace ad Maravos transmisit.

896. urbs .... nobiliter cum triumpho expugnata est; 900. nobiliter dimicatum est, sed nobilius triumphatum[2].

896. quod ad ulciscendum Greci astucia sua naves illorum contra Avaros mittunt ac eos in regnum Bulgarorum ultra Danuvium transponunt; 900. ultra Danuvium eos insequendum se transposuit.

896. currunt omnes ad vestigia vetuli illorum regis Michaelis; 899. filium antiqui ducis Zuentobolchi.

896. Bulgarorum ... numero XX milia equitum caesa inveniuntur; 900. ut mille CC gentilium inter occisos et, qui se in Danuvio merserant, perempti inveniuntur.

Kurze hat allerdings diese Uebereinstimmungen der Schreibweise bemerkt, allein er verschliesst sich den Folgerungen, die daraus zu ziehen sind, aus zwei Gründen. In der Hs. 3, aus der er 3a—e hervorgehen lässt, setzen mitten in den Jahresberichten 897 und 899 neue Schreiber

1) Adam von Bremen I, 49 wohl besser 'centum'. 2) Vgl. jedoch Ann. Fuld. I, 881: 'nepos vero illius cum Nordmannis dimicans nobiliter triumphavit'.

ein. Gleichzeitig mache sich eine Veränderung der Schreibweise insofern bemerkbar, als zwar die grammatikalische Inkorrektheit die gleiche bleibe, auch einige Wendungen aus den Jahresberichten 882—897 sich wiederholten, andererseits aber einzelne Eigennamen in veränderter Gestalt erschienen, und 'Markgraf' nicht mehr mit 'marchensis', sondern mit 'marchio' wiedergegeben werde. Aus dem Zusammentreffen beider Tatsachen glaubt Kurze den Schluss ziehen zu dürfen, dass von 897 an die Hs. Autograph, dass die von hier an nachweisbaren Schreiber zugleich die Verfasser ihres Pensums seien.

Das erste Argument, auf das sich Kurze stützt, wiegt nicht allzuschwer. Jedermann weiss, wie häufig sich gerade an Eigennamen die Willkür des Schreibers übt. Gleich die Rezension I der Annalen gibt dafür ein gutes Beispiel: die Bulgaren heissen in den Handschriften von B in der Regel 'Bulgari', in A, mit leicht erkennbarer Etymologie, 'Vulgares'[1]. Es wäre leicht, Kurze mit dem Hinweis zu schlagen, dass eine ähnliche Erscheinung sich auch in den Hss. des Teiles von 882 bis 901 wiederholt, dass beispielsweise gegenüber allen Veränderungen der Orthographie in 3, wie sie der Verfasserwechsel mit sich bringen soll, 3c und 3e, die nach Kurze doch aus 3 hervorgehen, konsequent an der Form 'Baioaria, Baioarii' festhalten. Indessen wird die ganze Kontroverse gegenstandslos durch die Wahrnehmung, dass die beiden Schreiber in 3 nicht zugleich auch die Verfasser ihrer Anteile sein können, und zwar, weil 3 nicht, wie Kurze glaubt, die Stammmutter der anderen Hss. ist, die uns die zweite Rezension der Annalen überliefern. Indem wir daran gehen, an Stelle seiner Auffassung eine zutreffendere Ansicht von dem Verhältnis der Hss. zu setzen, bauen wir das Stemma nunmehr auch nach der Seite von B aus und führen die Arbeit zu Ende, deren Abschluss wir vorhin einstweilen bei Seite schoben.

Die Hss., um welche es sich dabei handelt, sind von Kurze in seiner Abhandlung S. 93 ff. beschrieben worden; die Hs. 3 wird später auch von unserer Seite noch eingehende Würdigung finden. Es genügt daher eine blosse Aufzählung; sie gibt zugleich Gelegenheit, ein paar Sig-

---

1) Wir können nicht einmal mehr feststellen, welche Schreibart im Original stand. 'Bulgari' (B) empfiehlt sich durch die Uebereinstimmung mit den Ann. regni Franc. im kompilatorischen Teil, aber 867 (Kurze S. 65, 30) erscheint plözlich 'Vulgarum' in allen Hss.

naturen nachzutragen, die sich seit dem Erscheinen von Kurzes Aufsatz und Ausgabe geändert haben.

1) 3 = Leipzig, Stadtbibliothek Rep. II 129a; vgl. unten.

2) 3a = München, Staatsbibliothek, Cod. Lat. 290 88. Fragmente, nach Waitz s. X, die sich über die Jahre 820—845 erstrecken und auf Streifen stehen, die von dem Einbande einer Rebdorfer Hs. losgelöst wurden.

3) 3b = Bern, Stadtbibliothek 720 (früher 746), zwei Blätter s. XI, Fragmente aus den Jahren 871—872 und 876.

4) 3c = Wien 451, s. XII. Die Hs. umfasst zwei Quaternionen und einen Binio im Formate 26,8 × 19,5; das Pergament ist zweispaltig beschrieben, jede Spalte umfasst 70 Zeilen. Einen Provenienzvermerk trägt die Hs. nicht, sie stimmt jedoch äusserlich vollkommen mit einer Reihe von Hss. überein, die aus dem Kloster St. Jakob in Lüttich stammen[1]. Die Fulder Annalen füllen fol. 1r letzte Zeile bis fol. 13 v. 1 oben. Voran geht ein Brief, wohl Stilübung (Inc.: 'Domino venerabili super aurum et lapidem preciosum desiderabili H [oder N]'), es folgen fol. 14 r. 1 ein Fragment von Jordanes' Romana und f. 18 r. 1 das Breviarium des Rufus Festus[2].

5) 3d = Vaticanus Reginensis 633[1] s. XI/XII, aus Fécamp. Eine genaue Beschreibung der Hs. gibt Ph. Lauer, Mélanges d'archéologie et d'histoire XVIII (1898), 491 sqq.[3]; vgl. derselbe, Les annales de Flodoard p. XXXVIII sqq. Der Text der Fulder Annalen reicht bis 'Radaspona civitate mansit' am Anfange des Jahresberichtes von 883 (Kurze S. 109,21); der grösste Teil der letzten Seite wurde freigelassen, die Hs. ist also nicht selbst verstümmelt, sondern aus einer verstümmelten abgeschrieben.

---

1) Vgl. S. Hellmann, Sedulius Scottus S. 93 f. 2) Der Jordanes ist nach Mommsen Auct. ant. V 1, S. LV ein Zwillingsbruder des Parisinus 2467 und gehört mit diesem zur ersten Klasse, an deren Spitze der Heidelbergensis 921 s. VIII/IX steht, der vielleicht aus Fulda kommt. Der Rufus ist verwandt mit dem gleichfalls auf Fulda deutenden Gothanus 101 (W. Foerster, De Rufi breviario eiusque codicibus p. 5, 8). Trotzdem würde ich nicht wagen, daraus Schlüsse auf die Herkunft des Annalen-Textes zu ziehen. 3) Auf fol. 4 und 5 steht ein Fragment, das von jüngerer Hand mit 'Incipit epistola Arnulfi episcopi Aurelianensis de cartillagine. Quid sit cartilago' überschrieben ist (abgedruckt bei Lauer S. 493 f.). Es gehört jedoch nicht dem Bischof, sondern ist identisch mit dem Anfange von XXXII, 22 in Gregors des Grossen Moralia. Erst auf fol. 6 findet sich ein kleines Brieffragment, für das Lauer auf den Druck Acta SS. O. S. B. VI, 1, p. X. verweist.

6) 3e = Brüssel, Königliche Bibliothek 7503—7518, s. XII/XIII; vgl. über die Hs. Catalogue des manuscrits de la bibliothèque royale de Belgique V, 144 sqq. Mit 3c die einzige Hs., welche uns die Rezension II soweit überliefert, als wir sie überhaupt noch besitzen (vgl. S. 18 f.).

Zur Ausfüllung der durch Quaternionenausfall in 3 entstandenen Lücken muss, wie bereits gesagt wurde, 3f dienen, München, Staatsbibliothek, Cod. Lat. 966; es ist die schon mehrfach benutzte, allerdings ungenaue Kopie, die Aventin von der Hs. 3 anfertigen liess, als diese noch in Niederaltaich lag.

Kurze veranschaulicht seine Auffassung von dem Verhältnisse dieser Hss. mit folgendem Schema:

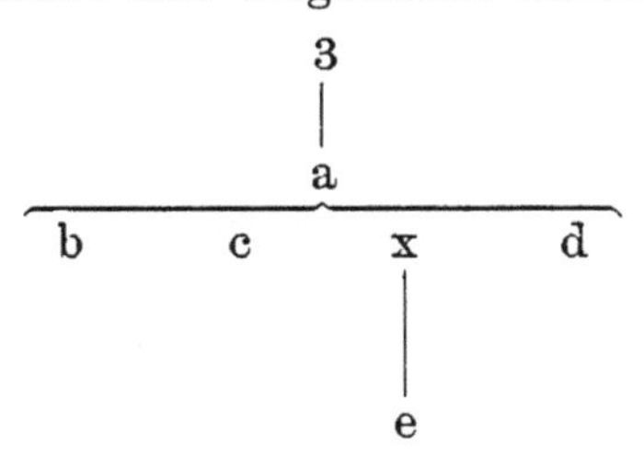

Dagegen ist einmal einzuwenden, dass die Reste, welche uns a und b aufbewahrt haben, so dürftig sind, dass sie uns nur noch erlauben, diese Hss. der Gruppe B zuzuweisen, nicht aber, ihren Platz innerhalb derselben zu bestimmen. Sodann fällt es auf, dass von allen Hss. eines Werkes, über dessen Schlusspunkt wir so wenig Bestimmtes wissen, zwei, 3c und 3e, an derselben Stelle abbrechen. Endlich aber überhebt uns eine Gegenüberstellung einzelner Lesarten einer weiteren Polemik gegen Kurze und weist uns den Weg zu einer neuen und sichereren Gruppierung.

I.

3c—e.	3.
Kurze 7, 13 (756) tradidit = A.	tradit.
Kurze 21, 14 (819) Sclaomir *dux* Abodritorum = A.	Sclaomir *rex* Abodritorum.
Kurze 37, 2 (847) quae Salomonis episcopi parrochiam suis vaticiniis *non minime* turbaverat; vgl. 1 (2 fehlt): q. S. e. p. non minime suis vaticiniis t.	quae . . . . vaticiniis *nomine* turbaverat.

3c—e.	3.
Kurze 60, 2 (863) Sit igitur a Patre et Filio et Spiritu sancto . . . penitus anathema.	Fit igitur u. s. w.
Kurze 61, 30 nihil tibi tuaeque superbiae cedimus, qua nos ad vota nostrorum . . . . inimicorum obruere festinabas.	nihil . . . . ad nota . . . . festinabas.
Kurze 61, 31 sciesque nos non tuos esse, ut te iactas et extollis, clericos, quos ut fratres et coepiscopos recognoscere, si elatio permitteret, debueras.	sciesque . . . . . recognoscere sine latio . . . . debueras.

Die drei letztgenannten Stellen sind den Akten der Metzer Synode entnommen, welche den Annalen inseriert sind. Ein Vergleich mit den Annales Bertiniani, in die sie gleichfalls Aufnahme gefunden haben, ergibt mühelos, dass sich die bessere Lesart hier nicht bei 3, sondern auf der Gegenseite befindet.

65, 11 (866) procul dubio.	pro dubio.
68, 3 (869) proprium dominum derelinquens.	proprium dominum relinquens = A.

II.

3c, 3e (3d fehlt).	3.
109, 26 (883) 'putatus' fehlt.	cum ab illo simulque aliis suae iniquitatis consortibus longius victurus putatus est, quam eorum satisfactio esset cupiditati.
109, 30 — Sed et etiam . . . . . . concrepante tuba . . . . . apparuit.	Sed et etiam ipse constructor malefactionis concrepente turba stupefactus a nullo lesus nec vulneratus mortuus non mora apparuit.
— 37 — Ibi . . . . . accusator.	Ibi inter alia Wito comes Tuscianorum reus maiestatis accusatur.

3c, e.	3.
110, 15 (883) Heinricus . . ., cum . . . . primum venire cognoscit.	Heimricus, frater Popponis scilicet, cum Nordmannorum manum validam Prumiam venire cognoscit.
112, 1 (884) Hoc . . . . puerulis . . . . sentitur.	Hoc scandalum antefacti puerilis consilii spatio unius anni sentitur.

(Es ist die Rede von dem Versuche der Söhne des Grafen Engelschalk von der Ostmark, ihr väterliches Erbe wieder zu gewinnen; sie heissen im Vorgehenden regelmässig 'pueri' oder 'pueruli').

112, 2 (884) hinc equidem non confidentibus a rege pueris aliquid boni propter delictum, quod in Arbone commisere, recesserunt statueruntque fieri homines Arnolfi . . . . Quo audito Zwentibaldus dux misit nuntios ad eum, ait illi: 'Inimicos meos sustentas? Si eos non dimiseris, nec me tecum pacificatum habebis'.	In 3 fehlt das Fragezeichen hinter 'sustentas'. Es gibt der Rede mehr Pathos; überdies ist es wahrscheinlicher, dass das Zeichen in 3 ausgefallen, als dass es in 3c, e zugesetzt worden ist.
112, 13 (884) itaque . . . . nam . . . . copiis.	Itaque dux non diu collectis ex omni parte Sclavorum copiis . . .
120, 1 (891) ex proviso u. s. w.	ex inproviso enim rex et exercitus pervenere ad eundem locum.
120, 12 — ab inimicis quandoquidem more paganissimo furentibus.	ab inimicis . . . . more paganismo furentibus.
120, 35 — coacti sunt in flumen praecipitari, coacervatim se per manus et colla cruribusque complectentes in profundum . . . . mergebantur.	coacti . . . . curribusque . . . . mergebantur.
122, 23 (893) ad regiam curtem u. s. w.	ad reginam curtem Otingam reversus est; de qua ei non multum post filius nascebatur.

3c, e.	3.
128, 9 (896) 'firmissima' fehlt.	sicque dei providentia firmissima et nobilissima urbs u. s. w.
128, 26 — ..... fidelitate domino Formoso papae fidelis sum .... Arnolfo imperatori.	Iuro per hec omnia dei mysteria, quod salvo honore et lege mea atque fidelitate domni Formosi papae fidelis sum et ero omnibus diebus vitae meae Arnolfo imperatori.
129, 19—20 (896) fehlt.	in cuius locum — reperitur.
130, 3 (896) 'vetuli' fehlt.	currunt omnes ad vestigia vetuli illorum regis Michaelis.
133, 8—9 (899) fehlt.	puerum — Zuentobolchi.
— 27 — E. Pictaviensis e. o. (Ebenso hat 134, 37 3c 'Pactaviensis', 3e 'Pictaviensis').	Engilmarus Pataviensis episcopus obiit.
134, 29 (900) quod ut compererunt (3c, comperunt 3e) ulteriores Baiowarii u. s. w.	quod ut competentes[1] u. s. w.

IIIa.

3c, 3e.	3, 3d.
1, 6; 21 (714) filii domni Arnolfi Mettensis civitatis antistitis gloriosi[2].	fehlt = A.
6, 29 (754) ad persuadendum fratri = A.	ad supersuadendum fratri[3].
24, 16 (826) ut sine mora indispositione.	ut sine morarum indispositione = A (vgl. oben Band XXXIII, S. 702).
25, 14 (827) quo post paucos dies mortuo = A.	quo propter u. s. w.
34, 6 (842) eclipsis lunae facta est III. Kal. April.	eclipsis .... in Kal. April. = A.

Wie der Zusatz 'quinta feria ante pascha' festzustellen ermöglicht, haben 3c und 3e allein von allen Hss. die richtige Lesart beibehalten.

1) So hat die Hs., nicht 'comperentes', wie Kurze druckt! 2) Diese Worte stehen auch in 3e, entgegen Kurzes Bemerkung Abhandlung S. 101. 3) In 3d ist 'su' durch Radieren getilgt.

3c, 3e.	3, 3d.
38, 13 (849) obsides se daturos et imperata facturos ..... promittunt (3e = A, praemittunt 3c).	obsides ..... permittunt.
39, 12 (849) per os cuiusdam areptitii = A.	per .... areptii.
59, 32 (863) si a capite ... dissenserint.	si capite dissenserint.
108, 2 (882) .... nobilissimum ...	secundum illum nobilissimi poetae versum.

IIIb.

3c, 3e.	3d, 3f (3 fehlt).
46, 12 (855) ad vitam aeternam perrexit.	ad vitam perrexit aeternam = A.
54, 10 (859) lucrificaret = 1; die Hs. 2 enthält die Stelle nicht.	lucrifaceret.
83, 15 (874) natalem d. c.	natale domini celebravit = A.

Aus dieser Zusammenstellung, die noch keineswegs einmal das gesamte verfügbare Material vorführt, ergibt sich jedenfalls eines mit voller Sicherheit: dass 3c und 3e aus einer gemeinsamen Vorlage ζ geflossen sind[1], die weder aus 3 abgeleitet sein noch dieser Hs. zur Vorlage gedient haben kann[2], da die entscheidenden besseren Lesarten sich auf beide Seiten verteilen, und weiter, dass 3d, oder besser, seine verstümmelte Vorlage[3], zwischen 3 und ζ steht. Wir lassen die Frage, in welcher Weise die Kontamination dieses Textes zustande gekommen sein möge, einstweilen un-

---

1) Dass 3c zu 714 und 738 gegenüber 3e selbständige Zusätze aufweist, wie Kurze, Abhandlung S. 101 schreibt, kann demgegenüber nicht in Frage kommen, auch schon deshalb nicht, weil wenigstens auch der erstere in 3e enthalten ist. 2) Deutlicher als alles andere spricht für die Selbständigkeit von ζ gegenüber 3 die vorhin mitgeteilte Lesart 'III. Kal. April.' gegenüber 'in Kal. April.'. Dass sie die richtige ist, wurde schon gezeigt; aber ζ kann sie auch nicht aus einem 'in' wiederhergestellt haben, das es etwa in seiner Vorlage gefunden hätte. Kein mittelalterlicher Abschreiber wäre auf den Gedanken gekommen, anstatt dieser an sich unanstössigen Lesart mit Hilfe anderweitiger chronologischer Angaben das richtige Datum herauszurechnen. 3) Die Beschaffenheit von 3d schliesst es aus, dass die Kontamination erst hier vor sich gegangen ist.

beantwortet und wenden uns zunächst der Aufgabe zu, das Verhältnis zwischen 3 und ζ näher zu bestimmen. Zu ihrer Lösung ist es jedoch erforderlich, dass wir vor allem über die Beschaffenheit der Hs. 3 Klarheit gewinnen.

Kurze lässt den grössten Teil dieser Hs. mit allen darin befindlichen Korrekturen und Nachträgen von einem Schreiber hergestellt sein, und erst in der Mitte des Jahresberichtes 897 und gegen das Ende von 899 neue Schreiber eintreten, die er, wie wir schon hörten, zugleich für die Verfasser ihrer Anteile erklärt. Indessen zeigt schon ein flüchtiger Blick eine grosse Mannigfaltigkeit von Händen, und wir werden gleich erfahren, dass der Text dieser Hs. eine umständliche und nicht mehr in allen Einzelheiten aufzuhellende Geschichte durchmachen musste, ehe er die Gestalt erhielt, in der wir ihn heute in Händen halten. Der jetzige Bestand der Hs. umfasst fünf Quaternionen, von dessen erstem das erste Blatt fehlt, ferner einen Binio und einen Ternio, dessen letzte drei Blätter abgeschnitten sind. Während diese beiden Lagen keine Bezeichnung tragen, sind die Quaternionen am unteren Rande der letzten Seite mit den Buchstaben des Alphabetes signiert. Diese Signierung springt von C auf E und von E auf H; es sind also die vierte, sechste und siebente Lage verloren gegangen; der Binio war einst ein Ternio, denn eine Notiz am unteren Rande von fol. 41 v. besagt: 'deest folium'. Die Hs. umfasste also ursprünglich acht Quaternionen und zwei Ternionen, d. h. 64 + 12 = 76 Blätter im Format von etwa 23 × 16, von denen nur noch 46 vorhanden sind. Am Schlusse der Hs. sind einige weisse Papierblätter mit fremdem Inhalt[1] angeklebt. Der Text ist von verschiedenen Schreibern hergestellt, deren Tätigkeit vielleicht eher ins 10. als ins 9. Jh. fällt. Der erste schrieb zunächst bis 'in quibus non parum confidebat' (Kurze 33,14) am Ende der dritten Zeile von fol. 20 r., und von 'terramque illorum et populum sibi divinitus subiugatum' auf fol. 21 r. (Kurze 35, 4) bis 'minime consecutus est' (Kurze 67, 13) auf der ersten Zeile von fol. 31 v. Für das dazwischen liegende Stück, das den grössten Teil der Jahresberichte 842 und 844 und den vollständigen Jahresbericht 843 umfasst, liess er den ganzen Rest von Blatt 20 frei; es befand sich also eine Lücke in seiner Vorlage. Die zweite Hand gehört zwar derselben Schule an wie die erste, unterscheidet sich aber namentlich durch die hellere Tinte, ihre Vorliebe für

1) Vgl. über diesen Kurze, Abhandlung S. 94.

das unziale d, die Neigung, den Kopf des f nach links zu ziehen und endlich besonders charakteristisch durch eine andere Form des z, deren Konstatierung durch die zahlreichen slavischen Eigennamen sehr erleichtert wird. Sie hat zunächst die Lücke auf fol. 20 ausgefüllt[1] und schliesst dann mit 'eodem anno stella cometes' (Kurze 67, 14) auf fol. 31v. an die erste an. Wie weit ihr Anteil reicht, ist schwer zu sagen. Zwischen fol. 41 und 42 ist ein Blatt ausgefallen, und es ist nicht ausgeschlossen, dass hier ein anderer Schreiber einsetzte; ebensogut ist aber möglich, dass auch noch fol. 42 und 43 der zweiten Hand angehören. Besondere Schwierigkeiten macht dann die Vorderseite von Blatt 44. Zweidrittel, von 'quo peracto' (Kurze 130, 9) bis 'sua redeundi donavit' (Kurze 131, 3), sind mit hellerer Tinte und vielleicht von anderer Hand geschrieben als das Vorhergehende, obwohl dieser Abschnitt doch fast wieder Verwandtschaft mit der zweiten Hand annehmen lässt. Daran schliessen sich vier Zeilen in dünnerer zierlicher Schrift, in deren Verlauf die Tinte wechselt (von 'Curte vero Tripuria' 131, 5 bis 'absolvit et abire permisit' 131, 9). Dann bleiben eineinhalb Zeilen leer, und endlich bringen jene beiden Schreiber, die Kurze für die Verfasser ihres Anteils hielt, die Arbeit zum Abschluss. Der erste, auf fol. 44r. unten mit 'His ita expletis' (131, 10) beginnend, schliesst mit 'ad Marehenses usque confugit' (133, 24) auf der Versoseite von fol. 45. Die Arbeit des anderen ist uns nur bis zu den Worten 'tantam victoriam' (Kurze 135, 12) auf fol. 46v. erhalten geblieben. Damit ist jedoch die Geschichte des Textes in der Hs. noch nicht zur Ruhe gekommen. Die Blätter 11 und 12, die noch zum Anteil der ersten Hand gehörten, waren frühzeitig verloren gegangen; sie wurden im 11. und 12. Jh. durch solche von etwas hellerem Pergament mit einer Schrift ersetzt, die schon eine Neigung zum Eckigen zeigt[2]. Auserdem aber erhielt die Hs. zu verschiedenen Zeiten eine Reihe von Verbesserungen und Nachträgen. Zum Teil rühren sie von denselben Händen

1) Dass dieser Nachtrag nicht von der ersten Hand stammt, hat bereits Naumann bemerkt in der schon wiederholt genannten Abhandlung im Serapeum I (1840), 145 Anm. — Ob dieser Nachtrag einer Hs. entstammt, die nach unserer Nomenklatur zur Gruppe A gehören würde, wie Kurze, Abhandlung S. 97, Anm. annimmt, ist unsicher; die Varianten, die er anführt, stehen zum Teil nicht in der Hs.; vgl. oben Bd. XXXIII, S. 702. 2) Ueber die Provenienz des Textes vgl. oben Bd. XXXIII, S. 712. — Nachträglich wurden auch die Initialen und Jahreszahlen bis 832 miniiert; unter der Farbe ist die alte Schrift stellenweise noch deutlich erkennbar, z. B. wiederholt das C von 'Carlus', für das 'Karlus' gesetzt wurde.

her, die auch den ursprünglichen Text besorgten, teilweise aber auch von solchen, die wir sonst in der Hs. nicht antreffen. Sie sämtlich aufzuzählen und zu sichten, hätte keinen Wert. Denn für unsere nächste Aufgabe: Bestimmung des Verhältnisses von 3 zu den anderen Hss. seiner Gruppe, kommen nur drei in Betracht. Die erste dieser Stellen kennen wir bereits[1]. Zum Tode des Erzbischofs Karl von Mainz (863) berichtet die Hs.: 'et per totum deinceps annum vacavit episcopatus'. Dazu hat eine jüngere Hand die Version der Hs. 2 an den Rand gesetzt: 'Liutbertus eiusdem sedis honore sublimatus II. Kal. Dec'. 2) Bei Beginn des Jahresberichtes 866 fehlt die Jahreszahl[2]. Der Raum für sie wurde ausgespart. Sie ist auch nachgetragen worden, aber, wie die hellere Tinte zeigt, später und nicht an der für sie ursprünglich bestimmten Stelle. Wir müssen hier etwas vorgreifen. Durch die schon erwähnten Zusätze, die B gegenüber A aufweist[3], hat sich in ζ eine kleine chronologische Veränderung ergeben. Indem man mit 'Ruodolfus Fuldensis coenobii' (Kurze 63, 17) das Jahr 865 beginnen liess, rückte 866 von 'Hludowicus Hludowici regis filius' (Kurze 64, 28) nach 'Werinharius comes' (Kurze 63,17) vor, mit dem ursprünglich 865 angefangen hatte. Genau an derselben Stelle wie in ζ, also zu 'Werinharius comes', wurde nun in 3 die Jahreszahl 866 eingetragen. 3) An die Nachricht vom Tode des Papstes Formosus schloss der Annalist eine kurze Notiz über den Pontifikat seines Nachfolgers Bonifaz VI. Für die Angabe über die Dauer seiner Regierung ('XV dies') liess er ein kleines Spatium, und ebenso blieb der Rest der Zeile frei für den Namen von Bonifaz' Nachfolger, so dass sie ursprünglich schloss: 'in cuius sedem successit apostolicus N'. Eine andere Hand, möglicherweise dieselbe, welche gleich darauf auf fol. 44 mit 'his ita expletis' beginnt[4], hat diese Lücken mit hellerer Tinte ausgefüllt. Aber sie hat sich nicht damit begnügt, die Dauer des Pontifikates und den Namen Stephans VI. einzufügen, sondern spricht auch von dem Totengericht, das er an Formosus vollziehen liess. Dadurch wurde doch der Nachtrag zu umfangreich für den Platz, der im Text für ihn

---

1) Vgl. oben Bd. XXXIII, S. 703 f. 2) Sie fehlt allerdings auch in 3e, stand aber in dessen Vorlage; denn in 3e selbst ist ein entsprechendes Spatium dafür und für die zu miniierende Initiale freigelassen worden. 3) Vgl. oben S. 17. 4) Von ihr ist wohl auch auf fol. 41v. der von Kurze 123, 35 abgedruckte Satz am Rande nachgetragen worden.

ausgespart geblieben war, und so ist er zum grössten Teil auf den Rand hinausgedrängt worden.

Nun stimmt zwar ζ an der ersten und dritten Stelle — die zweite soll für uns erst später, bei der Untersuchung der Abstammung von 3d, von Bedeutung werden — nicht mit dem ursprünglichen, sondern dem nachträglich geänderten Text von 3 überein; es kann aber trotzdem, wie schon gezeigt wurde, ebenso wenig aus 3 geflossen sein, wie dieses aus ihm. Aber auch die Vorlage der beiden Hss. ist nicht die gleiche gewesen. Allerdings läge ja die Annahme nahe, dass ζ aus dem gleichen, nur später korrigierten und (in der Stelle über die Nachfolgerschaft des Erzbischofs Karl) von einem nahen Verwandten der Hs. 2 beeinflussten Exemplare geflossen wäre, wie 3. Dagegen spricht jedoch wieder die umfangreiche Lücke 842—844, die sich in der Vorlage von 3 befunden haben muss[1]. Wir haben uns vielmehr nach dem Gesagten den Hergang in folgender Weise zu denken. Es gab ein Exemplar der Klasse B mit einer bedeutenden Lücke zu den Jahren 842—844, das 863 die ursprüngliche Lesart von II bewahrte und 896 ein Spatium enthielt, das bereits der Verfasser der Rezension II gelassen hatte. Aus diesem ist 3 abgeschrieben; dagegen floss ζ aus einer Vorlage, die zwar jene Lücke nicht aufwies, aber 863, durch einen Vertreter von A beeinflusst, für das ursprüngliche 'et per totum deinceps annum vacavit episcopatus' eine Notiz über die Nachfolgerschaft Liutberts eingesetzt hatte; unentschieden bleibt nur, woher sie den Nachtrag zu 896 erlangte. Er kann nachträglich in das Original der Rezension II eingesetzt und von hier aus nach ζ gelangt sein, ebenso gut aber auch Eigentum erst der Vorlage von ζ oder von ζ selbst sein. Später sind diese Textveränderungen in verschiedenen Zwischenräumen nach 3 gelangt; auch die Lücke 842—844 ist ausgefüllt und die Jahreszahl 866 nachgetragen worden. Welche Wege diese Nachträge und Korrekturen dabei gegangen sind, vermögen wir nicht mehr anzugeben; selbst das können wir nicht einmal sagen, ob die Stelle über Liutbert etwa aus der Vorlage von 2 nach der Hs. 3 gelangte, oder ob auch hier mit einer Beein-

---

1) Gerade hier weist ζ die bessere Lesart 'III. Kal. April.' statt 'in Kal. April.' auf (vgl. oben S. 40), die deutlicher als alles andere zeigt, dass ζ nicht aus 3 hervorgegangen sein kann.

flussung von 3 durch ζ selbst oder seine Vorlage zu rechnen ist[1].

Indessen ist mit der Andeutung komplizierter Tauschvorgänge zwischen den einzelnen Vertretern von B und mit der Aufstellung gesonderter Vorlagen für 3 und für ζ, die uns jenen Prozess begreifen helfen sollte, die Darstellung der Filiation von B noch nicht abgeschlossen. Denn wie gemeinsame Fehler im selbständigen Teile aller Hss. der Rezension II beweisen, sind sie nicht direkt, sondern durch Vermittelung eines Zwischengliedes, aus B geflossen. Abermals erhalten wir so Gelegenheit, an dem uns überlieferten Texte der Annalen Emendationen zu versuchen.

Kurze 61, 28 (Kundgebung der von Nikolaus I. abgesetzten lothringischen Bischöfe, nur in B überliefert). 'Nunc ergo, quia fraudulentiam et calliditatem tuam[2] experti sumus, indignationem quoque tumidumque potentatum agnoscimus, nihil tibi tuaeque superbiae cedimus, qua nos ad vota nostrorum, quibus faves, inimicorum obruere festinabas; sciesque (statt sciasque) nos non tuos esse, ut te iactas et extollis, clericos, quos ut fratres et coepiscopos recognoscere, si elatio permitteret, debueras'.

108, 22: 'nam et ita equi stupefacti, ut efractis sudibus et habenis partim extra castra, partim in castris errore et stupore versabantur'. Es wird 'terrore' zu lesen sein.

---

1) Auch ob die Jahreszahl 866 nach dem Vorbilde von ζ nachgetragen wurde, ist nicht sicher. Denn ein merkwürdiger Zufall will es, dass auch die Hs. 2 das Jahr 866, ganz wie ζ (vgl. oben S. 44), mit 'Werinharius comes' beginnen lässt. Allerdings ist sie dabei nicht, wie ζ, durch die Einschiebsel zu 864 und 865 irregeführt, die sie als Ableger von A nicht enthalten kann, sondern ihre ganze Chronologie befindet sich von 840 an in Verwirrung. Von 840 bis 867 sind die Jahre um 1 zu hoch, von 868 bis 874 um 1, von 876—887, in Folge des Ausfalles von 875, um 2 zu niedrig angegeben. Ein späterer Benutzer (wie Kurze, der die Verwirrung nur viel zu spät beginnen lässt, Ausgabe S. 66 meint, vielleicht Lambeck) hat den Fehler berichtigt und versucht, seine Korrekturen durch Miniierung und entsprechende Formgebung dem Original anzugleichen. Das ist ihm aber nicht soweit gelungen, dass nicht darunter noch die ursprüngliche Lesart zu erkennen wäre. Die Hs. 2 kann aber diese falschen Datierungen bereits in ihrer Vorlage gefunden haben, und da wir ohnedies mit einer Beeinflussung von 3 durch A rechnen müssen, kann die irrige Bezeichnung des Jahresanfanges ebenso gut von hier aus nach 3 gelangt sein, wie durch ζ. 2) Fehlt in den Hss.; von Kurze nach dem Texte der Ann. Bert. eingesetzt. — Ueber andere Schwierigkeiten der handschriftlichen Beglaubigung vgl. oben S. 38.

112, 1 'Hoc scandalum antefacti puerilis ('puerulis' 3ce) consilii spatio unius anni sentitur'. 112, 20 'Quo acto ('pacto' 3c) dolore per antefactum puerile consilium' u. s. w. Beide Male ist 'antefatum' zu verbessern, da über das 'puerile consilium' vorher ausführlich berichtet wird.

114, 26 'Discordia inter Perangarium cognatum regis, qui Foro Iuliense ('Foro viliense' 3ce) fruitur, et Liutwardum episcopum oritur. Propterea Perangarius mittens Vercellinam urbem expoliare ('expolitare' 3) ibique veniens multis rebus episcopi abreptis, prout voluit, reversus est'. Ich möchte statt 'mittens' 'nitens' vorschlagen.

115, 34 'Karolus . . . tandem munera ad regem direxit, exposcens sua gratia ('suam gratiam' 3ce) vel pauca loca in Alamannia sibi ad usum usque in finem vitae suae largiri; quod rex ita fieri concessit. Sed tamen ne hoc ('hoc tamen ne' 3ce) diu apud se retinuit'. Dem Sinne entsprechend wäre 'nec'.

119, 30 Dass statt 'Arnolfus . . . . ita Nordmannos . . . . iter arripuit' zu lesen ist 'Arnolfus . . . in Nordmannos' u. s. w., hat schon Kurze angemerkt.

119, 36 '(Nordmanni) sepibus more eorum municione cepta securi consederunt'. Die Verbesserung 'septa' ergibt sich von selbst.

120, 6 '(rex) oculis, cogitatione, consilio huc illuc pervagabatur, quid consilii opus sit, quia Francis pedetemptim certare inusitatum est, anxie meditans, tandem heros primores Francorum advocans sic alloquitur patienter'. 'Quia', das Kurze richtig einsetzt, steht nicht in den Handschriften: sie haben sämtlich 'quid'. Dagegen hat er nicht gewagt, 'patienter' zu streichen; da eine Rede folgt, durch die das Heer zum Kampfe angefeuert werden soll, ist es offenbar nicht am Platze; für die Verderbnis ist 'potenter' einzusetzen.

120, 26 'Clamor a Christianis in celum attolitur'. In den Hss. fehlt 'a'.

120, 27 'pagani more succlamantes' hat bereits Kurze in 'more suo clamantes' verbessert.

121, 10 'Inde Orientem proficiscitur, sperans sibi Zwentibaldum ducem obviam habere'. Das unmögliche 'sibi' statt 'ibi' ist durch Dittographie des vorangehenden Buchstabens verschuldet.

122, 26 'Augustae videlicet episcopus'. Schon von Freber zu 'Augustae Vindelicae episcopus' emendiert.

132, 24 Die Jahreszahl 899 fehlt in allen Hss.

Zum Schlusse müssen wir auch noch 3d und seine verstümmelte Vorlage in den Stammbaum einordnen. Wir kennen bereits die Doppelstellung, welche dieser Text zwischen 3 und ζ einnimmt. Es kann sich nur noch darum handeln, zu sagen, welcher Ast der Ueberlieferung von B die Textgrundlage geliefert hat, ob derjenige, dem 3, oder jener, dem ζ angehört; die Gegenseite ist damit jeweils als die Quelle der Kontamination gekennzeichnet. Eine vollkommen sichere Entscheidung ist schwer zu fällen, das wahrscheinlichste ist aber doch direkte Herkunft von 3. An zwei der vorhin als besonders charakteristisch bezeichneten Stellen, jenen zu 863 und 866, stimmt zwar 3d mit ζ und dem jüngeren Texte von 3 überein. Hat es mit letzterem auch das fehlerhafte 'in Kal. April.' gemein, so mag man noch an Verlesungen denken, die unabhängig von einander stattfanden. Aber dass der gleiche Zufall es noch gefügt haben sollte, dass 3d, ganz wie ursprünglich 3, die Jahreszahl 866 fehlt[1], ist doch nicht anzunehmen: die Vorlage von 3d muss aus 3 geflossen sein[2], und zwar, wie gerade der Ausfall der Jahreszahl 866 beweist, zwischen zwei der zahlreichen Etappen, auf denen sich die Weiterbildung des Textes von 3 vollzogen hat. Allerdings wären dann durch die Kontamination von ζ oder seiner Vorlage her auch auffallende Fehler nach 3d gekommen: so 'Hludowicus ad Obodritos defectionem molientes bello perdomuit' (Kurze 35, 3)[3] und 'Cartani' statt Carantani' (55, 18).

Wir können nunmehr die Summe unserer Arbeit ziehen, indem wir die Resultate unserer Untersuchung über die weitere Verzweigung von B anstossen an das, was wir früher über die Gabelung der Ueberlieferung der Annalen in zwei grosse Hss.-Gruppen ermittelt haben. Wollen wir unsere Ergebnisse graphisch darstellen, so gewinnen wir folgendes Bild:

---

1) Sie ist auch nicht etwa an der gleichen falschen Stelle eingetragen wie in 3. 2) Nicht etwa aus der Vorlage von 3 selbst! Denn sonst müsste für diese noch einmal derselbe komplizierte Prozess angenommen werden, den 3 selbst durchgemacht hat. 3) Entstanden vielleicht aus einer Korrektur 'Abodritos' für 'Obodritos'.

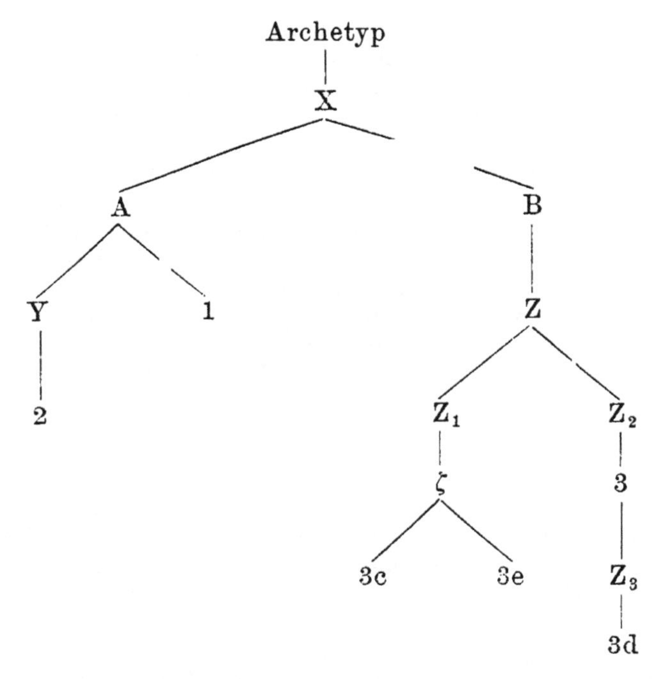

Noch haben wir auf eine letzte Frage Rechenschaft zu geben: die Zusätze, welche die Hss.-Klasse B gegenüber A zu den Jahren 864 und 865 aufweist, sind bisher wohl erwähnt und im Vorübergehen gestreift, aber noch nicht wirklich behandelt worden; es ist Zeit, dass wir versuchen, auch für ihr Auftreten eine befriedigende Erklärung zu finden.

Den Jahresbericht 864 beschliesst B mit einer Notiz über die Reise, die Bischof Günther von Köln nach Rom unternahm; darin stimmt es mit A überein. Aber es hat am Anfange des Jahres noch einen zweiten Bericht über dasselbe Ereignis, der A fehlt[1]. Aehnlich liegen die Dinge 865. A und B gemeinsam ist eine Nachricht über die Absetzung des Grafen Werner von der pannonischen Mark und ein ausführlicher Bericht über die Gesandtschaftsreise des päpstlichen Legaten Arsenius zu den karolingischen Königen. In B allein aber gehen dem noch Nachrichten über den Tod des Rudolf von Fulda und des Markgrafen

1) In der Hs. 3 (aber nur in dieser) ist dafür der Bericht am Ende des Jahres (von einer noch dem Mittelalter angehörenden Hand) durchstrichen.

Ernst voraus, und abermals ein Bericht über die Reise des Arsenius[1]; das alles fehlt in A, nur dass die Hs. 1 am Ende des Jahres 864 einsilbig meldet: 'Ernust obiit'.

Kurze hat sich den Sachverhalt in der Weise zurechtzulegen versucht[2], dass ein Unbekannter, vielleicht Meginhart[3], zu der Arbeit 'Rudolfs', die 863 schloss, Zusätze gemacht hätte, welche von dem Verfasser des dritten Teiles der Annalen (864—882), also nach Kurze wieder von Meginhart selbst, verarbeitet, von dem Urheber unserer Rezension II dagegen wörtlich wieder aufgenommen worden wären. Wie so viele Folgerungen Kurzes entfällt auch diese mit ihren Voraussetzungen, und wir müssen uns nach einer anderen Deutung umsehen. Vielleicht gewinnen wir sie, wenn wir zunächst die beiden Doppelberichte über Günther und Arsenius näher prüfen.

A und B.	B allein.
Guntharius Coloniae civitatis episcopus poenitentia ductus, quod *ministerium sacerdotale ab apostolico sibi interdictum contingere praesumpserat*, Romam profectus est, sed restitutionis vel satisfactionis locum minime invenit.	Guntharius Coloniae civitatis episcopus poenitentia ductus, quod *contra domnum apostolicum iniustae rationis contentionem inchoaverat*, *reconciliationis suae et emendationis gratia* Romam profectus est. In praesentiam apostolici viri Nicolai venit, sed veniam minime consecutus est.
Arsenius episcopus, Nicolai pontificis Romani legatus, ob pacem et concordiam inter Hludowicum regem *et nepotes eius, Hludowicum videlicet Italiae imperatorem et Hlotharium fratrem eius*, renovandam (fehlt 2, B) missus est in Franciam. Qui *mense Iunio ve-*	Et Arsenius episcopus, Nicolai papae Romanae urbis legatus, ob pacem et concordiam inter Hludowicum *et Karolum fratrem eius necnon Hludharium nepotem eorum* renovandam atque constituendam missus est in Franciam. Qui apud villam regiam Franconofurt a Hludo-

1) Ueber die Verschiebungen der Jahresanfänge, die dadurch in ζ verursacht wurde, vgl. oben S. 44. Von den beiden Berichten über Arsenius steht in Folge dessen in ζ (und in 3, vgl. oben a. a. O.) der eine diesseits, der andere jenseits der Jahresgrenze 866. 2) Abhandlung S. 145. 3) A. a. O. S. 148.

A und B.	B allein.
niens apud Franconofurt a Hludowico rege honorifice susceptus est; a quo absolutus in Galliam perrexit et Theotpergam reginam a Hlothario dudum dimissam, sicut ei ab apostolico iniunctum fuerat, eidem regi[1] restituens Waldratam concubinam illius[2] in Italiam duci praecepit et, ut Hlotharius Theotpergam quemadmodum rex legitime sibi coniunctam deinceps tractaret reginam, duodecim ex optimatibus eiusdem regis[3] iuramento firmare coegit. Deinde in regnum Karoli profectus multisque ibi, quorum gratia illuc venerat, bene dispositis Romam reversus est.	wico rege honorifice susceptus et muneribus magnificis honoratus condictoque inter eos placito de supradicta conventione apud Agrippinam Coloniam habituro ad Karolum regem in Galliam pergit. Illic quoque mirifice a rege susceptus regalibusque donis sublimatus propter condictum placitum Agrippinam, ut diximus, Coloniam venit ibique obviam ei duo fratres, Hludowicus videlicet atque Karolus, absente Hludhario nepote eorum, ad condictum placitum convenerunt, multisque ibidem causis bene dispositis cum pace revertitur Romam.

Es ist nicht schwer zu sehen, worin sich diese Berichte unterscheiden. In der A und B gemeinsamen Fassung — sie sei im Folgenden der Einfachheit halber π genannt — wird die Ursache, die Günther nach Rom trieb, deutlich bezeichnet: 'quod ministerium sacerdotale ab apostolico sibi interdictum contingere praesumpserat'. Das muss zugetroffen haben; denn einem ziemlich gleichzeitigen Schreiben Lothars an den Papst entnehmen wir, dass Günther trotz seiner Absetzung das Chrisma bereitet und die Firmung gespendet hatte[4], und den Bertinianischen[5] wie den Xantener Annalen[6], dass er auch die Messe feierte. Dagegen spricht die in B allein überlieferte Version — φ — nur ganz im Allgemeinen von dem 'ungerechten Streite',

1) 'regi' fehlt B. 2) 'eius' B. 3) 'eiusdem regis] Hlotharii' 1. 4) Böhmer-Mühlbacher n. 1304 (1269); vgl. Dümmler, Ostfr. Reich II, 79. 5) ad a. 864. 6) ad a. 865.

den Günther gegen den Papst begonnen habe. Noch stärker ist der Unterschied bei den Berichten über Arsenius. In π wird es als seine Aufgabe bezeichnet, Ludwig den Deutschen mit Lothar II. und Ludwig von Italien auszusöhnen, in φ tritt für den zuletzt genannten Karl der Kahle ein. In π hat Arsenius zunächst eine Zusammenkunft mit Ludwig dem Deutschen, begibt sich aber dann zu Lothar, dessen Angelegenheiten den Rest des Berichtes in Anspruch nehmen; φ dagegen schweigt von dieser Frage und beschäftigt sich ausschliesslich mit den Bemühungen des Arsenius um Wiederherstellung des Friedens zwischen den drei Königen. Wenn wir nun weiter beobachten, dass zwar der Inhalt der Mitteilungen von π und φ ein verschiedener ist, dass aber der Rahmen, in welchem sie ihn geben, der gleiche bleibt, indem Eingang und Schluss sich im Gedankengang und teilweise auch im Wortlaute decken, so wissen wir, dass diese Doppelberichte nicht nebeneinander zu stehen und einander zu ergänzen bestimmt waren, sondern dass jeweils der eine den anderen korrigieren und aufheben sollte. Und endlich sagt uns die Stellung der Notizen von φ im Texte, dass diese ihnen nicht von ihrem Verfasser angewiesen worden sein kann, sondern dass sie sie dem Missverständnis eines Abschreibers verdanken, der sie vom Rande oder von besonderen Einlagen, wo wir sie uns ursprünglich denken müssen, in den Text gelangen liess. Denn diese Einschiebsel unterbrechen die chronologische Anordnung der Ereignisse, die sonst in den Annalen auch innerhalb der einzelnen Jahresberichte festzuhalten versucht wird. Der π-Bericht über die Romfahrt Günthers steht am Ende von 864, und mit Recht, denn die Synode, auf der Günther sich verteidigen wollte, wurde auf Anfang November einberufen[1]; φ setzt die Reise an die Spitze des Jahresberichtes, vor den Zug, den die Annalen Ludwig im August gegen Rastiz unternehmen lassen. Die Tätigkeit des Arsenius fällt in den Sommer 865; φ schickt ihr einen Nachruf auf Rudolf von Fulda voraus, der seiner Angabe nach am 8. März starb, aber dazwischen bringt es die Nachricht vom Tode des Markgrafen Ernst, der, wie wir aus einem Regensburger Totenbuch wissen, auf den 11. November fiel[2].

---

1) Ann. Bert. 2) Necrologium mon. S. Emmerami Ratisbonensis, MG. Necrologia III, 330; vgl. Dümmler, Ostfr. Reich II, 21, Anm. 3.

Wen müssen wir nun als den Verfasser dieser Zusätze ansehen? Zunächst fühlt man sich versucht, an B, den Verfasser der zweiten Rezension der Annalen zu denken, in der allein uns φ entgegentritt. Sprachlich scheint das Eine oder Andere dazu zu stimmen: so die Verwendung des Participium futuri statt des Gerundiums und die Inkongruenz der Genera in 'de supradicta conventione . . . . habituro', sowie die Konstruktion 'Guntharius . . . . Romam profectus est, in praesentiam apostolici viri Nicolai venit, sed veniam minime consecutus est', die an das Asyndeton erinnert: 'malleolo, dum usque in cerebro constabat, percussus est [1], expiravit' (883; Kurze 109, 29). Aber schliesslich sind das Einzelheiten, die ebenso gut auch dem nächsten Abschreiber, Z, zur Last fallen könnten, denn im allgemeinen ist der Ausdruck in φ viel zu korrekt für den Verfasser der zweiten Version. Ueberdies aber wird man sagen dürfen, dass seine Interessen überhaupt viel zu bestimmt nach einer Richtung festgelegt waren, als dass ihn gerade die Reisen Günthers und des Arsenius und der Tod Rudolfs von Fulda zu Aenderungen und Einschiebseln hätten veranlassen sollen. Wenn also mit aller Wahrscheinlichkeit B ausscheidet, so haben wir noch die Wahl zwischen Ω und X. Auch für Ω, den Verfasser der Annalen in ihrer ursprünglichen Gestalt bis 887, liesse sich eine sprachliche Erwägung geltend machen: dem Satze 'sed veniam minime consecutus est' entspräche 868 (Kurze 67, 13) 'sed petitionis effectum minime consecutus est'. Aber der Gegengründe sind zu viele und zu schwerwiegende. Einmal liegen sie in der Verzweigung der Hss., wie wir sie bereits begründet haben, denn A und B sind nicht direkt aus dem Archetyp geflossen, sondern durch Vermittelung eines X. Der nächstliegende Einwand würde nun wohl sein, dass die Hs. X für Ω angefertigt worden sei und dass Ω hier, nicht in dem Archetyp, jene Abschnitte eingetragen habe. Wir beseitigen ihn durch das zweite Argument, das gegen Ω spricht, die sehr einfache Erwägung, dass, rührten jene Korrekturen und Zusätze wirklich von ihm her, Ω sich damit eine Verschlimmbesserung seines eigenen

---

1) So lesen sämtliche Hss.; Kurze streicht in seiner Ausgabe 'est'.

Werkes hätte zu Schulden kommen lassen. Denn mit der Einfügung von φ wäre an Stelle der präzisen Begründung von Günthers Romreise eine allgemeinere, farblosere getreten, und noch nachteiliger hätte die Korrektur zu der Vermittlertätigkeit des Arsenius gewirkt. 867 berichtet der Annalist: 'Hlotharius rex promissionem suam, quam super Theotperga regina pollicitus est apostolico, irritam ducens atque iuramentum optimatum suorum flocci pendens iterum Waldratae ab Italia revocatae se clanculo sociavit'. Diese Nachricht war dem Leser sofort verständlich, wenn er π gelesen hat, sie musste ohne Erklärung bleiben, wenn dieses durch die Fassung von φ ersetzt wurde.

Fast mit Sicherheit dürfen wir also behaupten, dass der Schreiber von X der Verfasser jener Zusätze war. Entweder hat sie A geflissentlich übersehen, oder aber, sie wurden zu einer Zeit eingefügt, als zwar schon A, aber noch nicht B aus X abgeschrieben war; B hat sie dann übernommen, jedoch unterlassen, gleichzeitig π zu tilgen. Aber welches waren die Gründe, die X veranlassten, mit dem ihm überlieferten Texte solche Veränderungen vorzunehmen? 863 berichtet Ω, Papst Nikolaus habe den Bischof Günther exkommuniziert und abgesetzt ('deposuit'), 864 spricht er von dem 'ministerium sacerdotale ab apostolico sibi interdictum': darunter konnte möglicherweise auch eine Suspension nur auf Zeit verstanden sein, und vielleicht hat diese kleine Unebenheit X gestört und zum Eingreifen veranlasst, und ganz ähnlich lässt sich auch die Korrektur an dem Berichte über Arsenius erklären. In π ist von dem Auftrage die Rede, den der Legat erhielt, den Frieden zwischen Ludwig dem Deutschen und seinen Neffen herzustellen. Wir hören dann zwar, dass Arsenius mit Ludwig im Juni in Frankfurt zusammentraf, aber nichts von dem Ergebnis ihrer Verhandlungen, vielmehr springt der Annalist von seinem Thema ab und unterrichtet uns nur noch über die Bemühungen des Arsenius in der Eheangelegenheit Lothars. Auch diese Inkongruenz sollte beseitigt werden, und so erzählt uns denn X, den ursprünglichen Gedanken wieder aufnehmend, von einer Zusammenkunft zu Köln, die in Frankfurt verabredet wurde, von der erfolgreichen Reise des Arsenius zu Karl dem Kahlen, endlich, dass er die beiden Brüder in Köln wieder traf. Dass sich Karl und Ludwig damals sahen, bestätigen auch die Annales Bertiniani, nur dass sie nichts von der Anwesenheit des Arsenius wissen. Ihr Stillschweigen hat bisher schon Zweifel wachgerufen, ob der Bericht der Annales Fuldenses in diesem Punkte zuverlässig sei[1]: sie werden sich noch verstärken, wenn wir wissen, dass die Notiz nicht von dem Verfasser des Werkes stammt, sondern spätere Zutat ist.

Auch die Erklärung für die Aufnahme eines Nekrologes auf Rudolf ist nicht schwer zu finden: sie ergibt sich von selbst, wenn wir an die bekannte Randnotiz denken, die seinen Namen enthält. Gerne würde man hier weiter gehen und sagen, dass beide in Beziehungen zu einander stehen, dass X sie einfügte, weil er Rudolf für den Verfasser einer der Quellen in seiner Vorlage hielt oder ausgeben wollte, und dass folgerichtig nicht nur 'Hucusque Ruodolfus', sondern auch 'Hucusque Enhardus' seiner Feder entflossen sein muss. Allein wir erinnern uns, dass wir schon auf die Frage, ob Ω oder X der Verfasser dieser beiden Bemerkungen sei, eine völlig bestimmte Antwort nicht geben wollten, und enthalten uns auf so unsicherem Boden auch weiterhin jeder Mutmassung.

Endlich erklärt sich mit Leichtigkeit auch die Notiz über den Tod des Markgrafen Ernst und die entsprechende Bemerkung in der Hs. 1. Dieser fränkische Grosse kommt in den Annalen wiederholt vor[2], und es war ein Fehler, dass sie sein Ableben nicht meldeten. X füllte die Lücke aus, aber sie kam nicht ihm allein zum Bewusstsein. Denn auch A, das schon aus X hervorgegangen war, merkte seinerseits am Rande an: 'Ernust Ø', und von hier ist die Anmerkung, deren knappe und von dem wohlgepflegten Stile der Annalen abstechende Form sofort ihre Herkunft verrät, in den Text von 1 gelangt, während sie von dem Schreiber der Vorlage von 2 zufällig oder absichtlich weggelassen wurde.

Ausser den Zusätzen zu den Jahren 864 und 865 werden wir X aber noch eine weitere Veränderung der ursprünglichen Gestalt des Werkes zuschreiben dürfen: mit aller Wahrscheinlichkeit hat es zu gleicher Zeit auch am Schlusse des Jahres 863 zwei Aktenstücke eingeschaltet, den Erlass Nikolaus' I. über die Metzer Synode und das Gegenmanifest der abgesetzten Bischöfe. Sie finden sich nur in den Hss. von B. In A steht statt ihrer die Bemerkung: 'scripturam autem utriusque partis quisquis curiosus scire voluerit ('desiderat' 2), in nonnullis Germaniae locis poterit invenire'. Die Verwandtschaft dieses Hin-

---

1) Dümmler, Ostfr. Reich II, 135, Anm. 2. 2) 849, 857, 861.

weises mit einem ähnlichen am Ende des Jahresberichtes 876 ist schon Bresslau aufgefallen, und oben sind beide zum Nachweise der Einheitlichkeit des ganzen Werkes verwendet worden[1]. Wird also der Passus noch Eigentum von *Ω* sein, so dürfen wir die Inserierung der Aktenstücke als das Werk von X ansehen. Dass X ein Bedürfnis nach einer solchen Erweiterung seiner Vorlage empfand, braucht uns nicht Wunder zu nehmen; denn auch Regino, der doch fast zwanzig Jahre später schrieb, als X seine Vorlage kopierte, hat es noch für nötig erachtet, den grossen Kampf des Papsttums gegen den ehebrecherischen König durch zahlreiche Dokumente zu illustrieren.

Wenigstens mit grösster Wahrscheinlichkeit können wir also auf X Korrekturen, Nachträge und Erweiterungen zurückführen, die er in seine Hs. einfügte, nachdem sie bereits A, aber noch ehe sie B zur Vorlage gedient hatte. Nicht ebenso steht es mit einer anderen, weniger bedeutenden Aenderung des Textes zum Jahre 882. Hier berichten die Annalen: 'stella cometes XV. Kal. Febr. prima hora noctis apparuit comas suas supra modum spargens et rem infaustam, quae cito secuta est, sua apparitione praemonstrans. Nam Hludowicus invalescente morbo XIII. Kal. eiusdem mensis (so 2; 'Febr.' 1) diem ultimum clausit'. So lautet die Angabe in A; dagegen hat B das Datum 'XIII. Kal. Decemb.'. Es ist klar, dass die Fassung in A die ursprüngliche ist und dass jene in B eine spätere Aenderung darstellt. Indessen handelt es sich nicht um einen Lapsus calami, sondern um eine unglückliche Korrektur. Das bezeugen die Prümer Totenannalen, die Ludwigs Tod auf das gleiche Datum setzen[2]; aus ihrer Quelle, vielleicht sogar aus ihnen selbst, wird es in die Annales Fuldenses gelangt sein. Denn wenn wir uns erinnern, dass sich unter dem Wenigen, was der Verfasser von II über den Markgrafen Heinrich vorbringt, die Verteidigung von Prüm war[3] — wenn anders an der betreffenden Stelle wirklich 'Prumiam' statt 'primum' zu lesen ist[4] —, so liegt der Gedanke nahe, dass sich von

1) Vgl. Bd. XXXIII, S. 727. 2) MG. SS. XIII, 219. 3) Vgl. oben S. 24. 4) 'Heimricus, frater Popponis scilicet, cum Nordmannorum manum validam Prumiam venire cognoscit, usque eos, ut dicunt, nullo evadente cum suis ad internitionem delevit; et ille vero vulneratus evasit'. So lautet die Stelle in 3, und auch das Chronicon Suevicum universale, das uns durch Hermanns von Reichenau Vermittelung bedient (vgl. unten im Abschnitt IV), hatte 'Prumiam'; dagegen lesen 3c und 3e, die sich auch sonst an dieser Stelle kleine Aenderungen erlauben, 'primum' statt 'Prumiam'. Das Schweigen Reginos spricht jedenfalls nicht für 'Prumiam'.

Prüm nach Osten hin zu dem Panegyriker Karls des Dicken Fäden gesponnen haben mögen, die ihm vielleicht jenes irrige Datum vermittelten.

IV.

Es ist eine reiche Entwickelung, die wir an uns vorüberziehen sahen. Aelteres Material zusammenfügend, über arbeitend und fortsetzend entsteht — wir dürfen vielleicht sagen, in Mainz — eine Darstellung der Reichsgeschichte, die mit der Absetzung Karls III. endet. Im Südosten des Reiches erregt die Auffassung der Regierung des Kaisers Anstoss bei einem unbekannten Bearbeiter; er lässt die Jahresberichte 882—887 weg und ersetzt sie durch eine Schilderung der Regierungszeit Karls, die jener ersten geradezu und mit Absicht entgegengesetzt ist; zugleich führt er die Darstellung bis in die Zeiten Ludwigs des Kindes fort. Daneben gehen auf allen Stufen der Fortpflanzung des Werkes kleinere Veränderungen des Textes her. Schon der erste Abschreiber fügt Aktenstücke ein und kleine Einschiebsel, die teils als Verbesserungen, teils als Nachträge gedacht sind. Aehnliches tritt uns, wenn auch im geringerem Umfange, in den beiden Verzweigungen der Hss.-Gruppe A entgegen[1] und bei den Repräsentanten der zweiten Rezension. Bei diesen gewahren wir zudem noch einen lebhaften Austausch von Lesarten, und das Bestreben, den Text, den man durch die Vermittelung von X erhalten hat, aus späteren Korrekturen zu verbessern, die sich bei Vertretern der Gruppe A finden.

Es erübrigt, noch mit einigen Worten die Stellung der Annales Fuldenses zu der historischen Produktion ihrer Zeit überhaupt zu bestimmen.

Man wiederholt nur eine oft gehörte Selbstverständlichkeit, wenn man sagt, dass die Annalen recht eigentlich die spezifische Form der mittelalterlichen Geschichtschreibung darstellen. Allerdings hat nicht das Mittelalter zuerst diese Form ausgebildet. Denn wenn man von den Ostertafeln spricht, an deren Rande wichtige Ereignisse eingetragen wurden, so sollte man doch nicht vergessen, dass bereits die Antike dem Mittelalter eine reiche Literatur in Annalenform vermacht: die Konsularfasten mit allen

---

1) Ueber 1 vgl. oben Bd. XXXIII, S. 707 ff.; 2 hat kleine Zusätze 853 und 861 (Kurze S. 43 und 55).

ihren mannigfaltigen Bearbeitungen und Verzweigungen. Nur trug diese Literatur in ihrer Dürftigkeit zugleich etwas hybrides an sich. Es fehlte ihr vor allem die Konzentration, die ihren einsilbigen Notizen die Kraft hätte verleihen können, sich zu einer ausführlicheren Darstellung weiterzubilden: die Fortdauer des römischen Reiches, die man fingierte, streitet mit der Geschichte der Barbarenreiche, in denen die Verfasser leben, und das Interesse an den zahlreichen dogmatischen Streitigkeiten, die in dem Umkreise des Imperiums immer wieder emporwuchern, hält dem politischen die Wage. Das Mittelalter bildet allerdings sofort eine neue historiographische Gattung aus, die Nationalgeschichte; an Cassiodor-Jordanes anschliessend, beginnt sie mit Gregor und erreicht in Bedas Historia ecclesiastica ihren Höhepunkt, der zugleich einen Gipfel der mittelalterlichen Geschichtschreibung überhaupt bezeichnet. Allein die Nationalgeschichte verfolgt von vornherein andere Zwecke als die Annalistik; sie betont mit Vorliebe das gelehrt-antiquarische Moment, und vor allem ist sie auf fortlaufende Erzählung und Ausspinnung ihrer einzelnen Momente gerichtet, nicht auf knappe, rein sachliche Registrierung der Tatsachen, ein Gegensatz, der uns sofort wieder beschäftigen wird. Erst mit dem 7. Jh. beginnt dann eine neue Annalistik, welche die Vertreter der absterbenden antiken, die bis dahin noch immer ihren Einfluss bewahrt haben, bei Seite zu schieben vermag. Ihr Charakteristikum, wenigstens soweit sie für uns in Betracht kommt, ist, dass sie von vornherein unter dem Eindrucke der politischen Ereignisse steht. Sie beschränkt sich auf die Aufzeichnung der Angelegenheiten des fränkischen Reiches, von denen die wichtigsten jeweils sogar Ausgangspunkt und Endpunkt der einzelnen Darstellungen zu werden vermögen: das erste Ereignis, das sich in den älteren, kleineren Annalen eingetragen findet, ist die Schlacht bei Testri, die kleine Lorscher Frankenchronik, die einige von ihnen kompiliert, hebt mit dem Auftreten Karl Martells an, die Annales regni Francorum endlich beginnen mit seinem Tode und schliessen 829 ab, mit dem Anfange der Wirren unter Ludwig dem Frommen. In dem zuletzt genannten Werke erstieg die Gattung zugleich ihren Höhepunkt; hier lag eine erschöpfende Uebersicht über die wichtigsten Ereignisse der grossen Zeit des fränkischen Reiches vor, in knapper, sachlicher Haltung, in einer Sprache, die von Jahr zu Jahr an Korrektheit zunahm und grösseren Reichtum des Ausdrucks gewann, aber doch niemals den Zweck aus dem Auge verlor, dem sie zu dienen hatte. Indessen lange vermochte sich die neugeschaffene historiographische Gattung in dieser Reinheit nicht zu erhalten. Die Mächte, die schon in der Zeit des ausgehenden Altertums um den massgebenden Einfluss auf die Geschichtschreibung gerungen hatten, Veritas und Gratia, begannen sich abermals den Boden streitig zu machen[1]. Schon die Antike, auch die antike Theorie selbst, unterschied zwischen dem strengen Stil der Geschichtschreibung, wie er sich in den Annalen ausprägt, und der Monographie, die wohl Erkenntnis vermitteln, aber zugleich auch künstlerischen Absichten und, in einem höheren Sinne, dem Unterhaltungsbedürfnis des Lesers dienen will: sie sucht diesen Zweck durch reiche Ausmalung des Einzelnen, durch Einschiebung von Exkursen, durch dramatische Ausspinnung einzelner Episoden, durch Einfügung von Reden zu erreichen, die der Vorliebe der Zeit für das Rhetorische schmeicheln sollen. Die erste Gattung hatte das Mittelalter vielleicht nicht völlig aufs Neue geschaffen — denn allerhand Fäden mögen von der absterbenden antiken Annalistik zu der frühmittelalterlichen herüberziehen, die wir nur nicht mehr oder noch nicht nachzuweisen vermögen —, aber es hatte sie reiner und reicher ausgebildet, als die letzten Jahrhunderte des Altertums es vermocht hatten. Jetzt aber wurde diese Entwicklung getrübt durch ein Ergebnis, das die Wiederbelebung der Studien durch die ersten Karolinger herausgeführt hatte: die Bekanntschaft mit den römischen Vertretern jener zweiten Gattung, Sallust, Livius, Eutrop, Florus, dem Apophthegmatiker Valerius Maximus. Wir haben bereits vorhin ein Beispiel dafür gehabt[2], dass die Anlehnung an die Antike Keime, die das Mittelalter in sich trug, an der Entfaltung gehindert hat. Dort handelte es sich um die freie Entwicklung der ursprünglichen Begabung des Erzählers, die durch den angestrebten Klassizismus des Ausdrucks in Fesseln gehalten wurde. Gerade ihr schuf das Studium der römischen Historiker in gewissem Masse Ersatz; denn indem es die Forderung nach künstlerischem Schmuck der Erzählung erheben liess, selbst um den Preis der unbedingten Wahrhaftigkeit, regte es die Phantasie an und eröffnete dem Kompositionstalent neuen Spielraum. Aber gleichzeitig trübte sich der Charakter der Annalen, als sie in Anlehnung an jene be-

---

1) Vgl. hierfür und für das Folgende R. Reitzenstein, Hellenistische Wundererzählungen S. 84 ff. 2) Vgl. oben S. 32.

wunderten Vorbilder Fremdteile in sich aufnehmen mussten. Sie nähern sich jetzt mehr und mehr der zusammenhängenden historischen Erzählung, der Historia oder dem Chronicon, bis beide Gattungen in einander übergehen: die Chronik übernimmt das annalistische Einteilungsprinzip, wozu sie von Anfang an Neigung zeigt, die Annalen durchdringen sich mit dem Memorabilienhaften der Chronik.

Die Stellung, welche die Annales Fuldenses in diesem Prozess einnehmen, ist zum grössten Teile bedingt durch die zeitliche Nachbarschaft, in welcher sie zu den Annales regni Francorum stehen. Schon Pertz hat auf den Einfluss hingewiesen[1], welchen gerade dieses Annalenwerk auf die Geschichtschreibung der nächsten Zeit ausgeübt hat: auf ihnen bauen nicht nur die beiden Werke weiter, die man als die Reichsannalen des östlichen und des westlichen Reichsteiles zu bezeichnen gewohnt ist, die bertinianischen und die fuldischen, sondern auch die Weltchronik Reginos; aber wir finden sie auch in den Annales Xantenses, Mettenses, Maximiniani[2] und in der einen Lebensbeschreibung Ludwigs des Frommen wieder, und indirekt, durch Vermittelung der unter Einhards Namen gesetzten Ueberarbeitung, haben sie selbst die Vita Karoli beeinflusst[3]. Aber nicht überall hat ihr Vorbild gleichmässig weiter gewirkt, und gerade bei den Annales Fuldenses gewahren wir die ersten leisen Spuren einer Abwendung von dem strengen annalistischen Prinzip. In den Annales Bertiniani ist dieses noch durchaus gewahrt; dagegen treffen wir bei Regino bereits Ansätze zu novellistischer Ausgestaltung des Stoffes[4], und in den Annales Fuldenses schüchterne Anzeichen des Einflusses der Antike. Nicht allerdings im Ausdrucke. Denn wenn ihr Verfasser, wie man längst weiss, Tacitus gekannt hat und bei seinen Lesern Vertrautheit mit den beiden Hauptgestalten der Werke Sallusts

1) MG. SS. I, 337. 2) Vgl. MG. SS. XIII, 20 ff. 3) Vgl. H. Bloch, Gött. gel. Anz. 1901, S. 890 ff. 4) Vgl. z. B. 864 die Hereinziehung von Günthers Nichte in Lothars Ehehandel, 872 die Nachricht von dem Feldzuge der Kaiserin Engelberga, die von der Kritik abgelehnt wird (vgl. Dümmler, Ostfr. Reich II, 341, Anm. 3); auch die Erzählung von dem Krachen der Rippe Ludwigs des Deutschen wird man mit Grimm, Deutsche Sagen II, 144 hierhersetzen, trotz Dümmlers Widerspruch (a. a. O. II, 297): sie gehört in dieselbe Kategorie wie das Märchen von den am Boden anfrierenden Pferden bei Wipo. Vielleicht steht es auch mit dem Ehebruch der Kaiserin Richardis nicht anders und behalten Wenck und v. Gagern Recht gegen Dümmler; das Schweigen der Ann. Fuld. erklärt sich dann von selbst; vgl. Dümmler a. a. O. III, 284, Anm. 3.

voraussetzt, so hat er doch keine Anlehnung an ihre Sprache gesucht und die Diktion für genügend gehalten, die er sich oder die die Schule ihm erworben hatte: wenn man eine flüchtige Reminiszenz an Sallust ausnimmt — 'rex .... postulata se facturum esse spopondit' (873, Kurze 79, 13) gegenüber 'mittuntur legati, qui Iugurtham imperata facturum dicerent' (Iug. 62, 3) —, so wird man wenige Beispiele von Anlehnung an die Klassiker finden[1]. Dagegen tritt uns zum ersten Male in diesem Zusammenhange die Einflechtung von Reden entgegen, die nach dem Beispiel der klassischen Geschichtschreibung Stimmungen und Absichten der handelnden Personen wiedergeben sollen. Der Verfasser der ersten Rezension hat ihrer drei in seine Darstellung eingefügt: 869 die Ansprache des abtrünnigen Gundacar an die Mährer, der im Gefechte seine Kraft durch die Heiligen gebannt sieht, auf deren Reliquien er seinen Treueid geschworen, 873 die Worte eines zu den Friesen übergetretenen Normannen, der ihnen rät, sie sollten seine Landsleute, die scheinbar schon in ihre Hände gegeben waren, gegen Herausgabe der Beute ziehen lassen, endlich 876 die reich mit biblischen Reminiszenzen geschmückte[2] Botschaft, mit der Ludwig der Jüngere Karl den Kahlen von dem Angriffe auf sein Reich abmahnt.

Bei der grossen Ausbreitung, welche die Annales Fuldenses gewannen — es wird davon gleich noch zu sprechen sein —, ist diese Konzession an die Strömung des Tages sicher nicht ohne Einfluss geblieben. Wir gewahren Verwandtes gleich bei dem Fortsetzer, dem Verfasser der Redaktion II. Er steht stilistich überhaupt gelegentlich unter dem Einflusse von I: nicht nur mit Wendungen, die sich mehr dem Ausdrucke seiner Zeit überhaupt nähern, wie 891 'ibi Sundaroldus Magonciacensis archiepiscopus incaute illis occurrens interfectus est'[3] oder 893 'hiems aspera et plus solitum prolixa extenditur'[4], sondern selbst mit weniger alltäglichen Sätzen, die er nach dem Konzept formt,

---

1) Von den Anklängen, die Manitius in dieser Zeitschrift XI (1886), 68 f. konstatieren will, wird man kaum etwas gelten lassen können. Beispielsweise zitiert Manitius zu 'tanta denique in eos christiani caede bacchati sunt' (Kurze 103, 2), Cicero, Catilina IV, 6: 'et furor in vestra caede bacchantis'. Die Ann. Fuldenses bilden aber vielmehr die Vulgata nach, Iudic. 20, 25: 'tanta in illos caede bacchati sunt'. 2) Ausser den von Kurze beigebrachten Stellen kommt auch 4. Reg. 14, 10 in Betracht. 3) Vgl. dazu: 'quibus Walah Mettensis episcopus incaute cum paucis occurrens occisus est' Kurze 97, 32 und dazu oben Bd. XXXIII, S. 722. 4) Vgl. Bd. XXXIII, S. 726.

das I bot; z. B. verrät der Satz 'a Liutbaldo strenuo comite catena aliisque vinculis illigatus regi ad Rantesdorf est praesentatus' (898, Kurze 132, 20) den Einfluss von 'ibique cum suis colloquium habens Rastizen gravi catena ligatum sibi praesentari iussit' (870, Kurze 72, 26), und offenbar der Vorlage von I nachgebildet ist der Bericht über die Synode von Tribur (126, 3 ff.): 'convenientibus itaque de toto Hlotharico regno, Saxonia, Baioaria et Alamannia in Francia XX et VI episcopis, curte Triburia magnus synodus habebatur, praesentibus scilicet metropolitanis, Haddone Magontinae urbis archiepiscopo, Herimanno Coloniae Agrippinae urbis archiepiscopo, Ratbodo Treverensi archiepiscopo; multa quidem pro utilitate christianae religionis tractantes eademque statuta memoria retinendum successoribus suis propriis capitulis scripta commendaverunt'. Dazu I (870, Kurze 72, 11 ff.): 'habita est autem et synodus in civitate Colonia iussu Hludowici regis VI. die Kalendarum Octobrium, praesidentibus metropolitanis episcopis provinciarum Liutberto Mogontiensium, Bertulfo Trevirorum, Williberto Agrippinensium cum ceteris Saxoniae episcopis. Ubi cum plurima ad utilitatem ecclesiasticam pertinentia ventilassent, etiam domum S. Petri eatenus minime consecratam dedicaverunt'. Die erste Rezension wird der zweiten wohl auch die Kenntnis der Annales regni Francorum vermittelt haben, wenn diese 768 (= Ann. Fuld. 8, 13) schreiben: 'filiique eius Carlus et Carlomannus infulas regni suscipiunt' und II (Kurze 126, 15) mit 'Zwentibaldus ergo filius regis infulam regni a patre suscipiens' folgt[1]. Aber merkwürdiger als diese Anklänge an die Diktion ist es, dass II der älteren Version auch in der Nachahmung antiker Kunstmittel Gefolgschaft leistet. Auch hier finden wir eine Rede — diejenige, die Arnulf 891 vor der Schlacht an der Dyle an sein Heer richtet —, aber überdies auch noch, was wir in I nicht trafen, was also auf selbständige Anregung durch die klassische Geschichtschreibung zurückgehen muss: Schilderungen von Belagerungen, im Jahre 894 (Bergamo) und 896 (Rom). Wir erinnern uns, dass der Text der Rezension II, trotz sporadischer Entlehnungen aus Ovid und Virgil[2], das

1) Vgl. auch 896: '(apostolicus . . . . regem . . . .) coronam capiti sibi inponens cesarem augustum appellavit' (Kurze 128, 22), dazu Ann. regni Fr. 801: 'coronam capiti eius imposuit . . . . . ablato patricii nomine imperator et augustus est appellatus' und die entsprechenden Stellen in den Ann. Fuld. I, 869, 875, 876 (Kurze 69, 28; 85, 18; 86, 13), Mett. priores 830 (ed. Simson S. 95, 21) und Einh., V. Karoli c. 30.
2) Vgl. oben S. 31.

Schauspiel der ärgsten sprachlichen Verwilderung bot; sie wird auch von der Passio S. Quintini nicht erreicht, die man sonst als ein Beispiel der damals in Bayern herrschenden Halbbarbarei zitiert[1], und wirkt doppelt befremdlich, wenn man sich das frei dahin gleitende Latein vergegenwärtigt, das der Verfasser der Translatio S. Hermetis schrieb, obwohl er sich von dem Gebrauche des Partizipiums statt des Indikativs nicht zu emanzipieren vermochte[2], wenn man ferner daran denkt, dass in Salzburg um die Mitte des neunten Jh. eine Irenkolonie zu suchen ist[3], deren Mitglieder gewiss bestrebt waren, auch in ihrer Umgebung Sinn für Reinheit des Ausdrucks zu verbreiten. Desto wichtiger ist es, dass der Verfasser von II, dessen Diktion so wenig den Vorschriften der Grammatik zu entsprechen wusste, doch der modernen Strömung folgte, wenn er seiner Darstellung besondere Farbe verleihen wollte, und gerade daran können wir ermessen, mit welcher Stärke sie ihre Herrschaft auszuüben begann.

Die stilistische Tendenz tritt in II, wie wir sahen, in den Dienst einer politischen. Wie von selbst legt sich uns hier die Frage vor: welche der beiden Rezensionen hat in dem Kampf um die Persönlichkeit Karls III. bei der Nachwelt den Sieg davon getragen, oder, schärfer gefasst: ist dem Verfasser von II seine Absicht gelungen, die Ehrenrettung des toten Kaisers durchzuführen?

Die Annales Fuldenses gehören zu den geleseneren Werken des Mittelalters[4]. Sie werden benutzt im 11. Jh. von dem Verfasser des Chronicon Suevicum universale, von wo aus sie Hermann von Reichenau und einen Teil der auf seinem Werke sich aufbauenden kompilatorischen Chronistik beeinflusst haben[5], und von Adam von Bremen, im 12. von Siegbert, dem Annalista Saxo, den Iburger[6] und den jüngeren Metzer Annalen[7], und von der zuletzt genannten Stelle aus werden einzelne Notizen auch in die Metzer Hs. Reginos vorgedrungen sein[8]; im 13. treffen wir sie in St.-Germain in der bis 1214 reichenden Historia regum Francorum, die später auch ins Altfranzösische

---

1) Vgl. B. Krusch, SS. Rer. Mer. III, 10. 2) MG. SS. XV, 410. 3) Vgl. L. Traube, Abhandlungen der bayr. Akademie der Wissenschaften I. Klasse, XIX, 2, 353. 4) Vgl. Pertz MG. SS. I, 340; Kurze, Abhandlung S. 106 f., Ausgabe S. XI. 5) H. Bresslau in dieser Zeitschrift II (1877), 577 ff. und XXVII (1902), 128, 132. 6) Vgl. Band XXXIII, S. 732. 7) Pertz, MG. SS. I, 315; Simson in der Ausgabe der Ann. Mett. priores S. X. 8) Zu 778 und 867.

übersetzt wurde[1], endlich noch im 15. bei Gobelinus Person in seinem Cosmidromius[2]. Vielleicht sind sie überdies schon im 10. Jh. in eine Fulder Kompilation geflossen, die auch Lambert von Hersfeld und Marianus Scottus vorgelegen haben kann[3], und wenigstens nicht ganz unmöglich ist es, dass sie in derselben Zeit zur Fälschung einer Urkunde ihren Beistand leisten mussten: wenigstens glaubt man in einer auf den Namen Ludwigs des Kindes ausgestellten Schenkung für das Kloster St. Florian, die das Datum des 19. Januar 901 trägt, aber tatsächlich erst in der zweiten Hälfte des zehnten Jh. entstanden ist, ihre Spuren zu erkennen[4]. Das Bild dieser ausgedehnten Verbreitung vervollständigt sich, wenn wir versuchen, die Provenienz der Hss. zu bestimmen, die auf uns gekommen sind. Wir sind allerdings nur bei einem Teile von ihnen dazu im Stande. Die Hs. 1 wird, wie wir hörten, aus Worms stammen[5]; aber die Bestimmung der übrigen führt uns weit über das Ursprungsland der einen wie der anderen Rezension hinaus. Dass 3c in Lüttich geschrieben wurde, wissen wir bereits[6]; ihre und der Hs. 3e gemeinsame Vorlage, ζ, die den Bischof von Passau stets mit 'Pictaviensis' bezeichnet[7], muss entstanden sein, wo man öfter von Poitiers als von den Donaubistümern sprechen hörte, und die weiteste Wanderung hat der Text in 3d gemacht: die Hs. stammt aus Fécamp, und lokales, oder besser, nationales Interesse für die Berichte über die Normannen wird die Mönche veranlasst haben, auf ihren

---

1) Bouquet, Recueil VII, 259; vgl. E. Müller in der neuen Ausgabe des Nithard S. X, über die Historia selbst A. Molinier, Les sources de l'histoire de France I, 3, p. 5, n. 2215. 2) Vgl. Bd. XXXIII, S. 733, Anm. 2. Fraglich bleibt es, in welche Zeit der Petrus Bibliothecarius gehört, dessen Auszug Pertz MG. SS. I, 416 ff. nach Duchesne wieder abgedruckt hat. 3) Darüber zuletzt Holder-Egger in seiner Ausgabe Lamberts S. XXXVI f. Allerdings bringen weder Lambert noch Marianus Nachrichten, die gerade auf die Ann. Fuld. zurückgehen. 4) Böhmer-Mühlbacher n. 1994 (1942). Vgl. B. Krusch in dieser Zeitschrift XXIX (1904), 549; er neigt allerdings dazu, die Urkunde für echt zu erklären. — Unbedingt zu streichen aus der Liste der Benutzer ist der Chronist von Peterborough, den R. Pauli, Gött. gel. Anz. 1866, III, 1416 namhaft macht (vgl. Wattenbach, GQ. I⁷, 244, Anm.). Hier sind vielmehr die Ann. regni Francorum benutzt; vgl. 778 'exercitum suum coniunxit' mit Ann. r. Fr. 'et coniungentes se ad supradictam civitatem ex utraque parte exercitus', während in den Fuld. eine entsprechende Wendung fehlt. 5) Vgl. Bd. XXXIII, S. 698. — Die Provenienz von 2 ist nicht nachzuweisen, vgl. auch Th. Gottlieb bei F. Falk, Centralblatt für Bibliothekswesen, Beiheft IX, 26, S. 41. 6) Vgl. S. 36. 7) Vgl. oben S. 40.

Blättern die Annales Fuldenses mit Flodoard zu vereinigen[1].

Den Löwenanteil an dieser Ausbreitung hat allerdings die Rezension II davongetragen. Das kommt schon in dem Bestande unserer Hss. zum Ausdruck: den sechs Hss. und Hss.-Fragmenten von II stehen auf der Seite der ersten Rezension nur 1 und 2 gegenüber, und ausserdem eine dritte Hs., die ganz am Ende des Mittelalters in Kirschgarten durch Vermittelung einer heute verlorenen Vorlage aus 1 genommen wurde[2]. Dasselbe Bild zeigen die Expilatoren; vielleicht gehen Siegbert und der Annalista Saxo auf die Hs. 1 zurück[3]; aber die anderen Benutzer folgen, soweit eine Bestimmung überhaupt möglich ist, der Rezension II, wie schon ihre über das Jahr 887 hinausgehenden Nachrichten erkennen lassen[4].

Die Folge davon müsste eigentlich sein, dass die Karl III. günstige Darstellung von II in der mittelalterlichen Geschichtschreibung die Oberhand behalten hätte. Allein das war ihr nicht vergönnt, nicht allerdings in Folge kritischer Erwägungen, sondern dank einem Umstande, der gänzlich ausserhalb des Gegensatzes von I und II lag: das Ansehen Reginos tat der Darstellung der Annales Fuldenses Abbruch, denn seine Art kam den kompilatorischen Tendenzen dieser Geschichtschreibung entgegen. Er bot eine bequeme Uebersicht über einen

---

1) Vgl. Ph. Lauer in der oben zitierten Abhandlung S. 503 f. und Les annales de Flodoard p. L. Der Flodoard trug ursprünglich die Ueberschrift 'Gesta Normannorum'. 2) Vgl. Kurze, Abhandlung S. 87 ff. Diese Hs., sowie ihre Schwester Clm. 1226 aus dem Jahre 1540 sind daher von unserer Untersuchung ausgeschlossen geblieben. 3) Beim Annalisten weisen einige Stellen (MG. SS. VI, 572, 46 'accepit' vgl. Kurze 22, 32 und S. 576, 48 die Angabe über die Regierungsdauer Hrabans, vgl. Kurze 46, 19) auf II, dagegen fehlt 576, 49 'autem' wie in 1 (Kurze 47, 2), und die Notiz über Gottschalk stimmt fast wörtlich mit der Bd. XXXIII, S. 707 abgedruckten in 1 überein. Bei den ersteren könnte man auch an die Benutzung verschollener Fulder Aufzeichnungen denken, die man beim Annalisten überhaupt voraussetzt (vgl. Waitz MG. SS. VI, 544), allein auch Siegbert bringt dieselbe mit 1 übereinstimmende Angabe über Gottschalk. Auch geht die Benutzung der Annalen beim Annalista Saxo nicht über 867, bei Siegbert nicht über 881 hinaus (Waitz MG. SS. VI, 343, 542), was wieder zu der 882 abbrechenden Hs. 1 passen würde. Andererseits treffen wir den Eintrag über Gottschalk auch bei Ekkehard, obgleich dieser die Ann. Fuld. nicht kannte. Die Wege dieser Notiz sind also dunkel. Vielleicht ist ihr Ursprung überhaupt nicht in der Hs. 1 zu suchen, sondern diese hat sie, wie vielleicht auch Siegbert und Ekkehard, der sie wieder dem Annalisten vermacht haben wird, an unbekanntem Orte gefunden. 4) Für die Ann. Mett., die nicht so weit reichen, ist das durch Kurze, Abhandlung S. 104 f. nachgewiesen worden.

weit grösseren Zeitabschnitt, ohne doch über ihren Umfang hinauszugehen. So kam es, dass man lieber ihn für die Zeit des neunten Jh. zu Rate zog und die Annales Fuldenses mehr aushilfsweise in den älteren Partieen zur Hand nahm, wo er versagte: im Annalista Saxo beispielsweise betrifft die letzte Nachricht, die auf ihn zurückgeht, das Jahr 867; auch die Ann. Mettenses, die von 838 an auf den unseren beruhen, lösen sie 858 durch Regino ab, den sie schon vorher zur Interpolation benutzten[1]. So ist denn den Annalen, soweit es sich um Karl III. handelte, auch eine Auseinandersetzung mit Regino erspart geblieben: fast überall ist seine gemässigte Auffassung angenommen worden, noch zu merklicher Kühle herabgestimmt in dem Werke Siegberts[2]; selbst Otto von Freising hat sie noch den Grundton seiner Betrachtung verstärken helfen müssen[3]. Nur das Chronicon Suevicum, das Regino wahrscheinlich nicht kannte[4], hat der Rezension II der Annalen Gefolgschaft geleistet und mit ihm Hermann: die Unternehmung gegen Elsloo, die Konflikte mit Wido werden durchaus in ihrem Sinne erzählt, der Tadel, den Gottfrieds Ermordung erfährt, erscheint, vielleicht in Erinnerung an Regino, noch verschärft[5], und das Ende Karls, für das der Chronist, ganz wie der Verfasser der Annales Vedastini, die Möglichkeit der Gewaltanwendung offen lässt[6], erscheint auch hier von dem Wunder verklärt, das ein armes Leben mit seinem Lichte übergiesst.

---

1) Vgl. Pertz, MG. SS. I, 336. — 867 taucht dann auch hier noch eine Notiz aus den Fuldenses auf, sie ist aber nicht identisch mit jener bei dem Annalista Saxo. 2) Ad a. 890. 3) Chron. VI, 9. 4) Vgl. Bresslau in dieser Zeitschrift II (1877), 578. 5) ‘Gotafridus rex Nordmannorum, perfidiae contra regnum Francorum insimulatus, ab ipsis accusatoribus d o l o peremptus est’. 6) MG. SS. II, 203.

III.

Exkurse zu den Diplomen Konrads II.

§ 1—3.

Von

Harry Bresslau.

---

§ 1. Zum Itinerar von 1026.

Gegen die im Jahre 1879 im fünften Exkurs zum ersten Bande der Jahrbücher Konrads II. von mir vorgeschlagene, von den Ansetzungen Stumpfs und Giesebrechts mehrfach abweichende Anordnung der Diplome des Jahres 1026 sind nur in einer Hinsicht lebhafte Einwendungen von anderen Forschern erhoben worden[1]. Ich brauche also auf die in dem angeführten Exkurs begründete Einreihung jener Diplome in der neuen Ausgabe des 4. Diplomata-Bandes hier nur insoweit einzugehen, als es sich um den umstrittenen Ausstellungsort der drei DD. Stumpf Reg. 1910—1912 (jetzt DD. K. II. 56. 61. 57) handelt, und ich habe kurz darzulegen, weshalb ich darüber anderer Ansicht geworden bin als vor dreissig Jahren.

Von jenen drei Diplomen ist St. 1910 für das Bistum Bergamo, 1911 für das Domkapitel daselbst, 1912 für das Kloster Leno ausgestellt. Als Ausstellungsort ist in der ersten und dritten Urkunde Piscaria genannt, was früher allgemein auf Peschiera gedeutet wurde; in St. 1911 lautete der Name des Ausstellungsorts nach dem Drucke Ughellis 'in . . . Episcopatu', nach dem Celestinos 'in . . . Episcoparuo', nach dem Lupis endlich 'in Episcoparico'. Eine befriedigende Deutung dieser letzteren Namensformen hatte niemand zu geben vermocht, und so hatte Stumpf die Emendation 'Pescariae' vorgeschlagen, die in Anbetracht des Umstandes, dass St. 1910 und 1911 Bergamo betrafen, wahrscheinlich genug schien; er sah also Peschiera als den Ausstellungsort aller drei Diplome an, die er dem entsprechend einreihte.

---

1) Giesebrecht (in der 5. Auflage des 2. Bandes) hat ihnen, ebenso wie Manitius u. a., auch in dem einen Punkte, in dem ich jetzt anderer Ansicht geworden bin, zugestimmt.

Indem ich mich der Emendation Stumpfs anschloss — mit der unerheblichen Abweichung, dass ich nicht 'Pescariae', sondern 'in Piscaria' lesen wollte —, machte ich auf eine Schwierigkeit aufmerksam, die jenem völlig entgangen war. In St. 1911 war von einem Aufenthalt des Königs zu Bergamo die Rede, der dem Aufenthalt am Ausstellungsorte des Diploms vorangegangen sein musste. Da nun Konrad auf dem Wege von Verona nach Mailand zwar sehr wohl Bergamo berührt haben konnte, die Annahme aber, dass er von dort nach Peschiera zurückgekehrt wäre, als völlig ausgeschlossen betrachtet werden durfte, so war, gerade wenn Stumpfs Emendation angenommen wurde, die Deutung von 'Piscaria' auf Peschiera unmöglich, und es musste eine andere Lösung gesucht werden.

Da nun aber nicht bloss Peschiera, sondern auch das süditalienische Pescara an dem gleichnamigen Flusse, dem alten Aternus, im Mittelalter Piscaria hiess und wiederholt als Ausstellungsort von Königsurkunden unter diesem Namen erscheint, so kam ich auf den Gedanken, unsere drei Urkunden hierhin zu legen. Ich nahm also an, dass der König, dem der Weg nach Rom durch Tuscien wegen des Aufstandes des Markgrafen Rainer versperrt war, von Ravenna nach Pescara gegangen sei, um von dort mit Umgehung Tusciens nach Rom zu marschieren, dass er aber diese Absicht der Sommerhitze wegen aufgegeben habe und nach Norditalien zurückgekehrt sei. Ich brauche nun jetzt weder auf die Gründe, die mich in dieser Annahme bestärkt hatten, noch auf die sachlichen Einwendungen, die dagegen erhoben worden sind, näher einzugehen; das würde nur erforderlich sein, wenn ich an der Annahme selbst festhalten wollte, was nicht der Fall ist. Sie aufzugeben bin ich aber nicht durch jene sachlichen Einwendungen, die ich nicht als durchschlagend habe anerkennen können, sondern durch die Erkenntnis eines methodischen Fehlers veranlasst worden, zu dem ich mich, vor dreissig Jahren noch viel zu sehr unter dem Einfluss der willkürlichen Urkundenkritik Stumpfs stehend, durch ihn habe verleiten lassen. Der schwache Punkt in meinen Ausführungen war die von Stumpf vorgeschlagene Emendation in Stumpf Reg. 1911; sie hätte zumal bei den Schwierigkeiten, zu denen sie führte, von mir nicht ohne eine sorgfältige Prüfung, ob die Ueberlieferung jener Urkunde sie gestatte, angenommen werden dürfen.

Hier eingesetzt zu haben ist das Verdienst Carlo Cipollas. In zwei kurzen Abhandlungen[1] hat er die Urkunde besprochen und ist für die Originalität des in der Stadtbibliothek zu Bergamo beruhenden Exemplars des Diploms eingetreten, das erste Mal auf Grund von Mitteilungen des Herrn Angelo Mazzi, dem er eine Abschrift der Urkunde verdankte, das zweite Mal auf Grund eigener Untersuchung; er betonte dabei insbesondere die Spuren der Besiegelung und die Nachtragung des Vollziehungsstriches im Monogramm. Dem Original gegenüber war, wie er bemerkte, die Emendation von 'in Episcoparico'[2] zu 'in Piscaria' unberechtigt; die Notwendigkeit die drei Diplome St. 1910—12 an einen und denselben Ausstellungsort zu verlegen fiel fort; St. 1910 und St. 1912 konnten in Peschiera ausgestellt sein, St. 1911 war an einem anderen Orte gegeben, dessen Namen freilich Cipolla[3] ebensowenig wie Lupi zu deuten wusste.

Ich kannte, wie schon erwähnt wurde, die Urkunde im Jahre 1879 nur aus den angeführten Drucken. Später hatte ich Gelegenheit gehabt, das Exemplar der Stadtbibliothek zu Bergamo einzusehen, hatte es aber nicht mit anderen Urkunden Konrads aus dem Jahre 1026 vergleichen können und hatte aus der ungemein rohen und ungeübten Schrift der ersten Zeile und des Kontextes den Eindruck erhalten, dass es sich nur um eine Kopie aus dem Ende des 11. Jh. handle. Auf die in der zweiten Abhandlung von Cipolla abgegebene Erklärung, dass die Urkunde wirklich in originaler Ueberlieferung vorliege, hatte ich sodann ihre abermalige Prüfung in Aussicht gestellt und von dieser mein endgiltiges Urteil über ihre Originalität abhängig gemacht[4]. Diese Prüfung habe ich einige Jahre später vorgenommen, und es freut mich heute dem verdienten italienischen Kollegen in der Hauptsache durchaus zustimmen zu können: die Urkunde St. 1911 liegt uns in der Tat noch im Original vor. Entscheidend ist dafür aber nicht bloss die Besiegelung (deren Echtheit wir, da das Siegel verloren ist, nicht nachprüfen können) und die

---

1) 'Nuovi studi sull' itinerario di Corrado II. nel 1026. Nota prima' (Atti della R. accademia di Torino vol. XXVI, adunanza del 14 Giugno 1891) und 'Un diploma di Corrado II.' (ebenda vol. XXIX, adunanza del 18. Marzo 1894). 2) So las Mazzi mit Lupi den Namen des Ausstellungsortes; Cipolla scheint sich ihm angeschlossen zu haben, wenigstens gibt er in der zweiten Abhandlung, wo er einige Fehler des ersten Abdruckes korrigiert, zu diesem Namen keine Berichtigung. 3) Er sagt: 'Dove sia l'Episcoparico, non si sa'. 4) N. Archiv XX, 252, n. 65.

Vollziehung des Monogramms, die bisweilen auch Fälscher und Kopisten nachgeahmt haben, sondern vor allem die Schrift selbst. Zwar rühren das Eingangsprotokoll, der Kontext und die Königsunterschrift (mit Ausnahme wohl des Monogrammes selbst) von unbekannter Hand her und sind sicher nicht in der Kanzlei geschrieben; aber Rekognition und Datierung sind von einem Kanzleibeamten, den wir in der neuen Ausgabe mit der Chiffre HA bezeichnen[1], entweder voraufgefertigt oder (etwa zugleich mit dem Monogramm) nachgetragen.

Damit ist festgestellt, dass wir in dem D. St. **1911** eine Kanzleiausfertigung vor uns haben, und dass demnach eine Emendation des Namens des Ausstellungsortes unzulässig ist. Da wir also das D. St. 1911 nicht nach 'Piscaria' setzen dürfen und demnach einen Aufenthalt des Königs in Bergamo vor dem in 'Piscaria' anzunehmen nicht mehr genötigt sind, liegt kein Grund mehr vor von der Deutung dieses Namens zu Peschiera abzusehen, und das, was mich zu meiner Annahme eines Zuges von Ravenna nach Pescara veranlasste, fällt also fort. Ich gebe demnach diese Vermutung auf und nehme an, dass Konrad schon von Ravenna aus der sommerlichen Hitze wegen nach Norditalien zurückgekehrt ist.

Es bleibt nun aber noch festzustellen, an welchem Orte denn St. **1911** ausgestellt ist; und das macht glücklicher Weise keine grossen Schwierigkeiten. Zunächst ist freilich die Lesung des Namens, die zuletzt Cipolla gegeben hat, zu berichtigen: das Original bietet nicht 'in Episcoparico', sondern 'in Episcoparia'. Diese Namensform aber entspricht, aus dem Lateinischen ins Italienische übertragen, lautgesetzlich ganz genau dem heutigen Vescovera, und Vescovera ist ein Teil der heutigen Kommune Broni[2] in dem Distrikt Voghera der Provinz Pavia. Der Ort, der an der Eisenbahnlinie, die von Voghera nach Piacenza führt, südwestlich von Broni und südsüdöstlich von der Provinzial-

---

1) Er begegnet zuerst in dem DK. II. 55 (St. 1909). 2) Nicht der Kommune Cassine in der Provinz Alessandria, als deren 'frazione' es bei Amati, Dizionario corografico VIII, 1233 s. v. Vescovera bezeichnet ist. Amati hat hier die Gemeinde Cassine mit der Gemeinde Cassino Po (früher Cassino Oltrepo) verwechselt, die bis 1869 selbständige Kommune war und seitdem der Kommune Broni einverleibt ist. Vgl. die Carta topografica degli stati di S. M. il re di Sardegna, Blatt n. 56 Casteggio (revidiert 1875), ferner Robolini, Notizie appartenenti allo studio della sua patria (Pavia) III, S. LXVIII und Manno, Bibliografia storica degli stati della monarchia di Savoia III, 283 s. v. Broni.

hauptstadt Pavia liegt, gehörte früher zu der im 18. Jh. mit Sardinien vereinigten Herrschaft Broni; ein nach ihm benanntes Popolanengeschlecht wird am Ende des 14. Jh. in Pavia erwähnt[1]. Danach ist es völlig klar, in welche Zeit wir den Aufenthalt Konrads in Vescovera zu setzen haben: er gehört in die Monate April oder Mai 1026, und entweder während Konrad in diesem Frühling die Pavesen und die mit ihnen verbündeten Markgrafen aus dem aledramidischen und otbertinischen Hause bekämpfte und ihre Burgen brach, oder, was vielleicht noch wahrscheinlicher ist, als er aus dem pavesischem Gebiet nach Piacenza weiterzog, muss Vescovera dem König für kürzere oder längere Zeit als Quartier gedient haben[2]; das Diplom St. 1911 war also zwischen St. 1923 (DK. II. 60) und St. 1921 (DK. II. 62) einzureihen, wie in unserer Ausgabe geschehen ist.

Ich füge an diese Darlegung einige kurze Bemerkungen über eine andere, neuerdings mehrfach behandelte Streitfrage in Bezug auf Konrads Itinerar im Jahre 1026 an, obwohl sie für die Diplomata-Ausgabe nicht in betracht kommt und also streng genommen nicht in den Zusammenhang dieser Erörterungen gehört.

Im Anschluss an die Erzählung von dem Aufenthalt Konrads in Ravenna, der etwa zu Ende des Juni oder zu Anfang des Juli 1026 zu setzen ist, erzählt Wipo cap. 14 bekanntlich, dass der König wegen der grossen Hitze ('eo tempore maximus calor Italiam vexabat') 'ultra . . . . fluvium propter opaca loca et aeris temperiem in montana secessit ibique ab archiepiscopo Mediolanensi per duos menses et amplius regalem victum sumptuose habuit'. Der Name des Flusses, den Konrad überschritt (ich habe ihn eben durch . . . . ersetzt), lautet in der Karlsruher Hs. und in dem Drucke des Pistorius, die auf eine gemeinsame Vorlage, einen Codex des 11—13. Jh. zurückgehen: 'Atim', in der Continuatio Zwetlensis des Chron. Mellicense, die aus einem anderen, neben jener älteren Hs. auch von Pistorius benutzten Codex schöpft: 'Aitim'. Welcher Fluss ist das, und wo sind demnach diese Sommerquartiere Konrads zu suchen?

Dass weder der Po, woran Pertz, noch der Toce, an den Durandi, Puricelli und andere dachten, in betracht

---

1) Vgl. Robolini IV, 2, 177, n. 63, Bericht über die Geschlechter von Pavia, erstattet an Giangaleazzo Visconti: parentella de Viscovaria o Veschoaria guelfa. 2) Wipo cap. 12 und dazu meine Jahrb. Konrads II. Bd. I, 125 f.

kommen kann, ist sicher; die Emendation von 'Atim' ('Aitim') in 'Padum' oder 'Tausum' ('Toxum', 'Tauxum')[1] ist unmöglich. So bleibt nur die Etsch oder die Adda, an die man denken kann; im ersteren Falle ist 'Atesim' oder 'Atasim'[2], im letzteren ist 'Abduam' ('Adduam') oder vielleicht 'Attuam'[3] zu emendieren; die erstere Verbesserung hatte ich (nach dem Vorgange von Pez) vorgeschlagen; für die letztere ist neuerdings Cipolla eingetreten[4]; er lässt den König also in die Brianza ziehen, während ich an die südlichen Ausläufer der tridentinischen Alpen gedacht hatte.

Für meine Annahme spricht erstens die Ueberlieferung: die Endung des Namens auf '-im' scheint festzustehen und ist mit den für die Adda vorkommenden Namensformen nicht vereinbar. Zweitens war für den von Ravenna herkommenden König das Bergland nördlich von der Etsch sehr viel früher erreichbar als das Hügelland westlich von der Adda; der Aufenthalt in jenem ersparte mehrere Tagesmärsche durch die Glut der lombardischen Ebene. Drittens haben die Bischöfe von Treviso und Vicenza wahrscheinlich an dem Zuge nach Ravenna teilgenommen[5]; ein Rückzug in ihr Gebiet kann also von ihnen dem König nahegelegt sein. Viertens hat Konrad auch im Jahre 1037, was für dies Jahr sicher feststeht, einen Teil der heissen Sommermonate im Gebiete der südlichen Ausläufer der Ostalpen zugebracht[6], und von diesem Aufenthalte redet Wipo cap. 36 fast in denselben Ausdrücken, die er von dem des Sommers 1026 gebraucht hatte: 'imperator, disperso exercitu per regiones, ipse ad montuosa loca secessit propter refrigerium, quoniam ea aestate magnus calor imminebat'. Ohne Zweifel spricht danach sehr viel dafür, dass der

---

1) So ist der Name des Toce oder der Tosa im 11. Jh. überliefert; eine Form mit anlautendem 'a', an die Durandi u. a. dachten, kommt in dieser Zeit nicht vor. 2) Vgl. DD. H. II. 41. 309. 3) 'Abdua' in DO. III. 198. Die Form 'Attuam' findet sich in Mühlb. Reg.[2] 1524 nach dem Drucke Muratoris; in der uns erhaltenen Abschrift des 15. Jh. ist das Wort zerstört. 4) Archivio stor. Lombardo XVIII (Ser. 2, VIII), 157 ff. und ebenda XIX (Ser. 2, IX), 377 ff. In der zweiten Abhandlung weist Cipolla die Ausführungen Paganis (ebenda XIX, 5 ff.) zurück, die ich schon N. A. XVIII, 351, n. 23 erwähnt habe, und über die ein weiteres Wort zu verlieren Zeitverschwendung wäre. 5) Vgl. St. 1919. 1920 (DD. K. II. 66. 69). 6) Vgl. Jahrb. Konrads II. Bd. II, 258 ff. Konrad ist am 14. Juli in Verona, am 15. in Caldiero, am 17. August in Aquileia, am 1. September in Treviso. Er hat also sicher die ganze heisse Zeit hier im Osten verlebt.

Kaiser damals dieselben Sommerquartiere bezogen hat, die er elf Jahre zuvor kennen gelernt hatte[1].

Andererseits kann für Cipollas Auffassung geltend gemacht werden, dass die Verpflegung des Hofes und des Heeres durch den Erzbischof von Mailand bei einem Aufenthalt im westlichen Oberitalien leichter bewerkstelligt werden konnte, als bei einem solchen im Osten. Ich habe mir diesen Einwand schon früher selbst gemacht, aber bei den besonders engen Beziehungen Konrads zu Aribert von Mailand für nicht unmöglich gehalten, dass dieser auch bei grösserer Entfernung von seiner Hauptstadt die Sorge für die Verproviantierung des Heeres übernommen habe. Zumal doch auch die Brianza, mag sie auch kirchlich zur Diözese Ariberts gehört haben, nicht in unmittelbarer Nähe von Mailand liegt und politische Rechte des Erzbischofs in diesem Gebiete, wie auch Cipolla zugibt, nicht nachweisbar sind.

Damit dürfte das wesentlichste, was für und gegen die eine und die andere Meinung sich vorbringen lässt, erschöpft sein. Ein direkter Beweis ist für keine von ihnen zu erbringen, und wenn mir noch immer die zuerst besprochene grössere Wahrscheinlichkeit zu haben scheint, so will ich doch auch die Möglichkeit der anderen Auffassung nicht in Abrede stellen. Die Frage gehört eben zu denen, die sich nicht sicher entscheiden lassen; glücklicher Weise kommt aber auch auf diese Entscheidung nicht sehr viel an, und ich würde darauf kaum noch einmal zurückgekommen sein, wenn ich mich nicht durch eine frühere Erklärung Cipolla gegenüber dazu verpflichtet hätte.

§ 2. Die Diplome für Como.

A. Como, Chur und die Grafschaft Chiavenna[2].

In dem Diplom Arduins vom 25. März 1002, betreffend die Bestätigung der Klausen und der Brücke zu Chiavenna (DA. 3), ist dem Klerus der Kirche von Como zum ersten Male die Grafschaft Chiavenna mitverliehen worden[3], in-

1) Auf die zwischen Cipolla und Pagani strittige Frage, ob die Brianza nach ihren klimatischen Verhältnissen für einen Sommeraufenthalt geeignet war, und ob sie als ein Bergland bezeichnet werden konnte, will ich nicht eingehen. 2) Die umfangreiche Litteratur des 18. Jh. über die im folgenden besprochenen Fragen lasse ich unberücksichtigt, ebenso wie das aus der neueren, was keine wissenschaftliche Bedeutung hat. 3) Denn ihre Erwähnung in dem D. Karls des Grossen von 803 (D. Kar. 202, Mühlbacher Reg.[2] 405) beruht anerkanntermassen auf Interpolation;

dem in den Passus der Narratio 'clusas et pontem iuris nostri de Clavenna' und ebenso in die entsprechenden Teile der Dispositio das Wort 'comitatulum' hinter 'pontem' eingeschoben ist. Obwohl in der Konfirmationsurkunde Heinrichs II. (DH. II. 75), die auf dieselbe Vorurkunde wie das DA. 3, nämlich auf das DO. III. 207, zurückgeht, die Grafschaft nicht mitbestätigt ist[1], sondern wiederum nur Klausen und Brücke erwähnt werden, haben wir bei der Ausgabe der DD. Arduins keine Bedenken getragen, die Echtheit der Einschiebung des 'comitatulus' anzuerkennen. Einmal deswegen, weil im Mittelalter Fälschung von oder an Diplomen Arduins, dessen kurze Herrschaft bald in Vergessenheit geriet, soviel wir wissen, überhaupt nicht vorgekommen ist[2] und, da die Regierungsakte des Gegenkönigs in der nächsten Zeit gewiss nicht als unbedingt gültige Beweismittel anerkannt wurden, auch zwecklos gewesen sein würde. Sodann wegen des eigentümlichen Ausdruckes 'comitatulus' selbst; wo in späterer Zeit von der Grafschaft Chiavenna die Rede ist oder über sie gestritten wird, heisst sie immer 'comitatus'; es ist sehr unwahrscheinlich, dass ein späterer Fälscher, wenn man doch an einen solchen glauben wollte, das Diminutivum dafür gewählt hätte.

Ueber die Schicksale der Grafschaft Chiavenna vor jener Verleihung Arduins ist wenig bekannt. Dass, wie v. Planta[3] vermutet, das wegen der hindurch führenden Septimerstrasse besonders wichtige Tal von Bergell, das Otto I. mit allen bisher den Grafen zustehenden Gerechtsamen der bischöflichen Kirche von Chur überlassen hat, ursprünglich zum Clävener Komitat gehört habe, ist nicht anzunehmen: der Wortlaut der auf jene Verleihung bezüglichen Urkunden[4] macht es im Gegenteil viel wahrscheinlicher, dass dies Tal von Alters her einen Bestandteil des comitatus Raetiae ausgemacht hat[5], sodass also nicht der Septimer,

---

ebenso ist in den DD. Lothars I. (Mühlbacher Reg.[2] 1020) und Ludwigs III. (BRK. 1458) die Einschiebung der Klausen und der Brücke von Chiavenna interpoliert. 1) Die entgegenstehende Bemerkung v. Plantas, Die curraetischen Herrschaften in der Feudalzeit S. 76, N. 2, ist irrig. 2) Die Fälschungen auf den Namen Arduins, die wir kennen, verdanken der Tätigkeit moderner Gelehrten ihre Entstehung. 3) Die currätischen Herrschaften in der Feudalzeit S. 46 f. 4) DO. I. 209. DO. II. 124. 5) Vgl. Meyer v. Knonau im Jahrb. des Schweizer Alpenklubs XV, 385. Daher wird auch das castellum ad Bergalliam in dem Urbar des Reichsgutes in Currätien (Mohr, Cod. diplom. I, 289; vgl. Caro in den Mitteil. des österreich. Instituts XXVIII, 261 ff.) aufgeführt; seine Bewachung

sondern erst der Loverofluss bei Castasegna die Grenze zwischen dieser Grafschaft und der von Cläven und damit zwischen dem deutschen Reiche und Italien bildete [1].

Jenseits des Lovero aber begann die Clävener Grafschaft; sie erstreckte sich nordwärts bis auf die Höhe des Splügen, südwärts bis an den Comer See, an dessen Ufer die Gemeinden Dongo, Domaso, Gravedona zu ihr gehörten [2]. So ist es begreiflich, dass sowohl der Churer Bischof von Norden, wie der von Como von Süden her in diesem wichtigen und durch den Strassenzoll einträglichen Gebiet festen Fuss zu fassen suchten [3]. Dem letzteren verliehen zuerst 937 Hugo und Lothar von Italien Klausen und Brücke zu Chiavenna mit allen Einkünften, was Lothar im Jahre 950 bestätigte [4]; dem ersteren dagegen schenkte Otto II. im Jahre 980 den Zoll an der Mairabrücke zu Chiavenna, wie er bisher zu königlichem Rechte von den Kaufleuten gezahlt wurde, sammt dem Brückenwärter Leo, seinen Söhnen und den anderen königlichen Hörigen daselbst [5]. Da es

---

liegt einem Constantius ob, der zum Ministerium in Planis gehört. Und nach einer anderen Stelle dieses Urbars (S. 297) bildet das Bergell ein eigenes Ministerium. 1) Dass das Gebiet vom Luverbache (Lovero) bis unterhalb Plurs kirchlich zur Diözese Como und nicht zu Chur gehörte, ist in dem Prozess von 1186 um den Zehnten dieses Gebiets erwiesen worden; vgl. Schulte in den Mitteil. des österr. Instituts XXVIII, 122 f. 2) So nach v. Planta a. a. O. S. 71. 3) Vgl. Darmstädter, Das Reichsgut in der Lombardei und Piemont S. 82 ff.; Schulte, Gesch. des mittelalterl. Handels und Verkehrs I, 63. 4) Cod. dipl. Langob. n. 550. 593: 'clusas et pontem iuris regni nostri de Clavenna et omnem redditum et exhibitionem'. 5) DO. II. 237. Es wurde bisher allgemein angenommen, dass Otto II. schon durch das DO. II. 166 auch die Verleihung Lothars an Como erneuert habe. Aber in diesem DO. II. sind die Worte 'et insuper canonicis concedimus in stipendium clusas et pontem iuris nostri de Clauenna ipsis eorumque successoribus', samt den vorangehenden Worten 'Locarnis, Beliciona cum comitatu Berizone districtu et porta', obwohl Sickel sie nicht beanstandet hat, höchst wahrscheinlich ebenso interpoliert, wie die entsprechenden Stellen in den DD. Karls des Gr. Mühlbacher [2] 405, Lothars I. Mühlbacher [2] 1020 und Ludwigs des Blinden BRK. 1458. Die höchst ungeschickte Form der Einfügung dieser Worte in andere Formeln findet sich in allen jenen Urkunden; ausschlaggebend aber ist das Verhältnis zu den Nachurkunden des DO. II. 166, dem DA. 2 und dem DK. II. 53 (St. 1907), die von einander unabhängig sind, und von denen das erstere auf ein verlorenes DO. III., das letztere durch Vermittelung eines gleichfalls verlorenen DH. II. auf dasselbe DO. III. zurückgeht. In beiden Nachurkunden fehlt der oben bezeichnete Einschub, während die an dessen Stelle stehenden Worte 'seu reliquas ecclesias curtes loca vel agros broilum cum arena menia civitatis seu ripa laci Cumis et Mezole, quicquid ibi de comitatu Leuco pertinuit (so in DA. 2; in St. 1907 mit einem kleinen Zusatz: . . . 'Mezole, vel quicquid ibi tolonei ad partem publicam fuit vel de comitatu Leuco per-

in der Urkunde darüber ausdrücklich heisst, dass dieser Zoll bisher königlich gewesen sei[1], so muss das Recht Comos auf den Besitz der Brücke und ihrer Einkünfte in der Zeit nach 950 kassiert und der Zoll an das Reich zurück-

---

tinuit'), seu et fluminum ac littoreas (statt 'ceteras') possessiones' in das Gefüge der Immunitätsformel ebenso vortrefflich passen, wie sie sich ungezwungen an die dem Einschub vorangehenden Worte 'batismales ecclesias' anschliessen. Es ist nicht abzusehen, weshalb man in der Kanzlei Ottos III. diese Worte, die sachlich gar nichts neues bieten, vielmehr in der Hauptsache nur bereits gesagtes wiederholen, an die Stelle der wertvollen Bestimmung über Chiavenna und Bellinzona gesetzt haben sollte. Dazu kommt nun aber, dàss die Grafschaft Bellinzona überhaupt aller Wahrscheinlichkeit nach erst im 11. Jh. an Como gekommen ist. Rechte in Bellinzona hat die Kirche von Como allerdings wohl schon unter Otto III. erworben. Denn, was wir bei der Bearbeitung des DA. 4 und des DH. II. 74 noch übersehen haben und was Bloch auch bei seiner scharfsinnigen Untersuchung über Leo von Vercelli entgangen war, aur ein von Leo verfasstes DO. III. gehen ihrer Fassung nach unzweifelhaft jene DD. Arduins vom Jahre 1002 und Heinrichs II. vom Jahre 1004 zurück, in denen der bischöflichen Kirche zu Como der bisher königliche Anteil an der Burg zu Bellinzona verliehen, oder vielmehr, wie wir nun sagen müssen, bestätigt wurde. Die Grafschaft Bellinzona aber wird zuerst in dem DH. III. St. 2485 als Besitzung des Bistums erwähnt. Scheint mir bei dieser Sachlage die Interpolation des DO. II. 166 sicher — auf ihren Zeitpunkt komme ich zurück — so ist, wie bei dieser Gelegenheit zu der Ausgabe nachgetragen werden mag, wohl auch in einer anderen Beziehung seine Beurteilung durch Sickel, der sich Uhlirz, Jahrbücher Ottos II. S. 94. 101 ohne Bedenken angeschlossen hat, nicht aufrecht zu erhalten. Als Kanzler wird in der Ueberlieferung des DO. II. 166 'Edbertus' genannt, was Sickel nach dem Vorgange Stumpfs nicht zu 'Egbertus', sondern zu 'Gerbertus' emendiert. Nun stimmt, wie bereits Sickel bemerkt hat, die aus einer Vorurkunde stammende Arenga des DO. II. 166 grossenteils mit dem DO. II. 163 überein; Sickel schliesst daraus, da er für unwahrscheinlich hält, dass DO. II. 166 schon vor DO. II. 163 geschrieben sei, es sei in dem DO. II. 163 die damals der Kanzlei vorliegende Vorurkunde des DO. II. 166 benutzt worden. Aber da eine Abweichung des DO. II. 166 von seiner VU. ('subsidium' statt 'presidium') sich auch in dem DO. II. 163 findet, so ist diese Auffassung kaum haltbar; vielmehr wird das DO. II. 166 selbst in dem DO. II. 163 benutzt sein, und nur seine Vollziehung hat sich mindestens um einen Monat verzögert. Da nun in dem DO. II. 162 noch Egbert und in dem DO. II. 163 zum ersten Male Gerbert als Kanzler genannt wird, also der erstere zwischen dem 30. Juli und dem 8. September 977 aus der Kanzlei ausgetreten ist, so spricht doch alle Wahrscheinlichkeit dafür, dass in dem DO. II. 166, dessen Herstellung innerhalb desselben Zeitraumes erfolgt sein wird, statt 'Edbertus' der palaeographisch so nahe liegende Name 'Egbertus' und nicht 'Gerbertus' einzusetzen ist. — Vgl. zu dieser Anmerkung, die schon vor längerer Zeit niedergeschrieben war, jetzt auch die damit zusammenhängenden Ausführungen Schiaparellis im Bullettino dell' Istituto stor. italiano n. 29, S. 157 ff., die sich besonders auf das Diplom Ludwigs des Blinden beziehen. 1) 'teloneum de ponte Clauenasco . . . sicut regio et imperiali iuri consuetudo fuit a negociatoribus hucusque dari'.

genommen worden sein: denn für die Annahme, dass die Brücke, deren Zollertrag Otto II. an Chur verlieh, eine andere gewesen sei als diejenige, die mit den Klausen und allen Einkünften seit Hugo und Lothar dem Klerus von Como gehörte[1], ist kein Anhaltspunkt vorhanden; dass es in Chiavenna, wo Splügen- und Septimerstrasse sich vor dem Uebergang über die Maira vereinten, im 10. Jh. zwei Brücken über den Fluss gegeben hätte, ist im höchsten Masse unwahrscheinlich[2]. Dagegen ist die Annahme, dass König Berengar II. von Italien die Schenkung seiner Vorgänger rückgängig gemacht habe, angesichts dessen, was wir über die Beziehungen dieses Königs zu dem Bischof Waldo von Como wissen, sehr nahe liegend: er lag mit ihm Jahre lang in offener Fehde, in der das Gebiet des Bistums schwer heimgesucht wurde; Waldo gehörte deshalb zu den italienischen Grossen, die 960 Ottos I. Hülfe gegen ihren König erbaten, und er war es, der im Jahre 964 die letzte von Berengars Burgen auf der Isola Comacina eroberte[3]. Otto I., der 962 in Como Quartier nahm[4], hat Waldo in sein Bistum wieder eingesetzt; aber weder ist uns eine Urkunde des Kaisers für den Bischof erhalten[5], noch haben wir Grund anzunehmen, dass er ihm seine Rechte an den Clävener Klausen zurückgegeben hätte. Ob ein 964 bei der Belagerung der Isola Comacina entstandenes Zerwürfnis zwischen Waldo und dem fränkischen Grafen Udo (der später gerade um deswillen zum Verräter an Otto wurde)[6] doch eine gewisse Einwirkung auf des Kaisers Stimmung gegen den Bischof ausgeübt hat, oder ob es lediglich politische Erwägungen waren, die ihn bestimmten, muss dahin gestellt bleiben: genug er behielt den wichtigen Platz, der den südlichen Ausgangspunkt zweier Alpenstrassen beherrschte, fest in eigner Hand.

Als Otto II. sich dann im Jahre 980 der wertvollen Einkünfte daraus entäusserte, wird es der Lohn für die Dienstleistungen gewesen sein, die ihm der Bischof Hildebald von Chur auf seinem Zuge über einen der Bündner Pässe

1) Das erwägt Darmstädter, Reichsgut in der Lombardei S. 83, hält es aber nicht für wahrscheinlich. 2) Auch G. Meyer von Knonau schreibt mir gütigst auf Grund seiner Bekanntschaft mit der Lokalität, dass er diese Ansicht teilt. 3) Vgl. Dümmler, Otto der Gr. S. 206. 289. 314. 318. 327. 368. 4) DO. I. 244. 5) Es ist bemerkenswert, dass in dem DO. II. 166 Urkunden der Vorgänger nur bis auf Berengar aufgezählt werden, von einer solchen Ottos I. aber nicht die Rede ist. Ueber die Erwähnung von Urkunden der drei Ottonen in den DD. K. II. 52. 53 siehe unten. 6) Vgl. Dümmler a. a. O. S. 368. 408.

erwiesen hatte[1], dass er diesen zunächst mit dem Zoll der Mairabrücke beschenkte. Darauf aber beschränkte sich Otto nicht. Hatte er einmal den Ertrag des Brückenzolls in Chiavenna aus der Hand gegeben, so sollte der Bischof von Chur nun auch der Herr des Ortes selbst sein. Wahrscheinlich zugleich mit dem uns erhaltenen Diplom über die Verleihung des Zolles muss Otto noch eine zweite, uns nur durch ein Bestätigungsdiplom Ottos III.[2] bekannte Schenkungsurkunde für Hildebald ausgestellt haben, in der er ihm das verlieh, was vorher der Graf Amizo zu Chiavenna in und ausserhalb der dortigen Burg zu Lehen gehabt hatte, einschliesslich des Marktes, des Marktzolles, der in der Burg belegenen Gebäude und der hohen Gerichtsbarkeit.

Ob das, was so von Otto II. dem Bistum Chur verliehen wurde, mit dem identisch ist, was später im Jahre 1002 als der 'comitatulus' von Chiavenna bezeichnet wird, oder ob es sich bei jenen Schenkungen Ottos um einen kleineren, aus der Grafschaft eximierten Bezirk handelte, lässt sich nicht ganz sicher entscheiden; doch halte ich die erstere Annahme für die weitaus wahrscheinlichere. Schon die Pertinenzformel des Diploms, in der von Zoll und Markt, Forsten und Wäldern, Jagd und Fischerei die Rede ist, würde mit der Annahme, dass es sich nur um die in der Stadt belegene Burg und ihren engeren Bezirk handelte, schwer vereinbar sein; und dass später im 13. Jh. Burg und Burgbezirk zu der Grafschaft gerechnet wurden, ist ganz sicher[3].

---

1) Vgl. Uhlirz, Jahrb. Ottos II. S. 138 f., der auffallender Weise die im folgenden besprochene zweite Schenkung Ottos nicht berücksichtigt hat. 2) Vgl. das DO. III. 175. In diesem wird auf ein 'preceptum' des Vaters Bezug genommen, und zwar muss hier ein anderes Praezept als das DO. II. 237 gemeint sein, da in dem letzteren nichts von dem Inhalt des DO. III. 175 steht; vgl. schon Planta a. a. O. S. 74, N. 1 und Darmstädter a. a. O. S. 84. Demnach ist als Diktatvorlage für das DO. III. 175 offenbar nicht das DO. II. 237 (wie in der Vorbemerkung zu dem ersteren Diplom gesagt ist) sondern jenes zweite, uns nicht erhaltene, Diplom benutzt worden, das in den Teilen, die in DO. III. 175 und DO. II. 237 übereinstimmen, mit dem letzteren Diplom gleich gelautet haben muss. Auch lassen sich bei genauerer Untersuchung des in der Ausgabe des DO. III. 175 nicht ganz richtig dem Her. A zugeschriebenen Diktats noch eine Reihe von Wendungen und Ausdrücken mit voller Sicherheit auf den Stil des HB und damit auf das verlorene DO. II. zurückführen. Warum aber das verlorene Diplom später als das DO. II. 237 ausgestellt sein soll, wie Darmstädter a. a. O. meint, ist nicht abzusehen. 3) Denn bei dem Abkommen, das im Jahre 1205 der Bischof von Como mit der Kommune Chiavenna über ihre Belehnung mit

Grössere Zweifel können darüber bestehen, wie unter Otto III. die Besitzverhältnisse sich gestaltet haben. Denn während dieser Herrscher im Jahre 995 dem Bischof von Chur die eben besprochene Verleihung des Kastells von Chiavenna samt den zugehörigen Einkünften bestätigte[1], haben wir eine Bestätigungsurkunde über den demselben Bistum im Jahre 980 zugesprochenen Zoll an der Mairabrücke von Otto III. nicht; dagegen besitzen wir aus dem Jahre 996 eine Erneuerung der oben erwähnten Urkunde Lothars von Italien, in der Klausen und Brücke zu Chiavenna als Besitz der Kirche von Como anerkannt waren[2]. Es ist nun sehr wohl denkbar, dass die Kanzlei Ottos III. die eingereichten Vorlagen beider Rivalen bestätigt hat, ohne sich auf eine genaue Prüfung der rechtlichen Lage und der tatsächlichen Besitzverhältnisse einzulassen[3]. Es wäre aber auch nicht unmöglich, dass Otto III. wirklich einen Ausgleich zwischen den widersprechenden Interessen der beiden Kirchen herbeizuführen unternommen hätte, indem er dem deutschen Bistum das Kastell und die damit verbundenen Grafenrechte beliess, dem italienischen aber die ihm früher entzogenen Rechte an Klausen und Brücke zurückgab. Wenn ein solches Kompromiss getroffen worden sein sollte, so hat es jedenfalls die Regierung Ottos nicht

---

der Grafschaft traf, behielt er der Kommune von Como die Burg, den Turm, den Burgfelsen und den Brückenzoll vor und bedang sich aus, dass die Kommune Chiavenna auf alle Ansprüche daran ausdrücklich verzichten solle (Periodico della società Comense VII, 152). Daraus ergibt sich deutlich, dass die Burg zur Grafschaft gehörte; denn nur auf die letztere hatte die Kommune Ansprüche, und ihr ausdrücklicher Verzicht war unnötig, wenn Grafschaft und Burgbezirk schon seit dem 10. Jh. von einander getrennt waren. 1) DO. III. 175. 2) DO. III. 207. 3) Dass dergleichen vorkam, ist hinlänglich bekannt. So wird das Kloster Pomposa in DO. II. 281. DO. III. 375 dem Salvatorkloster in Pavia, in DD. O. III. 330. 341 dem Erzbistum Ravenna bestätigt. Dann wird das Kloster 1001 nach Verzicht des Paveser Abtes im Königsgericht dem Erzstift zugesprochen (DO. III. 396) und demnächst durch Vertrag mit Ravenna reichsunmittelbar (DO. III. 416). Nichtsdestoweniger erscheint es unter den Besitzungen des Salvatorklosters in dem DH. II. 284 und unter den Besitzungen von Ravenna in dem DH. II. 290 bis, während es unzweifelhaft unter Heinrich II. weder dem Paveser Kloster noch dem Erzbistum gehört hat, sondern dauernd reichsunmittelbar geblieben ist. (DD. H. II. 312. 473). In früherer Zeit hat man dergleichen Widersprüche dadurch zu lösen versucht, dass man bald die eine, bald die andere der mit einander streitenden Urkunden für falsch erklärte. Und so haben bündnerische Forscher die Dokumente von Como, comaskische die von Chur verworfen. Aber daran ist bei den eben besprochenen Urkunden über Pomposa nicht zu denken; gegen die einen so wenig wie gegen die anderen liegt ein wirklich zu begründender Verdacht vor.

überdauert: nach dem Tode des Kaisers trat der Bischof von Como, der Ottos Erzkanzler gewesen war, zu Arduin über, und es entspricht durchaus der politischen Lage, wenn der Gegenkönig seinem Getreuen nun zu der Brücke und den Klausen auch die Grafschaft Chiavenna verlieh[1]: dass der von der italienischen Nationalpartei erhobene Herrscher den Grenzplatz nicht in den Händen eines deutschen Bischofs lassen konnte, liegt auf der Hand.

Anders verhielt sich natürlich Heinrich II. Er bestätigte zwar dem Klerus von Como auf die Bitte des Bischofs Eberhard (den er an Stelle des zu Arduin übergegangenen, aber noch lebenden Petrus dort eingesetzt haben muss) Brücke und Klausen von Chiavenna, aber er erneuerte natürlich die von Arduin verfügte Schenkung der Grafschaft nicht[2]; andererseits bestätigte er wahrscheinlich auch die Verleihung des Kastells und der Rechte weiland des Grafen Amizo an Chur[3]. Er beliess also wohl die Rechtslage unverändert so, wie sie unter Otto III. bestanden hatte. Ob er aber tatsächlich in die Besitzverhältnisse, wie sie sich in den ersten Jahren seiner Regierung gestaltet haben müssen, eingegriffen hat, bleibt in hohem Masse zweifelhaft[4]; dem Kaiser, der auf keinem seiner drei

1) DA 3. Was wir oben S. 76 aus formalen Erwägungen zu Gunsten des Zusatzes von 'comitatulus' in dieser Urkunde anführten, stimmt, wie man sieht, mit den tatsächlichen Verhältnissen im Anfang des 11. Jh. aufs beste überein. 2) DH. II. 75; s. oben S. 76. 3) Ein Diplom Heinrichs darüber ist nicht erhalten, wird aber in dem DK. II. 153 (St. 2007) für Chur erwähnt. Auffällig ist freilich, dass hier auch von Otto I. als Aussteller einer Vorurkunde die Rede ist. Das ist wohl ein Irrtum der Kanzlei Konrads II. oder es beruht auf einer falschen Angabe der Churer; das Kastell ist erst von Otto II. verliehen worden, wie sich nicht nur aus dem Wortlaut des DO. III. 175, sondern auch aus dem ergibt, was oben S. 80, N. 2 über das Diktat dieser Urkunde bemerkt worden ist. Und wenn hier einmal eine unrichtige Angabe vorliegt, so wäre es nicht ganz ausgeschlossen, dass auch Heinrich II. zu Unrecht in dem DK. II. genannt wäre. 4) Es ist möglich, dass im Jahre 1006 ein Ausgleich versucht worden ist. Wir haben ein Diplom Heinrichs für Como, das auf Ansuchen Egilberts von Freising dem Bischof Eberhard von Como die Hälfte der Vizegrafschaft des Veltlins verleiht (DH. II. 113). Diese Verleihung ist aber wahrscheinlich vom Könige nicht vollzogen und also nicht rechtskräftig geworden. Dafür ist zwar das Fehlen des Vollziehungsstriches im Monogramm in unseren Abschriften vielleicht kein sicherer Beweis, denn (was wir in der Vorbemerkung zu DH. II. 113 hätten anmerken sollen), der Vollziehungsstrich im Monogramm ist in unseren Chartularen auch bei dem DH. II. 336 fortgelassen, ohne dass wir hier an Nichtvollziehung der Urkunde zu denken sonstige Veranlassung hätten. Wohl aber ist die Nichtvollziehung des DH. II. 113 aus dem Fehlen der Rekognition

Züge nach Italien hin oder her, soviel wir wissen, einen der in Chiavenna einmündenden Pässe benutzt hat, standen die von ihm eingesetzten Bischöfe von Como ebenso nahe wie der von Chur, und ich halte es für sehr wahrscheinlich, dass der Streit unentschieden und Como in tatsächlichem Besitz geblieben ist.

Aber dessen Anerkennung zu erlangen war doch ein erstrebenswertes Ziel. Die Ereignisse, die in Italien nach dem Tode Heinrichs II. eintraten, boten dem Bischof Alberich von Como die Möglichkeit, sich neue Verdienste um den Träger der deutschen Krone zu erwerben. Während die Mehrzahl der weltlichen Fürsten Oberitaliens die Herrschaft einem französischem Fürsten anboten, schloss sich Alberich der von Leo von Vercelli geführten Bischofspartei an, die Konrad treu blieb und an deren Widerstand der Plan, ihm einen Gegenkönig gegenüberzustellen, scheiterte [1]. Der deutsche Herrscher säumte nicht, seine Anhänger zu belohnen. Schon im Frühjahr 1025 erfuhren in Konstanz die Bischöfe von Novara, Vercelli und Ivrea seine Gunst [2]; Alberich war der erste italienische Fürst, dem sie zu Teil ward, als Konrad im Jahre 1026 die Grenze Italiens überschritten hatte; der König bestätigte ihm die Verleihungen der Vorgänger [3], und es hat nichts unwahrscheinliches, fügt sich vielmehr wiederum trefflich in alles ein, was wir über die politische Lage zur Zeit der Ausstellung jener Urkunden ermitteln können, dass ihm nun auch eine Anerkennung der durch Arduin geschaffenen Besitzverhältnisse zugestanden wurde, dass der König ihm ohne Rücksicht auf den Anspruch Churs den Besitz der Grafschaft Chiavenna verbriefte [4]. In der Form unterscheidet sich

---

und der Datierung (das Inkarnationsjahr allein steht in dem jüngern Cod. privil. Cumanae ecclesiae und ist wohl vom Schreiber dieses Chartulars, wenn auch anscheinend zutreffend, ergänzt) mit Wahrscheinlichkeit zu erschliessen; auch gibt es keine Bestätigung der Verleihung von Rechten im Veltlin vor dem 14. Jh. Sollte hier nun etwa ein — nicht geglückter — Versuch vorliegen, Como gegen Entschädigung im Veltlin zum Verzicht auf seine Ansprüche auf Chiavenna zu bewegen? Dafür könnte der Umstand sprechen, dass Egilbert von Freising, der in DH. II. 113 als Intervenient für Como erscheint, auch in dem unten S. 90 ff. zu besprechenden Diplom von 1030 für Chur interveniert. 1) Vgl. meine Jahrbücher Konrads II. S. 71 ff. 2) DK. II. 38, Vorbemerkung. 3) DD. K. II. 52 ff. In welcher Gunst Alberich bei Konrad stand, beweist auch die später erfolgte Verleihung des Klosters Breme an ihn, vgl. Jahrb. Konrads II. Bd. II, 179 f. 4) Zur Begründung des Anspruches von Como wird in dem DK. II. 52 auf Verfügungen Karls d. Gr., Pippins, Ludwigs, Lothars, der drei Ottonen und Heinrichs II. bezug genommen, und es

nun aber diese Verbriefung sehr bestimmt von der Arduins. Klausen und Brücke von Chiavenna waren nicht dem Bischof, sondern dem gesamten Klerus von Como geschenkt worden, in erster Linie wird also das Kapitel auf einen Anteil an ihrem Ertrage Anspruch haben machen können. Als Arduin die Grafschaft verlieh, hatte er in der Bestätigungsurkunde für den Klerus einfach den 'comitatulus' dem früheren Erwerb hinzugefügt, also auch ihn dem Klerus zu Teil werden lassen. Jetzt verfuhr man anders. Auch 1026 wurde die Verleihung der Grafschaft in die Urkunde für den Klerus eingeschoben: aber man unterschied sie sehr bestimmt von der Bestätigung von Klausen und Brücke; diese blieben dem Klerus insgesamt, jene wurde ausdrücklich und mit ganz unzweideutigen Worten nur dem Bischof allein zu Teil. Auch das passt so gut zu der Situation, die damals bestand, dass es entschieden für die Echtheit des Einschubes spricht.

Nun aber haben wir auch ganz unabhängig von diesen Erwägungen ein bestimmtes Zeugnis dafür, dass die Grafschaft von Cläven gerade unter Konrad an das Bistum Como gekommen ist. Aus dem Jahre 1065 ist uns ein Diplom Heinrichs IV. erhalten[1], das uns über ihr Schicksal unter den beiden ersten Saliern Auskunft gibt. Auf die Intervention der Kaiserin Mutter Agnes und zur Belohnung für die treuen Dienste des Bischofs Reinald von Como

---

wäre also möglich, dass damals die Interpolationen der drei oben S. 75, N. 3 erwähnten karolingischen Vorurkunden und des DO. II. 166 (s. oben S. 77, N. 5) vorgenommen sind. Aber so ganz sicher ist das doch nicht. Denn von der Grafschaft Chiavenna spricht auch von den interpolierten Urkunden nur die Karls d. Gr.; von Pippin (es kann nur Karls Sohn gemeint sein) besitzen wir überhaupt keine Urkunde für Como; ein Diplom Ottos I., das von Chiavenna redete, ist nicht bekannt und wird auch in der auf den Namen Heinrichs VII. lautenden Bestätigung angeblich vom Jahre 1311 nicht angeführt; die anderen zitierten Diplome endlich bestätigen zwar Klausen und Brücke, aber nicht die Grafschaft, und in ihrer Aufzählung vermisst man den ersten Rechtstitel über jenen Besitz, die Verfügung Hugos. Das Verzeichnis der Vorgänger, welche die Grafschaft verliehen haben sollen, entspricht also dem wirklichen Tatbestande durchaus nicht; und die Kanzlei Konrads kann keinesfalls den Entwurf des D. 52, der ihr — wahrscheinlich doch von einem Kleriker des Bischofs von Como — eingereicht wurde, auf die Richtigkeit seiner Angaben nachgeprüft haben. Bei dieser Sachlage ist es dann aber auch nicht ausgeschlossen, dass die interpolierten Urkunden im Jahre 1026 noch gar nicht vorhanden waren, sondern erst während des Prozesses, der im 12. Jh. geführt wurde, entstanden sind. Mir scheint es nicht möglich, sicher zu entscheiden, ob sie unter Konrad II. oder unter Friedrich I. angefertigt sind. 1) St. 2665.

gibt der König die Grafschaft Chiavenna und die Brücke mit dem Zoll und allen Nutzungen[1] der bischöflichen Kirche von Como zurück, wie das vor alters von seinen Vorgängern und von seinem Grossvater Konrad bestimmt gewesen sei, um so das Unrecht wieder gut zu machen, womit sein Vater Heinrich III. an derselben Kirche gesündigt habe. Um diese Restitution zu festigen, entschädigt er den Grafen Eberhard, der Einkünfte und Nutzung von Grafschaft und Brücke erhalten hatte, durch die Verleihung der Villa 'Hodwelt' (so lautet der Name in der besten Ueberlieferung der Urkunde, dem Cod. Ambrosianus)[2], aus dem Gute der Kaiserin Agnes, die er für andere königliche Besitzungen eingetauscht hat[3].

Formell gibt diese Urkunde zu keinerlei Bedenken Veranlassung[4]. Aber auch ihr Inhalt erfährt durch ein anderes Diplom Heinrichs IV. eine überraschende Bestätigung. Durch ein zwei Tage nach der Restitution der Grafschaft Chiavenna an Como ausgestelltes Diplom, das uns in originaler Ausfertigung erhalten ist[5], hat nämlich der König einem nicht näher bezeichneten Grafen Eberhard 'duas villas Hochfeld et Suueichusun dictas cum foresto Heiligenforst nominato in comitatu Gerhardi comitis in pago Nortcowe sitas, excepta publica ęcclesia in . . . Hochfeld et excepto quorundam Perhtoldi ducis et Adalhalmi in eodem loco beneficio' verliehen. Der Zusammenhang zwischen beiden Urkunden[6] liegt klar auf der Hand: Hodwelt in der Abschrift des Diploms für Como, die uns der Cod. Ambrosianus erhalten hat, ist offenbar verlesen

---

1) 'comitatum Clavennensem et pontem cum teloneis et cum omni utilitate'. 2) 'Hoclipelt' haben die Drucke. 3) 'de praedio praedictae genitricis nostrae Agnetis Heberardo comiti . . . . quandam villam Hodwelt nominatam in proprium dedimus et de aliis praediis nostris in usum et in beneficium concambiando et redimendo concessimus'. 4) Die Echtheit des Protokolls, schon an sich zweifellos, wird in diesem Falle noch durch die Rekognition des deutschen Kanzlers Sigehard verbürgt, dessen Namen kein Fälscher aus Como hätte ermitteln können. Stumpf hat daraus gefolgert (Forschungen zur deutschen Gesch. XV, 160), dass Chiavenna damals zu Deutschland gezählt worden sei; vgl. unten S. 90 f. 5) St. 2668. 6) Beachtung gefunden hat er bisher nur bei Darmstädter, Reichsgut in der Lombardei S. 84; wenn Witte bei seiner Untersuchung über die Geschichte des Heiligen Forstes (Zeitschr. f. Gesch. des Oberrheins N. F. XII, 193 ff.) auf ihn aufmerksam geworden wäre, so würde er erkannt haben, dass das in dem Diplom für Como allein genannte Hochfelden der Mittelpunkt und Haupthof der königlichen Domäne in dieser Gegend war, wie es auch in dem DO. I. 368 an erster Stelle genannt wird: Schweighausen und der Heilige Forst müssen als Dependenzen von Hochfelden angesehen werden.

aus Hochvelt, wie im Original jenes Diploms gestanden haben muss: so liefert uns das Diplom für Eberhard den strikten Beweis dafür, dass die Angabe der Urkunde für Como, soweit es sich um die Entschädigung Eberhards handelt, durchaus zutreffend ist, und man wird also auch nicht bezweifeln dürfen, dass ihr Bericht über die Veranlassung zu dieser reichen Entschädigung richtig ist.

Wer trotzdem an der Verleihung der Clävener Grafschaft an Como durch Konrad zweifeln wollte, dem bliebe nur noch ein Weg übrig — er müsste aus dem Diplom Heinrichs IV., von dem wir handeln, den 'comitatus' entfernen. Und in der Tat — der Gedanke, dass die Grafschaft hier durch Interpolation an Stelle der Klausen getreten wäre, die sonst immer mit der Brücke zusammen genannt werden —, dass es also im Original des Diploms statt 'comitatum Clavennensem et pontem' geheissen hätte 'clusas Clavennenses et pontem' und weiter unten statt 'eiusdem comitatus et pontis redditus' etwa 'earundem clusarum et pontis redditus' — dieser Gedanke ist mit unseren bisherigen Ausführungen noch nicht ohne weiteres widerlegbar. Aber ich würde doch nicht anstehen, ihn als ganz verfehlt, als ein Zeichen hyperkritischer Skepsis zu betrachten. Schon dem Wortlaut nach könnten an der zweiten Stelle statt der Grafschaft die Klausen schwerlich gestanden haben; denn nicht mit ihnen, sondern nur mit der Mairabrücke war die Zollstätte verbunden, und besondere Einkünfte aus den Klausen (deren Bewachung wohl mit dem Besitz der Brücke verknüpft war) können kaum bestanden haben[1]. Sodann werden die Einkünfte aus dem Brückenzoll allein, ohne die Grafschaft, kaum so bedeutend gewesen sein, dass zur Entschädigung für ihre Abtretung durch den Grafen Eberhard ein so reicher Besitz im Elsass erforderlich gewesen wäre, wie er ihm tatsächlich verliehen wurde. Weiter würde bei der Restitution der Klausen und der Brücke, die Como schon im 10. Jh. besessen hatte, und die ihm im 11. von Heinrich II. und von Konrad bestätigt waren, kein besonderer Grund vorgelegen haben, in dem Diplom Heinrichs IV. gerade die Verleihung Konrads besonders hervorzuheben, während das allerdings der Fall war, wenn es sich um die Grafschaft handelte: für sie besass Como, abgesehen von der interpolierten Urkunde

1) Deshalb kann es auch nicht befremden, dass in dem Diplom Heinrichs IV. neben Grafschaft und Brücke die Klausen überhaupt nicht besonders erwähnt werden.

Karls d. Gr. (die 1065 in dieser Gestalt vielleicht noch garnicht vorhanden war)[1] und der Urkunde Arduins, mit der nichts anzufangen war, wirklich nur einen Rechtstitel, eben das Diplom Konrads von Jahre 1026. Endlich aber ist eine Verfälschung gerade dieser Urkunde Heinrichs IV. überhaupt höchst unwahrscheinlich. Wenn sie erfolgt wäre, so müsste man annehmen, dass das in den Jahren 1152 und 1153 geschehen wäre, als die Konsuln von Chiavenna und der Bischof Ardicius von Como vor Friedrich I. um die Grafenrechte stritten[2]. Dass aber damals der Bischof eine Urkunde vorgelegt hätte, aus der sich mit Sicherheit ergab, dass die Grafschaft wenigstens zeitweise der Kirche von Como nicht gehört hatte, sondern ihr von Heinrich III. entzogen worden war, ist schwer glaublich; es wäre sehr unvorsichtig gewesen. Das Original der Urkunde, in dem etwa das Wort 'comitatus' zwei Mal auf Rasur von 'clusas' und 'clusarum' gestanden hätte, in einem Prozesse vorzulegen, in dem es eben auf den Besitz der Grafschaft ankam und in dem die Gegner des Bischofs, wie man weiss, keineswegs ohne Einfluss am Hofe waren, würde man sich gewiss gehütet haben. Wenn man aber eine Fälschung auf den Namen Heinrichs IV. neu anfertigen wollte, dann war es ebenso bequem eine solche in der Form einer gewöhnlichen Bestätigungsurkunde herzustellen, für die man das Protokoll dem Diplom von 1065, den Text aber einem der älteren echten oder falschen Privilegien entnehmen konnte, die man damals vorlegte, um das Recht Comos auf die Grafschaft Chiavenna darzutun[3] — es war ebenso

---

1) S. oben S. 83, N. 4. 2) Vgl. Scheffer-Boichorst, Zur Geschichte des 12. und 13. Jahrhunderts S. 102 ff. 3) Vorgelegt wurden damals nach dem Diplom Friedrichs I. St. 3667 (ich zitiere nach dem auf dem Cod. Ambrosianus beruhenden Abdruck dieses Passus bei Schiaparelli, Diplomi di Berengario I, 431, n. 7): 'privilegia Karoli imperatoris, Lugduwici, Lotharii primi et alterius Lodovici et Karoli minoris et Berlengarii et trium Ottonum et Conradi imperatoris et Heinrici primi secundi et tercii et Lotharii secundi et dive memorie patrui et predecessoris nostri Cuonradi regis'. Von den uns erhaltenen Urkunden erwähnen, wie schon oben bemerkt ist, nur die interpolierte Karls und die Konrads II., für deren Echtheit wir hier eintreten, ausdrücklich die Grafschaft, die anderen, soweit sie überhaupt in echter oder interpolierter Fassung erhalten sind (von mehreren wissen wir gar nichts) nur Klausen und Brücke. Besonders beachtenswert ist für den Zweck unserer Untersuchung die Berufung auf die Urkunden der drei Heinriche, unter denen Heinrich II. III. und IV. verstanden werden müssen. (Heinrich V. fehlt auffallender Weise). Das uns erhaltene Diplom Heinrichs III. St. 2485 kann hier nicht gemeint sein, denn in ihm ist zwar von der Grafschaft Bellinzona und vielen anderen Besitzungen und Rechten Comos, aber gerade von

bequem, sage ich, und jedenfalls geratener, als durch den Hinweis auf die zeitweilige Unterbrechung des Besitzstandes der Kirche, die in dem uns vorliegenden Diplom Heinrichs IV. bezeugt ist, Zweifeln an ihrem Rechte geradezu den Weg zu ebnen[1].

Chiavenna nicht die Rede, weder von der Grafschaft noch von den Klausen und der Brücke: es bestätigt sich so durchaus die Aussage der Urkunde von 1065, dass Heinrich HI. Comos Rechte in Chiavenna eingezogen habe. Wenn also 1153 wirklich ein Diplom Heinrichs III. vorgelegt worden ist (ich drücke mich so vorsichtig aus, weil ich nicht unbedingt für die wirkliche Existenz aller in dem Diplom Friedrichs I. angeführten älteren Privilegien einzutreten den Mut habe), so ist das jedenfalls eine Fälschung gewesen, in der auch die Grafschaft Chiavenna bestätigt wurde, und die durch Interpolation in St. 2485 leicht herzustellen war. Dann aber wird man gewiss nicht gleichzeitig und ohne Not eine Urkunde wie das D. St. 2665 gefälscht und produziert haben, aus der hervorging, dass eben unter Heinrich III. Chiavenna nicht zu Como gehört hatte!

1) Nur in der Anmerkung will ich noch auf einen anderen Umstand aufmerksam machen. Das Diplom Heinrichs IV. für den Grafen Eberhard St. 2668, dessen Original jetzt im Bezirksarchiv zu Strassburg beruht, hat früher dem Archiv der Grafen von Spanheim angehört: eine Dorsualnotiz des 14. oder 15. Jh. (bei Witte, Zeitschr. f. Gesch. des Oberrheins NF. XI, 163, N. 2 nicht ganz korrekt wiedergegeben; sie lautet: 'wie die hireschafft von Spanheim [oder 'Sponheim'] sit dem ersten gestifft wart') bestätigt diese, auch anderweit feststehende Tatsache. Nachdem nun Witte a. a. O. S. 162 ff. nachgewiesen hat, dass die Angaben Tritheims über einen Grafen Eberhard von Spanheim, der zur Zeit Heinrichs III. lebte und 1044 ein Kloster auf dem Feldberg unweit Spanheim begründete, wie überhaupt über die Anfänge des Spanheimer Grafenhauses im grossen und ganzen durchaus glaubwürdig sind (vgl. dazu auch v. Jaksch in den Mitteil. des österr. Instituts, Ergänzungsband VI, 197 ff. und Mon. ducatus Carinthiae III, p. XXIV ff.), hätte man erwarten sollen, dass er die Konsequenz gezogen und, im Anschluss an ältere Forscher, den Eberhard, der für seinen Verzicht auf Chiavenna mit Hochfelden u. s. w. entschädigt wurde, für den gleichnamigen Grafen von Spanheim erklärt hätte. Das tut er nun aber dessen ungeachtet nicht, sondern er folgt den Wegen von Joh. Meyer-Frauenfeld (obwohl er selbst S. 172 dessen Voraussetzungen für durchaus irrig erklärt) und von Mone, Tumbült und Krüger, die — ohne irgend welchen Beweis — jenen Eberhard zum Grafen von Nellenburg gemacht haben. Er ist offenbar dadurch dazu veranlasst worden, dass er, wie vor ihm Tumbült, die Schenkung von Hochfelden mit einem anderen (übrigens in der vorliegenden Gestalt unechten und trotz Tumbülts Verteidigung auch seinem Inhalt nach nicht in allen Teilen ausreichend verbürgten) Diplom Heinrichs IV. (St. 2682) vom 30. August 1065 in Verbindung brachte, durch das der König dem Bistum Speyer die Villa Kreuznach 'cum beneficio Eberhardi comitis de Nellenburc' schenkte; er sah (a. a. O. S. 173) wie Tumbült die Schenkung von Hochfelden als eine Entschädigung für den Verzicht auf ein Lehen in Kreuznach an, ohne sich über die unverhältnismässige Grösse dieser Entschädigung den Kopf zu zerbrechen; er liess dann die Urkunde über Hochfelden durch die Heirat einer Nellenburgerin mit einem späteren Grafen von Spanheim in das Spanheimer Archiv gelangen und machte damit von dem 'beliebten Hilfsmittel aller Genealogen', Erbfolge in weiblicher Linie, Gebrauch,

Erweist sich somit auch der letzte, denkbare Einwand gegen die Urkunde von 1065 als unhaltbar und dürfen wir sie daher als ihrem ganzen Umfange nach echt betrachten,

---

über das er auf derselben Seite seines Aufsatzes nicht ohne guten Grund spottet. Nachdem wir nun erkannt haben, dass jene Voraussetzung irrig ist, dass die Schenkung von Hochfelden die Entschädigung für den Verzicht auf Chiavenna bedeutet und nichts mit der angeblich drei Monate später erfolgten, nur durch eine unechte Urkunde bezeugten Verleihung einer Nellenburger Besitzung in Kreuznach an Speyer zu tun hat, werden wir auch von jener willkürlichen Identifizierung, die Hochfelden in Nellenburgischen Besitz brachte, absehen und den Spanheimern wiedergeben, was ihnen gebührt: Graf Eberhard von Spanheim (entweder noch derselbe, der im Jahre 1044 die klösterliche Niederlassung auf dem Feldberge gründete, oder vielleicht schon — was wir nicht wissen können — ein gleichnamiger Nachkomme) hat im Jahre 1065 die ihm (oder möglicherweise schon einem Vorfahren) von Heinrich III. verliehene Grafschaft Chiavenna dem Bistum Como zurückgeben müssen und dafür die Domäne Hochfelden mit Schweighausen und dem Heiligen Forst erhalten. Dass dieser Besitz nicht von langer Dauer war, hat Witte in einem anderen Aufsatz bereits gezeigt (Zeitschr. für Gesch. des Oberrheins NF. XII, 215 f.); Hochfelden und Schweighausen samt dem Heiligen Forst müssen wahrscheinlich noch unter Heinrich IV. wieder ans Reich zurückgenommen sein: die Ursachen dieses Widerrufs entziehen sich unserer Kenntnis, da nur ganz wenige Nachrichten über die Spanheimer in der zweiten Hälfte des 11. Jh. uns vorliegen. Der Umstand, dass die Urkunde von 1065 im Spanheimer Archive blieb, weist indess darauf hin, dass der Verlust der elsässischen Besitzungen nicht auf einer freiwilligen Veräusserung beruhte, bei der nach mittelalterlichem Brauch der Besitztitel wohl mit ausgeliefert wäre. Auch die Tradition von jenem reichen Besitz und der Ursache seines Erwerbes wird sich im Spanheimer Hause erhalten haben, und mit ihr die Hoffnung, ihn oder das, was man dafür hatte aufgeben müssen, d. h. die Rechte in Chiavenna, bei günstiger Gelegenheit zurückzugewinnen. Nun erfahren wir aus einem Diplom Friedrichs I. vom Jahre 1152, dass, als vor ihm die Konsuln von Chiavenna und der Bischof von Como um die Grafschaft haderten, sich ein dritter Bewerber erhoben habe, um seinen Anspruch darauf anzumelden, ein Bewerber, der 'Henricus de Ortia' oder in einer anderen Hs. derselben schlecht überlieferten Urkunde 'Henricus de Hostia' genannt wird, und der zu den Reichsfürsten gehört haben muss; er trat an den König heran 'et dicebat illum comitatum neque ad episcopum neque ad . . . consules Clavennates pertinere, sed suum beneficium esse et petebat a nobis similiter investiri' (Scheffer-Boichorst, Forschungen zur Gesch. des 12. und 13. Jahrh. S. 119). Sein Anspruch ist nicht anerkannt worden (weshalb, wissen wir nicht), und es ist später nicht mehr von ihm die Rede. Wer aber war dieser Bewerber, der so plötzlich auftaucht, um ebenso plötzlich zu verschwinden? Scheffer-Boichorst (a. a. O. S. 103, N. 4) möchte 'de Ortia' in 'de Artuo' ändern und an einen Markgrafen Heinrich denken, dem nach St. 4214 ein Kastell 'Artui' (heute Arto) am Ortasee gehört hatte. Aber wie dieser Herr, dessen Besitzungen von Friedrich dem Grafen von Biandrate geschenkt werden und also wahrscheinlich in Piemont gelegen haben, Ansprüche auf Chiavenna haben konnte, ist ganz unerfindlich. Ich schlage — mit allem Vorbehalt — eine andere Emendation vor; man verbessere 'Ortia' in 'Ortinbc'. Ein Graf

so ist damit zugleich die Echtheit des auf die Verleihung der Grafschaft Chiavenna bezüglichen Abschnittes in Konrads Diplom DK. II. 52 (St. 1906) dargetan. Ich würde einen so umständlichen Beweis dafür nicht für erforderlich erachtet haben, wenn nicht spätere Urkunden des Kaisers mit diesem Ergebnis im Widerspruch zu stehen schienen. Am 19. September 1030 hat Konrad II. dem Bischof Hartmann von Chur die seiner Kirche von den Ottonen und von Heinrich II. verliehenen Rechte an der Burg Chiavenna einschliesslich der Gerichtsbarkeit, dem Markt- und Zollrecht bestätigt[1]. Sodann hat Konrad in zwei Urkunden vom Jahre 1038[2] nicht dem Bischof, aber dem Domkapitel zu Chur Güter in Chiavenna und 'Proueri' (Plurs?) geschenkt, die gerichtlich zwei Brüdern Wilhelm und Roger aberkannt waren. In der ersten Urkunde heisst es, dass die Besitzung Wilhelms, über die der Kaiser zu Gunsten der Churer Domherren verfügt, 'in loco Clavvenna dicto, in comitatu Ruodolfi comitis' belegen sei; in der zweiten wird verfügt über alles Eigentum der beiden Brüder 'in Clavenna et Proueri vel quicquid infra comitatum Clavennensem tenuerunt'.

Die drei eben erwähnten Diplome Konrads sind, worauf ich zunächst hinweisen möchte, mit der Rekognition der italienischen Kanzleiabteilung versehen: nicht nur die beiden im Jahre 1038 in Italien ausgestellten Stücke, sondern auch das von 1030, das in Deutschland gegeben ist. Es ist also kein Zweifel, dass Chiavenna unter Konrad II. wie unter den Ottonen zum Königreich Italien gerechnet wurde. Erwägt man nun, dass die oben[3] besprochene Urkunde Heinrichs IV. vom Jahre 1065, durch die der von Heinrich III. eingezogene Komitat dem Bistum Como restituiert wurde, die Rekognition der deutschen

---

Heinrich von Ortenburg in Kärnthen ist von 1140 an durch mehrere Jahrzehnte nachweisbar (vgl. Tangl im Archiv für österr. Gesch. XXX, 253 ff.), und dass das Geschlecht dieser kärntnischen Ortenburger einen Seitenzweig der kärntnischen Spanheimer bildete und mit diesen von den rheinfränkischen Grafen von Spanheim stammte, lässt sich zwar nicht sicher beweisen, ist aber in hohem Masse wahrscheinlich. So vermag ich mir leicht vorzustellen, dass, wenn zufällig ein Ortenburger in Ulm zugegen war, als man um Chiavenna stritt, er sich des schönen Besitzes erinnerte, den ein Ahn verloren hatte, und kühnen Mutes auftrat, um seinen Anspruch anzumelden, über den dann freilich leicht hinweggegangen werden mochte. 1) DK. II. 153 (St. 2007), vgl. oben S. 82. Das Diplom ist in originaler Kanzleiausfertigung erhalten. 2) DD. K. II. 255. 271 (St. 2101. 2112). Beide Diplome sind in originaler Ausfertigung erhalten. 3) S. 85 ff.

Kanzlei aufweist[1], die Grafschaft also damals als zu Deutschland gehörig betrachtet wurde, so ist es klar, dass diese Veränderung in der Anschauung über ihre staatliche Zugehörigkeit in der Zeit zwischen 1038 und 1065 erfolgt sein muss. Sie wird also gewiss mit der von Heinrich III. verfügten Einziehung der Grafschaft für das Reich zusammenhängen; und diese Beobachtung bestätigt zunächst das Ergebnis unserer bisherigen Untersuchung durchaus.

Auch die beiden Diplome von 1038 lassen sich damit noch vereinigen. Die Verleihung von Gütern zu Chiavenna an das Domkapitel von Chur steht ja keineswegs im Widerspruch zu dem Besitz der Grafschaft durch das Bistum Como; ja man könnte geradezu daran denken, dass sie als eine Art von Entschädigung der Churer Kirche für den Verlust der ihr früher in Chiavenna zustehenden Rechte anzusehen wäre. Und den Grafen Rudolf von Chiavenna, der in der ersten der beiden Urkunden[2] erwähnt wird, darf man ruhig für den vom Bischof von Como eingesetzten Vorsteher der Grafschaft halten. Werden solche bischöfliche Grafschaften in Italien in der Regel von vicecomites zu Amtsrecht und nicht von comites zu Lehnsrecht verwaltet, so findet sich doch vereinzelt auch das letztere[3], das in Deutschland durchaus üblich war: in unserem Falle aber ist es nicht einmal nötig das anzunehmen; das Diplom ist nicht von einem italienischen, sondern von einem deutschen Notar Konrads verfasst, und es ist sehr erklärlich, dass dieser Mann den Richter des Grafengerichts, auch wenn er in Italien Vicegraf hiess, als Graf bezeichnet und das übliche deutsche Formular: 'praedium situm in comitatu N. comitis' auf ihn angewandt hat.

Schwieriger ist es, das Diplom von 1030 zu erklären. Die Annahme, dass die Gerichtsgewalt über das castellum Chiavenna, die dem Bischof von Chur durch das Diplom Konrads bestätigt wurde, von der Grafschaft Chiavenna verschieden gewesen, etwa von ihr eximiert gewesen sei, würde ja alles erklären; aber wie schon oben[4] bemerkt

---

1) Das hängt nicht etwa mit einer Behinderung des italienischen Kanzlers zusammen; denn zwei andere Diplome gleichen Datums für die Kaiserin Agnes, betreffend Güter in der Diözese Tortona (St. 2666. 2667), die der Kaiserin gewiss als Entschädigung für Hochfelden, Schweighausen gegeben wurden (s. oben S. 85), sind in der italienischen Kanzlei rekognosziert. 2) St. 2101: 'predium . . . in loco Clavvenna dicto situm in comitatu Ruodolfi comitis, quod in ipsius comitis presentia secundum leges iudicum transiit in nostrum ius et dominium'. 3) Vgl. Ficker, Forschungen zur Reichs- und Rechtsgeschichte Italiens I, 252. II, 33 ff. 4) S. 80.

wurde, ich kann mich nicht zu ihr entschliessen; ich glaube nicht, dass man das, was Otto II. an Chur verliehen und seine Nachfolger bestätigt haben, für etwas anderes halten darf, als den von Arduin und Konrad an Como gegebenen 'comitatulus' oder 'comitatus'. Dass zwischen den beiden Diplomen Konrads für Como (St. 1906) und Chur (St. 2007) ein Widerspruch besteht, möchte ich also nicht in Abrede stellen, und er kann nach dem, was wir über das Verhältnis Konrads zu dem Bischof Alberich wissen, nicht etwa durch die Annahme gelöst werden, jener habe seine Verfügung vom Jahre 1026 vier Jahre später wissentlich rückgängig machen wollen: überdies haben wir ja schon erfahren, dass nicht Konrad, sondern erst sein Nachfolger dem Bistum Como die Grafschaft Chiavenna entzogen und dass auch dieser sie nicht an Chur gegeben, sondern einem von ihm eingesetzten Grafen übertragen hat.

Zur Erklärung des Widerspruches bleiben demnach, so viel ich sehe, nur zwei Möglichkeiten. Entweder ist im Jahre 1030 Konrad über die Bedeutung der für Chur ausgestellten Urkunde getäuscht worden, so dass ihm der Gegensatz, der zwischen ihr und der 1026 verfügten Verleihung der Grafschaft an Como bestand, überhaupt nicht zum Bewusstsein gekommen ist. Oder aber der Kaiser hat auf die Reklamation des Bischofs von Chur zwar diesem eine Bestätigung der seiner Kirche früher erteilten echten Privilegien nicht versagen wollen, hat aber damit lediglich beabsichtigt, die endgiltige Entscheidung zwischen seinen Ansprüchen und denen des Bischofs von Como späterer Verhandlung vorzubehalten, ebenso wie Friedrich I. im Jahre 1152, als der Bischof von Como und die Konsuln von Chiavenna vor ihm ihre einander widerstreitenden Ansprüche auf dieselbe Grafschaft vorbrachten, einstweilen beiden Teilen ihre ihm vorgelegten Privilegien bestätigte, ohne damit die Frage endgiltig zum Austrage bringen zu wollen[1]. In Anbetracht des Umstandes, dass der Bischof

1) Friedrich selbst sagt darüber in seinem Diplom vom 23. April 1153: 'unicuique iura sua conservare volentes, utrique parti privilegia de suo iure tantum in ipsa causa concessimus, donec maiori inquisitione in praesentia principum eadem controversia iustitia dictante per congruam sententiam terminaretur'; vgl. Scheffer-Boichorst a. a. O. S. 104. In dem uns erhaltenen Privileg für die Konsuln von Chiavenna (a. a. O. S. 119), das hier gemeint ist, steht aber kein Wort davon, dass es sich nur um eine provisorische Entscheidung handelt: auch die Klausel 'salvo per omnia iure regni' kann nicht als ein Vorbehalt der Rechte, die Como beanspruchte, aufgefasst werden.

Egilbert von Freising, der im Jahre 1006 für Como bei Heinrich II. eingetreten war und damals vielleicht — vergeblich — eine Vermittelung zwischen den einander widerstreitenden Interessen des rätischen und des lombardischen Bistums versucht hatte[1], in der Urkunde von 1030 als Fürbitter für Chur genannt wird, was denn doch wiederum auf seine vermittelnde Tätigkeit schliessen lässt, möchte ich dieser zweiten Erklärung den Vorzug geben.

Zu einer anderweitigen Entscheidung ist es jedoch unter Konrad nicht gekommen, und die Schenkungen von 1038 an das Domkapitel waren kein ausreichender Ersatz für den Verlust der Grafschaftsgerechtsame und des Brückenzolles in Cläven. Auch die oben eingehend besprochene Massregel Heinrichs III., durch die Como die Grafschaft verlor, brachte dem rätischen Bistum keinen Nutzen; in den Urkunden für Chur wird Chiavenna lange Zeiten hindurch nicht mehr erwähnt. Heinrich IV. gab dann dem Bischof von Como die ihm von seinem Vater entzogenen Rechte zurück; aber seine Nachfolger haben sie nicht mehr lange genossen; die Stadt Chiavenna selbst entwickelte sich zur Kommune und nahm nach dem Vorbild der lombardischen Städte die Regalien in die eigene Hand, die durch ihre Konsuln verwaltet wurden: Konrad III. scheint diesen Rechtszustand anerkannt zu haben[2]. Kaum aber

---

1) Oben S. 82, N. 4. 2) Vgl. Scheffer-Boichorst a. a. O. S. 104 mit N. 1. — Der Verlust des Komitats fällt nach den Angaben, die der Bischof Ardicio im Laufe des Prozesses machte, in die Zeit seines Vorgängers Guido; denn dafür, dass dieser die Grafenrechte noch ausgeübt habe, bringt Ardicio Zeugen bei, während er von sich selbst nicht mehr das gleiche behauptet. Guido soll nach Gams S. 787 seit 1095 als Bischof nachweisbar und am 27. Aug. 1120 gestorben sein; doch hat schon Tatti gezeigt, dass er noch 1122 am Leben war (vgl. Ewald N. A. III, 181, N. 1). Dazu stimmt es ungefähr, wenn vor Friedrich im J. 1152 in Ulm erklärt wurde, dass die Chiavennaten die Grafschaft 'per triginta annos sine interruptione possederunt'. Die Enteignung des Bistums wird also, wenn die Chiavennaten nicht ohne Not eine zu kleine Zahl angegeben haben, in die letzte Zeit des Bischofs Guido (oder vielleicht in die Zeit nach seinem Tode) fallen. Es muss also damals schon Konsuln von Chiavenna gegeben haben, wenngleich sie erst 1144 urkundlich nachweisbar sind (Periodico della società Comense IV, 54). Dass damals zwischen den Chiavennaten und dem Bischof von Chur Feindschaft bestand, beweist ein Brief Paschals II. an den Bischof Wido von Como von J. 1122 (N. A. III, 181), der diesem aufträgt, 'parrochianos tuos Clavennates, qui ei (dem Bischof von Chur) Castrum Muri (Castelmur im Bergell) auferunt', zur Ruhe zu bringen. Möglicherweise hat also Chur sich dem Bestreben der Chiavennaten, die Grafschaft in ihre Hand zu bringen, entgegengestellt.

hatte Friedrich I. den Tron bestiegen, als der Bischof von Como im Sommer 1152 zu Ulm vor ihm Klage gegen die Konsuln von Chiavenna erhob und die Rückgabe der Grafschaftsrechte verlangte, mit denen die Konsuln investiert zu werden begehrten. Den Streit, der sich darüber entsponnen hat, hat neuerdings Scheffer-Boichorst[1] eingehend behandelt: er verdient besondere Beachtung, weil hier (was man bisher vielleicht nicht genügend hervorgehoben hat) an Friedrich zum ersten Male die Frage herantrat, wie er sich zu den Regalienerwerbungen stellen sollte, die von italienischen Kommunen auf Kosten ihrer geistlichen Herren gemacht worden waren. Im August 1152 wurde zunächst der Besitzstand der Konsuln anerkannt, doch sollte diese Entscheidung nur provisorisch sein. Dem Bischof wurde sein Rechtsanspruch vorbehalten. Ein Herr Heinrich von 'Ortia' — wir vermuten, dass der entstellte Name dem Grafen Heinrich von Ortenburg angehört[2] —, der gleichfalls seine Ansprüche anmeldete — wenn unsere Vermutung zutrifft, begründete er sie mit der kurzen Episode der Verwaltung Chiavennas durch den Grafen Eberhard unter Heinrich III. und Heinrich IV., als dessen Erben er sich ansah — wurde, wie es scheint, ohne weiteres abgewiesen. Im Jahre 1153 wurde dann erst in Konstanz, dann in Bamberg der Streit fortgesetzt: vergebens versuchten die Chiavennaten, nachdem ihr Urkundenbeweis fehlgeschlagen war (gegen die gefälschten Privilegien des Bischofs haben sie, soviel wir erfahren, keinen Einwand erhoben), die Entscheidung dadurch zu verzögern, dass sie erklärten, die Grafschaft gehöre zum Herzogtum Schwaben und nur im Herzogsgericht könne der Prozess entschieden werden: das in Bamberg gefällte Urteil fiel gegen sie aus und sprach dem Bischof die Grafschaft als Reichslehen zu[3].

Es ist merkwürdig genug, dass der Bischof Adelgot von Chur in diesem Prozesse nicht als Partei auftrat. Er war 1152 in Ulm und 1153 in Konstanz anwesend und wird in Urkunden beider Hoftage als Zeuge genannt[4] — aber

---

1) A. a. O. S. 102 ff. Im wesentlichen auf seinen Ausführungen beruhen die Simonsfelds in den Jahrbüchern Friedrichs I. I, 118 ff. 173 ff. 509. Ich stelle hier nicht den ganzen Streit noch einmal ausführlich dar, sondern hebe nur einige, von Scheffer nicht beachtete, mit dem Gegenstand unserer Untersuchung zusammenhängende Momente hervor. 2) S. oben S. 89 f. 3) Scheffer-Boichorst a. a. O. S. 105. 4) St. 3635. 3665. Darauf und auf die S. 95, N. 2 angezogene Stelle hat mit Recht Simonsfeld a. a. O. S. 118, N. 384 und S. 174, N. 90 aufmerksam gemacht.

gerade nicht in denen, die von dem Streite zwischen Como und Chiavenna handeln; in ihnen wird er garnicht erwähnt. Dass er das einstige Recht seiner Kirche ganz vergessen hätte, darf man gewiss nicht glauben[1]: er hat sich nicht lange nach dem Tage von Ulm Beschwerde führend an den Papst gewandt, und wir haben einen Brief Eugens III. an den einflussreichen Abt Wibald von Stablo vom September 1152[2], in dem auf diese Beschwerde Bezug genommen wird. Der Abt solle sich der Sache des Bischofs von Chur annehmen, schreibt der Papst, und mit den Bischöfen, die auf dem Hoftage Friedrichs erscheinen würden, verhindern, dass der Herr von Chur in Wort und Tat unziemlich behandelt und dass seiner Kirche das ihr gebührende Recht nach dem Rat böser Leute vorenthalten werde.

Dessen ungeachtet ist von Chur auch bei den weiteren Verhandlungen, die an Friedrichs Hof über die Grafschaft Chiavenna gepflogen wurden, nicht ausdrücklich die Rede; aber dass der Bischof bei ihnen nicht unbeteiligt war, wird man doch wohl annehmen dürfen. Denn als auf einem neuen Hoftage zu Ulm im Jahre 1157 oder 1158 das Bamberger Urteil umgestossen und die Grafenrechte den Chiavennaten zurückgegeben wurden, da geschah das auf die Klage der schwäbischen Grossen, von denen zwei, die Grafen Ulrich von Pfullendorf und Markward, beschworen, dass die Grafschaft zum Herzogtum Schwaben gehöre; sie konnte

1) Wahrscheinlich in der Zeit Konrads III. hatte er sich mit den Leuten von Chiavenna, die Plurs zum Eintritt in ihre Kommune zwingen wollten, gegen Plurs verbunden; während dieser Wirren hatten auch manche Leute von Plurs aus Furcht dem Bischof Treue geschworen; vgl. Schulte a. a. O. S. 128 f. mit N. 1 auf S. 129 (die arg verstümmelte Chiavennatische Zeugenaussage, Periodico VI, 105, in der von einer 'guerra . . cum episcopo de Coira' die Rede ist, kann auf die oben S. 93, N. 2 erwähnte Fehde von 1122 bezogen werden). Für die zeitliche Ansetzung dieser Dinge ist entscheidend, dass der Streit zwischen Chiavenna und Plurs durch Schiedsspruch der Konsuln von Como 1151 beendet wurde (Periodico IV, 273 n. 117); spätere Urteile von 1152—1155 (n. 119. 127. 130) beziehen sich nur auf die Auslegung und Ausführung des ersten. Beachtenswert ist, dass in einer Urkunde von 1147 (Periodico IV, 267, n. 111) ein Mann aus Plurs an die Kirche S. Lorenzo zu Chiavenna seine Besitzungen 'in plebe Clavenna vel episcopatu de Coira' verkauft. Hatte damals etwa der Bischof von Chur den Versuch gemacht, auch seine kirchlichen Rechte auf Kosten Comos bis nach Chiavenna vorzuschieben? Und hängen diese, bisher wenig aufgeklärten Vorgänge etwa mit der Vergewaltigung Comos durch die Mailänder zusammen, die in die Zeit Konrads III. gesetzt werden muss? 2) Jaffé, Bibliotheca I, 537, n. 403.

also nicht unter einem italienischen Bischof stehen, und Friedrich eximiert sie darauf 'ab omni extranea potestate' und überlässt sie den Konsuln von Chiavenna frei und gelöst 'tam a Mediolanensium quam aliorum Lombardorum omnium dominio'[1]. Die Erwähnung Mailands zeigt den politischen Hintergrund der Massregel: Como war nach Friedrichs Rückkehr von seinem ersten Römerzuge von den Mailändern aufs neue schwer bedrängt worden, und es war zu befürchten, dass diese sich überall im Gebiete des Bischofs und der Kommune festsetzten. Der Name aber wenigstens des einen der beiden Grafen, auf deren Zeugnis hin die Entscheidung gefällt wurde, weist sehr betimmt darauf hin, dass das Interesse Churs mitspielte: ein Ulrich von Pfullendorf ist allerdings anderweit um die Mitte des 12. Jh. nicht nachweisbar, aber zweifellos ist er ein Verwandter des Grafen Rudolf von Pfullendorf[2], der die Schirmvogtei über das Bistum Chur mit anderen Gütern von dem Grafen Rudolf von Bregenz ererbt hatte[3] und auf die erstere 1170 zu Gunsten des Herzogs Friedrich von Schwaben verzichtete[4]. Und so wird denn wohl für die Erklärung, dass die Grafschaft Chiavenna zu Schwaben gehöre[5], die Erinnerung an die im 10. Jh. dem Bischof von Chur hier zugestandenen Grafenrechte wesentlich massgebend gewesen sein; dem Bischof kam es vor allem wohl darauf an, sie dem Einflusse Mailands und Comos zu entreissen: mit den Chiavennaten mochte er sich leichter abzufinden hoffen. Wie sich nun aber sein Verhältnis zu

1) Vgl. die Urkunde bei Scheffer-Boichorst a. a. O. S. 121. 2) v. Planta a. a. O. S. 72, N. 2 hält ihn für Rudolfs Vater; s. die folgende Note. — Wenn der Ulrich von Ramsberg, den Scheffer-Boichorst S. 107, N. 3 zu 1135 nachweist, mit dem Pfullendorfer unserer Urkunde identisch ist, wäre diese Kombination wohl möglich. 3) Vgl. das Diplom Friedrichs St. 4113, ferner Otto v. St. Blasien cap. 21 und dazu Stälin, Württemb. Gesch. II, 242, N. 3; 433, N. 2. 3. Rudolf v. Pfullendorf war nach Otto von St. Blasien der 'sororius' Rudolfs von Bregenz. Stälin hält ihn danach für dessen Schwager (Schwestermann), Mohr, v. Planta u. a. für seinen Neffen (Schwestersohn), indem sie annehmen, dass Rudolfs Vater — für den sie Ulrich erklären — mit einer Schwester des letzten Bregenzers vermählt gewesen sei. 4) Den anderen der beiden Schwurmänner von Ulm, den Grafen Markward, erklärt Scheffer-Boichorst a. a. O. S. 107, N. 4 für den gleichnamigen Grafen von Vöhringen; dagegen erinnert v. Planta a. a. O. S. 72, N. 2 an einen Marquardus, der 1149 als Schirmvogt von Chur erscheint (Mohr, Cod. dipl. Raet. I, 167, n. 122), also wahrscheinlich der Bregenzer Grafenfamilie angehörte, in der dieser Name gleichfalls begegnet. Sicheres lässt sich darüber nicht feststellen. 5) Scheffer hat die Frage, womit sie begründet sei, überhaupt nicht aufgeworfen.

diesen in der Folge gestaltet hat, darüber erfahren wir nichts[1]; und der Streit um die Grafschaft wird nur zwischen Chiavenna einer- und dem Bischof und der Kommune Como andererseits fortgeführt. Im Februar 1192 bestätigt Heinrich VI. die Verfügung seines Vaters zu Gunsten der Konsuln von Chiavenna, aber schon vier Jahre später scheint er sich zu Gunsten Comos entschieden zu haben, und 1203 luden die Konsuln von Como die von Chiavenna vor ihr Gericht, um sich gegen einen Klageanspruch des Bischofs Wilhelm von Como wegen der Grafschaft zu verteidigen[2]. Vergebens bestritten diese die Kompetenz der Comasken und suchten auch sonst ihr Recht nach Möglichkeit zu wahren: im Jahre 1205 mussten sie damit zufrieden sein, dass der Bischof, dessen Recht sie anerkannten, ihnen die Grafschaft gegen einen jährlichen Zins zu Lehen gab; die Burg aber mit dem Burgfelsen und dem Brückenzoll wurde der Kommune von Como überlassen[3]. Der Bischof von Chur ist bei diesen Verhandlungen nicht mehr beteiligt, über seine Beziehungen zu Como erfahren wir erst wieder näheres aus dem Ende des zweiten Jahrzehent des 13. Jh., es war damals zu offenem Kampfe zwischen ihm und der Stadt gekommen, über dessen unmittelbaren Anlass wir nicht genügend unterrichtet sind. Durch einen Vertrag vom 17. August 1219[4] wurde der Friede wieder hergestellt; in diesem auf 25 Jahre geschlossenen Vertrage hat der Bischof die Herrschaft der Stadt über Chiavenna und Plurs zwar nicht ausdrücklich, aber indirekt anerkannt[5].

Vergessen freilich haben die Churer Bischöfe dessen ungeachtet ihre einstigen Rechte nicht; sie haben noch im 14. Jh. wiederholt auf Grund ihrer alten Privilegien am kaiserlichen Hofe den Versuch gemacht, sie im weitesten Umfange wieder zur Geltung zu bringen und Stadt und Burg von Chiavenna für sich in Anspruch zu nehmen[6]. Aber weder das Mandat Kaiser Ludwigs des Baiern vom Jahre 1339 an die Chiavennaten, das ihnen gebot, dem

1) Aus dem von Schulte aufgefundenen Aktenstück vom Jahre 1186 ergibt sich nur, dass er Ansprüche auf die kirchliche Jurisdiktion bis in die Gegend von Plurs erhob (vgl. Schulte a. a. O. S. 122 f.). 2) Vgl. Scheffer-Boichorst a. a. O. S. 116 ff. 3) Periodico VII, 152. Die Angaben Darmstädters a. a. O. S. 85 über den Inhalt dieses Vertrages sind irrig. 4) Mohr, Cod. dipl. I, 257, n. 186. 5) Vgl. v. Planta a. a. O. S. 77. Es handelt sich aber nicht um Geiseln für die Haltung des Vertrages, sondern um Einlager für Schulden. 6) Vgl. v. Planta a. a. O. S. 77 f. und die dort angeführten Urkunden.

Bischof von Chur gehorsam zu sein, noch das Privileg Karls IV. vom Jahre 1348, dass diesem und seiner Kirche Burg, Stadt und Tal von Chiavenna zusprach und bestätigte, haben praktischen Wert erhalten; und als endlich im Jahre 1512 die Verbindung Chiavennas mit Rätien wieder hergestellt wurde, kam es nicht unter die Herrschaft des Bischofs von Chur, sondern unter die der oberrätischen Bünde, die es erobert hatten und bis ins Zeitalter der Revolution als Untertanenland behaupteten.

B. Das Diplom betreffend die Grafschaft Misox (Stumpf Reg. 1905; DK. II. 282).

Ueber die Unechtheit der Urkunde habe ich in den Jahrbüchern Konrads II. II, 441 ff. gehandelt, und ich halte an dem dort abgegebenen Urteil auch jetzt fest, beabsichtige auch nicht die ganze Frage hier von neuem zu erörtern, sondern nur zu der früher gegebenen Begründung in sachlicher wie in formaler Beziehung einiges hinzuzufügen.

Ueber die Geschichte der Herren von Sax-Misox, die im späteren Mittelalter Herren des Gebietes waren, das durch St. 1905 angeblich dem Bistum Como als Grafschaft geschenkt wurde, hat seit dem Erscheinen meiner Jahrbücher v. Liebenau im Bollettino storico della Svizzera Italiana, Jahrg. 1888—90 gehandelt, und er hat einen bald gekürzten, bald erweiterten deutschen Auszug dieser Abhandlung in der Beilage zum Jahresbericht der historisch-antiquarischen Gesellschaft von Graubünden für 1889 (Chur 1890) gegeben. In dem letzteren beschäftigt er sich S. 42 ff. auch mit der Frage der Erwerbung von Misox durch die Herren von Sax und mit unserem Diplom[1]; er hält es in der vorliegenden Form nicht für echt, möchte aber doch — nach bekannten Mustern — seinen wesentlichen Inhalt für richtig erklären und nimmt an, dass die Herren von Sax die Herrschaft als Lehen von Como in staufischer Zeit, wenn nicht schon früher, erlangt haben. Gerade seine Darlegungen zeigen aber, dass es sich hier nur um vage Vermutungen handelt und dass nicht die leiseste Spur von Rechten oder Ansprüchen Comos auf die Hoheit über Misox vor dem 14. Jh. quellenmässig wirklich nachweisbar ist[2].

---

1) Dessen von ihm S. 44 unten zitierten Passus er allerdings völlig missverstanden hat. 2) Die von v. Liebenau im Jahresbericht S. 46 angeführte Urkunde vom Jahre 1168 (Hidber, Diplomata Helvetica S. 60)

Ebenso wenig aber ist vorher irgend ein Anhaltspunkt für die Existenz einer Grafschaft Misox ('comitatus Mesaucinus', wie es in der Urkunde von 1026 heisst) vorhanden und gegen diese spricht der Umstand, dass die Herren von Sax, die im späteren Mittelalter das Misoxer Tal als Herrschaft besassen, bis ins 15. Jh. als 'nobiles' bezeichnet werden und erst von Kaiser Sigmund, wie es scheint, in den Grafenstand erhoben sind [1].

Endlich ist in diesem Zusammenhang zu erwähnen, dass das Tal von Misox nach unzweifelhaften urkundlichen Zeugnissen nicht zur Diözese Como, sondern zur Diözese Chur gehört hat [2], und es scheint mir danach sehr wahrscheinlich, dass, wie das Bergell [3], so auch das Misoxer Tal ursprünglich zum currätischen Gau gehört hat und im früheren Mittelalter überhaupt nicht davon abgelöst ist, dass also der Bernardino ebensowenig wie der Septimer

---

besagt nichts weiter, als dass damals eine kleine Besitzung (ein mansus) zu Lumino am Ausgang des Misoxer Tales, welche die Nachkommen des Guilielmus de Besozo inne hatten, vom Bischof von Como zu Lehen ging. An die Familie von Besozo war das Gut vor mehr als dreissig Jahren von Albertus de S. Victore gekommen (v. Liebenaus Angabe, der Bischof von Como werde in der Urkunde als Oberlehnsherr, Albert als Lehnsherr der Brüder von Besozo bezeichnet, trifft nicht zu); selbst wenn dieser Albertus, was nicht unwahrscheinlich ist, aber nicht streng bewiesen werden kann, mit Albert von Sax (dessen Sohn 1219 eine Kirche zu San Vittore dotiert, Bollett. della Svizzera Italiana 1890 S. 60) identisch wäre, wäre aus dem Umstand, das die Sax vor dem Jahre 1138 ein kleines Gut zu Lumino von dem Bischof von Como zu Lehen gehabt hätten, für dessen Hoheitsrechte über Misox im 12. oder nun gar im 11. Jh. schlechterdings nichts zu folgern. 1) Die Angabe bei Aschbach, Kaiser Sigmund IV, 526, dass die Erhebung ins Jahr 1419 falle, geht auf Tschudi zurück und ist nicht ausreichend verbürgt (vgl. Altmann, Reg. Sigmunds 3943b); dagegen wird in einer Urkunde Sigmunds von 1431 (Altmann 8912), in der Johann von Sax als Zeuge vorkommt, ihm der Grafentitel gegeben. Die Angaben v. Liebenaus (Jahresbericht S. 18) beruhen nicht auf einer sichern Grundlage. 2) Vgl. die Urkunden von 1286 und 1301 Mohr, Cod. dipl. II, 44, n. 36 ('Heinricus . . . prepositus ecclesie s. Victoris de Mesauco Curiensis dyocesis') und II, 310, n. 239 ('vallis Mesolcine Curiensis episcopatus'); beide Urkunden sind in originaler Ueberlieferung erhalten. Danach ist also die Zeichnung in Spruner und Menkes Karte n. 26, wo das Tal zur Mailänder Kirchenprovinz gezogen ist, zu berichtigen. — Beachtung verdient es auch, dass in den Urkunden Friedrichs I. und Heinrichs VI. für die Stadt Como, namentlich in St. 4753, worin den Leuten von Isola, Lenno, Carvina, Bellinzona, Teglio, Locarno und Bormio befohlen wird, dem Podestà von Como zu gehorchen, Misox nicht genannt wird. Wenn dem Bischof von Como Misox gehört hätte, könnte man eine Erwähnung hier vielleicht erwarten, da die Kommune von Como in den Besitz aller Grafschaftsrechte des Bistums gekommen und von der Krone darin anerkannt war. 3) S. oben S. 76 ff.

die Grenze zwischen dem deutschen Reich und der Lombardei gebildet hat, sondern dass die deutsche Grenze an beiden Pässen sich weiter nach Süden erstreckte[1].

Ich halte es nach diesen Erörterungen und den in meiner früheren Untersuchung angestellten für unzweifelhaft, dass eine Verleihung des Misox an Como im Jahre 1026 nicht stattgefunden hat, dass das Diplom St. 1905 nicht bloss formell, sondern gerade inhaltlich gefälscht ist.

Um seine Form steht es sogar besser als um seinen Inhalt. Dass einzelne Formeln, insbesondere die Corroboratio, überarbeitet und durch Interpolation entstellt sind, ist freilich sicher und schon früher von mir bemerkt worden[2], ebenso aber habe ich bereits bemerkt, dass neben uns noch erhaltenen Urkunden für Como wahrscheinlich ein verlorenes Diplom Konrads II. für die Herstellung der Fälschung über Misox verwertet ist. Das wird bewiesen durch die Interventionsformel, in der ausser dem Erzbischof Aribo, der auch in St. 1908 begegnet, die Königin Gisela genannt wird, die in keiner uns erhaltenen Urkunde für Como als Intervenientin erscheint, und deren Namen der Fälscher also nur einer nicht mehr vorhandenen entlehnt haben kann.

Nun hat aber Konrad ausser den drei uns erhaltenen wahrscheinlich nicht bloss ein, sondern zwei heute verlorene Diplome für das Bistum Como ausgestellt. Das eine wird die Besitzungen und Rechte der Comenser Kirche in Bellinzona betroffen haben, die in keiner der drei erhaltenen Urkunden berührt werden, aber sicher von Konrad nicht angetastet, sondern eher erweitert sind. In Erneuerung eines verlorenen Diploms Ottos III. hatten, wie oben[3] erwähnt ist, Arduin im Jahre 1002 und Heinrich II. zwei Jahre später dem Bistum Como den bisher königlichen Teil der Burg Bellinzona mit Markt und Zoll und allem Zubehör an Einkünften und Befugnissen verliehen. Dann hat Heinrich III. im Jahre 1055[4] dem Bischof Benno von Como ausser anderen Besitzungen die Grafschaft Bellinzona verbrieft, die in der Folgezeit dem Bistum verblieben ist. Die Ausdrücke, die in dieser Urkunde gebraucht werden — 'conferimus donamus atque largimur' — könnten auf

---

1) Anderer Meinung ist v. Planta a. a. O. S. 2, wahrscheinlich eben mit Rücksicht auf die falsche Urkunde von 1026. — Wie das Bergell, so erscheinen auch Einkünfte von Misox in dem Reichsgutsurbar von Currätien (Mohr a. a. O. I, 295, vgl. oben S. 76, N. 5) und zwar als Lehen eines Fero, der ausserdem in Schams Besitz zu Lehen hat.
2) Jahrb. a. a. O. S. 442. 3) S. 77, N. 5. 4) St. 2485.

eine Neuverleihung deuten, aber ihnen voran gehen die Worte 'antecessorum nostrorum vestigia prosequentes' und an den auf Bellinzona bezüglichen Abschnitt der Urkunde schliessen sich unmittelbar andere an, in denen, ohne dass nun etwa die Worte 'donamus conferimus atque largimur' durch andere, wie etwa 'confirmamus et corroboramus' ersetzt wären, von solchen Besitzungen die Rede ist, die unzweifelhaft schon früher und zumeist durch uns noch erhaltene Vorurkunden an Como verliehen worden waren. Demnach und in Anbetracht überdies des ganzen Verhältnisses Heinrichs III. zum Bistum Como, dem er, wie wir oben sahen, Chiavenna, und wie wir gleich sehen werden, auch noch einen anderen wichtigen Besitz entzogen hat, werden wir annehmen dürfen, dass er auch die Grafschaft Bellinzona dem Bischof Benno nicht sowohl neu verliehen, als vielmehr bestätigt hat. Ist das aber der Fall, so kann die Verleihung nur Konrad II. zugeschrieben werden; und es ist also wahrscheinlich, dass gleichzeitig mit den Diplomen St. 1906—1908 eine vierte Urkunde ausgefertigt worden ist, die im Anschluss an das DH. II. 74 oder vielmehr im Anschluss an dessen Vorurkunde, das verlorene Diplom Ottos III., das Leo von Vercelli verfasst hatte, dem Bischof Alberich von Como nicht mehr bloss den königlichen Anteil an der Burg von Bellinzona bestätigt, sondern die Grafschaft Bellinzona verliehen hatte [1].

Ein zweites uns nicht erhaltenes Diplom Konrads wird ausgestellt sein, als der Kaiser dem Bischof Albericus das Kloster Breme (Diözese Pavia), das mit dem alten Kloster Novalese vereinigt war, schenkte [2]; die Zeit des Vorganges

---

1) Die Entwickelung, dass an den Besitz der Burg der der Grafschaft sich anschliesst, dass letzterer mit ersterem verbunden wird, ist dem, was wir oben für Chiavenna ausgeführt haben, ganz entsprechend.
2) Die Tatsache ist bezeugt durch Chron. Novaliciense Append. 5 (ed. Cipolla, Mon. Novaliciensia II, 292): 'dum pueriliter cuncta agitur ac nimium iocis preoccupatur (scil. Odilo abbas Bremetensis) curtemque domini sui imperatoris parvipendens, cogitans, ne quis posset ei extymplo obsistere: dat predictam abbatiam in beneficia cuidam Alberico Chumano episcopo'. Die Interpunktion habe ich geändert; Cipolla der vor 'dat' ein Komma setzt und als Subjekt dazu den Abt Odilo annimmt (vgl. Mon. Novalic. I, 154, n. 65) hat die Stelle völlig missverstanden; Subjekt zu 'dat' ist natürlich der Kaiser. Dass der Abt nicht sein Kloster dem Bischof zu Lehen gegeben hat, versteht sich von selbst und wird zum Ueberfluss durch die folgende Erzählung des Chronisten, derzufolge der Abt bei der Ankunft des Bischofs in Breme flieht, dann mit Hilfe Manfreds von Turin und Alrichs von Asti gefangen genommen wird und dann erst dem Bischof Treue schwört, widerlegt. Vgl. auch Append.

lässt sich nicht genau bestimmen, doch wird er nicht lange nach 1027 anzusetzen sein[1]. Die Herrschaft Comos über Breme dauerte also ungefähr zwanzig Jahre, denn im Jahre 1048 hob Heinrich III., der, wie wir schon wissen, auch in der Angelegenheit der Grafschaft Chiavenna sich dem Bistum nicht eben wohlgesinnt erwiesen hatte, die Massregel seines Vaters wieder auf und gab dem Kloster seine volle Unabhängigkeit zurück, indem er zugleich so nachdrücklich als möglich verbot, es jemals wieder seiner Reichsunmittelbarkeit zu berauben[2]. Allein dessen ungeachtet hat die Reichsregierung unter Heinrich IV. eine Aufhebung der Verfügung seines Vaters wenigstens in Erwägung gezogen. Wir haben ein Diplom[3], das zwischen dem Herbst 1061 und dem Frühjahr 1062 entstanden sein muss[4], und durch das die Rückgabe Bremes an den eben zur Regierung gekommenen Bischof Reinald von Como verfügt wurde. Freilich ist es nicht sicher, ob die Urkunde vollzogen und rechtskräftig geworden oder ob sie nur Entwurf geblieben ist: sie entbehrt im Cod. Ambrosianus des Monogramms, das der Schreiber dieses Chartulars sonst regelmässig zu zeichnen pflegt, und der Datierung[5]. Aber es

---

cap. 17 (Cipolla II, 304): 'Qui (scil. Chuonradus) nonnullas subiugavit ecclesias, episcopia quoque nec non abbatias. Inter quarum nostra a proprio domno orbata, ut supra retulimus, sub iugo Cumani episcopi tradita est lucri causa a predicti Chuonrado', ferner Vita Odilonis II, 12 (Mabillon, Acta VI^{a}, 614) und die im folgenden besprochene Urkunde Heinrichs IV. St. 2978. 1) Terminus ante quem ist der Tod Alberichs; vgl. Jahrbücher Konrads II. II, 180, N. 2. 2) Chron. Novalic. app. cap. 17 (Cipolla II, 305). Das Diplom Heinrichs III. St. 2348 ist in doppelter Originalausfertigung erhalten. 3) Stumpf Reg. 2978. Der Druck bei Tatti, Annali di Como II, 859, der auf den Cod. privil. Cumanae ecclesiae zurückgeht, ist sehr mangelhaft, und ich gebe deshalb im Anhang einen Abdruck der Urkunde nach der Collectio privil. Cumanae ecclesiae des 14. Jh. in der Biblioteca Ambrosiana zu Mailand. Eine Photographie der bezüglichen Blätter dieser Hs. verdanke ich der Güte des Herrn Dr. A. Ratti, der unsere Arbeiten immer mit gleicher Liebenswürdigkeit und Bereitwilligkeit unterstützt hat. — Auffallender Weise scheint die wichtige Urkunde Cipolla entgangen zu sein, sie fehlt in seiner Ausgabe der Monumenta Novaliciensia. 4) Ueber die Zeit vgl. Meyer v. Knonau, Jahrb. Heinrichs IV. Bd. I, 322 mit N. 33. 5) Sie bietet also in dieser Beziehung eine gewisse Analogie zu dem oben S. 82, N. 4 besprochenen DH. II. 113. Und wie bei dieser Urkunde, so hat auch bei St. 2978 der Schreiber des jüngeren Chartulars eine Jahreszahl (1065) am Schlusse hinzugefügt. Aber wenn seine Konjektur dort wenigstens annähernd richtig war, so trifft sie bei St. 2978 nicht zu (s. oben N. 4) und beruht wohl nur auf einem Schlusse aus St. 2665, das ja gleichfalls eine Restitution Heinrichs IV. an Como verbrieft. — Für die Frage, ob St. 2978 vollzogen war oder nicht, ist nichts daraus zu erschliessen, dass Heinrich IV. im Jahre 1093 das Kloster Breme an das Bistum Pavia

ist kein Zweifel daran möglich, dass sie in der Kanzlei Heinrichs IV. konzipiert ist; die Publikations- und Korroborationsformel und einzelne andere Wendungen des Kontextes entsprechen durchaus den uns aus den Jahren 1061 und 1062 erhaltenen Kanzleidiktaten. Dagegen zeigt nun der grösste Teil des Kontextes die nächste Verwandtschaft mit den Diplomen Konrads II. für Como, und wir können also mit Sicherheit annehmen, dass der Kanzlei Heinrichs IV. die Urkunde, durch welche Konrad dem Bischof Alberich das Kloster Breme verliehen hatte, eingereicht worden ist und als Vorlage für das Diplom gedient hat, das über die im Jahre 1061 oder 1062 geplante Restitution des Klosters ausgefertigt wurde oder ausgefertigt werden sollte. Vergleichen wir nun die Fälschung über Misox mit dem DH. IV. über Breme, so ergibt sich, dass in der ersteren fast alle die Wendungen, die nicht auf die uns erhaltenen echten Diplome Konrads für Como und auf die Diplome Arduins und Heinrichs II. über Bellinzona (d. h. also auf das verlorene Diplom Konrads über das gleiche Objekt) zurückzuführen sind, in dem DH. IV. über Breme ihr Gegenbild finden; und es ist danach klar, dass das verlorene Diplom Konrads über die Schenkung von Breme neben der Urkunde über Bellinzona die Hauptvorlage des Fälschers gewesen ist, der das Misoxer Spurium anfertigte. In unserer Ausgabe der Fälschung können wir dies Verhältnis nach den Grundsätzen unserer Edition nicht ersichtlich machen, sondern könnten nur das, was mit den uns erhaltenen älteren Diplomen für Como übereinstimmt, durch Petitdruck bezeichnen, würden aber damit ein so falsches Bild der Sachlage zeichnen, dass wir uns entschlossen haben, in diesem Falle auf Petitdruck ganz zu verzichten. Um so nachdrücklicher sei hier darauf aufmerksam gemacht, dass damit keineswegs die Unabhängigkeit der Fälschung von älteren Vorlagen zum Ausdruck gebracht werden soll.

Ueber die Zeit der Fälschung ist ein Urteil nicht möglich. Benutzt ist sie in dem Diplom Heinrichs VII. von 1311 (Böhmer, Reg. Heinrichs VII. n. 366), das freilich selbst wenigstens in der uns vorliegenden Gestalt nicht wohl echt sein kann. Sonst ist in dem uns bekannt ge-

---

schenkte (Stumpf Reg. 2921; verstümmeltes Or. im bischöflichen Archiv zu Pavia, danach gedruckt von Cipolla a. a. O. I, 234); denn eine anderweitige Verfügung über das Kloster könnte sehr wohl durch den Abfall Reinalds von Como von der Sache Heinrichs IV. veranlasst sein; vgl. Meyer v. Knonau IV, 390, N. 2.

wordenen Quellenmaterial nirgends auf die gefälschte Urkunde bezug genommen, und wir haben also nichts, worauf sich eine Untersuchung über ihre Entstehungszeit aufbauen könnte. Wie lange Zeit vor der Niederschrift des Codex Ambrosianus sie angefertigt worden ist, müssen wir also für jetzt völlig unentschieden lassen.

Beilage.

Heinrich IV. restituiert der bischöflichen Kirche zu Como das Kloster Breme. — — — —.

Collectio privil. Cumanae ecclesiae des 14. Jh. in der Biblioteca Ambrosiana zu Mailand (B).

Ughelli, Italia sacra ed. 1. V, 280 Extr. — Tatti, Annali di Como II, 859 aus dem Cod. privil. Cumanae ecclesiae im bischöflichen Archiv zu Como mit a. inc. 1065. — Stumpf Reg. 2978.

In nomine sancte et individue trinitatis. Heinricus divina favente clementia rex. Notum sit omnibus Christi nostrique fidelibus tam futuris quam presentibus, quod nos interventu dilectissime matris nostre imperatricis auguste Agnetis nostrorumque fidelium scilicet[a] Annonis Coloniensis episcopi[b] seu pro statu regni nostri atque anime nostre salute dedimus nostro fideli karissimo Reginoldo sancte Cumane ecclesie antistiti ob sue fidei et devotionis puritatem et precipue pro remedio anime patris nostri quandam abbatiam Bremetensis monasterii, quam avus meus pie recordationis imperator Chonradus predicte ecclesie concessit. Cuius sequentes sanctissimam pietatis et devotionis erga dei ecclesias voluntatem, reddidimus sancte iam dicte ecclesie Cumane eiusque antistiti Reginoldo suisque successoribus eandem abbatiam Bremetensis monasterii cum omnibus ceteris monasteriis et cellis sibi pertinentibus, cum omnibus villis massariis et massariciis, cum servis et ancillis, cum audiis et audianibus, cum montibus et planis, cum pascuis et vicanalibus, cum districtis et mercatis, cum molendinis et piscariis, cum lacis et fluminibus aquarumque decursibus, cum campis pratis silvis cultibus et incultibus, cum ecclesiis baptismalibus, cum clericis et

---

a) 'silicet' B. b) Davor ist vielleicht der Name eines anderen Bischofs ausgefallen oder war im Or. eine Lücke dafür gelassen.

capellis et cum omnibus, que adhuc dici vel nominari possunt, sibi pertinentibus tam prope quam longe et cum omnibus redditibus, ut sit semper ad partem sui episcopatus tamquam loca per multa regum tempora possessa; et liceat deinceps predicto Reginoldo suisque successoribus iam dictam abbatiam firmiter tenere, pacifice investire et ordinare, prout sibi melius visum fuerit, sine omni contradiccione atque remota omni publica functione. Decet enim nos et regni nostri summum augmentum est remunerare et honorare, qui nobis fideliter servierunt et serviunt; per eos enim speramus vigorem nostri nominis magis magisque dilatare ac arcem nostri regni amplificare nec non deo servire, dum divine scripture studuerimus obedire, sicut ipsa refert: 'opus mercenarii nullo modo remaneat apud te uno die'[a]. Igitur unde deo et seculo placere debemus, dignum est, si nostris[b] fidelibus non negemus. Quapropter, quia iustum duximus, prelibatum nostrum dilectissimum Reginoldum Cumanum episcopum presentibus nostris fidelibus de iam dicta abbatia per fustem nostre manus presentaliter investimus ac perpetualiter sibi suisque successoribus inviolabiliter concedimus atque per sacratissimam nostri precepti paginam eundem episcopum suosque sequaces de ipsa abbatia cum omnibus sibi pertinenciis functionibus et redditibus in integrum eternaliter confirmamus et a nostro iure ac dominio atque ab omni publico respectu et usu omnino separamus, ut predictus Reginoldus episcopus suique posteri exinde potentialiter faciant, quicquid eis placuerit ad usum et utilitatem eorum sub nostra plenissima auctoritate et defensione. Idcirco cetera posthabita[c] iubemus ac iubendo firmamus, quo[c] nullus dux marchio comes archiepiscopus episcopus vicecomes vicedominus, nullus publicus ministralis vel gastaldio, nullus Latinus aut Teutonicus nec aliqua magna parvaque persona cuiuscumque dignitatis vel condicionis aut nationis nec aliqua alicuius hominis potestas deinceps iam dictum nostrum fidelissimum[d] Reginoldum Cumanum episcopum eiusque successores de predicta Bremetensi abbatia in aliquo umquam divestire molestare vel inquietare audeat nec aliqua invidia vel cupiditate aut forte inimicicia seductus de bonis omnibus ipsius abbatie ubicumque locorum quicquam tollere aut imminuere presumat; sed liceat sancte Cumane sibi commisse ecclesie eiusque episcopo qui pro tempore fuerit eam in integrum et illibatam quiete ac

---

a) Vgl. Levit. 19, 13. b) 'n̄' B. c) B. d) 'fidessimum' B.

pacifice tenere tamquam loca per mille annos secure possessa, sepulta contrarietate malorum. Si quis vero, quod non confidimus, huius nostri regalis precepti temerarius violator extiterit, vel in aliquo[e] diminuere aut pervertere temptaverit, sciat compositurum se auri purissimi libras mille, medietatem nostre camere et reliquam partem sancte Cumane ecclesie eiusque pontificibus. Et ut hec tradicionis auctoritas stabilis et inconvulsa permaneat, hanc cartam inde conscriptam subtusque manu propria roboratam sigilli nostri impressione iussimus insigniri.

Signum domni Heinrici quarti regis invictissimi.

Vitbertus cancellarius vice Annonis archicancellarii recognovi.

§ 3. Die Urkunden für Trient und Brixen vom Juni 1027.

Es gilt heute als eine der sichersten Tatsachen der österreichischen Landesgeschichte, dass Kaiser Konrad II. bei der Rückkehr von seinem ersten Römerzuge, als er die Rebellen in Italien zur Unterwerfung gezwungen, in Süddeutschland aber noch mächtige und gefährliche Gegner niederzuwerfen hatte, um sich der Grenzgebiete zwischen beiden Ländern völlig zu versichern, alle Grafschaften von der Veroneser Klause bis zum nördlichsten Alpenzuge den Bischöfen von Trient und Brixen verliehen und so in zuverlässige Hände gelegt habe. Drei Urkunden vom Mai und Juni 1027, zwei für Trient betreffend die Grafschaften Trient, Vintschgau und Bozen, die dritte für Brixen betreffend die Grafschaft im Unterinn- und Eisacktale, verbrieften diese Verleihungen; alle drei sind durch die Untersuchungen Hubers gegenüber früheren Zweifeln, die sich gegen eine davon richteten, endgiltig als echt erwiesen worden[1]. Obgleich die Ausdrücke der Urkunden dies

e) 'aliquod' B.

1) Huber, Die Entstehung der weltlichen Territorien der Hochstifter Trient und Brixen im Archiv f. österr. Gesch. LXIII, 609 ff. Nach dieser Untersuchung habe ich, Jahrb. Konrads II. Bd. II, 508, meine früheren Bedenken gegen die Echtheit des D. St. 1955 fallen lassen, und auch Redlich (Zeitschr. des Ferdinandeums XXVIII, 22, N. 1) hat ihren Ergebnissen zugestimmt. Neue grundlose Zweifel Malfattis (Archivio stor. per Trieste, l'Istria e il Trentino II, 12 ff. 29 ff.) hat Huber in den Mittheil. des Instit. f. österr. Geschichtsf. VI, 394 ff. erfolgreich zurückgewiesen. Durch unsere spätere Betrachtung wird das Ergebnis der Untersuchung Hubers noch weitere Bestätigung erfahren.

keineswegs ganz ausschliessen[1], ist der Gedanke, dass es sich hier nur um eine Bestätigung älterer Verbriefungen handeln möge, niemals aufgetaucht; man hat vielmehr immer Konrad II. als den ersten Begründer der Landeshoheit beider Bistümer angesehen.

Und doch führt eine genauere Prüfung der drei Diplome zu einer anderen Anschauung wenigstens der Verleihungen für Trient; der Fall kann geradezu als Schulbeispiel dafür dienen, dass das richtige Verständnis von Kaiserurkunden unter Umständen nur durch eine Untersuchung gewonnen werden kann, die das gesamte Material übersieht, d. h. einerseits alle Urkunden eines Ausstellers und seiner Vorgänger, für welchen Empfänger auch immer sie bestimmt sind, und andererseits alle Urkunden für denselben Empfänger und seine Nachfolger, von welchem Aussteller sie auch immer herrühren mögen.

Die drei Urkunden sind gegeben worden, während Konrad in schnellem Zuge auf der Brennerstrasse aus Italien nach Deutschland zurückkehrte. So kann es nicht befremden, dass bei ihrer Ausfertigung keine Kanzleibeamten, sondern Partei- oder Hilfsschreiber beschäftigt worden sind. Die Urkunde über die Verleihung der Grafschaft Trient DK. II. 102 (St. 1954) ist von einer sonst nicht nachweisbaren Hand[2] in Schriftzügen hergestellt worden, die in einigen Formen an die Gewohnheit italienischer Schreiber dieser Zeit erinnern; es liegt nahe anzunehmen, dass der Schreiber ein Tridentiner Kleriker war. Obwohl die Nachtragung des Vollziehungsstriches im Monogramm nicht sicher festgestellt werden kann, ist keine Veranlassung vorhanden, an der Originalität des Stückes zu zweifeln. Die Schrift ist völlig zeitgemäss und ohne jeden Zwang oder Künstelei; das Siegel ist echt und in ganz unverdächtiger Weise befestigt. In der Datierungszeile scheint der Name des Ausstellungsortes 'Prixię' nachgetragen zu sein. — Nur in einer auf Anordnung des Bischofs Heinrich von Trient im Jahre 1280 angefertigten Kopie des Tridentiner Notars Zacheus ist die zweite Urkunde für Trient, DK. II. 102 (St. 1955), die Verleihung der Grafschaften Bozen und Vintschgau, überliefert. Das Original wird schon da-

1) Vgl. insbesondere in St. 1954, auf das es, wie wir sehen werden, vor allen Dingen ankommt, die Wendungen 'damus tradimus atque confirmamus' und 'per praeceptum nostrę confirmationis contulimus'.

2) Die Zuweisung an einen bekannten Kanzleischreiber (meine Jahrb. Konrads II. Bd. I, 208, N. 1 und Kaiserurkunden in Abbildungen Text zu Lief. II, Tafel 3) kann nicht aufrecht erhalten werden.

mals nicht mehr unverletzt erhalten gewesen sein, da in der Abschrift die letzten Worte der Korroborationsformel fortgelassen sind[1]; auch die Rekognitionszeile fehlt. Vielleicht hängt es damit auch zusammen, dass der beglaubigende Notar eine Besiegelung der ihm vorgelegten Urkunde nicht erwähnt. In der ersten Zeile und der Signumzeile hat er sich bemüht, die verlängerte Schrift seiner Vorlage nachzuzeichnen, doch ist diese Nachzeichnung nicht so gut gelungen, dass es möglich wäre, danach den Schreiber des verlorenen Originals zu bestimmen. — Wiederum als Originalausfertigung ist das Diplom für Brixen DK. II. 103 (St. 1956) auf uns gekommen. Die Schrift, eine schöne diplomatische Minuskel, rührt wahrscheinlich von einem deutschen Schreiber her, dessen Hand in den Urkunden unseres Kaisers nicht wiederkehrt. Dessen ungeachtet verbürgt nicht nur die deutlich erkennbare Nachtragung des Vollziehungsstriches im Monogramm (das Siegel ist abgefallen), sondern gerade auch der Schriftbefund die Originalität der Urkunde. Der Schreiber des D. St. 1956 hat nämlich, wahrscheinlich in Nachahmung einer Urkunde aus Ottonischer Zeit, die er auch für den Text benutzt hat, die Buchstaben i und u der verlängerten, aber auch die Buchstaben b, d, l der Kontextschrift oben mit schrägen Strichen verziert, die von links nach rechts verlaufen. Diese Verzierungen haben offenbar dem Kanzleinotar UD gefallen, der den Zug nach Italien nicht mitgemacht hatte, nach der Rückkehr des Kaisers aber wieder an den Hof kam und dort das D. St. 1956 vor seiner Aushändigung an den Empfänger noch gesehen hat (denn er hat eine Wendung daraus in den Text des DK. II. 104 [St. 1957] übernommen)[2]; während keine der von ihm vor dem Römerzuge Konrads mundierten Urkunden ähnliche Striche aufweist, finden sie sich in der nächsten Zeit nach dem Juni 1027 regelmässig in den Diplomen, die seiner Hand entstammen[3]. So werden also

1) Ebenso fehlt am Ende der Signumzeile ‘augusti’. 2) Die Arenga von St. 1956 schliesst mit den Worten ‘aeternam sperare debemus remunerationem’, die z. T. der VU. entsprechen. Diese Worte sind in dem Anfang der Narratio wieder aufgenommen, wo es heisst ‘qualiter nos divinam, ut pręmissum est, remunerationem intuentes’. Entsprechend sagt dann UD in St. 1957: ‘qualiter nos divinae mercedis remunerationem intuentes’, obgleich ihm seine Arenga keine Veranlassung dazu gab. 3) Auch noch andere graphische Eigentümlichkeiten des D. St. 1956 kehren in den nächsten DD. des UD wieder. Besonders bemerkenswert ist diese. Die Zahl 1027 ist in St. 1956 so geschrieben ‘Ī. XX. VII’. Diese Schreibung für 1000 findet sich in keiner älteren Urkunde Konrads II. Dagegen braucht sie UD bald nachher in DK. II. 107 (St. 1960).

die von ihm geschriebenen Urkunden vollgiltige Zeugnisse für die Originalität des D. St. 1956. Die Datierung dieser Urkunde zeigt noch eine besondere Eigentümlichkeit. Während nämlich die Worte 'actum Stegon' in derselben diplomatischen Minuskel wie die Schrift des Kontextes ausgeführt sind, sind alle Zeitangaben ('data VII. id. iun. — imperii autem eius I') in gewöhnlicher Bücherschrift geschrieben; daraus darf, obwohl ein Unterschied in der Tintenfärbung nicht zu konstatieren ist, gefolgert werden, dass die Ortsangabe zugleich mit dem Kontext geschrieben ist, die Zeitangaben aber in eine dafür gelassene und nicht vollständig ausgefüllte Lücke nachgetragen sind.

Das Diktat des D. St. 1954, durch welches dem Bischof Udalrich von Trient die Grafschaft Trient mit Ausnahme des in der Diözese Feltre belegenen und dem Bischof dieser Diözese verliehenen Teiles der Grafschaft verbrieft wird, zeigt auf den ersten Blick eine nahe Verwandtschaft mit dem DH. II. 67 für das Bistum Seben-Brixen, das im Jahre 1004 in Trient ausgestellt ist. Da dies Diplom neben einer schon erwähnten Ottonischen Urkunde als Diktatvorlage für das D. St. 1956 gedient hat, also damals in der Kanzlei Konrads sich befunden hat, so würde es an sich vollkommen begreiflich sein, wenn auch der Schreiber des D. St. 1954 sich mangels einer anderen Vorurkunde dies Brixener DH. II. zum Muster genommen hätte. Aber die Beziehungen des D. St. 1954 zu Diplomen aus den ersten Jahren Heinrichs II. erschöpfen sich mit dieser Verwandtschaft zu dem DH. II. 67 keineswegs. Gleich die Arenga zeigt das deutlich. Sie lautet in dem D. St. 1954: 'Si ecclesias dei tribulationibus et miseriis opressas aliquo nobis a deo concesso dono ditamus, non solum hoc nobis ad praesentis vitę subsidium, verum eciam ad ęternę gaudium capessendę prodesse minime dubitamus'[1]. Damit ist zu vergleichen

DH. II. 67: 'Si ęcclesias dei aliquibus divinitus nobis concessis rebus sublimamus et exaltamus, non solum humanam laudem, verum etiam divinam remunerationem nos inde recepturos speramus'.

---

1) Durch Sperrdruck ist hervorgehoben, was in St. 1954 nicht mit DH. II. 67, sondern mit den anderen zur Vergleichung herangezogenen DD. Heinrichs II. übereinstimmt. Die Uebereinstimmungen mit DH. II 67 sind nicht besonders bezeichnet.

DH. II. 19: '. . . . verum etiam ad ęternę vitę gaudia acquirenda nos inde iuvari minime dubitamus'.

DH. II. 20: 'Si ecclesias dei ex aliquibus divino nutu nobis concessis rebus ditamus, non solum ad regni nostri feliciorem stabilioremque statum nobis prodesse sapimus, verum etiam ad eterna paradisi gaudia capienda multum nos inde iuvari minime dubitamus'.

DH. II. 89 (vgl. 92): 'Si loca sanctorum vel aecclesias munificentiae regalis largitate sublimamus, hoc nobis tam in praesentis vitae decursu quamque in futurae gloriae statu prodesse liquido profitemur'.

DH. II. 85: 'Si sanctarum dei ęcclesiarum miseriis et oppressionibus studuerimus subvenire' . . . .

Die Publicatio von D. St. 1954: 'Quapro[p]ter notum sit omnibus sancte dei ecclesiae fidelibus et nostris' steht der Formel von DH. 67: 'quapropter noverint omnes nostri fideles praesentes scilicet et futuri' nicht sehr nahe, wohl aber der des DH. II. 60 'notum sit omnibus sanctae dei aecclesiae nostrisque fidelibus praesentibus scilicet et futuris' (vgl. DH. II. 58[a]). Die Corroboratio der Tridentiner Urkunde Konrads stimmt in ihrem ersten Teile: 'et ut haec nostrae traditionis pagina nunc et in futuro firma et inconvulsa permaneat, hanc cartam inde conscriptam' buchstäblich mit dem DH. II. 67 überein; die Fortsetzung: 'manu nostra corroboravimus et sigilli nostri impressione subter insigniri iussimus' weicht von jenem DH. II. (wo es heisst 'sigilli nostri inpressione insigniri iussimus et propria manu, ut inferius videtur, confirmavimus') wesentlich ab, aber ihr entsprechen auch andere Urkunden aus den ersten Jahren Heinrichs II. nicht, doch findet sich 'subter' in dieser Formel einmal in DH. II. 12 und 'corroborantes' in DH. II. 89. 94. Die Interventionsformel 'per interventum dilectę nostrae coniugis videlicet imperatricis' findet sich so in dem DH. II. 67 nicht, wohl aber begegnet eine entsprechende in den DD. H. II. 16. 21. 31. 33. 37 und öfter. Der Wendung 'cum omnibus suis pertinentiis et utilitatibus' entsprechen 'cum omnibus suis pertinentiis' in DH. II. 67, 'utilitatibus et pertinentiis' in DH. II. 46, 'pertinentiis et utilitatibus' in DH. II. 60. Ferner vergleiche man:

St. 1954.	DD. H. II.
eidem supra nominatę ecclesiae et Odalrico episcopo suisque successoribus.	20 predicte ecclesie . . . et venerabili prenominate ecclesie episcopo eiusque successoribus.
in proprium . . . . imperpetuum damus tradimus atque confirmamus, exceptis his rebus u. s. w.	89 in proprium damus regalique auctoritate largimur.
	80 in proprium et in perpetuum condonavimus.
	4. 32. 48. 125 in proprium donavimus.
	20 exceptis tribus u. s. w.
per praeceptum nostrę confirmationis contulimus.	51 per hoc regale praeceptum licentiam concessimus et hoc munus . . . contulimus.
habere visi sunt.	2 habere visi sumus.
	20. 77 visus est habere.
in . . . . proprium ius et dominium modis omnibus transfundimus.	20. 67 in proprium ius tradidimus.
	92 in eius ius et dominium transfundimus.
eo videlicet tenore.	67 eo videlicet tenore (eo tenore oft).

In den der Corroboratio vorangehenden Formeln ('Ut nullus' u. s. w., 'Siquis autem' u. s. w.), die auf italienischen Kanzleibrauch zurückgehen, verdienen nur zwei Ausdrücke besondere Beachtung: 'intromittere' ('inquietare molestare seu etiam intromittere' [1]; in italienischen Urkunden pflegt an dieser Stelle 'disvestire' zu stehen) und 'sine supra dicti episcopi seu suorum successorum qui pro tempore fuerint gratis concessa licentia'. Dazu halte man in DH. II. 67: 'comitibus . . . praeter licentiam episcopi nihil se intromittentibus', aber auch DH. II. 85: 'sine licentia presentis episcopi et successorum eius qui pro tempore fuerint', ferner DH. II. 51: 'nisi cui praefatus abbas suique per tempora successores licentiam dederint' und DH. II. 80: 'extra voluntatem et licentiam predicti episcopi et successorum suorum'.

---

1) Das 'se' vor 'intromittere' hat vielleicht erst der Schreiber von St. 1954 ausgelassen.

Fügen wir nun diesen Zusammenstellungen, von denen natürlich ein Teil für sich allein nichts beweisen könnte, die Bemerkung hinzu, dass die zur Vergleichung herangezogenen Diplome Heinrichs II. bis auf eines sämtlich von dem Kanzleinotar EB entweder verfasst oder geschrieben sind, und dass das einzige D. 85, dessen Diktat sich als ganzes nicht auf EB zurückführen lässt, sondern von einem fremden Manne herzurühren scheint, sehr wohl von EB beeinflusst sein kann, so wird die Schlussfolgerung, die gezogen werden muss, nicht zweifelhaft sein. Das D. St. 1954 ist entweder von EB verfasst oder es ist in der Hauptsache Wiederholung einer von EB verfassten Urkunde Heinrichs II., aber nicht des DH. II. 67, sondern eines anderen, verlorenen Diploms. So unwahrscheinlich nun die Annahme sein würde, dass der im Anfang des Jahres 1007 aus dem Dienst der Kanzlei Heinrichs II. ausgetretene EB zwanzig Jahre später das Diktat einer Urkunde Konrads II. geliefert hätte, ohne sie zugleich zu schreiben, so wenig wirkliche Bedenken stehen der zweiten Alternative entgegen. Dass ein Schreiber, dem im Jahre 1027 ein Diplom Heinrichs II. als Vorlage gegeben wurde, um danach eine Urkunde Konrads II. herzustellen, diese Vorlage in den auf Schenkung und Verleihung bezüglichen Ausdrücken aus der Vorurkunde wiederholte, würde selbst dann nicht befremdlich sein (denn es kommt unzählige Male vor), wenn dieser Schreiber ein Kanzleibeamter gewesen wäre, und ist um so weniger auffallend, da er der Kanzlei nicht angehörte; hier ist nun überdies, wie schon erwähnt wurde, dem 'damus tradimus' ein 'atque confirmavimus' hinzugefügt und es ist weiter unten von einem 'praeceptum confirmationis' die Rede. Zu der politischen Lage aber passt das D. St. 1954 unter Heinrich II. mindestens so gut, ja noch viel besser als unter Konrad II. Während wir von besonderen Verdiensten Udalrichs II. von Trient um Konrad II. nichts wissen, hatte sein gleichnamiger Vorgänger Udalrich I. ebenso wie der Bischof von Feltre, den ja unsere Urkunde gleichfalls als Empfänger eines königlichen Gnadenbeweises nennt, im Jahre 1004 Gelegenheit gehabt, Heinrich II. wesentliche Dienste zu leisten.

Bekanntlich war Heinrich auf seinem ersten Zuge nach Italien im April 1004 auf der Brennerstrasse nach Trient gekommen, wo er Palmsonntag (9. April) feierte und seinem durch die Beschwerden des Marsches ermüdeten Heer einige Rasttage gönnte. Unzweifelhaft war es seine Absicht, von hier aus im Etschtale auf Verona vorzurücken;

allein auf die Kunde, dass der Gegenkönig Arduin die Etschklausen mit starker Heeresmacht besetzt hielt, entschloss er sich die Stellung des Gegners zu umgehen und gab durch seinen Kapellan Helminger — gewiss den späteren Bischof von Ceneda — dem kärntnischen Aufgebote den Befehl, eine andere, minder stark vom Feinde besetzte Klause an der Brenta zu nehmen, um so dem königlichen Heere den Weg frei zu machen. Nachdem dies gelungen war, zog Heinrich selbst im Brentatal vorwärts, lagerte vom 13.—17. April an diesem Strom, den er am 18. überschritt und rückte gegen Verona vor, das Arduin auf die Kunde von dem Erfolg der Deutschen eilends geräumt hatte.

Es ist für die Zwecke dieser Betrachtung nicht nötig, auf die topographischen Fragen, die sich an die Berichte Thietmars (VI, 4) und Adalbolds (cap. 34) über diesen Zug knüpfen, ausführlicher einzugehen und daher die Lage der Klausen sowie des königlichen Lagers genauer festzustellen. Gewiss ist dies: wenn die Klausen, wie beide Schriftsteller berichten, an der Brenta und zwar noch im Gebirge belegen waren, und wenn Heinrich, nach dem er sie, von Trient aus vorrückend, passiert hatte, an dem gleichen Strom 'in quadam grata planitie', also doch wohl da, wo die Brenta die Ebene erreicht, sein Lager aufschlug, so muss er durch das Fersental und die Valsugana, d. h. durch den östlichen Teil des Bistums Trient und den westlichen des Bistums Feltre, marschiert sein. Erst in jenem, dann in diesem hat er einige Tage Rast gemacht; ohne Zweifel war er wesentlich auf die Unterstützung der beiden Bischöfe für die Verpflegung seiner Truppen und für die Sicherheit seines Zuges angewiesen. Man sieht, wie trefflich ein Gnadenbeweis für die beiden Bischöfe, von dem St. 1954 Kunde gibt, mag er nun vor dem Abmarsch Heinrichs aus Trient oder nach der glücklichen Ankunft in der Ebene erfolgt sein, in die Zeitverhältnisse des Jahres 1004 sich einfügt. Auf diesem Zuge aber hat der Notar EB den König begleitet, dessen Stil wir oben in derselben Urkunde erkannten: stilistische und sachliche Erwägungen schliessen sich aufs beste aneinander und lehren, dass Konrad II. in St. 1954 nur bestätigte, was schon sein Vorgänger durch eine uns nicht erhaltene Urkunde verliehen hatte.

Dies Ergebnis unserer Untersuchung wird nun durch eine andere, in diesem Zusammenhang bisher nicht genügend beachtete Tatsache, in willkommenster Weise bestätigt. Im Jahre 1161 hat Kaiser Friedrich I. durch ein in originaler

Gestalt erhaltenes Diplom (St. 3919) dem Bischof Albert von Trient die Grafschaft Trient konfirmiert. Die Urkunde schliesst sich vielfach wörtlich an unser D. St. 1954 an und kann als dessen Nachurkunde gelten; aber sie führt die Verleihung der Grafschaft nicht auf Konrad II., sondern auf einen König Heinrich zurück: 'donationem predecessoris nostri fęlicis memorię regis Henrici factam sanctę Tridentinę ęcclesię . . . . videlicet comitatum Tridentinum . . . . nostra imperiali auctoritate approbamus et huic fideli nostro Alberto . . . episcopo eiusque successoribus . . . confirmamus'. Hier wird also sehr bestimmt von der späteren Bestätigung die erste Schenkung der Grafschaft unterschieden, und wenn es deshalb unmöglich ist, dass unter dem 'rex Henricus' ein Nachfolger Konrads II. verstanden sei — denn die drei salischen Heinriche konnten ja keinesfalls als erste Verleiher der Grafschaft gelten —, so ist es klar, dass nur an Heinrich II. gedacht werden kann, in dessen Königszeit auch nach unseren früheren Ermittelungen die Schenkung der Grafschaft fiel. Die Urkunde, die Friedrich bestätigt hat, ist verloren[1], wie ja überhaupt das Tridentiner Archiv erhebliche Verluste erlitten haben muss[2]; aber das DK. II. St. 1954 entschädigt uns für diesen Verlust, wir dürfen es als eine im wesentlichen wörtliche Wiederholung der Urkunde Heinrichs II. betrachten[3].

---

1) Ich benutze die Gelegenheit, um noch auf eine andere verlorene Urkunde Heinrichs II. aus der Zeit dieses Zuges hinzuweisen. Das Diplom Heinrichs IV. für Parenzo (Stumpf Reg. 2798), dessen Datierung verderbt ist und hier nicht näher besprochen werden kann, weist in dem Liber iur. I. eccl. Parentine des 15. Jh., in dem es uns überliefert ist, ein Monogramm auf, dessen Gestalt völlig der in der Kanzlei Heinrichs II. im Jahre 1004 üblichen entspricht. Ebenso entspricht der bei Heinrich IV. sonst nicht vorkommende Titel 'rex Francorum et Langobardorum' den DD. H. II. 70. 74—76. Es kann also mit Sicherheit angenommen werden, dass schon Heinrich II. der Kirche von Parenzo das DO. II. 301 bestätigt hat. 2) Aus der Zeit der sächsischen Kaiser hat sich nicht ein einziges Diplom für Trient erhalten, aus der salischen Zeit haben wir nur St. 1954. 1955. 2847. Ich halte es für durchaus unglaublich, dass die Bischöfe einer Stadt, in der die Könige auf ihren Zügen nach Italien sich so oft aufgehalten haben, nicht erheblich mehr Gnadenbeweise der Herrscher empfangen haben sollten. 3) Auffällig ist ein Umstand, der nicht unberührt bleiben darf. In dem D. St. 1954 wird als westlicher Grenzpunkt zwischen dem an das Bistum Trient und dem an das Bistum Feltre zugewiesenen Teile der Grafschaft Trient angegeben die 'ecclesia sancti Desiderii in loco qui dicitur Campolongo'. Darunter versteht man nach Bonelli, Notizie istorico-critiche II, 370 eine Kirche bei Masi di Novaledo, ungefähr halbwegs zwischen Levico und Borgo in Valsugana. Die Deutung scheint sich wesentlich darauf zu gründen, dass es in un-

Das gewonnene Ergebnis unserer Untersuchung nötigt uns nun sofort auch die zweite Urkunde Konrads für Trient, das D. St. 1955, von einem neuen Gesichtspunkt aus zu prüfen: ist etwa auch die Verleihung der Grafschaften Bozen und Vintschgau schon durch Heinrich II. im Jahre 1004 erfolgt oder rührt sie wenigstens erst von Konrad II. her? Sachliche Gründe für die Entscheidung dieser Frage gibt es nicht, aus der Zeit von 1004 bis 1027 haben wir von beiden Grafschaften keinerlei Kunde. Der Umstand, dass das D. St. 1955 grossenteils wörtlich mit St. 1954 übereinstimmt, trägt ebensowenig zur Aufklärung der Sache bei; es ist an sich ebenso wohl möglich, dass beide Urkunden 1004 im wesentlichen gleichlautend konzipiert und

---

mittelbarer Nähe von Novaledo eine auch auf der grossen 'Carta Tyrolensis' eingetragene Kirche San Desiderio gab, vgl. auch Montebello, Notizie storiche della Valsugana (Roveredo 1793) S. 348 f. Ich will aber doch darauf aufmerksam machen, dass in zwei Diplomen für Feltre (St. 3466. 4566), die freilich bis jetzt nur in sehr ungenügenden Texten vorliegen (ich zitiere nach Verci, Marca Trivigiana I[b], 18, n. 15 und I[b], 25, n. 23), in der ersten neben dem Cismone die 'plana de flumine Visese', in der zweiten 'S. Desiderius de flumine Visese' als ein Grenzpunkt des dem Bischof von Feltre gehörenden Komitats angegeben werden. Es ist mir nicht gelungen, einen Wasserlauf, dessen Name mit dem 'flumen Visese' identifiziert werden könnte, in der Gegend von Novaledo nachzuweisen. Ganz anders ist nun die Grenzbestimmung in dem Privileg Friedrichs I. (die gegen dessen Echtheit von Jäger I, 307 geltend gemachten Bedenken bedürfen angesichts der zweifellosen Originalität des Diploms, das in der Beilage neu gedruckt ist, keiner weiteren Widerlegung). Hier heisst es mit Bezug auf den dem Bischof von Feltre zugesprochenen Teil der Grafschaft Trient 'exceptis his rebus, quę ęcclesię Feltrensi infra suos terminos, id est ab aqua quę dicitur Sisimunth usque in finem episcopatus ipsius, sicut aqua predicta decurrit ex parte episcopii, a predecessoribus nostris collatę sunt'. Dass es sich hier um eine erhebliche Vergrösserung des Komitats des Bischofs von Trient, dem dadurch die ganze Valsugana zugewiesen wurde, handelt, ist offenbar und schon im 13. Jh. erkannt worden: eine Dorsualnotiz aus dieser Zeit auf dem Original der Urkunde Friedrichs I. gibt als dessen Inhalt an: 'ducatus Tridentinus extenditur usque ad aquam Cismoni', und auf der Rückseite eines 1209 angefertigten Transsumptes derselben Urkunde heisst es entsprechend: 'Scriptum privilegii de concessione ducatus Tridentine ecclesie versus Cismonam'. Wie diese Ausdehnung des Tridentiner Gebietes, die übrigens nicht ausgeführt worden ist (denn die Valsugana gehört später nach wie vor zum Komitat von Feltre), bei Friedrich I. durchgesetzt worden ist, wissen wir nicht. Ich kann aber den Verdacht nicht unterdrücken, dass etwa an dieser Stelle das der Kanzlei des Staufers vorgelegte Diplom Heinrichs II. durch Rasur und Korrektur verfälscht war, und dass man es vielleicht dann, nachdem die Fälschung ihren Dienst getan hatte, hat verschwinden lassen. Dass man das Diplom Konrads II., das ja gleichfalls dem Friedrichs I. widersprach, später geheim hielt, zeigt eine Dorsualnotiz auf jenem: 'privilegium regale sive imperiale domini Chōnradi imperatoris super feudis ecclesiarum Tridentine et Feltrensis. Non est ostendendum'.

1027 wiederholt wurden, wie es denkbar ist, dass 1027 die erste Urkunde St. 1954 Wiederholung einer Vorlage von 1004 war und dass St. 1955 dann nach ihrem Muster geschrieben wurde. Nur die Ausdrücke des D. St. 1955, die nicht mit St. 1954 übereinstimmen, sondern davon abweichen, könnten eine Entscheidung der Frage ermöglichen; zeigten sie deutlich den Stil eines Kanzleischreibers Heinrichs II., insbesondere den des EB, so würde auch für St. 1955 feststehen, dass es Erneuerung eines schon von dem letzten Sachsenkaiser ausgestellten Diploms wäre. Dies aber ist nicht der Fall: so findet sich z. B. die Wendung 'Christi nostrisque fidelibus', durch die die Publicatio des D. St. 1955 sich von 1954 unterscheidet, in keiner einzigen von EB verfassten oder geschriebenen Urkunde[1]. Dagegen begegnen die meisten jener Ausdrücke — was übrigens ein weiterer Beweis für die Echtheit des D. St. 1955 ist — in anderen Diplomen Konrads II. und zwar gerade in solchen, die von dem Kanzleinotar UD geschrieben sind[2]. Wenn darauf auch kein entscheidendes Gewicht zu legen ist, da es sich zumeist nicht um besonders charakteristische oder individuell gefärbte Wendungen handelt, so spricht doch die stilistische Untersuchung der Urkunde mit grösserer Wahrscheinlichkeit dafür, dass sie mit Benutzung des D. St. 1954 oder seiner Vorurkunde in der Kanzlei Konrads II. entstanden ist, und demnach auch dafür, dass die Verleihung der Grafschaften Vintschgau und Bozen oder wenigstens der letzteren erst durch Konrad verfügt worden ist.

Was endlich das Diplom für Brixen betrifft, so kann ja das gleiche Urteil überhaupt keinem Zweifel unterliegen.

---

1) Ueberhaupt begegnet sie unter Heinrich II. bis zum Jahre 1007 nur in zwei Urkunden des EA (DH. II. 26. 28); EA aber kann als Verfasser einer auf dem italienischen Zuge von 1004 gegebenen Urkunde nicht in Betracht kommen. 2) So findet sich z. B. das in die Arenga eingeschobene 'sublevamus' in St. 1986, und wenn etwa, was möglich, wenn auch nicht sicher ist, 'sublevamus' für 'sublimamus' verschrieben oder verlesen wäre, so ist St. 1895. 1957. 1992. 2020 zu vergleichen. 'Christi fideles' begegnet in St. 1893—95. 1903. 1973, 'notum esse volumus' in St. 1966. 1977. 1986. 1992. 2020, 'de nostro iure atque dominio' in St. 1979, die gerundivische Wendung 'concedendo roboravit' (vgl. in St. 1955: 'transfundendo damus atque tradendo confirmamus') in St. 1969, 'tradendo confirmavimus ac corroboravimus' in St. 1990, 'manu propria confirmantes et corroborantes' in St. 1989. 2020 und öfter; zu 'concedimus damus atque largimur' vergleiche man 'concessimus donavimus atque corroboravimus' in St. 2020. Für den Anfang der Korroboration 'Quod ut verius credatur' hat eine italienische Urkunde als Muster gedient; UD gebraucht in St. 1980. 1983. 1988 und öfter die Wendung 'et ut hoc verius credatur'.

Die Aberkennung der bis dahin dem Grafen Welf gehörenden Grafschaft im Inntal und ihre Verleihung an das Hochstift Brixen kann erst unter Konrad II., gegen den sich der Graf im Aufstande befand, erfolgt sein. Stilistisch aber steht die Urkunde nur scheinbar, aber nicht wirklich mit den Tridentiner Diplomen in Zusammenhang; für sie hat nämlich der Brixener Kleriker, der sie verfasst und geschrieben hat, das schon oben erwähnte DH. II. 67, das aber inhaltlich garnichts mit ihr zu tun hat, als Diktatvorlage benutzt; nur aus dem Umstande, dass dies D. von EB, dem Verfasser der Vorlage des D. St. 1954, konzipiert war, erklären sich die stilistischen Beziehungen zwischen St. 1954 (und danach auch St. 1955) einer- und St. 1956 andererseits. Daneben aber hat, wie schon oben aus graphischen Gründen erschlossen wurde, dem Schreiber des D. St. 1956 wahrscheinlich noch ein D. aus der Zeit Ottos I. vorgelegen[1]. Auf die letztere Urkunde werden auch die von DH. II. 67 abweichenden Formeln der Publicatio und Corroboratio des D. St. 1956 zurückgehen, wofür insbesondere die von der VU. abweichende Wendung 'pręceptum hoc de ea conscribi . . . iussimus' spricht, die unter Konrad II. vorher nur bei Wiederholung von Vorurkunden begegnet, während eine ganz ähnliche Fassung unter Otto I. häufig vorkommt[2].

Uns bleibt schliesslich noch die Datierung der drei Urkunden zu besprechen. Das D. Stumpf 1954 hat bei für den Frühling 1027 zutreffenden Jahresangaben (a. inc. 1027, ind. 10, a. regni 3, a. imperii 1) die Tagesangabe des 31. Mai und die

1) Dass Brixen ein DO. I. besessen hat, lässt sich aus DO. II. 14 folgern. Aber es muss natürlich nicht gerade diese Urkunde dem Schreiber von St. 1956 vorgelegen haben, sondern es kann sich auch um ein anderes verlorenes DO. I., z. B. um ein zwischen DK. I. 30 und DO. II. 178 stehendes Immunitätsprivileg, handeln. 2) Näher noch läge, wegen der Stellung des Wortes 'industria' in der Publicatio die Annahme, dass ihm ein Diplom Ottos II., vgl. etwa DO. II. 58, vorgelegen hätte; aber, soviel ich aus dem Facsimile, Kaiserurkunden in Abbildungen IX, 3, ersehe, hat WD (oder nach Erben WD*a*), dem das Diktat jenes D. beigelegt wird, die oben erwähnten schrägen Ansätze an den Langbuchstaben nicht angebracht, wie sie überhaupt in den Diplomen Ottos II. in dieser Gestalt nicht vorzukommen scheinen. Dass aber der Schreiber von St. 1956 zwei Ottonische Urkunden, die eine für den Text, die andere für die Schrift als Muster benutzt hätte, ist nicht wahrscheinlich. — Die in unserem Diplom begegnende Wendung 'cum omni u s u iureque ad eum legaliter pertinente' hat einen spezifisch brixenschen Lokalton und spricht entschieden dafür, dass der Verfasser ein Brixener Kleriker war, vgl. 'cum omnibus usibus ad eundem locum pertinentibus', Acta Tirolensia I, 24, n. 60. 25, n. 62.

Ortsangabe 'Prixię', die, wie schon Jahrb. Konrads II. Bd. I, 208, N. 1 ausgeführt ist[1], nur auf Brixen und nicht, wie früher vielfach angenommen worden ist, auf Brescia bezogen werden kann. In St. 1955 widersprechen sich die Jahresangaben; ind. 10 und a. regni 3 weisen auf 1027, a. inc. 1028 und a. imperii 2 auf das folgende Jahr. Als Ausstellungstag ist der 1. Juni genannt, als Ort 'monte Rittena in loco qui dicitur Fontana frigida'; die letztere, lange vergeblich gesuchte Oertlichkeit hat jetzt Huber[2] auf dem Ritten nachgewiesen. Das D. St. 1956 verbindet die Jahresdaten a. inc. 1027, a. regni 3, a. imp. 1 mit der Indiktionsziffer 9, die auf einem auch in den DD. St. 1958. 1961 wiederkehrenden Fehler in der Berechnung beruht; das Tagesdatum ist Juni 7, der Ortsname Stegon, auf dessen Deutung wir unten zurückkommen.

Dass Konrad nur im Sommer 1027, nicht im Jahre 1028, wie in Brixen, so auch auf dem Ritten gewesen sein kann, bedarf keines weiteren Nachweises; aber ebenso sicher ist, dass der Kaiser sich nicht am 31. Mai in Brixen, am 1. Juni aber auf dem Ritten bei Bozen aufgehalten haben kann. Er wird allerdings auf dem Marsche von Bozen nach Norden die über den Ritten führende Strasse benutzt haben, aber undenkbar ist es, dass er von Brixen aus sich noch einmal nach Süden gewandt habe und nach dem Ritten zurückgekehrt sei: in einer der beiden Urkunden muss die Datierung uneinheitlich sein; dies für beide anzunehmen, liegt keine Veranlassung vor. Um zu entscheiden, für welche der beiden Urkunden das zutrifft, müssen wir uns, da St. 1955 nur in Abschrift vorliegt, allein an die äusseren Merkmale des D. St. 1954 halten. Wir sahen oben, dass der Ortsname 'Prixię' in diesem Diplom wahrscheinlich nachgetragen ist, wir beziehen ihn also auf die Vollziehung der Urkunde, während die Tagesangabe auf die Handlung, vielleicht auch auf ein früheres Stadium der Beurkundung gehen wird. Demnach lösen wir die Datierung von St. 1954 so auf: 1027 Mai 31 — Brixen. Bei St. 1955 haben wir dann keine Veranlassung mehr, die Tages- und die Ortsangabe auseinanderzuhalten und nehmen also

---

1) Die Gegenbemerkung Jägers (Gesch. der landständ. Verfassung Tirols I, 709) verstehe ich nicht. Er wirft Ficker vor, dass dieser die Deutung auf Brixen nicht begründet habe, übersieht aber die von mir gegebene ausführliche Begründung und macht nicht den geringsten Versuch sie zu widerlegen. Denn die Berufung auf ein vor meinen Ausführungen abgegebenes Urteil Wattenbachs ist doch keine Widerlegung!
2) Mittheil. des Instit. für österr. Geschichtsforschung VI, 396 ff.

an, dass der Kaiser am 1. Juni 1027 wirklich auf dem Ritten war, wo er aber schon am 31. Mai angekommen sein mag[1]. Die auseinanderfallenden Jahresangaben dieser Urkunde können auf Ueberlieferungsfehler zurückgehen, die dem Notar Zacheus, der das Transsumpt vom Jahre 1280 angefertigt hat, zur Last fallen würden; da, wie schon oben bemerkt wurde, die Urkunde ihm in ihrem unteren Teile nicht mehr unversehrt vorgelegen zu haben scheint, wäre es möglich, dass auch in der Datierungszeile bereits 1280 Schwierigkeiten der Lesung bestanden. Immerhin ist der doppelte Fehler a. inc. MXXVIII und a. imp. II auffallend, und für ganz unmöglich möchte ich es nicht halten, dass die Urkunde erst im Frühjahr 1028 etwa bei der Krönungsfeier Heinrichs III. vollzogen wäre. Dafür könnte die zwar nicht sichere, aber doch nicht unwahrscheinliche Beteiligung des UD bei ihrer Ausfertigung angeführt werden, da man zweifeln kann, ob dieser Notar, der den Kaiser nicht nach Italien begleitet hatte, schon auf dem Ritten sich wieder am Hofe eingefunden hat[2]. Die Datierung des D. St. 1956 wäre dann so zu erklären, dass Tag und Ort aus einem bei der Handlung aufgenommenen Akt[3], Königsjahr und Indiktion entweder gleichfalls daraus oder aus dem als Vorlage für das Diktat benutzten D. St. 1954 übernommen wären, während man das Inkarnations- und Kaiserjahr der Zeit der Beurkundung entsprechend hinzugefügt hätte. Freilich ist eine solche Verbindung mit einander nicht übereinstimmender Jahresangaben (die nicht auf blosse Fehler in der Ueberlieferung oder Berechnung zurückgehen würde), wenn überhaupt, so jedenfalls nur sehr selten vorgekommen, und wir ziehen es deshalb vor, in der Ausgabe die Datierung von St. 1954 als einheitlich zu behandeln und, unter Voraussetzung eines Ueberlieferungsfehlers, so aufzulösen: Kaltenbrunn auf dem Ritten 1027 Juni 1. Aber ich will nicht unterlassen, die andere Möglichkeit wenigstens anzudeuten.

Bei St. 1956 endlich ist die Deutung des Ausstellungsortes 'Stegon' bestritten. Hatte man früher fast allgemein

---

1) Vgl. schon Ficker, Beitr. zur Urkundenlehre II, 279. 2) Auch die italienische Einleitung der Korroborationsformel ist in der angegebenen Zeit, in der mehrere Urkunden für italienische Empfänger ausgestellt wurden, wohl erklärlich. 3) Vgl. damit DK. II. 89 (St. 1945), wo gleichfalls 'Actum Ravennę' ohne Zeitangaben schon in dem Konzept gestanden haben muss, das dem ingrossierenden Notar vorlag (vgl. Jahrb. Konrads II. Bd. II, 452).

an das Dorf Stegen im Pustertal gedacht, so hat Jäger[1] diese Erklärung mit völlig zutreffenden Gründen abgelehnt und sich für Steg im Eisacktale am Fusse des Rittener Berges ausgesprochen. Inzwischen hatte Ficker, dem sich Riezler[3] anschloss, bereits bemerkt, dass der Ort auf dem von Konrad eingeschlagenen Wege von Brixen nach Regensburg gesucht werden müsse, und ich hatte[4] daraufhin die später von Redlich[5] gebilligte Vermutung aufgestellt, dass an Stegen am Ammersee zu denken sei. Das Original der Urkunde war mir damals noch unbekannt, seine Beschaffenheit aber auch von niemand sonst für die Erörterung über den Ausstellungsort in betracht gezogen worden. Wissen wir nun jetzt, dass in St. 1956 sämtliche Zeitangaben in eine dafür gelassene Lücke nachgetragen sind, während die Ortsangabe wohl zugleich mit dem Kontext geschrieben wurde, so ist es zwar nicht notwendig, aber zulässig, auch hier nicht einheitliche Datierung anzunehmen und die Ortsangabe auf die Handlung oder ein früheres Stadium der Beurkundung, die Tagesangabe aber auf die Vollziehung zu beziehen. Dann stände, wenn die Urkunde für sich allein betrachtet wird, der Deutung Jägers nichts im Wege: die Handlung hätte in Steg am Fusse des Ritten, in unmittelbarer Nähe des Grenzpunktes zwischen den Diözesen Trient und Brixen, wo auch die Grenze der durch die Urkunde verliehenen Grafschaft lag, stattgefunden, während die Urkunde am 7. Juni, unbestimmt wo, in Nordtirol oder Baiern vollzogen wäre. Allein die Berücksichtigung des D. St. 1955, das Jäger bei seinen Erwägungen ausser Acht liess, weil er es für gefälscht hielt, macht diese Annahme doch bedenklich. Wenn Konrad von Bozen aus über den Ritten zog und in Kaltenbrunn, das unweit Lengmoos liegt, verweilte, so lag Steg nicht auf seinem Wege; auch denkt Jäger an eine andere Route, indem er vermutet, dass der Kaiser von Steg aus nur nach Stein hinaufgestiegen und von dort direkt nach Lengstein auf einer Strasse, deren Existenz er annimmt, aber nicht beweist, marschiert sei. Der Aufenthalt in Kaltenbrunn, der durch St. 1955 sicher gestellt ist und auch angenommen werden müsste, wenn die Urkunde eine Fälschung wäre (denn wie hätte wohl ein Fälscher ohne echte Vorlage auf diesen

---

1) A. a. O. I, 702 ff. Ebenso schon vorher ich selbst, Jahrb. Konrads II. Bd. I, 212. 2) Beitr. zur Urkundenlehre I, 145. 3) Gesch. Baierns I, 440. 4) Jahrb. Konrads II. Bd. I, 213. 5) Zeitschr. des Ferdinandeums XXVIII, 22, N. 2.

Ortsnamen verfallen sollen), schliesst also die Beziehung von Stegon auf Steg am Ritten aus, wenn man nicht annehmen will, dass der Kaiser erst von Steg aus die Höhe des Rittener Berges erstiegen habe, was einen beschwerlichen und nicht recht zu erklärenden Umweg bedeuten würde.

Von allen anderen Orten, deren heutiger Name einem älteren Stegon entsprechen könnte, würde nur noch Stegen am Nordende des Ammersees für uns in betracht kommen können. Der Weg Konrads würde dann dem Friedrichs II. auf dem Marsche nach Italien 1237 entsprochen haben. Damals waren die nachweisbaren Stationen des Kaisers Augsburg, Prittriching (halbwegs zwischen Augsburg und Landsberg im Lechtal), Windach (zwischen Prittriching und Stegen am Ammersee; ein anderes Windach an der Strasse von Landsberg nach Stegen), Weilheim (südlich vom Ammersee), Klausen unterhalb Brixen. Da keins der beiden Windach an der Hauptstrasse von Prittriching nach Weilheim liegt, so ist es wahrscheinlich, dass Friedrich sich an den Ammersee gewandt hat, um diesen der ganzen Länge nach in nord-südlicher Richtung zu befahren und dann von Weilheim aus über den Scharnitzpass nach Innsbruck zu ziehen. Konrad könnte 1027 denselben Weg bis Stegen in umgekehrter Richtung zurückgelegt haben. Dass wir ihn am 24. Juni in Regensburg treffen, schliesst eine solche Annahme nicht notwendig aus; die Route von Innsbruck über die Scharnitz, Weilheim, den Ammersee, dann nordöstlich über Freising nach Regensburg bedeutet keinen erheblichen Umweg für den aus Italien zurückkehrenden Kaiser. Indessen der geringe Zeitunterschied zwischen den Daten der DD. St. 1955. 1956 macht doch gegen eine solche Konstruktion des Itinerars bedenklich. Die Entfernung von Bozen bis Innsbruck beträgt auf der Brennerstrasse 142 Kilometer, dazu kommen für die Strecke Innsbruck-Weilheim auf heutigen Strassen etwa 114 km, von Weilheim nach Diessen am Südende des Ammersees etwa 16 km, das sind zusammen 272 km, wozu dann noch die Fahrt auf dem 16 km langen See bis Stegen hinzuzurechnen ist. Bringen wir nun auch einige Kilometer für die Strecke Bozen-Kaltenbrunn in Abzug, so würde doch, da der Kaiser nach unserer früheren Annahme am 1. Juni noch auf dem Ritten weilte, für die Strecke von dort bis Stegen, wo er spätestens am 7. Juni eingetroffen sein müsste (denn das 'actum Stegon' war ja schon geschrieben, als die Tagesangabe eingetragen wurde) nur ein Zeitraum von 6—$6\frac{1}{2}$ Tagen verbleiben. Das würde eine tägliche Marschleistung von mindestens 40 km voraussetzen, die ich zwar nicht als unmöglich, aber doch nicht als sehr wahrscheinlich betrachte. Unter diesen Umständen wage ich nicht, die Deutung auf Stegen als sicher anzusehen und sie in das Regest der Urkunde aufzunehmen. Vielleicht verbirgt sich unter dem Stegon unserer Urkunde — der Name ist ja keineswegs selten — irgend ein näher zur Brennerstrasse und zu Brixen gelegener, heute nicht mehr nachweisbarer Ort in Tirol. An Steeg (Bezirkshauptmannschaft Reutte) im oberen Lechtal ist keinesfalls zu denken.

Beilage.

Friedrich I. bestätigt der bischöflichen Kirche zu Trient die Grafschaft Trient mit Ausnahme des dem Bistum Feltre verliehenen Teiles davon vom Flusse Cismone ab.
— — 1161 —.

Originaldiplom im k. k. Statthaltereiarchiv zu Innsbruck (A).

Der Petitdruck bezeichnet, da die VU., das Diplom Heinrichs II. für Trient, nicht erhalten ist, die Uebereinstimmung mit dessen Nachurkunde Stumpf Reg. 1954 = DK. II. 101. Drucke siehe bei Stumpf Reg. 3919.

(C.) ⁑ In nomine sanctę et individue trinitatis. Fredericus divina favente clementia Romanorum imperator augustus. ⁑ Inclinari precibus nostra imperialis dignitas semper consuevit et universa in imperio nostro melius gubernantur, si in regimine nostro clęmentia comes adiungatur. Ratio igitur exigit et imperiali congruere videtur honori, ut fidelium nostrorum dignas petitiones clęmenter admittamus, illorum precipue, quorum fides preclaris operibus magis est comprobata, quorum etiam desiderium circa honorem coronę nostrę stabili constantia amplius fervere cognoscimus. Eapropter universorum imperii nostri fidelium tam futura quam presens noverit ętas, qualiter nos dilecti et fidelis principis nostri Alberti venerabilis Tridentini episcopi pręclara servitia pre oculis habentes eius dignis petitionibus clęmenter annuimus et donationem predecessoris nostri fęlicis memorię regis Henrici factam sanctę Tridentinę ęcclesię, in qua preciosorum martyrum Vigilii, Sisinnii, Martirii atque Alexandri corpora requiescunt, videlicet comitatum Tridentinum cum omnibus suis pertinentiis et utilitatibus illis, quibus eum duces comites sive marchiones ullo tempore beneficii nomine habere visi sunt, in proprium cum districtis placitis cunctisque publicis functionibus et reddibitionibus * supra nominatę ęcclesię eiusque episcopis datum in perpetuum et traditum nostra imperiali auctoritate approhamus[a] et huic fideli nostro Alberto Tridentinę ęcclesię episcopo eiusque successoribus predictam donationem confirmamus, exceptis his rebus, quę ęcclesię Feltrensi infra suos terminos — id est ab aqua quę dicitur Sisimunth usque in finem episcopatus ipsius, sicut aqua predicta decurrit ex parte episcopii — á predecessoribus nostris collatę sunt. Cętera vęro cuncta, sicut superius dictum est, in sanctę supra scriptę Tridentinę ęcclesię et prenominati venerabilis episcopi Alberti suorumque successorum proprium ius et dominium modis omnibus transfundimus atque confirmamus statuentes et nostro imperiali ędicto precipientes, ut nullus dux marchio comes vicecomes gastaldio nec aliqua imperii nostri persona magna vel parva supra dictum episcopum vel eius successores inquietare molestare vel in aliquo gravare presumat. Si quis autem huius nostri imperialis precepti temerarius violator exstiterit, sciat se compositurum mille libras auri obrizi, medietatem camerę nostrę et medietatem episcopo supra nominatę ęcclesię.

§ Signum domini Frederici Romanorum imperatoris invictissimi. § (M.)

Ego Vlricus cancellarius vice Reinaldi Coloniensis archiepiscopi et Ytalię archicancellarii recognovi. (SI.)

Acta sunt hęc anno dominicę incarnationis MCLXI, indictione VIIII, regnante domino Frederico Romanorum imperatore victoriosissimo, anno regni eius X, imperii vęro VIII; fęliciter amen.

---

a) Das erste 'P' scheint nachträglich eingeschoben zu sein und ist mit dem eigentlich zu dem zweiten 'P' gehörenden Bogen, der die Abkürzung für 'pro' ausdrückt versehen.

IV.

Zur Ueberlieferung u. Entstehungsgeschichte des Chronicon Ebersheimense.

Von

Hermann Bloch.

Seit geraumer Zeit ist bei den Forschungen über ältere elsässische Geschichte die Unsicherheit peinlich fühlbar, die wegen der Ueberlieferung und der Entstehungsgeschichte des Chronicon Ebersheimense besteht. Die Gelehrten, die sich mit den — z. T. in die Chronik aufgenommenen — Klosterurkunden beschäftigten[1] oder die den Anfängen des Habsburgischen Geschlechtes nachgingen[2], litten ebenso wie die Bearbeiter der Strassburger Bischofsregesten darunter, dass sie alle ihr Urteil über die Quelle fast ausschliesslich auf die Ausgaben gründen mussten, weil die wertvollen Hss. in dem Brande der Strassburger Bibliothek im August 1870 untergegangen waren. Einige Blätter, die aus dem Nachlasse Daniel Schoepflins in die Hand Grandidiers kamen und mit einem Teil von dessen übrigen Papieren in den Besitz der Familie v. Türckheim gelangten, schaffen einen gewissen Ersatz für das Verlorene und gewähren endlich voll ausreichende Hülfsmittel, um die Hss., auf denen die bisherigen Ausgaben beruhen, zu erkennen und zu ordnen, um den Text des Werkes sicherzustellen und die Fragen, die mit seiner Abfassungszeit zusammenhängen, in der Hauptsache zu lösen.

Dem Vorstande des Grossh. Generallandesarchivs zu Karlsruhe, Herrn Geh. Archivrat Dr. Obser, der — wie der verstorbene Herr Geh. Rat Dr. v. Weech — mich auch bei dieser Arbeit in jeder Weise unterstützte, sei herzlicbster Dank gesagt.

§ 1. Die Ueberlieferung.

I. Die Chronik des Klosters Ebersheimmünster bei Schlettstadt wurde bereits im 16. Jh. von Beatus Rhenanus

1) Vgl. zuletzt Dopsch in den Mitteil. des Instituts für Oesterreich. Gesch. XIX, 577 ff. 2) Vgl. Schulte, ebenda VII, 17 f.; Steinacker in Zeitschr. für die Gesch. des Oberrheins N. F. XIX, 363 ff. und Regesta Habsburgica I, n. 119.

als eine kostbare Quelle des elsässischen und deutschen Altertums in seinen Rerum Germanicarum libri tres[1] gewertet[2]. Wohl durch seine Vermittelung wird Aegidius Tschudi von ihr Kenntnis erhalten haben, so dass er ihrer in den von ihm zusammengestellten Annales Heremi wiederholt gedenken konnte[3]. Doch erst geraume Zeit später wurde im J. 1717 durch Martène[4] das Werk herausgegeben, und zwar 'ex vetusto codice Novientensi ab annis circiter quadringentis scripto'. Die Hs. ist nach Bresslaus überzeugenden Darlegungen[5] als ein 'Saalbuch von Ebersheimmünster, 1320. petit-folio, velin' anzusehen, das von fol. 21 an 'Topologia s. Chronicon Novientensis coenobii' enthielt. Die Strassburger Bibliothek hatte diese Hs. im J. 1851 erworben; Böhmer hat sie dort im Oktober 1852 gesehen[6].

Auf eine andere ältere Ueberlieferung führen uns die Mitteilungen Schoepflins und Grandidiers zurück. Jener veröffentlichte im J. 1751 einen kurzen Abschnitt aus der sagenhaften Urgeschichte des Klosters[7] — die Martène bei Seite gelassen hatte[8] — 'ex codice ms. coaetaneo qui in monasterio Ebersheimensi asservatur'; unter dieser Angabe versteht Schoepflin eine Hs. des 13. Jh., da die chronikalische Erzählung bis zum J. 1235 geführt ist. Grandidier[9] hingegen gab im J. 1787 den ersten Teil der Chronik bis auf Abt Notger († c. 1166) in demselben Umfange heraus wie Martène, nur durch das von Schoepflin bekannt gemachte Kapitel erweitert[10]. Sein Text war an zahlreichen Stellen gebessert; er betonte denn auch, dass er eine ältere und vollkommenere Vorlage als Martène benutzt habe, und teilte mit; dass in ihr der ältere Teil der Quelle bis auf Notger von einem jüngeren, der die Er-

---

1) Erste Ausgabe 1531. Mir lag nur diejenige aus Basel 1551 vor. 2) Unter den Quellen wird angeführt: 'Ebersheimensis monasterii Chronica'. Auszüge z. B. p. 88. 157. 171. 183. 3) Z. B. zu 1018. 1026. 1027: 'gesta coenobii Novientensis'. Vgl. Schweizer Geschichtsfreund I, 120 ff. und Jahrbuch für Schweizer Geschichte X, 299 f. 4) Thesaurus novus Anecdotorum III, 1126 ff. 5) N. Archiv XVI, 547 ff. 6) Fontes III, p. XVII. 7) Alsatia illustrata I, 58. Es ist das c. II der Ausgabe in den MG. SS. XXIII, 432, Z. 12 ff. 8) Martène a. a. O. S. 1125: 'Primordia huius historiae fabulis respersa atque adeo a nobis partim praetermissa'. Er überging ausserdem auch die Urkunden, die in der Chronik enthalten waren. 9) Histoire de la province d'Alsace. Pièces justificatives II, p. IX sqq., tit. 425. 10) Die Urkunden hatte er schon in der Histoire de l'église de Strasbourg gedruckt. Uebrigens erweckt er den Anschein (vgl. p. X), als ob er auch den sagenhaften Teil vollständig wiedergebe, während er über Schoepflin hinaus nichts Neues aus ihm beigebracht hat.

zählung bis zum J. 1235 fortsetze, durch eine besondere Einleitung abgetrennt sei; als ihren Fundort nannte er die ehemalige Bibliothek des Beatus Rhenanus zu Schlettstadt.

Wiederum hat schon Bresslau[1] bemerkt, dass Schoepflins und Grandidiers Ausgaben trotz der scheinbar verschiedenen Angaben über die Heimat ihrer Hs. doch auf ein und denselben Codex zurückzuführen seien[2], und ausser jeden Zweifel gestellt, dass ihre Quelle nicht mit dem Salbuch von 1320 identisch ist, aus dem Martène schöpfte. Er machte wahrscheinlich, dass die Schlettstädter Hs. des Beatus Rhenanus zu Schoepflin und dann mit dessen Büchern in die Strassburger Stadtbibliothek gelangt sei. Dass in der Tat schon vor dem erst 1851 erworbenen Salbuch in dieser bereits eine Hs. der Ebersheimer Chronik aufbewahrt wurde, zeigt Bresslau aus den Mitteilungen Haenels[3], der bereits im J. 1830 dort gefunden hatte: 'Topologia Noviotensis coenobii; accedunt diplomata eo spectantia'.

Da Böhmer bei seinem Neudruck[4] vom J. 1853 leider sich darauf beschränkte, den Text aus Martène zu wiederholen, waren die beiden zu Strassburg aufbewahrten Hss. für die Forschung noch nicht verwertet, als sie in dem Brande von 1870 vernichtet wurden. Weiland[5] musste sich 1871 auf die früheren Herausgeber berufen; für den letzten Teil, den Grandidier nicht mehr aus dem Schlettstädter Ms. gebessert hatte drucken können, war er allein auf Martène angewiesen. Verloren schienen damit die zweite Einleitung, von der Grandidier nur wenige Worte angeführt hatte, und die fabelreiche Gründungserzählung, auf deren Ausdehnung weit über das von Schoepflin und Martène Gebotene hinaus man bereits 1838 aufmerksam geworden war. Damals nämlich entdeckte Engelhard[6] eine

---

1) N. A. XVI, 553 ff. 2) In der Tat gibt ja auch Schoepflin in der Alsatia diplomatica I, 66, n. 82 an, dass er das Diplom Ludwigs d. Fr. 'ex codice ms. chronici Novient. . . . in bibliotheca Beati Rhenani' entnommen habe. 3) Catalogi librorum manuscriptorum p. 465. — Haenel S. 462 verzeichnet noch eine zweite Hs.: 'Historia coenobii Novientensis cum documentis. Fol.'; vgl. Bresslau a. a. O. XVI, 555, N. 1. Doch dürfen wir vielleicht noch entschiedener als Bresslau die Meinung aussprechen, dass Haenel an beiden Stellen dieselbe Hs. meint; die gesamte Ueberlieferungsgeschichte enthält für uns keinen Hinweis, dass neben der Schlettstädter Hs. und dem Salbuch von 1320 noch eine dritte alte Hs. vorhanden gewesen sei. Dass Haenel die Hs. als 'Fol.' aufführt, während sie in unserer Beschreibung als 'in 4°' bezeichnet wird (vgl. unten S. 147), scheint mir keinen zwingenden Gegengrund abzugeben. 4) Fontes III, 10 sqq. 5) MG. SS. XXIII, 427 sqq. 6) Archiv

getreue Abschrift von ihr in dem vielbesprochenen, gleichfalls untergegangenen Wencker'schen Codex der Strassburger Seminarbibliothek C. V. 15, in welchem jene Auszüge aus der Hohenburg-Neuburger Chronik und Ellenhard — das sogenannte Fragmentum historicum incerti auctoris — mit der letzten Rezension des Mathias von Neuenburg verbunden waren [1]. Weiland konnte nur Engelhards gute Inhaltsangabe, durch einige Mitteilungen Hegels ergänzt, wiedergeben, um eine Vorstellung von den verlorenen Abschnitten zu erwecken [2].

Gegenüber diesem Stande der Dinge, der nicht mehr hoffen liess, dass unsere handschriftlichen Kenntnisse über die Chronik von Ebersheimmünster vermehrt werden würden, war es eine angenehme Ueberraschung, als fast gleichzeitig Schulte [3] und Bresslau [4] auf zwei unbeachtete Auszüge des 17. und 18. Jh. im Strassburger Bezirksarchiv und Pfister [5] auf eine teilweise Abschrift im Cod. Lat. 12688 der Pariser Nationalbibliothek aufmerksam machen konnten. Bresslau veröffentlichte aus dem einen Strassburger Texte den Anfang, aus dem Pariser den Schluss der Sagen, insbesondere über den Maternus und die Gründung von Trier [6], so dass wir seitdem den ganzen Wortlaut des Chronicon besitzen [7]. Doch reichten die neuen Funde noch nicht aus, um seine Ueberlieferungsgeschichte vollkommen aufzuklären und das Verhältnis der Schlettstädter Hs. zu dem Salbuch von 1320 endgültig sicherzustellen.

II. Ermöglicht und zugleich aufs äusserste vereinfacht wird die Lösung dieser Aufgabe erst durch die getreue Beschreibung des Schlettstädter Codex und seine Kollation mit der Ausgabe von Martène, die heute unter den nachgelassenen Papieren Grandidiers im Grossh. Generallandesarchiv zu Karlsruhe aufbewahrt werden. In dem Faszikel 'Ebersheimmünster' des Bestandes, der nach den Vorschlägen Ingolds geordnet wurde [8], liegen einige von

---

der Gesellschaft für ältere deutsche Geschichtskunde VI, 435 ff. Unbeachtet geblieben waren Auszüge, die bereits 1665 J. Mader unter den 'Fundationes variorum Germaniae monasteriorum collectae olim per monachum quendam Benedictinum' der Lauterberger Chronik S. 291 angehängt hatte. Weiland hat (erst nach seiner Ausgabe) sie kennen gelernt, vgl. N. A. XVI, 561, N. 2. 1) Vgl. Bloch, Die Elsässischen Annalen der Stauferzeit S. 8 f. 2) Auf sie gehen auch Königshofens Auszüge aus der Ebersheimer Chronik zurück. 3) Vgl. N. A. XV, 621, n. 212. 4) Ebenda XVI, 549 ff. 5) 1891 in Annales de l'Est V, 443 ff. VI, 118 f. 6) N. A. XVI, 555 ff. XVIII, 311 ff. 7) Nur die zweite Vorrede fehlte noch. 8) Er hat auch in den Nouvelles oeuvres inédites de Grandidier

derselben Hand des 18. Jh. geschriebene Bogen folgenden Inhalts zusammen:

I. De Chronico Novientensi manuscripto eiusque antiquitate.

II. Supplementa eorum quae omiserat Edmundus Martene tom. III. Anecdotorum .... descripta ex manuscripto Beati Rhenani.

III. Lectiones variantes ex manuscripto antiquissimo desumptae [1].

Ich werde im folgenden dies Karlsruher Material unter der Chiffre B bezeichnen. Schon der Umschlag, der um den Teil II herumgelegt war, belehrt uns über Herkunft und Bedeutung der Papiere; auf ihm nämlich lesen wir:

'Novientensis Chronici Supplementa fabulosa.

Soll nicht in die Scriptores eingerückt werden'.

Hier liegt also mit dem Material für die Ebersheimer Chronik, das der Hs. des Beatus Rhenanus entnommen ist, eine Vorarbeit für die Scriptores rerum Alsaticarum vor uns, durch die Schoepflin seine Tätigkeit für die Quellen der elsässischen Geschichte krönen wollte. Bei seinem Tode (1771) überliess er die Herausgabe des grossen Werks seinem Schüler und Mitarbeiter W. Chr. Koch; doch ist ausser einer erneuten Ankündigung im J. 1785 nichts erschienen [2]. Mit andern Papieren Schoepflins [3] sind auch die Blätter über die Ebersheimer Chronik [4] in die Sammlungen Grandidiers übergegangen und von ihm seiner Ausgabe zu Grunde gelegt worden.

Aus diesem Zusammenhange geht zunächst hervor, dass Schoepflin und Grandidier nicht etwa selbständig und

---

III, 187 erwähnt: 'Plusieurs documents relatifs à la chronique d'Ebersmünster, réunis par Schoepflin'. 1) I und II drucke ich unten S. 147 ff. ab. Von der Kollation in III gebe ich nur die sachlich wichtigen Lesarten für den zweiten Teil der Chronik. — In dem Faszikel liegt ausserdem noch von Grandidiers Hand eine mit diesen Hülfsmitteln hergestellte druckfertige Abschrift des 'Chronicon Novientense. Pars secunda'. Sie reicht bis in Kap. 35: 'iocundo recipitur et vocifero sonitu' (MG. SS. XXIII, 449, Z. 45). Sie ist offenbar für die von ihm angekündigte Fortsetzung seiner Ausgabe bestimmt. 2) Vgl. Reuss, De scriptoribus rerum Alsaticarum historicis p. 197. 3) Z. B. dem Material für die Alsatia sacra. 4) Wen wir als den Schreiber anzusehen haben, vermag ich nicht zu sagen. Die Schrift, die auch von den Herren Archivdirektor Dr. Winkelmann und Dr. J. Bernays vom Strassburger Stadtarchiv verglichen worden ist, scheint weder für Schoepflin selbst noch für Koch oder Oberlin, an die man zuerst denken möchte, beansprucht werden zu können.

unabhängig von einander die Schlettstädter Hs. benutzt haben; ihre Uebereinstimmung in dem schon von Schoepflin gedruckten Kapitel erklärt sich vielmehr daraus, dass Grandidier genau dieselbe, für die Scriptores hergestellte, Abschrift B vorgelegen hat, die vor ihm Schoepflin besass[1].

Völlig abgeschrieben waren für die Scriptores nur jene sagenhaften Erzählungen, die Martène übergangen hatte; für alles übrige war nur eine Kollation mit dessen Druck nötig gewesen, die in ihren 1627 Lesarten sämtliche orthographischen Varianten aufnahm, Auslassungen und Nachträge genau anführte; soweit sich irgend urteilen lässt, erfüllt sie den Zweck einer solchen Arbeit, eine möglichst genaue Vorstellung des behandelten Manuscripts zu geben, in einem Grade, um den jeder unserer Monumentisten den Gelehrten des 18. Jh. beneiden mag[2].

Die treffliche Beschreibung der Hs. lässt keinen Zweifel, dass der Codex aus der Schlettstädter Bibliothek des Beatus Rhenanus die Vorlage der Hs. (von 1320) gewesen ist, aus der Martène geschöpft hat. So hat Schoepflin es angesehen, und seine Gründe haben auch für uns noch heute zwingende Kraft.

In der Hs. waren verschiedene Hände zu erkennen. Sie enthielt zunächst in einer Schrift aus der Mitte des

---

1) Damit lösen sich sogleich alle die Schwierigkeiten, die Bresslau a. a. O. XVI, 561 erwog. Dass bei Schoepflin und Grandidier am Schluss von Kap. II der kurze Satz: 'unde etiam iudicia servilia subire contemnunt' fortgelassen ist (vgl. unten S. 136 f.), beweist allerdings, dass 'derselbe in ihrer Vorlage gefehlt' hat. Aber ihre unmittelbare Vorlage war nicht die Schlettstädter Hs. des Beatus Rhenanus, sondern die daraus entnommene, heute in Karlsruhe befindliche Abschrift, die — so vortrefflich sie im ganzen ist — doch an dieser Stelle eine Flüchtigkeit enthält. — Uebrigens soll nicht ausgeschlossen werden, dass Grandidier selbst auch die Hs. des Beatus Rhenanus eingesehen hätte, die ja zu seiner Zeit mit der Bibliothek Schoepflins in den Besitz der Stadt übergegangen sein dürfte. Aber der Wortlaut seiner Praefatio und zahlreicher Anmerkungen beweist, dass er sich hauptsächlich auf die von Schoepflin überkommenen Papiere gestützt hat. 2) Es kann nicht dem geringsten Zweifel unterliegen, dass die Karlsruher Papiere im engsten Zusammenhang mit jener Kollation stehen, die 'zum Teil von Schoepflins eigener Hand', meist indess 'von Oberlin aus seiner früheren Zeit' in Schoepflins Exemplar des Thesaurus Martènes eingetragen war. Engelhard hat diesen Band noch in Händen gehabt (vgl. Archiv VI, 436) und erklärt, dass die Kollation gemacht sei 'teils, wie dabei angezeigt ist, aus einem Beato Rhenano . . . zuständig gewesenen Manuskripte, teils wahrscheinlich nach dem Ms. des Klosters selbst'. Ich hebe hervor, dass wir es bei der Annahme eines zweiten Ms. neben dem Schlettstädter offenbar nur mit einer Hypothese Engelhards zu tun haben, der nicht erwog — vgl. unten S. 150 —, dass die Hs. des Beatus Rhenanus aus Ebersheimmünster selbst stammte.

12. Jh. die Chronik bis zum Tode des Abts Notger im J. 1166 (c. 29). Ihr folgten Urkunden und Einkünfteverzeichnisse des 12. und 13. Jh., darunter Stücke, die von 1181, 1206, 1212 datiert waren. Erst danach ist wieder von einer neuen Hand mit einer besonderen Vorrede der Rest der Chronik von c. 30 an so eingetragen worden, dass der Verfasser zunächst noch einmal auf den Tod Notgers zurückgekommen ist.

In der Vorlage Martènes von 1320 — von mir mit C bezeichnet — sind die beiden nach B vollständig getrennten Abschnitte so zusammengefasst worden, dass die zweite Einleitung ganz beseitigt und dass von Abt Notger nur einmal gesprochen wurde; das Ende der früheren und der Anfang der späteren Erzählung schlossen sich lückenlos zusammen.

Nach B lautete die Ueberschrift: 'Incipit Topologia Novientensis cęnobii'. Darauf begann die Vorrede mit: 'Quoniam igitur genus humanum'. Am Rande war das Fremdwort 'Topologia' erklärt worden: 'Topos Grece, Latine locus dicitur; unde topologia quasi loci descriptio dicitur'. Dieser Zusatz[1] ist in C an den Anfang des Textes vor 'Quoniam igitur' eingeschaltet worden!

Ebenso wie hier begegnen uns in C zahlreiche Zusätze und Verbesserungen, die nach B sich in der Originalhs. vorfanden:

SS. XXIII, 437, N. t: 'ministerio', recentiori manu corr. in 'monasterio' B; 'monasterio' C.

442, N. l: 'ad candelas ecclesie', 'conficiendias' in marg. rec. manu adiectum B; 'ad candelas eccl. conficiendas' C.

445, N. m: 'quod et sine dilatione factum', 'est' recentiori manu adiectum fuit B; 'quod factum est sine dil.' C.

N. q: Observandum est haec verba: 'Item Agia matrona dimidium cum curte sua' posterioribus temporibus fuisse adscripta B[2]. Der Satz steht im Text von C.

N. s: 'miles libere conditionis', 'de Crenchingen' in margine legitur B; 'miles lib. cond. de Ernchingen' C.

---

1) Mit dem Beginn: 'Topos enim'. Er findet sich in dem Druck Martènes und genau ebenso an derselben Stelle in der Hs. P, so dass deren Ableitung aus dem Salbuch von 1320 gewiss ist. 2) Beachte Grandidiers Anmerkung p. XXXIV, N. q: haec verba 'Item — curte sua' manu posteriori fuerunt adscripta.

446, N. i: 'et sex campestres' recentiori manu adscriptum est B[1]; ist im Text von C eingeschoben.

Aus dem zweiten Teil der Chronik, der nach B kaum Verbesserungen erfahren hat, ist schon für sich allein beweiskräftig der einzige Nachtrag:

451, Z. 34 waren nach B die Worte 'Henricum nomine, Herbipolensem nacione' auf dem unteren Rande der Vorlage von gleichzeitiger Schrift hinzugefügt; in C hingegen sind sie in die Erzählung eingesetzt.

Hierdurch wird sichergestellt, dass die Schlettstädter Hs., über die uns B unterrichtet, — mittelbar oder unmittelbar[2] — die Vorlage für die Ueberlieferung C gebildet hat[3]. Es fragt sich nur noch, ob wir ihre beiden durch die Urkunden getrennten Teile als die Originalniederschrift der Chronik ansehen dürfen. Hierüber ein unbedingt entscheidendes Urteil zu fällen, sind wir allerdings bei dem Verlust des Codex nicht mehr in der Lage. Aber fest steht nach Schoepflins guten palaeographischen Beobachtungen, dass der erste Teil bereits im 12. Jh. geschrieben war[4], und zweifellos ist, dass die Hs. noch im 13. Jh. und mindestens wohl bis 1320, als C vermutlich aus ihr abgeschrieben wurde, im Kloster Ebersheimmünster lag; offenkundig ist auch, dass die Korrekturen in den verschiedenen Abschnitten sehr wohl mit der Annahme vereinbar sein würden, dass wir es hier mit der ursprünglichen Aufzeichnung zu tun haben. Ich sehe keinen Grund, der sich dagegen anführen liesse[5]. Es ist vielmehr nach allem,

---

1) Grandidiers Anmerkung p. XXXVI, N. h: 'et sex campestres' sunt adscripti recentiori manu. — Man sieht, dass Grandidier seine Noten aus unserer Kollation B entnommen hat. 2) Darüber ist nicht zu entscheiden. 3) Einige Lesarten Grandidiers, die in den MG. unter der Ziffer 1 verzeichnet werden, scheinen allerdings dagegen zu sprechen. Daher muss ausdrücklich bemerkt werden, dass die Varianten auf S. 432, N. a; 434, N. p; 435, N. b; 436, N. t; 437, N. m nicht durch den Text der Schlettstädter Hs., sondern nur durch Irrtümer Grandidiers veranlasst sind. Dass seine Anmerkung p. XVII, N. t — die in die MG. aus Versehen nicht übergegangen ist — auf einem Missverständnis der Variante in B beruht, geht unten aus dessen Text hervor. 4) Auch sprachliche Momente kommen hinzu. So begegnet in der Maternus-Erzählung in B für Strassburg die Namensform 'Argenteracum' (= 'Argentoracum'), die in C durch das jüngere und seit Ende des 12. Jh. allein übliche 'Argentina' ersetzt ist. 5) Einzig in Betracht kommen könnte, dass Fehler, die nach Angabe von B in der Schlettstädter Hs. angenommen werden müssten, in C nicht vorkommen. Zu ihnen rechne ich allerdings nicht 448, Z. 43: 'Conradi episcopi Argentisiensis' in B statt 'Argentinensis' C, noch auch 453, Z. 33 'intus et alter' in B statt

was wir erfahren, in hohem Grade wahrscheinlich, dass in dieselbe Hs. der Ebersheimer Chronik, welche ihren älteren Teil bis 1166 enthielt, später im 13. Jh. auch die Fortsetzung eingetragen wurde; allein diese konnte sich nicht unmittelbar anschliessen, weil auf die der Erzählung folgenden Blätter bereits Urkunden, Besitzverzeichnisse und ähnliches eingeschrieben worden waren. Wenn Schoepflin zwar mit nicht zureichenden Gründen die ihm vorliegende Hs. bereits als Original bezeichnen wollte, so wird doch auch uns nach erneuter Erwägung dieser Schluss als der wahrscheinlichste gelten dürfen[1].

III. Es wäre die Frage, ob nicht die verschiedenen Bruchstücke, die — wie wir hörten — im 19. Jh. bekannt geworden sind, uns einer letzten Entscheidung näher bringen. Dass die beiden Strassburger Exzerpte (S und S[1]) aus dem Salbuch von 1320 (C) geschöpft sind, ist schon von Bresslau dargetan. Aber auch die Pariser Abschrift (P) im Monasticon Benedictinum führt bestimmt auf C zurück[2]. Dass sie von S vielfach abweicht, beruht ausschliesslich darauf, dass dessen Text nicht nur Nachlässigkeiten aufweist, sondern auch häufig genug willkürlich geändert ist. P dagegen bietet — wie auch sein Vergleich mit B in dem Abschnitt deutlich macht, der nur in beiden allein überliefert ist — eine sehr sorgsame Abschrift. Auch der Umstand, dass in c. 6. P mit M(artène) und S gegen B und G(randidier) übereinstimmt, ist Beweis genug:

434, N. 1: 'Ungarorum' B = G; 'Hunnorum' M = P = S.

Hier scheiden sich die beiden Gruppen. B geht auf das Original zurück, das in dem Schlettstädter Ms. des Beatus Rhenanus abgeschrieben und kollationiert ist, MPS

'unus et alter' C (vgl. unten S. 168); denn in beiden Fällen handelt es sich doch wohl nur um Irrtümer der Kollation des 18. Jh. Bedenken könnte nur erwecken, dass S. 449, Z. 44 nach B 'argentum' vor 'inveniri' in der Schlettstädter Hs. fehlte. Aber wenn wir hier eine Flüchtigkeit des Schreibers schon im Original annehmen müssen, so hat es doch nichts Auffallendes, dass der sinnlose Text durch den Abschreiber von 1320 in C verbessert und 'argentum' eingeschoben wurde. Das in C unmittelbar folgende 'interim' ist gleichfalls, offenbar erst bei dieser Gelegenheit, hinzugesetzt und gibt keinen Sinn. 1) Dass die 'sagenhaften Kapitel' keineswegs, wie Bresslau XVI, 561 meinte, in der Schlettstädter Hs. gefehlt haben, geht aus den Karlsruher Papieren selbst hervor. Vgl. unten S. 152 ff. 2) Vgl. oben S. 133, N. 1. — Maders Auszüge stimmen mit P und S so nah überein, dass auch sie aus C abzuleiten sind, wie Bresslau XVI, 561, N. 2 vermutete. Zum Beleg vgl. unten S. 152 ff. die Anmerkungen.

geben die Lesart C des Salbuchs von 1320 wieder, aus dem sie alle abgeleitet sind[1]. Schon deshalb, weil die verlorene Wencker'sche Hs. des Mathias von Neuenburg (als N bezeichnet) hier 'Hungarorum' bot[2], wird man veranlasst, auch sie zu B zu stellen: sie würde also nicht auf das Salbuch von 1320, sondern auf die Schlettstädter Hs. zurückgeführt werden müssen. Dafür spricht auch der Umstand, dass in ihr, wie wir bestimmt erfahren, die Worte 'Topos enim — dicitur'[3] fehlten. Das Bruchstück beginnt mit den Worten: 'Quoniam igitur genus humanum'[4].

Allerdings könnte ein anderes Moment hiergegen angeführt werden: am Schlusse von Kap. II enthalten nicht nur P und S, sondern auch N einen Zusatz, der in B ebenso wie bei Schoepflin und Grandidier fehlt. Zu der Erzählung, dass die deutschen Ritter Dienstmannen des Reichs und Ministerialen der Fürsten genannt werden, fügen sie hinzu[5], dass die Ritter ebendeshalb verschmähen, den Gerichten über Unfreie (d. h. dem Hofrecht)[5] sich zu unterwerfen. Allein nach Inhalt und Form gehört der Satz dem Ebersheimer Chronisten. Und wenn im 12. Jh. die Scheidung der ritterlichen Ministerialen von den bäuerlichen Unfreien vollzogen war, so entspricht es recht dem mittelalterlichen Sinne, den neu gewordenen Zustand, wie es in der Chronik geschieht, auf römische Ordnung zurückzuführen und durch graues Alter zu heiligen[6]. Ich nehme deshalb an, dass der kleine Satz der Ebersheimer Originalhs. angehört hat. Der Schreiber von B, dem auch

---

1) Ob P durch ein Zwischenglied auf C zurückgeht, lasse ich ganz dahingestellt. Die Hs. wurde nach 1665 an Mabillon übersandt 'de la part du révérend père abbé de Sénone'. 2) Archiv VI, 444. 3) Vgl. oben S. 133. 4) Vgl. Engelhard im Archiv VI, 436 und Hegel, Strassburger Chroniken I, 178, N. 1. 5) 'Unde etiam (N 'et inde') iudicia servilia subire contemnunt'. — Es ist die Zeit, in der das 'Dienstrecht' ausgebildet neben dem Hofrecht steht. Dem Gedanken, der hier ausgesprochen wird, werden wir die Dreiteilung der Strassburger 'familia' an die Seite stellen, von der (im Anschluss an das auf den Namen König Dagoberts gefälschte Strassburger Dienstrecht, Strassburger UB. I, 1) an anderer Stelle der Chronik c. 3, S. 433, gesagt wird: 'Prima ministerialis, que etiam militaris recta dicitur, adeo nobilis et bellicosa, ut nimirum libere condicioni comparetur. Secunda vero, censualis et obediens, permagnifica et sui iuris contenta. Tercia nichilominus est, que servilis et censualis dicitur'. Wie der Sinn, so entspricht aber auch die Fassung der Worte sehr wohl dem Chronisten: der Uebergang mit 'unde etiam' ist bei ihm sehr beliebt (vgl. unten). 6) Wie man im 14. Jh. darauf hätte verfallen sollen, den Zusatz über die Stellung der Ministerialen gegenüber dem Hofrecht zu ergänzen, ist schwer einzusehen, während er der Entwickelung des 12. Jh. aufs beste sich einordnet.

sonst einige wenige Versehen mit untergelaufen sind[1], würde den Satz übergangen haben[2]; weil Schoepflin ebenso wie Grandidier sich auf die Kollation B stützten, fehlt er auch in ihren Drucken; gemeinsam mit der aus C fliessenden Ueberlieferung hat uns nur N den ursprünglichen Wortlaut der Stelle bewahrt.

Auf Grund all dieser Erwägungen dürfen wir das Verhältnis der verschiedenen Ueberlieferungsformen der Ebersheimer Chronik durch folgenden Stammbaum darstellen:

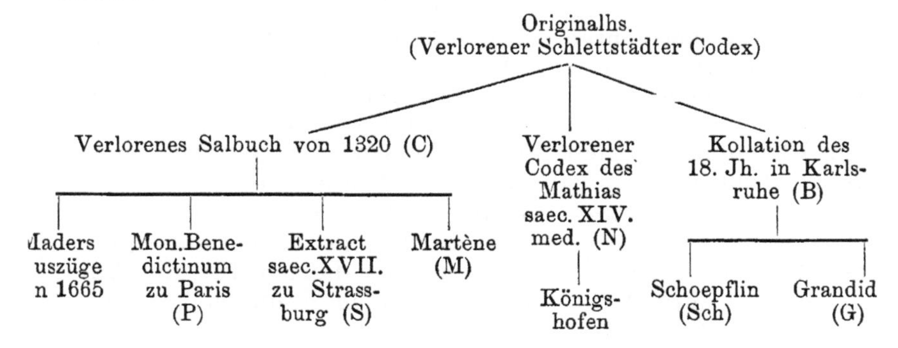

§ 2. Zur Entstehungsgeschichte der Chronik.

Die genaue Beschreibung der Schlettstädter Hs. gestattet, über die Abfassungszeit der beiden Teile der Chronik sicherer als es bisher möglich war, zu entscheiden. Während Martène[3] auf Grund seiner Vorlage von 1320 in der Quelle noch ein einheitliches Werk erblickte, das er um 1235 verfasst glaubte, sprach schon Grandidier, auf die uns vorliegenden Papiere gestützt, sich dahin aus, dass der ältere Teil der Chronik nach der Mitte des 12. Jh., der spätere unter Abt Konrad (seit 1230) entstanden sei. Ihm folgte Weiland[4] in der Hauptsache, wenn er auch meinte, dass der erste Verfasser schon Ebersheimer Aufzeichnungen des 11. Jh. zur Hand gehabt habe, und dass insbesondere die fabelhaften Gründungsgeschichten von dem zweiten Verfasser bei einer Ueberarbeitung des Haupt-

1) Vgl. oben S. 134, N. 5: 'Argentisiensis'; 'intus' statt 'unus'; S. 152, N. m; 158, N. p; 159, N. i; 163, N. a. 2) Am leichtesten wäre natürlich der Irrtum durch die Annahme zu erklären, dass die Worte 'Unde — contemnunt' dem Text ursprünglich fehlten und etwa am Rande des Originals nachgetragen waren. 3) A. a. O. S. 1125. 4) MG. SS. XXIII, 430.

werks gekürzt worden seien. Der Hinweis darauf, dass die Chronik möglicher Weise nicht in ihrer ursprünglichen, sondern in überarbeiteter Gestalt auf uns gekommen sei, wurde von späteren Forschern aufgegriffen und bestimmter gefasst. Mit Rücksicht darauf, dass Martène nur eine Hs. des 14. Jh. vorlag, ging v. Liebenau[1] so weit, das Werk als 'eine Tendenzschrift' zu bezeichnen, 'welche im Kampfe zwischen Ludwig dem Baiern und den Herzögen von Oesterreich den Hass gegen die letztere Familie neu entfachen sollte'. Und noch vor kurzem hat H. Steinacker[2] erklärt, 'dass die Entstehung der Chronik um 1235 als ausgeschlossen betrachtet werden kann. Ob die Quelle nur in unserer Hs. abbricht, ob es rein historische Interessen waren, die dem Autor des zweiten Teils bei der Fortsetzung und Ueberarbeitung die Hand führten, ob er überhaupt vor 1330 schrieb, diese Fragen liessen sich nur bei einer Neubearbeitung der ganzen Quelle beantworten'.

Die sorgfältigen Angaben über die Schlettstädter Originalhs. beseitigen ein für allemal solche Vermutungen. Die Ueberlieferung der Chronik lässt danach für die Annahme von ihrer Ueberarbeitung keinen Raum mehr; vielmehr spricht sie aufs bestimmteste dafür, dass der erste Teil der Chronik um die Mitte des 12. Jh. in der uns heute vorliegenden Gestalt bereits abgeschlossen war[3], und dass ihr zweiter Abschnitt vor der Mitte des 13. Jh., wohl um 1237, einheitlich niedergeschrieben wurde.

I. Der erste Verfasser der Chronik führt sie von den Tagen Julius Caesars bis auf Kaiser Friedrich I. Mit der Waltung des Abtes Notger (1162—1166)[4] und seinem Tode schliesst die Erzählung; doch beschränkt sie sich auf wenige Worte über ihn, so dass Weiland[5] nicht ohne Grund dazu neigte, diese als einen Nachtrag anzusehen.

---

1) Jahrbuch des heraldischen Vereins 'Adler' (Wien 1882). Band IX, 127. — Dagegen wandte sich Schulte in den Habsburger Studien I (Mitteil. des Inst. für Oesterreich. Gesch. VII, 17 f.). 2) 'Zur Herkunft und ältesten Gesch. des Hauses Habsburg' in der Zeitschr. für die Gesch. des Oberrheins N. F. XIX (1904), 366. — Steinackers Skepsis übersteigt, auch nach dem damaligen Stand unserer Kenntnisse, weit das berechtigte Mass; und er würde sich ihr sicherlich nicht so leicht hingegeben haben, wenn es nicht im Interesse seiner genealogischen Forschungen gelegen hätte, den Wert des Chronicon Ebersheimense so tief wie möglich herabzudrücken; vgl. hierüber Bloch in der Zeitschr. für Gesch. des Oberrheins N. F. XXIII, 640 ff. 3) Höchstens von einzelnen jener wenigen Zusätze abgesehen, über die uns in B berichtet wird. 4) Ueber die Amtszeit der einzelnen Aebte vgl. unten S. 168 in Beilage I. 5) A. a. O. S. 430.

Ein Vorgang aus dem J. 1155 ist der letzte fest datierte, von dem ausführlicher gesprochen wird. Ich halte es daher für möglich, dass die Chronik bald darauf, also bereits unter Abt Sigmar (c. 1136 — c. 1162), abgefasst und später kurz bis zu seinem und seines Nachfolgers Tode fortgesetzt worden sei. Immerhin ist zu beachten, dass von Friedrich I. gesprochen wird, gleich als ob er nach Konrads III. Tode 1152 sofort die Kaiserkrone erhalten hätte[1], während der König erst im J. 1155 zum Kaiser gekrönt wurde. Seitdem müssen gewiss einige Jahre vergangen sein, bis diese Worte geschrieben wurden. Wenn daher der Chronist sein Werk — worüber wir nicht urteilen können — ganz in einem Zuge verfasst hätte, würde seine Arbeit kaum früher als etwa um das J. 1160 anzusetzen sein.

Sie steht offenbar in Zusammenhang mit den Ebersheimer Urkundenfälschungen aus der Mitte des 12. Jh.[2]; sicher entstammen auch sie der Zeit des Abtes Sigmar. Die Chronik hat einige Urkunden wörtlich aufgenommen, den Text anderer in der Erzählung wiedergegeben; sie ist von denselben Interessen bestimmt, den klosterlichen Besitz und vor allem den Rechtsstand der Abtei zu sichern. Alles kommt darauf an, das Kloster als ein königliches, vom Strassburger Bischof unabhängiges erscheinen zu lassen[3]; die göttliche Strafe trifft einen Bischof Alawich ebenso wie Werner, als sie es wagen, Privilegien und Besitzungen Ebersheimmünsters anzutasten[4]. Allerdings war die Erinnerung an tatsächlich geübte bischöfliche Befugnisse noch zu lebendig, als dass sie einfach zu leugnen waren, und man konnte nicht einmal bestreiten, dass die Eingriffe von Rechtswegen erfolgt waren; da half man sich mit der Annahme, dass bei solchen Gelegenheiten der Bischof nicht kraft eigenen Rechts, sondern auf besonderen Befehl des Königs gehandelt habe[5], und versöhnte so die Anmassung reichsunmittelbarer Stellung mit der unbequemen Wirklichkeit!

---

1) SS. XXIII, 446, Z. 14. 2) Vgl. Dopsch a. a. O. S. 594 ff. Für die Urkundenkritik zu beachten dürfte sein, dass die Erzählung von den Schenkungen der Bertha in c. 23, S. 442 mit der erhaltenen gefälschten Urkunde (Grandidier, Hist. d'Alsace I, preuves n. 387) nicht übereinstimmt, wie Weiland schon S. 443, N. 48 bemerkt hat. 3) Vor allem handelt es sich um die freie Abtwahl und das Recht der königlichen Investitur, während tatsächlich dem Bischof die Einweisung zustand. 4) c. 21, S. 441; c. 25, S. 444. 5) c. 19, S. 440, Z. 41; c. 25, S. 443; c. 28, S. 445.

Wie die Tendenz des Inhalts, so zeigt auch der Stil allerorten, dass wir es in dem ganzen, jetzt vollständig vorliegenden ersten Teil mit einem und demselben Verfasser zu tun haben. Schon in den Anfangskapiteln, in denen er fast durchweg nur ältere Vorlagen wiedergibt, verknüpft er die Erzählungen auf seine Weise.

Unter den benutzten Quellen steht eine Legende des hl. Maternus voran, die neben der verwandten Erzählung der Gesta Treverorum für uns selbständige Bedeutung besitzt. Dass diese Legende über die Anfänge des Christentums im Elsass dem Chronisten als ein besonderes Werk vorlag und nicht etwa ihre Gestalt erst durch ihn erhalten hat, scheint mir klar daraus hervorzugehen, dass nur in diesem Abschnitte Strassburg mit dem altertümlichen, im 12. Jh. verschwindenden Namen 'Argentoracum' genannt wird[1], während der Ebersheimer Verfasser die Stadt durchweg in der damals geläufigen Weise mit 'Argentina' bezeichnet.

Der Umstand, dass der hl. Maternus Bischof von Trier wurde, gab den Anlass dazu, eine Sage über die Gründung der Stadt durch Trebeta, den Sohn der Semiramis, einzuschalten, ehe zu der eigentlichen Klostergeschichte übergegangen wurde. Für diese gaben neben dem sogenannten Fredegar die Biographieen der hl. Arbogast, Leodegar, Deodatus und der hl. Odilie den Stoff für die fränkische Geschichte und die Anfänge des Klosters. Danach versiegten die darstellenden Quellen; der Chronist dürfte ausser einem Abtsverzeichnis und den Klosterurkunden, deren Zahl durch die Fälschungen nicht unbeträchtlich vermehrt war[2], keine schriftlichen Aufzeichnungen zur Hand gehabt haben. Dafür schöpfte er aus reicher mündlicher Tradition, die häufig an Güterschenkungen anknüpfte, wie jene dramatische Erzählung (c. 16) von der Gyselhild, die — einer Judith gleich — den Verführer töten will, aber an seiner Stelle den argwöhnischen Gatten niederschlägt. Im Kloster gedachte man überdies in mannigfachen Geschichten der merkwürdigen Schicksalswendungen des 11. Jh. ebenso wie einzelner Wunder; was

---

1) Die letzten Spuren wohl in den Urkundenfälschungen des 12. Jh. Strassb. UB. I. S. n. 13; 20, n. 25 ('Argentoracenses'); 23, n. 28 ('Argentoracens.'). — In der Hs. C ist an den beiden Stellen, um die es sich hier handelt, 'Argentina' eingesetzt; vgl. oben S. 134, N. 4. 2) Von einer nicht geringen Zahl echter Privaturkunden gibt nur ihre Anführung in der Chronik Kenntnis.

vom Tode des [illegible] [illegible] [illegible] [illegible] [illegible] [illegible] [illegible] [illegible]

[illegible]

Die eigene Erinnerung des Verfassers reicht in die Zeit des Abtes Konrad c. [illegible] zurück [illegible]. [illegible]

[illegible]

Der Inhalt der Chronik gibt uns daher [illegible] [illegible] auf eine kurze Aufzeichnung des 11. Jh. zu schliessen, die durch einen Mönch des 12. Jh. [illegible] [illegible] [illegible]

[illegible]

1) [illegible]

Wie die Tendenz des Inhalts, so zeigt auch der Stil allerorten, dass wir es in dem ganzen, jetzt vollständig vorliegenden ersten Teil mit einem und demselben Verfasser zu tun haben. Schon in den Anfangskapiteln, in denen er fast durchweg nur ältere Vorlagen wiedergibt, verknüpft er die Erzählungen auf seine Weise.

Unter den benutzten Quellen steht eine Legende des hl. Maternus voran, die neben der verwandten Erzählung der Gesta Treverorum für uns selbständige Bedeutung besitzt. Dass diese Legende über die Anfänge des Christentums im Elsass dem Chronisten als ein besonderes Werk vorlag und nicht etwa ihre Gestalt erst durch ihn erhalten hat, scheint mir klar daraus hervorzugehen, dass nur in diesem Abschnitte Strassburg mit dem altertümlichen, im 12. Jh. verschwindenden Namen 'Argentoracum' genannt wird [1], während der Ebersheimer Verfasser die Stadt durchweg in der damals geläufigen Weise mit 'Argentina' bezeichnet.

Der Umstand, dass der hl. Maternus Bischof von Trier wurde, gab den Anlass dazu, eine Sage über die Gründung der Stadt durch Trebeta, den Sohn der Semiramis, einzuschalten, ehe zu der eigentlichen Klostergeschichte übergegangen wurde. Für diese gaben neben dem sogenannten Fredegar die Biographieen der hl. Arbogast, Leodegar, Deodatus und der hl. Odilie den Stoff für die fränkische Geschichte und die Anfänge des Klosters. Danach versiegten die darstellenden Quellen; der Chronist dürfte ausser einem Abtsverzeichnis und den Klosterurkunden, deren Zahl durch die Fälschungen nicht unbeträchtlich vermehrt war [2], keine schriftlichen Aufzeichnungen zur Hand gehabt haben. Dafür schöpfte er aus reicher mündlicher Tradition, die häufig an Güterschenkungen anknüpfte, wie jene dramatische Erzählung (c. 16) von der Gyselhild, die — einer Judith gleich — den Verführer töten will, aber an seiner Stelle den argwöhnischen Gatten niederschlägt. Im Kloster gedachte man überdies in mannigfachen Geschichten der merkwürdigen Schicksalswendungen des 11. Jh. ebenso wie einzelner Wunder: was

1) Die letzten Spuren wohl in den Urkundenfälschungen des 12. Jh. Strassb. UB. I, 8, n. 13; 20, n. 25 ('Argentoracenses'); 23, n. 28 ('Argentoratens.'). — In der Hs. C ist an den beiden Stellen, um die es sich hier handelt, 'Argentina' eingesetzt; vgl. oben S. 134, N. 4. 2) Von einer nicht geringen Zahl echter Privaturkunden gibt nur ihre Anführung in der Chronik Kenntnis.

vom Tode des Bischofs Alawich, den die Mäuse auffrassen [1], was von den Anschlägen Bischof Werners wider das Klostergut und seinem Ende im fernen Byzanz die Mönche zu sagen wussten, das verzeichnet unser Chronist mit der gleichen Lust am Fabulieren wie die Vergiftung des Abtes Gerung oder (c. 24) jene Vertreibung des Abts Willo, die in einer Episode des Reinecke Fuchs ihr ebenbürtiges Gegenstück finden mag. In solchen Schilderungen beruht, wie mir scheint, der besondere Wert des älteren Teils des Cbronicon Ebersheimense.

Die eigene Erinnerung des Verfassers reicht in die Zeit des Abtes Konrad (c. 1109—1136) zurück [2]. Es ist daher unschwer möglich, dass er als Knabe selbst noch unter den Klosterleuten der Gegend, in der er selbst aufgewachsen sein wird, einen oder den andern von den Pförtnern, Bäckern, Müllern gesehen hat, die einst als Knaben von Abt Willo ins Kloster aufgenommen, nach dessen Flucht aber von den freigeborenen und gebildeten Brüdern wieder zur gewohnten Arbeit hinausgetrieben worden waren [3].

Der Inhalt der Chronik gibt uns daher ebensowenig ein Recht, auf 'eine knappe Aufzeichnung des 11. Jh.' zu schliessen, die durch einen Mönch des 12. Jh. mit 'allerhand Fabeleien' verknüpft worden wäre [4], wie uns die Ueberlieferungsgeschichte gestattet, an der Auffassung festzuhalten, als ob der Fortsetzer von 1235 den ersten Teil 'stark kürzend umgearbeitet' habe. Vielmehr darf als erwiesen gelten, dass die ursprüngliche Fassung — wie sie die Schlettstädter Hs. des Beatus Rhenanus enthielt — im

---

1) Der Verfasser beruft sich (S. 442, Z. 10) auf Tradition der Strassburger Kirche: 'ut clerici ipsius ecclesie asserere solebant'; daraus aber mit Weiland a. a. O. S. 430, Z. 20 auf eine besondere Quelle des 11. Jh. und der Zeit Alawichs († 1001) zu schliessen, ist unzulässig. 2) Vgl. Weiland a. a. O. S. 430, Z. 14; c. 28, S. 446: 'vidimus etiam hisdem temporibus energumenos duos . . ante altare s. Mauricii curatos'. Dagegen hat er nicht selbst gesehen, wie beim Brand einer Kapelle die Altarbekleidung und alle geweihten Gegenstände unversehrt blieben: 'quod miraculum omnibus in eodem loco consistentibus innotuit'. Er war also noch nicht unter den 'fratres', die bei der Frühmesse hinzueilten. 3) c. 24, S. 443. Ich habe unten S. 171 gezeigt, dass wir Freiheit haben, die Zeit jener Ereignisse bis um 1060 hinabzurücken. Es entsteht daher keine Notwendigkeit, zu bezweifeln, dass der Chronist, selbst wenn man dessen Geburt erst 1110—1120 ansetzen wollte, einzelne der Betroffenen noch mit eigenen Augen gesehen habe. Jedenfalls berechtigt die Angabe nicht dazu, allein um ihretwillen von verlorenen Aufzeichnungen des 11. Jh. zu sprechen, die in die Chronik übergegangen seien. 4) So Steinacker a. a. O. S. 364.

wesentlichen unverändert geblieben ist und uns heute wieder in ihrem ganzen Umfange so vorliegt, wie sie der Chronist, tief in die Anfänge der elsässischen Kirchengeschichte zurückgreifend, um 1160 einheitlich entworfen hat.

II. Geraume Zeit nach dem Abschluss des Werks, als das Kloster dank den Wundern in der Kapelle des hl. Nikolaus seit dem J. 1234 neuer wirtschaftlicher Blüte entgegenging, haben die Mönche von Ebersheimmünster einen ihrer Brüder, der durch ein Gedicht über jene Wundertaten seine litterarischen Fähigkeiten bewiesen hatte, so dringend um eine Fortsetzung der Klostergeschichte bis auf ihre Zeit gebeten, dass der bescheidene Mann nach langem demütigem Sträuben sich den Wünschen fügte und nach seinen schwachen Kräften die Arbeit zu leisten übernahm. Gern gewähren wir ihm die Nachsicht, um die er in seiner bisher unbekannten, nur durch die Karlsruher Papiere uns überkommenen Vorrede [1] bittet; denn gross genug ist der Dank, den wir ihm für seine Erzählung schulden.

Er hat sie nach dem J. 1234, wahrscheinlich erst nach Anfang 1237 verfasst, aber auch sehr bald nach dieser Zeit, soweit sich irgend ein Urteil aussprechen lässt, bereits abgeschlossen. Schon gleich nach dem Beginn der Fortsetzung wird auf die Wunder in der Nikolauskapelle hingewiesen, die im 46. Jahre nach dem Tode ihres am 15. August 1189 verstorbenen Erbauers, des Abtes Egelolf II., plötzlich begannen [2]: und wie dort angekündigt, hat in der Tat der Schreiber am Schlusse seiner Darstellung gehörigen Orts von den Wunderzeichen und ihrem glänzenden Erfolge für das Kloster gesprochen. Dort verzeichnet er, dass dem Kloster durch die Gaben der von allen Seiten herbeieilenden Pilger innerhalb von $2^1/_2$ Jahren 1400 Pfund Strassburger Münze zuflossen [3]. Da der Beginn der wunderbaren Heilungen, durch die der hl. Nikolaus seine Kraft offenbarte, mit höchster Wahrscheinlichkeit auf die letzte Hälfte des J. 1234 anzusetzen ist [4], so würde die Rechnung über den Ertrag in der ersten Hälfte des J. 1237 abgeschlossen sein. Für sie gerade den Zeitraum von $2^1/_2$ Jahren zu wählen, dürfte der Verfasser kaum durch

---

1) Grandidier kannte sie, hat aber in seiner Einleitung zu dem allein von ihm gedruckten ersten Teil nur wenige Worte daraus entnommen. Wir drucken sie unten S. 166 vollständig ab. 2) c. 31 S. 447. 3) c. 42, S. 453. 4) Vgl. unten S. 170.

einen anderen Umstand bestimmt worden sein, als dass er eben damals seine Fortsetzung der Ebersheimer Chronik abschloss.

Jedenfalls enthält die ganze Erzählung in der Fassung der Schlettstädter Hs. kein einziges Wort, das uns veranlassen könnte, sie einer späteren Zeit zuzuweisen[1]. Die Reichsgeschichte wird in ihr bis zur Gefangennahme Heinrichs VII. im August 1235 geführt. Die Nachrichten über die Erwerbungen Bischof Bertholds von Teck für das Strassburger Bistum, über den Sieg von Blodelsheim, die Ankunft des Kardinallegaten Otto in Strassburg, das Urteil über den jungen Heinrich VII. und der Bericht über seine Auflehnung gegen den Vater, — alles das zeigt einen den Ereignissen nahestehenden und mit den Persönlichkeiten vertrauten Zeitgenossen, der uns gemeinsam mit dem Neuburger Fortsetzer der Hohenburger Chronik ein Stimmungsbild aus dem Elsass jener Tage liefert.

Die Kenntnis einzelner, Bischof Berthold angehender Meldungen ist dem Verfasser gewiss durch den Abt Heinrich vermittelt worden, an dessen Schicksal er besonderen Anteil genommen hat. Wir erfahren, dass Heinrich, zu Würzburg geboren, als Knabe in einem Cisterzienserkloster erzogen wurde, es jedoch früh verliess, mit einem älteren Genossen in den Deutschorden eintrat und nach Rom kam; dort wurde Heinrich von Honorius III. in den päpstlichen Dienst aufgenommen. Allein der ältere Freund fürchtet für das Seelenheil des jüngeren, der in einflussreicher Stellung dem Weltgetriebe zu nahe kommt; auf sein Drängen verlassen beide Rom, um ins Kloster zu gehen. Sie treten im elsässischen Kloster Baumgarten ein; doch da ihnen die Cisterzienserregel zu hart erscheint, begeben sie sich zu den Benediktinern in das benachbarte

---

1) Die Hs. von 1320 und mit ihr der Druck Martènes enthalten allerdings eine Stelle, die zu diesem Schluss berechtigen konnte. — C. 40, S. 452, Z. 16 heisst es: 'Bertholdus episcopus tunc memoriam sui nominis perhennavit'; hieraus wäre zu schliessen, dass die Stelle erst nach Bertholds im J. 1244 erfolgten Tode geschrieben wurde. Allein gerade das Wörtlein: 'tunc' fehlt dem Schlettstädter Original; erst der Abschreiber von 1320 hat es, für seine Zeit sinngemäss, hinzugefügt. Und von vornherein ist ja wahrscheinlich, dass jenes Lob Bertholds auf Kosten nicht nur seiner Vorgänger, sondern auch seiner Nachfolger noch zu Lebzeiten des Bischofs niedergeschrieben wurde, als noch kein Nachfolger durch diesen Vergleich beeinträchtigt werden konnte; vgl. c. 40, S. 451, Z. 50: 'genere, divitiis et virtute prestantis animi fortior erat omnibus predecessoribus suis et, ut sine preiudicio eorum dixerim, omnibus eis successuris'.

Ebersheimmünster, wo sie mit Rücksicht auf Heinrichs gelehrte Bildung Aufnahme finden[1]. Damals droht wieder einmal ein Konflikt mit dem Strassburger Bischof über die Abtswahl; ihn zu vermeiden, wird sogleich im J. 1223 der kaum eingetretene Bruder Heinrich wegen seiner Rechtskunde und Welterfahrenheit zum Abt gewählt und wirklich von Bischof Berthold investiert. Allerdings ist er in dieser Stellung dem Schicksal verfallen, vor dem ihn der gereiftere Freund zu Rom hatte bewahren wollen; selbst die Gunst des Bischofs konnte den verschwenderischen Abt mit seinem gewalttätigen Regiment nicht vor dem verdienten Sturze retten; im Herbste 1229[2] veranlasste der Kardinallegat Otto zu Strassburg seine Absetzung.

Von dem Freunde des Abts Heinrich, der mit ihm nach Ebersheimmünster kam, hören wir kein Wort mehr. Was verschaffte ihm den Platz in der Klostergeschichte? Weshalb war seiner überhaupt gedacht worden? Wer konnte von dem Einfluss wissen, den er zu Rom auf Heinrich geübt, und gar von den Motiven sprechen, die ihn zu seinem Ratschlag getrieben, — wenn nicht dieser ältere Freund selbst? Ihn müssen wir als den Verfasser der Fortsetzung ansprechen; nur von sich selbst durfte er schreiben, dass er den Freund wohl an Lebensalter und körperlichem Wuchs überrage, im Vergleich aber mit seiner wunderbaren Gelehrsamkeit als ein völlig Ungebildeter erscheine[3].

Wie wird jetzt das Zögern des Mannes begreiflich, die Geschichte der Abtei fortzusetzen, in die er selbst erst vor kurzem, seit etwa 12 Jahren, eingetreten war, deren frühere Geschicke er, wo die Chronik abbrach, nur durch den Mund der Genossen und aus einigen Urkunden kannte. Offen gestand er ein, dass er über die 24jährige Waltung des Abtes Rimund aus Michelsberg (von 1189—1212) nichts zu sagen wisse[4]. Er musste sich in der Hauptsache damit

---

1) Vgl. die Erzählung in c. 39, S. 451. 2) Aus dem Sommer 1229 stammt jedenfalls noch die Urkunde für Heinrichs Bruder Dietrich im Strassb. UB. IV, 48, n. 39. 3) A. a. O.: 'venerant . . duo viri litterati de curia Romana, alter iunior, sed mire scientie, alter provectior etate et statura, sed respectu minoris idiota'. — Man vergleiche hiermit die Worte seiner Vorrede (unten S. 166): 'pro possibilitate tenuis ingenii'; 'si quid minus sapidum repererit'. — Zu beachten ist auch, dass der Name Heinrichs ursprünglich fortgelassen war; vgl. oben S. 134. Verschwieg ihn der Freund mit Rücksicht auf das trübe Ende, das seine Wirksamkeit nahm? 4) c. 34, S. 448, Z. 25: 'quid de hoc patre scribam, nescio'.

begnügen, die Geschichte der Abtswahlen zu erzählen, die durch die unaufhörlichen Reibungen mit dem Bischof für die Mönche von höchster Bedeutung waren und deshalb lang im Gedächtnis hafteten; nur hierüber scheint unser Verfasser noch genaue Kunde erhalten zu haben. Wenn er von Rimunds Vorgänger, Abt Egelolf II., eingehender und voll Anerkennung spricht, so feiert er in ihm doch nur den Erbauer der Nikolauskapelle, der durch die darin gewirkten Wunder zum Wohltäter des Klosters geworden ist. Gewiss wird er schon in seinem Gedichte den Abt gepriesen haben, der selbst das kostbare Geheimnis der Reliquien und seine Enthüllung vorausahnte[1]. Ob das Interesse an der wirtschaftlichen Lage der Abtei, das aus mancherlei Angaben des Fortsetzers spricht, und die genaue Berechnung der durch die Wunder erzielten Einnahmen mit dem Amt etwa des Klosterschaffners zusammenhängen, das der Verfasser ausgeübt hätte, muss dahingestellt bleiben.

Auch darüber ist nicht zu entscheiden, ob er — wie sein Freund Heinrich — früher länger in Deutschland geweilt hatte, ob er die wertvollen elsässischen Nachrichten aus der Zeit des Thronstreits von 1198—1201 und wieder über die Breisacher Vorgänge von 1212 — bei denen überall Beziehung zu den Strassburger Bischöfen hervorleuchtet — eigenen Erlebnissen oder kundigen Berichterstattern verdankt. Jedenfalls zeichnet sich die Darstellung, die für des Verfassers eigene Zeit nirgends Bedenken weckt und einen nüchternen, klaren Beobachter verrät, überall durch ihre strenge Sachlichkeit aus, mag sie uns vom Schicksal der Aebte oder von den Taten der Herrscher sprechen[2]. Dadurch tritt sie in einen gewissen inneren Gegensatz zu dem ersten Teil, in dem wir vom Reiche so gut wie nichts erfahren, in dem die Geschichte des Klosters im Banne festgelegter Auffassung geschildert wird, in dem Legenden

1) Vgl. c. 31, S. 447. — Weilands Vermutung (S. 431, Z. 17), dass der Verfasser Abt Egelolf II. gekannt habe, ist daher hinfällig. Zum Ueberfluss sei auch darauf hingewiesen, dass der Verfasser 'zu seiner Zeit' jene anmutige Frau in langer Ehe leben sah, die in den Tagen Egelolfs vom Tode des Ertrinkens gerettet wurde ('temporibus suis nostris vidimus' in C, vgl. S. 447, Z. 20 und N. b; S. 431, N. 22; da in B nichts bemerkt ist, kann der Fehler dem Original angehören; dem Sinne nach ist jedenfalls nur 'suis' zu tilgen). 2) Der Verfasser mischt in die 'successiones patrum' die 'gesta principum' abschnittsweise ein. 'Quae sic congessit, magnae fidei sunt habenda': so hat schon Weiland zutreffend geurteilt. Vgl. auch die vollkommen genaue Chronologie in der Abtsreihe, unten S. 170.

und lose aneinander gereihte anekdotenhafte Erzählungen den breitesten Raum neben den Urkunden einnehmen.

Dieser durchgreifende Unterschied schliesst jeden Gedanken an eine gleichmässige Ueberarbeitung der Chronik des 12. und der Fortsetzung des 13. Jh. vollkommen aus: die Leistungen beider Geschichtschreiber stehen inhaltlich ebenso selbständig nebeneinander, wie sie räumlich in der Schlettstädter Hs. von einander getrennt waren. Und auch der Abschreiber des 14. Jh. hat sich damit begnügt, die Vorrede des Fortsetzers zu beseitigen und dessen auf Abt Notger zurückgreifende Eingangsworte unmittelbar an den Schluss der Chronik anzuknüpfen, um in dem 'Salbuch' von 1320 das ganze Werk zwar als ein einheitliches, im übrigen jedoch getreu nach seiner Vorlage[1] wiederzugeben. Wir erfahren jetzt, dass auch diese schon mit der Meldung vom Schicksal des jungen Königs Heinrich abbrach. Ob der Verfasser seine Aufgabe als erledigt ansah oder ob er die Absicht hatte, sein Werk fortzuführen, — wir wissen es nicht: sicher ist nur, dass die Ebersheimer Chronik, um 1237 abgeschlossen, niemals darüber hinaus fortgesetzt worden ist.

---

§ 3. Aus den Karlsruher Papieren über die Chronik von Ebersheimmünster.

Die Bedeutung der Hs. des Beatus Rhenanus, die wir als das Original der Chronik erkannt haben, rechtfertigt es, dass wir nach ihrem unwiederbringlichen Verlust die im Nachlass Grandidiers erhaltenen Mitteilungen über sie[2] veröffentlichen und die für Schoepflins Scriptores rerum Alsaticarum vorgenommene Kollation (mit dem Druck bei Martène), soweit erforderlich, zugänglich machen. Auf die Beschreibung der Hs. lasse ich einen vollständigen mit Hülfe der Kollation hergestellten Text der ersten Abschnitte (Kap. I. II. II^{a}—II^{i}) folgen[3]; endlich gebe ich

---

1) Die Veränderungen gegenüber der Schlettstädter Hs., soweit sie nicht auf einfache Versehen zurückgehen, sind fast alle unerheblich; von sachlichem Belang ist im zweiten Teil nur jener Zusatz von 'tunc'; vgl. oben S. 143, N. 1. 2) Vgl. oben S. 130 f. 3) Er reicht bis Kap. III der Ausgabe Weilands (SS. XXIII, 432, Z. 37) ausschliesslich. — Ich habe mich auf die kritische Gestaltung des Textes beschränkt und von allen sachlichen Anmerkungen abgesehen, da eine Untersuchung der verschiedenen zusammengetragenen Stoffe mir im Augenblick unmöglich ist. Einiges hat Bresslau im N. A. XVIII, 311 ff. bemerkt.

aus den Varianten die bisher unbekannte Einleitung und die sachlich erheblicheren Lesarten der Fortsetzung an, nach welchen die bisherigen Ausgaben zu ändern sind.

I. De Chronico Novientensi manuscripto eiusque antiquitate.

Codex hic membranaceus in quarta, uti loquuntur, fòrma bibliothecam Beati Rhenani Selestadiensis haud parum hucusque ornavit. Nam et veneranda antiquitate gaudet et integer optimeque conservatus nobis exhibetur. Hunc sec. XII. scriptum fuisse confidentius affirmari posse puto, neque temerarium mihi videtur, si asserimus huius codicis aetatem ad medium eiusdem seculi esse referendam vel saltem haud longe ab illis temporibus recedere.

Ut haec demonstremus, non necessarium esse duco, ut ad argumenta illa communia et signa interdum minus certa recurramus, quibus codices sec. XII. cognoscuntur. Hic ipse codex epocham longe certiorem nobis subministrat, cum nimirum inter partem huius Chronici Novientensis priorem et eiusdem posteriorem, quam utramque tamen Martène in Anecdotis minus accurate coniunxit, haec verba inveniamus:

'Sciant huius scripti inspectores, quod ego Egelolfus abbas ecclesie Ebersheimensis consilio fratrum et aliorum discretorum virorum vinee partem sitam in veteri monte contuli Ingoldo villico de Sigoltsheim pro vino recompensando, quod dicitur 'ein helde', quod annuatim a nobis habebat, in iure donacionem hanc scripto confirmans, ne ipse vel successores sui postmodo curiam inquietarent. Acta sunt hec anno domini MCLXXXI, electionis autem nostre anno quarto'.

Haec leguntur in medio fere illius codicis; et quamvis cuique manuscriptum inspicienti facile pateat non omnia huius codicis eodem tempore fuisse litteris exarata, tamen quae statim ab initio huius manuscripti reperiuntur longe antiquiora et multo nitidiora posterioribus. Unde nullum superest dubium, quin Egelolfus abbas hanc annotationem huic codici inseruerit, postquam prior pars Chronici Novientensis integre erat conscripta. Hic Egelolfus abbas vero successit Ottoni, qui XII annis ecclesiae et monasterio illi praefuit, quem praecesserat Notgerus abbas, in cuius anno quarto finitur prior pars nostri Chronici. Quod si itaque XII illos annos Ottonis abbatis et quatuor illos Egelolfi deducamus ab illo anno 1181, ab Egelolfo propria manu, ut videtur, annotato[1], apparebit hunc codicem scriptum fuisse anno 1165. Ast si hic ratiocinandi et computandi modus displicet, illud saltem negari non potest, hunc codicem esse referendum ad sec. XII., cum Egelolfus abbas a. 1181. haecce annotaverit, et in anterioribus paginis Novientensium abbatum ipsius praedecessorum historia iam existat integra.

In folio sexto praecedenti adhuc alias invenimus acras his verbis annotatas: 'Anno ab incarnatione domini 1212. isti sussceperunt agros in Scerwilre etc.' et pagina sequenti: 'Anno ab incarnatione 1206. Heinricus lapicida susscepit agros incultos XII; annis singulis dahit solidum etc. Sed haec nihil omnino faciunt ad destruenda ea', quae supra diximus, cum forte ille locus, in quo haec scripta fuerunt, vacuus erat relictus, et quod mihi videtur, haec scriptura recentior est quam illa Egelolfi abbatis.

Si codex noster conferatur cum aliis manuscriptis sec. XII, eosdem characteres deprehendimus: E simplicia occurrunt, interdum etiam caudata, numquam vero ae diphthongus. Abbreviaturae fere eaedem, quae in codicibus sec. XI, cum autores rei diplomaticae annotent abbreviaturas sec. XI. et XII. haud multum inter se differre. Interpunctiones sunt frequentes et nonnisi puncta simplicia, interdum acuto accentu notata. Litterae i interdum etiam acutus superimponitur, quod quidem in sec. XIII. fuit frequentius, sed in nostro manuscripto recentiori manu ista lineola fuit adiecta, quod patet ex pallido atramenti colore, quo manuscriptum illius temporis facile ab aliis, reliquis signis non additis, distinguatur.

Caeterum hic codex noster longe antiquior esse videtur quam ille, quem vidit Martène. Primo quia ipse Martène codice usus fuit, in quo quaedam in ipsam coenobii Novientensis historiam inserta sunt, quae in nostro codice in margine leguntur; ita statim ab initio: 'Topos raece' etc.; noster vero codex incipit: 'Quoniam igitur genus humanum' etc. Quod argumentum est certe non spernendum et fatum fere omnibus autographis commune. Si Martène simul diplomata illa et privilegia, quae allegat, produxisset, clarius haec probari possent.

Certe illa privilegia Novientensia, quae cum hoc codice contuli, eodem vitio laborant, quod scilicet illa quae ad marginem scripta sunt in ipsum textum fuerunt intrusa:

1) Dies ist natürlich unzutreffend.

uti in privilegio Widerolfi episcopi, ubi episcopi Mogontiensis mentio fit, in margine legimus 'Archi' adiectum; in ipso privilegio scriptum est 'Archiepiscopi Mogontiensis', et alia plura.

Secundo quia Martène huius monasterii historiam una serie proponit. Quae tamen in nostro codice est seiuncta, ita ut, multis aliis censibus, reditibus, mansis interiectis, aliud exordium posterioris huius Chronici partis inveniamus et videamus duos fuisse autores et genus scribendi diversum. Quod si Martène hunc codicem in manibus habuisset vel alium fideliter descriptum, haec omnia annotare non neglexisset.

Tertio ex ipsius Marteni testimonio addiscimus, quod imperfecto admodum codice usus fuerit; nam in admonitione praevia Chronici nostri ita loquitur: 'Illius historiam, scilicet de fano Dianae in Ebersheim exstructo, reperimus in vetusto codice Novientensi, ab annis circiter 400 scripto, autoris nomine destituto, quem tamen monachum eiusdem coenobii fuisse constat, qui circa annum 1235. scripsisse videtur'. Hinc enim facile apparet ignorasse Martenium duos esse autores huius historiae et per consequens ipsius codicem fuisse demum aliquo tempore, postquam noster scriptus fuerat, per alium in unum contractum.

Quare etiam Martène conciliare non potuit, quod in eodem Chronico, quod finitur circa annum 1235, idem autor, ut praesupponit, dixerit se vidisse portarios et pistores et molendinarios monasterii de claustro proiectos — quod tamen accidit circa annum 1039 [1] — et circa sec. XII. medium se vidisse etiam illis temporibus energumenos duos, virum et mulierem, ante altare S. Mauritii curatos [2]. Hoc autem fieri non potuit, inquit Martène, quod idem autor, qui vixit a. 1235, viderit res gestas a. 1039. et circa medium sec. XII. Ex quibus tricis ut se expediat, statuit illum monachum, qui anno 1235. hanc historiam composuit, veterum lucubrationes tantum descripsisse; quod suppositum tamen hic falsum est. Si nostrum inspexisset codicem, nullum ipsi superfuisset dubium; nam facile perspexisset non una serie haec fuisse scripta, sed diversis temporibus a diversis autoribus. Sed nec autor partis prioris nostri Chronici illa videre potuit, quae anno 1039. acta fuerunt, quare aut duos prioris partis scriptores statuamus necesse est, aut cum Martenio etiam

---

1) Erst um 1060; vgl. unten S. 171. 2) c. 28, SS. XXIII, 446.

hic dicendum est auctorem in priore parte concinnanda antiquiorum scriptorum lucubrationibus usum fuisse, cum interdum loquatur tanquam testis oculatus et praesens[1]. Si coniecturae locus datus, haec forte vera est ratio, ob quam quibusdam historicis huius Chronici fides est suspecta, quia videtur autorem tradere se vidisse, quae videre non potuit. Sed in hoc erraverunt illi, qui Chronicon hoc una serie ediderunt, cum omnino duae sint ipsius partes.

Nunc et ulterius[2] adhuc procedere audeo et affirmare probabilissimum esse hoc manuscriptum esse ipsum originale, ut loquuntur. Nam primo, si hic codex fuisset ab alio descriptus, illa, quae in aliis codicibus inserta sunt et in nostro essent inserta, non in margine legerentur; secundo, si hic ipse codex non ipso monasterio fuisset asservatus[3], supervacuum fuisset omnes illos reditus agrorum, vineas, census annotare; neque etiam facile extraneus haec omnia tanta diligentia descripsisset, quippe quae omnibus aliis quam monachis illis nulli plane usui esse potuerunt. Iam autem duo huius monasterii monachi hanc composuerunt historiam, ut ex exordio utriusque partis apparet; nec videtur probabile, quod in eodem monasterio eiusdem monasterii historia pluribus vicibus descripta fuerit, cum omnia in illis domibus sint communia. Unde concludi potest hunc codicem nostrum esse originale.

Quae de antiquitate huius Chronici hucusque disseruimus, nonnisi de priori illius parte sunt intelligenda. Posteriorem autem partem ex saec. XIII. eiusque medio esse existimo.

II. Die ersten Kapitel des Chronicon Ebersheimense.

Auf Grund der Kollation mit Martène und der Abschrift der 'Supplementa fabulosa' in den Karlsruher Papieren ist es möglich, den Wortlaut der Chronik vollkommen sicher herzustellen. Wenn dies für den älteren Teil schon durch Grandidiers Ausgabe geschehen war, so fehlten ihr doch jene sagenhaften Abschnitte, die erst Bresslau aus der Strassburger (S) und für den Schluss aus der von Pfister entdeckten Pariser Hs. (P) abdruckte. Da jedoch S durch willkürliche Veränderungen stark entstellt

1) Dies hat Grandidier fast unverändert in seine Observatio praevia übernommen. 2) 'alterius' Hs. 3) Vgl. oben S. 128 über die Angabe Schoepflins.

ist, dürfte es erwünscht sein, an dieser Stelle den endgiltigen Text des Anfangs bis dahin zu geben, wo Grandidiers Abdruck wieder einsetzt. Zugleich wird die Ausgabe das Material bieten, auf Grund dessen das Verhältnis der Hss. unter einander bestimmt erschlossen werden kann (vgl. oben S. 135 ff.). Die verschiedenen Ueberlieferungsformen sind in folgender Weise bezeichnet:

B = Kollation und Abschrift saec. XVIII. nach dem Schlettstädter Ms. des Beatus Rhenanus; in Karlsruhe.

P = Auszug saec. XVII. im Cod. Lat. 12688 f. 415 der Pariser Nationalbibliothek aus der Abschrift C von 1320. Herr H. Lebègue hat ihn gütigst für uns verglichen.

S = Auszug saec. XVII. in Hs. des Strassburger Bezirksarchivs, Auslieferung Karlsruhe n. 726, ebendaher.

N = Bruchstücke eines Auszugs saec. XIV. in dem verlorenen sog. Wencker'schen Cod. C. V. 15 des Mathias von Neuenburg, in der früheren Strassburger Seminarbibliothek. (Nach den Angaben von Engelhard im Archiv der Gesellschaft VI, 435 ff. und bei Weiland in den MG. SS. XXIII, 428 f.). — Für einzelne Stellen kommt ausserdem die deutsche Chronik Jakob Twingers von Königshofen (ed. Hegel, Deutsche Städtechroniken VIII. IX, S. 708 ff.) in Betracht, der dieselbe Sammelhs. (den sog. Albertus Argentinensis) benutzt hat.

Endlich wurde an einigen Stellen noch der Auszug in Maders Chronicon Montis Sereni (vgl. oben S. 129, N. 6) herangezogen und auf Martène (M) verwiesen.

Bei der Textgestaltung war zu beachten, dass die Uebereinstimmung von PS gegen B die Fassung der verlorenen Abschrift C im Salbuch von 1320 (vgl. oben S. 128) erkennen lässt. Die einzelnen fehlerhaften Lesarten von P und namentlich von S sind als bedeutungslos bei Seite gelassen und nur vereinzelt (vgl. besonders S. 154. 158) zur Charakterisierung der Abschrift mitgeteilt worden.

Incipit Topologia Novientensis cęnobii[a].

Quoniam igitur[b] genus humanum semper ad occasum[c] vergens de die in diem ad non esse tendit, curiositate tamen

---

a) So in der Vorlage von B. Doch stand dort — wie wir annehmen, also im Original — am Rande nachgetragen: 'Topos Grece, Latine locus dicitur: unde topologia quasi loci descriptio dicitur'. Diese Worte sind in C an den Anfang des Textes gesetzt worden, indem hinter 'Topos' noch 'enim' eingeschoben wurde. Daher beginnt in MP der Text mit 'Topos enim Grece' etc. b) Fehlt in S. c) 'ocasum' B.

quadam naturali semper transacta postponens futuris inhiat ac novis delectatur et sic preteritorum obliviscitur. Unde quidam nature humane rimator eximius: 'Vita', ait, 'brevis, ars longa, experimentum fallax et idcirco iudicium difficile'. Hac igitur causa non semel nec bis, sed multocies rogatus fui[a] a fratribus, ut topologiam loci nostri, id est historiam fundationis[b] monasterii Novientensis sive Ebersheimensis, scripto mandarem, quatenus et presentibus satisfacerem et succedentibus manifestarem.

I. Est itaque[c] is idem prefatus locus in Germanie finibus inter Renum[d] et Vosagum in pago Alsaciense[e], in comitatu videlicet Thronie, et in episcopatu Argentinensi in insula Ille fluminis situs, nemoribus consitus, perspicuis fontibus irriguus, pratis amenus, agrorum fertili cultura circumdatus, vineis non longe adiacentibus letus, piscationibus et venationi commodus ac variis commeatibus utilis et oportunus.

II. Cum enim pagus idem[f] Alsatiensis primitus ab exercitu Trebete possessus fuisset et excultus, ipsi cultores fanatici et idolatre fanum culture deorum suorum et in ipso aram Diane et Mercurii construxerunt et ludis zenicis dedicaverunt.

Set[g] cum post multa temporum curricula tota Germania[h] et idem pagus a Romanis temporibus Iulii Cesaris subacta fuisset, Iulius[i] deum terre placare volens, Mercurium videlicet, qui a Teutonicis[k] precipue[l] colebatur, quoniam deus facundie dicebatur — unde etiam Greca etimologia Mercurius quasi mercatorum kirios vocatur seu Theutates, id est[m] Theutonicorum theus[n], quia id[o] genus hominum[p] maxime eloquentie studet —, insulam itaque ingressus ipsum fanum iam vetustate collapsum renovavit ac donariis honoravit nomenque mutans Novientum

---

a) Fehlt in PS. b) MPS; 'fundationis' fehlt in G, ohne dass in B die Tilgung des bei Martène vorhandenen Wortes angezeigt wird; G würde, falls nicht ein Versehen vorliegt, selbständig geändert haben. c) 'autem' MP; 'igitur' S; mit diesem Absatz beginnt der Auszug bei Mader. d) 'Rhenum' MPS = Mader. e) 'Alsaciensi' M; 'Alsatiensi' PS. f) MP = Mader, fehlt in G; doch ist in B zu dem Texte in M keine Lesart angemerkt; in S nur: 'Qui pagus Als. cum'. g) Hier beginnt die wörtliche Abschrift in B. h) Hier bricht der Text in M ab und beginnt erst wieder mit Kap. III. i) So B; 'Iulius Caesar' PS = Mader. k) 'Deptonicis' B, wo darüber 'Teutonicis' nachgetragen ist; 'Deptonicis' Sch. G; 'Theutonicis' S = Mader; 'a Teutonicis' in P getilgt. l) Fehlt in PS = Mader. m) PS; 'idem' B = Sch. G. n) B = Sch.; 'theos' P; 'deos' S; 'deus' G. o) 'idem' PS. p) 'humanum seu hominum' S; 'hom. genus' P.

nominavit. Nam antiquitus a primo possessore[a] Stanenbruh[b] vocabatur, unde etiam actenus saltus adiacens eo nomine nuncupatur. Deinde ad munimen Romani exercitus castella in circuitu munivit, primum supra lacum ipsius Ille fluminis, quod Brundusium nominavit, sed postea a Herolis[c] renovatum[d] et Brannenbruc est nominatum[e]; alterum vero in saltu iuxta villam que Hiltesheim[f] vocatur construxit, quod actenus Ertburc vocatur; tercium vero iuxta villam Cagenheim[g], quod Altenburc dicitur; quartum nichilominus trans flumen iuxta montana construxit ipsumque ab alto situ Apicam nominavit. Horum itaque castrorum[h] castellani cum finitimis populis ipsius pagi singulis mensibus ad fanum supradicte insule venientes sacrilegos sacrificiorum ritus cum ludis zenicis celebrabant[i].

Sed cum Iulius Cesar per[k] decennium[k] munificentia et benignitate atque honoribus omnes Germanos magis quam bello absque[l] omni tributo Romano subdidisset imperio et auxilio ipsorum Senones Gallos aliasque circumpositas nationes vicisset, benignitatem et fidem ipsorum erga se in hoc remuneravit, quod principes eorum senatores, minores[m] vero milites Romanos appellavit et conscripsit. Deinde, cum Romam redire disponeret, conventum in Germania celebravit omnibusque valedicens minores[n] milites principibus commendavit, ut non quasi servis ac famulis uterentur[o], sed quasi domini ac defensores ministeria ipsorum reciperent. Inde accidit, quod preter nationes ceteras Germani milites fiscales regni et ministeriales principum nuncupantur[p]; unde[q] etiam[r] iudicia servilia subire contemnunt[s].

---

a) 'possessore suo' PS = Mader. b) 'Stannembrücke' P; 'Stannenbrouch' S; 'Stanebruch' Mader. c) 'ab Erolis' PS; 'ab accolis' Mader. d) 'nominatum' P. e) 'nuncupatum' Mader. f) 'Hiltheimb' P; 'Hiltzheim' S; 'Hilzheim' Mader. g) 'Caugenheim' G; 'Kagenheim' S = Mader; 'Kagenheimb' P. h) 'castellorum' G. i) Hier geht Mader sogleich zu Kap. IIb, unten S. 154, über. k) fehlt PS. l) 'et absque' PS. m) Ueber einen Zusatz im Original sagt B: 'inferiores' recentiori manu adscriptum. In der Abschrift C von 1320 ist der Zusatz eingeschoben worden; denn es heisst in P: 'minores vel inferiores vero milites', in S: 'minores vero vel inferiores mil.'. n) 'val. mil. minores vel inferiores' P; 'val. mil. minores et inferiores' S; vgl. N. m. o) Ueber einen Zusatz im Original sagt B: 'ab' a recentiori manu adiectum; in der Abschrift C von 1320 dürfte in der Tat 'abuterentur' gestanden haben, wie jetzt in PS. p) 'nuncupabantur' P; 'nuncuparentur' S. q) Dieser letzte Satzteil fehlt in B und daher auch in Sch. und G, die daraus geschöpft haben; er steht in N, S und P. Dass er dem Original (als Nachtrag?) angehörte, geht ebenso aus seinem Inhalt wie aus seiner Fassung hervor (vgl. oben S. 136). r) 'et inde' N statt 'unde etiam'. s) 'contempserunt' P.

II[a]. Deinde Iulius[a] collecto[b] exercitu et assumpta legione ipsorum Germanorum Alpes transiit et ad Rubiconem venit ibique exercitum suum ordinans eandem legionem Theutonicorum Antonio, qui postea Cleopatre in Egipto coniunctus est, commendavit. Post hec Romam veniens Pompeium fugavit et erarium effringens stipendia militibus larga manu distribuit, deinde mare transiit[c], Pompeium cum senatu aput Emathiam consecutus civili bello superavit ac multam Romanorum stragem dedit. His omnibus ita peractis Egiptum intravit, Ptolomeum pro occisione Pompei[d] bello lacessivit, postremo in Nilo flumine navali bello devicit et necavit[e]. Deinde ordinatis rebus Antonium inibi cum parte exercitus reliquit, ipse vero cum reliquis Romam rediit ibique[f] cum triumpho susceptus est. Post paucos autem dies Capitolium quasi de re publica ordinaturus ingreditur et a quibusdam civibus oppressus et confossus vitam finivit et Octaviano Augusto, sororis filio, summam rerum reliquit.

Huius[g] XL et II.[h] anno dominus noster Iesus Christus nascitur[g].

Hec nos breviter per digressionem inseruisse nulli displiceat; sed si quis ea plenius[i] scire desiderat, Lucanum vel Historiam Romanam[k] legat. Nos autem[l] ad incepta redeamus.

II[b]. Denique prefatus Novientensis[m] locus, ut prediximus, sacrilego ritu gentilitatis usque ad tempora Neronis imperatoris tenebatur. Illo[n] namque tempore, XL.[o] videlicet ab ascensione Domini[p] anno, beatissimus apostolorum princeps[q], adiuncto sibi Paulo apostolo, evangelium Christi in urbe Roma predicabat. Qui cum per spiritum sanctum tempus passionis sue sciret instare, convocatis discipulis, quos idem fervor predicationis verbi Dei accenderat, tali eos sermone alloquitur: 'Videtis[r] nunc,

a) BP; 'Iulius deinde' S. b) 'collato' P; 'adiecto' S. c) 'transit' P; 'transiens' S. d) So PS; fehlt in B. e) Dahinter in PS: 'Ptolomeus a Cesare devictus de navi ad navem armatus transilire volens in undas ('inter ipsas' P) cecidit et non comparuit'. f) BP; 'rediens ibi' S. g) BP; dieser Satz fehlt in S. h) 'Huius anno' mit Zwischenraum ohne Zahl P. i) BP; 'qui vero plenius illa' S. k) B = N; 'Romanorum' PS. l) BP; fehlt in S. m) BP; 'Praefatus igitur Noviensis' S; hier setzt Mader wieder ein. n) 'eo' PS = Mader. o) B = S; in P ist für die Zahl Raum freigelassen; bei Königshofen S. 708: 'in den ziten uf 60 jor noch gotz gebürte'. p) BP; 'Domini nostri Iesu Christi' S; 'decimo' bei Mader, wo vorher die Zahl ausgefallen ist. q) 'princeps Petrus' PS = Mader. r) 'videte' PS = Mader.

fratres mei, quanta sit messis dominice sationis et quam pauci operarii. Nunc igitur memores estote verborum domini nostri Iesu Christi, ubi ait: 'Ecce ego mitto vos sicut agnos inter lupos' et[a] cetera et 'Quia dignus est operarius mercede sua'[a].

Deinde singulis inponens manus dedit eis potestatem ligandi et solvendi et misit[b] eos: beatum quidem Apollinarem in Ravennam civitatem[c], sanctum vero Marcialem in Aquitanie partes[d]; beatum autem Maternum episcopum cum duobus prespiteris Euchario et Valerio in transalpinas Germanie partes destinavit.

Qui transmissis Alpibus Penninarum venerunt in supradictum Germanie pagum qui Illesaza[e] dicitur ceperuntque incolis predicare verbum Dei; qui videntes signa et virtutes, quas faciebant — mortuos enim suscitabant, demones effugabant et languentes curabant — relicto gentilitatis errore conversi sunt ad Dominum[f]. Post hec assumptis fidelibus qui crediderant, beatus Maternus insulam Novientum ingressus et[g] templum effringens aras destruxit et[g] simulacra comminuit et[h] in flumen proiecit. Deinde[i] omnia vasa sacrificiorum[k] et omnia utensilia templi comminuit et cum ossibus mortuorum, quę inibi reperta sunt, in quodam inmundo loco ac palustri ipsius insule proiecit; que etiam usque hodie a querentibus illic[g] reperiuntur[l]. Post hec exedras et mansiones edituorum destruxerunt et de ruinis earum in eodem atrio ecclesiam in honorem beati Petri construxerunt ac dedicaverunt. Deinde prespiteris ac ministris de ipsis fidelibus qui crediderant, qui verbo Dei circumpositas nationes instruerent, institutis, beatus Ma-

---

a) 'et — sua' BP = Mader; fehlt in S. b) 'dimisit' Mader. c) BP = Mader; 'civ. Rav.' S. d) Dahinter in PS: 'sanctum autem Saturninum in Tholosanam civitatem ('Tolosam' S), sanctum Mansuetum Tullim et (fehlt in S) sanctum Clementem in Metensem civitatem ('civ. Met.' S); bei Mader nur: 'sanctum autem Saturninum in Tolosanam civitatem'; Königshofen S. 709 dagegen sagt: 'und sant Clemens gein Metze und die andern in ander lant'; mit Rücksicht auf Königshofen mit C gegen B die hier fehlenden Namen der Apostelschüler aufzunehmen, halte ich nicht für zulässig. Königshofen wird den h. Clemens in einer seiner anderen Quellen gefunden haben. e) 'Alsatia' PS = Mader. f) BP; 'Deum' S. g) BP; fehlt in S. h) 'ac' S. i) 'simul cum omnibus vasibus sacrificiorum atque utensilibus templi, ossa etiam mortuorum quae ibi reperta' S; N stimmt mit B; da auch P hier mit ihnen übereinstimmt, muss die Abschrift C von 1320 wie sie gelautet und S selbständig diese Stelle verändert haben; sie fehlt bei Mader. k) 'sacrificorum' N. l) 'inveniuntur. Nec satis: exedras etiam et mansiones' S. Der Wortlaut von N fehlt für das Folgende.

ternus civitatem Argentoracum[a] predicationis causa ingreditur. Cumque incolas de sacrilega idolorum cultura argueret et sacra ipsorum destruere temptaret, cives ira commoti ipsum cum sequacibus suis extra opidum non sine iniuria propellentes eiecerunt. At illi repulsam suam Domino committentes et pulverem pedum suorum super ipsos iacientes ad relictum habitationis sue locum repedare temptabant.

Cumque in itinere essent constituti, beatum Maternum repentina febris invasit; quem cum humeris suis impositum secum ferre temptarent, spiritum exalavit. At illi rerum inopia ac labore fatigati simulque feritatem barbare gentis metuentes flumen Illam[b] transierunt ipsumque in loco deserto ac solitario cum maximo luctu ac fletu sepelierunt. Unde etiam[c] usque in hodiernum diem locus idem Elegium propter elegos, qui ibi profusi[d] sunt, est vocitatus.

II[c]. His ita peractis beatissimi Eucharius et Valerius pro amissione magistri Romam ad beatum Petrum redire disponunt. Iter itaque arripientes — quod est mirabile dictu — quinto decimo die urbem Romam ingressi ad beatum Petrum[e] pervenerunt eique de adversis casibus ac de morte magistri non sine luctu sunt conquesti. At ille leto, ut erat, vultu subridens ait: 'Fratres, nonne hec sunt verba, que recedentibus vobis sepius intimavi: quia oportet nos multa pati pro nomine Christi et per multas tribulationes oportet nos intrare in[f] regnum Dei?' Deinde conquerentibus de morte magistri subiungens ait: 'Frater noster Maternus aliquantulum tardius dormitare solebat; nunc vero nimio sopore deprimitur. Sed nunc, fratres, summa[g] cum festinatione remeantes hoc certissimum ei signum, baculum videlicet meum, in manibus ponite hec dicentes: 'Frater Materne! Petrus apostolus domini nostri Iesu Christi hec tibi denuntiat, ut in nomine patris et filii et spiritus sancti resurgas et iniunctum tibi predicationis officium peragas'. Dehinc benedictione sua communitos dimisit[h] alacres et letos.

At illi summa cum festinatione, ut iussum fuerat, pergentes quinto decimo demum die in Alsatiam, unde venerant, revertuntur convocantesque turbam fidelium retulerunt illis, quicquid eis a beato Petro dictum vel iussum

a) 'Argenteracum' B; 'Argentinam' PS = Mader. b) B = Mader; 'Illum' P; 'Yllum' S. c) Fehlt in N (nach Hegel, Strassb. Chroniken II, 710, N. 1). d) 'perfusi' N. — Von hier an kommt der kurze Auszug bei Mader nicht mehr in Betracht. e) 'ad ipsum' S; 'ad Beatum' P. f) 'intra' P; fehlt in S. g) 'maxima' P; fehlt in S. h) 'dim. eos' PS.

fuerat, simulque ad indicium veritatis baculum ipsius protulerunt. Quem videntes cuncti fideles cum magna[a] leticia et gaudio deosculati sunt dicentes: 'Pergamus nunc, fratres, ad sancti patris nostri sepulcrum, pariter et preceptum beati Petri apostoli perficiamus celeriter'. Cumque pervenissent Elegium ad beati Materni sepulcrum, terram effodientes et loculum aperientes invenerunt corpus magistri integrum et incorruptum, acsi eadem die fuisset sepultum. Accedentes itaque Eucharius et Valerius bacterium beati Petri in manibus ei dederunt ac simul adiungentes dixerunt: 'Pater Materne, hęc tibi mandat beatus Petrus, domini nostri Iesu Christi apostolus, ut in nomine sanctę[b] trinitatis exsurgas et iniunctum tibi officium sancte predicationis perficias'. At ille acsi[c] de gravi somno expergefactus oculos aperuit, manus baculum tenens ad celum levavit. Quod videntes discipuli manus eius tenuerunt ac de tumulo levaverunt. Confestim clamor ingens fidelium qui aderant adtollitur, Christusque ore cunctorum benedicitur. Beatus vero Maternus manu silentium indicens tali eos sermone alloquitur: 'Ego quidem, fratres, ut scitis, de huius seculi erumna sublatus, sed in eterne beatitudinis fui sede collocatus perspexique sanctorum gloriam et malorum sine fine miseriam. Precibus itaque beati apostolorum principis Petri[d] huic vite a Christo sum redonatus et XXX[e] annis iussus sum vobiscum vivere, quot[f] diebus in sepulcro me constat iacuisse[g]. Nunc igitur, fratres, Christo regi regum colla subicite[h] et fidem catholicam[i], quam suscepistis, firmiter tenete et spem beate resurrectionis, me vobis testimonium prebente, certius retinete'. Hec cum dixisset, iterato clamor exoritur, fletus convertitur in gaudium, gaudiumque transit in iubilum. Nec mora, confestim huius rei inrevocabilis fama volat

Agrosque et villas castellaque complet et urbes.

Fit concursus multitudinis utriusque sexus, certatimque se signo fidei insigniri efflagitant. Quibus sànctus singulis manus inponens ac benedicens cathecuminos fecit, dehinc indicta penitentia in nomine sancte trinitatis baptizavit.

Post hec[k] civitatem Argentoracum[l] ingressus multos civium convertit ad Dominum et auxilio ipsorum ecclesiam

---

a) 'magna cum' PS. b) 'sacrosancte' PS. c) 'quasi' PS. d) 'b. Petri apost. princ.' PS. e) BP; 'rursumque tot annis' S. f) PS; 'quod' B. g) Dahinter 'veluti 30' S. h) 'subiicite' Hss. i) P; 'chatolicam' B; 'Christi' S. k) BP; 'His ita actis' S. l) 'Argenteracum' B; 'Argentinam' PS.

extra portam civitatis construxit ac dedicavit. Hec itaque eadem ecclesia ad indicium huius rei actenus ab incolis Ad antiquum Sanctum Petrum nuncupatur.

His ita[a] peractis[b], rogantibus omnibus pagi illius fidelibus in confinio villę que Mollesheim[c] dicitur, ibidem[d] ecclesiam in honore[e] beati Petri construxit et[f] dedicavit ipsamque[g] ob multitudinem credentium Italica lingua 'Dumpeter', id est[h] domum Petri[i], nominavit.

Deinde ordinatis prespiteris ac[k] sacerdotibus[k], qui populo Dei preessent, omnibusque rite peractis, beatissimus[l] Maternus ad iniunctam[m] sibi a beato[n] Petro curam multo fidelium comitatu pervenit Treberim[o], quam[p] antiqui imperii metropolim ac[q] posteritatem Nembroth[r] Ninique ac Trebethe[s] sobolem gladio verbi Dei expugnaturus aggreditur. Tantam itaque ei[t] Dominus gratiam in[u] brevi[u] contulit, ut non solum plebis[v], sed et senatorum multos converteret ad Dominum[w] constructamque inibi matricem ecclesiam ministris ac sacerdotibus adornavit.

Prefuit itaque beatus Maternus Trevirensi ecclesiae XXX[x] annis et[y] plenus ętate et[z] virtutibus migravit ad Dominum, qui vivit et regnat Deus in secula seculorum[a]. Amen.

II[d]. Licet ab incepto nostro iam aliquocies digressi simus, possitque nobis illud Flacci non incongrue obici: 'anfora cepit Institui currente rota, cur urceus exit?', tamen quia Trebete et fundationis Treverensium mentionem fecimus, ne indiscussum pretereamus et lectorem suspensum relinquamus, quis vel unde fuerit vel quo tempore imperium Europe instituerit, paucis[b] disseramus. Cum nimi-

---

a) 'itaque' P. b) 'Post hec' hier S, vgl. S. 157, N. k. c) BP; 'Moltzheim' S. d) Fehlt in P; 'denuo' S. e) 'honorem' PS. f) 'ac' PS. g) B = NP; 'ipsam' S. h) N = PS; 'vel' B. i) B = N; 'sancti Petri' PS. k) Fehlt in S. l) 'beatus' PS. m) PS; 'iniunctum' B. n) BP; 'Romano pontifice' S. o) 'Treverim' S. p) So N (nach Engelhard, Archiv VI, 439); fehlt in PS; in B 'Treberimque', wohl durch verkehrte Auflösung der Abkürzung. q) B; 'et' N = PS. r) So N; 'Nembroch' B; 'Nemroth' PS. s) Dahinter 'de quo supra' nur in S. t) 'cui etiam tantam' S. u) BP; fehlt in S. v) 'civium turbas' PS. w) BP; 'Deum' S. x) So B = N = P; 'circiter XXX' S. y) B = PS; fehlt in N. z) 'ac' S. a) B = N = P, wo jedoch 'per omnia sec. sec.'; 'cum quo gaudet in infinitas saeculorum myridias' S. — Vor diesem Satze wird in N ein Wunder erzählt, durch das Maternus bei der Ankunft in Trier ausgezeichnet wurde. Es fehlt in B, P und S, ist also nur Zusatz der N zu Grunde liegenden Ueberlieferung oder der Hs. N selbst. — S springt sogleich zu Kap. III über. b) 'paucis verbis' P; 'paucis diss. verbis' N. — Für alles folgende sind wir nur auf B und P angewiesen.

rum conplacuisset Deo conditori rerum propter iniusticias hominum totum deperire mundum, solus Noę propter innocentis vite iusticiam cum domo sua et animantibus ad ipsum confugientibus salvatus est. Cessante itaque cataclismo Noę quidem cum filiis ad prioris habitationis locum devenit[a], et per CCCL[b] annos, quibus post diluvium supervixit, in tantum posteri eius creverunt ac multiplicati sunt, quod Noe Ionitum filium suum, quem secundo post diluvium anno genuerat, cum omni domo sua in Evam[c] seu Illiocharam[d], quam nunc Indi vel Bracmani inhabitant, transmitteret; timens siquidem, ne sicut prior[e] etas per homicidia et ceteras iniquitates Deum offenderent, filios filiorum suorum Deo iubente in alias partes terre cum domibus suis demigrare precepit. Chus itaque filius Cham cum domo sua et fratribus suis et Gomer filius Iaphet cum fratribus et familiis[f] suis pervenerunt in campum Sennaar et habitaverunt ibi. Arfaxat autem filius Sem[g] cum fratribus et familiis suis Caldeam ac Mesopotamiam possedit[h]. Chus ergo [filius][i] Cham genuit Nemroht et[k] fratres eius. Hic Nemroth[k] altitudine et fortitudine et sapientia omnes fratres et consanguineos suos precedebat descenditque in Indiam ad Ionitum filium Noe et didicit ab eo omnem disciplinam celestium, astronomiam videlicet et geometriam, musicam et arithmeticam. Hic primus regnavit in terra Sennaar fuitque Babiloniae illius gygantomachiae auctor et fundator, suadens hominibus a Deo recedere ac proprie virtuti confidere. Cumque per divisionem linguarum Deus fabrice illius machinam intercepisset, Nemroth solus cum stirpe ac sequacibus suis terram Sennaar obtinuit edificataque Babilone primus omnium regnavit in ea. Hic genuit duos filios: Assur, qui regnum Assiriorum instituit edificavitque civitatem, quam Calannam nuncupavit[l], a qua Caldei primo sunt vocati. Alter vero filius Ninus vocabatur; hic construxit civitatem, quam Niniven appellavit, regnavitque in ea. Is itaque duxit uxorem Semiramem de stirpe Iaphet genuitque ex ea duos filios, Ninsam et Trebetam. Sed Trebeta omnes homines illius temporis sapientia et fortitudine et

---

a) 'pervenit' P. b) Lücke für die Zahl in P hinter 'annos'; für die Zahl vgl. Königshofen S. 697. c) 'sua Mevam' P. d) 'Illiochriam' P. e) 'priorum' P. f) 'fratribus' P. g) Dahinter in P: 'genuit Sale, Sale autem genuit Eber, de quo Ebrei sunt dicti, et'. h) 'possident' P. i) P; fehlt in B. k) 'et — Nemroth' fehlt in P. l) 'Calunnam appellavit' P.

pulcritudine precellebat habuitque compositum nomen ex Greco et Hebraico: 'Trea' enim in Greco tres vel tria, 'beth' vero in Ebraico domus dicitur, a tribus videlicet civitatibus parentum suorum, Babilonia, Chalanna et Ninive.

II[e]. Fulminato itaque Nino Semiramis cum filiis regnabat, vidensque proceritatem ac generositatem Trebete capta est amore ipsius. Cumque allocuta eum de copula stupri fuisset, ille nimirum[a] instigante se naturali iustitia incestum abhorruit[b] maternum. Denique illa indesinenter instante, ille atrocitatem ac feritatem metuens matris, ad callida nobilis ingenii convertitur argumenta. Siquidem matri sic repondisse fertur: 'Tuis', inquid, 'o dulcissima mater, imperatis prompto ac libenti animo parebo, precipue cum tui similem in toto orbe nullam reperire queam, si prius, quod mente gero, tuo pariter et auxilio et consilio adeptus fuero. Nam regnum filiorum Ionithi in Eva, quod Indi vel Bracmani possident, auri et argenti ac gemmarum et omnium rerum habundantia exuberat. Quod si imperio nostro adiungere valuerimus, tunc demum securi cupitis immorabimur amplexibus'. His auditis mater verborum filii nimis credula elaborare cepit omni instantia et fabricatis trigeribus aliisque utensilibus armorum infert copiam et ciborum habundantiam. Deinde simul cum filio inito consilio congregat de omni Asia virorum fortium infinita agmina ac deinde profert auri et argenti inmensa pondera. Post hec fortissimus dux Trebetha militum suorum convocat[c] agmina, et cum ab eis exegisset fidei sacramenta, larga distribuit stipendia. Ad naves deinde cum coniugibus ac liberis quasi totam Indiam possessuri ac stirpem Ionithi properant[d] occisuri. Cumque naves inpulissent et marinis fluctibus ac ventorum flatibus se commisissent, Trebetha oculos ac manus ad celum erigens thonantem invocat, quatenus ipsius iussu ac ducatu in eam partem orbis transponatur, quo et ab humani sanguinis effusione cessare et matris possit incestum devitare. Cuius orationem innocentie Deus amator exaudiens per Ionium secundis ventorum flatibus ad occeani litus veloci cursu naves transposuit, ac deinde boreali inpulsu ad Yperboreos[e] montes seu ad ubera aquilonis usque perveniunt. Cumque ad occidentalem plagam Europe appulissent, egressi de navibus aras construunt, sacrificia instituunt, et hoc responsi Trebetha accepit, quod tandiu exercitum ducens occidentem

---

a) 'nimium' P. b) 'horruit' P. c) 'congregat' P. d) P; 'occisuri properant' B. e) 'Yporeos' P.

peteret, donec cervorum gregem obvium habuisset, et illic civitatem habitationis sue conderet. Hec cum audisset, castra moveri iussit et peragrata tota Riparia ad fauces Moselle fluminis pervenit ac deinde per ripam ipsius ascendens Ardennam in vallem, que nunc vallis Trevirorum dicitur, exercitum perduxit. Cumque inibi castra collocasset, Trebeta diluculo castris digressus gregem cervorum obvium habuit, statimque responsi illius fatalis non inmemor socios prudentiores convocat ac lustrata omni valle supra ripam tandem fluminis inter tres colles civitatem descripsit ac fundamenta iaciens portas et turres statuit, ipsam[a] ex nomine suo Treberim appellavit. Post hec templa et aras construxit ac deos consecrat, sacerdotes ac ministros ordinat et sacrificia libat. Deinde omnem convocans cohortem, ius civile decernens, senatores ac iudices constituit; et quia de[b] multis linguis coadunati fuerant, idioma solius Theutonice locutionis ab omnibus tenendum decrevit ipsamque de aliis linguis supplens exornat et Theutathi[c], id est deo facundie, consecrat.

II[f]. Interim, dum hec aguntur, Semiramis de salute filii et exercitus sollicita et quia[d] per internuntium aliquem scire non poterat, ad notissima astronomie convertitur indicia. Cumque per artem fugam filii ac se deceptam comperisset, mentem furibundam continuo iracundie armavit telo et per nigromantiam fanaticam advocat turbam ac per ipsos, in qua parte orbis filium reperire possit, addiscit. Nec mora, statim ut in occidente eum delituisse comperit, ordinatis rebus et relicto inibi Ninsa primogenito suo[e] cum fortissimis pugnatoribus filiorum Gomer et Togorma ad persequendum filium proficiscitur. Denique et Trebeta, in arte astronomia more orientalium peritissimus, de statu matris vel fratris scire aliquid cercius volens astrorum cursus et ipse rimatur. Cumque matrem iam ad se properantem cognovisset, omni nisu montem civitati proximum, relictis intrinsecus columpnis, quibus sustentaretur, cavare festinat porticumque ante ipsam speluncam opere testudineo duabus columpnis subfulsit. Denique cum iam matrem adventantem prescisset[f], assumpta fortissima suorum turma obviam ei perrexit simulataque leticia cum canticis et choris eam suscepit et quasi flens pre gaudio in oscula ruit. Post hec infortunio navigationis in hanc

---

a) 'ipsamque' P. b) P; fehlt in B. c) 'Mercurio' P. d) 'quae' P. e) 'filio suo' P. f) 'prascisset' B, am 'a' corr., vielleicht zu 'ae'.

terram peregrinationis preter spem se transpositum deplorat et sic feritatem nefandi animi mitigat. Post hec comites matris in castris collocat ipsamque cum paucis Treverim perducens convivium instruxit. Cumque eam largiori cibo et potu refecisset, quasi cubitum cum ea perrecturus ad subterraneum specum perduxit et per aliquos gradus descendentem vi impulit et in precipicium, quod paraverat, ruere coegit. Cumque sonitum ruentis aure captasset, ilico columpnas, que omne opus machine illius sustentabant, subruit ac super ipsam ruere fecit[a]. Sic Trebeta liberatus a crimine incestus civitatem, quam condidit, castimonia ac religione dedicavit.

II[g]. Post hec Trebeta[b], adiunctis sibi his qui cum matre venerant aliisque compluribus, qui propter famam industrie eius ad ipsum confluxerant, Cithini[c] videlicet et Celtiberi, qui a Grecis vocati sunt Belladici, ripam Reni fluminis possedit et civitates inibi construxit et imperio Trevirorum subdidit. Instituit itaque Trebetha imperium Trevirorum anno millesimo C, ex quo Noę cum filiis suis de archa egressus est, eo tempore videlicet, quo Abraham in terra Chanaan repromissionem a Domino accepit. Duravit autem usque[d] tempora Francorum.

Nam Avitus ultimus Trevirorum imperator luxurie deditus uxorem Lucii cuiusdam senatoris adulteravit. Venienti denique Lucio in palatium Avitus dixisse fertur: 'Pulcras termas habes, nam frigide lavaris'. Unde indignatus Lucius civitatem Clodoveo filio Deothmari, regi Francorum, tradidit, a quo incensa est et imperium destructum, imperante aput Romanos Ioviniano. Hec omnia facta sunt ordinante ac iubente domino nostro Iesu Christo, qui transfert regna et mutat imperia, semper[e] incommutabilis permanens in secula[f]. Amen.

Audite[1] preterea que miremini. Treveris est civitas Gallie nobilis, ubi senecio quidam, cuius hospicio usus sum per XII dies in suburbio civitatis, ferream effigiem Mercurii volantis magni ponderis ostendit in aere pendentem. Erat autem magnes, ut hospes idem mihi ostendit, supra in fornice itemque in pavimento, quorum naturalis

a) 'coepit' P. b) Fehlt in P. c) 'Cithuni' P. d) 'ipsum imperium usque ad' P. e) 'semper ipse' P. f) Dahinter 'seculorum' P.

1) Ueber die folgende mit den Gesta Trevirorum (SS. VIII, 146, Z. 13 ff.) zusammenstimmende Erzählung vgl. Bresslau im N. A. XVIII, 315, N. 6.

vis e regione sua ferrum sibi adscivit, sicque ferrum ingens quasi dubitans in aere remansit. Vidi in eadem urbe ingenti et precioso marmore Iovem scutulam auream duorum pedum latitudinis tenentem, ubi hoc inerat scriptum: 'Iovi vindici Trevirorum, ex censu civitatum Rheni per tria decennia denegato, sed fulmine et terrore celesti extorto', factum arte mechanica. Nam thus quasi prunis inpositum redolet, si immiseris[a], nec tamen deficit. Quod ita probavi esse.

II[h]. Postquam igitur primos possessores seu fundatores Novientensis insule demonstravimus vel etiam, a quibus denuo[b] secunda vice sit restaurata, scripto mandavimus, nunc restat, ut a quibus[b] vel quo tempore ad monasterialis seu cenobialis vite ordinem, ut actenus Deo largiente cernitur, transierit, indagare curemus. Temporibus siquidem Diocletiani et Maximiani imperatorum, cum dominus noster Iesus Christus aream suam, sanctam videlicet ecclesiam, purgaturus ventilabrum examinationis vel correptionis in manibus ferret ac membra sua in sanctis martiribus ad se transferre decrevisset, officinam ipsius scrutinii quatuor membris diaboli, Diocletiano scilicet et Maximiano imperatoribus et Attile regi Ungarorum et Amelungo[c] regi Chunorum permissit. Imperatores in Urbe[d] et in omni imperio Christianos persequuntur et opprimunt. At vero Attila[e] congregata innumera multitudine sicut arena maris, Avarorum videlicet et Chunorum seu Bauuariorum[f], Tracum et Danorum, Sclavorum, Polanorum[g] et Boemiorum, quos omnes superatos Romano imperio extorres fecerat, cum his omnibus Aquilegiam metropolim Charenti obsedit. Cumque cives de evasione diffiderent, cum auro et argento aliisque preciosissimis opibus clam per paludes civitati contiguas fugientes, ossa etiam sancti Marci evangeliste secum ferentes, insulam quandam maris ingressi civitatem inibi construxerunt, ipsam[h] Venetiam, id est Venustam, vocaverunt. Attila vero destructa Aquilegia ad Renum comitatum dirigit transitoque eo pagum Alsatiensem et omnem Germaniam et Galliam depopulatus est. Ad cuius adventum qui in predicta insula Noviento commanebant relictis omnibus fugierunt et desolatum locum reliquerunt. Cumque Dominus flagellum suum a sancta ecclesia removere decrevisset, senatus et populus Romanus

---

a) P; 'summiseris' B. b) 'denuo — a quibus' fehlt in P. c) 'Amelimgo' B. d) 'urbe Romana' P. e) 'Attila vero' P. f) Baiuiariorum' B; 'Bavarorum' P. g) 'Palanorum' PB. h) 'ipsamque' P.

Diocletianum purpura exutum imperio et omni honore privarunt, Maximianus vero ab exercitu, quem in Galliam duxerat, pro piaculo, quod in sanctam legionem Thebeorum exercuerat, tanto odio est habitus, ut vix cum parva manu militum ad Constantinum, qui tunc imperium susceperat, profugus veniret. Cumque ipsi, a quo benigne susceptus fuerat, fraudulenter mortem conaretur inferre, aput Massiliam in hac conspiratione deprehensus ac strangulatus est impiamque vitam digna morte finivit. Attila itaque, ut diximus[a], omnem Galliam exterminando usque ad Pyreneos montes devenit. Cumque inibi, irruentibus super eum Gotis et Wasconibus ac Britannis, maximum dispendium suorum pertulisset, reversus Torsimodo regi Gothorum bellum inferre temptabat. Tribus itaque diebus utreque phalanges contra se dimicantes multam stragem utriusque populi dederunt. Sed cum[b] nocte dirempti fuissent, Agetius patricius ingeniose in ipsa nocte venit ad Torsimodum[c] dicens: 'Usque nunc bene cum Attila pugnasti; sed nunc nequaquam vales resistere, quia de Chunis multitudo maxima ei supervenit; sciasque te, nisi cito recesseris, cum tuis [citius ruiturum[d]]. Tunc Torsimodus spopondit Agetio XM solidos, ut suo ingenio Chunos averteret. Agetius itaque in ipsa nocte Attile supervenit dicens: 'Optabile michi esset nimium, si perfidi Gothi per te possent superari. Sed hoc impossibile est; nam Theodericus frater Torsimodi cum fortissima manu Gothorum et Italorum hac nocte supervenit. Et o utinam cum tuis evadere posses'! Hec audiens Attila XM solidos et ipse Agetio dedit, ut suo ingenio posset evadere, statimque per Galliam via qua venerat repedavit venitque Coloniam et obsedit eam.

II[i]. Cum[b] cives fortiter resisterent ac de muro plurimos occidissent, ex inproviso Dei ordinatione XI milia virginum, virorum ac mulierum navibus ac terra supervenerunt ac prope civitatem appulerunt. Cumque de navibus egresse in agrum contiguum civitati venissent, Attila cum suis novitatem rei admiratus ad spectaculum procedit. Deinde consideratis omnibus ipse rex aliique proceres uxores sibi et concubinas de ipsis virginibus eligere temptabant. Ille vero spernentes consortia eorum[e] et illicitum esse Christianis virginibus impudicissimis canibus et sacrilegis homicidis coniungi protestantur. Unde rex cum omni

a) 'prediximus' P. b) 'Cumque' P. c) 'Tarsimodum' P. d) Fehlt in B, wo der Rest der Zeile, etwa 20 Buchstaben, freigeblieben ist. e) 'illorum' P.

exercitu suo in furiam versus omnes simul inmissis gladiatoribus trucidari precepit. Sic omnes illę sancte virgines, sicut eis divinitus revelatum fuerat, apud Coloniam martirio coronate ad celestis regis thalamum transmigrarunt. Attila vero perpetrato scelere spiritu Dei perterritus[a] soluta obsidione Rhenum transiit ac fugaciter repatriavit; nec multo post iudicio Dei subita[b] morte percussus interiit et ad inferni claustra descendit. Colonienses itaque per merita sanctarum virginum liberati portis eruperunt et eas in ipso[c], quo trucidate fuerant, loco summa cum diligentia sepelierunt et ecclesiam inibi, sicut actenus cernitur, in honore ipsarum construxerunt.

Cessante post hec persecutionis procella, cum iam sancte ecclesie pax reddita fuisset, Novientenses insulam cum ceteris pagensibus Alsacie de latibulis Vosagi, in quibus delituerant, ad proprie habitationis locum revertuntur. Sed enim cum fere omnia quę reliquerant incensa ac diruta reperissent, adiuvantibus se circumpositis vicinis suis ecclesiam reficientes aliaque edificia denuo construentes in servicio Dei inibi iugiter permanebant et circumpositas nationes verbo doctrine instruebant[d].

III. Lectiones variantes ex manuscripto antiquissimo desumptae.

Für den ganzen älteren Teil der Chronik bis einschliesslich Kapitel 29, SS. XXIII, 446 hat Grandidier seinen Text auf die Schlettstädter Hs. gestützt, sicherlich seine Ausgabe mit Hülfe der uns vorliegenden überaus sorgfältigen Kollation hergestellt. Ich kann mich daher begnügen, auf seine, in den MG. wiederholten, Anmerkungen zu verweisen, in denen die wichtigeren Abweichungen von dem älteren Drucke bei Martène verzeichnet sind, und beschränke mich auf wenige Ergänzungen:

c. III (S. 433, Z. 36): 'militaris directa' G; 'mil. recta' M; 'mil. reda' B (vgl. SS. XXV, 264, Z. 43).

c. IV (S. 433, Z. 44): 'Perona' MG; 'Berona' B.

c. IX (S. 436, Z. 3): 'communioque' G; 'communione' M; 'communionem' B.

c. XXVIII (S. 445, Z. 23): 'quod et sine dilatione factum est' G; in B: 'est' recentiori manu adiectum fuit.

---

a) 'spiritum disperterritus' P. b) 'subitanea' P. c) 'ipsas in eo' P. d) Die Abschrift in B fügt nur noch wenige Worte von Kap. III hinzu und schliesst mit 'suscepisset gubernacula etc.' (SS. XXIII. 432, Z. 38).

Nach dem Schluss von Kap. 29 mit 'supervixit' (S. 446, Z. 40) fügt B hinzu: Hic finitur pars prior chronici Novientensis, quam cum posteriori coniunxit Martène, sine dubio quia manuscripto recentiori minusque perfecto[1] usus est. Posteriori parti historiae huius in nostro manuscripto praemittitur exordium, quod hic inserendum est:

'Quoniam per temporum intervalla rebus gestis antiquitas oblivionem ingerere solet, reverendorum dominorum et fratrum nostrorum me compellare multociens attemptavit instancia, quod successiones patrum huius monasterii, quas autor excellens premissi operis, quisquis ille fuit, omiserat, conscriberem et res, si que temporibus cuiuslibet illorum emerserant, memoria dignas et auditu delectabiles secundum ordinem prescriptum operi inserere procurarem. Ad negocium siquidem imperatum me nec ydoneum neque sufficientem multis assercionibus prorsus attestabar, tamen ne me darem religiosis admodum personis et tam honeste peticioni contrarium, pro possibilitate ('possibilate' B) tenuis ingenii devotum et obedientem ad id quod impositum fuerat me tandem obtuli. Prestet igitur pius lector veniam parvitati scribentis; et si quid forte minus sapidum repererit, placido vultu pertranseat.

Quartum annum et sex menses bone recordationis abbas Nŏggerus in amministratione exegerat et ex divina disposicione carni debitum solvens expiravit'.

Hierauf folgt Kap. 30 (S. 446, Z. 42).

Für den zweiten, mit diesen Worten eingeleiteten, Teil der Chronik, der bisher nur nach dem Texte des Martène (= MG.) aus der Hs. von 1320 bekannt ist, stelle ich alle nicht orthographischen Varianten aus B zusammen.

	Martène.	B.
MG. SS. XXIII,		
446, 45	sub ipso non diminute	sub ipso non sunt diminute
447, 5	antea rogaverat	ante rogaverat
14	Qualem se benivolum dederit	Qualem se circa Deum devocione, qualem se benivolum dederit
19	Puellam	Puellulam
23	Dominus noster cum discipulis	Dominus cum discipulis
26	aliquando virtutes multas	multas aliquando virtutes

1) So sagt auch Grandidier, der also die Notiz in B vor Augen hatte, in seiner Observatio praevia a. a. O. S. IX!

	Martène.	B.
SS. XXIII,		
448, 3	domino nostro Iesu Christo	domino Iesu Christo
4	totus in lacrymis profusus	totus lacrimis prof.
10	Fridericum de Ebersheim	Fridericum dictum de Ebersheim
15	virum nominis Rimundum	virum nomine Rimundum
48	missis nunciis	missis clanculo nunciis
449, 7	Dein	Deinde
8	tantum enumerandis	tamen enumerandis
21	nec qui porrigeret optabatur	nec qui porrigeret aptabatur
24	receperant fratres	receperant patres
33	obiiciatur	'obiciatur': sed correctum est recentiori manu et legitur 'obicitur'.
44	sperabatur argentum inveniri	sperabatur inveniri. Auch fehlt sogleich dahinter 'interim'.
450, 20	Brisacum se recepit	Brisiacum se recipit
25	fultus abscedit	tutus abscedit
31	Hec interim	Hec iterum
35	redegerat in usus	redegerit in usus
42	solutus ergo	solutus igitur
451, 2	Heinricus deVeringin	Heinricus videlicet de Veringin
15	iste cum fratribus in amministracione	ille cum fratr. in amministracionem
27	probationem . . . adtemptatam	in probatione . . . . adtemptatum
28	quem viderant	quem hic viderant
34	Henricum nomine, Herbipolensem nacione	Die Worte fehlten und sind nachgetragen: Haec verba non in una serie cum sequentibus leguntur, sed in ima pagina sunt adiecta; sed, ut videtur, illo ipso tempore quo reliqua fuerunt scripta.
34	Ve terre ubi rex	Ve terre cuius rex
452, 1	eis successuris	ei successoribus
5	sancte Dei genitricis Marie	sancte Dei genitricis

Martène.		B.
SS. XXIII,		
452,	9 ad curiam Romanam	ad curiam
	14 quod habuit	que habuit
	16 Bertholdus episcopus tunc memoriam sui nominis perhennavit.	Bertholdus episcopus memoriam sui nominis perhennavit
	33 ministris	minister iste
	41 et fratres	et ut fratres
	46 sed multum reclamaretur	si multum reclamaretur
453,	4 N. a sudabant	sudabat
	24 pater huius	pater suus
	25 in eius correctionem dederit	in eius correctionem coderit
	31 fore sibi annexas	fore sibi fiducialius annexas
	33 N. b queruntur unus	querunt 'unus' lege 'intus'; quamvis vera lectio sit 'unus'.

Beilage I.

Zu der Abtsreihe von Ebersheimmünster.

Für die quellenkritischen mit dem Chronicon Ebersheimense zusammenhängenden Fragen ist es erwünscht, die chronologische Feststellung der Abtsreihe möglichst zu sichern, für welche die Chronik selbst die wichtigste Auskunft gewährt.

Ihr erster Teil gestattet uns allerdings erst von Baudezius an, seit dem Ende des 10. Jh., eine zusammenhängende Folge zu gewinnen, und, mit der einzigen Ausnahme der für Rupert (1001—1039) gebotenen Daten (c. 24), sind wir erst seit der Vertreibung Adelgauds, die für den Sommer 1077 festzulegen ist[1], im Stande, die Amtsjahre der Aebte zu bestimmen. Denn seitdem wird (in beiden Teilen der Chronik) genau angegeben, in welchem Jahr ihrer Waltung sie verstorben sind. Aber um die Angaben

1) Als Heinrich IV. am Oberrhein weilte; vgl. Meyer v. Knonau, Jahrbücher Heinrichs IV. III, 44. 60.

auf die Rechnung nach Inkarnationsjahren zu übertragen, fehlt es für den ersten Teil der Chronik an jedem unabhängig von ihr gebotenen Hülfsmittel. Denn die Angabe, dass Abt Sigmar im Frühjahr 1139, als er zum Laterankonzil nach Rom sich aufmachte, im zweiten Jahre seiner Waltung stand (c. 29), entstammt auch nur der Chronik und darf deshalb nicht so unbedenklich zur Grundlage des chronologischen Systems gemacht werden, wie es durch Weiland[1] geschah. Sie würde nämlich dazu zwingen, den Tod Sigmars während seines 27. Jahres in die Zeit von 1163/4 und das Ende seines Nachfolgers Notger nach einer Amtsdauer von 4 Jahren und 6 Monaten frühestens in den Herbst 1167 zu legen. Allein die Datierungen, die wir dem Fortzetzer der Chronik verdanken, scheinen mir so wahrscheinlich zu machen, dass Notger vor dem 25. Dezember 1166 bereits verstorben war[2], dass ich bei der Berechnung der Amtszeiten von hier ausgehe. Danach würde sich die Abtsreihe etwa in folgender Weise gestalten:

Adelgaud, vertrieben 1077, gestorben 1078.

Gerung, gewählt 1078[3], 'ordinatus autem decem annis . . depositus' (c. 27), doch dürfte das schon im Laufe von 1086 geschehen sein, weil

Walter, der sein Amt 24 Jahre inne gehabt haben soll, spätestens 1109 gestorben ist.

Konrad, eingesetzt 1109, gestorben im 28. Jahre, spätestens Frühjahr 1136.

Sigmar, gewählt 1136, starb im 27. Jahre, spätestens Frühjahr 1162.

Notger leitete die Abtei $4^1/_2$ Jahre; er ist vor Dezember 1166 gestorben.

Ueber die späteren Aebte unterrichtet die Fortsetzung:

---

1) Vgl. SS XXIII, 444, Anm. 57. 2) Sein Nachfolger Otto starb um den 25. Dezember 1177 'duodecimo anno ordinationis sue' (c. 30, S. 446). Die Erzählung des Fortsetzers macht es sehr wahrscheinlich, dass ihm für das J. 1177 eine Aufzeichnung mit dieser Berechnung vorlag. Man hat nur dazwischen zu wählen, ob der Fortsetzer hier geirrt hat, oder ob der ältere Chronist bei der Gleichung 1139 = Amtsjahr II Sigmars sich verrechnete. Ich ziehe diese letztere Möglichkeit entschieden vor. 3) Da man kaum geneigt sein wird, an den Angaben über die Amtszeiten Konrads oder gar Sigmars und Notgers zu rühren, muss man eine an sich geringfügige Ungenauigkeit des Chronisten bei seinen unbestimmter gehaltenen Nachrichten über die Aebte Gerung oder Walter annehmen; am ehesten scheint mir der Fehler in der Notiz über Gerung gesucht werden zu dürfen, sei es, dass dieser doch schon 1077 gewählt oder bereits im 9. Jahre abgesetzt worden ist.

Otto starb um den 25. Dezember im 12. Jahre seiner Waltung: sicher 1177. Denn sein Nachfolger,

Egelolf II., erlebte in seinem 2. Jahre 1179 das Laterankonzil[1], urkundete[2] 1181 'anno quarto electionis nostre', starb (c. 33) im 12. Amtsjahr am 15. August 1189.

Rimund aus Michelsberg resignierte im 24. Amtsjahr (c. 35), wohl im Herbst 1212.

Werner, der Abt von Hugshofen, stand bis ins 9. Jahr auch an der Spitze von Ebersheimmünster (c. 37). Er starb, als er Bischof Heinrich von Strassburg nach Rom begleitete, Ende 1220, spätestens Anfang 1221. Denn

Werner II. von Kork muss ihm vor März 1221 gefolgt sein, da Bischof Heinrich 'huius anno tertio' im März 1223 starb. Sehr bald darauf musste Werner sein Amt niederlegen (c. 38); da Prior Anselm dem Bischof Berthold nicht genehm war, trat an seine Stelle jener neu ins Kloster gekommene

Heinrich aus Würzburg, wohl noch im J. 1223. Als nämlich Kardinallegat Otto von S. Nikolaus im Herbst 1229 Strassburg verliess[3], übertrug er Visitatoren die Absetzung Heinrichs, die jedenfalls bald darauf Ende 1229 bis Anfang 1230 'circa principium septimi anni' erfolgte (c. 41). Nicht ohne Zwischenfälle wurde darauf

Konrad II. aus Neuweiler[4], vermutlich im Frühjahr 1230, gewählt. Etwa $4^1/_2$ Jahr nach seinem Amtsantritt und im 46. Jahre nach dem Tode Egelolfs II. (August 1189) begannen die Wunder in der Nikolauskapelle: beide Berechnungen stimmen auf den Herbst 1234 zusammen.

Da der Verfasser der Fortsetzung uns erzählt, welche Geldsummen seitdem durch die Oblationen der Pilger innerhalb $2^1/_2$ Jahren eingekommen sind, dürfen wir das Frühjahr 1237 als die Entstehungszeit des zweiten Teils der Chronik betrachten.

Wenn wir, wie aus unsern Darlegungen hervorgeht, die Abtsreihe seit 1077 fast genau festlegen können, so ist davon für die vorangehende Zeit keine Rede. Der Chronist hatte allerdings für Abt Rupert, wie wir annehmen dürfen,

1) 'Secundo amministracionis sue anno' (S. 447, Z. 33) bezieht sich wohl auf Egelolf und nicht, wie Weiland meinte, auf Alexander III. 2) Vgl. oben S. 147. 3) Winkelmann, Jahrbücher Friedrichs II. II, 76, N. 4. 4) Ueber ihn sind einige Notizen in den Acta Gengenbacensia heranzuziehen, die Schulte in der Zeitschr. für die Gesch. des Oberrheins N. F. IV, 102 ff. veröffentlichte.

eine bestimmte Angabe, aus der er schloss, dass jener der Abtei 1001—1039 vorgestanden hatte[1]. Aber für die Zeit zwischen Rupert und Adelgaud kannte er nur die Namen zweier Aebte, Willos, der aus Murbach, und Egelolfs, der aus Amorbach gekommen war[2], und einige Anekdoten, die mit ihrer Waltung zusammenhingen. Wie unklar überhaupt seine Vorstellung vom 11. Jh. war, geht daraus hervor, dass er zwischen Heinrich III. und Heinrich IV. mit keinem Worte geschieden hat. So nimmt es uns nicht Wunder, dass er auch über die Strassburger Bischöfe ungenau unterrichtet ist, auf Bischof Alawich († 1001) sogleich Bischof Wilhelm (1028—1047) folgen lässt und Bischof Werner I. vollständig übergeht. Wer dies in Betracht zieht, erkennt unschwer, dass es unzulässig ist, die Erzählungen des Chronisten aus der Zeit vor Adelgaud zeitlich genau zu bestimmen. Wenn man auch geneigt sein mag, zu glauben, dass Abt Egelolf I., der Zeitgenosse Bischof Werners II., noch unter Mitwirkung des Bischofs Hezelo, also vor dessen Tod im J. 1065, eingesetzt worden ist, so liegt doch keine Notwendigkeit vor, seinen Amtsantritt erheblich früher hinaufzurücken. Daher ist es durchaus möglich, dass die Vertreibung des Abtes Willo erst um 1060 stattgefunden hat: die in früher Jugend von ihm ins Kloster aufgenommenen Kinder der hörigen Klosterleute kann daher der Chronist, selbst wenn er erst 1110—1120 geboren worden wäre, noch selbst gesehen haben[3]: 'quos etiam nos ipsi postea de claustro proiectos portarios et pistores ac molendinarios monasterii vidimus'. Von diesen Worten muss man ausgehen, und nicht von den höchst fragwürdigen Zeitangaben, mit denen der Chronist versucht, in sein unvollkommenes Wissen aus den Tagen des früheren 11. Jh. eine gewisse Ordnung zu bringen.

Beilage II.

Die Habsburgische Vogtei über Hugshofen.

Das günstige Urteil, das wir über den Charakter der Fortsetzung gewonnen haben, bestimmt unsere Stellung

1) c. 24, S. 443: 'ab ultimo anno tercii Oddonis imperatoris usque ad primum annum Heinrici filii Cuonradi imperatoris'. Dass Baudezius unmittelbarer Vorgänger Ruperts war, möchte ich aus den überaus bedenklichen Erzählungen von c. 19, S. 440 ebenso wenig schliessen, wie aus den falschen Urkunden. 2) c. 24. 25, S. 443 f. — Aber es ist durchaus nicht notwendig, dass nur diese beiden in jener Zeit Aebte waren. 3) S. 443, Z. 19.

gegenüber ihren einzelnen, anderweit nicht beglaubigten Nachrichten. Unter ihnen spielt eine für die Habsburgische Geschichte nicht ganz belanglose Erzählung in der neueren Forschung eine gewisse Rolle. Abt Werner von Hugshofen und Ebersheimmünster wurde von Hugshofener Mönchen — so erzählt der Fortsetzer[1] — bei ihrem Kastvogt, Graf Albrecht (IV.) von Habsburg, wegen Verschleuderung des Klostergutes zu Gunsten der Ebersheimer verklagt und im 9. Jahre seiner Waltung — also etwa 1220 — von dem Grafen gefangen und auf die Limburg bei Sasbach geschleppt. Nur mit Mühe entging er schwerer Verstümmelung und kam gegen hohe Geldbusse los; vergeblich suchte er sein Recht wider die Gewalttat bei weltlichem und geistlichem Gericht; schliesslich begab er sich gemeinsam mit dem Strassburger Bischof Heinrich von Veringen nach Rom, starb aber auf dem Wege dorthin.

Andere Mitteilungen über diese Vorgänge besitzen wir nicht. Allein dass Bischof Heinrich gerade im Ausgange des J. 1220 Anlass hatte, Papst Honorius III. aufzusuchen, steht fest[2], und dass er die Reise wirklich unternommen hat, ist mindestens nicht unwahrscheinlich. Wir hören ausdrücklich, dass der Bischof im Streit mit Friedrich II. um die staufischen Kirchenlehen die Vermittelung des Papstes erwirkt hat; und die päpstlichen Urkunden, die im April 1221 dem Bistum erteilt worden sind[3], weisen auf die Verbindung mit Rom; ja, wenn wir lesen[4], dass damals Hülfe gegen Gewalttätigkeit der Vögte gesucht wird, die sie gegenüber den Kirchen der Strassburger Diözese üben, so liegt es gewiss nahe, auch die Gefangennahme Abt Werners, von der die Ebersheimer zum J. 1220 berichten, unter die Uebeltaten zu zählen, um deretwillen die Kurie angerufen wurde. Andererseits wissen wir von der Vogtei über Hugshofen, dass sie 1162 in der Hand des im Ausgang des 12. Jh. ausgestorbenen Geschlechts der Ortenburger, 1258 im Besitz Rudolfs IV., des Sohnes des Grafen Albrecht IV.[5] von Habsburg, war. Auch darüber sind wir unterrichtet, dass die Limburg zum Habsburgischen Hausgut gehörte[6]. Nach alledem darf

---

1) c. 37, S. 450. 2) Vgl. die Urkunde von 1221 Aug. bei Schoepflin, Alsatia dipl. I, 347. — Noch im Juli 1220 war Heinrich in Strassburg; vgl. Wiegand, Strassb. UB. I, 148, n. 184. 3) Strassb. UB. IV, 11, n. 18. 19. 4) Schoepflin a. a. O. I, 341, n. 318. 5) Vgl. Steinacker, Reg. Habsb. n. 119. 298. 6) Vgl. Schulte in den Mitteil. des Inst. für Oesterreich. Gesch. VII, 9.

die Erzählung des Ebersheimer Fortsetzers die innere Wahrscheinlichkeit für sich beanspruchen. Aeusserlich wird sie überdies genugsam dadurch beglaubigt, dass sie 1237 niedergeschrieben wurde, als Albrecht IV. selbst noch am Leben und gewiss in der Abtei hinreichend bekannt war. Wie hätte ein Geschichtschreiber in Ebersheimmünster darauf verfallen können, gerade ihn zum Vogte von Hugshofen zu machen, wenn den Habsburgern — nach der heut üblichen Annahme — wirklich erst durch die Ehe Rudolfs IV. mit Gertrud von Hohenberg um 1253 die Vogtei zugefallen wäre[1]!

Die allgemeine Glaubwürdigkeit der Fortsetzung des Chronicon Ebersheimense, bedingt durch ihre Abfassung um 1237 und durch die Persönlichkeit ihres Verfassers, gestattet den bestimmten Schluss, dass die Habsburger seit dem Anfange des 13. Jh. und spätestens 1220 Vögte von Hugshofen gewesen sind.

---

1) So noch Steinacker, Reg. Habsb. n. 119. Doch bemerkt er am Schluss, das Urteil darüber, ob Albrecht IV. bereits im J. 1220 Vogt von Hugshofen gewesen sei, hänge 'lediglich von der Entscheidung über die Glaubwürdigkeit des Chron. Ebersheim. und seiner einzelnen Nachrichten ab'. Offenbar hat er mit dieser Bemerkung seine frühere Ansicht zurücknehmen wollen. Denn in der Zeitschr. für die Gesch. des Oberrheins N. F. XIX, 366 sprach er von einer 'ganz unmöglichen Episode, an der Albrecht IV. von Habsburg beteiligt ist'; und auch der grösste Teil des Regests selbst ist noch in dem Sinne abgefasst, dass nicht Albrecht IV., sondern erst sein Sohn Rudolf IV. — als Mitgift seiner Gattin Gertrud — die Klostervogtei erhalten habe, wie es Schulte angenommen hatte. — Oben zu S. 131 sei für die Scriptores rerum Alsaticarum noch ausdrücklich auf R. Fester, J. D. Schoepflins Brieflicher Verkehr (Bibliothek des Litterarischen Vereins in Stuttgart Bd. 240), hingewiesen; hier ist, mit den wertvollen Anmerkungen, ein reicher Schatz für die oberrheinische Gelehrtengeschichte des 18. Jh. zugänglich gemacht.

V.

Aus der Cronica di Lucca des codex Palatinus 571.

Von

B. Schmeidler.

Im Folgenden gebe ich als Beilage zum ersten Teil meiner Studien zu Tholomeus von Lucca[1] einen Auszug aus der Cronica di Lucca des codex Palatinus 571 der Biblioteca nazionale von Florenz, über die ich oben Band XXXIII, 309 f. 312 ff. handelte, soweit die Chronik auf die Gesta Lucanorum zurückgeht und Cron. I und II, resp. Tholomeus in bemerkenswerterer Weise ergänzt oder bestätigt. Solche Stellen, die nicht mit Sicherheit auf die Gesten zurückzuführen sind, oder die sicher nicht aus ihnen stammen, aber ein eigenes Interesse bieten, so dass sie der Wiedergabe wert schienen, habe ich in Klammern gesetzt. Sachliche Anmerkungen habe ich nur hinzugefügt, sofern sie unbedingt zum Verständnis des Textes erforderlich schienen oder wenn sie in besonders kurzer und schlagender Weise eine Bestätigung oder Erläuterung der Ausführungen des Aufsatzes bieten konnten.

Anni Domini DCCCXLV.

[Lo re Filipo[2] col aiuto di CC cavalieri et IIII^{C} pedoni Luchesi puose l'oste alla cita di Narni et vinsesi per Luchesi a di XV. d'Aprile et recone a Lucha tre corpi santi, cioe santo Casio, che si mise in Santo Eriano, et santa Faustia, et santo Giovanale non volendo ci istare, mostrandone mali tenpi di piove et di fortuna, li Luchesi lo miseno in su uno cavallo, lasolo andare alla ventura, elli sen' ando alla cita di Narni et quine tornato si puose in nel duomo di Narni 845[3]]. f.

Anni Domini MXL. f

[Fue lo primo fuoco in nel borcho di Santo Friano di Lucha anni Domini MXL][4].

---

1) N. A. XXXIII, 285—343. 2) Dies ist die älteste bekannte Ueberlieferung dieser Notiz, über die A. Simonetti, Adalberto I. marchese di Toscana e il saccheggio di Narni nel 878 im Bolletino della R. deputazione di stor. patr. per l'Umbria VII (1901) ausführlich gehandelt hat, weshalb ich sie hier mit aufnehme. 3) Es folgen Notizen zu 960. 1004. 1006. 1013. 21. 30. 35, alle über Pisa. 4) Es folgt 1050. 1060.

A. D. MLX.[1] Lo duomo[2] et la chieça di Santo Martino di Luca si crescieo, essendo[3] gia dificata in nel MXXII, a di IIII. d'Ottobre del MLXX, in tenpo[4] del veschovo[5] Alexandro papa Ugienio con XXII veschovi et arciveschovi et abatti sensa in numero[6] et chierici et cavalieri et giudici et Luchesi et Francieschi et di molte altre provincie funo ala consecrasione[7] della detta chieça, et dievisi grandi perdoni[8].

A. D. MLXXX. [Lo castello di Vacole di Masa Pisana fu dificato dal populo di Lucha 1080][9].

A. D. MLXXXVII. [La contesa Beatrice, ch'era dona di Toschana et avea dottata[10] la chieça magiore di Pisa, che dovea fare, morio et sopelisi in della chieça di Santa Riparata di Pisa]. Et fue 'l stuolo d'Africha a. D.[11] MLXXXVII[12].

A. D. MLXXXX. Arse tuta Chinsicha a di II. di Magio. Et in quel tenpo si perdeo Geruxaleme[13], ma li Pisani funo molto favorevoli[14] a riavella in dello anno MC[15].

A. D. MLXXXXVIII. [Si fecieno le canpane da Boçano delli Aranci[16] del contado di Lucha 1098].

A. D. MC. Lo popolo di Lucha disfecie lo castello di Castagnori, che lo favoregiavano li Pisani.

A. D. MCI. Federicho inperadore diede Toschanella a' Romani et fecieno pacie, et puose oste a Napoli. [Et in del MCIII. fu lo secondo fuoco in borcho Santi Friani di Lucha] et ancio[17] fu lo istuolo sopra Africha. A. D. MCI.

A. D. MCIIII°. Li Luchesi isconfiseno li Pisani sotto Librafatta; ebbeno[18] lo castello di Libra-fata e disfeciello d'Ogosto. Et in del MCV. comicio[19] la guerra

---

1) Im folgenden ist 'anni Domini' mit der Jahrzahl, was in der Hs. auf besonderer Zeile steht, stets zum folgenden Text gezogen und abgekürzt. 2) Uebergeschrieben von anderer, aber alter Hand: 'fu acresciuto S. Martino'. 3) '⁊ sendo' Hs. oft für 'essendo', '⁊ beno' für 'ebbeno' etc. 4) 'tenpo' Hs. stets oder 'tēpo', 'canpo' oder 'cāpo' etc. 5) 'uo' übergeschrieben. 6) So Hs. 7) 'se' übergeschrieben. 8) 'ꝑdoni' Hs., 'ꝑ' sehr oft für 'ꝑ'. 9) Es folgt 1085. 10) Das letzte 'ta' übergeschrieben Hs. 11) Auch hier am Schluss der meisten Jahresberichte ist in der Hs. 'anni Domini' ausgeschrieben, von uns gekürzt, nur unverändert gelassen, wo andere Form steht. 12) Es folgt 1088. 13) Das 'a' übergeschrieben Hs. 14) 'favorevile' Hs. 15) Folgt ein längerer Bericht über einen Kriegszug der Pisaner gegen Kaiser Kalojohannes von Byzanz im Jahre 1090 (!). 16) 'Boçano delli Aranci' scheint Ortsname zu sein, den ich so sonst nicht nachweisen kann. 17) 'ancio' oder 'ancu' Hs. ('anche'?). 18) '⁊ beno' Hs. 19) So für 'comincio' Hs.

tra Pisani e Luchesi et duro anni V. Et Firense distruse castello Gualandi in del MCVIII. 1104.

A. D. MCXI.[1] Lo inperadore Aricho fu in Roma a Dicienbre. Et molti Giudei funo morti in MCXI.

A. D. MCXII. [L' ispeta di Santo Friano di Luca[2] comincio di quaresima]. Et funo grandi tremotti a. D. 1112.

A. D. MCXIII. [Maioricha et Minoricha[3] fu presa con grande vetoria la prima volta a di VI. di Feraio et la seconda a di XXL di Feraio et la tersa a di V. di Marso ella quarta a di X. di Marso da' Pisani et[4] da altre citta a' Saracini. 1113].

A. D. MCXV. La contesa Matelda, dona di Toschana et di Lunbardia, figliuola de 'l contesa Biatycie, cadde et morio in del fuocho di Firense[5] con piu di 2000 persone, li quale fuocho arse la magiore parte, e rimase pocha giente in Firense 1115[6]. f.

A. D. MCXVII. Lo castelo di Prato et le mura fune disfate per li Fiorentini[7].

A. D. VII^C^XLII. [La santa grocie di Luca fue conduta in Lucha l'anno dela incarnasione di Christo VII^C^XLII. in nel tenpo di Carlo di Pipino re di Francia].

A. D. MCXVIII.[8] La capella della Santa Crocie di Luca fue consecrata per mano del veschovo[9] Benerio 1118.

A. D. MCXXVI. Fieçole fue disfatta da' Fiorentini anno di MCXXVI.

A. D. MCXXXVI.[10] Lucha guasto castello Buvano et asedio castello Achinolfi et ebelo. Et valea lo istaio del grano denari XXVI a. D. MCXXXVI[11].

A. D. MCXXXVI. Lucha distruse Ficiechio con grande vitoria a di primo d'Ogosto[12] anni MCXXXVI[13]. f.

---

1) 'MCX' nachher vom Schreiber ergänzt 'MCXI'. Die erste Nachricht gehört zu 1110, die zweite zu 1111. 2) 'di Luca' übergeschrieben Hs. 3) Es handelt sich um die Eroberung von vier Stadtteilen der Hauptstadt von Maiorca im Jahre 1115. Die Gesta triumphalia Pisanorum (Muratori, SS. rerum Ital. VI, col. 103) geben die Daten des 6. und 22. Februar, 4. und 10. März. 4) 'et da — citta a' ist in der Hs. nicht mehr zu lesen, ergänzt aus der Baronischen Abschrift des cod. 927 der Bibl. governativa. 5) 'firense' ausradiert, aber noch lesbar Hs. 6) Es folgt 1116. 7) Es folgt über Papst Gelasius. 8) Diese Nachricht hat Thol. B. zu 1119, Cron. I zu 1120. 9) 'vescho' Hs. 10) In der Hs. n. 949 der Bibl. governativa steht die Notiz richtig 1128. 11) Es folgt 1130, ein schlagender Beweis für die falsche Einreihung der vorhergehenden Notiz. 12) 'die I. di Settembre' hat Cron. I. 13) Es folgt 1137.

A. D. MCXL. [Lo terso fuocho di borcho Santi Friani di Lucha fu a di IIII° di Magio in questo anno]. E Gremona si rendeo in mano dello inperadore Federicho[1].

A. D. MCXLI. Lo inperadore Federicho ebe grande bataglie con Melanesi lo di di santo Martino, ella sera ischuro la luna a. D. MCXLI.

A. D. MCXLI. Lo ditto inperadore con Renaldo canciglieri distruseno la parte di Roma et lo porticho di Santo Piero et levone la porta. Et poi sene ando a Milano et con aiuto del populo di Cremona et delli uscitti[2] di Melano intro in Melano et arsello 1141.

A. D. MCXLIIII°. Li Luchesi isconfiseno li Pisani al preso[3] de lacho in Monte Vornese lo di di santo Giorgio et poi la sera di santo Gervacio di note li Pisani[4] veneno a Masa Pisana 1144[5].

A. D. MCL. Li Luchesi disfecieno et arseno lo castello di Vorno a di XIII.[6] di Marso, et alora vene Guido[7] conte sopra Lucha in del monte di Vorno con III^{M} chavalieri, et funovi ischonfitti da' Luchesi anno Domini MCL.

A. D. MCLIII. Monte di Crocie fue renduto al chomune di Lucha da Guido conte et datto in mano di Guideto Indenaiari et di Tancredi Advocatii, et ricievesi[8] per lo comune di Lucha. Et fue grande fame et mortalita anno Domini MCLIII.

v. A. D. MCLIIII°.[9] Ranaldo, Christiani et Filipo canciglieri dello inperadore fecieno grande oste et bataglie contra li Romani et con Toschanella, et funovi morti ben VIIII^{M} Romani per bonta de' Luchesi, li quali[10] funo li primi foritori col confalone di Lucha. [Et[11] lo deto anno li Fiorentini et Pratessi funo ischonfitti da' Pistoriesi a Carmignano] 1154[12].

A. D. MCLXVII. Lo inperadore Federicho essendo[13] Ancona, et li Anconesi si e[14] s'arendeno per presi et per

---

1) Folgt über den Krieg der Pisaner mit Roger II. 2) 'istitti' Hs. 3) 'poggio' cod. 949, 'paso' Cron. I; 'loco dicto de lago di Pinso' Thol. 4) 'p̃ani' (pasani) Hs. 5) Folgt 1146 über den zweiten Kreuzzug. 6) Undeutlich, eher 'VIII' als 'XIII'; '13' cod. 873 der Bibl. gov. und Cron. I. 7) 'i' übergeschrieben Hs. 8) 'ricīevēsi' Hs. 9) Die Nachricht gehört nach der Zählung der Gesten zu 1164. 10) 'q̷li' Hs. 11) Die Nachricht stammt aus den Gesta Florentinorum. 12) Folgen zwei Absätze zu 1155, dann 1156. 58. 59. 61. 62. 63. 13) '7 sendo' Hs., lies 'assedio'. 14) So Hs.

morti. Et in questo tenpo fue in Lucha lo fuocho di Caldoria et del Parlascio. Et questo anno[1] si rifecie Mellano per li Melanesi a. D. MCLXVII.

A. D. MCLXVIII. La guerra tra Lucha et Pisa ricomicio[2] a di XV. d'Aprile, in del quale di Lucha arse la villa di Chuoça, et conbateono lo castello d'Asciano et preseno molti cavalieri et pedoni Pisani a. D. MCLXVIII.

A. D. MCLXVIIII°. Lo Veltro da Corvaia co' figliuoli Giafori[3] et figliuoli Uguicioni et con Ranierino Schultri introno in nella rocha Fiamicha et ribelosi dal comune di Lucha, e fecieno giurare seta coli catani di Versiglia et di Carfagnana[4] et con Pisani[4] *contra[5] Lucha, * di che li Luchesi puoseno[6] oste a questa rocha et vinsella et quastonola tuta la terra, arseno lo borcho di Corvaia. Et Tancredi lo figliuolo d'Alberto Visconti diede lo castello da Agniano al comune di Lucha, elli Pisani[4] volendolo raguistare[7] funo ischonfitti et pressi, et molti ne funo morti et molti n'anecono in n'Arno et in padule. Et andono li Luchesi a guastare lo piano di Filuncho et di Versiglia et[8] distruseno lo borcho di Brancagliana con V^{C} cavalieri et grande turba[9] di pedoni et[10] forniteno per forsa Corvaia a. D. MCLXVIIII°[11].

A. D. MCLXX. Lo populo di Lucha intro in Gharfagnana et vinsella et molte [castella][12] arse et guasto Pedona et Valechia[13] et conbateo co' Pisani in de' luoco, ove era Viaregio, lo quale si chiamava Chastello da mare, et fu ischonfitto lo populo di Luca et perdeo lo ditto castello[14]. . . . Questo fu a. D. MCLXX. f.

A. D.[15] MCLXXII. Li Luchesi edificono Viaregio e arsono Fosciano a. D. MCLXXII. f.

Churado[16] Giaferi aquisto la rocha Guidingha, et fu lo fuocho in Chiaso di Lucha. Et [Turcheo Malere[17] cho]

---

1) Folgt 'fu' getilgt. 2) So Hs. statt 'si comincio'. 3) Oder 'grafori'? Hs. 4) 'carfagnaña, pisañi' Hs. 5) Am oberen Rande der neuen Seite abermals in Rot: 'anni Domini MCLXVIIII°'. 6) 'puose' auf Rasur. 7) 'et rag.' Hs. 8) Hier fängt Tholomeus (ganz falsch) das Jahr 1170 an. 9) 'turb' Hs. 10) Hier fangen Cron. I und II das Jahr 1170 an. 11) Unter 'anni Domini MCLXX.' folgt hier ein langer Text zur Geschichte von Lucca von f. 5r ziemlich oben bis f. 5v fast unten, der mit den Gesten nichts zu tun hat. Dann neue Ueberschrift (1170) und weiter wie angegeben. 12) Fehlt Hs. 13) Das erste 'a' durch übergeklebtes Papier verdeckt. 14) Folgt ein Satz über die Niederlage Arezzos durch die Florentiner aus den G. Flor. 15) 'ani domi' Hs. 16) Bei 'Churado' beginnt neuer Absatz, das 'C' ist rot; der Abschnitt müsste die Jahreszahl 'MCLXXIII.' haben. 17) Der Schwur der Vertreter von

figliuoli Orlandi corseno[1] Lucha puoseno et arsela. [Ello[2] populo di Lucha arse la cita Ciliana, et Siena et Pistoia et Lucha e'l conte Guido da una parte dispuoseno li Pisani, et el conte Aldibrandino et el conte Ardincho et Firense coloro di su il pogio d'Onso, ove faceano su uno castello]. Luchesi preseno Chioçano[3] et arsello a. D. MCLXXII.[4]

A. D. MCLXXVII. [E fu grande charo, valse lo staio del grano soldi V. Et[5] fu pacie tra papa Alexandrio e lo inperadore Federicho Barbarosa di Luglio fata in Venegia]. Et questo anno arse Firenze dal ponte Vecchio in fine ad Arno, [et comiciosi[6] la guerra tra consoli di Firensse elli Uberti]. Et in questo anno fue grande bataglia tra Christiani et Saracini anno Domini 1177.

A. D. MCLXXVIII. Chade lo ponte Vechio di Firense[7]. . . . a. D. MCLXXVIII.[8]

A. D. MCLXXX. [E fu la istate si grande piova, che non si colse quaçi biada]. Et Firense vinse lo castello Grosomicario a. D. MCLXXX.

La pacie tra Pisa et Lucha fu conpiuta. [Et fue grande la fame, valse lo istaio del grano[9] soldi VII, et fue grande infermita] a. D. MCLXXXI.[10]

v. A. D. MCLXXXI. [Lo populo[11] di Lucha arse Santo Miniato et Ventrognana et Monte Aroni[12] et Falconechisi et altre castella dela sua corte. Et fu la pacie tra Lucha et Pisa. Et li figliuoli Ubaldi diedeno Montravante[13] et Boçano et Chiatri a Pisa, et allora ricomicio[6] la guerra, et Luchesi isconfiseno li Pisani et arseno Montravante[14]. et Boçano.

Lucca beim Bunde mit Florenz 1184 in Florenz wird geleistet 'in presentia . . . Turkii Malarre'. Der Zusatz in S und P zu den Gesten — weder Cron. I noch II noch Thol. haben den Namen —, scheint also alt zu sein. 1) Muss heissen: 'consoli di Lucha preseno Ghivizano'. 2) Ueber diese Kämpfe und die mit ihnen zusammenhängenden sowie über ihre Ueberlieferung vgl. Davidsohn, Forschungen zur älteren Geschichte von Florenz S. 109—113, der einzelne Sätze aus P veröffentlichte. 3) S. N. 1. 4) S. S. 181, N. 16. — Es folgt 1174. 75. 76. 5) Nach Thol. haben die G. Luc. eine Notiz über die Dauer des Schisma, also wohl auch über den Frieden von Venedig gehabt. Ob P aber gerade diese Notiz aus den G. Luc. hat, kann man nicht sagen. 6) So Hs. 7) Folgt ein Satz über das Laterankonzil. 8) Es folgt 1179. 9) 'grano' Hs. 10) Es folgt 1181 (Sercambi 1182), 1186 (zum Schluss als 1185 bezeichnet, Serc. 1185), 1186. 11) Der ganze Absatz ist ein unglaubliches Gemisch von Nachrichten aus den Jahren 1171 und 1172, die z. T. schon oben standen. Ich setze ihn her, weil sich klar daraus ergibt, dass P seinen Gestentext mehreren Quellen entnommen hat (vgl. Bd. XXXIII, S. 329, N. 1). 12) 'monte arom' (?) Hs.; der Ort heisst nach Davidsohn S. 109 'Montareoni'. 13) 'motravate' Hs. 14) 'montrate' Hs.

Et questo anno ebeno li Luchesi per forsa Chiviçano et arseno Calavorna. Et[1] dicieno li Pisani, che fondono lo castello di Motrone lo di di santo Lino contra la volonta de' Luchesi a. D. MCLXXI[2]].

A. D. MCLXXXVIII. Lo inperadore Fedaricho Barbarosa ando otra[3] mare per raquistare lo sipolclo et morio in Romania in nel fiume del Ferro con LX^M Christiani. Et alora tuta giente preseno la crocie per andare otra[3] mare. . . . Et questo anno Luca fecie[4] rifare lo borcho San Ginigi contra la volonta di Santo Miniato, et questo anno si dificono[5] e feciesi le carbonaie di Lucha a. D. MCLXXXVIII.

A. D. MCLXXXVIIII°. . . . Questo anno fu podesta di Lucha Pagano Ronsini a. D. MC89.[6]

A. D. MCLXXXXV. [Lo inperadore Federicho[7] condam[8] messer Arrichi fu eletto et coronato a Roma, et Otto inperadore fu ischomunicato, et dinonsiato a Milano et per tute le gitadi]. Et questo anno fu gran discordia in Lucha tra porta di Borci et San Friani[9] et Santi Donati da una parte, Santi Giervagi et San Piero da l'atra, et fu grande stormo alla Frata in tenpo di Albertino Sofreduci 1195.

A. D. MCLXXXXVI.[10] E cade le torri delli Ispiafanni et de' Chari di Lucha, et fu gran pericolo di giente a. D. 1196.

A. D.[11] MCLXXXXVII. Funo le prime conpagne in Lucha et distruseno Bugiano. . . . a. D. MCLXXXXVII.

A. D. MCLXXXXVIII. Lucha quasto il Meto, [e Guido[12] Uberti fue electo podesta di Lucha. Et fue disfatto lo borcho di San Ginigi]. Et Firense disfecie Frondignano et fu l'asiodio a Semefonti[13] 1198.

A. D. MCC. Incherame da Porchari[14] fue podesta di f. Lucha. Et li Fiorentini[15] disfeceno Smefonti[16] e Conbiacha

---

1) Dies ist die einzige allein in P überlieferte Nachricht, die event. etwas zur Sache beitragen könnte. 2) So hier die Hs., es folgt 1187. 3) So Hs. 4) Folgt 'lo', getilgt. 5) Folgt 'le', getilgt. 6) Es folgt 1190. 91. 7) Der Satz ist gänzlich verderbt und nur verständlich bei Vergleich mit Cron. II, darum hier eingeklammert, obwohl auf den Gesten beruhend; wichtig ist das Wort 'dinonsiato', an der entsprechenden Stelle in Thol. B ist eine Lücke. 8) 'condam̄' Hs. 9) 'friañi' Hs. 10) 1196—1220 fehlt Cron. II, P dient hier zur Bestätigung von Cron. I. 11) 'domi' Hs. 12) 'guudo' Hs. 13) 'semefoñti' Hs. 14) 'de Montemagno' Cron. I; nur 'dominus Ingherame' Thol. B. 15) Die folgenden Notizen gehören zu den Jahren 1201 und 1202. 16) So Hs.

et castello nobile. Et Lucha idifico lo borcho di San Ginigi, elli Saminiatessi lo disfecieno, et li Luchesi guastono tuto intorno a Santo Miniato. . . .[1].

A.[2] D. MCCX. [. . . . Et questo anno fu lo fuocho a Santa Lucia di Luca et arse le case delli Schalchala et di Bernardo Lucii et di Strufaldo et di Tracrecri a. D. MCCX].

v. A. D. MCCXVII. Chade in Lucha parte de Roncini et de Pagani, e molti vi moriono. Et Lucha fecie oste a Masa del Marcheçe et ebella, et fuvi pressi molti Gienovesi per inchano, che erano venuti in sservigio del conte. . . .

A. D. MCCXVIII. Chade la camera di Lucha in della contrada di Santo Salvatore in Mustorio. Et cade una casa piena di femine, ove ne morio piu di L. . . .

A. D. MCCXVIIII⁰. Al tenpo di papa Honorio li Christiani ebeno Damiata. Elli[3] Luchesi isconfiseno li Pisani alla rocha a Moçano lo di di carnasciale et disfecieno la rocha a. D. 1219.

A. D. MCCXX. Fu incoronato Federico condam Arrichi inperadore da papa Honorio.

A. D. MCCXXI. Lo ponte sopra l'Arno a Portasso si fecie dello avere de' chierici di Lucha e del contado, et funo caciati tuti li chierici di Luca et del contado, et inpero ne fu Lucha ischomunicata. Et cade lo cappello della torre de' Sismondi, et morio piu di CCL persone. [Et li Saracini riebono[4] Damaticha a patti, chelli Christiani riebono tuti li loro prigioni] a. D. MCCXXI.

A. D. MCCXXII. Firense et Lucha isconfiseno Pisa et Siena et Pistoia a Chastello del Boscho, cioe a Monte Morecci, et menone MMV^{M}[5] prigioni, et disfecieno lo castello et recono le porti in Santo Michele di Lucha. Et poi[6] puoseno lo canpo a Bientina, che fu rifata per li Luchessi. Et funo di grandi tremuotti. Elli Luchesi dificonno Castiglione sopra il Serchio contra la volonta de' Pisani e Cotone, et arse Lischia et San Guiricho di Lucha. Et fue edificatto[7] Castigliocollo a di XIII. d'Aprile anni 1222. in lunedi[8] a. D. MCCXXII.

---

1) Es folgt 1205. 07. 08. 09. 2) Vgl. Sercambi cap. XXIX, p. 14. 15. Die Notiz stammt wahrscheinlich nicht aus den Gesten. 3) Das gehört offenbar zu 1227, vgl. den Text daselbst. 1219 ist sonst von einem Konflikt zwischen Pisa und Lucca nichts bekannt. 4) 'ribelono' = 'riebono' öfters Hs. 5) So Hs. für 'MMV^{C}'. 6) 'et poi' zweimal geschrieben Hs. 7) '⁊ dificatto' Hs. 8) Der 13. April 1222

A. D. MCCXXIII. Li Pisani et Luchesi s'asenbro insieme a Filetoro et a Santa Viviana, et funo li Pisani isconfitti et isccaciati in fine a Pisa, e poi ancho funo isconfitti sotto Capo di Cole. Et in questo anno li Luchesi dificono Rotaio a. D. MCCXXIII.

A. D. MCCXXV. Fu tradetta et abandonata la rocha di Montebello. Et lo castello da Vechiano ella bichocha funo presi a patti, et fu distruto Lonbrici per forsa a. D. MCCXXV.

A. D. MCCXXVI. Li Luchesi isconfiseno li Pisani alla Fosa di Versilia. Et Chastiglione di Versiglia fue arso; ebesi la torre a patti. Et calvacono[1] li Luchesi Asciano, ebbello[2] et anche la pieve[3], et funovi presi dentro molti homini a. D. MCCXXVI.

A. D. MCCXXVII. Li Luchesi calvalcono in nel piano di Barcha et guastono ben LXX tra ville et castela, et molti Gharfagnini veneno a ubidensia di Luca. Et[4] isconfisono li Pisani, ch'erano venuti alla rocha a Moçano[5], ebeno li Luchesi la rocha a. D. 1227.

A. D. MCCXXVIII. Chastiglione di Gharfagnana f. fue dato a Lucha per tradimento et fue distruto[6]. Et li Luchesi distruseno la parte di Gharfagnana et li Pisani, ch'erano venuti in loro aiuto, et disfecieno di molte terre[7] a. D. MCCXXVIII.[8]

A. D. MCCXXXII. . . . Et Lucca ando a oste a Barcha [et struse Monte Moreci] a. D. 1232.

A. D. MCCXXXIIII°. . . . E in questo anno funo sconfitti li Romani da' Viterbesi collo aiutto del papa Grigorio et di Federicho inperadore, et molti Romani vi funo pressi[9] et morti; et morivi Lamberto Meslieri[10] capitano di Lucha a. D. MCCXXXIIII°.

A. D. MCCXXXVIII.[11] Fu consolo di Lucha domino[12] Sufredi Tadolini et conpagni, li quali[13] edificono[14] li astrachi di Lucha. . . . . [Et covernosi Lucha per consoli in fine

---

ist Mittwoch. 'MCCXXII. a di XVIII. di Maggio . . . Lo proximo die vegnente, cio fu lo martedi' hat Sercambi p. 23. Aber auch der 18. Mai ist ein Mittwoch. 1) So öfters die Hs. 2) '⁊ bello' Hs. 3) Ebenso Thol. B: 'Lucani ceperunt Ascianum et plebem'; nach Cron. II ist zu berichtigen 'lo chastello d'Asciano ella ('alla' Hs.) pieve'. 4) Vgl. oben zu 1219. 5) 'noçano' Hs.; 'Mozzano' Cron. II, vgl. oben 1219. 6) 'discruto' Hs. 7) Das zweite 'r' übergeschr. Hs. 8) Es folgt 1228. 1230. 9) 'pessi' Hs. 10) 'meslicri' verbessert 'meslieri' Hs. 11) So hier die Hs., 1237 ist richtig. 12) 'dino' Hs. 13) 'li per li' Hs. 14) '⁊ dificono' Hs.

a 1264, cioe uno citadino per porta gietelli homini et di populo[1], et durava l'ofigio uno[2] anno] a. D. MCCXXXVII[3].

A. D. MCCXXXVIII. [Lucha ando a oste et ebe et disfecie Corvaia et Valechia e'l borco di Stretoia e Salla[4]. Et venne uno leofante a Lucha. [Et puose oste a Chiatri] a. D. MCCXXXVIII.

A. D. MCCXXXVIIII°. Iscuro lo sole lo di di santo Davino. Et lo inperadore Federicho puose l'oste a Melano e isconfise li Melanesi, et preseno lo figliuolo del dugio di Vinegia, che era potesta di Melano. Et poi si levo da Melano et puose oste a Piagiensa e stettevi con grande 9r. esercito, *e per diluvio d'acqua si convene partire e poi lo inperadore intro in Lucha con grande allegresa. Et in questo anno li Bologniessi et loro amistade funo isconfitti al castello di Vingnuola da[5] Modenesi et Parmigiani, ch'erano[6] in servigio dello inperadore incontra li Bolognesi, et funone morti et presi asai a. D. MCCXXXVIIII.[7]

A. D. MCCXLII. . . . . Et fue lo fuocho in Luca a Santo Piero Cicoli et a Santo Giovanni lo di di santa Justina. Et in questo anno li Pisani a pidisione[8] dello inperadore preseno alla Meloria XXV[9] ghalee, ove erano li cardinali d'Ostia et Penestrino con dodici grandi parlati et veschovi et arciveschovi et abatti et proposti et priori in somma DCC, et Gienovesi et altri funo[10] MV^CL. E di[11] quelli n'ammasarono grande quantita, [et pero fue Pisa privata della Sardigna et bandito li lo pasagio adosso] a. D. MCCXLII.[12]

A. D. MCCXLIII. Lo inperadore fecie grande oste andando[13] contra li Romani[14] et calvacho in Puglia a Melfi et libero lo vescovo Pilistro et li cardinali et tutti li chierici, che erano in loro conpagnia, et diede loro grandi et belli doni a. D. 1243.

A. D. MCCXLIIII. La note di san Tomaseo[15] funo tre grandi tremuotti sensa fine, siche ogniuno se levo delli letti, che tremeano le casse et le torri, che pareva chadesse[16] il mondo a. D. MCCXLIIII°.

---

1) Der Sinn ist nur ungefähr zu erraten; vielleicht ist 'et' vor 'di populo' zu tilgen. 2) 'lo figio' Hs.; 'uno' doppelt geschr., das erste getilgt Hs. 3) So hier richtig die Hs. 4) Das 's' ist ausradiert. 5) 'da' von der alten Hand über ein anderes Wort übergeschrieben; die Stelle hat in dem nicht vollständigen II anderen Sinn. 6) 'eravamo', nämlich die Lucchesen, Cron. II. 7) Es folgt 1240. 8) I. e. 'ad petitionem'. 9) 'XVIII' Thol. B und Cron. II. 10) 'pesono' (undeutlich) verbessert 'funo' Hs. 11) 'di' fehlt Hs. 12) 'MXLII.' Hs. 13) 'andaño' Hs. 14) Der ganze Jahresbericht ist stark gekürzt. 15) 'santo Maseo' Hs. 16) 'pareno chedesse' Hs.

A. D. MCCXLVI. . . . . Et li cattani di Gharfagnana tagliono la mano allo Iscaricio citadino di Lucha, perche arecho lo candello a luminaria di Santa Crocie, di che li Luchesi calvalcono in Gharfagnana et arseno castella et ville et roche. . . . .

A. D. MCCXLVII. . . . . Et la sera di santa Lucia et santo Justo ischuro la luna et divento nera et sanguigna[1].

A. D. MCCXLVIIII⁰. . . . . E questo anno Pistoia defico Belvedere[2], et Luca calvaco a Bruscieto[3] a. D. 1249. f.

A. D. MCCL. [Lucha calvalco in Versiglia al Seraglio, vinse Sala et Castiglione et Monte Ronato di Versiglia]. . . . Et in questo anno morio lo inperadore Federico a Fiorentina di Campagna.

A. D. MCCLI. . . . . [E Lucha isteo a oste al Serraglio in Versiglia contra Pisa II mesi. Allora li Pistoresi veneno al Cosele et Val di Nievole, et funo isconfitti da Montecatinessi et altri amici di Lucha. Et alora li Pisani sentendo[4] questo si partino da l'oste del Seraglio come rotti[5]. Et in questo anno lo re Curado, figliuolo legitimo che fu de lo inperadore Idedericho, prese Napoli et disfece le mura collo aiuto de' Pisani].

A. D. MCCLIIII⁰. . . . Et in questo anno Lucha prese Corvaia[6] et Vallechia e Labatreto et Monte Ispechio a. D. MCCLIIII⁰. f.

A. D. MCCLV. . . . . [Elli Luchesi andono a Vichiano et sconfiseno li Pisani 1255].

A. D. MCCLVI. Firense ando a oste contra Pisa in servigio di Lucha, et Pisa fu isconfita, e anecone molti in Serchio. Questo anno fue pacie intra loro a. D. 1256[7].

A. D. MCCLXIII. . . . E questo anno funo ischonfitti li Luchesi et Guelfi di Toschana a Chastiglione sopra il Serchio, lo qual fu traditto per lo Panta Tenpagnini et per Baciomeo dele[8] Donne, et funo presi molti prigioni. . . . E questo anno vinseno li Luchesi lo castelo Achinolfi[9]. f.

---

1) Es folgt 1248 über die Niederlage Friedrichs II. vor Parma und Gefangenschaft Enzios bis zum Schluss der Seite. 2) Vgl. über die Stelle oben Bd. XXXIII, S. 324. 3) 'scieto' Hs. 4) 'setendo' Hs. 5) Thol. hat zu 1250 Nachrichten, die teilweise wörtlich zu diesen hier von 1250 und 1251 stimmen; er beruft sich auf 'cronice . . . de bellis Lucanorum et Pisanorum'. 6) Thol. 1254 hat ganz ähnliche, teilweise aber offenbar selbständige Nachrichten; die Provenienz derselben in P ist nicht zu bestimmen. 7) Es folgt 1257. 1260. 8) 'del' Hs.; 'de le' Cron. I, 'delle' Thol. 9) Es folgt 1264, wo die Worte 'et perdesi Castiglioni' nach Cron. I den Gesten angehören.

1r. A. D. MCCLXV.[1] [E questo anno si fece pacie con Siena et venesi[2] a divosione de re Manfredi, e li Luchesi dieno Motrone et Pietrasanta, Stretoia, chastello Achinolfi et la rocha di Massa et Chastiglioni di Versiglia et Monte Perfetto et Monte[3] Tornato, et dienole tute a' Fiorentini et al conte Guido Novello ricevente[4] per lo re Manfredi di Cicilia, prometendo elino et giurare[5] il non darle a' Pisani ne a neuno innimico[6] di Lucha, ma conservale[7] per lo ditto re. Lo quale conte et Fiorentini Ghibelini correnti per pecunia tute le dite chastella et terre traitamente le dieno a' Pisani per lire XXVIII^{M} di denari Luchesi] . . . a. D. MCCLXV.[8]

1v. A. D. MCCLXVIIII°. . . Li Luchesi . . guastono Livorna lo porto et Asciano et Agnano et Calci et Canperna et poi Masa del Marcheçe. Et li Pisani arseno et guastono lo Ponte Santo Pieri a. D. MCCLXVIIII°.[9]

A. D. MCCLXXI. Lucha ando a guastare Monte Catino. Et[10] calvalco sopra a Barcha, perche non venneno a commandamenti, et fecesi la concia di Gharfagnana et lla pacie di Barcha et di Correglia et di Castiglioni a. D. MCCLXXI.

A. D. MCCLXXII.[11] E fu podesta di Lucha per lo re Carlo messer Giovanni di Brava, lo quale mandeo Lucha in servigio de re Carlo col suo vicario contra li Gienovesi in Lunigiana con giente di Lucha da piedi[12] et a cavalo a. D. MCCLXXII.[11]

A. D. MCCLXXIIII°. Lucha fecie conpagnia co' Guelfi di Toschana et con giudici di Calura[13], e andono li Luchesi a Montetopoli, et cominciosi la guerra co Pisani.
2r. *Ebeno li Luchesi Montetopoli, che llo tenea Pisa, [et Lucha edifico[14] Santa Maria del Giudici]. . . .

A. D. MCCLXXV. [E morio lo detto giudici Giovanni di Chalura[15]. E 'l conte Ucolino uscio di Pisa per ribello et venesi a Lucha con Pisani asai]. Alora li Luchesi [e 'l ditto conte] et Guelfi di Toschana andono a oste a Pisa et guastono Vico Pisano et Montecchio[16], et

1) 'MCCLXVI', der letzte Strich ausradiert Hs. 2) 'venenosi' Hs., 'no' getilgt. 3) 'mote' Hs. 4) 'riavente' Hs. 5) 'gurare' Hs., zu lesen: 'giurando'? 'di giurare'?. 6) 'innimo' Hs. 7) So Hs. 8) Es folgt 1267. 9) Es folgt 1270, wo die Worte: 'Si fece la pace con Pisani per volonta de re Carlo' den Gesten angehören. 10) Das Folgende gehört zu 1272. 11) Es muss 'MCCLXXIII.' heissen. 12) 'd. Aprile' Hs., was an sich auch in den Text gehört, wie Cron. I zeigt; 'cum certa militia et multitudine peditum' Thol. 13) 'calaura' Hs. 14) 'et difico' Hs. 15) 'chalaura' Hs. 16) 'monte echio' Hs.

preseno altre castella. Et Luchesi riebono[1] Santa Maria a Monte, et poi andono Asciano. Luchesi con certi Pistoresi colli vicari di Toschana, ch'erano con trecento cavalieri, preseno piu di IIII^{M} buon bomini[2] di Pisa, et anecone in de' patani in quella fuca piu di V^{M}. Et fu morto Michelaso di Gualandi et messer Andre[3] de Passo.

A. D. MCCLXXVI. Li Luchesi et Fiorentini isconfiseno li Pisani al fosso Arinonicho, e fune presi et morti asai; et in questa bataglia l'omo nudo prese l'armato et fue guanco[4] da Lucha, che notando per Arno prese le barche delli bomini Pisani armati che fugiano. Allora per meço dello lechatto del papa et de re Carlo si fece la pace tra Luchesi et Pisani et l'usciti di Pisa. Et riebe Lucha Castiglioncello e Cotonne. [Et Firense[5] et Pistoia cavalcono infine alle porti di Pisa et poi feceno concordia, et ebbe Pisa le miçure da' ditti comuni]. Et questo anno[6] santifico santa Sitta[7].

A. D. MCCLXXXI. Lucha prese et arse et disfecie[8] Pescia, peroche non volea ubidire Lucha, ma si[9] lo vicario dello inperadore. Et disfecie le mura di Bugiano [et d'Avalano. E questo anno la giente della chieça colo aiuto delli amici della chieça, Toschani et Lunbardi asedono et preseno et guasto Furli. Elli Ghibellini di Siena funo cacciati di Siena] a. D. MCCLXXI.

A. D. MCCLXXXIII. [Lucha cavalco et quasto f. tutto Val di Serchio a. D. MCCLXXXIII].

A. D. MCCLXXXIIII°. Fu isconfitta Pisa alla Meloria da Gienovesi, et funo tra presi et morti homini[10] XVI^{M}, [et ribelosi[11] molte castella, et fu preso lo conte Fasio e'l conte Locho. Et questo anno lo conte Ucolino giuro parte[12] Guelfa con Toschani et Pisa et fu a parte Guelfa, et disfecie le casse del conte Fasio et consorti et de Ghibelini. . . . Et parve, che fue dispensatione di Dio, che ove li Pisani facieano tanto male et prendendo quelli cardinali et prelatti et Gienovesi et l'atra giente alla Meloria, cosi vendicatti alla Meloria fuseno poi elino isconfitti et morti a. D. MCCLXXXIIII°].

---

1) 'ribilono' Hs.; 'riavèmo' Cron. I. 2) 'hom' Hs. 3) So Hs.; es folgt Text aus den Gesta Florentinorum. 4) So Hs. (?); Cron. I kann bei der mangelhaften Ueberlieferung nichts zum Verständnis beitragen; einen Sinn gäbe vielleicht 'guocho' = 'giuoco' wie unten z. J. 1301. 5) Ganz Aehnliches, aber inhaltlich doch etwas Abweichendes berichtet Thol., während Cron. I nichts derart hat; der eingeklammerte Satz dürfte also nicht aus den Gesten stammen. 6) Gehört nach Cron. I zu 1277. 7) Es folgt Text aus den Gesta Florentinorum. 8) 'disfecie' übergeschr. Hs. 9) So Hs.; bedeutet wohl etwa: 'sondern vielmehr'. 10) 'hom' Hs. 11) Zu lesen 'riebonsi'? 12) 'parte' Hs.

A. D. MCCLXXXV. Lo conte Ucholino [da Donoraticho o d'altrove] diede a Lucha Librafatta et Viaregio. Et ancho[1] Lucha fece oste a Pisa et prese Suola et Cuoça et el Ponte al Serchio et guasto tuto lo contado di Pisa, cioe lo piano[2].

r. A. D. MCCLXXXVI. Lucha fece oste a Pisa et Asciano et veneno a patti.

A. D. MCCLXXXVII. [Morio papa Onorio de' Savelli di Roma in Firense. Et Lucha et Pistoia feceno oste a Pisa et guastono lo Val d'Arno, et Lucha corse lo palio dal Ghangio in fine a Santo Savino lo di di santo Recolo, essendo[3] in Pisa lo conte da Montefeltri con V^{C} cavalieri Ghibellini]. Et li Fiorentini ebeno lo Ponte ad Era per tradimento[4] . . . .

v. A. D. MCCLXXXX. [Li uscitti[5] di Pisa Guelfi, cioe lo judici di Ghalura de' Visconti et lo conte Ucolino et li Upisinchi, Catani et Scernigiani[6] et da Bitorno, con Guelfi di Toschana per terra elli Gienovesi per mare, et asediono Pisa et disfeceno lo porto et Livorno et tolseno l'Erba et arebeno[7] avuto Pisa per caressia, se non fuse la bonta del conte Guido, in chui tenpo si fe la torre Ghibelina di Tersonaia]. Et questo anno li Cristiani andono Acri oltra mare, et in del 91. lo disfecie lo soldano. A. D. 1290.

A. D. MCCLXXXXII. Pisa fece pacie con Firense et con Lucha et coli altri Guelfi di Toschana. . . . [In questo tenpo lo conte Guido raguisto l'Elba et Ponte ad Era et Calcinaia et molte altre castella. Riduse Pisa a buono istatto et liberolla da caressia et guardo bene l'avere del comune. Ma da poi li Pisani non volseno piu la signoria del conte et liberono li Fiorentini dalle cabelle, et confermo a Lucha cio che avea infine a le porti di Pisa] a. D. 1292.[8]

A. D. MCCLXXXXIIII⁰. . . . [In questo tenpo Pisa raquisto tuta Marema e Val d'Era et Colina et gran parte del contado, et difesesi per mare et per terra come buoni disciepoli del conte Guido da Montefeltro, lo quale laso lo secolo et fecesi frate Minore a. D. MCCLXXXXIIII⁰][9].

1) 'et ancho' zweimal geschr. Hs. 2) Folgt Text aus den Gesta Florentinorum, resp. der in P vorliegenden Fortsetzung derselben. 3) 'et sendo' Hs. 4) Es folgt über Vorgänge in Arezzo, im Wesentlichen gleich Sercambi I, cap. 95, S. 44. 1288 und 89 bieten keinen bemerkenswerten Text, 1290 aber einige starke Anklänge an Thol., ohne dass man doch auf Quellenzusammenhang mit Sicherheit schliessen könnte. 5) 'iscitti' Hs. 6) Vielleicht 'Scornigiani'? Thol. nennt 1287 einen 'dominus Ganus Scornisianus'. 7) So Hs. 8) Es folgt 1293. 9) Es folgt 1297.

A. D. MCCLXXXXVIII. . . . Et questo anno funo f. disfatte le mura di Barcha[1]. . . .

A. D. MCCCI. Lo di di chalende Gienaio fu morto f. messer Opiso delli Opisi di Lucha a posta de' Pisani da Baciomeo Ciaparoni et da Bonucio Interminelli. Et in questo anno lo populo di Lucha fece tagliare la testa a messer Ranucio Mordecastelli, [diciendo chelli avesse ordinata la morte di messer Opisio, messer[1*] sensa colpa nesuna che vi avesse, e da quel di innansi fu incorporata in Lucha parte Ghibelina]. Et funo caciati li Chibelini, le [quali[2] erano] alora li Opisi et Bernarduci. Col populo di Lucha miseno lo fuocho in casa Interminelli et a Tasignanessi et a quelli[3] da Porta et quelli di Fondo et ruboli, essendo[4] tuti costoro a confine posti per[5] lo populo di Lucha et obidinno senpre. Et questo anno venne messer Carlo di Francia, et vidisi per segno una stella fumante. [E in questo anno si fecie lo guocho[6] da Boçano, et funovi quelli dalla pieve Ylici] a. D. MCCCI.

A. D. MCCCII. Li Luchesi et Fiorentini co loro amici feceno oste a Pistoia, esendovi ricoveratti dentro la parte Biancha da Firense et li Interminelli, et guastolla tuta intorno. E poi ebeno Seravale a patti et poi Lerciano [et rimaseno a Lucha, et faciendovi[7] et Lucha una bella rocha et uno muro in meço del castello. . . . . E alora Lucha prese Marliano et Laciano, Popiglio et Cavignana et Santo Marcello et Lancivola et altre terre di Pistoia, et guasto la montagna di Pistoia, esendo ivi li Chibelini caciati di Lucha a Pistoia. Et papa *Bonifasio[8] a pidisione *f. de' Guelfi di Lucha casso li calonaci[9] di Santo Martino e altri chierici Chibelini sensa richiesta ne proceso][10].

A. D. MCCCIII. Lucha et Firense feceno oste a Pistoia et guastono infine alle mura. [Et Luca fornio Laterino in servigio di Firense et prese Chalamecha]. E questo anno da Archo et Chiasso infine a Santo Giusto et a Santo Michele et Santo Christoffano arse Lucha[11]. [E questo anno Lucha taglio la testa a messer Giovachino Cricanvelli per tradimento, e Chibelini et Aretini tolseno

---

1) Es folgt 1300. 1*) Dies zweite 'messer' muss wohl getilgt werden. Red. 2) 'q. e.' fehlt Hs. 3) 'a quelli' zweimal geschr., das zweite getilgt Hs. 4) 'et sendo' Hs. 5) 'p' zweimal geschr. Hs. 6) Soll wohl heissen 'giuoco'. 7) Vielleicht ist hier ein Name ausgefallen. 8) Am oberen Rande der neuen Seite steht wieder in Rot 'anni domini MCCCII'. 9) Die Kanoniker. 10) 'poceso' Hs. — Es folgt über Karl II. in Sicilien, die Florentiner vor Pulicciano, gleich Sercambi I, cap. 106, S. 50. 51. 11) 'arse Lucha' auf Rasur.

Castiglione Aretino a Firense]. . . . E questo anno chiacio lo lacho di Masa Cucori per lo isconcio fredo, et poi fu sconcisimo caldo, che isteo messi otto, che non piove 1303.

A. D. MCCCIIII⁰. . . . . .[1] [E questo anno per inpronto de Chibelini di Toschana vene lo cardinale da Prato, lecatto di papa in Toschana, per pacificare, et vene in Firense sotto cagione di pacie tratando in Firense[2]. Unde li Guelfi di Firense et li Luchesi vi andono con VII^{C} cavalieri et XX^{M} pedoni, unde lo cardinale sentio la venuta, si partio[3] di notte di Firense. Allora li Guelfi di Firense meseno lo fuocho in delle case delli Alberti et arseno MCC case]. Et alora v'intro messer Corso Donati e rupe le prigioni et arse Canemale, diche lo comune di Firense diede ballia a Luchesi, che rifermaseno la terra a lloro piacere. Allora Lucha vi messe podesta et capitano per due anni et feceno li priori in Firense [et similemente feceno in Pratto][4].

v. A. D. MCCIIII⁰. . . . E questo anno messer Lucha cardinale dal Fiescho mando a Lucha lo primo leone che mai fuse in Lucha. [E ll' ano seguente quello leone mori] a. D. MCCIIII⁰.

---

1) Der Anfang im Wesentlichen gleich Sercambi I, cap. 108, S. 51. 52. 2) Dieser Satz ist bei Serc. deutlicher, in P fehlen einige Worte. 3) 'portio' Hs. 4) Es folgt die Geschichte (Serc. I, cap. 108, S. 52) von dem Handstreich der Gibellinen gegen Florenz, den die Florentiner angeblich nur abwehren 'gridando: Echo li Luchesi'.

VI.

Miscellen.

Zur ältesten Geschichte von Monte Cassino.

Von **Erich Caspar.**

Monte Cassino ist weitaus die älteste und ehrwürdigste Stätte mönchischen Lebens im Abendland, aber die urkundliche Ueberlieferung des Klosters setzt später ein, als die mancher weit jüngeren Stiftung, eigentlich erst mit dem 9. Jh. Denn was davor liegt, gehört, von wenigen Stücken abgesehen, in den Bereich der umfassenden Monte Cassineser Fälschungen des 12. Jh.[1], welche die gesamte Urgeschichte des Klosters verdunkelt und entstellt haben. Aus dieser Fälschungsmasse lassen sich jedoch einige wenige Reste echter Ueberlieferung herausschälen. Vor kurzem versuchte ich, mit Hilfe der gefälschten Karolingerurkunden ein verlorenes echtes Diplom Karls d. Gr. für das Kloster zurückzugewinnen[2]. Indem ich einen ähnlichen Versuch bei anderen Stücken der Cassineser Fälschungen unternehme, hoffe ich, zwei noch ältere echte Reste der urkundlichen Klosterüberlieferung zu Tage zu fördern und darunter eine archaische Kostbarkeit aus der Urzeit von Monte Cassino selbst.

Unter den gefälschten Urkunden nimmt eine Bulle des Papstes Zacharias[3] vom Jahre 748 eine hervorragende Stelle ein[4] durch ihre ungewöhnliche Länge, durch die reichen Gnaden, die sie dem Kloster gewährt, endlich durch die Sorgfalt, welche der Fälscher zur Herstellung eines angeblichen Originals aufgewandt hat.

---

1) Ich handle über diese im Zusammenhang in meinem demnächst erscheinenden Buch 'Petrus diaconus und die Monte Cassineser Fälschungen'. 2) In dieser Zeitschrift Bd. XXXIII, 55 ff. 3) Angebl. Original Monte Cassino caps. I, n. 1, ed. Tosti, Storia di Monte Cassino I, 82; Reg. J.-E. n. 2281. 4) Sie hat sich in der Folgezeit des grössten Ansehens erfreut. Das Cassineser Archiv besitzt bereits von Gregor IX. 1231 Apr. 10 (caps. I, n. 7, Potthast n. 8706) ein Transsumpt derselben, ebenso von mehreren späteren Päpsten; vgl. Kehr, Miscell. Cassin. I (1897), 13.

Pflugk-Harttung[1] wies bereits nach, dass echte Cassineser Papsturkunden aus späterer Zeit zum Muster genommen sind. Für den gesamten Kontext hat eine im Original erhaltene Bulle Kalixts II.[2] als Vorlage gedient, aus welcher der Fälscher auch die Arenga[3] entnahm, um bald freilich im Text eigene Wege zu gehen[4]. Für die Rota zog er das älteste im Archiv noch heute vorhandene päpstliche Original, die Bulle Viktors II. von 1057[5], heran und kopierte getreu auch Inschrift und Umschrift derselben. Aber auch eine Vorlage älterer Zeit muss der Fälscher daneben benutzt haben, das geht, wie schon Pflugk-Harttung bemerkte, aus der ersten Zeile der Fälschung hervor, welche die Intitulatio enthält. Ihre geräumig gemalten Schriftzüge zeigen bei einzelnen Buchstaben deutliche, bei anderen missverstandene Formen der alten päpstlichen Kuriale, 'wodurch es kommt, dass die Buchstaben teilweise gar keine Worte ergeben'. Auch die Scriptumzeile ist durch eine Nachahmung des altkurialen Sc eingeleitet. Pflugk-Harttung schloss mit der zweifelnd gehaltenen Bemerkung[6]: 'Immerhin scheint festgehalten werden zu müssen, dass die altkurialen Teile und die Ausführung der Bleibulle eine Vorlage auch aus älterer Zeit bedingen, die — offenbar auf Papyrus geschrieben — zu Grunde gegangen ist, wie ihre Geschwister bis auf verschwindende Ausnahmen'.

Aber es lässt sich Bestimmteres über diese Vorlage in alter Kuriale sagen. Der Text der Intitulatio lautet nach dem inzwischen erschienenen Facsimile der Fälschung[7]: 'Zacharias pas eꝑ seru seruoꝵ đi'[8]. Er kann nur so entstanden sein, dass der Fälscher eine Vorlage, deren fremdartige Züge er nur schwer entziffern konnte, mechanisch nachmalte, ohne zu bemerken, dass er die letzten Buchstaben des Papstnamens doppelt las und sie zum zweiten Male in entstellter Form, das 'p' von 'eꝑ' hinzunehmend, niederschrieb. Mit anderen Worten: nicht irgend eine 'Vorlage auch aus älterer Zeit', sondern einzig und allein ein in alter Kuriale geschriebenes

1) In dieser Zeitschrift Bd. IX, 478 ff. 2) Orig. l. c. caps. I, n. 3, Reg. J.-L. n. 6984. 3) 'Omnipotenti Deo' etc. 4) Ueber den Inhalt der Fälschung handele ich an genannter Stelle. 5) Orig. caps. I, n. 5, Reg. J.-L. n. 4368. 6) L. c. S. 480. 7) Bei Piscicelli-Taeggi, Paleografia artistica di Monte Cassino, Scritt. lat. tav. 41. Ein Bruchstück bereits in Pflugk-Harttungs Specim. chart. Tafel 112. 8) Piscicelli-Taeggi l. c. transscribiert freilich: 'Zacharias episcop[us] seruus seruor[um] D[e]i'!

Privileg Papst Zacharias' hat der Fälscher benutzt. Den Versuch, die Schrift des Originals nachzuahmen, gab er begreiflicher Weise nach der ersten Zeile auf und hielt sich für alles Weitere an leichter lesbare Vorlagen. Die Originalurkunde muss indes, obwohl der Papyrus auch bereits etwa 400 Jahre alt war, noch ziemlich vollständig gewesen sein, das zeigen der erneute Versuch des Fälschers, das 'Sc' der Scriptumzeile nachzuahmen, und die vortrefflich nachgebildete Bulle[1].

Das Privileg Zacharias' für Monte Cassino, dessen Existenz aus der Fälschung mit Sicherheit hervorgeht, lässt sich aber sogar seinem Inhalt nach rekonstruieren. Der Text der Fälschung freilich ist dazu nicht zu brauchen[2], wohl aber eine literarische Nachricht, die älter als die vorliegende Fälschung ist[3], in der Klosterchronik Leos von Monte Cassino[4]: 'Ab hoc etiam s. papa (sc. Zacharia) praedictus abbas (sc. Petronax) privilegium primus accepit, ut hoc monasterium cum omnibus sibi pertinentibus cellis ubicumque terrarum constructis ob honorem et reverentiam s. patris Benedicti ab omnium episcoporum dicione sit omnimodis liberum, ita ut nullius iuri subiaceat, nisi solius Romani pontificis'.

Die echte Urkunde Zacharias' ist also ein Exemptionsprivileg gewesen, und wie bei dem gleichartigen, jetzt als echt erwiesenen, Privileg desselben Papstes für Fulda[5], muss der

---

1) Pflugk-Harttung scheint sogar selbst über die Bulle im Zweifel gewesen zu sein. Wenn er sie N. A. IX, 479 als unecht bezeichnet, so bildet er sie Spec. chart. Tafel 125 (Sigilla Tafel I) doch unter den echten ab. Ich muss das Urteil hierüber erprobten Sphragistikern überlassen. Sicher ist nur, dass die echte Bulle dem Fälscher jedenfalls noch vorlag. Auffällig ist, wie ich bemerken möchte, an der vorliegenden Bulle allein das falsch orientierte Σ des Papstnamens, das ebenso auch am Anfang der Urkunde wiederkehrt. Der Stempelschneider hat also ein Positiv statt eines Negativs hergestellt. Ein Beispiel dafür lässt sich aber auch in einem echten Stück, dem provisorischen ersten Siegel Konrads I. mit dem falsch orientierten S am Schluss des Namens nachweisen (vgl. Foltz, Die Siegel d. deutschen Könige u. Kaiser a. d. sächs. Hause, N. A. III, 27). Immerhin ist solches Versehen eher einem Fälscher als einem berufsmässigen Stempelschneider zuzutrauen. 2) Er enthält neben vielem anderen auch eine Exemptionsverleihung, deren Wortlaut aber aus dem Privileg Marins II. für Monte Cassino, J.-L. n. 3624, das der Formel XXXVI des Liber diurnus folgt, entlehnt ist. 3) Ueber dies chronologische Verhältnis handle ich ausführlich an anderer Stelle. Es ergibt sich übrigens allein schon daraus, dass der Rechtsinhalt der Fälschung viel umfassender ist als die Inhaltsangabe des Chronisten. 4) Leonis Chron. Cassin. lib. I, c. 4 (MG. SS. VII, 582). 5) J.-E. n. 2293. Vgl. Sickel, Beitr. z. Diplomatik IV (Wiener S.-B. XLVII), 623

Text nach Formel XXXII des liber diurnus abgefasst gewesen sein[1].

In eine noch frühere Periode, in die Gründungszeit von Monte Cassino selbst, führt uns derselbe Fälscher mit einer Schenkungsurkunde des römischen Patricius Tertullus, der der Vater des Placidus, eines der beiden Lieblingsschüler Benedikts, war[2].

Die Urkunde, die sich zwar nicht als Original, aber doch als Nachzeichnung eines solchen ausgibt[3], gehört textlich wie graphisch zu den seltsamsten und in gewissem Sinne reizvollsten Erzeugnissen mittelalterlicher Fälscherkunst[4]. Hier weist natürlich nichts von äusseren oder inneren diplomatischen Merkmalen auf eine echte Vorlage zurück, dagegen verlangt der Satz, welcher den Rechtsinhalt der Urkunde enthält, eine nähere Untersuchung. Er lautet:

'Concedo tibi . . . . . omnes patrimonii mei curtes, que esse videntur in Sicilia, cum servis septem milia, exceptis uxoribus eorum et filiis: in Messana modia terre triginta cum portu suo, in Acio modia terre viginti milia, iuxta civitatem Catheniensem modia terre quinque milia

---

und Tangl in MIÖG. XX, 193 ff., der die mit Diurn. XXXII übereinstimmende Fassung des Textes gegenüber der längeren als die echte erwiesen hat. 1) Der Wortlaut der Inhaltsangabe der Urkunde bei Leo weicht zwar von der Formel ab, gleichwohl wäre sie natürlich allein massgebend bei einer Rekonstruktion der echten Urkunde. Ich sehe von einer solchen ab, weil die zwar geringfügigen individuellen Teile des Textes sich doch nicht mit Sicherheit wiederherstellen liessen. Von der Fälschung ist kein Wort hierfür zu verwerten, auch nicht die Namen und Daten des Schlussprotokolls, denn es ist mit einer geringfügigen willkürlichen Aenderung — März statt April im Datum — aus der Bulle Marins II. J.-L. n. 3624 entlehnt. 2) Vgl. Vita s. Benedicti auct. Gregorio M. (Dial. lib. II) c. 3. 3) Monte Cassino Arch. abbaziale caps. XIII, n. 1, Registrum Petri diac. f. 47, n. 106, Reg. s. Placidi f. 110, ed. Chronica sacri coenobii Cassinensis (Venetiis 1513) app. f. 296', Tosti, Storia di Monte Cassino I, 77. 4) Protokoll und Eschatokoll lauten: 'Tertullus Dei gratia invictissimae regine celi terreque civitatis Romane patricius dictatoribus, magistratibus, senatoribus, consulibus, proconsulibus, prefectis, tribunis, centurionibus et omnibus hominibus per totum orbem commorantibus Romaneque dicioni subiacentibus salutem et perpetuam pacem. — Actum est hoc decretum quinto decimo Kalendas Iulii anno imperii Iustini quinto, trecentesima vicesima sexta olimpiade. † Ego Tertullus patricius manus mee signo roboravi. † Ego Simmachus patricius consul subscripsi. † Ego Boetius bis consul subscripsi. † Ego Vitalianus consul subscripsi'. Ich handle über die Fälschung selbst demnächst an anderer Stelle.

centum quinquaginta, in Agrigento trecenta, iuxta Syracusam quadringenta, in Drepanis modia terre quattuor milia, in Aquis Segestianis nongenta, in Sounto triginta, in Thermis quadraginta, in Parthenico octingenta, in Icchara sexcenta, iuxta Panormum trecenta cum portu suo, in Cephalodo quindecim milia, in Aleso quinquaginta septem, in Galeate centum sexaginta, in Acaliate trecenta, in Agunitino duo milia, in Tindare centum quinquaginta'.

Hier sind also achtzehn sicilische Ortsnamen aufgezählt, und zwar nicht allein allbekannte, wie Palermo, Messina u. a., sondern auch solche, die man zunächst aus der antiken Topographie Siciliens kennt, wie Segesta, Caleacte u. a., und die heute verschwunden sind. Soll der Fälscher diese Reihe von Namen selbständig und aus freier Erfindung wie den Rest der Urkunde zusammengestellt haben, so ist die erste Voraussetzung, dass sie zu seiner Zeit, im 12. Jh., alle noch lebendig waren.

Zur Beantwortung dieser Frage sind wir besser gerüstet als gewöhnlich für Fragen mittelalterlicher Topographie. Wir besitzen gerade für das Sicilien des 12. Jh. in der Geographie des Arabers Edrisi, die 1154 auf Anregung König Rogers von Sicilien verfasst ist[1], ein Werk, das uns über die damaligen Städte und Orte der Insel und ihre Namen in vorzüglicher Weise unterrichtet. Denn der Abschnitt über Sicilien ist bei Edrisi naturgemäss der ausführlichste; nicht nur die grossen Städte, sondern auch Dörfer und kleine Flecken sind in Menge aufgezählt, so dass man vielleicht von einer fast erschöpfenden Topographie der damaligen Besiedelung der Insel sprechen kann.

Ich stelle zum Zweck der Vergleichung die Namen in der Besitzliste der Fälschung und dazu die entsprechenden Ortsnamen in der Antike, bei Edrisi und in der Gegenwart in vier Kolumnen nebeneinander:

Messana	Messana	massini	Messina
Acium	Acis	lîâg (= Li Aci, plur.)	heute eine Reihe kleiner Orte: Aci re-

1) Herausgegeben von Jaubert mit französischer Uebersetzung in Recueil de voyages et de mémoires V. VI (Paris 1836. 40), der Italien betreffende Teil von Amari und Schiaparelli in Atti della R. Accademia dei Lincei ser. II, vol. VIII (Roma 1883) mit italienischer Uebersetzung und einer Karte, die sicilischen Partieen allein schon bei Amari, Biblioteca Arabo-Sicula (1857, ital. Uebersetzung I. II, 1880). Ueber Edrisi vgl. mein Buch Roger II. S. 448 ff.

			ale, Aci Sant Antonio, Aci Bonaccorso etc.; vgl. Amari e Schiaparelli p. 22.
civitas Catheniensis	Catana	qaṭâniah	Catania
Agrigentum	Agrigentum	ǵ. rǵ. nt	Girgenti
Syracusa	Syracusa	saraqûsah	Siracusa
Drepana	Drepanum	ṭarâbaniś	Trapani
Aquae Segestianae	Aquae Segestanae bei Segesta	—	—
Sountum	Solus, Soluntum	—	—
Thermae	Thermae	ṯirmah	Termini Imerese
Parthenicum	[Parthenicum]	b. rt. nîq	Partinico
Icchara	Hyccara	—	—
Panormus	Panormus	balarm	Palermo
Cephalodum	Cephaloedium	ǵaflûdî	Cefalù
Alesum	Halaesa	—	—
Galeate	Caleacte	'al qârûnîah	Caronia
Acaliate	—	—	—
Agunitinum	Agathyrnum	—	—
Tindare	Tyndaris	baqtuś	Patti

Die Besitzliste zeigt auf den ersten Blick von den drei Namenkolumnen die nächste Verwandtschaft mit der ersten, der antiken. Nur sechs der achtzehn Namen, Messina, Catania, Girgenti, Syracus, Palermo, Cefalù sind bis heute die gleichen geblieben, dazu kommen drei, die nur geringe Abwandlungen erfahren haben: Drepanum, das zu Trapani, Thermae, das zu Termini wurde, und Acis (Acium), an dessen Stelle eine Reihe kleinerer Orte des gleichen Namens traten. Die mittelalterlich-arabische Liste zeigt dabei in einem Fall, bei ṯirmah, mit der antiken, in den beiden anderen mit der modernen Namenreihe die grössere Verwandtschaft. Zwei weitere von den antiken Namen, Caleacte und Tyndaris, sind durch ganz andere moderne verdrängt worden[1], und die Besitzliste

1) Der alte Name Tyndaris hat sich nur in dem Capo Tindaro und einem winzigen Flecken Tindaro bei Patti erhalten.

steht dabei auf Seiten der antiken, die mittelalterliche, der Entstehungszeit der Fälschung angehörige, auf Seiten der modernen Namenreihe. Fünf Ortsnamen der Besitzliste sodann lassen sich überhaupt nur im Altertum belegen. Die Aquae Segestianae, die auch Strabo[1] erwähnt, werden als warme Heilquelle zwar von Edrisi ausführlich beschrieben, aber sie tragen nicht mehr den Namen des einst berühmten, längst in Trümmer gesunkenen Segesta[2], das auch aus der modernen Topographie Siciliens, abgesehen von der gelehrten, vollkommen verschwunden ist. Das gleiche gilt von Soluntum, dessen Ruinen bei Catalfani an der Nordküste der Insel liegen, und das Edrisi garnicht nennt, von Hyccara, Halaesa und Agathyrnum, die spurlos verschwunden sind. Acaliate, endlich, das neben Galeate in der Besitzliste genannt wird, lässt sich auch in der antiken Ueberlieferung nicht belegen.

Mit Sicherheit lässt sich hiernach sagen, dass der Fälscher die Liste sicilischer Namen nicht selbständig zusammengestellt haben kann, sie entspricht der Topographie Siciliens in einer Zeit, die weit vor der seinigen liegt. Es bleibt die Möglichkeit, dass er sie aus antiken Vorbildern entnommen habe, um die Glaubwürdigkeit der angeblichen Urkunde des 6. Jh. zu erhöhen. Solches Verfahren ist ihm an sich wohl zuzutrauen, denn nicht leicht wird man einen mittelalterlichen Fälscher finden, der mit mehr sorgfältiger Mühe und ausgebreiteter Belesenheit an sein Werk gegangen wäre.

Lässt sich doch an einer anderen seiner Urkundenfälschungen, einem angeblichen Privileg Kaiser Justinians für Monte Cassino[3], das auch die Besitzliste unserer Tertullurkunde wiederum enthält, nachweisen, dass der Fälscher, um die Zahl antiker sicilischer Ortsnamen zu vermehren, hier eine Anleihe bei der antiken Literatur gemacht hat. Justinian fährt nach Aufzählung der achtzehn Höfe fort: 'Necnon etiam villas, quae ad iamdictas curtes attinent, quarum nomina haec sunt: iuxta Syracusas villa Bidensis, Centuripinensis, Haliciensis, Himera, Soluntina, Heraclea, Hennensis'. Schlägt man die zweite Rede Ciceros

---

1) Geogr. VI, 275. 2) Die Stelle bei Edrisi lautet nach Amari-Schiaparellis Uebersetzung (l. c. S. 38): 'Dall' Erice ad 'al hammah ('le acque termali') . . . . . per cagion d' una sorgente di acqua termale che sgorga da una rupe vicina. La gente prende dei bagni in quest' acqua, ch' è di giusto calore, dolce e soave'. 3) Ed. Chronica sacri coenobii Casinensis (Venetiis 1513) app. f. 205.

gegen Verres auf, die in der Aufführung einzelner Schandtaten des erpresserischen sicilischen Praetors natürlich eine Menge sicilischer Orte nennt, so findet man im zweiten Buch einen Abschnitt der beginnt: 'Bidis oppidum est tenue sane non longe a Syracusis'[1]. Der kleine Ort ist fast nirgend sonst erwähnt[2], der Fälscher kann ihn nur von hier entlehnt haben. Dasselbe gilt von den übrigen sechs Namen: man begegnet ihnen gleichfalls bei Cicero in den nächstfolgenden Abschnitten und in genau derselben Reihenfolge wie beim Fälscher[3].

Ist etwa auch die Besitzliste der Tertullurkunde aus Cicero entlehnt? Natürlich wird die Mehrzahl der aufgeführten Ortsnamen in den Verrinen ebenfalls genannt[4], doch einige fehlen auch, nämlich Acium, Hyccara = Icchara, Acaliate[5] und Parthenicum. Diese müsste der Fälscher also aus anderen Schriftstellern herbeigeholt, den letzten aber sogar aus der Topographie Siciliens in seiner eigenen Zeit hinzugefügt haben. Denn Parthenicum, dem Namen nach zwar zweifellos antiken Ursprungs, scheint doch erst dem ausgehenden Altertum anzugehören. Der Name fehlt bei Strabo und anderen Geographen und findet sich zum ersten Mal im sogenannten Itinerarium Antonini, das der Zeit Diokletians angehört[6]. Bei Edrisi kehrt er wieder und ist dann bis heute lebendig geblieben.

---

1) In C. Verrem Act. II lib. II, c. 22, § 53. 2) Vgl. Thes. ling. Lat. II, 1974 s. v. 3) L. c. lib. II, c. 27, § 66: 'Iam Heraclii Centuripini . . . testimonium audistis' etc.; c. 28, § 68: 'Sopater quidam fuit Halicyensis' etc.; c. 35, § 86: 'Oppidum Himeram Carthaginienses quondam ceperant' etc.; c. 42, § 102: 'Posides Macro Soluntinus' etc.; c. 50, § 125: 'Idem fecit Heracleae' etc.; c. 65, § 156: 'Dixerunt Halaesini, Catinenses, Tyndaritani, Hennenses, Herbitenses, Agyrinenses, Netini, Segestani, enumerare omnes non est necesse' etc. 4) Vgl. zu den folgenden Bemerkungen das Onomasticon Tullianum der Züricher Gesamtausgabe von Orelli VII, 2 (Zürich 1838). Zwei der Namen, Drepanum und Calacta, müsste der Fälscher aus der dritten Rede herbeigeholt haben, da sie in der zweiten, die er für die Justinianfälschung benutzte, fehlen. 5) Der Name, in der Liste neben Caleate = Calacta stehend und anscheinend verwandt, ist wohl verderbt, ähnlich wie Agunitinum statt Agathyrnum. Ich vermag ihn nirgend nachzuweisen. Auch im Thesaurus linguae Latinae fehlt diese oder eine ähnliche Form. Dort vermisse ich übrigens auch Calacta. 6) Vgl. Itin. Anton. ed. Parthey u. Pinder (Berlin 1848) p. 42. 46; cf. Schanz, Gesch. d. röm. Litt. IV, 103. Partinico ist in CIL. X 751 durch kursiven Druck nach dem Gebrauch der Ausgabe als Ort, der in der Antike nicht nachweisbar und jüngeren Datums ist, gekennzeichnet. Auch Holm, Gesch. Siciliens im Altertum I (Leipzig 1870) gibt auf seiner Karte des antiken Sicilien Partinico durch Kursivdruck als modernen Ort zu erkennen.

Der Fälscher müsste aber nicht allein eine mühselige Mosaikarbeit bei Zusammenstellung dieser Besitzliste geleistet haben, er müsste auch eine ganz ungemeine Kenntnis der Geographie Siciliens im Altertum besessen haben, denn die Aufzählung entspricht, von der Umstellung von Syracus und Girgenti sowie einiger Orte an der Nordküste der Insel abgesehen[1], durchaus der geographischen Lage, indem sie von Messina aus die Insel im Sinne des Uhrzeigers umkreist.

Dass man bei dem Cassineser Mönch des 12. Jh. solche Kenntnis nicht voraussetzen darf, das zeigt klar ein Vergleich der Besitzliste mit dem erweislich von diesem Fälscher herrührenden, aus Cicero entlehnten, Zusatz in der Urkunde Justinians. Cicero beobachtet natürlich keinerlei geographische Reihenfolge, aber der Fälscher hat nicht etwa den Versuch gemacht, solche Reihenfolge herzustellen, sondern ist genau seiner Vorlage gefolgt. Ja, er beginnt, getreu nach Cicero 'iuxta Syracusas villa Bidensis' und reiht die anderen Namen einfach an, ohne deutlich zu machen, dass zu diesen das vorangestellte 'iuxta Syracusas' nicht mehr gehört: er scheint sich selbst nicht klar darüber gewesen zu sein.

Der Fälscher hat ferner den Zusatz so zu sagen im Hinblick auf die Besitzliste abgefasst, denn er hat, als er die Ortsnamen aus Cicero auszog, einige, die zwischen den von ihm entnommenen stehen, ausgelassen, weil sie bereits in der Besitzliste standen[2]. Dabei ist ihm jedoch widerfahren, dass er eine 'villa Soluntina' aufgenommen hat, obwohl Sountum schon in der Liste genannt ist: er hat offenbar den Namen nicht wiedererkannt und diese Inkonsequenz zeigt zum Schluss noch einmal deutlich, dass nicht er die Besitzliste zusammengestellt hat, sondern dass

---

1) Die richtige Reihenfolge wäre von Trapani an: Segesta, Parthenicum, Icchara, Panormus, Sountum, Thermae, Cephaloedium etc. Vgl. Itin. Anton. l. c. p. 42. 2) Bei Cicero folgen sich die Fälle der Bidini, des Heraclius Centuripinus, des Sopater Halicyensis, des Sthenius Thermitanus, der Stadt Himera, des Posides Macro Soluntinus, der Halaesini, der Agrigentini, der Stadt Heraclea, der Syracusani, der Stadt Cephaloedum in unmittelbarer Reihe und bald darauf werden Halaesini, Catinenses, Tyndaritani, Hennenses [Herbitenses, Agyrinenses, Netini, Segestani] genannt. Die Namenreihe der Justinianurkunde lautet: 'villa Bidensis, Centuripinensis, Haliciensis, Himera, Soluntina, Heraclia, Hennensis. Der Fälscher hat also deutlich die im Druck hervorgehobenen Namen absichtlich aus dem genannten Grunde fortgelassen. Auffällig ist nur, dass er sich am Schluss die Herbitenses und Netini entgehen liess.

er sie fertig und abgeschlossen überkam. In der Tat bestätigt sich noch von anderer Seite, dass die Besitzliste älter ist als die falsche Tertullurkunde selbst. Denn auch von der Schenkung Tertulls, wie von dem Privileg Zacharias'[1], berichtet bereits vor dem Fälscher der Klosterchronist Leo wie folgt[2]: 'Beatum etiam Placidum, opinio est, quod vir Domini Benedictus tunc ad Siciliam miserit, ubi pater eiusdem Placidi, Tertullus patricius, decem et octo patrimonii sui curtes eidem viro Dei concesserat'. Wenn also schon Leo von achtzehn Höfen spricht, muss ihm die Besitzliste, die achtzehn Namen sicilischer Orte nennt, bereits vorgelegen haben.

Aus der gefälschten Tertullurkunde hebt sich somit eine ältere Besitzliste[3] heraus, die in starkem Gegensatz zu dem absurden Protokoll wie zu dem Zusatz weiterer sicilischer Namen in der Justinianurkunde desselben Fälschers steht. In dieser wohlgeordneten Reihe von Ortsnamen wird man nunmehr keinen Anstand nehmen können, eine echte Liste von Monte Cassineser Besitzungen

---

1) S. oben S. 197. 2) Chron. Cassin. lib. I, c. 1 (MG. SS. VII, 580). Leo wiederum fusst auf einem Cassineser Martyrologium vom Ende des 11. oder Anfang des 12. Jh. (Cod. Cassin. 47 f. 57, vgl. Bibl. Cassinensis II, 18), wo es heisst: 'III. Non. Oct. Apud Siciliam natale s. Placidi . . . pro quo pater eius Tertullus patricius decem et octo patrimonii sui curtes beatissimo patri Benedicto obtulit'. Dies ist die älteste Nachricht darüber. Ueber die Priorität Leos vor dem Fälscher handle ich an anderer Stelle; vgl. auch oben S. 197. 3) Denn auch die mit den Ortsnamen verbundenen Angaben der Besitzungen in 'modia terrae' bieten keinen Anlass zum Verdacht. Nach den von Du Cange zitierten Stellen kommt der modius im übertragenen Sinn als Landmass (= $^1/_3$ des römischen iugerum, das 240 $\times$ 120 Fuss umfasste) besonders in Süditalien und gerade in älterer Zeit vor. Ich nenne nur als älteste Beispiele Reg. Greg. I. lib. IX, ep. 37: 'terrula modiorum plus minus decem', ep. 96: 'terrula modiorum triginta', und aus der Cassineser Ueberlieferung selbst das Memoratorium des Abts Berthar (856—84) bei Leo, Chron. Cassin. lib. I, c. 45 (MG. SS. VII, 610) mit folgenden zahlreichen Stellen: 'Ecclesia s. Helie in Sclangario cum pertinentia sua, quae est viginti milium modiorum . . . s. Marie in Pontiano cum terrae modiis sexcentis . . . castrum quod dicitur Calcaria cum terra modiorum circiter 400, ecclesia s. Eleutherii in pertinentia de Boclanico, loco qui dicitur Rupi, cum terra septingentorum octoginta modiorum . . . faram, quae continens est insimul quinque milium octingentorum modiorum terrae . . . . . ecclesia s. Calixti . . . cum terra modiorum sex milium sexaginta' etc. Auch die Zahlenangaben der Besitzliste haben mit diesen verglichen nichts Uebertriebenes und deshalb Verdächtiges. Aber eine Gewähr dafür, dass sie mitten in der gefälschten Urkunde unangetastet richtig geblieben sind, ist daraus natürlich nicht zu entnehmen. Sicherlich Phantasie sind nur die 7000 Sklaven 'exceptis uxoribus', von denen auch Leo noch nichts weiss.

in Sicilien zu erblicken. Terminus ad quem für ihre Entstehung ist zunächst die arabische Invasion in Sicilien, seit der Wende des 8. zum 9. Jh., welche die Topographie Siciliens von Grund aus umgestaltete. Um weitere hundert Jahre zurück führt die Ueberlegung, dass nach dem Jahre 726, dem Ausbruch des Bilderstreits, der den Zusammenhang des griechischen Süditalien und Sicilien mit Rom und dem übrigen Festland zerriss, von Besitzungen des Benediktklosters auf der Insel nicht mehr die Rede sein kann. Das bedeutet aber wiederum eine Zurückschiebung des Terminus ad quem bis in die Jahre nach 568, in denen die Zerstörung des Klosters durch die Langobarden erfolgte[1], denn die Wiederherstellung fand erst 720[2], also fast gleichzeitig mit der Losreissung Siciliens vom Abendlande, statt.

Da terminus a quo die Gründung von Monte Cassino ist, so gehört die Besitzliste in den fünfzigjährigen Zeitraum von 529 bis etwa 580. Dass in ihr Parthenicum, ein Ort, dessen Entstehung erst der späten Antike angehört, genannt wird, stellt in diesem Zusammenhang ein besonders starkes Kennzeichen der Echtheit dar[3].

So erhebt sich die weitere Frage, was unter Preisgabe der vorliegenden Form der Tertull*urkunde*, von der bereits bei Leo überlieferten Nachricht einer Tertull*schenkung*, deren Rechtsinhalt die echte Besitzliste darstellt, zu halten ist.

Die Persönlichkeit des römischen Patricius Tertullus und seine Beziehungen zu Monte Cassino sind gut beglaubigt, denn schon Gregor d. Gr. in seiner Benediktbiographie erzählt, Tertull habe seinen jungen Sohn Placidus dem Gründer von Monte Cassino als Schüler dar-

---

1) Die Mönche fanden damals bekanntlich eine Zufluchtsstätte in einem Kloster am Lateran (vgl. Chron. Cassin. lib. I, c. 1), wo der Konvent bis zur Wiederherstellung von Monte Cassino bestehen blieb. Es ist also nicht völlig ausgeschlossen, dass die Besitzliste erst dieser Zeit, dem 7. Jh., angehören könnte, aber es ist sehr unwahrscheinlich, denn nichts weist darauf hin, dass der Konvent an der neuen Stätte aufgeblüht wäre. Er wird auffälliger Weise im ganzen Gregorregister mit keinem Wort erwähnt und hat anscheinend nur ein kümmerliches Dasein in der Verbannung gefristet. 2) Chron. Cassin. lib. I, c. 2. 3) In demselben Sinn wäre auch zu erwähnen, dass das spätantike Itinerar, wie die Besitzliste, nur noch *Aquae* Segestanae (l. c. p. 42) kennt, nicht mehr das damals schon verfallene Segesta selbst, und dass ebendort die Namenform des alten Agathyrnum, Agatinnum (l. c. p. 43), sich bereits unverkennbar derjenigen nähert, aus der das überlieferte Agunitinum der Besitzliste jedenfalls verderbt ist.

gebracht[1]. Auch als sicilischer Grossgrundbesitzer und Gönner des Benediktklosters ist Tertull keineswegs eine unwahrscheinliche Figur. Man denke nur an Gregor d. Gr. selbst, der gleichfalls dem römischen Stadtadel entstammte und auf seinen ausgedehnten sicilischen Besitzungen nicht weniger als sechs Klöster gründete und ausstattete. Die Besitzungen der römischen Aristokratie waren gerade in Sicilien und im angrenzenden Calabrien noch aus alter Zeit besonders ausgedehnt. Auch auf Cassiodor, den gothischen Minister, könnte man verweisen, dessen Güter bei Squillace lagen, wohin er sich, gleichfalls um ein Kloster zu gründen, am Abend seines Lebens zurückzog.

Eine gewisse Wahrscheinlichkeit besteht also für die Richtigkeit der Nachricht, aber der sichere Beweis ist nicht zu erbringen. Auch bleibt andererseits zu bedenken, dass Gregor in seiner Benediktbiographie zwar von der Persönlichkeit Tertulls, nicht aber von dieser Schenkung berichtet, und dass in späterer Zeit eine vielleicht ohne den Namen eines Schenkers überlieferte alte Liste von Besitzungen[2] im Kloster auf ihn, als den jedem Cassinesen bekannten ältesten Gönner von Monte Cassino, gerüchtweise zuerst und dann, wie bei Leo, mit Bestimmtheit bezogen werden konnte.

Wie dem auch sein mag, an der Besitzliste selbst und ihrem ehrwürdigen Alter kann kein Zweifel mehr bestehen. Wie sie jetzt, gelöst von der falschen Hülle der Tertullurkunde, vorliegt, reiht sie sich der kleinen Zahl von einzelnen urkundlichen Stücken an, die aus vorlangobardischer Zeit noch erhalten sind, aus der wir sonst nur besitzen, was in offiziellem Schutz die Gefahren der Jahrhunderte überdauert hat, wie die päpstlichen Briefe der Rechts- und Konzilssammlungen.

Für die Geschichte des ältesten Monte Cassino endlich ist der unscheinbare Urkundenrest von hohem Interesse. Was wir bisher von ihr wussten, ist, abgesehen von der Regel Benedikts, nur die legendarisch durchsetzte Ueberlieferung in Gregors Benediktbiographie. Jetzt tritt ein Rest urkundlicher Ueberlieferung, ein Dokument zur Profan-

---

1) Vgl. oben S. 198, Anm. 2. 2) Was die Möglichkeit betrifft, dass eine solche Liste sich auch über die Zeiten des Exils in Rom erhalten haben kann, so ist auf das Original der Regula s. Benedicti zu verweisen, das mit wenigen anderen Heiligtümern zusammen bei der Zerstörung nach Rom gerettet und von Papst Zacharias später dem neu errichteten Kloster zurückerstattet wurde; vgl. Leonis Chron. Cassin. lib. I, c. 4.

geschichte des ältesten abendländischen Klosters, hinzu. So dürftig und trümmerhaft es ist, lässt es doch erkennen, dass schon dies erste Monte Cassino eine wirtschaftlich nicht unbedeutende Stellung gehabt haben muss. Was man hierüber aus der Besitzliste entnehmen kann, stimmt durchaus zu dem Bilde kirchlicher Wirtschaft im Italien des 6. Jh., das man auch in dem wenig jüngeren Register Gregors d. Gr. wiederfindet. Der kirchliche Besitz ist gerade in Sicilien besonders ausgedehnt gewesen. Hier lag das weitaus grösste Patrimonium der römischen Kirche. Ravenna und andere Bischofskirchen hatten gleichfalls Güter auf der Insel[1], ja sogar ein genaues Seitenstück zu dem vorliegenden Fall, sicilischer Besitz eines campanischen Klosters, findet sich im Gregorregister[2].

Der enge Zusammenhang mit Sicilien zerriss durch den Bilderstreit und durch die arabische Invasion vollkommen. Das neue Monte Cassino des 8. Jh. nahm, wie alle gleichzeitigen und späteren Klostergründungen, seine Entwicklung ausschliesslich auf dem Festland. Nur die Regel Benedikts schlägt eine Brücke zurück zu dem alten Kloster, in dessen völlig andere Besitzverhältnisse uns der gerettete Urkundenrest einen kleinen Einblick gestattet.

---

1) Vgl. Hartmann, Gesch. Italiens im Mittelalter II, 139.
2) Vgl. Reg. Greg. lib. IX, ep. 170, wo eine massa Papyriana in Sicilien als Besitz eines Neapolitaner Klosters genannt ist.

Desiderata.

Von **Siegmund Hellmann.**

Der Name Desiderata für die erste Gemahlin Karls des Grossen scheint noch immer nicht ganz beseitigt zu sein[1], und doch verdankt er nur einer wenig glücklichen modernen Konjektur seine Entstehung.

Die einzige Quelle, die ihn anzugeben scheint, ist die Vita Adalhardi (c. 7). Allein da alle Kinder des Desiderius, wenigstens soweit wir sie kennen, germanische Namen tragen, so hat schon O. Abel gefragt, ob die Stelle auch richtig interpretiert werde: 'Der Name der ersten Gemahlin Karls ist ungewiss: Radbert, der durchaus glaubwürdige Lebensbeschreiber des Abts Adalhard, nennt sie Desiderata, aber es liegt nahe, dies Wort nicht als einen Namen zu nehmen, sondern es klein zu schreiben und zu übersetzen 'die von ihm selbst gewünschte Tochter des Königs Desiderius'[2]. Das Urteil der Hss., denen die letzte Entscheidung gebühren würde, vermag ich im Augenblick nicht anzurufen. Aber vielleicht ist das auch nicht notwendig, denn die alten Herausgeber der V. Adalhardi, denen man in diesem Punkte wohl trauen darf, Surius, Sirmond, die Bollandisten, Mabillon, schreiben das Wort klein: sie nehmen es als Adjektiv. Mit grossen Buchstaben und als Eigenname erscheint es erst bei Pertz[3]. Jedoch muss man sich daran erinnern, dass er keinen auf neue Hss. basierten Text gibt, sondern seine Exzerpte aus dem Drucke Mabillons nimmt: erst unter seinen Händen ist demnach aus der 'filia desiderata' eine 'Desiderata filia' geworden.

---

1) Vgl. z. B. Böhmer-Mühlbacher, 2. Auflage, n. 142b. 2) Geschichtschreiber der deutschen Vorzeit IX, 1 (1850), 39, Anm. 2. — Abels Zweifels sind dann auch in die Neubearbeitung der Jahrbücher Karls des Grossen von B. Simson übergegangen (I, 80, Anm. 5). 3) MG. SS. II, 525.

Wenn wir also die Lesart der älteren Herausgeber restituieren und Paschasius Radbertus wieder schreiben lassen dürfen: 'unde factum est, cum idem imperator Carolus desideratam Desiderii regis Italorum filiam repudiaret', so dachte er dabei vielleicht an ein älteres Vorbild. Dem Kreise des heiligen Hieronymus scheinen mehrere Männer angehört zu haben, die denselben Namen trugen wie der letzte Langobardenkönig[1]. Der eine von ihnen hat ihn zur Uebersetzung des Pentateuch aufgefordert, und als das Werk vollendet war, hat es ihm Hieronymus mit einem Begleitschreiben zugesendet, das mit den Worten beginnt: 'Desiderii mei desideratas accepi epistolas .... obsecrantis, ut translatum in Latinam linguam de Hebraeo sermone Pentateuchum nostrorum auribus traderem'[2]. Dieses Wortspiels mag sich Radbert erinnert haben, als er von der erst begehrten und dann verschmähten Prinzessin zu reden hatte. Dass ihm die Stelle bekannt gewesen sein muss, braucht wohl nicht erst besonders gesagt zu werden.

---

1) Vgl. Smith & Wace, Dictionnary of Christian biography s. v. 2) Migne XXVIII, 177.

Otto von Freising und das Privileg Friedrichs I. für das Herzogtum Oesterreich.

Von Wilhelm Levison.

Die durch das Buch von Wilhelm Erben vor sechs Jahren neu angeregte Oesterreichische Privilegienfrage kann jetzt als im wesentlichen erledigt gelten. Die Echtheit des ganzen Privilegium minus ist zu erneuter Anerkennung gelangt, ja eben durch Erbens Diktatuntersuchung nur noch mehr gesichert worden, während seine Annahme einer späteren Verfälschung als unhaltbar nachgewiesen worden ist [1]. Auch Henry Simonsfeld, der soeben in einem Anhang zum 1. Bande der Jahrbücher des Deutschen Reiches unter Friedrich I. [2] die Ergebnisse der jüngsten Erörterungen besprochen hat, kann sich in dieser Hinsicht kurz fassen [3]; Streitfragen bestehen kaum mehr über die Urkunde selbst, vielmehr nur noch in Bezug auf den Bericht, den Otto von Freising über die Erhebung Oesterreichs zum Herzogtum gegeben hat [4]. Umstritten bleibt einmal die Bedeutung der bei der Rechtshandlung als Symbole verwandten 5 + 2 Fahnen und der zur Mark zugehörigen 'comitatus quos tres dicunt', also der Dinge, über welche die Urkunde selbst keine Auskunft gibt; man streitet ferner über die Frage, ob Otto das Privileg bei der Aufzeichnung des Berichts vor Augen gehabt hat oder nicht. Nur von dieser zweiten Streitfrage soll hier die Rede sein. Dass Otto von dem Inhalt der Urkunde Kenntnis gehabt hat, ergibt sich nicht nur aus seiner Teilnahme an den Vorverhandlungen

---

1) Auch die Anmerkung von Erben, Urkundenlehre I (v. Below und Meinecke, Handbuch der Mittelalterlichen und Neueren Geschichte), 1907, S. 296, Anm. 1 dürfte dies Ergebnis kaum beeinträchtigen. 2) Leipzig 1908, S. 709—715; vgl. S. 467 ff. 727 f. 3) Hinzugekommen sind seitdem noch die Bemerkungen von Tangl über die Arbeiten von Lampel, N. A. XXXII, 541 ff. 4) Gesta Friderici II, 55 (ed. Waitz p. 128).

und dem Zeugnis des Kaisers[1]; sein Name erscheint auch in der Zeugenliste. Eine andere Frage aber ist es, ob er sich bei der Niederschrift der Gesta des Privilegs selbst bedient, also dessen von ihm nicht erwähnte Bestimmungen absichtlich übergangen hat, oder ob der Inhalt von ihm lediglich aus dem Gedächtnis so unvollständig wiedergegeben worden ist. M. Tangl hat die erste Annahme ausführlich zu begründen versucht[2]; Simonsfeld erhebt dagegen jetzt Bedenken[3], wie ich glaube, mit Unrecht.

Zwar legen Worte Ottos zunächst die Annahme nahe, dass er aus der Erinnerung berichtet: 'Erat autem haec summa, ut recolo, concordiae', und man kann für diese Auffassung noch eine andere Stelle geltend machen; die berühmte Darlegung der Gründe, die zur Wahl Friedrichs I. führten, leitet er mit den Worten ein[4]: 'Huius consultationis summa in illamque personam tam unanimis assensus ratio haec, ut recolo, fuit', indem er hier sicherlich nur seiner Erinnerung folgt. Ob man dennoch auf das Wörtchen 'recolo' bei dem anderen Bericht grosses Gewicht legen und deshalb die Benutzung der Urkunde für ausgeschlossen halten muss, zumal doch Teile der Erzählung, die Angaben über die sieben Fahnen und die Erwähnung jener vielerörterten 'comitatus', auf dem Gedächtnis beruhen? Wenn der Vergleich des Wortlauts mit der Urkunde deren Benutzung wahrscheinlich macht, so wird dem gegenüber eine solche Phrase kaum allzu streng genommen werden dürfen, und auch Simonsfeld hat diesen Gesichtspunkt nur kurz gestreift.

Dagegen sieht er einen erheblichen Gegengrund in Ottos ungenauer Angabe über die Zeit des Regensburger Fürstentages. Nach dem Chronisten kommen die Fürsten 'mediante iam Septembre' in Regensburg zusammen und warten dort einige Tage auf den Kaiser, ehe nach dessen Ankunft das Abkommen bekannt gemacht wird[5]. Anders die Urkunde; sie nennt den 8. September im Kontext als Tag der Versammlung ('in curia generali Ratispone in nativitate sancte Marie celebrata'), den 17. in der Datumzeile als Zeit der Beurkundung. Tangl erklärt die Ungenauigkeit 'aus der Vereinigung der abweichenden Daten von

1) Brief Friedrichs I. an Otto (Waitz a. a. O. S. 4): 'Scis etiam in ordine, quam inter fratrem tuum ducem Austriae et ducem Baioariae concordiam fecerimus'. 2) N. A. XXX, 478—482. 3) A. a. O. S. 710 f. 4) Gesta II, 2 (p. 83, 1). 5) Gesta II, 54 (p. 128).

Handlung und Beurkundung, wie sie die Urkunde bot'[1], während umgekehrt Simonsfeld in dem 'schweren chronologischen Irrtum' einen Grund gegen die Annahme der Benutzung des Privilegs erblickt. Tangls Erklärung des Widerspruchs hat ja bereits diese Annahme zur Voraussetzung; sie wird daher zuerst auf anderem Wege zu beweisen sein.

Tangl hat diesen Beweis angetreten, indem er die Urkunde und den Bericht Ottos Satzteil für Satzteil verglich[2]. Otto übergeht die Oesterreich verliehenen Vorrechte; im übrigen ergibt sich bis dahin vollständige Uebereinstimmung in der Anordnung der Angaben, wobei man freilich sagen kann, dass der Tatbestand auch bei Wiedergabe der Vorgänge aus dem Gedächtnis leicht zur Einhaltung derselben Folge hinführen konnte. Der Wortlaut weist nicht eben viele Anklänge auf:

Privilegium:	Gesta II, 55:
resignavit nobis ducatum Bawarie.	ducatum Baioariae — imperatori resignavit.
de consilio et iudicio principum — marchiam Austrie in ducatum commutavimus,	de eadem marchia — iudicio principum ducatum fecit,

und bei ihnen kann die Rechtssprache den Gebrauch der gleichen Wendungen nahegelegt haben. Anders ist es aber doch, wenn Otto daran einen Satz fügt, der an die Corroboratio der Urkunde in einer Weise erinnert, dass wenigstens ich schwer an einen Zufall zu glauben vermag:

Ceterum ut hec nostra imperialis constitucio omni evo rata et inconvulsa permaneat, presentem inde paginam conscribi et sigilli nostri impressione insigniri iussimus.	Neve in posterum ab aliquo successorum suorum mutari posset aut infringi, privilegio suo confirmavit,

und noch beweiskräftiger scheinen mir mit Tangl die nächsten Worte: 'Acta sunt haec anno regni eius

---

1) A. a. O. S. 481, Anm. 3. — Man könnte geltend machen, dass Otto hier und da auch sonst ähnlich unbestimmte Zeitangaben verwendet: II, 11 (S. 90, 21) 'circa principium mensis Octobris'; II, 39 (117, 3) 'circa principia mensis Septembris'; II, 43 (121, 4) 'mediante Octobre'; ebenso Rahewin III, 8 (138, 1) 'Mense Octobre mediante'. Doch ist darauf schwerlich Gewicht zu legen. 2) A. a. O. S. 478 ff.

quinto, imperii secundo', die er mit Recht mit der Datumzeile der Urkunde vergleicht: 'Dat. Ratespone XV. Kal. Oktobr., indictione IIII, anno dominice incarnationis MCLVI, regnante domno Friderico Romanorum imperatore augusto, in Christo feliciter amen, anno regni eius quinto, imperii secundo'. Simonsfeld erörtert dem gegenüber die Möglichkeit, dass die Worte erst nachträglich von Rahewin eingefügt worden sind, bei dem sich eine solche Wendung 'häufiger' finde; er vermag ganze zwei Beispiele aus Rahewin beizubringen[1], nur eins aus Otto[2], und die geringe Beweiskraft dieser Zahlen wird noch dadurch vermindert, dass ihm ein zweites Beispiel bei Otto entgangen ist[3].

Aber nicht nur die Wendung selbst ist es, die hier Beachtung verdient; nicht minder scheint mir ihre Stellung bemerkenswert. Otto zerreisst mit diesen Worten geradezu die Geschlossenheit seiner Erzählung, wenn er mitten zwischen den Bericht über den Ausgleich und den sich daran anschliessenden frohen Einzug des Kaisers in Regensburg den Satz mit der Angabe der Regierungsjahre schiebt. Zudem sind an den beiden anderen Stellen, an denen er das Jahr derart bezeichnet, Jahres- und Monatsangabe in einem Satze verbunden, hier weit von einander getrennt, wo der Monat bereits genannt wird, als Otto von dem Eintreffen der Fürsten in Regensburg berichtet, während das Jahr ganz am Schluss nach dem Hinweis auf die Beurkundung nachgetragen wird. Gegen das 'Gefühl', dass erst Rahewin den Satz hinzugefügt haben 'könnte', lässt sich gewiss schwer streiten; aber psychologisch erscheint mir der Tatbestand ohne weiteres begreiflich, wenn Otto die Urkunde vor sich sah. Gleich zu Beginn der Narratio findet sich hier die Zeitangabe 'in curia generali Ratispone in nativitate sancte Marie celebrata'; entsprechend leitet Otto zu dem Bericht über das Abkommen hin mit den Worten: 'Igitur mediante iam Septembre[4] principes Ratisponae conveniunt'. Er folgt dann dem ersten Teil der Urkunde, überspringt die Oesterreich zugestandenen Vorrechte, um sich bei der Corroboratio wieder dem Privileg zuzuwenden, in dessen Datumzeile nach Inkarnationsjahren und Apprecatio Friedrichs Königs- und Kaiserjahre den Be-

---

1) Gesta IV, 14. 86 (p. 198, 32. 276, 20). 2) Eb. II, 32 (p. 112, 29): 'imperii coronam accepit, anno regni sui quarto, mense Iunio, XIIII. Kal. Iulii'. 3) Eb. II, 11 (p. 90, 19): 'anno regni sui tercio — circa principium mensis Octobris'. 4) Vgl. oben S. 211.

schluss bilden; so setzt er diese letzten Worte der Urkunde auch an das Ende seines Berichts.

Man wird vielleicht finden, dass subjektive Empfindungen auch bei diesen Darlegungen eine allzu grosse Rolle spielen, obgleich sie mir eine gewisse Wahrscheinlichkeit zu besitzen scheinen; dass sie aber auch das Richtige treffen, lehrt eine andere Tatsache. Otto von Freising hat die Urkunde überhaupt nicht erst zur Hand genommen, als er von dem Abschluss des Streites um Baiern erzählte; vielmehr tritt ihre Einwirkung am allerdeutlichsten schon da zu Tage, wo er von Friedrichs ersten Versuchen berichtet, den Zwist beizulegen[1]:

Privilegium:	Gesta II, 7:
Noverit igitur omnium Christi imperiique nostri fidelium presens etas et successura posteritas, qualiter nos — — litem et controversiam, que inter dilectissimum patruum nostrum Hainricum ducem Austrie et karissimum nepotem nostrum Hainricum ducem Saxonie diu agitata fuit de ducatu Bawarie, hoc modo terminavimus.	Erat vero multa serenissimi principis anxietas, cum omnia prospere in regno agerentur, qualiter controversia, quae inter eius carnem et sanguinem, id est Heinricum patruum suum et itidem Heinricum avunculi sui filium duces, de Norico ducatu agitabatur, sine sanguinis effusione terminari posset.

Die Anlehnung Ottos an die Narratio des Privilegs ist wenigstens an dieser Stelle doch unverkennbar; der Satzbau und die gewählten Worte stimmen zu sehr überein, als dass die Annahme der Abhängigkeit des Chronisten von der Urkunde noch einer besonderen Begründung bedürfte. Vielleicht darf man das Wörtchen 'qualiter' hervorheben; es erscheint nach der Promulgatio 'Noverit' u. s. w. trotz des folgenden 'hoc modo' begreiflich, aber nach 'Erat — anxietas' erwartet man doch eher ein 'ut', 'quatenus' oder 'quod', an deren Stelle unter der Einwirkung der Vorlage die andere Wendung getreten sein wird.

Ist aber hier die Benutzung des Privilegs kaum bestreitbar, so wird man dessen Einfluss wohl auch in ein paar anderen kleinen Wendungen sehen dürfen. Im selben Kapitel II, 7 heisst es nachher: 'predictam litem iudicio vel consilio decisurus', ferner II, 11: 'nichil

1) Gesta II, 7 (p. 86).

ibi de bono pacis — — propter duorum ducum litem terminari poterat', sodann II, 54 unmittelbar vor dem Bericht über die Regensburger Uebereinkunft in Bezug auf die streitige Kölner Bischofswahl: 'consilio et iudicio quos secum habebat episcoporum aliorumque principum predictam causam ad curiam Ratisponensem, ubi consilium pro terminanda duorum ducum lite publicari debuit, producendam decrevit'; endlich II, 56 unmittelbar nach jenem Bericht: 'terminata sine sanguinis effusione controversia'. Man vergleiche damit die Worte der Urkunde: 'litem et controversiam — terminavimus' und später: 'de consilio et iudicio principum'. Gewiss begegnet gerade die letztere Wendung in der Rechtssprache der Zeit nicht selten [1], aber in dem wiederholten Auftreten der Worte gerade in diesem Zusammenhang darf man doch wohl eine weitere Einwirkung der Urkunde auf Ottos Ausdrucksweise sehen.

Doch soll diesen Anklängen keine grosse Bedeutung beigemessen werden. Entscheidend ist meines Erachtens jene grössere Uebereinstimmung mit der Narratio des Privilegs: gibt man hier die Benutzung der Urkunde zu, so wird sie auch für Ottos Erzählung von den Regensburger Vorgängen des Jahres 1156 nicht mehr in Abrede gestellt werden können, und man wird zugestehen müssen, dass er die dem neuen Herzogtum eingeräumten Vorrechte mit Absicht übergangen hat, mag man nun die Ursache seines Schweigens 'in der einseitig höfischen Anlage' des Werkes sehen oder eher zu der Annahme hinneigen, dass Otto jene Zugeständnisse als für die 'summa concordiae' unwesentlich betrachtet hat.

---

1) Vgl. z. B. das Wormser Konkordat und die Bemerkungen von Dietrich Schäfer, Zur Beurteilung des Wormser Konkordats (Abhandlungen der Berliner Akademie 1905) S. 27, und Hermann Rudorff, Zur Erklärung des Wormser Konkordats (Zeumer, Quellen und Studien zur Verfassungsgeschichte des Deutschen Reiches I, 4), 1906, S. 14 f.

Aus dem Briefbuch des Johann von Arbois.

Von **Fritz Kern.**

Das Sammelbuch Johanns von Arbois in der Pariser National-Bibliothek Lat. n. 8653 A hat durch Hauréau in der Histoire littéraire de la France XXXII (1898), 274 ff. nach der litterarischen Seite eingehende, ja im Verhältnis zu seinem litterarischen Wert fast verschwenderische Würdigung gefunden. Hauréau selbst fordert auch zur Bearbeitung der Hs. nach der historischen Seite hin auf; eine von ihm mitgeteilte Probe aus der Briefsammlung [1], ein Schreiben Heinrichs VII. an Clemens V., liess das Beste hoffen und ein Einblick in die Hs. hat meine Erwartungen nicht enttäuscht.

In buntem Durcheinander bringt der Schulrektor von Arbois [2] eigene und fremde Verse, Briefe von Privatpersonen und Schreiben hochpolitischen Inhalts. Der litterarische und pädagogische Charakter seiner Sammlung, seine eigene Reimschmiedekunst, endlich die durchgängige Ausmerzung der Daten und Ortsbestimmungen in den Briefen mag gegen den Wert seiner politischen Mitteilungen misstrauisch stimmen. Auch ist ohne weiteres zuzugeben, dass die durchschnittliche Kürze aller Briefe, sowie die Vorliebe für schwülstige Arengen und gewisse immer wiederkehrende Ausdrücke wie 'contribulis, precordialis, pisticus, molitus' u. s. f. einen ungünstigen Eindruck erwecken, und dass bei jedem einzelnen Stück die Frage der Echtheit aufs neue untersucht werden muss.

Nun werden es vor allem zwei Kriterien sein, die bei der Beurteilung derartiger litterarischer Briefbücher in Betracht kommen: der Nachweis sinnentstellender Schreib-

1) Vgl. die Bemerkung von Wenck, Philipp der Schöne von Frankreich, seine Persönlichkeit und das Urteil der Zeitgenossen (1905) S. 73. 2) In der Freigrafschaft zwischen Poligny und Salins.

fehler, welche die Verfasserschaft des Schreibers ausschliessen, und das Vorhandensein politischer Anspielungen, welche nicht aus der Feder des Formelbuchverfassers, in unserm Fall eines burgundischen Landschulmeisters, stammen können. An beiden Merkmalen ist nun, wie die nähere Untersuchung zeigen wird, unsere Sammlung reich, und so wird man bei ihren politischen Schreiben, ebenso wie bei ihren lokalgeschichtlich wertvollen Urkunden und den kulturgeschichtlich z. T. ungemein anziehenden Privatbriefen mindestens eine authentische Grundlage annehmen dürfen[1]. Auf welchem Wege Johann zur Kenntnis bedeutender politischer Aktenstücke gekommen sein kann, lässt sich nicht sagen. Sein Gesichtskreis ist weit und doch in sofern begrenzt, als sich sämtliche Stücke, die er bringt, in konzentrischen Kreisen um den Kirchturm von Arbois bewegen: auf engste persönliche Angelegenheiten folgen solche des Ortes, der Provinz und der Nachbarlande Neuenburg, Savoyen, Lyon[2] u. a., auf diese ein lebhaftes Interesse für Heinrich VII. als Oberherrn der Freigrafschaft und für den Papst, Clemens V. oder Johann XXII. Was ausserhalb dieser Linie liegt, kümmert ihn offenbar nicht: Frankreich ist nur insoweit berücksichtigt, als Johann augenscheinlich an der Frage, ob Burgund, Lyon

1) Die Wertung von überarbeiteten Formelbuchschreiben schwankt, trotz der wohl vorbildlichen Arbeiten O. Redlichs, noch vielfach zwischen Extremen. Zuweilen gibt man mit dem nach Redlichs Ausdruck 'oft missbrauchten Urteil: Stilübung' den ganzen Inhalt preis, oder umgekehrt wird dem Inhalt zu Liebe eine verdächtige Form verteidigt. So ist es z. B. mit dem Briefwechsel Heinrichs VII. und Philipps des Schönen bei Dönniges, Acta Henrici II, 230, der von Wenck a. a. O. für ganz echt, von Schwalm, MG. Const. IV, 812, N. 6 für ganz unecht erklärt wird; doch druckt Schwalm ohne Bedenken aus derselben Hs. ib. S. 387, n. 441 als authentisch ab (ebenso ib. S. 88, n. 112, das durch n. 111 und n. 200 vollkommen gesichert ist). Die Wahrheit dürfte in der Mitte liegen, und ein authentischer, freilich im einzelnen schwer festzustellender Kern in verfälschter Form muss wohl angenommen werden. Wohin eine übergrosse Skepsis den Formelbüchern gegenüber führt, mag beiläufig das kleine Missgeschick illustrieren, das jüngst einem so bedeutenden Forscher wie Ch. V. Langlois begegnet ist, der (Notices et Extr. XXXV, 1897, 415) aus einem Codex der Laurentiana den Absagebrief Adolfs von Nassau an Philipp den Schönen (MG. Const. III, 501, n. 524) als undiskutierbare Schreibeübung abdruckt. 2) Für Johanns Beziehungen zu Lyon, die sowohl in mehreren Privatbriefen als in dem von Hauréau a. a. O. mitgeteilten und in dem unten als n. 1 veröffentlichten politischen Stück hervortreten, ist vielleicht (?) anzuführen, dass gerade in der Zeit, die Johanns Sammlung umfasst, in Lyon ein Iohannes de Albosio nachzuweisen ist (Ménestrier, Histoire civile et consulaire de la ville de Lyon, 1696, p. 46).

und das Arelat beim Reiche bleiben oder französisch werden sollen, das regste Interesse hat und, uns zu Danke, der Politik Philipps des Schönen nach dieser Seite seine Aufmerksamkeit zugewandt hat.

Die Urkunden, welche der Provinzialgeschichte angehören, tragen, bei allen Entstellungen in den Adressen, den Arengen u. s. f., doch in ihren materiellen Angaben durchaus den Stempel der Echtheit. Vielleicht vermisst man unter ihnen Urkunden über die Besitzergreifung der Freigrafschaft durch Philipp den Schönen. Indess erklärt sich das Fehlen dieser Vorgänge sehr einfach daraus, dass sämtliche Stücke der Sammlung, soviel ich sehe, den beiden ersten Jahrzehnten des 14. Jh. angehören, wo die Kapetingerherrschaft in Burgund bereits eine fertige Tatsache war, an welcher auch der einzige römische König, der in der Briefsammlung auftritt, Heinrich VII., nicht mehr gerüttelt hat[1].

Aber auch bei den Stücken allgemeinpolitischen Inhalts fehlen jene beiden Merkmale nicht, die wir oben für die Echtheit oder doch beschränkte Authentizität von Formelbuchstücken aufgestellt haben. In dem von Hauréau a. a. O. veröffentlichten Schreiben Heinrichs VII. an Clemens V., worin Heinrich gegen die Annexion Lyons durch Philipp den Schönen (1310) protestiert, finden sich neben Angaben, die auch ein Aussenstehender machen konnte ('civitatem . . per suos filios obsidendo'), andere, die eine intime Kenntnis der deutsch-französischen Beziehungen voraussetzen (namentlich der Hinweis auf die 'conventiones super limitatione regni et imperii'), daneben Schreibfehler und Textentstellungen, welche die Verfasserschaft des Schreibers geradezu ausschliessen[2], wie denn überhaupt die Hs., die man sich gerne als Hausschatz eines litterarischen Liebhabers entstanden denken möchte, verwunderlich schlecht und flüchtig geschrieben ist. Gelegentlich verrät der Verfasser, dass er nach einer Vorlage arbeitet und zugleich, wie liederlich er sie abschreibt[3].

---

1) Vgl. dagegen unten n. 5. 2) Die von Hauréau nicht veröffentlichte Arenga lautet: 'Declinantes et obligationes adducet dominus cum operantibus iniquitate protestante psalmista'. Johann hätte kaum diesen Unsinn schreiben können, wenn ihm Ps. 125, 5 selbst vorgelegen hätte. Dazu kommen Fehler wie 'tempus prefusum' für 'prefixum' (von Hauréau fälschlich in 'precisum' emendiert), die Voranstellung von 'regnum' vor 'imperium' im Munde Heinrichs u. a. m. 3) Ein Brief des Königs von Armenien an Clemens V. findet sich vollständig fol. 7—7'; noch einmal beginnt ihn der Schreiber fol. 8'. Nach zwei Zeilen

Gerade bei den materiell wichtigsten Urkundenstellen endlich, welche durch ihren Inhalt auf eine originale Quelle hinweisen, wird man schliesslich die Beobachtung machen, dass sie den geschraubten Ton, der dem Formelbuchschreiber am besten gefällt, nur in geringem Masse zeigen oder ganz frei davon sind, sodass auch die Form gerade der interessantesten Angaben verhältnismässig einwandfrei ist.

Ich gebe nun eine kleine Auswahl für die Reichsgeschichte besonders bemerkenswerter Stücke und behalte mir vor, an anderem Orte weitere Urkunden, darunter noch einige, die Heinrich VII. betreffen, mitzuteilen.

1. Gegen Ende des Jahres 1309 hatte Erzbischof Peter von Lyon Philipp den Schönen in der Abtei Lys bei Melun aufgesucht, um ihm für das auch von seinen Vorgängern von Frankreich zu Lehen genommene Regalienrecht an der Kirche von Autun und die Abtei Savigny den Treueid zu leisten[1]. Aber der Ausgleich zwischen den alten Rechten des Erzbischofs und den weitergehenden Ansprüchen Frankreichs liess sich diesmal nicht mehr finden wie bei Peters Vorgängern; schliesslich weigerte sich der Erzbischof, auch als ihn Nogaret am 7. Januar 1310 bestürmte, den Treueid zu leisten[2]. Das nächste, was wir bisher wussten, war der offene Ausbruch des Lyoner Kriegs im Frühjahr 1310. In diese Lücke unserer Kenntnis tritt nun der folgende Brief, dessen Einzelheiten sich aufs schönste in das Bekannte einfügen, es näher erklären, und der auch die Einmischung Clemens V.[3] motiviert. Nach der formalen Seite spricht für Echtheit des Schreibens der sachliche Stil und Sinnentstellungen, die auf Konto unseres Schulmeisters fallen, wie 'fidem' für 'sedem', 'quispiam' für 'quidquam'.

(f. 8) Sanctissimo patri in Christo ac domino Clementi Romane necnon universalis ecclesie summo pontifici P[etrus] divina gratia et eiusdem patris archiepiscopus Lugdunensis salutem et pedum oscula beatorum.

Nos illud attendentes evangelicum: 'reddite que sunt Cesaris Cesari'[4] regem Francorum adivimus parati in foedum

---

merkt er die eigene Gedankenlosigkeit und bricht diese zweite Kopie ab, mit Hinterlassung von nicht weniger als vier, z. T. bedeutenden Varianten gegenüber der ersten Kopie in diesen zwei Zeilen. 1) Vgl. Ménestrier a. a. O. p. 53. Eine Darstellung der noch wenig bekannten einzelnen Vorgänge bei der Annexion Lyons gedenke ich in grösserem Zusammenhange zu geben. 2) Ménestrier p. 48 sqq. 3) Reg. Clem. V., n. 6319. 6320. 4) Matth. 22, 21; Marc. 12, 17; Luc. 20, 25.

resumere que nostri predecessores tenuerant ab ipso tempore retroacto. Verum rex primam sedem[1] Galliarum a nobis in foedum sumi totaliter exigebat, nos autem considerantes, quod Lugdunensem ecclesiam vestram[2] in enphitheosim dignati estis nostre parvitati conferre, postulationem regis preter ius emanentem noluimus[3] adimplere, verum clam abscessimus exploratorum regis manus locis pluribus evadentes[4]. Unde res in fiscum translate sunt, quas cives nostri tulerant Cabilonem. Quapropter vestre celsitudini supplicamus, quod autentico[5] vestro prefatum[6] regem nobis pacare et, ne quidquam[7] contra ius a nobis exigat, commovere dignetur.

2. und 3. Die Echtheitsfrage liegt schwieriger bei dem folgenden Briefwechsel, in welchem Philipp der Schöne den Papst vor der Kaiserkrönung Heinrichs VII. warnt, Clemens V. dagegen die Notwendigkeit dieser Krönung verteidigt. Das Thema dieser Briefe passt sehr gut in die Verhandlungen des Jahres 1311; aber man möchte sie weniger phrasenreich und inhaltsvoller wünschen. Jedenfalls kann Johann von Arbois wiederum kaum ihr Erfinder sein[8]; die vorgebrachten Argumente in beiden Schreiben entsprechen im allgemeinen dem zu Erwartenden, und der Hinweis auf den Eid, den Heinrich schwören soll, in n. 3 setzt eine genaue Kenntnis der diplomatischen Verhandlungen voraus. So kann man auch bei weitgehender Skepsis an diesem Briefwechsel, der mindestens für die Stimmung der beteiligten Mächte und das Interesse der Zeitgenossen bezeichnend ist, nicht vorbeigehen.

(f. 7) Sanctissimo patri in Christo Clementi Romane[9] necnon universalis ecclesie summo pontifici ac domino Philippus Dei gratia rex Francorum salutem cum obsequii exhibitione devota.

Illud memorabile verbum: 'incrassatus est dilectus et recalcitravit'[10] diu vestra sublimitas pronosticare deberet, antequam Germanorum quempiam ad maiestatem imperatoriam sublimaret. Etenim manus vestrorum predecessorum contrectaverunt mirram[11] a talibus conditam imperio pre-

---

1) 'fidem' Hs. 2) 'vēram' Hs. 3) 'nolumus' Hs. 4) 'evandentes' Hs. 5) 'atentico' Hs. 6) 'prefatō' Hs. 7) 'quispiam' Hs. 8) Es genügt dafür der Hinweis auf die greulich verstümmelte Arenga von n. 3, die eine weitgehende und deshalb nicht ganz sichere Emendation erforderte. 9) 'Romani' Hs. 10) 'recarcitravit' Hs. — Deuteron. 32, 15. 11) Cant. 5, 5: 'manus meae stillaverunt myrrham'.

rogatis[1], qui primitus expromentes obtemperantiam demum in sacrosanctam Syon thirannide et contumacia fulminarunt iuxta illud philosophi: 'Virum principatus ostendit'. Caveatis igitur, pater sancte, viro minus noto diuturna deliberatione aut consultatione Romani culminis dyadema [conferre[2]], ne dilatatus[3] [et[2]] incrassatus in vos[4] recalcitrare presumat.

(f. 7) Clemens episcopus, servus servorum Dei, dilecto filio suo Francorum invictissimo regi Philippo salutem et apostolicam benedictionem.

Absalonis[5] pernicies non avertit David, quominus secundum[6] dyademate[7] regali dumtaxat decoraret; insontes[8] enim non debent inposturam luere scelestorum. Unde, quamquam Fredericus impostor ac prevaricator institerit, nichillominus eleganti viro claritiem imperii conferre nos immanitas ethnicorum compellit, qui iugiter adversus terram sanctam Christicolas depopulando grassantur. Nemo tamen autumare[9] presumat ad apicem prefatum promoveri quempiam, quo ad stipulatione sollempni iuratus fuerit tibi tuisque pacem prorsus irrefragabiliter custodire nec in quoquam tue ditionis amplitudini derogare. Non ergo succensere[10] velis, illustrissime fili, si nobis[11] et tue maiestati auxiliare brachium subrogemus. Cum enim funiculus triplex difficile rumpatur[12], huic terno potestatui truces obstare non poterunt Agareni, illo suis opitulante qui humiliat et sublimat[13].

4. Das für die allgemeine Geschichte wohl interessanteste, wenn echte, Stück ist das, worin Heinrich VII. den Papst ersucht, Philipp dem Schönen nicht nach dessen Wunsch das arelatische Königreich abzutreten. Wir hören hier von einer bisher gänzlich unbekannten Unternehmung des französischen Königs, die im Zusammenhang steht mit schon bekannten Verhandlungen[14]. Die Anschauung, dass der Papst, solange kein gekrönter Kaiser existiere, über das Arelat verfügen könne, entspricht einer weitverbreiteten und gerade von französischer Seite unterstützten Theorie; auch was Heinrich im vorliegenden Brief

---

1) 'prerogantis' Hs. 2) Fehlt Hs. 3) Deuteron. 32, 15. 4) 'nos' Hs. 5) 'a Salonis' Hs. 6) Zu ergänzen 'filium'. 7) '[Absalonis] pernicationis non advertit secundum David quominus ydidam regali dumtaxat decoraret' Hs. 8) 'insōptes' Hs. 9) 'atumare' Hs. 10) 'suscensere' Hs. 11) 'vobis' Hs. 12) Eccl. 4, 12: 'funiculus triplex difficile rumpitur'. 13) 1. Reg. 2, 7: 'Dominus . . . . . humiliat et sublevat'. 14) Ich verweise hier nur vorläufig auf MG. Const. IV, 468 ff., n. 514 § 12; ib. p. 575, n. 612. Auch mit dem mehrfach erwähnten, von Hauréau edierten Schreiben Heinrichs VII. wegen der Annexion Lyons hat dieses Stück eine gewisse Verwandtschaft.

über Philipp d. S. vorbringt: dass er keinen 'superior in terris' anerkenne, und die Bedrückung der gallikanischen Kirche durch seine Regierung, entspricht durchaus dem, was H. an dieser Stelle wirklich gesagt haben könnte. Bedenken gegen die Annahme der völligen Echtheit erweckt vor allem die Arenga. Im Zusammenhang einer allgemeinen Untersuchung über die auswärtige Politik Philipps d. S. wird der Ort sein, dieses Schreiben näher zu analysieren.

(f. 16) Sanctissimo patri in Christo ac domino Clementi Romane necnon universalis ecclesie summo pontifici Henricus divina et eiusdem patris gratia rex Romanorum salutem et obsequium tam debitum quam devotum.

Apporiantes se, ut locupletent alios, plombo[1] sunt proportionales, quod in conflatorio se consumi patitur pro argento. Nobis nuper innotuit, quod Francorum rex Arelatense regnum a vobis importune nititur impetrare. Cum vero regnum huiusmodi[2] sit Romani pars imperii, quod prorsus nostre subiacet ditioni, non imperio dumtaxat, ymmo vestro derogabitis potestatui, si tam nobile regnum regi conferatis prefato. Qui, velut nostis, inficiatur superiorem recognoscere in terris nec latet sedem[3] sacrosanctam, quantis exactionibus apparitores[4] ac satellites eiusdem regis obpresserunt ecclesias Gallicanas. Igitur, sanctissime pater, flexis genibus vestre[5] supplico caritati, quod alteri vestram dari gloriam et vos[6] denudare curetis[7], ut induatis alterum, sano consilio dignemini recusare.

5. Ich schliesse diese Auswahl mit einer burgundischen Urkunde, die zu 1315, dem Todesjahr des jungen Robert von Artois, einzureihen ist und deren allgemeingeschichtliches Interesse darin besteht, dass sie das Vorhandensein einer antifranzösischen Partei in der Freigrafschaft aufzeigt. Durch den Vertrag von Vincennes (1295) war die pfalzgräflich burgundische Linie zu Gunsten des kapetingischen Königshauses enterbt worden[8], und Philipp d. S. hatte nach Niederwerfung der Adelsopposition seit 1301 seinen zweiten Sohn zur allgemeinen Anerkennung in der Freigrafschaft gebracht; selbst Heinrich VII. liess sich bereit finden, den französischen Prinzen als Grafen

1) 'pōblo' Hs. 2) 'huius' Hs. 3) 'fidem' Hs. 4) 'apitores' Hs. 5) 'vestre' wiederholt. 6) Wohl 'nostram d. gl. et nos' zu verbessern. Red. 7) 'curetis' muss wegfallen oder ist schwer verdorben. Red. 8) Siehe hierüber vorläufig Funck-Brentano, Philippe le Bel et la noblesse franc-comtoise (= Bibliothèque de l'école des chartes XLIX (1888), 5 sqq. 239 sqq.

von Burgund anzunehmen. Immerhin kann man geringe Spuren einer geheimen Opposition wahrnehmen, welche ihren Mittelpunkt im Wittum der Gräfin Mechthild von Artois, der Witwe des letzten Pfalzgrafen, hatte, und deren Wunsch es war, den Sohn Mechthilds in sein väterliches Erbe wiedereingesetzt zu sehen. Diese Strömung wird nun deutlicher sichtbar durch das folgende Schreiben, das von dem eben verstorbenen Robert als dem 'künftigen Grafen' redet.

(f. 3) Arnulfus comitisse Martidis et palatine castellanus in Bracone dilecto suo G. Arbosiensi preposito salutem.

Cum sincere dilectionis affectum gaudere cum gaudentibus, flere cum flentibus Paulus apostolus dogmatizat[1. 2], in presenti Burgundorum provincia non gaudendi causa, sed immaniter flendi perspicue innotescit. Prelustris enim Robertus huius provincie dominus et comes futurus decessisse cunctis perhibetur. Quam ob rem tibi consulo caritatis instinctu, quod apud Arbosium lancinationes prepositas inhibeas exerceri[3], domos assuetas hospitibus nequaquam lancinatoribus apperiri permittens, ne tempori flendi partibus istis redicolosum[4] gaudium presumatur.

1) Rom. 12, 15. 2) 'domatizat' Hs. 3) 'exerciri' Hs. 4) Cf. Du Cange - Henschel s. v.

Nachrichten.

1. Der Mitarbeiter der Abteilung Diplomata in Berlin Herr Dr. Karl Rauch, jetzt Professor in Königsberg, ist am 1. Mai 1908 ausgeschieden, um sich ganz seiner Lehrtätigkeit zu widmen. — Herr Dr. Alfred Hessel ist als Mitarbeiter der Abteilung Diplomata in Strassburg am 1. Juli 1908 ausgeschieden. — Herr Privatdozent Dr. Erich Caspar in Berlin ist am 1. Oktober als Mitarbeiter der Abteilung Epistolae eingetreten.

2. Der zweite Halbband von Scriptorum t. XXXII. ist erschienen. Er enthält den zweiten Teil der Cronica fratris Salimbene de Adam nebst vier Appendices, darunter namentlich den Catalogus generalium ministrorum ordinis fratrum Minorum und Philippi de Perusio Epistola de cardinalibus protectoribus ordinis fratrum Minorum. Dazu die Register und Glossar zum ganzen Bande. Alles bearbeitet von O. Holder-Egger.

3. In der Revue Bénédictine XXV (1908), 235—240 veröffentlicht G. Morin unter dem Titel 'Le dernier livre du maitre (Nomina sacra). A la mémoire de L. Traube' einen warmen Nachruf.

In den Mitteil. d. Inst. f. Oesterr. Geschichtsforschung XXIX, 3. Heft ist die Rede abgedruckt, die E. v. Ottenthal bei der für Theodor v. Sickel veranstalteten Trauerfeier in der Wiener Akademie der Wissenschaften hielt. Einen andern Nachruf auf Sickel gab W. Erben in der Hist. Vierteljahrsschrift XI, 3, 333—357.

4. R. Hering, Freiherr vom Stein, Goethe und die Anfänge der Monumenta Germaniae historica (Jahrbuch des Freien Deutschen Hochstifts, Frankfurt am Main 1907, S. 278—323), gibt eine nützliche Uebersicht über die Vorgeschichte und das Werden des Planes der MG. und veröffentlicht im Anhang eine Anzahl von Schriftstücken der Jahre 1816 bis 1821, meist Briefe von und an Stein, die aus dem Besitz von Pertz in das Frankfurter Goethe-

Museum gekommen sind; sie sind, wenn auch weniger vollständig, bereits von Pertz im Leben Steins verwertet, einige auch dem Wortlaut nach mitgeteilt worden. W. L.

5. In Paris hat sich eine Vereinigung von ehemaligen Schülern der École des chartes gebildet unter dem Namen 'Le Document', welche sich erbietet, gegen mässige Preise wissenschaftliche Arbeiten mannigfacher Art sowohl in Paris als auch an andern Orten für Auswärtige auszuführen. Der Vorstand der Vereinigung ist L. Jacob, Archiviste-paléographe, Paris, Rue de Sévigné 17, an den man sich zu wenden haben wird. O. H.-E.

6. Aus der Zahl mittelalterlicher Hss., die Ludwig Rosenthals Antiquariat in München im Katalog 120 zum Verkaufe stellt, seien verzeichnet: n. 2, saec. XI, früher 'monasterii Case Nove D. Card. Borromei 1612', Heiligenleben vom 6. Dezember bis 17. Januar, dabei Vita Severini abbatis (offenbar des Heiligen von Noricum) und Fortunats Vita Hilarii. — n. 3 vom Jahre 1441, Aegidius Romanus (Colonna), De regimine principum. — n. 13 'Anonymus Leobiensis, Fragment einer deutschen Chronik' (1315—22), saec. XIV. — n. 43, saec. XV, Vita et Miracula Bernardi Clarevallensis (Auszug der 2. Rezension der Vita in 5 Büchern). — n. 102, saec. XIV, Cronica pontificum et imperatorum bis 1335. — n. 146, saec. XV, Egidius abbas de vita et gestis S. Henrici imperatoris et confessoris. — n. 177, saec. XVI—XVIII, 'Agende über die Stiftungen, welche der Kirche des St. Florinus (in Coblenz) von der Mitte des 15. bis in das 18. Jh. zu kirchlichen Zwecken gemacht wurden'. — n. 195, saec. XIV, Chronik des Martinus Polonus (Geschichte der Päpstin Johanna vorhanden). — n. 213 Original-Urkunde Sigfrids II. von Mainz vom Jahre 1212 (Böhmer-Will II, XXXII, n. 176). — n. 237, saec. XV, Chronik des Matthaeus Palmerius. — n. 245, saec. XV, Chronik des Martinus Polonus. — n. 272 Bruchstück eines Rechtsbuches in deutscher Sprache vom Ende des 15. Jh. — n. 281, saec. XIV, Vaticinia Sibyllina sive Papista (Anfang: 'De imperatore. Incipit Sibillarius, quem faecit Sibilla filia Manasses regis, quando in monte Aventino ducta fuit ab imperatore Troiana [Traiano?] et populo Romano'). — n. 304 vom Jahr 1453, Chronik des Jakob Twinger von Königshofen. W. L.

7. Im Anschluss an Forschungen Traubes hat sein Schüler Paul Lehmann in den SB. der Münchener Akade-

mie vom J. 1908 (4. Abhandlung) neue Bruchstücke der unter dem Namen Itala bekannten vorhieronymianischen Bibelübersetzung mit ausgezeichneter Sorgfalt aus mehreren ehemals Weingartener Hss. herausgegeben; sie sind, wie die beigegebenen prächtigen Schrifttafeln zeigen, auch palaeographisch recht bemerkenswert. Auf die Bedeutung dieser Fragmente für die Bibelkritik ist hier nicht einzugehen, wohl aber ist auf den ebenso klar wie sicher geführten bibliotheksgeschichtlich wichtigen Nachweis aufmerksam zu machen, dass eine Anzahl von ehemals Weingartener Hss., die an gewissen äusseren Merkmalen leicht kenntlich sind, aus der Bibliothek des Domkapitels zu Konstanz stammen und höchst wahrscheinlich erst 1630 nach Weingarten gekommen sind. — Mit einigen der besprochenen Konstanzer Hss. hat sich übrigens, wie sich aus den S. 52 f. mitgeteilten Einträgen ergibt, in den Jahren 1342 und 1354 der Chronist Heinrich von Diessenhofen beschäftigt. H. Br.

8. Von dem Handschriftenverzeichnis der öffentlichen Bibliothek in Basel ist von der ersten Abteilung (Die deutschen Hss.) der erste Band erschienen (Basel 1907). Die sorgfältigen, von G. Binz hergestellten Beschreibungen gelten den Hss. der Abteilung A, d. h. den Papier-Hss. theologischen Inhaltes. H. H.

9. In der Revue d'Alsace IX (1908), 214—252 handelt A. Hanauer über Bibliotheken und Archive in Hagenau. E. M.

10. Von der Sammlung Gli archivi della storia d'Italia ist Bd. V, fasc. 3. 4 erschienen, der Verzeichnisse von Archivalien aus Colle Val d'Elsa (arch. comunale), Gubbio (arch. della cattedrale), Prato (arch. capitolare), Faenza, Cortona, Grosseto, Batignano, Istia, Florenz (pergamene Orlandini), Pisa (arch. dei canonici di Duomo) und Pistoia mit z. T. recht alten Beständen bringt. H. W.

11. In den Mélanges d'archéologie et d'histoire de l'école française de Rome XXIV (1904), 371—423 beschrieb G. de Manteyer unter dem Titel 'Les manuscrits de la reine Christine aux archives du Vatican' die seit 1901 wieder aufgefundenen für die französische Geschichte wichtigen n. 821 und 777 dieser Sammlung, jetzt Miscell., Arm. XV, t. 149 A und B. Die letztere Hs., ein Auszug aus dem 1320—1330 entstandenen, verlorenen ältesten

Register der Pariser Rechnungskammer, hat auch für Deutschland Interesse, denn sie enthält neben französischen Königsurkunden u. a. f. 62r—65v unter der Ueberschrift 'Coppie quarumdam literarum Alberti imperatoris super confederatione facta inter ipsum et regem Francie necnon super certis conventionibus habitis per ipsum cum rege racione ducis Austrie, Othonis comitis Burgundie et quibusdam aliis', acht Urkunden Albrechts I., von denen Böhmer in der Neubearbeitung (M. kennt p. 407, N. 1 nur die 1. Auflage von 1831!) n. 240—246 sieben und zwar für fünf die Pariser Originale nachweist. E. M.

12. H. Omont verzeichnet in der Revue des bibliothèques XVIII, 114—141 kurz eine grössere Zahl lateinischer und französischer Hss., die aus der Bibliothek des verstorbenen Sir Thomas Phillipps in Cheltenham in den Besitz der Pariser Nationalbibliothek übergegangen sind. Sie sind sämtlich französischen Ursprungs und kommen im allgemeinen wohl nur für die Geschichte Frankreichs in Betracht; doch sei auch hier auf etwa 30 Chartularien hingewiesen, die sich darunter befinden und zum Teil wohl auch Urkunden des früheren Mittelalters enthalten. W. L.

13. In der Revue des bibliothèques XVI (1906), 341—344 bespricht und druckt P. de Nolhac den schon durch L. Delisle bekannten 'Catalogue de la première bibliothéque de Pétrarque à Vaucluse' (spätestens aus dem Jahre 1337) neu. E. M.

14. In den Mém. de la soc. Éduenne, nouv. sér., XXXIII (1905), 285—304 veröffentlicht und erläutert A. de Charmasse 'L'inventaire des livres liturgiques donnés à l'église collégiale de Notre-Dame d'Autun par Nicolas Rolin chancelier de Bourgogne (1461)'. E. M.

15. In dem Paris 1906 erschienenen XXXIII. Bande der 'Histoire littéraire de la France' stehen folgende Artikel, vorwiegend über Werke des 14. Jh.: Der Herausgeber Paul Meyer schickt voran eine 'Notice sur Gaston Paris', den vorstorbenen langjährigen Mitarbeiter, der noch eine Abhandlung über 'Raimond de Béziers, traducteur et compilateur' beigesteuert hat, und handelt dann selbst über 'Versions en vers et en prose des Vies des pères' und über 'Légendes hagiographiques en français (en vers et en prose)'. Von N. Valois sind zwei Artikel über 'Pierre Auriol, frère Mineur' und 'Jean de Jandun et Marsile de

Padoue, auteurs du Defensor pacis' (vgl. unten n. 81). L. Delisle behandelt 'Maitre Jean d'Antioche traducteur et frère Guillaume de Saint-Étienne, P. Viollet 'Les coutumiers de Normandie' und B. Hauréau (†) 'Jacques de Lausanne, frère Prêcheur'. E. M.

16. Mit dem Erscheinen des dritten Bandes ist die zweite Auflage des Buches von Max Heimbucher, Die Orden und Kongregationen der katholischen Kirche (Paderborn 1907. 1908) vollendet worden und kann, da es mit grossem Fleiss neu gestaltet und stark verbessert und vermehrt worden ist, zur Benutzung lebhaft empfohlen worden. Der ganz 'korrekte' Standpunkt des Verf., der es notwendig macht, über die Orden möglichst nur gutes zu sagen, böse Dinge doch nur mit leiser Hand vorsichtig zu berühren, wenn sie sich absolut nicht umgehen lassen, der es wünschenswert macht, so viel wie möglich gut katholische Literatur anzuführen, wenn auch natürlich eine grosse Masse anderer Schriften zitiert werden musste, kann nicht hindern, aus dem Buche guten Nutzen zu ziehen, wenn man sich über Orden und deren Einrichtungen unterrichten will. O. H.-E.

17. R. P. L. Gougaud O. S. B., L'oeuvre des Scotti dans l'Europe continentale (fin VI. – fin XI. siècles) (Revue d'histoire ecclésiastique IX, n. 1, 2, Louvain 1908, p. 21 sqq.), scheidet zwischen der Missionstätigkeit der irischen Pilgersmänner (peregrini) nach der Art Columbans und jenen irischen Wanderbischöfen von teilweise höchst anstössigem Lebenswandel, gegen die sich der Groll des h. Bonifaz richtete, behandelt den Einfluss der Iren auf die karolingische Literatur, tritt jedoch den übertriebenen Vorstellungen von ihrer Kultur besonders auch hinsichtlich der Kenntnis des Hebräischen und Griechischen entgegen und verfolgt die Geschichte der irischen Klöster- und Hospitäler-Gründungen auf dem Kontinent bis ins 11. Jh. Der anziehende Stoff ist quellenmässig bearbeitet, und der Bearbeiter zeigt überall grosse Gelehrsamkeit und kritischen Sinn, wenn auch vielleicht eine etwas schärfere Sichtung der Nachrichten zu wünschen gewesen wäre. B. Kr.

18. Als Bd. 163 der Bibliothèque de l'école des hautes études ist 1907 'Le royaume de Bourgogne (888—1038)' von R. Poupardin erschienen. In Ergänzung seines frühern Buches über das Königreich Provence bis 933 hat P. damit für dieses äusserst wichtige Grenzgebiet zwischen

Deutschland und Frankreich das gesamte historische Material in ähnlicher Weise gesammelt, wie das für Deutschland sich die 'Jahrbücher' zur Aufgabe setzen. Besonders dankenswert ist der zweite Teil, der sich in mehr systematischer Weise mit den drei Hauptmächten des innerstaatlichen Lebens, dem Königtum, den Grossen und der Kirche, beschäftigt. Natürlich sind nicht alle berührten Fragen abschliessend gelöst; aber für die Inangriffnahme der meisten ist hier zum ersten Mal ein sicherer Grund gelegt worden. Auch Arbeiten quellenkritischer Natur werden durch das Buch mannigfache Förderung erfahren. Die Exkurse beschäftigen sich unter anderm mit der Gründungsurkunde von Peterlingen und den Annales Sangallenses. Auf Einzelheiten komme ich an anderm Ort zurück; vgl. auch mein Buch über die Heilige Lanze in Gierkes Untersuchungen, Heft 96. A. H.

19. Ein Aufsatz von L. Halphen über den Aufenthalt Ottos III. zu Rom (998—1001) in den Mél. d'archéol. et d'hist. de l'école francaise de Rome XXV (1905), 349—363 kam zu dem Ergebnis: 'Otton III., installé a Rome en son palais de l'Aventin, chercha à faire revivre quelques anciens usages et même quelques anciens titres romains, comme celui de "magister militiae"; il se plut aussi parfois à parer ses fonctionnaires de noms byzantins. Mais de là à avoir transformé sa cour en cette mascarade ridicule que nous dépeignent les historiens modernes, il y avait loin. Otton III. a pu rêver; il n'a pas été jusqu'à la folie'.

E. M.

20. Gegenüber den Angriffen des Herrn Güterbock auf den ersten Band meines 'Friedrich I.' (Bd. XXXIII, S. 552) kann ich hier — im Rahmen dieser Nachrichten — nur in aller Kürze feststellen, dass ein gut Teil seiner Vorwürfe nicht mich, sondern die 'Jahrbücher' überhaupt trifft. Denn wenn H. Güterbock mir 'ausführlichste Besprechung unwichtiger Episoden' vorwirft, so scheint er vergessen zu haben, dass es bei den 'Jahrbüchern' auf eine 'kritische Feststellung dessen, was man über jeden einzelnen Moment weiss', (Ranke) und auf möglichste Vollständigkeit ankommt, wie auch die Jahreseinteilung grundsätzlich geboten ist und in diesem Bande nicht zu umgehen war. Und wenn H. G. meinen Exkurs IV als Beispiel anführt, wie ich (unnötig) gegen Ansichten Anderer polemisiere, die ich missverstanden, da Giesebrecht schon kurz und bündig die Auffassung vertreten habe, zu der

ich mich 'nach seitenlangen Auseinandersetzungen durchringe', so bemerke ich dagegen noch:

1) dass Giesebrecht VI, 340/341 zu V, 60/61 sich durchaus nicht klar über das gegenseitige Verhältnis der in Frage kommenden Quellen ausgesprochen hat (speziell nicht angibt, woraus Boso die Kenntnis des offiziellen Aktenstückes über Sutri geschöpft hat);

2) dass meine Auseinandersetzung hierüber mit Giesebrecht und notwendigerweise — was H. G. verschweigt — mit den späteren, abweichenden Ansichten von Duchesne und Fabre gerade eine Seite meines Exkurses (Mitte S. 681—682) ausmacht;

3) dass der übrige Teil meines Exkurses einerseits (S. 677—680) den früher (S. 330) nicht erwähnten Differenzen zwischen den einzelnen Quellen und der unerlässlichen Wiedergabe der Textesstellen, andererseits (S. 682—688) der (von Giesebrecht in den Anmerkungen überhaupt nicht behandelten) Steigbügelfrage und der von Friedrich verlangten Gegenkonzession des Papstes gewidmet ist.

München, im Mai 1908. H. Simonsfeld.

Auf diese Erklärung des Herrn Simonsfeld erwidere ich:

Nicht die Jahrbücher überhaupt greife ich an, sondern nur die Art, wie S. die Jahrbücher behandelt. Denn nicht 'Vollständigkeit' werfe ich S. vor, nicht die Feststellung 'jeden einzelnen Momentes', die stets vonnöten ist, sondern unfruchtbare Untersuchungen über nebensächliche Fragen: so z. B. Exkurs V und VI. Auch brauchte S. die Jahreseinteilung nicht starr durchzuführen: s. andere Bearbeitungen der Jahrbücher wie die von Dümmler und Winkelmann.

Zu Exkurs IV entgegne ich auf die Antikritik von Herrn S.:

1. Giesebrecht spricht sich über das Quellenverhältnis durchaus klar aus (Beweis s. u.). 2. Mit 'seitenlangen Auseinandersetzungen' meinte ich nicht nur die Polemik auf S. 681 f., sondern auch die dazugehörige Quellenuntersuchung S. 677—681. 3. Der übrige weniger wichtige Teil des Exkurses S. 682 ff. liesse sich bezüglich der Gegenkonzession des Papstes wie der Steigbügelfrage leicht als verfehlt nachweisen, gehört aber nicht hierher, da ich in dem Satz, gegen den sich S. wendet, nicht von seinem Exkurs IV sprach, sondern von seiner Polemik gegen Giese-

brecht als Beispiel dafür, dass er gegen Ansichten kämpfe, 'die er selbst missverstanden hat'.

Für meine Behauptung, dass schon Giesebrecht die richtige Quellenauffassung vertreten hat, muss ich, da S. dies anzweifelt, jetzt den Beweis veröffentlichen. Giesebrecht (VI, 341) schreibt: '. . . ein offizielles Aktenstück, welches . . . bei Albinus mitgeteilt ist. Nach diesem Aktenstück erzählt Boso mit einigen nicht unerheblichen Zusätzen'. Daraus zitiert S. (S. 681): 'Giesebrecht meinte, Boso habe nach diesem Aktenstück bei Albinus . . . erzählt', indem er weiterhin bei Giesebrecht die Ansicht vermutet, 'Boso habe aus Albinus . . . geschöpft', und indem er eine solche Ansicht ernstlich bekämpft. Ich frage: Hat Giesebrecht sich 'nicht klar' ausgedrückt? Kann man aus seinen (richtig zitierten) Worten den grotesken Irrtum herauslesen, der ältere Boso erzähle nach dem jüngeren Albinus? Und wenn nicht, worin unterscheidet sich dann von der Auffassung Giesebrechts das Ergebnis, zu dem S. (S. 682) gelangt, dass Boso und Albinus 'voneinander unabhängig' dieselbe Quelle benutzt, dass Boso am Text 'Aenderungen vorgenommen' habe? Ist aber dieses quellenkritische Ergebnis von S. nicht neu, so sind, wie ich wiederholen muss, 'seitenlange Auseinandersetzungen' von ihm unnötig; und sie sind auch nicht motivierbar durch eine abweichende Hypothese Duchesnes, die sich in kleinerem Rahmen besprechen liess.

Bei alledem handelt es sich um eine Untersuchung, deren sich S. (S. 677) rühmt: 'Merkwürdig genug, dass die Episode, so oftmals erzählt, noch von Niemandem eigentlich kritisch untersucht worden ist. Giesebrecht hat einen kleinen Anlauf dazu genommen, ist aber nicht sehr weit über einen solchen hinausgekommen'! F. Güterbock.

21. Einen kleinen Beitrag zur geschichtlichen Ortskunde Frankreichs bietet E. Baichère in den Mém. de la soc. des arts et des sciences de Carcassonne, 2. sér., I (1905), 74—98, in dem er eine alphabetische Liste der 'Noms latins et romans des communes de l'Aude d'après divers documents du moyen-âge' veröffentlicht. E. M.

22. Eine fleissige und nützliche Arbeit ist die Greifswalder Dissertation von Kurt Löhnert: 'Personal- und Amtsdaten der Trierer Erzbischöfe des 10.—14. Jh'. (1908). Es ist natürlich, dass der Benutzer bei Zusammenstellungen dieser Art je nach dem Zwecke, den er verfolgt, dies oder jenes vermissen wird, und Ergänzungen dürften

hie und da noch möglich sein; — so konnte z. B. zur Geschichte Kunos von Falkenstein S. 52 noch die wichtige Urkunde Heinrichs von Virneburg (Reg. imp. VIII, Reichssachen 9) genannt werden. Auch wird man sich in einzelnen Fragen — z. B. in der Kostenberechnung S. 47, N. 6 — mit dem Verf. nicht immer einverstanden erklären können. Doch wird man jedenfalls die gebotene übersichtliche Zusammenstellung eines reichen Materials mit Dank aufnehmen und bei Benutzung der Görzschen Regesten L.'s Arbeit als notwendige Ergänzung des älteren Werkes nicht ausser Acht lassen dürfen. R. S.

23. Ueber die Kolonisationsgeschichte der Iglauer Sprachinsel handelt ein umfänglicher Aufsatz von A. Altrichter in der Zeitschrift des deutschen Vereines für die Geschichte Mährens und Schlesiens XII (1908), 67.
B. B.

24. In recht umsichtiger und eingehender Darstellung schildert V. Schmidt in den Mitteilungen des Vereines für Geschichte der Deutschen in Böhmen XLVI (1908), 203. 326 die politischen und sozialen Verhältnisse in Südböhmen während der Husitenkriege. Im Mittelpunkte stehen die beiden verheerenden Züge Zizkas April bis Juni 1420 und August 1420—Ende 1422 nach Südböhmen und die tapfere Ausdauer der Stadt Budweis, doch wird die Entwicklung bis zu K. Sigmunds Tod (1437) weiter verfolgt. B. B.

25. In den Studien und Mitteilungen aus dem Benediktiner- und dem Cistercienser-Orden XXXIX (1908), 16 beginnt P. Joseph Paech die Geschichte der ehemaligen Benediktinerabtei Lubin von ihrer Gründung bis zu ihrer ersten Zerstörung im J. 1383. Die Untersuchung betreffs des Gründungsjahres, des Gründers und des Ursprungs der ersten Geistlichen, die die ersten Kapitel ausfüllt, führt den Verf. zu dem Ergebnis, dass man Michael von Gora aus dem Hause Habdank als den eigentlichen Begründer dieses Klosters wird ansehen dürfen, dass die ersten Mönche nicht von Cluny, aber auch nicht von Gembloux, wie Kętrzyński annahm, sondern von St. Jacob in Lüttich kamen, und zwar zwischen den Jahren 1048 und 1113, vielleicht um 1070. Erst die Neubesiedlung gegen Ende des 14. Jh. (1383) ging dann von Cluny aus. B. B.

26. In der Revue Bénédictine XXIV (1907), 374—402 beendet D. Ildefonse Schuster seinen N. A. XXXII, 754,

n. 246 bereits angeführten Aufsatz über die Abtei Farfa im 11. Jh. E. M.

27. Im Archivio storico per la città e comuni del circondario di Lodi, Anno XXVI, p. 113—128. 145—157 veröffentlicht Giovanni Agnelli, Dei monasteri del Lodigiano, ein nachgelassenes Ms. des Kanonikus Lodi. — Ebenda p. 129—139 sammelt Diego Sant' Ambrogio Notizie intorno al XXVII. vescovo di Lodi Oppizone (2. Hälfte des 11. Jh.). B. Schm.

28. Die Reihe der Bischöfe von Bosa auf Sardinien von 1112—1905 stellt S. Pintus, Vescovi di Bosa, im Archivio stor. Sardo III, 55—71 zusammen. B. Schm.

---

29. Dr. Georg Mayer, Domherr und Professor, Geschichte des Bistums Chur, Stans 1907, erzählt S. 11 ff. die hauptsächlichsten Formen der Legende des h. Lucius bis hinab zur Fassung des Proprium Curiense, weiss auch sonst aus den späteren Sagen vielerlei erbauliche Dinge über den Heiligen beizubringen und macht aus seiner Abneigung gegen die Stimme der Kritik kein Hehl. 'Flüchtig und unzuverlässlich' nennt er die Arbeiten Notkers, der zuerst bezweifelte, ob Lucius von Chur mit dem König von Britannien identisch sei, und mein Verfahren findet seine legendarische Gründlichkeit 'oberflächlich', weil ich die Homilie als wertlos und frei erfunden bezeichnet hatte. Den Beweis für diese Behauptung muss ihm ein durch Weglassung der Worte 'clericus vel' vor 'monachus' von ihm gefälschtes Zitat einer Stelle meiner Vorrede (SS. rer. Merov. III, p. 1) liefern, welches eigentümliche Gebahren zuerst M. Besson (Zeitschr. f. schweiz. Kirchengeschichte 1908, S. 56) aufgedeckt und in das rechte Licht gesetzt hat. Mit gleicher Gründlichkeit verteidigt er des h. Lucius Schwester Emerita, und das Vorhandensein von Reliquien beweist ihm 'jedenfalls' die Existenz einer h. Emerita. Angesichts solcher Logik dürfen wir auf die weitere Diskussion verzichten. B. Kr.

30. Dr. B. Sepp, Regensburg, Ein neuer Text der Afralegende (Studien und Mitteilungen 1908, XXIX, 1, S. 185 ff.), hat sich endlich über die von ihm bisher 'seltsamerweise' ganz unbeachtet gelassene Salzburger Hs. (*a*) geäussert, nachdem er meinen Aufsatz (N. A. XXXIII, 13 ff.) abgewartet, und erklärt angesichts der verhängnisvollen Folgen, welche der Fund für die Afralegende ge-

habt hat, wiederum wie früher beim h. Florian (N. A. XXIX, 520) mit 'verblüffender' Unbefangenheit den ältesten und besten Text für den verderbtesten, für einen Auszug aus der ausführlicheren Fassung (β). Die darin gebrauchten Redewendungen findet er 'in hohem Grade anstössig', 'weniger gut passend', dagegen die Fassung von β 'ganz natürlich', 'ganz zutreffend', und da in dieser 'alles vortrefflich klappt', hält er den Verdacht der Interpolation für widerlegt. Erkennt er hier an der logisch richtigeren und glatteren Form die Originalität, so doch anderswo an den umgekehrten Eigenschaften, denn 'ein Interpolator', schreibt er, 'würde sich gewiss deutlicher ausgedrückt haben', und so passt sich seine ausgezeichnete Methode immer sehr praktisch dem augenblicklichen Bedürfnis an. Das Verfahren anderer bezeichnet er in der ihm eigenen Diplomatensprache als 'höchst voreilig', erklärt sie für 'voreingenommen' und stellt überall seine eigene Persönlichkeit in den Vordergrund; trägt die neue Passio fast allen meinen früheren Ausstellungen Rechnung, so will er doch gezeigt haben, dass diese 'ganz ohne Belang' seien. Sonst steht er ganz auf dem Boden der Vielhaberschen Kasuistik, operiert mit derselben imaginären Grösse P, die ich in meinem Aufsatz zerpflückt hatte, nimmt aber von diesem keine Notiz, — eine Fortsetzung ist für das nächste Heft angekündigt, — und nur die Kenntnis der nikomedischen Märtyrer im Additamentum erinnert an diese Quelle und verrät wieder einmal, dass er auch zu ernten versteht, wo er nicht gesät. Ados famoses Martyrologium parvum Romanum nennt er noch 'das alte', — eine glückliche, von keinem bösen Modernismus angekränkelte Natur, an der der Wogenschlag der Zeit spurlos vorüberrauscht.

B. Kr.

31. E. Schaus, Die Ueberlieferung vom heiligen Lubentius (Annalen des Vereins für Nassauische Altertumskunde und Geschichtsforschung XXXVII, 162 ff.), weist mit sicherer Beherrschung der kritischen Methode die völlige Haltlosigkeit der Legende des Schutzheiligen des Stifts Dietkirchen nach, die im ersten Teile auf den beiden Lebensbeschreibungen des h. Maximin von Trier (vgl. SS. rer. Merov. III, 77 ff.) beruht, aber auch in der selbständigen Fortsetzung, der Beschreibung der Ueberführung des Leibes von Kobern in das Stift, auf keinem historischen Boden steht. Die Entstehung fällt wohl in das 12. Jh., und Sch. widerspricht mit Recht Waitz's An-

sicht, dass die Legende möglicherweise in den Gesta Trevirorum (SS. VIII, 119) benutzt sei. Zu der verdienstlichen neuen Ausgabe konnte das von den Bollandisten benutzte Arnsteiner Legendar (j. Harlej. 2802) nicht herangezogen werden. Der Herausgeber schliesst sich möglichst Cordens Text in dessen handschriftlich hinterlassener Limburger Geschichte (1784/5) an, der aus alten Dietkirchener Hss. des 11. und 12. Jh. geschöpft sein will, doch scheint mir die einfachere Fassung dieser Quelle durchaus nicht überall den Vorzug zu verdienen. Inzwischen hat Sch. die Legende durch eine Verdeutschung (Mitteilungen des Vereins für Nassauische Altertumskunde und Geschichtsforschung 1908, S. 38 ff.) auch weiteren Kreisen zugänglich gemacht. B. Kr.

32. J. Friedrich, Ueber die kontroversen Fragen im Leben des gotischen Geschichtschreibers Jordanes (SB. der philos.-philol. u. d. hist. Kl. der K. B. Ak. d. Wissensch. z. München 1907, Heft III, S. 379 ff., München 1908), behandelt die Widersprüche zwischen Mommsens und Wattenbachs Darstellung des Lebensganges des Jordanes und der äusseren Umstände, unter welchen seine Schriften entstanden sind. Die Ansicht, dass Vigilius der Papst und Jordanes der Bischof von Kroton oder ein Defensor der römischen Kirche gewesen sei, hatte Mommsen nach Eberts Vorgange mit feiner Ironie abgelehnt, und die Anrede 'magnificus' und 'illustrissimus' weist mit zwingender Logik auf einen hohen oströmischen Staatsbeamten, der sich in schweren Zeiten über die Geschichte des unglücklichen Römerreichs unterrichten wollte und seinen Freund bewog, nach langer Ruhepause wieder zur Feder zu greifen. Cassiodor (Auct. antiq. XII, 595) gibt das Prädikat 'magnificus' dem 'comes patrimonii', 'patricius' und 'praefectus praetorio', und Remigius ehrt damit Chlodovech bei der Uebernahme der Verwaltung der Belgica II (MG. Ep. III, 113). Jordanes hatte dem Vigilius gleichzeitig die im Auftrage des gemeinsamen Freundes Castalius ausgearbeiteten Getica zugesandt, damit er, durch das Unglück verschiedener Völker belehrt, sich von allem Ungemach befreie und zu Gott bekehre, 'der die wahre Freiheit ist'. Die Lektüre der beiden Bücher sollte ihm also die Welt verleiden, und wenn die Konversion an und für sich verschiedene Grade der Weltabkehr darstellen kann, so scheint doch Jordanes ihr hier die schärfste Bedeutung zu geben, die Befreiung von allen irdischen Sorgen und

Zurückziehung in das Kloster. Ich möchte daher auch die eigene Konversion des Jordanes an der Stelle, wo er von seinen persönlichen Verhältnissen spricht, mit Mommsen in derselben Weise auslegen, und da der mönchische Verf. früher selbst eine angesehene weltliche Beamtenstellung innegehabt hatte, auch mit der römischen Beamtenhierarchie Beziehungen unterhielt, wird man ihm trotz seiner Weltverlassenheit den Horizont für seine literarische Tätigkeit nicht ohne weiteres absprechen können. Wohl unter dem Eindruck von Wattenbachs Gründen hat F. die Conversio auf die Stellung eines einfachen 'religiosus' beschränkt; an einen Bischof ist m. E. überhaupt kaum zu denken. F. erklärt aber das Ergebnis der Untersuchung für rein negativ und lässt also auch noch für andere Möglichkeiten Raum. Berechtigter erscheinen mir F.'s Einwendungen gegen Mommsens Versuch, neben der gotischen Nationalität Jordanes auch eine alanische beizulegen, doch ist dieser Punkt nur nebensächlich, und Mommsen behandelt den Autor im allgemeinen als Goten. F. ist geglückt, das bisher dunkel gebliebene Zitat aus Jamblichus nachzuweisen; dagegen erscheint mir seine Annahme der Identität von Godidisclus und Gunthigis wenig einleuchtend; auch wird v. Grienbergers Erklärung des Namens Alanoviiamuthis besser der verdienten Vergessenheit anheimgegeben. Im allgemeinen scheint mir die Stichprobe zu beweisen, dass man sich Mommsens Führung ruhig anvertrauen kann, und jedenfalls bedarf der Abschnitt über Jordanes bei Wattenbach einer gründlichen Umarbeitung. B. Kr.

Noch hinzufügen möchte ich, dass doch auch die sehr eingehende Rezension von L. Erhardt über Mommsens Ausgabe von Jordanes' Werken in den Gött. gel. Anz. 1886, n. 17, S. 669—708, die Fr. nicht nennt, wohl zu beachten ist. O. H.-E.

33. In der Revue Germanique II (1906), 472—478 behandelt S. Reinach 'Un projet de Totila'. In dem 1522 erschienenen Dialog 'Medices legatus sive de exilio' des italienischen Humanisten Petrus Alcyonius finden sich folgende dem Kardinal Johann von Medici, späteren Papste Leo X., in den Mund gelegte Worte: 'In bibliotheca nostra asservatur liber incerti auctoris Graece scriptus de rebus a Gotis in Italia gestis; in eo memini me legere Attilam regem post partam victoriam tam studiosum fuisse Goticae linguae propagandae, ut edicto sanxerit, ne quis lingua

Latina loqueretur magistrosque insuper e sua provincia accivisse, qui Italos Goticam linguam edocerent'. Verständlich und wertvoll wird diese bisher unberücksichtigt gebliebene Stelle erst durch die von R. vorgeschlagene Verbesserung des 'Attilam' in 'Totilam'. Dürfte man ihr in dieser Gestalt Glauben schenken, was R. wahrscheinlich zu machen sucht, so wäre allerdings ihre Bedeutung für die Geschichte der deutschen Sprache ohne weiteres einleuchtend.

E. M.

34. D. L. Gougaud, Inventaire des règles monastiques Irlandaises (Revue Bénédictine 1908, p. 1 sqq.), stellt die alten irischen Klosterregeln, auch die in keltischer Sprache und in Versen geschriebenen, zusammen, will ferner die Echtheit einer jeden untersuchen und Hss. und Ausgaben angeben. Aus der reichen Fülle von Material, welches hier zusammengebracht ist, kommt für unsere Studien besonders der Abschnitt über Columban in Betracht, der mich jedoch offen gestanden enttäuscht hat. G. begnügt sich auf die Arbeiten von Seebass zu verweisen und führt nur für die Regula coenobialis eine bisher unbenutzte Hs. in Klosterneuburg an. Die Regula cuiusdam patris ad virgines nimmt er wegen der dreimaligen Beichte am Tage für Burgundofaras Kloster Faremoutiers in Anspruch unter Berufung auf V. Columbani II, 19 und vermutet Waldebert als Verf., der zusammen mit Chagnoald die Nonnen in der Regel unterweisen sollte (V. Col. II, 8). Aber ist die anonyme Regel wirklich die einzige, welche den Nonnen dreimaliges Beichten vorschreibt? Ich hatte auf Donats Regel verwiesen, und diese spricht zwar c. 23 nur von der Mittags- und Abend-Beichte, fügt aber c. 19 noch die Frühbeichte hinzu. Ob der anderen Regel wirklich ein so hohes Alter zukommt, wie G. annimmt, scheint mir noch des Beweises zu bedürfen. B. Kr.

35. A. Weber, Das angebliche Grab des h. Emmeramm (Römische Quartalschrift 1907, S. 192 ff.), wendet sich gegen den in derselben Zeitschrift erschienenen Endresschen Artikel (vgl. N. A. XXXIII, 232), beschreibt nochmals ganz objektiv den Leichenfund von 1894 und begründet dann nochmals die Ablehnung der völlig aus der Luft gegriffenen Hypothese von der Auffindung des h. Emmeramm. Bekanntlich können sich die Anhänger derselben nur auf die nicht ganz klaren Angaben eines Autors des 12. Jh. berufen, den mir auch Weber an der einen Stelle etwas gezwungen zu interpretieren scheint, aber was auch

der Sinn sein mag, für die Identifizierung der Leiche sind die Worte nicht zu verwerten, da alle anderen Umstände dagegen sprechen. B. Kr.

36. 'Der heil. Richard und seine Kinder (St. Willibald, St. Wunnibald, St. Walpurgis' (in Wirklichkeit heissen sie Wynnebald und Waldburg) betitelt sich eine Berliner Dissertation von Wilhelm Grothe. Dass der heil. König Richard und seine Frau Gemahlin Bonna noch auf 60 Seiten einer Berliner Dissertation abgehandelt werden würden, haben sich die sicher nicht träumen lassen, zumal sie garnicht existiert haben. Soweit der Verf. mit vielem Bemühen zeigt, dass die Namen des angeblich königlichen Ehepaares und alles was über sie nach der Heidenheimer Nonne erzählt wird, auf lächerlichen Erfindungen beruht, rennt er offene Türen ein. Was er über die Fortpflanzung und weitere Verfälschung dieser Fabeln durch neue Zudichtung mit grossem Fleiss beibringt, hätte ohne Schaden ungeschrieben bleiben können. Es folgt ein Kapitel über die Gründung des Klosters Heidenheim. Die Nonne dieses Klosters, der wir den einzigen glaubwürdigen Bericht über diese Dinge verdanken, wusste um 778 wahrscheinlich nicht mehr genau, in welchem Jahre das Kloster gegründet war, nach ihr muss es um 751 geschehen sein. Der junge Berliner Doktor im J. 1908 weiss das viel besser. Das Kloster kann nicht 751, sondern erst 752 gegründet sein. Seine Begründung darzulegen, möchte doch zu viel Raum kosten. Aber der Herr Doktor weiss auch sonst noch viel mehr als die Nonne. Die erzählt uns, dass Wynnebald kurz vor seinem Tode den Würzburger Bischof Megingoz besuchte, zu welchem Zwecke, sagt sie uns nicht. Die Berliner Dissertation belehrt uns: Der Bruder Wynnebalds, Willibald, der Bischof von Eichstätt, wollte das Kloster Heidenheim für sein Bistum gewinnen, hülfeflehend ging der Abt zu Megingoz, aber das half ihm nichts u. s. w. Solche nichtsnutzigen Phantasien dürfen in einer halbwegs wissenschaftlichen Arbeit nicht vorkommen. Aehnliche finden sich da neben starken anderen Verirrungnn öfter, namentlich in Kap. 6. Es ist möglich, dass das folgende Kapitel zur Chronologie der Geschichte der Brüder Willibald und Wynnebald neben falschem einen brauchbaren Kern enthält. Die vagen Zeitangaben lassen sich schwer überall miteinander vereinigen, es sind da verschiedene Ansätze möglich, und ich kann diese Dinge nicht von neuem nachprüfen, aber wenn der Verf. auch irgendwo die Forschung ge-

fördert hätte — was freilich nicht sehr wahrscheinlich ist —, hätte er doch bescheidener sprechen können, als er es z. B. S. 86, N. 34 einem Manne wie Hauck gegenüber getan hat. O. H.-E.

37. Kuenstle, Eine wichtige hagiographische Hs. (Römische Quartalschrift XXII, 1908, S. 17—29) beschreibt den 2. Teil des aus dem Kreise Reginberts stammenden Karlsruher Codex Augiensis n. XXXII, einer Sammlung von Heiligenleben (vgl. N. A. XXXII, 579), deren wertvoller Inhalt auch bereits für die SS. R. Merov. herangezogen worden ist. Wenn der Verfasser in der hagiographischen Litteratur immer wieder die Erfahrung gemacht hat (S. 28), dass die kürzeren Fassungen meist auch die ursprünglicheren sind, so kann diese Erfahrung doch keineswegs auf allgemeine Geltung Anspruch erheben; es sei nur an Florian, Severin von Acaunum, Präjectus, Ansbert, Condedus, Vulframn als Beispiele für das umgekehrte Verhältnis erinnert, um von den vielen verkürzten Texten des späteren Mittelalters zu schweigen. W. L.

38. Höchst dankenswert ist die Arbeit von H. Moretus S. J. in den Analecta Bollandiana XXVII, 3/4, p. 257—358 über das so oft genannte, von den alten Bollandisten so viel nach Abschriften benutzte Grosse Legendar von Böddeken aus der Mitte des 15. Jh. Er beschreibt genau den Inhalt der fünf erhaltenen Bände, von denen vier in Münster sind, einer dem Herrn Baron von Brenken auf Schloss Erpernburg gehört, stellt den Inhalt der verlorenen Bände, soweit das möglich ist, aus den alten Abschriften der Bollandisten und anderen Indicien her, beschreibt dann ebenso genau den Inhalt anderer Hss. von Heiligenleben desselben Klosters, ebenfalls aus dem 15. Jh., die teils in Münster, teils in der Bibliothek des Barons von Brenken sich befinden. Im Anhang gibt er aus einer Böddeker Hs. ein Kapitel aus Wiberts Vita Leonis IX. papae, das in den Ausgaben fehlt.

O. H.-E.

39. Die Bände XIII und XIV (1905, 1906) der 'Province du Maine' enthalten noch mehrere mit der Neu-Ausgabe der 'Actus pontif. Cenomannis in urbe degentium' zusammenhängende Aufsätze. Die bereits N. A. XXX, 503, n. 234 genannte Arbeit von G. Busson über die Anfänge der Kirche von Le Mans wird in XIII fortgesetzt, in XIV zu Ende geführt; seine ebendort erwähnten Be-

stimmungen von Ortsnamen der Actus beendigt derselbe Verfasser in XIV; einen neuen Artikel 'Les vies des saints du Maine' liefert er in XIII. Der andere Herausgeber A. Ledru handelt in XIII über: 1) 'Saint Victeur, évêque du Mans, 2) Notes sur saint Romain et sur saint Victeur (zusammen mit L. Froger), 3) Origines des paroisses rurales du diocèse du Mans'; in XIV über: 1) 'Translation des reliques des premiers évêques du Mans par saint Aldric, 2) St. Turibe, évêque du Mans 490—497, 3) St. Principe, évêque du Mans (511), 4) La mort de St. Julien à Saint-Marceau, 5) Badégisil évêque du Mans, 581—586, 6) Saint Bertrand, évêque du Mans, 586—626 environ'. Endlich ist zu nennen ein in XIII begonnener, in XIV beendigter Aufsatz von R. Latouche 'Essai de critique sur la continuation des "Actus pont. Cen. in urbe deg." d'Aldric à Arnaud'. E. M.

40. Der Inhalt des recht umfangreichen Buches (250 S.) von Ludwig Zoeff 'Das Heiligen-Leben im 10. Jh.' (Beiträge zur Kulturgeschichte des Mittelalters und der Renaissance herausg. von W. Goetz, Heft 1, Berlin und Leipzig 1908) kann hier nicht skizziert werden. Es ist die Arbeit eines wohlbelesenen und mit gutem wissenschaftlichem Rüstzeug versehenen Anfängers, wenn auch solche Dinge vorkommen, das noch stets die verfälschte Vita Bennonis Osnabrug. statt der echten, von H. Bresslau herausgegebenen, zitiert, der h. Gengulf oder Gangolf stets Gongolf genannt wird u. a. Es ist eine recht fleissige Sammlung von Stoff aus der grossen Menge von Heiligenleben, der nach verschiedenen Gesichtspunkten gruppiert ist, wobei nur vielfache Wiederholungen vorkommen. Dabei wird mancher gute Gedanke entwickelt, aber man sieht keinen rechten Zweck der Arbeit, ein eigentliches Ergebnis fehlt, da keine Untersuchung, sondern eben nur Materialsammlung geboten wird, in der eine grosse, ja ermüdende Menge von Einzelheiten aus Biographien und Wundergeschichten zusammengeschichtet ist, ohne dass ein rechtes Ziel erreicht wird. Wohl wird wiederholt der Versuch gemacht, zu zeigen, wodurch sich die Hagiographie des 10. Jh. von der früheren unterscheidet, aber er gelingt nicht, wirkt nicht überzeugend und nimmt sich mehr wie notgedrungen aus, um die Begrenzung des Themas auf das 10. Jh. zu begründen. Auch ist ja die Aufgabe, die sich der Verf. in dieser Beschränkung gestellt hat, schon eine ungeheuer grosse, sie

bedingt die volle Beherrschung der früheren und zum grossen Teil der späteren hagiographischen Litteratur, zum mindesten des 11. und 12. Jh., es ist unmöglich, dass eine solche für eine Erstlingsarbeit erworben werden konnte, wie sich der Verf. nicht verhehlt. Namentlich eine gründliche Vergleichung des riesig grossen gleichen Stoffes des 9. Jh. musste vorhergehen, ehe ein irgend sicheres Ergebnis für die Eigenartigkeit der Hagiographie des 10. Jh. gewonnen werden konnte, aber das auch wäre noch sehr problematisch geworden. Geht man an einen solchen Stoff heran, so muss man zunächst die Einwirkung solcher Schriften wie der des Sulpicius Severus über den h. Martin und die Eremiten, von Gregors d. Gr. Dialogen, der Vitae patrum usw. auf die spätere Heiligenlitteratur untersuchen, ehe man hoffen kann, einen wirklichen Gewinn zu erzielen. Das ist freilich eine Riesenaufgabe. O. H.-E.

41. In der Revue d'Alsace, IV. série, VII (1906, LVII), 82—92, 268—80, 418—30, 541—554, beendet Dom G. de Dartein seine Untersuchung des Evangeliars Erkanbolds (vgl. NA. XXXI, 499, n. 198), dessen geschichtliche Bedeutung in den Eintragungen seiner Schutzblätter beruht. Die erste und wichtigste lautet: 'II Id. Iul. (fa)cta est maxima caedes Grecorum et Sarracenorum ab imperatore magno Ottone secundo in Kalabria deo vincente'. Uebrigens bereits seit Wimpheling bekannt, verdient sie Beachtung unter den Quellen zur Schlacht des Jahres 982 am Säulenkap s. von Cotrone. Irrig ist, wie auch in der Schwäbischen Weltchronik und bei Adam von Bremen, die Angabe, es sei gegen Sarazenen und Griechen gekämpft worden, irrig vielleicht auch die Tagesangabe (Uhlirz, Jahrb. S. 261, bevorzugt den 15. Juli), und höchst auffällig ist in einem deutschen Berichte die sonst nur in süditalischen und griechischen zu findende ausschliessliche Hervorhebung des (anfänglichen) Sieges (Tod des Emirs) ohne Berücksichtigung der im zweiten Schlachtabschnitt erfolgenden Flucht und Vernichtung des deutschen Heeres. D.'s Erörterungen über ein griechisch-sarazenisches Bündnis, über den Sieg Ottos und die Tagesdaten sind verfehlt, besonders darin, dass er zwei verschiedene Schlachten voraussetzt, die über das Alter der Eintragung und ihren Urheber (Erkanbold als Augenzeuge) lassen zum mindesten Zweifel bestehen. — Die übrigen Eintragungen enthalten eine Grenzbeschreibung der Strassburger Diözese gegen Norden aus der zweiten Hälfte des 10. Jh., das älteste

Verzeichnis des Domschatzes aus dem 12. Jh. (darunter zwei Evangelien), mit dem D. das von 1181 vergleicht, und eine Aufzählung von vier Reliquien aus dem Anfang des 13. Jh. E. M.

42. Aus dem Buche von Johannes Simon, Stand und Herkunft der Bischöfe der Mainzer Kirchenprovinz im Mittelalter, Weimar 1908, ist hier die Tatsache zu erwähnen (S. 9, vgl. S. 108), dass an zwei Stellen der Moskauer Hs. des Officium Willigisi (die eine SS. XV, 2, p. 746, 45) die Angabe über die Herkunft des Bischofs 'nobilis prosapia' nachträglich in 'humilis prosapia' geändert worden ist, was bereits Bodmann bemerkt hat, während die Ausgaben über die ursprüngliche Lesart schweigen. W. L.

43. In der Revue historique XCVIII, 294—308 handelt Louis Halphen über die verschiedenen Redaktionen der Chronik Ademars von Chabannes, er entzieht allen neuen Behauptungen, die J. Lair in seinem grossen Buche 1899 aufgestellt hatte, die aber wohl nie viel Zustimmung gefunden haben, den Boden. Er kehrt zu den Ansichten zurück, die L. Delisle 1896 und nach ihm J. Chavanon in seiner Ausgabe von Ademars Chronik aufgestellt haben und welche die Ansichten von G. Waitz stark berichtigten, führt aber noch den Text einer früher unbenutzten Hs. der Königin Christine im Vatikan, über die er schon 1905 in der Bibl. de l'école des chartes LXVI handelte, in die Untersuchung ein. Es ergeben sich ihm danach fünf oder wahrscheinlicher sechs zu verschiedenen Zeiten entstandene Redaktionen der Chronik, die sämtlich von Ademar herrühren sollen, von denen (6) aber zwei, darunter die älteste, verloren wären. O. H.-E.

44. Aus der Bonner Dissertation von Therese Virnich, Corvey, Studien zur Geschichte der Stände im Mittelalter (1908), ist hier der Nachweis (S. 55 f.) zu erwähnen, dass in der früher bekannten Ueberlieferung des Corveyer Mönchverzeichnisses, SS. XIII, 274 ff.) nicht eine ganze Spalte ausgefallen ist, wie Philippi (Abhandlungen über Corveyer Geschichtsschreibung S. XX, N. 1) auf Grund einer neuen Liste (vgl. N. A. XXXII, 521) angenommen hatte, dass vielmehr deren scheinbar grössere Reichhaltigkeit lediglich darauf beruht, dass in dem neuen, nur in junger Abschrift vorliegenden Verzeichnis zwei nebeneinanderstehende Namenreihen der Vorlage fälschlich ineinandergeschoben worden sind. W. L.

45. Die wertvolle Fortsetzung der Chronik des Florentius von Worcester durch den Mönch Johannes, die bisher — auch in der Ausgabe von Thorpe — nur in teils interpolierter, teils unvollständiger Gestalt gedruckt vorlag, hat J. R. H. Weaver nach der anscheinend vom Verfasser selbst veranlassten und durchgesehenen Oxforder Hs. Corpus Christi College n. 157 neu herausgegeben, welche auch von Pauli nach Liebermanns Vergleichung für die Auszüge SS. XIII, 130 ff. zu Grunde gelegt worden ist: 'The Chronicle of John of Worcester 1118—1140 (Anecdota Oxoniensia, Mediaeval and modern series, part XIII)', Oxford 1908. In den Anmerkungen sind auch die wesentlicheren Abweichungen der zwei Hss. des Trinity College in Dublin berücksichtigt, die seit der Editio princeps für die Gestaltung des Textes massgebend gewesen sind. W. L.

46. Andreas Seider, Die Bleitafel im Sarge des hl. Valentin (Veröffentlichungen aus dem Kirchenhistorischen Seminar München, III. Reihe, n. 1, 1907, S. 254—274) legt aufs neue dar, dass die angeblich neben dem Leichnam Valentins in Passau 1090 gefundene Inschrift eine Fälschung ist, die allem Anscheine nach ihre Entstehung erst dem Verfasser der Vita et Translatio Valentini verdankt, der kaum vor der zweiten Hälfte des 12. Jh. geschrieben und allein die Inschrift überliefert hat (vgl. Wattenbach, GQ. II[6], 490). W. L.

47. Die Vita Arnoldi archiepiscopi Moguntini eine Fälschung des 17 Jh.! Das ist das Verdikt von Th. Ilgen in seinem vierten kritischen Beitrag zur rheinisch-westfälischen Quellenkunde (Westdeutsche Zeitschrift XXVII, 1, S. 38—97). Er meint, dass sie von Johannes Antoni, dem Prior des Klosters Jakobsberg bei Mainz, um 1630 verfasst sei, ohne bestimmt zu behaupten, dass dieser damit eine Fälschung beabsichtigt habe, er vermutet, dass der Jesuit Johannes Gamans an der Fälschung beteiligt sei. Das Verdikt ist unanfechtbar, es ist rechtskräftig: die Vita Arnoldi ist keine Quelle des 12. Jh., sondern ein spätes Machwerk. Zweifelhaft bleibt aber doch noch wohl, wer der eigentliche Fälscher ist, der übrigens in paläographischer Beziehung seine Absicht, Schrift der Zeit um 1500 wiederzugeben, meisterhaft durchgeführt hat, wie die beigegebenen Schrifttafeln der Würzburger Hs. zeigen, so dass man wohl begreift, dass auch ein Mann wie Ph. Jaffé getäuscht werden konnte, der die Vita nach dem

Entdecker J. Fr. Böhmer zum zweiten mal herausgab. Ilgen deutet schon an, dass auch Christians Chronicon Moguntinum eine Fälschung ist, auch dieses ist schon gerichtet. Wir werden wohl demnächst über den Beweis zu berichten haben. O. H.-E.

48. Gerolamo Biscaro bringt im Archivio storico Lombardo, serie IV, A. XXXIV, fasc. 16, p. 387—393 einige Urkunden aus den Jahren 1146—1171 bei, in denen ein Raul (oder Ragul, Rau) Bocardus (Bocardi) als Mailänder Bürger erscheint, und meint, dieser sei der Sire Raul, den man von Tristan Calchus an bis Muratori usw. für den Verfasser der Gesta Federici I. imp. in Lombardia (Annales Mediolanenses) gehalten hat. Da aber der Vers, der den Namen enthält, in der Brera-Hs. nicht am Ende der Gesta, sondern am Schluss der historischen Notizen, die erst hinter den Gesta Federici I. imp. in expeditione sacra stehen, nach einer Nachricht des Jahres 1230 sich findet, so hat man nicht das geringste Recht, den Namen auf den Verfasser der Gesta in Lombardia zu beziehen, wenn das auch Calchus, der die Mutterhs. des Brera-Codex benutzte, irrig annahm. Seltsamer Weise kennt Herr B. noch nicht meine Ausgabe der Gesta (SS. R. Germ. 1892), in der ich es bestimmt abgelehnt habe, den Sire Raul als deren Verfasser anzunehmen.
O. H.-E.

49. Im 35. Jahresbericht der II. deutschen Staats-Realschule Prag-Kleinseite 1907/8 unterzieht K. Zimmert die Ergebnisse seiner früheren Arbeiten über Ansbert, Tageno, Magnus von Reichersberg und die Historia peregrinorum einer Revision. Als Hauptresultat verzeichnen wir, dass die genannten Quellen unabhängig von einander auf das verlorene Tagebuch (aber auf verschiedene Redaktionen) und den gleichfalls nicht erhaltenen ersten Bericht Ansberts zurückgehen, dass sich aber Tageno mit seinem Tagebuch und Ansbert mit seinem ursprünglichen Entwurf gegenseitig beeinflusst haben. Am reinsten ist das Tagebuch Tagenos in der Chronik des Magnus erhalten. Im einzelnen sind die Ergebnisse, wie das zum Teil in der Natur des Problems liegt, sehr kompliziert, doch hätte die Darstellung übersichtlicher gestaltet werden können. H. H.

50. Im Archivio Muratoriano n. 5, p. 275 sqq. sucht Ettore Rota neue Gründe beizubringen dafür, dass der Dichter Petrus de Ebulo identisch wäre mit Petrus

Ansolinus und dass er ein Arzt der Salernitaner Schule gewesen wäre. Wenn das letztere nicht unwahrscheinlich ist, hat er die erste Behauptung nicht im entferntesten bewiesen. Auf die sich anschliessende unerquickliche Polemik des Verf., der des Petrus Werk für die neue Muratori-Ausgabe bearbeitete, gegen G. B. Siragusa, der es für das Istituto stor. Italiano herausgab, gehe ich nicht ein. O. H.-E.

51. Die bedeutende und umfangreiche Untersuchung von Hermann Bloch, 'Die Elsässischen Annalen der Stauferzeit', welche den ersten Teil des I. Bandes der Regesten der Bischöfe von Strassburg bildet, eröffnet als erster Abschnitt der glänzend und mit grossem Geschick geführte, unwiderlegliche Nachweis, dass die Annales Argentinenses breves, die zuletzt von Ph. Jaffé SS. XVII herausgegeben waren, mit dem ihnen vorangestellten Strassburger Bischofskataloge von Grandidier gefälscht sind. Es ist erklärlich, dass diese wichtige Entdeckung, die jetzt so sonnenklar erwiesen und scheinbar so leicht darzutun war, erst diesem Forscher vorbehalten war, der zuerst den berühmten und hochgeschätzten Grandidier als Fälscher so vieler Urkunden entlarvt hat. Erst dieser Nachweis setzte ihn in Stand, über das Quellenverhältnis der Elsässischen Annalen zu einem richtigen Urteil zu gelangen, da die Fälschung Grandidiers bisher allgemein als Quelle der scheinbar späteren Annalen, aus denen sie konstruiert ist, angesehen worden war, der Nachweis ist die notwendige Vorarbeit und Voraussetzung für die folgenden Abschnitte. Diese geben den Unterbau und die Begründung für die Anlage und die Behauptungen der Ausgabe der sogen. Annales Marbacenses und der kleineren Elsässischen Annalen, die Bloch kürzlich in den SS. rerum Germ. lieferte. Wir berichten kurz über die Ergebnisse. Die Hs., in der uns die Ann. Marbac. erhalten sind, stammt aus dem Cisterzienserkloster Neuburg. Ihr Hausptbestandteil ist die Hohenburger Chronik bis 1210 (1212), die zwar nicht von einer Hohenburger Stiftsdame auf dem Odilienberge, sondern von einem Marbacher Augustiner, der in jenem Stift geistliche Funktionen wahrzunehmen hatte, verfasst ist. In die Hohenburger Hs. des Werkes wurden von einem Marbacher Chorherren einige Nachrichten gleichsam als Fortsetzung, so zu 1216. 1226, nachgetragen. Als das Werk in Neuburg abgeschrieben wurde, fügte man einige Neuburger Lokalnachrichten und andere Zusätze

ein und mit Benutzung jener Marbacher Nachträge eine Fortsetzung 1213—1238 an. Aber die uns erhaltene Hs. ist auch für diese Fortsetzung nicht Originalhs., sondern schon Abschrift.

Die Hohenburger Chronik 631—1212 ist eine Kompilation aus grösstenteils bekannten Quellen, ihre wichtigste verlorene Quelle sind von einem Strassburger Domherren geschriebene Annalen 1015—1200, die von 1160 allein ausgeschrieben sind, und denen wir die wertvolle reichsgeschichtliche Erzählung 1184—1200 verdanken. Sie werden Annales imperiales Argentinenses genannt. Ausserdem hätte der Chronist noch Marbach-Schwarzenthanner Lokalnachrichten 1090— c. 1137 ausgeschrieben. In der Ausgabe sind die Bestandteile, die auf die Strassburger Annalen oder die Marbacher Notizen zurückgehen, und andere, die dem Herausgeber als Hohenburger oder Neuburger Zusätze erscheinen, durch verschiedenen Druck, durch Zeichen und Marginalnotizen als solche gekennzeichnet. Dass da immer das wahre ermittelt ist, will Bl. selbst nicht behaupten.

Ueberhaupt aber was über die Entstehung und Vermehrung der Ann. Marbac. an den beiden Orten und ihre Quellen vorgetragen wird, ist alles wohl durchdacht und mit Gründen gestützt, dass aber alle diese Ergebnisse ganz sicher und unanfechtbar wären, kann nicht gesagt werden. Der Verf. hat hier die Neigung, etwas zu viel wissen, zu viel ermitteln zu wollen, so z. B. wenn er bestimmt glaubt erklären zu können, warum die Strassburger Reichsannalen 1200 abbrechen, warum die Hohenburger Chronik — wenn sie diesen Namen mit Recht trägt — 1212, die Neuburger Fortsetzung 1238 schliesst. Und an die bisher vorgetragenen Ergebnisse schliessen sich Konstruktionen, die ich als unwahrscheinlich oder als unmöglich ablehnen muss. Es wird konstatiert, dass die Jenenser, aus Neuburg stammende, Hs. von zwei Händen geschrieben ist, deren zweite beim J. 1208 einsetzt. Obwohl vorher gesagt ist, dass die Neuburger Fortsetzung in der Hs. nicht Originalniederschrift ist, wird nun doch behauptet, dass der zweite Schreiber deren Verfasser ist, es wird angenommen, dass die Neuburger Zusätze in den beiden von verschiedenen Händen geschriebenen Teilen der Hs. auch von den beiden Schreibern verfasst sind, ohne dass sich, ausser an einer einzigen Stelle, Merkmale der Originalschrift feststellen lassen. Ja Bl. glaubt, zwischen den von den beiden Schreibern geschriebenen Neuburger Zusätzen eine kleine Stilverschiedenheit wahrnehmen zu können, und unternimmt es doch durch

Stilvergleichung zwischen den wirklichen oder auch nur vermeintlichen Neuburger Zusätzen und der Fortsetzung zu erweisen, dass beide in Neuburg verfasst sind. Ich glaube nicht, dass diese Stilvergleichung etwas beweisen kann.

Mit vollem Recht lehnt Bl. in den Beilagen zum zweiten Teil jede Quellenverwandtschaft der Chronik Ottos von St. Blasien, von der gefabelt worden ist, mit der Hohenburger Chronik und wiederum dieser mit der Ursberger Chronik ab, aber er glaubt annehmen zu müssen, dass die Ursberger Chronik in den Neuburger Zusätzen benutzt sei. Dem muss ich entschieden widersprechen, ich leugne jede Verwandtschaft zwischen den beiden Quellen.

Im dritten Teil, über den ich mich ganz kurz fasse, behandelt Bl. die kleineren Elsässischen Annalen, die der Ausgabe der Ann. Marbac. angefügt sind, und ihr Verhältnis zu diesen. Er entwickelt aus verschiedenen kleinen Ableitungen die Existenz kurzer Jahrbücher 1132—1233, die er Annales Argentinenses minores nennt, und versucht deren Herstellung. Die Berechtigung dieser Herstellung und ihre relative Richtigkeit kann nicht bestritten werden. Dann schält er als Quelle dieser so hergestellten Annalen, der in der Hohenburger Chronik ausgeschriebenen Strassburger Reichsannalen und der Annalen von Maursmünster noch ein älteres Annalenwerk 1122—1218 heraus, das er als Annales monasterii Argentinensis (d. h. des Strassburger Doms [Münster]) bezeichnet. Auch diese stellt er aus den drei Quellen her. Aber dieser Herstellungsversuch erscheint mir höchst bedenklich, da ist alles problematisch.

Angehängt sind eine genaue Beschreibung der Jenenser Hs., die vor den Ann. Marbac. die Chronik Ottos von Freising enthält, und eingehende Erörterungen über deren hier überlieferten Text, dann als erfreuliche Beigabe 12 Lichtdrucktafeln, von denen 11 Bilder aus der Chronik Ottos wiedergeben, dann eine Seite aus dem Text der Ann. Marbac., die auch der Ausgabe beigegeben ist, danach folgt noch die Reproduktion einer gefälschten Urkunde Friedrichs I. für das Kloster Neuburg, weil Bl. glaubt, dass sie von dem ersten Schreiber des Jenenser Codex geschrieben ist.

Dass diese grosse Arbeit unsere Kenntnis über die hier besprochenen Quellen in hohem Masse fördert, trotz der Einwendungen, die ich gegen einzelnes machen zu müssen glaubte, habe ich schon durch die ersten Worte dieser kurzen Besprechung angedeutet. Schon die Beseitigung der Fälschung Grandidiers bedeutet ein Verdienst ersten Ranges, vieles andere, wie die Herausschälung der Strassburger Reichsannalen (in dem Sinne, dass sie über Reichsgeschichte berichten, ist der Ausdruck gebraucht) ist nicht minder verdienstvoll. O. H.-E.

52. In der Historischen Vierteljahrsschrift XI, 3. Heft, S. 297—313 beschäftigt sich K. Hampe mit den Flugschriften zum Lyoner Konzil von 1245. Nachdem er einige Verbesserungen in zwei Texten der ungenügenden Ausgabe von Winkelmann in den Acta imperii vorgenommen hat, geht er davon aus, dass die drei erhaltenen Stücke und die Relation über Viterbo von einem Verfasser herrühren, zeigt, dass dieser Verfasser nicht, wie man angenommen, auf dem Konzil anwesend war, dass die Schriftstücke nicht an alle Konzilsteilnehmer, sondern nur an zwei gerichtet waren. Er sucht zu beweisen, dass sie von einem Kanzlisten des Kardinaldiakon Rainer von St. Maria, des Legaten im römischen Patrimonium, auf dessen Veranlassung abgefasst seien. Das wäre nach der Art der Ueberlieferung der Stücke und da der Verfasser wohl sicher im Patrimonium geschrieben hat, sehr glaublich, wenn ich mich nur überzeugen könnte, dass der Kardinal von der römischen Kirche in Lyon hätte schreiben lassen: 'tanta respergitur cupiditatis et avaritie infamia et aliis nefandis operibus circa partes, ubi peregrinatur a Domino' (2. Cor. 5, 6). Hampe vermutet dann, dass die beiden Adressaten der Kaiser Balduin II. und der Patriarch Nikolaus von Konstantinopel seien. Das scheint mir sehr zweifelhaft, schon da ich meine, dass die Stelle, durch die er zu dieser Vermutung kommt, anders erklärt werden kann und wohl auch muss, als er sie verstanden hat. Mit Anlehnung an Is. 46, 11 ('vocans ab oriente avem et de terra longinqua virum voluntatis meae'), wie Hampe bemerkt, heisst es da: 'Vos autem, aves electe, quas vocavit ab oriente doctrine sacre ad sue munimen ecclesie splendor patris'. Damit will der Verf. nun wohl nicht sagen, dass die Adressaten aus dem Orient kamen, sondern er erklärt das 'oriens' der Bibelstelle allegorisch als 'doctrina sacra', d. h. den beiden angeredeten wird hohe theologische Bildung zugesprochen. Ich glaube, dass beide Adressaten hohe Prälaten gewesen sein müssen, auch mit Rücksicht auf eine andere Stelle, an der es heisst (mit Anlehnung an Esther 4, 14: 'Quis novit, utrum idcirco ad regnum veneris', wie Hampe bemerkt): 'utrum uterque

vestrum idcirco ad regnum ecclesie venerit', denn 'regnum ecclesie' kann ich nur erklären als 'regimen ecclesie', nicht etwa als den Königssitz der Kirche (d. i. Lyon), wie Hampe will. Er stellt dann noch genauer die Abfassungszeit der einzelnen Stücke fest. O. H.-E.

53. Von der neuen Ausgabe der Rerum Italicarum scriptores sind folgende Hefte schon früher begonnener und angezeigter Werke erschienen: fasc. 3 (52) der Chronik Rolandins von Padua (vgl. N. A. XXXII, 531, n. 59), fasc. 3 (48) der Florentiner Chronik des Marchionne di Coppo Stefani (N. A. XXIX, 517, n. 25), fasc. 2 (58) der guten Ausgabe von Johannes Burckards Diarium (vgl. N. A. XXXIII, 243 f., n. 50), fasc. 4 (54) zu dem Diarium Romanum des Jakob Gherardi von Volterra als Beilage das Diarium des Sebastian di Branca Tedallini (N. A. XXXIII, 243 f., n. 49), noch unvollständig. O. H.-E.

54. Im Archivio storico Lombardo, serie IV, A. XXXIV, fasc. 16, p. 393—398 bringt Gerolamo Biscaro urkundliche Nachrichten aus den Jahren 1264—1318 über den Mailänder Geschichtschreiber Antonius de Retenate, dessen verlorenes Werk Tristan Calchus unter seinen Quellen nennt, indem er ihn als Antonius Recenas bezeichnet. Corius nennt ihn Antonio de Racenate. Seine Familie stammte wohl aus Retenate, einem Weiler im Mandament Gorgonzola, wie Herr B. annimmt. O. H.-E.

55. Die neue Sammlung der Quellen und Forschungen zur Geschichte des Dominikanerordens in Deutschland, herausgegeben von P. von Loë und B. M. Reichert (Leipzig, O. Harrassowitz 1907), wird eröffnet durch ein Heft, in dem P. von Loë Statistisches über die Ordensprovinz Teutonia mitteilt. Der für mancherlei Themen sehr nützlichen Arbeit sind einige, z. T. noch im 15. Jh. entstandene Aufzeichnungen beigefügt, die hier genannt sein mögen: 1. Hic est catalogus provincialium defunctorum provincie Teutonie 1221—1446 (S. 23 ff.); 2. ein kürzeres Verzeichnis gleichen Inhalts in deutscher Sprache 1223—1456 (S. 26 ff.); 3. Hec sunt capitula provincialia celebrata provincie Teutonie 1223—1517 (S. 30 ff.); 4. eine ähnliche Liste für die Jahre 1233—1496 (S. 44 ff.) A. W.

56. In der neuen Ausgabe von Muratoris Scriptores ist als t. IX, parte 5, fasc. 51. 56, die Historia Dulcini heresiarchae von unbekanntem Verfasser und Bernardi Gui-

donis de secta Apostolorum von Arnaldo Segarizzi herausgegeben. Für die erste Schrift konnte der Herausgeber ausser dem Ambrosianus (saec. XVI), dem Muratori beide Werkchen entnahm, noch eine (jetzt verbrannte) Turiner Hs. (saec. XIV), die gute Verbesserungen bot, benutzen. Uebrigens ist nicht durchweg die richtige Lesart aus den beiden sich gegenseitig korrigierenden Hss. für den Text gewählt. Es sind sieben Appendices, meist nach Drucken, beigegeben. Am wertvollsten darunter, da neu, ist das Protokoll von Inquisitions-Prozessen gegen Anhänger des Apostel-Ordens zu Bologna nach einer Hs. der Bologneser Kommunal-Bibliothek. Die Vorrede ist im Verhältnis zu dem geringen Umfange der herausgegebenen Texte sehr umfangreich (LI S.), dafür sind keine Anmerkungen beigegeben. O. H.-E.

57. Im Archivio Muratoriano n. 5, p. 235—273 erweist Armando Carlini gründlich, dass das vielumstrittene Miserere des Minoritengenerals Michael von Cesena, das heisst das Schriftstück, in dem er in Ausführungen zum 50. Psalm seine Reue über seine Auflehnung gegen Papst Johann XXII. und seine Unterwerfung unter Rom angeblich ausgesprochen haben soll, eine moderne Fälschung ist, die erst gegen 1700 in eine Hs. des Minoritenkonvents zu Cesena, welche ein wirkliches Werk Michaels enthält, eingeschmuggelt ist. Er druckte das ganze Stück noch einmal ab. O. H.-E.

58. Im Bulletin de la classe des lettres de l'Académie royale de Belgique 1908, p. 384 sqq. behandelt G. Kurth 'Henri de Dinant et la démocratie liégeoise'; er gibt dabei bemerkenswerte Beiträge zur kritischen Würdigung der Hauptquelle, des Chronisten Hocsem, der lange nach den Ereignissen gegen 1334 nach Lüttich kam und um 1334 zu schreiben begann. A. H.

59. Die rückständigen Editionsgrundsätze der neuen Ausgabe von Muratoris Rerum Italicarum scriptores werden gründlich ad absurdum geführt durch die begonnene Publikation des Chronicon Estense, herausgegeben von Giulio Bertoni und Em. P. Vicini (t. XV, p. III), von der das erste Heft (fasc. 57) 1908 erschienen ist (nur Text bis 1327, ohne Vorrede). Der erste Teil dieser Chronik ist fast ganz wörtlich abgeschrieben aus den Annales S. Iustinae Patavini, es finden sich nur wenige Zusätze. Aber diese kann der Benutzer nicht erkennen, sondern muss

sie sich selbst mühsam heraussuchen, da durch den Druck nicht kenntlich gemacht ist, was aus jener Quelle stammt. Ist es wirklich erlaubt, auf diese Weise heute noch derartige Werke herauszugeben? Man schädigt dadurch die Forschung und blamiert sich vor allen Sachverständigen. Ueber die Ausgabe, die sonst keineswegs den Eindruck eines Meisterwerkes macht, werden wir berichten, wenn sie vollendet ist.

O. H.-E.

60. Eine der am meisten versprechenden Arbeiten für die neue Muratori-Ausgabe hat Albano Sorbelli unternommen und begonnen, nämlich die Ausgabe der Bolognesischen Chroniken des 14. und 15. Jh. (t. XVIII, p. I) unter dem Titel: Corpus chronicorum Bononiensium. Dafür hatte er in seinem Buche, das die Ueberlieferung der verschiedenen Chroniken ausführlich behandelte, tüchtig vorgearbeitet. Wir sind mit diesen Quellen besonders schlimm daran, da Muratori, der von den Aufgaben eines wirklichen Herausgebers wenig ahnte, verschiedene Texte zu der berüchtigten und berühmten 'Historia miscella' zusammengemengt hat, andere überhaupt noch nicht bekannt sind. Und doch steht in diesen Chroniken so viel höchst wertvolles altes Quellenmaterial schon für das 13., ja für das 12. Jh. Ueber die neue Ausgabe lässt sich noch wenig sagen, da erst zwei Hefte (40. und 50.) erschienen sind, welche die erste Partie der sogenannten Cronaca Rampona und Varignana nur bis 311 enthalten und das was auf den Vorsatzblättern der Chronik des Pietro Villola steht. Das sind Prophezeiungen, die der Chronist sich gesammelt hat, die aber mit der Chronik in keinem Zusammenhange stehen. Die Druckeinrichtung würde ich anders gestaltet haben, denn m. E. hat es keinen Zweck, Texte neben und unter einander zu drucken, die nichts miteinander gemein haben, wie die beiden ganz verschiedenen Texte der beiden Chroniken und gar jene Prophetieen. Das führt nur zur Raumverschwendung und erschwert die Benutzung. Mehr wird gesagt werden können, wenn die Ausgabe weiter vorgeschritten ist. O. H.-E.

61. Im Historischen Jahrbuch der Görres-Gesellschaft XXIX, 96—99 bringt L. Pfleger ein unbeachtet gebliebenes Kapitel aus der Vita Iesu Christi des Karthäusers Ludolf von Sachsen, welches die kirchlichen Zustände des 14. Jh. scharf geisselt, erneut zum Abdruck. R. S.

62. Die Arbeit von R. Wegeli über die Truchsessen von Diessenhofen (Thurgauische Beiträge zur vaterl.

Geschichte, Heft XLVII, 124 ff.) müssen wir hier erwähnen, weil sich der Verf. (S. 124—155) ausführlich über die Lebensschicksale und die historiographische Tätigkeit des Chronisten Heinrich von Diessenhofen. äussert.
H. H.

63. In den Quellen zur Schweizer Geschichte ist in der I. Abteilung (Chroniken) der neuen Folge der I. Bd. erschienen (Basel 1908), der den ersten Teil von Heinrich Brennwalds Schweizerchronik (bis 1436), herausg. von R. Luginbühl, enthält. Wir kommen auf die Publikation zurück, sobald der II. Bd. vorliegt, dessen Erscheinen uns in nahe Aussicht gestellt wird. H. H.

64. Das Gedicht in italienischer Sprache über die Festlichkeiten, die in Florenz bei Anwesenheit des Papstes Pius II. 1459 veranstaltet wurden, die sogen. Ricordi di Firenze, das früher Tartini schlecht publiziert hatte, hat Wilhelm Volpi in der Neubearbeitung der Rerum Italicarum scriptores t. XXVII, p. I (fasc. 55) nach der einzigen vorhandenen Hs. herausgegeben. Den Namen des Dichters, den Volpi noch nicht kannte, weist Santorre Benedetti im Archivio stor. Italiano, serie V, t. XLI, 365 sq. einfach aus dem Acrostichon der Schlussverse nach: er heisst Luca d'Americo (oder da Merico?). Beigegeben hat Volpi von ihm schon früher edierte Teile eines anderen italienischen Gedichts über dieselben Festlichkeiten. O. H.-E.

65. In den Verhandlungen des hist. Vereines für Niederbayern XLIII, 1 ff. beendigt M. Hartig seine Ausgabe der Annales ecclesie Alderspacensis des Abtes Wolfgang Marius (vgl. N. A. XXXII, 537, n. 77).
H. H.

66. Ueber den Ende des 15. und Anfang des 16. Jh. schreibenden Liesborner Benediktiner 'Bernhard Witte, sein Leben und die Hs. seiner westfälischen Geschichte' hat J. Frommelt ein Schriftchen (Arnsberg 1908, 24 S.) veröffentlicht, das von störenden Druckfehlern nicht frei ist; so werden für den Regierungsantritt Hugos Capet die Jahreszahlen 908 (S. 5), 972 (S. 7) und 976 (S. 17) angegeben. E. M.

---

67. In seinem Buche 'Spurfolge und Anefang in ihren Wechselbeziehungen' (Weimar 1908) legt K. Rauch dar, dass die Worte 'per tercia manu adchramire' des

Titels 37 der Lex Salica sich nicht, wie die herrschende Lehre will, beziehen auf ein mittelst Bürgschaft (tercia manus) abgelegtes Gelöbnis des Spurfolgers, die strittige Sache gegen den angerufenen Gewährsmann des Besitzers vertreten zu wollen, sondern dass, was R. durch eingehende philologisch - palaeographische Nachweisungen zu stützen vermag, 'per' im Sinne von 'pro' zu verstehen und der Sinn der Stelle demnach der ist: 'Der Spurfolger gelobt, die Sache vor Gericht zu stellen "für die dritte Hand", auf dass diese, d. h. der angerufene Gewährsmann, die Vertretung der Sache übernehmen und ihren bisherigen Besitzer gegen die Angriffe des Spurfolgers verteidigen könne' (S. 106). Durch diesen Nachweis wird das Spurfolgeverfahren dem bei der Anefangsklage sehr genähert, so dass es nur mehr als eine Modifikation dieses Prozesses erscheint und seinen exzeptionellen Charakter verliert, den es bis dahin als einen 'Akt rechtlich geregelter Selbsthilfe' gehabt hatte. M. Kr.

68. Zu der Nachricht n. 211 im XXXIII. Band dieser Zeitschrift möchte ich gleich bemerken, dass, wie mir Herr Professor J. Gierke mitteilt, in seinem Aufsatze unter 'Hofstätte' ein Hof mit allem Zubehör, mit dem Ackerland und dem Recht an der Allmende zu verstehen ist. Objekt der Dereliktion wäre demnach die Hufe. Demgegenüber wird allerdings der Einwand, den ich a. a. O. erhoben habe, gegenstandslos. Im übrigen denke ich, wie gesagt, auf diese Frage noch an anderer Stelle einzugehen. M. Kr.

69. In der Nouv. Revue hist. de droit franç. et étranger XXXI (1907), 49—71. 205—36 untersucht F. Thibault 'L'impot direct et la propriété fonçière dans les royaumes francs'. Er erörtert zunächst die auf die fränkische Eroberung unmittelbar folgenden Zustände (die Franken werden der Grundsteuer nicht unterworfen, die römischen possessores zahlen sie weiter, die clarissimi bleiben von ihr befreit), sodann die Weiterentwickelung der Steuerverhältnisse, die in der merowingischen Zeit einreissende Unordnung, das Verschwinden der possessores, den Ursprung der Immunität auf gallisch - römischem Boden und den Untergang der steuerfreien kleinen Eigentümer. E. M.

70. In seiner Abhandlung 'Zum Brautkauf nach altalamanischem Recht' (Festgabe der Kieler Juristenfakultät

zu Albert Hänels fünfzigjährigem Doktorjubiläum 1907) konstatiert O. Opet im Sinne der herrschenden Lehre ganz mit Recht, dass in den beiden Stellen des Pactus Alamannorum III, 23 und V, 17 unter der 'puella' nicht, wie Gothein will, eine Sklavin, sondern ein freies Mädchen zu verstehen ist. Von den weiterhin gegebenen positiven Darlegungen aber werden der Vorschlag, in III, 23 für 'impia fuerit' nicht mit Brunner 'inemtam rapuerit', sondern 'impiaverit' zu lesen und die daran angeschlossenen Ergebnisse kaum auf Zustimmung rechnen können. M. Kr.

71. In einer kurzen Darlegung 'Zur friesischen Gerichtsverfassung' (Mitt. d. Inst. f. Oesterr. Geschichtsf. XXIX, 467—481) setzt sich Frh. v. Schwerin mit den Ansichten seiner Gegner Jäkel und Heck auseinander. M. Kr.

72. P. Ildefons Herwegen untersucht im 40. Heft der von U. Stutz herausgegebenen Kirchenrechtlichen Abhandlungen (Stuttgart 1907) 'das Pactum des hl. Fruktuosus von Braga', d. h. das als Anhang zu dessen Regula communis überlieferte Klostergründungsformular, einen Vertrag zwischen Mönchen und Abt, und verfolgt sein Fortleben und seine Wandlungen als Abtwahlinstrument und Professformular in den wenigen erhaltenen Urkunden (dabei einer bisher ungedruckten und der von Ewald, N. A. VI, 227 ff. veröffentlichten) bis zum Ende des 10. Jh. Kann hier auch auf den rechtsgeschichtlichen Inhalt der sorgfältigen und scharfsinnigen Arbeit nicht eingegangen werden, so seien doch die Einwirkungen Germanischer Rechtsgedanken auf das Pactum und die Analogien mit dem Westgothischen Rechte hervorgehoben, auf die der Verf. hinweist. Mit einem der Westgothischen Formulare (Zeumer, Formulae p. 595) berührt sich das Pactum in dem Wortlaut einiger Formeln (vgl. S. 25). W. L.

73. Wider Jostes' wenig wahrscheinliche Deutung der winileodi (N.A. XXXIII, 570, n. 213) wendet sich in der Zeitschr. f. D. Wortforschung X, 200—202 W. van Helten, ohne freilich alle Bedenken, die der bisherigen Auffassung als 'Gesellschaftslieder' entgegenstehen, heben und ohne die Schlussworte des Kapitulares von der 'minuatio sanguinis' erklären zu können. E. St.

74. Die Studie von Adolf Hofmeister über 'Die heilige Lanze, ein Abzeichen des alten Reichs' (Unter-

suchungen z. Deutschen Staats- und Rechtsgesch., herausgeg. von Gierke, 96. Heft, Breslau 1908, 86 S.) ist eine der erfreulichsten Monographien, die in letzter Zeit erschienen sind. In umsichtiger Quellenforschung und sauberer Arbeit wird die doppelte Bedeutung der h. Lanze als Insignie und als Reliquie verfolgt. Die Ergebnisse dürfen im wesentlichen als abschliessend gelten. Heinrich I. hat die Lanze, deren eingehende Beschreibung wir Liutprand von Cremona verdanken, von Burgund erworben; sie ist jedoch nicht identisch mit der heute unter den anderen Insignien des alten Reichs in der kaiserlichen Schatzkammer in Wien verwahrten Lanze, die sich als eine sicher seit dem Ende des 11. Jh. in Gebrauch stehende, aber in wesentlichen Einzelheiten von der alten Lanze abweichende Nachbildung herausstellt. Viel besser stimmt zu Liutprands Beschreibung die in Krakau befindliche polnische Königslanze. Ob man in ihr mit Hofmeister nur eine genaue Nachahmung der alten burgundisch-deutschen Königslanze oder doch dieses alte Original selbst sehen will, hängt von der Beantwortung der Frage ab, ob man Otto dem III. die Ungeheuerlichkeit zutrauen darf, dass er sich zu Gunsten des Polenherzogs der alten Reichslanze seiner Vorfahren entäusserte, und ob die kurze Erwähnung der Lanze als 'crucifera' bei Arnold von S. Emmeram (1035—1037) noch mit Sicherheit auf die alte Lanze bezogen werden muss. Hier bleiben noch Zweifel; meines Erachtens wenigstens ist eine Beantwortung dieser beiden Fragen in gerade entgegengesetztem Sinn wie bei Hofmeister nicht ganz ausgeschlossen. M. T.

75. P. Kopfermann zeigt in seiner Arbeit 'Das Wormser Konkordat im deutschen Staatsrecht' (Phil. Diss. Berlin 1908), dass die Auffassung vom Wormser Konkordat als einem noch in Geltung stehenden Reichsgrundgesetze sich im späteren Mittelalter und zu Beginn der Neuzeit nicht belegen lässt; sie taucht vielmehr erst gegen Ende des 17. Jh. auf, und zwar scheint Leibniz sie begründet zu haben. Unmittelbare Veranlassung zur Beachtung des Vertrages gab der Kölner Wahlstreit von 1688. Im 18. Jh. haben dann die jüngeren Vertreter der Halleschen juristisch-historischen Schule und neben ihnen J. J. Moser jener Auffassung vollends zum Siege verholfen. Hingewiesen sei auch auf den im Exkurs gegebenen Nachweis, dass unter der bei Lupold von Bebenburg angeführten Historia oder Chronica Francorum das Werk des Annalista Saxo zu verstehen ist. M. Kr.

76. 'Der Reichsgedanke des staufischen Kaiserhauses', herausgeg. von Gierke, 95. Heft, 1908, 84 S.) wird von Mario Krammer scharfsinnig und eindringend erörtert. Dem Verf. kommt neben entschiedener Vorliebe und Begabung zu solchen Untersuchungen auf dem Gebiete mittelalterlichen Staatsrechts auch die Beschäftigung mit den Staatsschriften des 13. und 14. Jh. zustatten. Der Schwierigkeiten, die sich einer überzeugenden Lösung aller Streitfragen entgegenstellen, ist allerdings auch Kr. nicht völlig Herr geworden. Die Deutung der Marbacher Annalen über den Plan Heinrichs VI., den jungen Friedrich II. (zum Kaiser? zum deutschen oder sizilischen König?) krönen zu lassen, bleibt nach wie vor strittig, die der Reinhardsbrunner Chronik über die Krönung Heinrichs VI. scheint sogar vergriffen. Der Königstitel Philipps von Schwaben ist keine Neuerung, sondern begegnet in gleicher Fassung bereits in der allerdings kurzen Königszeit Friedrichs I. und zum Teil auch schon unter Konrad III. Ueberhaupt wird Philipp von Schwaben in der Auffassung seines Königtums mehr persönliche Initiative zugesprochen, als wir bei diesem sympathischen, aber unbedeutenden Fürsten anzunehmen geneigt sind. Bei Aufrollung der ganzen Fragen hätte es sich auch empfohlen, das Testament Heinrichs VI. in den Kreis der Erörterung einzuziehen. M. T.

77. In einer Abhandlung unter dem Titel 'Sachsenspiegel und Sachsenrecht' (Mitt. d. Inst. f. Oesterreich. Geschichtsf. XXIX, 225—252) untersucht F. Philippi im Anschluss an Ausführungen Hecks einige wichtige Fragen des Sachsenrechtes, und zwar zunächst eingehend die nach der Stellung und Bedeutung der Gogerichte. Es wird ausgeführt, dass die Godinge die alten sächsischen Volksgerichte und keineswegs Untergerichte des Grafengerichts waren und dass sie diese ihre ursprüngliche Bedeutung im wesentlichen noch bis auf die Zeit Eikes von Repgow behalten haben. Der vom Volke erwählte Gogreve übte die ordentliche Gerichtsbarkeit kraft Volksrechts über die Sachsen und war auch noch zu Eikes Zeit kein von dem Grafen abhängiger Unterrichter. Das auf dem Amtsrecht des fränkischen Königtums beruhende, mit Schöffen besetzte Grafengericht hat im Rechtsleben der Sachsen erst allmählich, nachdem die Landesherren sich die Gogerichte unterworfen hatten, die Gogerichte aus ihrer Stellung im Mittelpunkte des sächsischen Rechtslebens verdrängt. Das ist etwa der Grundgedanke der höchst

beachtenswerten Ausführungen Philippis, die in der Hauptsache wohl begründet zu sein scheinen. Methodisch richtig und sehr der Nachachtung zu empfehlen ist, dass Ph. bei der Interpretation des Ssps die Zusätze von dem ursprünglichen Texte Eikes von Repgow streng sondert, was leider von manchen Forschern versäumt wird. So gewinnt der Verf. aus I, 55 ff. das unanfechtbare Ergebnis, dass Eikes Urtext hier noch keine belehnten Gogreven, sondern nur vom Landvolk gewählte kennt. Wenn aber Ph. auf die anscheinende Zwiespältigkeit hinweist, die im Sachsenspiegel in Bezug auf die Gerichtsverfassung hervortreten soll, indem im ersten Buche das Volksrecht, im dritten das königliche Amtsrecht als Grundlage der Gerichtsverfassung erscheine, so dürfte sich dieser Widerspruch doch unter einem Gesichtspunkte ausgleichen. Wenn Eike I, 55 sagt: 'All werlik gerichte hevet begin von kore; dar umme ne mach nen sat man richtere sin noch neman, he ne si gekoren oder belent richtere', so steht der erste Satz nicht nur mit den Ausführungen des dritten Buches, wo der König und das von ihm durch Belehnung übertragene Recht die Grundlage der Gerichtsgewalt bildet, im Widerspruch, sondern, was Ph. nicht hervorhebt, ebenso auch mit dem zweiten Satze. Gerade dieser Satz aber zeigt deutlich, dass Belehnung und Wahlrecht nach Eikes Auffassung keine unversöhnlichen Gegensätze waren. Sein Gedanke ist offenbar der: Da jede Gerichtsgewalt auf Wahl beruht, darf niemand richten, der nicht gekoren, d. h. unmittelbar vom Volke erwählt, oder von dem gekorenen Könige mit der durch die Königswahl übertragenen Gerichtsgewalt beliehen ist. Am Schluss seiner Ausführungen wendet sich Ph. gegen Hecks Interpretation der Bezeichnung 'pfleghaft' in der bekannten Walkenrieder Urkunde von 1214. Er erkennt in diesem Pfleghaften nicht mit Heck einen Stadtbürger, sondern mit der Glosse einen Abgabepflichtigen. Hier hätte auch auf die neuerdings von Amira im gleichen Sinne verwertete Urkunde des Landgrafen Ludwig von Thüringen von 1219 hingewiesen werden können (Z. d. Savigny-Stift., Germ. Abt., XXVIII, 435). K. Z.

78. Die Arbeit von E. Zickel: 'Der deutsche Reichstag unter König Ruprecht von der Pfalz' (1908) bietet zwar, wie der Verf. selber zugibt, keine wesentlich neuen Daten, sie füllt aber in erwünschter Weise die einzige bis dahin noch bestehende Lücke in der Folge der

Darstellungen der mittelalterlichen Reichstagsverfassung aus, so dass nunmehr für den ganzen Zeitraum von 911 bis 1497 das Material gesichtet vorliegt. M. Kr.

79. Einen wertvollen Beitrag zu der umfangreichen Litteratur über das viel umstrittene Oesterreichische Landrecht bietet Emil Werunsky, 'Die landrechtlichen Reformen König Ottokars II. in Böhmen und Oesterreich' (Mitt. d. Inst. f. Oesterreich. Geschichtsf. XXIX, 253—290). W. bekämpft die Ausführungen M. Stiebers, Das österreichische Landrecht und die böhmischen Einwirkungen auf die Reformen König Ottokars in Oesterreich, Innsbruck 1905, die N. A. XXXI, 758 ff., n. 418 durch v. Srbik eine fast durchweg zustimmende Beurteilung gefunden haben, auf der ganzen Linie. Er bestreitet die Ausführungen Stiebers über die Vorbildlichkeit der böhmischen Rechtsinstitute für die im österreichischen Landrecht uns entgegentretenden und deren Uebertragung auf Oesterreich durch König Ottokar II. und ebenso die Behauptung Stiebers, ohne welche jene anderen Annahmen unmöglich sind, dass nämlich die bis dahin von allen Forschern als die ältere Fassung des Landrechts angesehene Rezension I erst im Jahre 1295 entstanden und also jünger sei als die von Stieber mit Dopsch in das Jahr 1266 gesetzte andere Redaktion. Die von W. gegen St. angeführten Gründe sind zum Teil überzeugend, durchweg aber beachtenswert, und wenn auch vielleicht im Einzelnen noch hie und da Zweifel bestehen bleiben, in der Hauptsache dürfte nach W.'s Ausführungen erwiesen sein, dass von der Vorbildlichkeit der böhmischen Rechtseinrichtungen für die österreichischen bei weitem nicht in dem Umfange, wie St. behauptete, die Rede sein kann, und ebenso dürfte W. die Annahme von der Entstehung der kürzeren Fassung des Landrechts nicht lange nach 1235 in ihre alten Rechte eingesetzt haben. Auch in dem, was W. zur Widerlegung der Gründe ausführt, durch welche St. die Annahme von Dopsch stützen wollte, dass Landrecht II eine im Jahre 1266 von Ottokar erlassene Landesordnung für Oesterreich sei, wird man ihm meist zustimmen können. Die höchst beachtenswerten Momente aber, die Dopsch selbst für diese Annahme geltend gemacht hat, werden dadurch nicht berührt. W. will in seiner Abhandlung nicht alle Fragen, die das Landrecht betreffen, lösen; sie ist rein polemisch und lässt auch einen gewissen nationalen Gegensatz des Verfassers gegen

die von ihm bekämpften Ansichten deutlich hervortreten. Vielleicht aber gibt diese Abhandlung den erwünschten Anlass zu einer Revision aller das Landrecht betreffenden Fragen unter kritischer Würdigung der gesamten neueren Litteratur. K. Z.

80. Der Aufsatz von H. Grauert 'Aus der kirchenpolitischen Traktatenlitteratur des 14. Jh.' (Hist. Jahrbuch XXIX, 497—536) gibt eine Uebersicht des Inhalts der anonymen Determinatio compendiosa de iurisdictione imperii und einige Andeutungen über Verfasser, Entstehungszeit und Geschichte dieser Staatsschrift. Sie ist genau im Jubiläumsjahre 1300 in Rom oder sonst irgendwo in Mittelitalien von einem älteren, mit den Geschäften der Kurie vertrauten Manne geschrieben und steht in Beziehungen zu den Approbationsverhandlungen Bonifaz' VIII. mit Albrecht I. Vermutungsweise wird als ihr Autor der Augustinergeneral Augustinus Novellus genannt. Sie verbreitet das 'bisher so oft vermisste volle und helle Licht' über Dantes Monarchia, die auch in jener Zeit entstand. Eine erste Umarbeitung fand zwischen 1322 und 1328, eine stärkere zweite 1342, diese wie jene an der Kurie, statt. Die letztere, gegen Michael von Cesena und Wilhelm von Occam gerichtet, wurde von diesem im Dialogus bekämpft. Im Rahmen einer späteren Publikation denkt G. die Det. samt diesen Bearbeitungen zu veröffentlichen und dabei seine Ansichten näher darzulegen und zu begründen. Eingehender behandelt er a. a. O. noch eine Pariser Hs. (Lat. n. 4683), die deshalb wichtig ist, weil sie ausser der Det. und einem Nachtrage zu ihr nur Dantes Monarchia enthält. Da ich bald Gelegenheit haben werde, mich mit G's Meinungen, die ich nicht teilen kann, auseinanderzusetzen, so habe ich hier seinen Ausführungen nichts hinzuzufügen. M. Kr.

81. Im XXXIII. Bande der Histoire littéraire de la France, Paris 1906, p. 528—623, hat Noël Valois eine umfangreiche und gründliche Studie über Johann von Jandun und Marsilius von Padua, die Verfasser des Defensor pacis (Jean de Jandun et Marsile de Padoue, auteurs du Defensor pacis) veröffentlicht. Die Lebensgeschichte der beiden Männer, ihre Werke, deren Inhalt, Entstehungsgeschichte, Ueberlieferung und späteren Schicksale werden sorgfältig und geistvoll erörtert. Völlig neu sind die Mitteilungen über den in einer Hs. der Bodleiana in Oxford enthaltenen Defensor minor des Marsilius. Es

ist eine verkürzte Neubearbeitung des Defensor pacis, in welcher der Verfasser seine früher ausgesprochenen Ansichten vielfach präzisiert und zum Teil unter dem Eindruck der durch Ludwigs des Baiern Romzug und Kaiserkrönung geschaffenen veränderten Sachlage modifiziert. Die ausgezeichnete Arbeit des französischen Gelehrten wird der in den Monumenten geplanten Ausgabe sehr förderlich sein. K. Z.

82. Die Reformation des Kaisers Sigmund. Die erste deutsche Reformschrift eines Laien vor Luther. Herausgegeben von Dr. Heinrich Werner, Berlin 1908. (III. Ergänzungsheft des Archivs für Kulturgeschichte) LVIII u. 113 S. Die Ausgabe Werners bietet einen im Einzelnen vielfach verbesserten Abdruck des Textes, den W. Böhm vor etwa dreissig Jahren veröffentlichte. Für die Verbesserungen zog W. namentlich eine Wiener Hs. heran, während er auf eine systematische Ausnutzung des seit Böhms Ausgabe in so reichem Umfange zu Tage geförderten Materials an Hss. und alten Drucken verzichtete. Ist so immerhin ein Text entstanden, der jener früheren Ausgabe gegenüber einen grossen Fortschritt bedeutet, so ist doch zu bedauern, dass nicht auf Grund einer kritischen Benutzung des gesamten Materials eine abschliessende Ausgabe geschaffen ist. Eine solche hätte den Text völlig von neuem aufbauen und auch einen auf kritischer Auswahl beruhenden Variantenapparat bieten müssen. Der Böhmsche Variantenapparat war allerdings heute nicht mehr brauchbar und ist deshalb mit Recht fortgelassen; aber ganz hätte doch der Herausgeber nicht auf einen solchen verzichten sollen. Von den Neuerungen in der äusserlichen Behandlung des Textes ist als die wichtigste hervorzuheben, dass diejenigen Stellen, welche auf den vom Herausgeber nachgewiesenen lateinischen Vorlagen beruhen, durch den Druck gekennzeichnet sind. Das ist vielleicht nicht ganz praktisch durch Sperrdruck geschehen. Wenn aber die der Wiener Hs. entnommenen Zusätze durch Kursivdruck hervorgehoben sind, so scheint das bedenklich, da dadurch leicht eine falsche Vorstellung über deren Bedeutung erweckt werden kann. Geradezu als Missbrauch der Edition aber ist es zu verurteilen, dass W. diejenigen Stellen, welche seiner sehr subjektiven Meinung nach für seine Ansicht über Bedeutung und Entstehung der Schrift sprechen, durch Fettdruck vor allem andern hervorgehoben und dem Leser in störender Weise aufgedrängt hat. Der

den Text begleitende Kommentar enthält viele wertvolle Anmerkungen, daneben allerdings auch manche überflüssige, wie die nicht seltenen, in denen der Herausgeber trotz des Fettdruckes für nötig hält, auf Stellen aufmerksam zu machen, die für seine Ansichten sprechen sollen. Wenn man aber gar Anmerkungen findet wie S. 15: 'Diese Vorrede klingt wie eine Ouverture mit ihren Leitmotiven' u. s. w., oder wie S. 50: 'Liest sich wie die schönste Volkspredigt, sogar die Anekdote fehlt nicht', so weiss man nicht mehr, auf welchen Leserkreis das berechnet ist. Eine für die Forschung aufgeschlossene Ausgabe herzustellen (S. X) sind solche Zutaten gewiss wenig geeignet.

In der Einleitung handelt der Herausgeber zunächst von der Ueberlieferung und den Ausgaben in nicht immer ganz verständlicher Weise. So überrascht er uns S. VIII mit der Bemerkung, dass der von Köhne aufgestellte Stammbaum der Hss. an der 'Fiktion' leide, dass uns die 'Originalhs.' nicht erhalten sei. Die weiteren Ausführungen zeigen dann aber, dass auch er eine 'Originalhs.' garnicht kennt und diese Bezeichnung ungenau für die ursprüngliche Fassung gebraucht hat. Den breitesten Raum nimmt die Wiederholung und Zusammenfassung der zum grössten Teile schon früher von W. in zahlreichen Aufsätzen vertretenen Ansichten über die Bedeutung und die Entstehung der Schrift ein. Als wertvoll hervorzuheben sind hier die Ausführungen über früher unbeachtet gebliebene Beziehungen der Schrift und ihres Autors zu den Verhandlungen und Beschlüssen des Baseler Konzils, zu den sich an diese anschliessenden politischen Akten, wie der kurfürstlichen Neutralität und der Mainzer Akzeptation von 1439, insbesondere aber die Nachweise, dass der Verf. Reformschriften, die in den Kreisen der Konzilteilnehmer entstanden und verbreitet wurden, benutzt hat. Wohl wird manches Ergebnis noch der Nachprüfung bedürfen, manche Schlussfolgerung eingeschränkt oder abgelehnt werden müssen; im Ganzen aber wird man diese Ausführungen, die W. zum grossen Teil schon in einem Aufsatze in dieser Zeitschrift XXXII, 728 ff. niedergelegt hatte, für die Kritik der Reformation sorgfältig beachten müssen. Ganz anders aber steht es mit all den übrigen Darlegungen, welche das von W. oft behandelte Lieblingsthema beweisen sollen, dass nämlich die Schrift keine radikale Flugschrift, sondern eine so zu sagen offiziöse Reformschrift der Stadt Augsburg oder der Reichsstädte überhaupt sei, und dass ihr Verf. nicht ein Pfarrgeistlicher, sondern ein Laie, und zwar ein Stadtschreiber, wahrscheinlich der spätere Augsburger Stadtschreiber Valentin Eber sei. Mir scheinen die neuen Ausführungen Werners ebensowenig wie die früheren geeignet, die herrschende Ansicht, die zuletzt von Köhne vertreten ist, nach welcher der Verf. ein Weltgeistlicher war, auch nur im geringsten zu erschüttern, ganz zu geschweigen der Hypothese vom Stadtschreiber Valentin Eber. Gewiss tritt der reichsstädtische Standpunkt des Verf. in der Schrift sehr scharf hervor und auch an Hinweisen, die auf Augsburg als Entstehungsort deuten, fehlt es nicht, beides aber ist mit der ganz unverkennbaren Autorschaft eines Priesters völlig ausreichend durch Köhnes Annahme, dass der Verf. ein Augsburger Priester war, zu vereinigen. Was aber W. alles für die Autorschaft eines 'Städtebürgers' geltend machen will, ist erstaunlich. Vom christlichen Standpunkte aus verurteilt der Verf. die Leibeigenschaft S. 74. Das soll nur von einem Stadtbürger in der auch geistig freimachenden Stadtluft geschrieben sein können. Schade nur, dass schon mehr als 200 Jahr früher Eike von Repgow in seinem Sachsenspiegel III, 42 den gleichen Gedanken in ganz analoger Weise zum Ausdruck gebracht hat; und Eike war doch wohl trotz Gutjahr kein 'Städtebürger'. Verhängnisvoll für Werners Ausführungen ist ihm offenbar die unklare und irrige Vorstellung von dem Berufe eines Stadtschreibers und von seiner sozialen Stellung geworden. W. leugnet die Möglichkeit, dass ein Priester auf den Gedanken hätte kommen können, sich, wie der Verf. der Reformation tut, für einen Grafen auszugeben, während er das bei einem Stadtschreiber in Folge des gehobenen Standesbewusstseins der Stadtschreiber, 'die damals nicht mehr blosse Abschreiber waren', für ganz erklärlich hält. Wann waren denn die Stadtschreiber blosse Abschreiber? An anderen Stellen freilich charakterisiert W. die Stadtschreiber sehr irrig als 'Halbgebildete und Subalterne'. Das hindert ihn nicht, dem Berufe des Stadtschreibers eine schwungvolle Apotheose zu widmen, in der die Ausführungen gipfeln. Es heisst S. LVII f.: 'Der Fortschritt, der in unserer Schrift sich kundgibt, ist die Hervorkehrung des dritten Standes, des Städtebürgertums, das der Vorläufer des modernen Staatsbürgertums mit seinen liberalen Ideen geworden ist. Er liegt des weiteren in dem neuen Berufe, dem des Stadtschreiberamtes, in dessen Mitte die Wiege der modernen Kultur und ihrer Säkularisierung stand. Er ist der des Humanismus, der mehr weltlichen

Bildung oder laischen Gelehrsamkeit, die hier zum erstenmal, dazu gleichsam in subalterner Form, in der Halbbildung des Stadtschreibers ihre Fittiche auf dem kirchen- und staatspolitischen Gebiete regt'. Dies ist die üppigste der auch sonst in dem Buche reichlich wuchernden Stilblüten. K. Z.

83. R. Maschke veröffentlicht 'Aus dem Urteilsbuch des geistlichen Gerichts Augsburg' (Festgabe der Kieler Juristenfakultät zu Albert Hänels 50-jährigem Doktorjubiläum, 1907), dessen Aufzeichnungen von 1348—52 reichen, eine Anzahl der wichtigsten Zivilurteile unter Voranschickung einer instruktiven Einleitung über Jurisdiktion und Verfahren. M. Kr.

84. Als Fortsetzung früherer Publikationen veröffentlicht P. Arras: 'Die Bekenntnisse der Jahre 1443—1456' aus dem Gerichtsbuch 1430 im Bautzner Stadtarchiv (Neues Lausitzer Magazin LXXXIII, 91—109). M. Kr.

85. In den Verhandlungen des hist. Vereines für Niederbayern XLIII, 115 ff. publiziert P. Hradil aus zwei Ueberlieferungen des 15. und 18. Jh. des Münchener allg. Reichsarchivs den Text des Marktrechtes, das Ludwig der Baier 1341 dem Orte Bogen verliehen hat.
H. H.

86. Im Bulletin de la Commission roy. d'hist. (de la Belgique) LXXVII, 139 sqq. untersucht L. Verriest aufs neue Wesen und Bedeutung der 'Charité St. Christophe' in Tournai, eine Frage, die für die Entstehung der Stadtverfassung von Tournai von Wichtigkeit ist. A. H.

87. Die von J. de Pas in den Mém. de la soc. des antiquaires de la Morinie XXVIII (1906—07), I—X, 1—348 veröffentlichten umfangreichen 'Listes des membres de l'échevinage de St.-Omer (1144—1790) avec l'historique des élections échevinales annuelles et des modifications apportées à la composition et au mode de nomination du magistrat' seien hier kurz genannt. E. M.

88. Eine Studie von Enrico Besta über die Entstehungszeit der Consuetudines von Messina enthält das Archivio storico per la Sicilia orientale V (1908), 62—70.
R. S.

89. Der Aufsatz von J.-B. Mispoulet, 'Le régime des mines à l'époque Romaine et au moyen âge d'aprés les

tables d'Aljustrel' erörtert auch die Entstehung der deutschen, österreichischen und italienischen Bergrechtssatzungen des 12. und 13. Jh. E. M.

90. Das vortreffliche Buch von Hermann U. Kantorowicz 'Albertus Gandinus und das Strafrecht der Scholastik' (Bd. I, Berlin, Guttentag 1907) führt uns in ein bisher viel zu wenig bekanntes Gebiet reichlich fliessender Quellen ein, die italienischen Strafprozessakten aus dem letzten Viertel des 13. Jh., und stellt dabei die Person des Gandinus, des bedeutendsten italienischen Kriminalisten des Mittelalters, in den Mittelpunkt, dessen Wirksamkeit als Richter in Tuscien, der Romagna (besonders Bologna) und den Marken von 1281—1305 in 234, z. T. sehr ausführlichen Regesten verfolgt wird. Diesen geht die sorgfältige Publikation von 135 Urkunden (z. T. in extenso, z. T. in Auszügen) voran, die auf die Gerichtsverfassung nnd das Prozessverfahren helles Licht werfen, aber auch für die Kultur- und Wirtschaftsgeschichte sehr wertvolles Material beibringen. Eingeleitet wird die Edition durch einen Archivbericht, in den auch Untersuchungen zur Lebensgeschichte des Gandinus verwebt sind, und durch sehr reichhaltige Ausführungen über die Aktentechnik des Bologneser Strafprozesses, die nicht nur dem Juristen und Historiker, sondern auch dem Diplomatiker eine Fülle des Neuen bieten. Einzelheiten daraus hervorzuheben, ist an dieser Stelle nicht möglich; nur zu der Untersuchung über den Wert der bolognesischen Libra (S. 162 ff.) möchte ich doch bemerken, dass sie aus den vom Verf. selbst S. 168, N. 2 angeführten Gründen (namentlich dem an zweiter Stelle stehenden) auf sehr schwacher Basis beruht und leicht zu ganz irrigen Vorstellungen führen kann. Im ganzen aber muss dankbar hervorgehoben werden, dass das Buch von Kantorowicz zu den erfreulichsten Darbietungen gehört, die wir in letzter Zeit über die Rechts- und Kulturgeschichte Italiens im Dugento erhalten haben. H. Br.

91. Im Bullettino Senese di storia patria, Anno XIV, p. 536—557 veröffentlicht P. S. Leicht, Leggi e capitolari in una querimonia Amiatina dell' a. 1005/6, eine bereits bei Ughelli schlecht edierte Klageschrift des Abtes Winizo von Monte Amiata an einen Grafen Hildebrand, der das von seinen Vorfahren gegründete Kloster gegen die Entziehung der Zehnten durch den Bischof von Chiusi schützen soll. Leicht identifiziert die meisten der in der

Schrift enthaltenen vielen juristischen Zitate und stellt Erörterungen über die Hs. des Liber legis (Papiensis) an, der Winizo seine Zitate entnommen hat, wobei er zu Resultaten kommt, die von denen von Boretius (LL. IV, p. LXII sqq.) z. T. nicht unbeträchtlich abweichen. Auch die Kapitularienhs. des Winizo wich nach Leicht von den heute erhaltenen teilweise ab. B. Schm.

92. In den Atti e memorie della R. Deputazione di storia patria per le provincie di Romagna, Ser. 3, vol. XXVI (1908), 1—44 veröffentlicht G. B. Comelli einen Aufsatz 'dei confini naturali e politici della Romagna', der hier wegen des beigegebenen interessanten Protokolls von 1306 (Zeugenaussagen über Fragen der Abgrenzung) notiert wird. R. S.

93. In den Mélanges d'archéologie et d'histoire de l'école française de Rome XXVI (1906), 67—77 handelt L. Halphen über 'Les consuls et les ducs de Rome du VIII. au XIII. siècle'. E. M.

94. D. Andrè Wilmart behandelt in der Revue Bénédictine XXIV (1907), 149—179. 291—317 'L'Ad Constantium liber primus de St.-Hilaire de Poitiers et les fragments historiques' und in XXV (1908), 225—229 'Les fragments historiques et le synode de Béziers de 356'. E. M.

95. In der Nouv. Revue hist. de droit franç. et étranger XXXII (1908), 161—212 erörtert R. Génestal, 'Les origines du privilège clérical', die Entstehung des besonderen geistlichen Gerichtsstandes vom Anfang des 4. Jh. bis zur Gesetzgebung Justinians. E. M.

96. Der erste Teil eines Aufsatzes von L. Ober 'Die Translation der Bischöfe im Altertum' ist auch für die mittelalterliche Kirchenverfassungsgeschichte von Bedeutung (Archiv für katholisches Kirchenrecht XXVIII, 209 ff. [1908]). Der Verf. meint, dass vornehmlich im 4. und auch noch im 5. Jh. — also im Altertum — besonders die Vorstellung von der geistigen Ehe zwischen Bischof und Kirche erheblichen Einfluss auf die Translationstheorie und -Disziplin gewonnen habe, das Moment, welches später hauptsächlich von Pseudo-Isidor verwertet wurde. Der neue Beweisgrund, den er hierbei für die Echtheit der Canones von Sardica beibringen zu können glaubt, erscheint aber recht unsicher. E. P.

97. In der Altbayerischen Monatsschrift 1908, S. 26—29 handelt B. Sepp über die Chronologie der Dingolfinger und der Neuchinger Synode. Jene weist er dem Jahre 770, diese dem Jahre 771 zu; in meiner Ausgabe (Conc. II, 1, S. 93 ff. und 98 ff.) sind sie mit A. Hauck, auf den ich mich stützte, zu den Jahren 770 (?) und 772 gestellt. Sepp erreicht den Ansatz 771 für Neuching dadurch, dass er an Stelle der in der ältesten Hs. überlieferten Indiktionenzahl XIIII vielmehr VIIII liest, während ich mit jüngeren Hss. X gelesen hatte. Die Möglichkeit der Korrektur sei zugegeben —, sie ist weniger erheblich gegenüber der Tatsache, dass hinsichtlich der Zuweisung der vier zu den bayerischen Synoden gehörigen Stücke zwischen Sepp und mir Einigkeit besteht.

A. W.

98. Im Historischen Jahrbuch XXVIII (1907), 570—577 gibt F. Falk eine nützliche Zusammenstellung über 'Die Mainzer Weihbischöfe (Chorbischöfe) des 9. Jh.' Schon dieser Titel kennzeichnet die irrige Gleichsetzung der rechtlich und geschichtlich verschiedenen Begriffe Chor- und Weihbischof. Die Behandelten sind Chorbischöfe, während Weihbischöfe erst mehrere Jahrhunderte später erscheinen. E. M.

99. L. Duchesne bespricht in seinem Aufsatz über 'Le provincial romain au XII. siècle' in den Mélanges d'archéologie et d'histoire de l'école française de Rome XXIV (1904), 75—123: I.) Les provinciaux en dehors de Rome (Konstantinopel, Antiochien, Alexandria, Jerusalem, Toledo; Synekdemos Hieroclis, Notitia Galliarum). II.) Le provincial romain au temps de Calixte II. (Cencius camerarius). III.) Le provincial d'Albinus. IV.) Les régions transadriatiques dans les provinciaux romains. V.) L'auteur du provincial d'Albinus (Kardinal Boso?). E. M.

100. Eine auch in der Zeitschr. für vaterl. Gesch. und Altertumsk. (Westfalens) LXV (1907), I, 129—210 abgedruckte Bonner philosophische Dissertation von G. Fink untersucht die 'Standesverhältnisse in Frauenklöstern und Stiftern der Diözese Münster und Stift Herford' bis zum Jahre 1400 und kommt zu folgendem Ergebnis: Die Reichsabtei Herford bietet den Typus der westfälischen Klöster mit Dienstritterschaft und freiherrlicher Spitze, bevorzugt jedoch in ihrem Konvente edelfreie Geburt; die münsterländischen Stifter haben schon im 13. Jh. keinen

freiherrlichen Konvent mehr, jedoch bis in ganz junge Zeiten freiadlige Aebtissinnen. E. M.

101. Im Bulletin de la commision royale (de Belgique) d'histoire LXXVI, 597 ff. publiziert A. van Hove die vor 1459 abgefassten Statuten der Universität Löwen nach drei Hss., die, zwei Redaktionen darstellend, beide schon nicht mehr den ursprünglichen Text enthalten. H. W.

---

102. F. G. De Pachtere, Stirpiniaco—Sauriciaco (Le Moyen Age XXI, 1908, p. 144—151), legt dar, dass es nicht notwendig ist, in dem Diplom Dagoberts I., MG. Dipl. Merov. spur. n. 22 (S. 140), dessen Echtheit Havet erwiesen hat (Oeuvres I, 255 ff.), mit diesem den Ausstellungsort 'Sauriciago' in 'Stirpiniaco' zu ändern, dass es sich vielmehr sehr wohl um einen der in der Merowingerzeit erwähnten Orte des Namens Sorcy handeln kann, eher um das verschwundene Sorcy bei Longueval (Aisne) als um die gleichnamige Münzstätte bei Commercy (Meuse). W. L.

103. In einer Broschüre 'Zur Fuldaer Privilegienfrage' (Regensburg 1908, 22 S.) bekämpft Bernhard Sepp meine Ausführungen über die Unechtheit des Pippin-Privilegs für Fulda mit so haltlosen Gründen, dass ich um ihretwillen an meiner Abhandlung im XX. Bd. der Mitt. d. Instituts f. Oesterr. Geschichtsf. auch nicht ein Wort zu ändern brauchte. Einen Kernpunkt meiner Beweisführung bildete der Nachweis, dass die Datierung des Pippin-Privilegs von dem echten Diplom für Fulda MG. DK. 13 abgeschrieben wurde. Dies stellt Sepp seinen Lesern (S. 4) folgendermassen dar: 'Diese kühne Behauptung stützt sich auf die Vermutung Kopps und Gegenbaurs, dass in der Datumzeile unserer Urkunde ursprünglich "nono" gestanden habe, diese Zahl aber später ausradiert und durch die Ziffer II (in schwärzerer Tinte) ersetzt worden sei'. Wie lautet diese Stelle aber bei mir (S. 200)? 'Auch ich habe die Urkunde wiederholt eingehend geprüft und kann nur mit aller Bestimmtheit versichern, dass die Lesung von Kopp, Herquet, Gegenbaur über jedem Zweifel feststeht'. Nach Zurückweisung anderer Deutungsversuche fahre ich fort: 'Aber auch die positive Seite der Lesung kann gar nicht zweifelhaft sein: "nono" ist als ursprünglicher Schriftbestand noch mit voller Sicherheit zu erkennen. Mit dieser Behauptung weiss ich mich nicht

nur in Übereinstimmung mit Mühlbacher und Dopsch in Wien und Könnecke in Marburg, sondern ich darf den Leser einfach bitten, sich an der photographischen Reproduktion bei Herquet selbst zu überzeugen'. Nicht eine Vermutung Kopps und Gegenbaurs hatte ich nachgesprochen, sondern auf Grund eigener, wiederholter und sorgfältiger Untersuchung der Urkunde selbst eine Tatsache festgestellt, deren Richtigkeit von Männern bestätigt worden war, deren Urteilsfähigkeit sich neben der Bernhard Sepps getrost sehen lassen kann. Sein abweichendes Urteil über diese Datierung gewinnt Sepp nicht etwa durch Untersuchung der Urkunde oder des Faksimiles, sondern durch willkürliche Verdrehung und Anzweiflung meines Urteils. Sein Versuch, die Worte 'adstipulatione subnixum' nicht, wie ich es tat, aus der ständigen Formel der fränkischen Privaturkunde 'stipulatione subnixa' zu erklären, sondern für eine echte Königsurkunde Pippins zu retten, verdient nur als Curiosum erwähnt zu werden, ebenso wie sein Rekonstruktionsversuch der angeblich echten Pippinurkunde (S. 15). Seine Broschüre trägt das Motto 'Die Wahrheit liegt in der Mitte'. Wo immer sie liegen mag, auf den Wegen Bernhard Sepps ist sie nicht zu finden, in der Fuldaer Privilegienfrage so wenig wie in der Einreihung des Concilium Germanicum. M. T.

104. H. Bresslau weist im Archiv für Urkundenforschung I, 355—370 nach, dass schon Karl der Grosse und seine nächsten Nachfolger und auch Otto I. und II. schon Metall- (Gold-) Bullen in Diplomen verwandt haben, gegenüber der früheren, wenigstens in Deutschland herrschenden, Lehre, die diesen Herrschern nur Wachssiegel zugestand und annahm, dass von den Karolingern erst Ludwig II. in Italien und von den Ottonen erst wieder Otto III. Metallbullen in Gebrauch genommen hätten.

O. H.-E.

105. Im 34. Heft der Beiträge zur Landes- und Volkeskunde von Elsass-Lothringen (Strassburg 1908) handelt E. Herr über bemerkenswerte mittelalterliche Schenkungen im Elsass. Die sechs Kapitel des Büchleins gelten der Schenkung des Weissenburger Mundats (DD. Mer. ed. Pertz S. 149), dem Waldgebiet des Strassburger Bistums im nördlichen Breuschtal (Mühlbacher[2] n. 627), der Schenkung Karls des Grossen an Leberau (DK. 84), der Schenkung Ludwigs des Frommen an das Kloster Münster im Gregoriental (Mühlbacher[2] n. 772), der Schenkung eines

Jagdgebietes am oberen Rhein an den Bischof von Strassburg (DH. II. 367) und der Begabung des Klosters St. Johann bei Zabern (urkundl. Stiftungsaufzeichnung von 1126). H. gibt zunächst eine kritische Würdigung der genannten Urkunden und dann topographische Feststellungen der Orts- und Flussnamen, die in den Grenzumschreibungen der Urkunden vorkommen. Für die Ortserklärungen der DD.-Ausgabe der MG. ist damit eine dankenswerte Vorarbeit geliefert, wenn man auch nicht immer den Aufstellungen Herrs wird folgen können. So bin ich z. B. auf Grund von Herrs Ausführungen nicht überzeugt worden, dass die falsche Dagobert-Urkunde für Weissenburg wirklich erst nach dem DH. IV. St. 2956 entstand, in dem bereits von den 'leges et iura' Dagoberts die Rede ist. Solange nicht andere Beweismomente vorliegen, scheint es mir richtiger, die Entstehung des Spuriums vor St. 2956 anzusetzen. H. H.

106. Maurice Jusselin, 'Un diplome original de Charles le Chauve' teilt im Moyen Age 1908 eine Originalurkunde Karls des Kahlen vom 8. Nov. 846 mit, die bisher nur in schlechter Ueberlieferung und ohne Datierung aus dem ältesten Chartular von Cluny bekannt war (das Original jetzt im Cod. Paris. Lat. 11829). Dem Textabdruck gehen Erläuterungen über dieses Diplom und wertvolle Mitteilungen über Tironische Noten in einzelnen Originalen Karls d. K. voran. Wenn Jusselin aber gelegentlich (S. 11, N. 1) auch in dem Diplom Karls d. Gr. MG. DK. 104, Kaiserurk. in Abbild. I, 3, zwischen dem Schlusswort des Kontextes 'sigillare' und dem Beginn der Signumzeile Tironische Noten entdecken will, so muss ich dies nach nochmaliger Prüfung des Faksimiles mit Entschiedenheit bestreiten. Es sind bedeutungslose Schnörkel, der erste davon in Form eines Kürzungszeichens, die dem Schreiber im Zusammenhang mit dem verzierten Auslauf des Schlusswortes 'sigillare' in die Feder kamen. M. T.

107. In den Mélanges Godefroid Kurth (Lüttich 1908), S. 53 ff. hat der verdiente Chef des Lütticher Staatsarchivs Léon Lahaye aus dem 1903 erworbenen Liber supernumerarius von St. Lambert (zweite Hälfte des 17. Jh.) ein bisher unbekanntes Diplom Karls III. vom 1. Sept. 887 für einen getreuen H<y>rotmund herausgegeben, das Arnulf später unterzeichnet hat. Der Text ist sehr verderbt und bedarf ausser den von Lahaye vorgeschlagenen noch weiterer Emendationen. H. Br.

108. L. Schiaparelli 'I diplomi dei re d'Italia' (Bulletino dell' Istituto stor. Ital. 1908, n. 29) handelt in diesem dritten Teil seiner die Ausgabe der italischen Königsurkunden begleitenden Gesamtuntersuchungen mit gewohnter Sorgfalt über die Urkunden Kaiser Ludwigs III. (des Blinden). Der Urkundenbestand, dessen willkommene Uebersicht am Schlusse der Studie (S. 102—107) geboten wird, ist sehr dürftig: 21 echte Urkunden, darunter (in gutem Ueberlieferungsverhältnis) 14 Originale und 6 Fälschungen. Eingehend wird die Frage erörtert, in wie weit die italische Tradition durch provençalische Einflüsse unterbrochen wurde. Dieser Einfluss war in der Tat vorhanden, beschränkte sich aber auf das Kanzleipersonal und auf Aeusserlichkeiten in Schrift und Ausstattung der Urkunden. Provençale war der leitende Notar (oder Kanzler, die beiden Titel wechseln gleichwertig) Arnulf; unter ihm ist nur noch ein einziger, fest in der Kanzlei bestallter Schreiber nachweisbar (11 von den 14 Originalen rühren von ihm her). In einem eigenen Abschnitt (S. 29—57) wird die gegenüber der Spärlichkeit der erzählenden Quellen grosse Bedeutung der Urkunden für unsere Kenntnis der Geschichte dieses Herrschers besprochen. Das letzte Kapitel gilt einer eindringenden Kritik der Fälschungen. M. T.

109. In der Bibliothèque de l'école des chartes LXVIII, 315 ff. publiziert R. Poupardin ein in der MG.-Ausgabe noch fehlendes Diplom Ottos I. vom J. 970 für den Grafen Gilbert von Bergamo nach der Kopie in Coll. Baluze vol. XVII, wobei er indessen übersehen hat, dass dies Diplom aus derselben Quelle schon von v. Ottenthal in den Mitt. des Inst. f. Oesterr. Geschichtsf. XVII, 35 gedruckt worden ist. Zu Poupardins Bemerkung betr. DO. III. 54 ist nachzutragen, dass diese Urkunde nach einer Kopie saec. XII. in den Mitteilungen aus dem Germanischen Nationalmuseum 1898, S. 26 gedruckt ist. H. W.

110. Wir begrüssen freudig den Beginn einer grossangelegten französischen Publikation, die in enger Wechselbeziehung zu unserer Diplomata-Ausgabe steht. Unter der Leitung von d'Arbois de Jubainville haben Louis Halphen unter Mitwirkung von Ferdinand Lot die Urkunden der beiden letzten westfränkischen Karolinger, Lothars und Ludwigs V., Maurice Prou die des dritten Kapetingers, Philipps I., herausgegeben

(Recueil des actes de Lothaire et de Louis V. rois de France 954—987 par M. Louis Halphen avec la collaboration de M. Ferdinand Lot, Paris, 1908, LIII und 227 S. Recueil des actes de Philippe Ier roi de France (1059—1108) par M. Prou, Paris 1908, CCL und 566 S.). Die Texte, deren prächtiger Druck vorteilhaft auffällt, machen den Eindruck von Sorgfalt und Zuverlässigkeit. Auf das aufgelöste Datum und das Regest folgen die Angaben über die Ueberlieferung. Hier ist, abweichend von unserem Brauch, der Originale auch dann gedacht, wenn sie verloren sind (A. Original perdu); und das ist bei den meisten Urkunden der Fall. Die Ueberlieferung liegt aus bekannten Gründen viel ungünstiger als bei den deutschen Gruppen; von den Urkunden Lothars und Ludwigs V. ist nur noch ein Achtel, von denen Philipps I. ein Viertel im Original erhalten. Es folgen die abschriftlichen Ueberlieferungen, und zwar zunächst die wichtigen und für die Herstellung des Textes verwendbaren und dann, in gesonderter Gruppe, die minderwertigen und unselbständigen; endlich die Aufzählung der Drucke und der Regesten - Zitate. Die kritischen Vorbemerkungen unserer Diplomata sind hier in Fussnoten gegeben. Verlängerte Schrift ist durch Fettdruck, Entlehnung aus Vorurkunden, wie bei uns, durch Petit-Druck gekennzeichnet. An die Texte reihen sich ein Verzeichnis der Urkunden - Anfänge, ein einheitliches Register der Personen- und Ortsnamen und der technischen Ausdrücke, endlich Lichtdrucktafeln mit den Monogrammen und Siegeln. Die sehr umfangreichen und vielseitig anregenden Einleitungen handeln nach einem allgemeinen Vorwort des Leiters d'Arbois de Jubainville (Philipp I. S. I—XIII) sowohl über die technischen Fragen der Edition wie vor allem über die Organisation der Kanzlei und die Spezialdiplomatik der betreffenden Urkundengruppe. Empfängerausfertigungen fehlen nicht ganz, gehören aber doch zu den Seltenheiten. Eine auffallend zahlreiche Gruppe bilden unter Philipp I. Privaturkunden, die durch Unterschrift oder Siegel des Königs beglaubigt oder wenigstens in Gegenwart des Königs ausgefertigt wurden (n. 3, 6—8, 18, 22, 25, 33—35, 44, 47—50, 56). Prou führt S. CLXXVIII der Einleitung aus, dass dieser Brauch sich unter Hugo Capet einbürgerte und unter Heinrich I. und Philipp I. in starker Uebung blieb, während unter Ludwig VI. nur noch wenige Ausläufer sich finden. Hier kann an der Zuverlässigkeit dieser Urkunden nicht gezweifelt werden. Es ist aber andererseits bekannt, dass dieser Aufputz von

Privaturkunden zu halben Königsurkunden auch zu den Lieblingskünsten der Urkundenfälscher gehörte. Vorsicht ist hier daher sehr am Platze, und sie scheint mir gegenüber den beiden ähnlichen Fällen in den Urkunden Lothars geboten (n. 19 und 23; eine dritte Urkunde hat Halphen selbst [S. V, n. 4] glatt abgelehnt und daher auch von der Aufnahme in seine Ausgabe ausgeschlossen). Besonders gilt dies von n. 23, der interessanten Urkunde des Bischofs von Lüttich vom 2. Juni 965, welche die Unterschriften Ottos I. und II., des französischen Königs Lothar und einer Reihe von deutschen Bischöfen und in auffälliger Fassung die Rekognition des Erzbischofs Bruno von Köln aufweist. Sickel hatte diese Urkunde in der Vorbemerkung zu DOI. 291 kurz berührt und vorsichtig angezweifelt. Die damalige Anwesenheit der beiden Ottonen und König Lothars in Köln steht auch durch andere Zeugnisse fest, ebenso die Abhaltung eines grossen Hoftages. Aber die Reihe der Teilnehmer konnte auch durch einen Synodalakt überliefert und einem Fälscher zugänglich sein, wie etwa der Osnabrücker Fälscher aus solcher Quelle zur Kenntnis der Teilnehmer an der Ingelheimer Synode von 972 gelangte (DOI. 421). In unserm Fall scheint mir auch die Fassung der Lütticher Urkunde mehr als einen Angriffspunkt zu bieten. In n. 24 Lothars kann ich mich mit der Textgestaltung nicht einverstanden erklären. Die echte Fassung ist nur abschriftlich überliefert, die verunechtete noch im angeblichen Original. Diesem Verhältnis hätte Spaltendruck viel besser entsprochen als die Verweisung der Lesarten der Fälschung in Fussnoten. Zwei Privaturkunden für Marmoutier mit vollständigem Eschatokoll aus der Kanzlei Philipps I. (n. 6 und 34) weisen nach der Ausgabe in Tironischen Noten den Vermerk auf: 'Ostacius ambasciavit'; n. 6 ist nur abschriftlich, n. 34 aber noch im Original erhalten. Vom Rekognitionszeichen mit den Noten gibt Prou S. CLXXXIX ein Faksimile mit der Bemerkung; 'Malheureusement la lecture des notes est incertaine'. Statt 'incertaine' sollte 'impossible' stehen; denn ich muss diesen Deutungsversuch Prous, gegen den sich auch der ausgezeichnete französische Tironianist M. Jusselin (S. CLXXXIX, N. 1) ausgesprochen hat, als unmöglich ablehnen. Ja, ich meine, dass es sich hier, obwohl Marmoutier, wie Prou mit Recht hervorhebt, eine bekannte Pflegestätte der römischen Tachygraphie war, überhaupt nicht mehr um korrekte Noten, sondern um missverstandene und daher auch nicht deutbare Nachahmung älterer Vorbilder handelt.

Den Fortgang des grossen Unternehmens begleiten wir mit unseren besten Wünschen. Mit besonderer Spannung sehen wir der Ausgabe der Urkunden Karls d. Kahlen entgegen, dem Werke, an dessen Vollendung der unvergessliche Giry durch den Tod gehindert wurde. M. T.

111. Die Vorarbeiten zur Herausgabe der Staufer-Diplome bringen in zwei Arbeiten von Hans Hirsch sehr erfreulichen Ertrag ('Studien über die Privilegien süddeutscher Klöster im 11. und 12. Jh.', Mitt. d. Instituts f. Oesterr. Geschichtsf., VII. Ergänz.-Bd., S. 471—612, und 'Die Urkundenfälschungen des Klosters Prüfening', ebenda XXIX, S. 1—63). Während die zweite Arbeit der einheitlichen, durch Beigabe von 4 Lichtdrucktafeln in dankenswerter Weise erläuterten Untersuchung einer wichtigen Urkundengruppe gilt, zerfällt die erste Arbeit in eine Reihe von Einzeluntersuchungen, die aber fast durchaus den Urkundenbeständen von Klöstern der Hirsauer Kongregation gelten, und deren ganz bedeutender Wert auf dem Gebiete vergleichender Diplomatik in dem überzeugenden Nachweis enger und vielseitiger Wechselbeziehungen zwischen Königs- und Papsturkunden für den Ausgang des 11. und den Anfang des 12. Jh. liegt. Die Beweisführung wird durch hübsche archivalische Funde, besonders aus den zu St. Paul in Kärnten verwahrten Beständen von St. Blasien im Schwarzwald unterstützt. Der besonnenen Kritik wird man sich grösstenteils gern anschliessen. Ueber Einzelheiten mitzusprechen, sind die Kollegen von der Abteilung der vielfach in die Untersuchung hereingezogenen Salier-Diplome und die Bearbeiter der Papsturkunden viel berufener als ich. M. T.

112. E. Grabers Schrift 'Die Urkunden König Konrads III.' (Innsbruck, Wagner 1908), von der ein Teil schon 1905 als Berliner Dissertation erschienen ist, darf als ein fleissig gearbeiteter und nützlicher Beitrag zur Lehre von den Kaiserurkunden des 12. Jh. bezeichnet werden und wird auch als Vorarbeit für die Edition der Diplome des Königs willkommen sein. Der Verf. hat zwar die in deutschen Archiven liegenden Originale fast sämtlich benutzt, die im Ausland und insbesondere die in Italien verwahrten aber nicht einsehen können; so kann man natürlich nicht erwarten, dass er den Gegenstand erschöpft hat. Wohl aber wäre es deshalb geraten gewesen, dass er in dem 5., die Fälschungen behandelnden, Kapitel sich auf die Stücke beschränkt hätte, deren handschriftliche

Ueberlieferung er selbst kennt; was er da über italienische Urkunden, insbesondere über St. 3366. 3388 bemerkt, reicht keineswegs aus, und die Annahme S. 100, dass St. 3388 von einem Farfenser Fälscher im 12. oder 13. Jh. mit Benutzung der DD. St. 3382 für Genua und St. 3395 für Maestricht hergestellt worden wäre, ist doch ganz undenkbar (übrigens redet der Verf. selbst an mehreren Stellen von der Urkunde so, wie wenn er sie für echt hielte). Auf einige andere Einzelheiten werde ich vielleicht an anderer Stelle zurückzukommen Gelegenheit haben.

H. Br.

113. Hans Grumblat gelangt in seiner Giessener Dissertation 'Ueber einige Urkunden Friedrichs II. für den deutschen Orden' (1908) — auch als Aufsatz in den Mitt. des Inst. f. Oesterr. Geschichtsf. XXIX, 385—422 erschienen — u. a. zu dem Ergebnis, dass von den beiden Ausfertigungen der Urkunde B.-F. 1598 vom März 1226 das Warschauer Exemplar eine Neuausfertigung von 1234, das Königsberger eine solche aus der Zeit zwischen 1236 Nov. und 1239 März ist (Kap. I). Kap. II setzt die Entstehung der 'Narratio de primordiis ordinis Theutonici' im Gegensatze zu Perlbachs Ansicht erst nach 1232 an. — Eine im Verlauf der Untersuchung mehrfach genannte Bestätigungsurkunde Karls IV. vom J. 1354 wäre in Reg. Imp. VIII nachzutragen; leider ist das Tagesdatum nicht angegeben. R. S.

114. Im Anschluss an die aus Winkelmanns Acta imperii I, n. 223 wieder abgedruckte Urkunde Friedrichs II. 1221 Mai, B.-F. 1329, bespricht V. Casagrandi im Archivio storico per la Sicilia orientale V (1908), 71—80 die Genealogie der bekannten sicilischen Familie Calafato (de Kalephatis). Dass die Echtheit der Urkunde sehr zweifelhaft ist, weiss der Verfasser nicht.

R. S.

115. Unter den Urkunden, die sich im Besitze der Stadt Luditz in Böhmen befinden und die J. Hille in den Mitteil. des Vereins für Geschichte der Deutschen in Böhmen XLVI (1908), 399., mitteilt, findet sich ein Jahrmarktsprivileg König Wenzels dd. Prag 1416 Juli 5.

B. B.

116. In einem Aufsatz, betitelt 'Drei Privilegien des Städtchens Pfraumberg' a. a. O. XLVI (1908), 282, verzeichnet W. Feierfeil eine Urkunde König Johanns

von Böhmen dd. 1331 Aug. 17, eine K. Karls IV. dd. Taus, 1344 Jan. 18 und eine K. Sigmunds dd. Regensburg 1422 Okt. 1, die alle in den bezüglichen Regestenwerken nicht angeführt erscheinen. Wegen Karls IV. Aufenthalt in Taus vgl. Huber, Regesten n. 196a.

B. B.

117. Im Archiv für Urkundenforschung I, 371—510 veröffentlicht R. von Heckel eine Abhandlung über das päpstliche und sicilische Registerwesen in vergleichender Darstellung mit besonderer Berücksichtigung der Ursprünge. Die Untersuchungen sind von gleichem Interesse für den Diplomatiker wie für den Verfassungs- und Verwaltungshistoriker. Die Ergebnisse vorangegangener Einzelforschungen sind knapp und klar zusammengefasst und in manchen Punkten ergänzt und bereichert. Indem er den Leser von den Zeiten Diokletians bis ins 15. Jh., von Persien und Aegypten bis nach Frankreich und England führt, zeigt der Verf. an einem konkreten Beispiel, wie die Kurie und das sicilische Normannenreich die Vermittler gewesen sind, durch die dem Abendland antike Kulturelemente — direkt und auf dem Umweg über die Araber — zugeführt wurden, die nicht unter den Begriff der gemeinhin sogenannten Renaissance fallen und den Schauplatz dieser Renaissance fast völlig umgehend, die westlichen Gebiete befruchten.

Mannigfach sind die Formen, in denen sich das Registerwesen je nach den Vorbildern, die einwirken, und nach den Zwecken, die verfolgt werden, ausbildet. Die Entwicklung an der Kurie vom Amtsbuch des römischen Bischofs zum Register des souveränen Papstes, das fast ausschliesslich den Auslauf bucht, das englische Register, dessen Prinzip Vollständigkeit und systematische Gliederung der Einträge ist, das Register Friedrichs II., das vorwiegend den praktischen Zwecken der inneren Verwaltung dient, endlich das angiovinische Register, dessen kunstvoller Bau Einflüsse von verschiedenen Seiten her zeigt, all das ist geschickt in Vergleich und Kontrast zu einander gesetzt. Wenn ein Wunsch bleibt, so ist es der, dass die Behandlung der englischen Institutionen, so wie es bei den sicilischen geschehen ist, auch etwas weiter als blos auf die Register hätte ausgedehnt werden sollen. Denn nur durch eine eingehendere Vergleichung der englischen und sicilischen Verhältnisse, als sie Garufi und frühere bisher gegeben haben, wird man das, was den Normannen eigentümlich und auf ihr Verdienst zu schreiben ist, feststellen können. Ob die englischen Register überhaupt erst durch die päpstlichen angeregt sind (vgl. S. 445), ob die Normannen in Sicilien bei ihren Institutionen den Arabern gegenüber nur der empfangende Teil gewesen sind, wie die herrschende Meinung ist, das sind Fragen, die sich unwillkürlich erheben, und ob vollends der Catalogus baronum auch auf ein arabisches Vorbild zurückgeht, wie S. 391 noch über Garufi hinaus behauptet wird, ist mir doch recht zweifelhaft.

In einem Exkurs ist das vielerörterte Verhältnis der Konzepte und Registereintragungen in den päpstlichen Registern des 13. Jh. behandelt. Als Beilage schliesst die Ausgabe des Libellus petitionum des Kardinals Guala Bichieri die vortreffliche Arbeit ab. E. C.

118. P. Kehr gibt in den Nachrichten der Göttinger Gesellschaft der Wiss. 1908, Heft 2, S. 223—304 einen zweiten Nachtrag zu den Papsturkunden Italiens. Es sind 43 Stücke herausgegeben, die zum grössten Teil aus Toscana stammen. Eine Anzahl von ihnen war zwar schon bekannt, aber unvollständig oder schlecht und an abgelegenen Stellen gedruckt, von einigen kannte man nur das Regest. O. H.-E.

119. Aus dem Chartular von St. Michiels zu Antwerpen druckt P. J. Goetschalckx in den Bijdragen tot de gesch. van het aloude Hert. Brabant VII, 360 f. u. a. zwei Urkunden Papst Clemens' IV. von 1267 ab.
A. H.

120. Die Kenntnis der Papstdiplomatik des späteren Mittelalters wird durch zwei Publikationen von P. M. Baumgarten recht wesentlich gefördert ('Aus Kanzlei und Kammer', Herder, Freiburg i. B. 1907, XIII u. 412 S., 'Von der apostolischen Kanzlei', Köln 1908, 148 S.). Es sind Arbeiten eines langjährigen Benutzers des Vatikanischen Archivs, und ihre Bedeutung liegt, dieser Entstehungsart entsprechend, fast ebenso in der Mitteilung zahlreicher Gelegenheitsfunde, mit denen besonders das erstgenannte Buch reichlichst ausgestattet ist, wie in der Verfolgung des besonderen geschlossenen Themas. Dieses gilt im ersten Buch einer sehr verdienstvollen, bis ins einzelne und kleinste gehenden Darstellung der Geschichte, des Geschäftsganges und der Bedeutung des päpstlichen Siegelamtes. Von den mannigfachen und reichen Ergeb-

nissen sei die Zurückweisung der Diekamp-Keindl'schen Theorie über den Verschluss der Papsturkunden durch die Bullierung, dann aber der Ertrag auf allgemeinen Gebieten des Schriftwesens (Einkauf und Preis des Pergaments, Verwendung des Papiers in der päpstlichen Kanzlei — auch für Originalausfertigungen —) besonders hervorgehoben. Das zweite Buch behandelt die Bestallungen von öffentlichen Notaren durch die Päpste; es zeigt, dass bei der Prüfung der Notare und bei der Ausfertigung ihrer Bestallungsurkunden dem Vizekanzler der römischen Kirche — zumal seit Clemens V. — eine führende Rolle zufiel und dass in Folge dessen diese Urkundengruppe zur wichtigen Erkenntnisquelle für die recht schwierig zu erlangenden Personaldaten für die Reihe der Vizekanzler und ihrer Stellvertreter wird. Im Anschluss daran wird eine gegenüber der bisherigen Kenntnis jedenfalls reichhaltigere und zuverlässigere Liste dieser Kanzleivorstände geboten. Baumgarten schliesst sie mit der Mitte des 15. Jh., während von da ab der originale Liber cancellariae erst recht reichhaltiges Material liefert, dessen Erschöpfung wohl von der künftigen Publikation Walthers von Hofmann zu erwarten ist. Für den Pontifikat Urbans IV. ist der 'socius vicecancellarii' Petrus de Benevento übersehen, auf den ich in meinen Schrifttafeln Text S. 50 (Erläuterung zu Taf. 91) aufmerksam gemacht hatte. Für Bonifaz VIII. steht, aus aller Tradition früherer und späterer Zeit fallend, das Nebeneinanderwirken zweier Vizekanzler fest. Eine Erklärung hierfür, die B. nicht einmal versucht, dürfte wahrscheinlich in der Teilnahme des einen der beiden an den Vorarbeiten zum Liber Sextus zu finden sein. Bei so reichhaltiger und nach verschiedener Richtung hin abschweifender Forschung weckt noch manches andere Zweifel und Widerspruch; doch würde es viel zu weit führen, an dieser Stelle darauf einzugehen. Nicht unterdrücken möchte ich aber meinen Widerspruch gegen die Art, wie der Verfasser seine persönliche Parteistellung vordrängt. Ausdrücke wie 'der Diebstahl (!!) des Bullenstempels Gregors VII. durch Heinrich IV.' (I, 175) oder der masslose Ausfall gegen Josef Hansen in der Einleitung des zweiten Buchs können nicht scharf genug zurückgewiesen werden. M. T.

121. Dom Ursmer Berlière erschliesst unter dem Titel 'Épaves d'archives pontificales du XIV. siècle. Le Ms. 775 de Reims' in der Revue Bénédictine XXIV (1907),

456—78, XXV (1908), 19—47 der päpstlichen Kanzleigeschichte einen bisher einzig dastehenden Stoff. Die bereits von Loriquet verzeichnete Reimser Hs. bildete ursprünglich einen Einbanddeckel, der aus anscheinend zur Vernichtung bestimmten Papieren der päpstlichen Kanzlei hergestellt war. Die Sammlung umfasst die Jahre 1331—82 und enthält vorwiegend Suppliken, darunter eine ganze Reihe Originale aus der Zeit Urbans V. und Gregors XI., die ältesten bisher bekannten, ferner 5 Benefizien-Reservationen, 3 Prüfungszeugnisse u. a. interessante Schriftstücke, im ganzen 149. B. beschreibt und verzeichnet sie genau, indem er ihren Wortlaut auszugsweise oder vollständig wiedergibt, und bildet auf 4 Tafeln 9 Stücke verkleinert ab. In ihrer Besprechung erwähnt er auch die von Lichatschev veröffentlichte Or.-Supplik aus der Zeit Urbans VI.; er erkennt sie gleichzeitig mit E. Göller, aber von ihm unabhängig, als an die Pönitentiarie gerichtet und liest und erklärt ihre Signatur richtig wie M. Tangl (vgl. N. A. XXXIII, 583, n. 253). E. M.

122. Im Anhang zu seinem Aufsatz 'Autour des origines du suaire de Turin, avec documents inédits' in der Mém. de l'Acad. des sciences, belles-lettres et arts de Lyon, 3. sér., VII (1903), 237—285, druckte Ul. Chevalier, wie hier nachzutragen ist, u. a. Suppliken an Clemens VI. von 1349 und Urkunden Innocenz' VI. von 1354 und Clemens' VII. von 1389 und 1390 ab. E. M.

123. Im Bulletin de la commission royale (de Belgique) d'histoire LXXVI, 269 ff., druckt U. Berlière vier Privilegien Papst Gregors XI., betreffend Raoul de Rive, Dekan von Notre Dame zu Tongern, aus den Jahren 1371—76 nach den Registerbüchern. H. W.

124. Als Beilagen zu seinem Aufsatz 'Louis XI. bienfaiteur des églises de Rome' druckte G. Périnelle in den Mélanges d'archéologie et d'histoire de l'école française de Rome XXIII (1903), 131—159 je eine Bulle Pauls II. von 1470 und Sixtus' IV. von 1483. E. M.

125. In derselben Zeitschrift XXIV (1904), 277—318 behandelte G. Bourgin 'Les cardinaux français et le diaire caméral de 1439—1486', d. h. er veröffentlichte aus diesem Auszug der Acta consistorialia die auf Kardinäle französischer Herkunft bezüglichen Stellen. E. M.

126. Der Aufsatz von L. Celier, 'Alexandre VI. et la réforme de l'église' in derselben Zeitschrift XXVII (1907), 65—124 enthält einige auf die Reformpläne von 1497 bezügliche Aktenstücke. Derselbe veröffentlichte ebenda XXVI (1906), 319—334 eine Bulle desselben Papstes aus dem J. 1493 mit Ausführungen unter dem Titel: 'Alexandre VI. et ses enfants en 1493'. E. M.

127. Oskar Freiherr von Mitis setzt seine 'Studien zum älteren österreichischen Urkundenwesen', deren Beginn ich N. A. XXXII, 551, n. 106 angezeigt hatte, in einem 2. und 3. Heft (Wien 1908, S. 79—242) fort. Seine Ausführungen werden den guten Erwartungen, die man nach der vortrefflichen einleitenden Arbeit hegen konnte, in vollem Masse gerecht. Sie zeigen zunächst den führenden Einfluss Passaus auf das gesamte ältere österreichische Urkundenwesen, gehen dann die einzelnen Gruppen durch und legen die Schwierigkeit und Unzuverlässigkeit fast aller älteren Bestände in, wie man leider sagen muss, fast erschreckender Weise klar. Auf die Ausführungen über die Gruppen St. Florian, Garsten, Gleink, Waldhausen, St. Georgen-Herzogenburg sei besonders hingewiesen. Dem Glauben, zuverlässige Originalurkunden Altmanns von Passau oder der ältesten Babenberger zu besitzen, müssen wir endgiltig abschwören. 'Vor Beginn des 12. Jh. gibt es keine bodenständige österreichische Urkunde. Die ersten Aufzeichnungen, welche den Anspruch erheben dürfen, als formvollendete heimische Urkunden zu gelten, sind die Stiftbriefe von St. Florian und St. Georgen aus den Jahren 1111 und 1112' — in diese Sätze fasst v. Mitis selbst (S. 242) ein wesentliches Ergebnis seiner Forschung zusammen. Vieles ist durch nachträgliche, um Jahrzehnte verspätete Beurkundung umgestaltet, verwirrt und verderbt; daneben aber hat die Fälschung in weitgehendem Masse ihr Unwesen getrieben. Ihre Blütezeit war hier die erste Hälfte des 13. Jh., und den politischen Hintergrund für sie bildete der Wettstreit der österreichischen Herzoge mit den Passauer Bischöfen, in welchem Streit die Klöster fast durchaus auf Seite des Landesherrn standen. Die Urkunde des Markgrafen (nicht Herzogs!) Ernst für Melk, deren Faksimile Sickel als 'älteste Babenberger Urkunde' in den Mon. graph. V, 3 geboten und an deren Originalität auch ich vor 12 Jahren noch geglaubt hatte, muss endgiltig preisgegeben werden. Sie ist ein Machwerk ungefähr aus der Mitte des 12. Jh.

mit Benutzung einer alten Traditionsnotiz und unter fälschender Einfügung von Zusätzen über die Gründung Melks und das Aufkommen des Koloman-Kultus. Doch ist dem zu späten Ansatz der Urkunde und der viel zu weit gehenden Verwerfung aller ihrer Angaben durch Strnadt mit Recht entgegengetreten. Die Benutzung des Formulars der Papsturkunden müsste noch in eingehenderen Ausführungen zusammenfassend dargetan werden. Wenn Mitis S. 196 die Empfängerausfertigung als die Einfallspforte für das Eindringen päpstlicher Vorbilder in die Kaiserurkunden bezeichnet und sich hierbei auf H. Hirsch beruft, so muss ich beiden Herren gegenüber darauf hinweisen, dass ich diesen Gedanken schon in meinen Schrifttafeln, Text S. 44, Erläuterung zu Taf. III, 84—85, ausgesprochen habe. M. T.

128. Herr Professor Dr. G. Beckmann in Erlangen teilt gütigst mit, dass sich in den Deutschen Reichstagsakten XII, S. XVI—XVIII, eine genaue Inhaltsangabe der Giessener Hs. 650 (vgl. N. A. XXXIII, 256 f., n. 91) findet und dass die in ihr überlieferten Aktenstücke entweder schon im 12. Bd. der Reichstagsakten gedruckt sind oder in den beiden folgenden gedruckt werden. A. W.

129. 'Die Inventare der nichtstaatlichen Archive des Kreises Warendorf' (herausg. von der Hist. Komm. der Provinz Westfalen, Münster 1908) sind von Adolf Brennecke und Ernst Müller sorgfältig gearbeitet. Bedeutendere Bestände bieten die Archive von Loburg, Vornholz, Harkotten, Freckenhorst, Bevern und der Stadt Warendorf, die z. T. in das 13. oder den Anfang des 14. Jh. zurückreichen. O. H.-E.

130. L. Schmitz-Kallenberg hat zu den 'Inventaren der nichtstaatlichen Archive des Kreises Koesfeld' ein Nachtragsheft bearbeitet, das vorwiegend rheinische Archivalien, nämlich das im herzoglich Croy'schen Schlosse zu Dülmen wieder aufgefundene Archiv Manderscheid-Blankenheim behandelt. Es werden 10 Urkunden des 13. (von 1268 an) und 166 des 14. Jh. mitgeteilt, unter letzteren eine Urk. Clemens' VI. (S. 57, n. 16) und ein Dutzend Königsurkunden, meist nach neueren Abschriften (S. 17, n. 9. 10; S. 18, n. 12 (13); S. 24, n. 49; S. 33, n. 1, König Johann von Böhmen, Or., französ.; S. 40, n. 2; S. 41, n. 7; n. 8. ders., Or., desgl.; S. 57, n. 17; S. 74, n. 4. 6). Ferner sei hingewiesen auf die

Sinziger Märkerlisten von 1275 (S. 79, n. 1) und 1334 (S. 81, n. 3) und auf die Manderscheidschen und Bettingenschen Lehnsregister des 14. Jh. (S. 27, n. 66; S. 42, n. 12; S. 61, n. 35). Das Heft beschliesst den fast tausend Seiten umfassenden ersten Band der Archivinventare des Regierungsbezirks Münster; ein Register über die 315 Archivstellen und die Hauptgruppen ist beigegeben.

E. M.

131. In den Beilagen zu seinen Studien zur Geschichte der Westfälischen Mark (Münstersche Beiträge zur Geschichtsforschung N. F. XVII) druckt H. Schotte S. 145 ff. zwei Urkunden von 1311 resp. 1325 der Provenienz Gravenhorst nach den Originalen. H. W.

132. Die Gesellschaft für Rheinische Geschichtskunde hat als erste Lieferung der Rheinischen Siegel 'Die Siegel der Erzbischöfe von Köln (948—1795), 32 Lichtdrucktafeln mit erläuterndem Text, bearbeitet von W. Ewald', Bonn 1906, veröffentlicht. Die Einleitung behandelt in knapper, aber lehrreicher Uebersicht die ältesten Siegel, die verschiedenen Siegelarten (Hauptsiegel, Elektensiegel seit 1191, Ministersiegel unter Engelbert I. [1216—25] und Konrad v. Hochstaden [1238—61], Sekrete seit der Mitte des 13. Jh. als Rücksiegel, selbständig zuerst 1293, Sigilla ad causas seit 1349, Signete seit 1364), die Siegelstoffe (Bullen, und zwar aus Blei nur 1021—56), die Befestigung der Siegel (Hängesiegel seit Mitte des 12. Jh.) und die Siegelfälschungen (vergl. schon N. A. XXXI, 263, n. 78). Wichtige Ergebnisse für Siegel- und Wappenkunde verspricht die Fortführung des gross angelegten Unternehmens bei dem Reichtum urkundlicher Ueberlieferung der Rheinlande. E. M.

133. Heinrich Schäfer bringt im 83. Heft der Annalen des historischen Vereins für den Niederrhein (1907) die 'Inventare und Regesten aus den Kölner Pfarrarchiven' (vgl. N. A. XXVII, 532. XXIX, 515) mit dem 3. Teile zum Abschluss; die Archive von S. Maria im Kapitol, S. Kunibert, S. Mauritius, S. Alban, S. Georg mit S. Jakob, S. Johann Baptist und Gross S. Martin sind darin behandelt. Statuten von S. Maria im Kapitol aus dem 14. Jh. werden S. 98—101 mitgeteilt; ferner sei auf ein Blatt mit einem im 9. Jh. geschriebenen Bruchstück der Fränkischen Reichsannalen (a. 824) im Archiv derselben Kirche (Akten capsula 34, 1) hingewiesen (S. 113). W. L.

134. Von den 'Urkunden und Regesten zur Geschichte der Rheinlande aus dem Vaticanischen Archiv, bearbeitet H. V. Sauerland' (Publikationen der Gesellschaft für Rheinische Geschichtskunde XXIII) ist den N. A. XXVIII, 264 und XXIX, 796 angezeigten ersten beiden Bänden 1905 der III. und 1907 der IV. gefolgt. Band III umfasst den Pontifikat Clemens' VI. (1342—52), Band IV den Innocenz' VI. (1353—62). Supplemente, von 1297—1337 und von 1310—1359 reichend, sind beiden Bänden angefügt. Der Verf. hat sich nicht streng auf vatikanisches Material beschränkt, sondern gelegentlich auch Urkunden westdeutscher Archive verarbeitet, die zur Aufhellung der Beziehungen zu Avignon dienen konnten. Vom Inhalt der beiden Bände können hier nur einige in den Reg. Imp. fehlende Suppliken Karls IV. besonders notiert werden: Bd. III, n. 368, 615, 616 u. a. m. Leider ist die inhaltreiche Publikation von Ungenauigkeiten nicht frei, so namentlich in den Angaben über die Urkunden zur Geschichte der Königswahl von 1346, Band III, n. 539, 548, 565, 566. An einzelnen Stellen wären statt langer Auszüge aus den Urkunden Abdrücke in extenso erwünscht gewesen, die nur wenig mehr Platz in Anspruch genommen und dem Herausgeber weniger Arbeit verursacht hätten, so namentlich bei dem Wahldekret Walrams von Köln für Karl IV. (1346 Juli 11). R. S.

135. Von den 'Regesten der Erzbischöfe von Mainz von 1289—1396' (vgl. N. A. XXXIII, 586, n. 264) sind zwei neue Lieferungen erschienen: Die zweite bringt den Anfang des von F. Vigener bearbeiteten II. Bandes: Die Regesten Erzbischof Gerlachs vom tatsächlichen Beginn seiner Herrschaft (1354) bis zum J. 1355. Lieferung 3 umfasst Bogen 11—20 des I. Bandes und enthält den Schluss der Regesten Erzb. Gerhards II. (— 1305), bearbeitet von E. Vogt. — Die Regesten sind von grosser Ausführlichkeit; ihr Umfang steigert sich stellenweise auf mehr als eine Quartseite. R. S.

136. Eine Abhandlung von O. Frhr. Stotzingen: 'Cronbergsches Diplomatarium' enthalten die Annalen des Vereins für Nassauische Altertumskunde XXXVII, 180—227 (1908). Es werden in der Hauptsache die Regesten der in diesem Kopialbuch, das 1380—1412 entstanden ist — nur wenige Stücke sind später nachgetragen —, enthaltenen Urkunden veröffentlicht. Sie machen 182 Nummern aus. Willkommen ist die Hinzufügung eines Personen-

namen- und Ortsverzeichnisses. Doch erscheint die Bildung des Wortes 'die Regeste' (vgl. S. 180. 221) unstatthaft.
E. P.

137. Auf die sorgfältige Arbeit von M. Buchner (Die innere weltliche Regierung des Speierer Bischofs Mathias Ramung. 1464—1478. Speier, Zehner 1907. X u. 48 S.; auch in den Mitteilungen des historischen Vereins der Pfalz XXIX. XXX erschienen) ist hier aus dem Grunde zu verweisen, weil die Benutzung reichen archivalischen Materials dem Verfasser Gelegenheit gibt, einzelne Sammelbände aus der Kanzlei jenes Fürsten, wie z. B. den liber reddituum, liber debitorum, die specificatio vasallorum zu charakterisieren; die Ausführungen über die Kanzleireform des Bischofs werden auch den Diplomatiker interessieren. Des Ertrags für die Verfassungsgeschichte eines geistlichen Territoriums, gerade im Hinblick auf die von mir in der Historischen Vierteljahrschrift 1908, S. 179 ff. angedeuteten Gesichtspunkte, kann nur in Kürze gedacht werden. A. W.

138. Im Jahrb. der Gesellsch. für Lothring. Gesch. und Altertumsk. XIX, 475 ff. veröffentlicht J. J. Barbé die Signete von 22 Metzer Notaren aus den Jahren 1368—1490, die der im J. 1883 verstorbene Metzer Forscher E. Michel gesammelt hat. H. Br.

139. In der Zeitschr. f. d. Gesch. des Oberrheins N. F. Bd. XXIII, 116 ff. publiziert P. Wentzcke aus dem Nachlass des Abbé Grandidier mit sorgfältigem Kommentar ein Ausgabenverzeichnis der Abtei S. Stephan zu Strassburg (1276—1297). Ebendort S. 127 ff. berichtet H. Kaiser über neuerschlossene Materialien zur elsässischen Landesgeschichte. Es handelt sich um einen Teil des Archivs des Strassburger Domkapitels (Akten vom 15. Jh. aufwärts), der 1790 nicht abgegeben, sondern im Besitz des Kapitels verblieben ist und nunmehr erfreulicherweise der allgemeinen Benutzung zugänglich gemacht wurde.
H. H.

140. Im Strassburger Münsterblatt Jahrg. 4 (1907), 5 (1908) bringt P. Wentzcke Urkunden und Regesten zur Baugeschichte des Strassburger Münsters. Ganz abgedruckt werden ein undatierter Indulgenz-Brief (n. 35) des Bischofs Konrad (1190—1202), von dem auch ein Faksimile beigegeben ist, und die erste urkundlich überlieferte Pfründen-Stiftung (n. 40) von 1237. Von Interesse für die

Reichsgeschichte wäre bei genügender Beglaubigung die Angabe der allerdings erst der ersten Hälfte des 14. Jh. entstammenden Chronik des Jean de Bayon: '1080 in natale domini ventus multa aedificia urbis Argentinae, maceria templi eversa aliquot homines in praesentia regis oppressit'. Man hätte daraus auf die Anwesenheit Heinrichs IV. an Weihnachten 1079 oder 1080 in Strassburg zu schliessen. Der ersteren Möglichkeit widerspricht indessen die Angabe des 'Annalisten' (Berthold), vergl. Meyer von Knonau, Jahrb. Heinrichs IV. III, 219, wonach die Weihnachtsfeier zu Mainz begangen wurde; der zweiten die Angabe Brunos (vergl. Meyer von Knonau III, 343), die wenigstens den Plan Heinrichs, Weihnachten in Goslar zu begehen, verzeichnet. Da der König in diesem Jahr aber am 7. Dez. in Speyer urkundet, dann nordwärts über Mainz nach Osnabrück geht, so ist, selbst wenn er nicht nach Goslar gelangte, ausgeschlossen, dass er am 25. Dez. wieder in Strassburg sein konnte. Es käme also höchstens dann Weihnachten 1079 in Betracht, wenn man in Bertholds Angabe einen Irrtum annehmen dürfte. Wahrscheinlicher ist aber demgegenüber, dass es sich garnicht um 1079 oder 1080 handelt, sondern dass ein chronologischer Fehler vorliegt und vielmehr statt 'MLXXX' zu lesen ist 'MLXXV', was auf das tatsächlich von Heinrich IV. im J. 1074 in Strassburg begangene Weihnachtsfest zu beziehen wäre.

H. W.

141. E. Herr hat in einem eigenen Bande (Strassburg 1906) die Urkunden der Kirchenschaffnei Ingweiler — zum Teil verkürzt — als Beitrag zur elsässischen Ortsgeschichte herausgegeben. Etwa ein Viertel des Bandes nehmen die mittelalterlichen Urkunden (1212—1500) ein. Im Register sind nur die Ortsnamen, nicht auch die Personennamen verzeichnet. H. H.

142. In seinem Buche über die Klostervogtei im rechtsrheinischen Teil der Diözese Konstanz bis zur Mitte des 13. Jh. (Görres-Gesellschaft zur Pflege der Wissenschaft im kath. Deutschland — Sektion für Rechts- u. Sozialwissenschaft 3. Heft) legt A. Heilmann zunächst die in bezug auf Immunität und Vogtei bei den alten Benediktiner-Klöstern, bei den Reform-, Zisterzienser- und Praemonstratenser-Klöstern des genannten Gebietes bestehenden Verhältnisse einzeln dar und gibt dann eine zusammenfassende Darstellung der Entwickelung dieser Rechtsinstitute. In wichtigen Punkten folgt er dabei den

von Rietschel in seiner Polemik gegen Seeliger festgelegten Theorien, im einzelnen enthält die Arbeit neben vielen richtigen und vortrefflichen Beobachtungen auch Anschauungen, über die noch weiter zu diskutieren sein wird. Unzureichende Heranziehung der diplomatischen Spezialliteratur ist da und dort zu verspüren; namentlich fällt die Nichtberücksichtigung der Arbeit Lechners über die schwäbischen Urkundenfälschungen auf. H. H.

143. In zwei Halbbänden (Schaffhausen 1906 u. 1908) ist ein Urkundenregister für den Kanton Schaffhausen, herausg. vom Staatsarchiv (bearbeitet v. G. Walter) 987—1469 erschienen. Angeführt wurden jene Urkunden, 'die sich zur Zeit auf Schaffhauser Gebiet befinden, sei es in Archiven, sei es in Privatbesitz'. Wenn sich auch im einzelnen da und dort Anlass zu einem Nachtrag oder einer Berichtigung böte, so ist im ganzen die verdienstvolle Arbeit, die der stattliche Band darstellt, dankbar anzuerkennen. Als Quellenpublikation ist er nicht nur für den Kanton Schaffhausen, sondern auch für die angrenzenden Gebietsteile von hoher Wichtigkeit. H. H.

144. Die dem I. Hefte der Zeitschrift f. d. Gesch. des Oberrheins Bd. XXIII. beigegebenen Archivberichte betreffen das freiherrl. Buol von Berenbergsche Archiv in Zizenhausen u. das gräfl. von Oberndorffische Archiv zu Neckarhausen. Die Urkunden beginnen mit dem 13., die Akten mit dem 14. Jh. H. H.

145. Die wertvolle Arbeit von K. Müller über die Esslinger Pfarrkirche im Mittelalter (Württemberg. Vierteljahrshefte N. F. XVI, 237 ff., auch separat erschienen, Stuttgart 1907), erwähnen wir hier, weil die älteste Geschichte dieser kirchlichen Gründung aus den Testamenten des Abtes Fulrad von St.-Denis und einigen Karolinger-Diplomen für dieselbe Abtei erschlossen werden muss, und die Darlegungen des Verf. über diese Urkunden als topographisch-rechtshistorische Beiträge zu ihrer Kritik anzusehen sind. Die Arbeit Wiegands über die Schenkung Karls des Grossen für Leberau (1905) und der Aufsatz Tangls über die Fulrad-Testamente (1906) sind nicht mehr herangezogen worden. H. H.

146. Ebenda N. F. XVII, 159 ff. gibt J. Zeller seiner Arbeit 'Aus dem ersten Jahrhundert der gefürsteten Propstei Ellwangen 1460—1560' sechs Dokumente aus dem 15. Jh., darunter zwei päpstliche Litterae (1461 und

1486) bei. Im Text (S. 175) ist eine Supplik an Sixtus IV. (1472) gedruckt. H. H.

147. Ein oberpfälzisches Register aus der Zeit Kaiser Ludwigs des Bayern. Erläutert und herausgegeben von Wilhelm Erben (München, Oldenbourg, 1908, 171 S. 8⁰). Die Hs. Oberpfalz 1 des Münchener Reichsarchivs, die den Gegenstand der Monographie Erbens bildet, enthält eine Sammlung von über 200 Urkunden aus dem letzten Drittel des 13. und dem 14. Jh., in weitaus überwiegender Mehrheit von Herzog Ludwig dem Strengen (1253—94) und seinen Söhnen Rudolf (dem Begründer der pfälzischen Linie, † 1319) und Ludwig (Kaiser Ludwig dem Bayern) für oberpfälzische Empfänger ausgestellt. Die eigentümliche Anordnung der Urkunden — nach Empfängergruppen und erst innerhalb dieser Gruppen in chronologischer Folge — sowie gewisse Vermerke über die äussere Beschaffenheit der abgeschriebenen Urkunden (vgl. bes. S. 40) verbieten es, in der Hs. ein fortlaufend bei der Ausgabe der Urkunden geführtes Register im gewöhnlichen Sinne oder die Reinschrift eines solchen zu erblicken. E. weist nun die Beziehungen nach, die zwischen der Urkundensammlung und dem 1326 angelegten Urbar des Vitztumamtes Lengenfeld (Mon. Boica XXXVIa, 539 ff.) bestehen, und macht es in hohem Grade wahrscheinlich, dass die Hauptmasse der Hs. als die bis 1330 fertiggestellte 'Reinschrift einer aus Anlass der Urbaraufnahme erfolgten Kopierung der von Lehenträgern und Pfandinhabern vorgelegten Urkunden' anzusehen ist. Die 12 Urkunden aus den Jahren 1330—1381 sind spätere Nachträge. In Kap. 4 'der Registercharakter der Hs.' sucht E. in einer lehrreichen Erörterung zu einer klaren Scheidung der Begriffe 'Register' und 'Kopiar' zu gelangen. Die methodische Notwendigkeit einer solchen Scheidung wird, im Gegensatz zu den Vorschlägen von Neudegger und Bier, die den Begriff des Registers auch auf die im kurrenten Kanzleigebrauch befindlichen Einlaufsbücher ausdehnen wollen, damit begründet, dass Auslaufsbücher dem Forscher 'für die Echtheit der einzelnen in ihnen enthaltenen Stücke grössere Sicherheit gewähren' als Einlaufsabschriften; denn den Erzeugnissen der eigenen Kanzlei stand der registrierende Beamte kritisch besser gerüstet gegenüber als denen der fremden. Dem gegenüber kann nach E. die Erwägung, ob die Buchung des Auslaufes sogleich bei der Expedition der Urkunden oder erst später, etwa wie im vorliegenden Falle bei einer Vor-

legung älterer Urkunden erfolgte nicht schwer ins Gewicht fallen, und E. empfiehlt daher, 'bei der Abgrenzung der Begriffe Register und Kopialbuch von der Entstehungszeit gänzlich abzusehen und nur das Vorherrschen von Einlauf oder Auslauf der Einteilung zu Grunde zu legen'. — Kap. 5 zeigt unter Heranziehung der bekannten Münchener Registerfragmente Ludwigs d. B., dass möglicher Weise ein Notar der kaiserlichen Kanzlei, Johann Sachs, auf die Herstellung der Hs. eingewirkt hat. — Die Beilagen bringen eine chronologische Uebersicht des Inhaltes, Zusätze und Verbesserungen zu den anderweitig bereits veröffentlichten Urkunden und 70 Inedita in vollem Wortlaut, darunter 11 Urkunden Ludwigs aus seiner Königszeit. Einige der Inedita sind anderen Münchener Kopiaren entnommen. R. S.

148. Im Archiv f. Geschichte u. Altertumskunde von Oberfranken XXII, 1 ff. u. XXIII, 113 ff. veröffentlicht F. K. Freih. v. Guttenberg zwei Fortsetzungen seiner Regesten des Geschlechtes von Blassenberg und dessen Nachkommen und gibt zahlreiche Nachträge und Berichtigungen zu den bisher erschienenen Teilen seiner Publikation. Die neu verzeichneten Urkunden gehören fast ausschliesslich dem 15. Jh. an. H. H.

149. In den Mitteilungen des K. K. Archivs für Niederösterreich I, 51 ff. gibt A. Starzer ein Verzeichnis der Originalurkunden des K. K. Archivs für Niederösterreich ca. 1050—1350. Die für die landesgeschichtliche Forschung wertvollen Urkunden waren bisher nur zum Teil bekannt. Die Identifizierung der zahlreichen Ortsnamen soll erst in dem Namen-Register vorgenommen werden. H. H.

150. Der I. Bd. der Quellen und Forschungen zur Geschichte der Juden in Deutsch-Oesterreich enthält eine Ausgabe des Judenbuches der Scheffstrasse zu Wien (1389—1420) durch A. Goldmann (Wien u. Leipzig 1908). Es handelt sich um den dritten Teil des ältesten Grundbuches der eh. Scheffstrasse, das im K. u. K. Reichsfinanzarchiv aufbewahrt wird und in diesem Abschnitt als Satzbuch der Scheffstrasse für Verpfändungen bei Geldgeschäften zwischen Juden und Christen anzusehen ist. Aus der Einleitung heben wir die Bemerkungen des Herausgebers über den Vorgang bei der Eintragung ins Satzbuch und über das Formular der Eintragungen hervor. H. H.

151. Im Jahrbuch für Landeskunde von Niederösterreich N. F. VI, 189 ff. macht J. Lampel darauf aufmerksam, dass sich im Wiener Staatsarchiv von den Aggsbacher Klosterurkunden mehrfach die Originale befinden, während der Herausgeber des Urkundenbuches (vgl. N. A. XXXII, 565, n. 158) nur Kopien anderer Provenienz benutzte, und dass einzelne Urkunden dem Bearbeiter überhaupt entgangen sind. Die letzteren (1319—1457) — im ganzen sechzehn Stück — werden im vollen Wortlaut mitgeteilt. H. H.

152. Im Jahrbuch der K. K. herald. Gesellschaft Adler N. F. XVIII, 111 ff. publiziert A. Pensch Regesten zum Innerberger Eisenwesen (1403—1790). Ebendort S. 248 ff. stellt Th. v. Liebenau Bausteine (Urkundenregesten) zur Geschichte des St. Georgenschildes in Schwaben (1381— ca. 1800) zusammen. H. H.

153. Das prachtvoll ausgestattete Buch des Landesarchivars Bertold Bretholz 'Das mährische Landesarchiv, seine Geschichte, seine Bestände', das vom Landesausschusse Mährens herausgegeben ist, hebt an mit der Darstellung der Verwahrlosung und Verschleuderung des Archivbestandes vor Mitte des vorigen Jh., schildert die Verdienste von Boczek, B. Dudik, R. v. Chlumecky um die Erhaltung, Ordnung und Vermehrung des Archivs, sein Wachsen bis zur Ueberführung in das prächtige neue Gebäude des mährischen Landesausschusses im J. 1907, gibt dann in grossen Zügen eine kurze Uebersicht des Bestandes seiner einzelnen Abteilungen. Es sind neun ganz prächtige Lichtdrucktafeln von Urkunden- und Handschriftenblättern beigegeben, so eine Urkunde des Polenkönigs Wladislaw von 1167, eine Ottokars I. von 1229, die über den Friedensvertrag zwischen Karl IV., den österreichischen Herzogen usw. von 1364, Landfrieden der mährischen Stände von 1440, die Urkunde über neue Wappenverleihung an Mähren durch K. Friedrich III. 1462, ein sehr schönes Bildnis Karls V. von 1545.
O. H.-E.

154. Die vom Vereine für Geschichte der Deutschen in Böhmen in Angriff genommene Publikation der Städte- und Urkundenbücher aus Böhmen ist durch einen neuen, den fünften Band vermehrt worden, das 'Urkundenbuch der Stadt Krummau in Böhmen', bearbeitet von V. Schmidt und A. Picha. Der 1908 erschienene erste Teil beginnt

mit 1220 und reicht bis 1419 (auf dem Titelblatt steht aber 1253—1419). Bekannte Urkunden werden zumeist nur in Regesten angeführt, unbekannte je nach Wichtigkeit als Regest oder Regest nebst Abdruck. Auch chronistische Notizen sind aufgenommen. Das 13. Jh. ist mit 43 Stücken, davon alle schon bekannt waren, vertreten; insgesamt zählt der Band fast 700 Nummern. Am Schluss finden sich reiche Anmerkungen zu vielen Stücken und ein gutes Orts-, Personen- und Sachverzeichnis. B. B.

155. Die Urkunden des Marktes Friedberg in Südböhmen, von denen aber nur drei in das Ende des 15. Jh. gehören, druckt K. Friedl ab in den Mitteilungen des Vereines für Geschichte der Deutschen in Böhmen XLV (1907), 535. B. B.

156. Von den 'Zwei Urkunden zur Geschichte Westböhmens im 15. Jh.', die G. Schmidt in den Mitteilungen des Vereines für Geschichte der Deutschen in Böhmen XLV (1907), 522, mitteilt, betrifft die erste eine Schenkung eines westböhmischen Adeligen, Ulrich genannt Wsserubecz, an das Mieser Minoritenkloster vom Jahre 1409; in der zweiten schreibt der Rat der Stadt Nürnberg am 3. März 1451 an Ulrich von Rosenberg wegen Vermittlung in der Klage, die nach dem Berichte Burians von Guttenstein an die Nürnberger Herr Alesch von Sternberg auf dem Prager Landtag gegen sie vorgebracht habe. Die beiden Stücke werden eingehend erläutert. B. B.

157. In einem Anhang zu seiner 'Geschichte Brunos von Schauenburg' in der Zeitschrift des deutschen Vereines für die Geschichte Mährens und Schlesiens XII (1908), 187, bringt M. Eisler 14 'unedierte Urkundenoriginale' aus der Zeit 1251—1277 (s. N. A. XXXIII, 565, n. 203). B. B.

158. Wilhelm Schulte, Kleine Beiträge zur Geschichte Schlesiens (Oberschlesische Heimat. Zeitschrift des Oberschlesischen Geschichtsvereins, Oppeln 1908, S. 183 ff.), veröffentlicht eine Reihe interessanter Einzel-Studien, auf die ihn die Vorbereitung grösserer Arbeiten geführt hat, berichtigt u. a. in zwei wieder abgedruckten Urkunden der Acta Thomae von 1268 und 1272 die verstümmelten Ortsnamen 'Suznensis' und 'Susensis' in 'Niznensis' und 'Nisensis', wodurch allerhand vage Vermutungen beseitigt werden. Die zweite Urkunde gewinnt nach der Emendation als Beweisdokument für die Verfügung des

Bischofs über die Neisser Vogtei eine gewisse Bedeutung in dem grossen Streite zwischen der bischöflichen und herzoglichen Gewalt. Die Urkunde des Bischofs Thomas II. über die Vogtei in Weidenau von 1291 nimmt Sch. gegen die erhobenen Bedenken in Schutz und weist mit grossem Scharfsinn nach, dass die in eine frühere Zeit gehörenden Zeugennamen zu der im Text erwähnten Gründungsurkunde des Ortes von 1266/8 stimmen würden, hat auch ein Transsumpt der beanstandeten Urkunde in einer bischöflichen Konfirmationsurkunde von 1352 über die Auflassung der Vogtei gefunden und gibt endlich für die von dem Gebrauch der Bischofskanzlei erheblich abweichende Schrift eine Erklärung. Inhaltlich stimmt die Urkunde ausgezeichnet zu der von Sch. ausführlich behandelten Entwickelung der Vogteiverfassung in den bischöflichen Städten, die von der in den herzoglichen abwich, und nur die Umrechnung der Pönalsumme könnte Bedenken erregen. Beide Urkunden, die von 1291 und das Transsumpt von 1352, sind zerschnitten, und eine dritte Urkunde von 1371 über den Verkauf der Vogtei trägt im Neisser Lagerbuch den Vermerk, dass sie nicht ausgefertigt sei. Vielleicht gelingt es dem rührigen Forscher, auch diese Umstände noch aufzuhellen, die für die Beurteilung der Weidenauer Urkunden nicht ohne Belang sein dürften. B. Kr.

159. Eine besonders lokalgeschichtlich nicht uninteressante Studie von P. Böhme 'Zur Ortskunde des Saaltales zwischen Kösen und Naumburg' bringen die Neuen Mitteilungen aus dem Gebiet historisch-antiquarischer Forschungen XXIII, 189—271. Im Anhange ist eine Urkunde vom 3. Dez. 1224 abgedruckt, in der ein Streit zwischen den Kirchen des h. Georg und des h. Moritz in Naumburg geschlichtet wird. E. P.

160. 'Die Urkunden des Cottbuser Stadtarchivs in Regestenform' teilt F. Schmidt mit im X. Band der Niederlausitzer Mitteilungen (S. 115—239). M. Kr.

161. In den Hansischen Geschichtsblättern Jahrg. 1908, S. 241—245 teilt O. Heinemann kleinere Nachträge und Ergänzungen zu den Hanserezessen von 1401 bis 1422 mit, die Dietrich Schäfer unter den Beständen des Stadtarchivs zu Stettin aufgefunden hat, darunter den Rezess eines sonst nicht bekannten Tages der pommerschen Städte zu Anklam 1422. A. H.

162. In den Mitteilungen der Gesellschaft für Kieler Stadtgeschichte. 23. Heft (1908) sind aus dem vielberufenen Prozess zwischen der Stadt Kiel und dem Preussischen Staatsfiskus wegen des Eigentums am Kieler Hafen die Gutachten Gierkes, R. Schröders und Volquardsens, sowie die Urteile des Landgerichts und des Oberlandesgerichts zu Kiel mitabgedruckt, in denen es sich zu gutem Teile um die Auslegung der der Stadt Kiel von ihrem Landesherren seit dem Jahre 1334 erteilten Privilegien (sie sind S. 163 ff. neu abgedruckt) handelt. Das älteste, S. 329 (vgl. S. 183) abgedruckte Privileg vom J. 1242, erteilt von dem Grafen Johann von Holstein, hat das Oberlandesgericht (S. 282 ff.) bei Seite geschoben, weil seine Echtheit nicht hinreichend verbürgt sei: dass es wirklich echt ist, erweist in einem Anhange S. 329 ff. ganz überzeugend C. Rodenberg und seine Ausführungen werden durch einen Nachtrag von F. Gundlach noch weiter gestützt. H. Br.

163. In den Württembergischen Vierteljahrsheften für Landesgeschichte N. F. XVI, 422 ff. handel G. Sommerfeldt über die als Deutschordensritter in Preussen tätig gewesenen Grafen Heinrich und Konrad von Tübingen (ca. 1453—90) auf Grund von ihm publizierten Materials aus dem Königsberger Staatsarchiv. H. W.

164. 'Drei Handfesten aus ehemals Lehndorff'schem Gebiet 1373, 1446, 1473 und einige die ältere Vergangenheit dieses Geschlechts betreffende andere Urkunden 1424, 1454, 1476, 1484' veröffentlicht G. Sommerfeldt in den Mitt. der Liter. Ges. Masovia XII, 142—153. M. Kr.

165. Regesten van oorkonden betreffende het Sticht Utrecht (694—1301) verzameld door Dr. Gisbert Brom (2 Bände, Utrecht 1908) sind eine Vorarbeit für ein Urkundenbuch des Stiftes Utrecht, das vom Utrechter Reichsarchivar S. Muller, der auch an diesem Werke grossen Anteil hat, seit langer Zeit geplant ist; trägt daher auch auf dem Titel die Bezeichnung: 'Bijdragen voor een Oorkondenboek van het Sticht Utrecht'. Es sind nicht nur die Urkunden berücksichtigt, die das Bistum betreffen, sondern alle die, welche Orte und Personen innerhalb der weitesten Grenzen des Bistums angehen, so dass sich bis 1301 die stattliche Zahl von 2966 Nummern ergibt, wozu noch einige Nachträge kommen. Es wird die Datumzeile der Urkunde in lateinischer Sprache gegeben, darauf folgt

das Regest in sehr kurzer Form in niederländischer Sprache mit den lateinischen Anfangsworten, danach in kleiner Schrift die Angabe der Ueberlieferung (dieser jedoch nicht überall) und der Drucke, die nicht auf ihre Quellen zurückgeführt sind, auch erkennt man kein Prinzip in deren Anordnung. Die Regestenwerke von Böhmer und deren Neubearbeitungen, Stumpf, Wauters sind regelmässig angeführt, freilich von den Karol.-Reg. nur die erste Auflage von Mühlbacher. Zuweilen wird auch auf andere Literatur verwiesen. Bis 1200 sollten auch annalistische Nachrichten und Nekrologien mit berücksichtigt werden, doch ist das in sehr geringem Umfang geschehen. Es fällt auf, dass man nichts über die Zeit der Utrechter Bischöfe, ihre Wahl, ihre Todesjahre und -Tage erfährt, von denen die meisten doch aus historiographischen und nekrologischen Quellen leicht zu ermitteln waren. Ueber ihre Herkunft, ihr Vorleben, wie etwa in den Reg. der Erzbischöfe von Mainz, ist natürlich nichts gesagt. Der Hauptwert des Werkes ruht in der Arbeit für das 13. Jh., auf dieses fallen 4/5 der Regestennummern, für dieses sind die Urkunden- und Hss.-Bestände zahlreicher Archive durchforscht. Von Einzelheiten, auf die einzugehen hier nicht der Raum ist, möchte ich nur erwähnen, dass MG. Epist. V (Epistolae Fuldenses) noch nicht benutzt ist. — Wenn man festhält, dass das Werk nur eine Vorarbeit sein will, darf man es als eine fleissige und sehr wertvolle Publikation bezeichnen. O. H.-E.

166. Mit den Privaturkunden Belgiens vom 10. bis zum Anfang des 13. Jh. beschäftigt sich eine Studie von R. Weemaes, deren Gegenstand der Verf. am besten mit dem Ausdruck 'la diplomatique monastique belge de l'époque féodale' gekennzeichnet findet. Bis jetzt liegt davon der erste Teil vor in den Analectes pour servir à l'histoire ecclésiastique de la Belgique t. XXXIV, 5—45. A. H.

167. In den Bijdragen tot de gesch. van het aloude Hert. Brabant VII, 146 ff., setzt P. J. Goetschalckx seine Mitteilungen aus dem 'Index Archivarum' der Abtei Tongerloo für das 12. und 13. Jh. fort; vgl. N. A. XXXIII, 592 f., n. 291. A. H.

168. Im Bulletin de la comm. royale (de Belgique) LXXVI, 534 sqq. druckt E. Matthieu eine Privaturkunde für St. Ursmer zu Lobbes von 1069 nach dem Original. H. W.

169. Ebenda p. 663 sqq. druckt L. Lahaye eine Reihe von noch unbekannt gebliebenen Urkunden für Kloster Brogne seit der zweiten Hälfte des 11. Jh. H. W.

170. In der Revue des Bibliothèques et Archives de Belgique VI, 30—38 gibt A. Hansay eine sehr gute Uebersicht über das, was sich aus dem Archiv der Abtei Rothem im Staatsarchiv zu Hasselt befindet. A. H.

171. In der Revue des questions héraldiques, archéol. et hist. IX (1906), 267—78 druckt Palliot le Jeune den im Dijoner Departementalarchiv beruhenden, von 83 lothringischen Edelleuten besiegelten Bundesvertrag zwischen den Herzogen von Burgund (Karl dem Kühnen) und Lothringen. E. M.

172. Verschiedene Studierende der juristischen Fakultät der Universität Dijon haben begonnen, die zahlreichen Urkunden der Abtei St. Stephan in Dijon, die von Pérard (1664) und anderen nur zum Teil veröffentlicht worden sind, vollständig bekannt zu machen; die Herausgabe erfolgt in der Weise, dass die einzelnen, zeitlich begrenzten Teile dieses 'Cartulaire de l'abbaye de St.-Étienne de Dijon' als Anhang Doktorthesen der Fakultät beigegeben werden, von denen bisher folgende vorliegen: J. Courtois, Les origines de l'hypothèque en Bourgogne, 1907 (mit den Urkunden von 793—1098; dabei n. 8 und 9 Diplome Karls III. von 885 und 887, Mühlbacher[2] n. 1699. 1740); A. Ridard, Essai sur le douaire dans l'ancienne Bourgogne, 1906 (1230—1250); M. Guillemard, L'enquête civile en Bourgogne, 1906 ('enquête de l'an 1300'); P. Parisot, Essai sur les procureurs au parlement de Bourgogne, 1906 (1309—1320); J. Fricaudet, Essai sur la fidéjussion dans l'ancienne Bourgogne, 1907 (1321—32); G. Janniaux, Essai sur l'amodiation dans l'ancienne Bourgogne, 1906 (1377—1384); L. Gally, Essai sur le bail à cens en Bourgogne, 1905 (1395—1399). W. L.

173. G. Dumay gibt seinem umfangreichen Aufsatz über 'Guy de Pontailler, sire de Talmay, gouverneur et maréchal de Bourgogne (1364—1392)' in den Mém. de la soc. Bourguignonne de géogr. et d'hist. XXIII (1907), 1—222, 135 Beilagen bei, von denen für uns Interesse bieten n. 58 und 59 von 1378, betr. die Vermählung der Tochter Karls des Kühnen Margarete mit Herzog Leopold von Oesterreich, und n. 103 von 1387, Aufzeichnung über die Vernichtung der alten burgundischen Siegelstempel (le

grant seel, le contre seel et le petit seel) vor dem Gouverneur und Marschall durch den Kanzler in Gegenwart der Räte des Herzogs und die Lieferung der neuen, deren Abweichungen beschrieben werden. E. M.

174. Den XXX. Band der Mém. de la soc. archéol. et hist. de l'Orléanais (Orléans 1906) bildet das 'Cartulaire de Sainte-Croix d'Orléans 814—1300)'. Die Bearbeiter, J. Thillier und E. Jarry, drucken zunächst das 61 Urkunden von 814—1172 enthaltende, in Abschrift Baluze's v. J. 1667 (Bibl. Nat., coll. Baluze, ms. 78) überlieferte 'Chartularium ecclesie Aurelianensis vetus' ab und lassen ihm 326 Einzelurkunden in zeitlicher Reihe folgen. Zu nennen sind Drucke der beiden Urkunden Ludwigs des Fr., B.-M. n. 541 (522) und 825 (800), und von unbekannten Urkunden Diplome Karls des K. 840/843 und Lothars von 956, sowie 16 Papstbullen. In der sehr umfangreichen Einleitung, die sich besonders über die Besitzungen der Kirche von Orléans, deren Lage und die Bestimmung der Ortsnamen verbreitet, werden die im N. A. XI, 382. 386 gedruckten ältesten Papsturkunden Leos VII. und Benedikts VII., J.-L. 3607. 3801, als auf Grund eines Diploms Ludwigs V. gefälscht erwiesen. Zwei beigegebene Tafeln geben eine Urkunde des Erzbischofs Hugo von Bourges von 978 mit eigenhändigen Unterschriften und das Testament des Simon de Beaugency von 1146/53 wieder.
E. M.

175. de Montégut, Cartulaire de l'abbaye de Vigeois en Limousin (954—1167), Limoges 1907, veröffentlicht aus der in der Bibliothek des Duc de Mouchy-Noailles aufgefundenen Original-Hs. des 12. Jh. das für die Geschichte des Klosters, aber auch der dort besessenen Adelsfamilien höchst bedeutsame Chartular, welches authentische Aufschlüsse über die Entstehung des grossen klösterlichen Grundbesitzes gibt. Die Teilnahme an den Kreuzzügen gab den Anlass zu allerhand Schenkungen an das Kloster Vigeois (Vosias), aber auch einen Brand (1082) und den Verlust der Privilegien hat man zu Neuerwerbungen zu benutzen verstanden. Wir finden in der Folge Schenkungen von Gütern an das Kloster, die der h. Aridius einst dem h. Petrus von Vigeois vermacht haben sollte, aber von diesen Vermächtnissen steht nichts in dem älteren Testament des Aridius, und nur eine ganz kurze spätere Fassung führt sie auf, die in dem Chartular zwischen den Urkk. aus dem 12. Jh. eingeschoben und

als gefälscht längst erkannt ist. Für diese Reklamationen bildete also das kürzere Testament den einzigen Rechtstitel, und man wird sich schwer der Ansicht M.'s anschliessen können, dass die Fälschung erst hinterher vorgenommen und die Berufung auf Aridius in den Urkk. wahre Tradition sei. Augenscheinlich hat er sich durch Pardessus' Lehre von der Ersetzung verlorener Urkunden durch gefälschte auf Grund echter Ueberlieferung ohne die Absicht des Betruges zu sehr beeinflussen lassen und er überträgt sie direkt auf den vorliegenden Fall. Das erhaltene längere Testament macht in den äusseren Formen keinen ungünstigen Eindruck, steht aber in gewissem Widerspruch zu den Angaben Gregors, und deshalb hatte ich Bedenken gegen seine Echtheit geäussert (Scr. rer. Merov. IV, 577). Auch M. erklärt es an einer Stelle für verfälscht, indes diese Stelle dient mehr dem Vorteil der Mönche von Attanum, als der von Vigeois, und es ist ganz undenkbar, dass sie aus dem dort gefälschten kurzen Testament stamme. Ein endgiltiges Urteil über das längere Testament ist kaum zu fällen, bevor wir nicht einen auf vollständiger Benutzung des handschriftlichen Materials beruhenden Text haben. Nimmt man an, dass Gregor ein späteres Testament des Aridius vor Augen gehabt habe, so ist doch das kurze gefälschte für diese Ansicht nicht zu verwerten. Sehr viel hat M. für die Erklärung der Ortsnamen getan, auch eine Arbeit Bosvieux' über die Geographie des Testaments des Aridius zum Abdruck gebracht. Die Schwächen von Arbellots Uebersetzung des Testaments sind ihm nicht entgangen. M.'s Textabdruck ist, wie die Vergleichung mit der beigegebenen Schrifttafel zeigt, zuverlässig. Die Zitate des Chartulars in Ducanges Glossar sind Zusätze der Benediktiner-Ausgabe, also nicht mit dem literarischen Verkehr zwischen Ducange und Baluze in Verbindung zu bringen. Die der Forschung nunmehr zugänglich gemachte Hs. gehört zu dem Teil der Bibliothek der Familie Noailles, welcher ihr nach der Einziehung in der Revolutionszeit zurückgegeben wurde. Die Beschreibung in dem Katalog von Techener (1872) hat M. in manchen Punkten berichtigen können. B. Kr.

176. In der Bibl. de l'école des chartes LXVIII, 272 sqq. verzeichnet und erläutert L. Delisle 74 Originalurkunden König Heinrichs II. von England aus dem British Museum und dem Record Office. Ein Teil der Urkunden ist im Wortlaut abgedruckt, von 5 Stücken,

darunter einer Urkunde der Kaiserin Mathilde, sind Faksimiles beigegeben. Ebenda S. 525 ff. kommt er noch einmal auf die Titulatur des Königs zurück, deren Formulierung 'H. rex Anglorum' der Zeit vor 1173 angehört, während nachher hinter H. die Devotionsformel 'dei gratia' eingeschoben wird. Beigegeben ist wiederum ein Faksimile einer ausserhalb der Kanzlei hergestellten Urkunde des Königs. H. W.

177. Im Nuovo archivio Veneto, Nuova serie n. 28 (68), p. 368—370 veröffentlicht R. Predelli, Testamento d'un crociato von 1202 Okt. (aber mit 'indictione secunda'?!), des Walfram von Clemona (Gemona), der am vierten Kreuzzug teilnehmen wollte. — Ebendort S. 307—323 veröffentlicht Ernesto Degani im Anschluss an seinen Aufsatz 'L'abbazia Benedettina di Sesto in Silvis nella patria del Friuli': 1) Serie degli abbati di Sesto; 2) Atto di donazione del monastero die Sesto (von 762). B. Schm.

178. In der Historischen Zeitschrift XCIX (3 F. III), 495 ff. lehnte Walter Lenel den von B. Schmeidler an der Hand der Urkunden versuchten Beweis ab, dass Venedig 983—1024 unter kaiserlicher Oberherrschaft gestanden habe (vgl. N. A. XXX, 519, n. 279). O. H.-E.

179. Ebenso unerwartet wie erfreulich ist ein Fund, den W. Lenel, Ein Handelsvertrag Venedigs mit Imola vom Jahre 1099 (Vierteljahrsschrift für Sozial- und Wirtschaftsgesch. VI, 228—231) nach Mitteilung von A. Hessel veröffentlicht und erläutert. Der Vertrag ist danach das älteste bisher bekannte Zeugnis für das Bestreben Venedigs, die Zufuhr von Lebensmitteln vom italienischen Festlande sich zu sichern. B. Schm.

180. In Bd. XL der Biblioteca della soc. stor. Subalpina (Pinerolo 1907) publizieren F. Gabotto und A. Fisso 'Le carte dell' archivio capitolare di Casale Monferrato' vol. I (974—1240; 196 Nummern). Von besonderem Interesse sind darin, neben einer Anzahl bekannter Diplome und Papsturkunden seit Paschal II.: ein Placitum des kaiserlichen Legaten Trushard vom 27. Dez. 1193 (n. 53), wodurch seine Anwesenheit in Italien noch genauer fixiert wird (Ficker, Italien. Forschungen II, 147 f.); eine Anzahl, wie es scheint, noch unbekannter Privilegien Innocenz' III., Honorius' III., Gregors IX., wobei in n. 71 ein weiterer Beleg für Innocenz' diplomatisch-kritisches Verfahren gegeben wird; ein Mandat und ein Placitum

des kaiserlichen Legaten, Erzbischofs Albert von Magdeburg (n. 109, vom 21. Juni 1223; n. 110, vom 27. Aug. 1223), ein Mandat des kaiserlichen 'nuncius a Papia sursum' Bertoldus de Castagnole (n. 125, vom 20. Okt. 1225). In n. 128 vom 4. Mai 1228 schliesslich wird ein Brief Friedrichs II. an Vercelli erwähnt. H. W.

181. Im Giornale storico e letterario della Liguria, Anno IX, fasc. 7—9, p. 334—340 veröffentlicht Giovanni Sforza, I più antichi protocolli dell' archivio notarile dell' Aulla (im ehemaligen Herzogtum Massa-Carrara), 10 Urkunden in Regestform von 1293—95 von dem Notar Saladinus olim domini Parentelli de Castro Sarzane. B. Schm.

182. Arrigo Solmi, Sul più antico documento consolare Pisano scritto in lingua Sarda (Archivio storico Sardo II, 149—183), gibt eine neue Edition der vielbesprochenen Urkunde des Judex Mariano für Pisa (1080—85) nach dem Original, der er längere Erörterungen hauptsächlich über die Entstehung des Konsulats in Pisa nach dieser Urkunde und anderen Zeugnissen des 11. Jh. vorausschickt. — Ebenda S. 135—148 stellt P. S. Leicht Appunti nell' ordinamento della proprietà ecclesiastica in Sardegna nell' alto medioevo zusammen. B. Schm.

183. Im Archivio storico Italiano, serie V, t. XLI, 129—143 druckt Ferruccio Rizzelli einen Friedensvertrag zwischen dem Markgrafen Spinetta Malaspina und Pisa von 1343 ab und erläutert ihn. O. H.-E.

184. In den Atti e memorie della R. deput. di stor. patr. per le provincie delle Marche. Nuova serie III, p. 241—320 geben B. Feliciangeli und R. Romani, Di alcune chiese rurali della diocesi di Camerino als Anhang teilweise unedierte Urkunden von 1103 bis 1330. B. Schm.

185. Das 16. Supplementheft der Römischen Quartalschrift (1908) enthält das 'Cartularium Vetus Campi Sancti Teutonicorum de Urbe. Urkunden zur Geschichte des deutschen Gottesackers bei St. Peter in Rom. Gesammelt und herausgegeben von P. M. Baumgarten'. Der erste Teil der Publikation bietet eine Auswahl von 54, grösstenteils päpstlichen, Urkunden von 1420—1579. Die spärlichen Nachrichten aus der Zeit vor Martin V. sind ausgeschlossen geblieben. Der zweite, kleinere Teil enthält

die deutsche und die lateinische Fassung der Satzungen der Brüderschaft vom Campo Santo. Der deutsche Text ist nach der überzeugenden Beweisführung des Herausgebers der ältere. R. S.

186. Im Archivio storico per la Sicilia orientale V (1908), 11—22 publiziert und bespricht C. A. Garufi eine Urkunde des Abtes Amatus von S. Maria de Valle Josaphat (1196), die auch für die Beurteilung der zuletzt von K. A. Kehr untersuchten Fälschungen dieses Klosters Beachtung verdient. R. S.

---

187. In den Analecta Bollandiana XXVII, 3/4, p. 384—390 druckt Albert Poncelet einen angeblichen Brief des Bischofs Johann von Cambrai an Erzbischof Hincmar über die Bischöfe Autbert und Vindician von Cambrai ab, der in Abschrift des 17. Jh. überliefert ist und von Ghesquière benutzt war, und zeigt, dass er gefälscht ist. Man sieht auf den ersten Blick aus Datumszeile und Namensunterschrift des angeblichen Briefschreibers, dass das Stück ein recht kindisches Machwerk ist, das nicht vor dem 16. Jh. entstanden sein kann. O. H.-E.

188. In der Revue de l'instruction en Belgique L, 217 ff. kommt H. Pirenne auf den vielbesprochenen Brief des Kaisers Alexius Komnenus an Robert den Friesen, Grafen von Flandern, zurück und weist überzeugend nach, dass seine Abfassung, wie schon G. Paris und Vasiljeswki angenommen hatten, ins J. 1090 zu setzen ist. Die Umarbeitung des verlorenen griechischen Textes in die uns erhaltene lateinische Redaktion setzt P. ins J. 1095 oder 1096. H. Br.

189. Eine Greifswalder Dissertation von A. Bütow, Die Entwickelung der mittelalterlichen Briefsteller bis zur Mitte des 12. Jh. mit besonderer Berücksichtigung der Theorien der ars dictandi (Greifswald, Adler 1908) behandelt die Schriften des Albericus von Montecassino (wobei die Mitteilung Zdekauers über eine Hs. des Breviariums in Pistoia, Studi Senesi IX, 77, nicht beachtet ist), des Albertus von Samaria (für die merkwürdige Behauptung S. 26, dass die Mönche von Reinhardsbrunn 'sicher sehr häufig' das Amt 'als Geheimschreiber' der Landgrafen von Thüringen bekleidet hätten, fehlt es an jedem Anhaltspunkt; vgl. Posse, Privaturkk. S. 183), die Aurea gemma des Henricus Francigena,

über die wir bis jetzt wenig wussten und hier zuerst eingehendere und dankenswerte Mitteilungen erhalten, die Rationes dictandi des Hugo von Bologna (die Grazer Hs., N. A. XXII, 299, ist dem Verf. entgangen) und die Rationes dictandi einer St. Emmeramer Hs. In ihrem zweiten Teile erörtert sie die in diesen Schriften vertretenen Theorien der Ars dictandi. H. Br.

190. Einen undatierten Brief Papst Gregors IX. an die h. Elisabeth von Thüringen gab K. Wenck mit einem Faksimile von dessen Kopie aus dem 14. Jh. im Hochland V. Jahrg. zu einem Aufsatz 'Die h. Elisabeth und P. Gregor IX.' heraus. — Bei dieser Gelegenheit können wir auch auf den schönen kurzen Lebensabriss der h. Elisabeth hinweisen, den Wenck vor kurzem (Tübingen 1908) veröffentlicht hat. — Auf seinen Wunsch teile ich hier mit, dass ein Aufsatz unter dem Titel 'Die Aussagen der vier Dienerinnen der h. Elisabeth', den er für dieses Heft des N. A. zum Druck einsandte, wegen Raummangels darin nicht mehr gedruckt werden konnte, im nächsten Heft dieser Zeitschrift erscheinen wird. O. H.-E.

191. Aus Cod. Lat. A. IX. 8. fol. 79—84 der Baseler Universitätsbibliothek veröffentlicht P. F. Bliemetzrieder in den Studien und Mitteilungen aus dem Benediktiner- und dem Cistercienser-Orden XXXIX (1908), 120 den Briefwechsel der Kardinäle mit K. Karl IV., betreffend die Approbation Wenzels als Römischen König (Sommer 1378). Die 13 Briefe stammen von Petrus Corsini dd. Rom 10. April 1378, Johann de la Grange, Rom 25. und 28. Mai 1378, Bischof von Spoleto, Rom 14. Mai 1378, Nicolaus Spinelli, Rom 27. Mai 1378, Petrus Corsini, Rom 31. Mai 1378, Petrus Corsini und Robert von Genf, Rom 2. Juni 1378, Wilhelm d'Aigrefeuille, Anagni 30. Mai 1378, Petrus Corsini, Tivoli 22., 26. u. 27. Juli 1378, Bischof von Spoleto, Tivoli 26. Juli 1378, Simon Borsano, 25. Mai 1378.
Die Erläuterungen des Verfassers wollen die Ausführungen von S. Steinherz 'Das Schisma von 1378 und die Stellung Karls IV.' (Mitt. des Inst. f. Oesterr. Geschichtsf. XXI, 599) ergänzen. B. B.

192. Der Aufsatz von Giovanni Collino über die diplomatischen Beziehungen zwischen Florenz und Bologna während der Vorbereitung des Krieges der verbündeten Visconti von Mailand und Venedig gegen die Carrara, die Herren von Padua (1388), im Archivio storico

Lombardo, serie IV, anno XXXIV, fasc. 16, p. 209—289 beruht zum grössten Teil auf Aktenstücken des Florentiner Staatsarchivs, aus dem viele Briefe im Wortlaut mitgeteilt werden. O. H.-E.

193. Lodovico Frati macht im Archivio storico Italiano, serie V, t. XLI, 144—151 einige Mitteilungen aus dem Registrum, das der Kardinal Ludwig Fieschi während seiner Legation in Bologna 1412—13 führen liess, namentlich über mehrfach erteilte Erlaubnis, genannte Bücher nach auswärts auszuführen. O. H.-E.

194. In den Verhandlungen des hist. Vereins von Oberpfalz u. Regensburg LVIII (n. F. L), 140 f. druckt J. Knöpfler ein Schreiben des Landgrafen Johann von Leuchtenberg an K. Siegmund vom 28. Okt. 1421, betr. Grafenwöhr. H. W.

195. In den Mélanges d'archéologie et d'histoire de l'école française de Rome XXIII (1903), 419—425 druckte J. Calmette, 'L'élection du pape Nicolas V. (1447) d'après une lettre du prieur catalan de Sent Lorens de Mont' einen Brief des Fra Cruilles an den Rat von Barcelona. E. M.

196. In den Mitteilungen des Vereines für Geschichte der Deutschen in Böhmen XLVI (1908), 392 druckt A. Bernt das Original des Urfehdebriefes Friedrichs von Schönburg mit dem Saazer Kreise im J. 1451 ab, von dem Palacky in seinen 'Urkundlichen Beiträgen zur Geschichte Böhmens im Zeitalter Georgs von Podiebrad', 1860, S. 21 ff. nur eine unvollständige Abschrift aus einem Wittingauer Kopialbuch kannte. Die Urkunde ist in deutscher Sprache abgefasst. B. B.

---

197. W. Meyer, Ueber Handschriften der Gedichte Fortunats (Nachrichten der K. Ges. der Wiss. zu Göttingen, Philol.-hist. Kl. 1908, S. 82 ff.), zeigt, dass Leo die von ihm nicht benutzte Londoner Hs., Brit. Mus. Add. 24193, unterschätzt hat und bringt aus ihr und anderen Hss. Nachträge zum kritischen Apparat und verwertet sie für die Textgeschichte. An dem auch in sehr alte Legendarien aufgenommenen Gedicht auf Medardus II, 16 weist er nach, wie stark die merowingischen Schreiber den Text verändert haben, denn keine einzige Variante dieser bis in das 7. Jh. zurückreichenden Ueberlieferung scheint richtig zu sein. B. Kr.

198. W. Meyer, Ein Merowinger Rythmus über Fortunatus und altdeutsche Rythmik in lateinischen Versen (Nachrichten der K. Gesellschaft der Wiss. zu Göttingen, Philol.-hist. Klasse 1908, S. 31 ff.), hat aus zwei Hss. von Fortunats Gedichten einen Lobgesang auf die Gastfreundlichkeit der Stadt Poitiers gegen geistig hochstehende Fremdlinge ans Licht gezogen, der in eine Huldigung Fortunats ausklingt, die wohl dem Lebenden gegolten hat. Dem Entdecker verdanken wir zugleich die richtige Deutung der nicht leicht zu verstehenden Poesie und die technische Erläuterung der Form, wobei auch für den von P. v. Winterfeld veröffentlichten Hymnus des Königs Chilperich auf den heiligen Medardus einige Verbesserungen abfallen. Aus dem übrigen Inhalt der Abhandlung seien noch die Ausführungen über den Versbau von Ekkehards lateinischer Uebersetzung von Ratperts Lobgesang auf den heiligen Gallus und über die Verse der Dhuoda hervorgehoben, deren von Traube weggelassenes Gedicht 'De temporibus tuis' Meyer zum Abdruck bringt.
B. Kr.

199. Unter dem Titel 'Poesia latina medievale' (Catania 1907) veröffentlicht C. Pascal eine kleine Sammlung von Abhandlungen, deren zweite 'Roma vetus' in nicht ganz überzeugender Weise ein in den Mirabilia überliefertes Epigramm auf die Stadt Rom, das Jordan ins 12. Jh. gesetzt hatte, der Karolingerzeit zuzuweisen versucht. Etwas einseitig ist der letzte Aufsatz 'Antifemminismo medievale', der sich zu der kühnen Behauptung versteigt: 'Il medio evo fu dunque tutto un solo grido di vituperio contro le donne'. Die Titel der beiden anderen sind: 'Le miscellanee poetiche di Ildeberto' und 'I carmi medievali attribuiti ad Ovidio'. R. S.

Neben einer Reihe von schon bekannten Gedichten, die meist unter Benutzung neuer handschriftlicher Quellen zum Abdruck gelangen, werden in dem Buche einige bisher unbekannte Stücke, zumal in den beiden letzten Abschnitten, mitgeteilt. S. auch Deutsche Lit.-Zeitung 1907, Sp. 3165—3169. J. W.

200. In der zweiten Folge seiner Lateinischen Hymnendichter des Mittelalters 1907 (= Analecta hymnica medii aevi, Bd. L) lässt G. M. Dreves 51 Verfasser von Hymnen, Sequenzen u. s. w. von Hilarius von Poitiers bis Johannes Tisserand († 1494) zu Worte kommen. Dass Gregor der Gr. nicht mehr unter diese gerechnet

werden dürfe, hat Dr. in der Tübinger Theol. Quartalschrift LXXXIX (1907), 548—562 (Haben wir Gregor den Gr. als Hymnendichter anzusehen?) verneint, donec probetur[1]. Auch da, wo Dr. frühere Arbeiten wieder aufnimmt (Ambrosius, Gottschalk vom Limpurg, Philippe de Grève), ist es ihm meist gelungen, neues Material beizubringen. Auffällig ist, dass Dr. gerade in den Angaben der Lesarten von Hss., die in München liegen, (wo er sich während des Druckes aufgehalten hat), sich oft irrt, d. h. frühere Kollationen nicht nachgeprüft hat. J. W.

201. Blume weist im III. Bande der von ihm und Dreves herausg. Hymnologischen Beiträge: Der Cursus s. Benedicti Nursini und die liturgischen Hymnen des 6.—9. Jh. in ihrer Beziehung zu den Sonntags- und Ferialhymnen unseres Breviers (1908) nach, dass im 9. Jh. zwei grundverschiedene Hymnenreihen neben einander bestanden, von denen die eine schon zur Zeit des h. Benedikt mehr oder minder im Gebrauch war und durch dessen Cursus feste Anordnung und allgemeinere Geltung erhielt, die andere irischen, also jüngeren Ursprungs war und im 9. Jh. die ältere Gruppe völlig verdrängte, resp. z. T. aufsog. Sehr bestechend ist seine weitere These, dass die Verdrängung des älteren Benediktinerhymnars zusammenfalle mit der während der Karolingerherrschaft (im 9. Jh.) erfolgten Einführung von Hymnen ins römische Brevier, das bis dahin ohne Hymnen war, d. h. dass bei dieser Neuerung die von Norden her vordringende jüngere Hymnenreihe den Sieg davongetragen habe, wie auch andere Aenderungen im römischen Officium auf fränkische Einflüsse zurückgehen. In einer Nachschrift, worin der Abschluss der Analecta hymnica in 57 Bänden in nahe Aussicht gestellt wird, nimmt Blume Freres Angriff auf die sanctgallischen Ansprüche in der Sequenzendichtung wieder auf. J. W.

202. G. M. Dreves, Hymnologische Studien zu Venantius Fortunatus und Rabanus Maurus (Veröffentlichungen aus dem Kirchenhistorischen Seminar München, 3. Reihe III), 1908, behandelt die in Leos Ausgabe von Fortunat (Auct. ant. IV, 1) unter die Spuria verwiesenen Dichtungen und nimmt davon nach ein-

---

1) Cl. Blume, Gregor d. Gr. als Hymnendichter (Stimmen a. Maria-Laach LXXIV [1908], 269—278) sucht ihm Hymnen, die in irischen Handschriften vorkommen, zuzuweisen.

gehendem Stilvergleich, wie früher schon den Hymnus n. 4 (p. 382 f.), das umfangreiche Marienlob n. 1 (p. 371—380) sowie den Weihnachtshymnus n. 7 (p. 384) und das Marienlied n. 8 (p. 385) für Fortunat in Anspruch, wohl mit Recht, wenn ich auch nicht alle Einzelheiten der Beweisführung in gleichem Masse für verwendbar halten möchte; beiläufig stellt er fest, dass die Verse n. 3 (p. 382) auf Martial die Einleitung zu dessen Leben von Pseudo-Aurelian bilden. — Im zweiten Teil des Buches untersucht Dreves die Frage nach dem Verfasser der Hymnen, die Brower aus einer grossenteils verlorenen Hs. zwischen anderen Gedichten Hrabans unter dessen Namen veröffentlicht, jedoch Dümmler (Poetae II) bis auf zwei entweder ganz aus seiner Ausgabe weggelassen oder als Hymnen 'incertae originis' bezeichnet hat, und kommt nach Ausscheidung einiger Stücke durch sorgfältige Vergleichung mit dem Sprachgebrauch der anerkannt echten Gedichte Hrabans zu dem im wesentlichen überzeugenden Ergebnis, dass in der Tat diese Hymnen mit jenen Ausnahmen demselben Verfasser angehören. W. L.

203. Waltharius und der ags. Waldere lassen den Helden mit Gunther und seinen Leuten, das in Bruchstücken erhaltene mhd. Gedicht und die Thiðrekssaga mit den nachsetzenden Hunnen kämpfen. Weil die zweite Sagengestalt logischer und trotz ihrer jüngeren Ueberlieferung älter erscheine, sucht J. Seemüller in den Mélanges Godefroid Kurth (Liége, imprimerie H. Vaillant-Carmanne, 1908) p. 365—371 den Nachweis zu führen, dass Ekkehard I. zwei selbständige Lieder benutzt habe, deren eines ausführlich Walthers Flucht von Attilas Hofe, knapp seinen Streit mit den hunnischen Verfolgern schilderte, während das andere nur den Kampf mit Gunther und Hagen, unter Rückblicken auf die Vorgeschichte, zum Gegenstand hatte. E. St.

204. Die Frage nach der Herkunft der lateinischen rhythmischen Dichtung ist durch W. Brandes (des Auspicius von Toul rhythmische Epistel an Arbogastes von Trier, Wissensch. Beilage zum Jahresb. des herzogl. Gymn. zu Wolfenbüttel, 1905) von neuem in Fluss gekommen. Der Verf. nimmt die verbreitete Anschauung wieder auf, dass die rhythmische Dichtung sich allmählich in der Weise aus der metrischen entwickelt habe, dass an Stelle der vom Versakzent getroffenen langen Silben die vom Wortakzent getroffenen traten, und glaubt in dem Gedicht des

Auspicius ein Beispiel dieses angenommenen Überganges gefunden zu haben. Demgegenüber legte W. Meyer, gegen den Brandes sich in erster Linie wandte, in den Gött. Nachrichten 1906, S. 192 ff. dar, dass diese Ausführungen auf der Verkennung eines wichtigen Gesetzes beruhen: die von Brandes beobachteten Tatsachen erklären sich daraus, dass Auspicius seine rhythmischen jambischen Dimeter mit einer Caesur versieht; die Mechanik der lateinischen Betonung bringt es aber mit sich, dass bei Einführung dieser Caesur metrische und rhythmische jambische Dimeter (mit Ausnahme des Versanfanges bei Caesur nach der 5. Silbe) denselben Tonfall haben müssen. W. Meyers Aufsatz bespricht P. Maas in der Byzantin. Zeitschr. XVII, 239. Auspicius müsste mehrere tiefeingreifende rhythmische Regeln ganz sinnlos und mechanisch durchgeführt haben, wenn er sich nicht um den Wortakzent im Innern gekümmert hätte. Besonders die streng durchgeführte Vermeidung der Formen —∪∪|—́∪|—∪∪ und ∪́∪—∪∪|—∪∪ (also daktylischen Wortschlusses) fordere eine Erklärung aus dem tatsächlich empfundenen Rhythmus; und die Tatsache, dass die Formen —∪|∪—́ ... zugelassen sind, wo —∪∪|—́ gemieden wird, lasse vermuten, dass paroxytonische Wortschlüsse an den betreffenden Versstellen dem Rhythmus weniger widerständen als die ersten 2 Silben eines Proparoxytonons. Dieser Rhythmus sei der alternierende. Zum Vergleiche zieht Maas aus der mittelgriechischen Metrik eine mit der Strophe des Auspicius identische Periode von 4 alternierenden proparoxytonischen Achtsilbern heran. Also im Westen wie im Osten tauche um das Ende des 5. Jh. dieselbe Langzeile auf, aus derselben Ursache entsprungen, dem gleichzeitigen Wandel der beiden nahverwandten Sprachen vom quantitierenden zum expiratorischen Prinzip. Dieser Angriff hat W. Meyer zum zweiten Mal auf den Plan gerufen. W. Meyer, Lateinische Rythmik und byzantinische Strophik, Götting. Nachr. 1908, S. 194 ff. Er hält, wie mir scheinen will, mit vollem Recht, an seinen Darlegungen fest und weist vor allem den Vergleich mit der byzantinischen Dichtung zurück. Es seien Tausende von rhythmischen ambrosianischen Strophen gedichtet worden, die nicht regelmässig die 4. Silbe betonen, also nicht nach byzantinischem Muster gebaut seien. Wenn in den 41 Strophen des Auspicius und einigen wenigen andern diese Betonung sich finde, so lasse sich das ohne Mühe aus der Anwendung der Caesur erklären. Vor allem polemisiert W. Meyer gegen die Heranziehung des 'der

Menschheit seit Ewigkeit in Blut und Schritt pulsierenden alternierenden Rhythmus'; wäre dieser in der mittellateinischen Dichtung durchgeführt, so würde eine Monotonie ausgebrochen sein, die man sich nur in Gebeten und Busspredigten gefallen lassen könne. — Im Anschluss daran gibt Meyer aus der Berner Hs. 611 einen alten ungedruckten Rhythmus über die Dreieinigkeit in steigenden Achtsilbern heraus. Die Form ist sehr roh, aber wenn das Gedicht zahlreiche Siebensilber aufweist, so ist dies, wie W. Meyer mir nachträglich mitteilte, nur scheinbar, die meisten enthalten ein mit gedecktem s anlautendes Wort; so muss gleich der zweite Vers gelesen werden 'espiritus sanctissimus'. Der Rhythmus tritt also zu einer ganzen Gruppe dieser Gedichte, deren Heimat mit ziemlicher Sicherheit in Frankreich zu suchen ist. Vgl. meinen Aufsatz im nächsten Heft dieser Zeitschrift. K. Str.

205. In den Fragmenta Burana hatte W. Meyer nachgewiesen, dass die Münchener Hs. 4660, die uns die Carmina Burana erhalten hat, in Unordnung geraten ist und ursprünglich fol. 43—48 vor fol. 1 ff. gestanden haben. Da also der Anfang der Hs. verloren ist und fol. 43 mit dem Schluss eines Gedichtes, ja mit der zweiten und dazu korrupten Hälfte eines Wortes beginnt, so würde sich der Anfang der zukünftigen, sehnlichst erwarteten Ausgabe hässlich ausgenommen haben. In den Nachrichten der K. Gesellsch. der Wiss. zu Göttingen 1908, S. 189 ff. weist W. Meyer nun nach, dass das Gedicht, von dem hier nur der Schluss erhalten ist, bei Wright, Walter Mapes S. 226 f. steht; zugleich wird ein verbesserter Text gegeben, wobei eine dritte Hs. aus Cambridge benutzt wird. K. Str.

206. Wie W. Meyer vor 2 Jahren (Nachrichten der K. Gesellsch. d. Wiss. zu Göttingen, 1906) die Geschichte des grandmontenser Ordens durch 4 Rhythmen aufhellte, so bringt er jetzt (ebenda 1908, S. 377 ff.) 2 Gedichte zur Geschichte des Cisterzienserordens. Das erste, a. 1130 von einem sonst unbekannten Paganus, der den Beinamen Bolotinus trug, in einem wunderbaren Metrum (3 Adonier sind zu einem Hexameter vereinigt, die Hexameter reimen paarweise, fast immer zweisilbig) verfasst, gibt der Unzufriedenheit des Dichters mit der Unruhe, die das Mönchsleben ergriffen hat, Ausdruck und scheint sich vor allem gegen die Cisterzienser zu wenden. W. Meyer meint sogar, in dem vorkommenden 'pseudopropheta' werde Bernhard von Clairvaux direkt angegriffen.

Das zweite Gedicht ist Ende des 13. Jh. in England entstanden und weist ziemlich feine Formen auf. Der Dichter ist kein Freund des intensiven landwirtschaftlichen Betriebes im Cisterzienserorden, insbesondere wird ein beim Wollhandel vorgekommener unangenehmer Einzelfall verallgemeinert und als Auswuchs der ganzen Richtung gegeisselt. K. Str.

207. Das Gedicht in Spottlatein 'Quondam fuit factus festus', das aus Peipers Gaudeamus 1879, S. 191 (vgl. auch Du Méril 1847, S. 214) bekannt ist, weist W. Meyer in den Nachrichten der K. Gesellsch. d. Wiss. zu Göttingen 1908, S. 406 ff. in 5 Hss. nach, deren Fassungen aber ausserordentlich von einander abweichen. 2 stammen aus England, und hier ist auch das Gedicht wohl in der ersten Hälfte des 14. Jh. entstanden, 1 aus Frankreich, 1 aus Süddeutschland, 1 aus Schlesien. Da die Zahl der Strophen zwischen 12 und 62 schwankt, ist der Abdruck so eingerichtet, dass zunächst die mehreren Hss. gemeinsamen zusammengestellt sind und dann die Eigentümlichkeiten jeder einzelnen Fassung hervorgehoben werden. Der Herausgeber spricht die recht einleuchtende Vermutung aus, dass dies Gedicht, das sich von seiner englischen Heimat aus auf dem Festlande verbreitete, auf die Verfasser der Epistolae obscur. virorum anregend gewirkt habe.

Ebenfalls unter dem Einflusse dieses Gedichtes scheint ein anderes Spottlied in einer Sammelhs. von Breslau entstanden zu sein; Inhalt und Form machen die Verwandtschaft wahrscheinlich. Der Abdruck geschieht so, dass neben die Urschrift eine Umschrift in normales Mittellatein gestellt wird. Ich glaube, das war nicht überflüssig, und man könnte sehr dankbar sein, wenn auch bei dem ersten Gedichte dies Verfahren eingeschlagen wäre.

K. Str.

208. In den Mélanges Godefroid Kurth (Liège 1908) gab Joseph Brassinne ein Gedicht von 46 Versen über die Schenkung des Dorfes Seny an den h. Trudo heraus, für dessen Dichter er wohl mit Recht Rodulf von St.-Trond, den Verfasser der Gesta abbatum Trudonensium, erklärt. O. H.-E.

209. Ueber die juristischen Studien und Kenntnisse von Dante Alighieri handelt Luigi Chiappelli im Archivio storico Italiano, serie V, t. XLI, 1—44.

O. H.-E.

210. In den Forschungen z. Gesch. Bayerns XVI, 120 veröffentlicht M. Gertraudis aus einem Kopialbuch der Abtei Frauenchiemsee eine Gebetsverbrüderung (1286 Juni 2) zwischen diesem Kloster und Raitenhaslach. H. H.

211. Als Festschrift für die Jahresversammlung des Hansischen Geschichtsvereins und des Vereins für niederdeutsche Sprachforschung Pfingsten 1908 hat der Verein für Rostocks Altertümer im Auftrage der Seestadt Rostock das 'Rostocker Weinbuch von 1382—1391' veröffentlicht, dessen Bedeutung für die politische Geschichte dieser Zeit Koppmann in den Hans. Geschichtsbl., Jahrg. 1898, an einem Beispiel gezeigt hat. Das 'Weinbuch' ist ein Rechnungsbuch, das die Präsente an Wein, Bier, Met und Spezereien verzeichnet, die von 1382—1391 von der Stadt ausgegeben wurden. Die Herausgeber E. Dragendorff und L. Krause haben sich mit ihrer sorgsamen Arbeit den Anspruch auf den Dank aller Interessenten erworben. Eine Einleitung und ausführliche Register mit mancherlei Erläuterungen aus den Rostocker Archivalien erleichtern die Benutzung. Zwei vorzüglich gelungene Lichtdrucktafeln sind beigegeben. A. H.

212. Unter den 'Kleinen Beiträgen zur Geschichte der Deutschen im südlichen Böhmen und insbesondere in Krummau', die A. Mörath in den Mitteilungen des Vereins für Geschichte der Deutschen in Böhmen sammelt, findet sich Jahrg. XLV (1907), 554 ein deutsches Zinsregister des Gerichtes Reichenau a. d. Maltsch vom Ende des 15. Jh. B. B.

213. Wertvoll für Wirtschafts- und Ortsgeschichte ist das im J. 1272 begonnene Polyptique (Einkünfteverzeichnis) der Abtei Villers, das E. de Moreau S. J. und J. B. Goetstouwers S. J. recht sorgfältig, soweit man urteilen kann, mit vielen zweckmässigen Verweisen auf das Urkundenbuch des Klosters herausgegeben haben (Louvain 1908). O. H.-E.

214. In den Annales de la soc. d'émulation de Bruges LVIII, 22 sqq. bringt L. Gilliodt-van Severen Auszüge aus den Brügger Stadtrechnungen über die für Boten und Kuriere in den Jahren 1280—1344 gemachten Ausgaben. H. W.

215. Im 37. Jahresbericht der historisch-antiquar. Gesellschaft von Graubünden (Chur 1908) S. 33 ff. publi-

ziert und erläutert F. Jecklin das älteste Churer Steuerbuch vom J. 1481. H. W.

216. Paul Lehmann, Erzbischof Hildebald und die Dombibliothek von Köln (Zentralblatt für Bibliothekswesen XXV, 1908, S. 153—158), weist mit Recht darauf hin, dass das Hss.-Verzeichnis der Kölner Dombibliothek von 833 nicht die von Leo III. an Karl d. Gr. gesandten Bücher umfasst, sondern nur dadurch in diesem Sinne erklärt worden ist, dass gleich Gelenius der Herausgeber A. Decker (Festschrift der 43. Versammlung Deutscher Philologen und Schulmänner dargeboten von den höheren Lehranstalten Kölns, 1895, S. 215 ff.) irrtümlich eine Eintragung darauf bezogen hat, die nicht das Verzeichnis betrifft, sondern nur den Codex, in den es nachträglich aufgenommen worden ist. W. L.

217. Einen Katalog der Bibliothek von S. Zeno in Verona aus dem Jahre 1400 veröffentlicht A. Avena in den 'Atti e memorie dell' Accademia di Verona' ser. IV, vol. VII (1907), 291—299. R. S.

218. Die Ausgabe, welche Caspar Hedio 1536 von der Expositio libri comitis des Smaragd von St. Mihiel veranstaltete, ist durch zahlreiche Flüchtigkeiten und Ungenauigkeiten entstellt, die auch in dem von Pitra besorgten Wiederabdrucke bei Migne nur zum kleineren Teile beseitigt sind. Es ist daher zu begrüssen, dass A. Souter in dem Journal of theological Studies IX (1908), 584—597 dem künftigen Neuherausgeber durch eine Anzahl von Notizen und Nachträgen vorzuarbeiten versucht. Sie beziehen sich namentlich auf die älteren Erklärer, die Smaragd expiliert, und sind um so dankenswerter, als sich unter diesen mehrere Autoren befinden, die in der übrigen mittelalterlichen Literatur nur selten oder überhaupt nicht wieder erscheinen: Pelagius, von welchem Souter eine Ausgabe vorbereitet, Viktor von Capua und ein gänzlich unbekannter Figulus, Frigulus oder Fidolus.

S. Hellmann.

219. Mit dem Versuch, weitere antike Elemente ausser den bisher schon gefundenen in der Sibylla Tiburtina nachzuweisen beschäftigt sich Franz Kampers im Hist. Jahrbuch XXIX, 1—29. 241—263. O. H.-E.

220. In den Annales de la soc. d'émulation des Bruges LVIII, 69 sqq. druckt C. Callewaert den Text

des Protokolls von der ersten am 30. Juli 1084 erfolgten Erhebung der Reliquien der hl. Godeleva zu Ghistelles nach den in späteren Protokollen von 1380 und 1557 erhaltenen Kopien. Die Echtheit des Berichts von 1084 wird wesentlich auf Grund der Zeugenliste erwiesen. Beigegeben ist ein Faksimilefragment des sehr zerstörten Protokolls von 1380. H. W.

---

221. Der erste Band des Codice paleografico Lombardo, den Herr Giuseppe Bonelli vom Staatsarchiv zu Mailand herausgibt (Mailand, Hoepli 1908), leitet ein grossartiges Unternehmen ein, dessen Vollendung freilich nur möglich sein wird, wenn Verleger und Herausgeber vielseitige und reichliche Unterstützung finden. Der Plan ist die Veröffentlichung von Lichtdruck-Faksimiles aller Originalurkunden bis zum Jahre 1000, die sich in staatlichen und anderen Archiven der Lombardei befinden — eine gewaltige Aufgabe, auch wenn der Begriff der Lombardei (wie das die Absicht des Herausgebers zu sein scheint) im engsten Sinne gefasst wird, aber allerdings eine Aufgabe, deren Lösung im höchsten Masse verdienstlich und willkommen sein würde. Der vorliegende erste Band enthält auf 23 Tafeln die 22 Urkunden des 8. Jh. (721—799), die sich in Mailand (17) und Bergamo (5) befinden. Der Herausgeber hat von jeder historischen, diplomatischen oder palaeographischen Kommentierung der z. T. auch inhaltlich und sprachlich interessanten Urkunden abgesehen, die bis auf n. 7 (das oft besprochene Diplom Aistulfs, dessen Originalität bestritten ist, das aber jedenfalls aus dem 8. Jh. stammt und also hierhergehört) sämtlich privaten Ursprungs sind; er beschränkt sich auf eine Transskription der Texte, ohne dabei, wie bei ähnlichen Publikationen meist geschieht, die bei der Auflösung von Abkürzungen ergänzten Buchstaben besonders zu kennzeichnen. Das hat freilich seine Nachteile; denn bei diesen Notarurkunden und ihrer äusserst verdorbenen Latinität sind keineswegs alle diese Auflösungen sicher; auch wenn ich absehe von Abbreviaturen, wie etwa 'ūd̄' (was Bonelli bald zu 'vir discretus', bald zu 'vir devotus' ergänzt) oder 'scul', was er 10, 5 zu 'scultasii' auflöst, während noch verschiedene andere Formen ebenso möglich sind, bleibt es in manchen Fällen durchaus zweifelhaft, welche Endung der Notar einem abgekürzten Worte, wie z. B. 'fil.' zu geben gedachte, und mehrfach sind 'filius', 'filii', 'filio' gleich denkbar. Ich würde es für geraten halten, was wir z. B. auch in der Diplomata-Ausgabe

getan haben, in allen Fällen, in denen für die Auflösung der Abkürzung keine sicheren Anhaltspunkte vorhanden sind, ganz darauf zu verzichten und nur wiederzugeben, was wirklich geschrieben ist; der Leser solcher Texte versteht 'fil.' ebenso gut wie 'filius'. Abgesehen von diesen allgemeinen Bedenken sind die Transskriptionen Bonellis recht sorgfältig und genau; ich habe bei der Kollation einer Anzahl Tafeln nur sehr wenige Stellen gefunden, an denen ich abweichend lese; ein paar Mal (z. B. 1, 22. 3, 4. 3, 10. 4, 23. 5, 24. 14, 14. 22, 9) ist 'con'- statt 'com'- oder 'in'- statt 'im'- zu schreiben; von erheblicheren Abweichungen meiner Lesung von der Bonellis möchte ich nur 4, 8 'cesseret' statt 'esseret', 4, 13 'paruet' statt 'pariet', 5, 17 'qui a (für 'ad') no' (für 'nos') statt 'quia no', 13, 5 'Theutdoin' statt 'Theutdo in' erwähnen. — Zu T. 11. 12 und 20 hat E. Châtelain die Lesung der Tironischen Noten beigesteuert, die bei 11 in dorso, bei 20 am oberen Rande der Vorderseite stehen. Sie waren bisher unbekannt und sind für die neuerdings viel erörterte Frage nach der Natur und Bedeutung der Dorsualkonzepte wichtig. — Die Ausführung der Tafeln verdient alles Lob; vergleiche ich T. 7, die oben erwähnte Urkunde Aistulfs mit der etwas verkleinerten Faksimile desselben Diploms in den Mon. paleograph. sacra T. 12, so sieht zwar die letztere Abbildung auf den ersten Blick schärfer und gefälliger aus, bei näherer Prüfung wird man aber erkennen, dass die Bonellis deutlicher und leichter lesbar ist, was z. B. bei der Datierung besonders stark hervortritt. Wir wünschen dem verdienstlichen Unternehmen den besten Fortgang.

H. Br.

222. Die Originalurkunden der Merowinger-Könige liegen jetzt in neuer prächtiger Lichtdruckreproduktion vor: Les diplômes originaux des Mérovingiens, Fac-similés phototypiques avec notices et transcriptions publiés par Ph. Lauer, Ch. Samaran. Preface par Maurice Prou. Paris, Leroux, 1908. Fol., IX und 30 S. Text und 48 Tafeln. (Der Zählung nach 43, aber die Taf. 3, 4, 6, 12, 13 doppelt). Die Reproduktionen sind etwas verkleinert, wohl mit Rücksicht auf ein handliches Format und einen erschwingbaren Preis. Doch hält sich diese Verkleinerung fast durchaus in bescheidenen Grenzen und erreicht nur in Taf. 37 ein gutes Drittel, in Taf. 26 2/5 und in Taf. 31 allerdings die Hälfte der linearen Ausdehnung der Vorlage. In anderen Fällen ist bei Vorlagen

grossen Formats Verteilung auf zwei Tafeln gewählt (s. oben). Der Grad der Verkleinerung lässt sich in jedem Einzelfalle dadurch leicht erkennen, dass die Herausgeber auf jeder Tafel die Masse der Vorlage genau anmerkten. Die Lichtdrucke aus dem Atelier Berthaud sind von grösster Schärfe. In der Wiedergabe der zum Teil sehr übel erhaltenen Urkunden ist hier das Mögliche geleistet; auch Tintenunterschiede lassen sich mit ausreichender Sicherheit erkennen. Nach den 38 noch erhaltenen Originalen, von denen eines auf der Bibliothèque nationale, alle anderen aber in den Archives nationales zu Paris verwahrt sind, werden, sehr willkommen und verdienstvoll, auf Taf. 39—42 die Dorsualvermerke reproduziert, bei denen die Tironischen Noten eine zum Teil recht bedeutende Rolle spielen; auf Taf. 43 folgen endlich die wenigen noch erhaltenen Merowinger-Siegel. Die sehr beachtenswerte Vorrede von M. Prou verbreitet sich neben anderen diplomatischen Fragen vor allem über die des Titels der Merowinger-Könige. Unter Zusammenstellung des ganzen Materials entscheidet sich Prou gleich J. Havet für die Deutung von 'u. inl.' als 'viris inlustrebus', nicht als 'vir inluster'. In gleichem Sinne ist die Kürzung auch von Lauer und Samaran in den Transskriptionen der Texte aufgelöst. Auch zu nochmaliger Erörterung dieser Streitfrage bildet die neue Publikation jetzt die wichtigste Grundlage. Die Texte sind mit grösster Sorgfalt und Zuverlässigkeit hergestellt. Ich habe hier, soweit ich bisher nachprüfte, nur ein wesentliches Versehen bemerkt. In Taf. 25 ist der Nachtrag zwischen Z. 14 und 15 zu lesen 'et viracis (= veraces) ipsas esse cognovit' nicht 'et visa eis' etc. Die Herausgeber sind hier die Opfer eines in der Tradition allerdings ganz festgewurzelten Lesefehlers geworden. Der Schluss des Textes gibt eine sehr nützliche vergleichende Tabelle zur älteren Faksimile-Ausgabe von Letronne-Tardif und zu den Drucken von Pardessus, Tardif und Pertz. Für palaeographische und diplomatische Untersuchungen wird das neue Tafelwerk fortan grundlegende Bedeutung gewinnen, und wir wissen den Herausgebern für ihr Werk herzlichen Dank. M. T.

223. Durch das neue Tafelwerk von Lauer und Samaran ist erst ein sicheres Urteil über die Arbeit von M. Jusselin möglich geworden 'Notes Tironiennes dans les diplômes Mérovingiens' (Bibl. de l'école des chartes, 1907, LXVIII, 1—28). Wenn irgendwo, so lässt

sich hier an einem lehrreichen Beispiel erkennen, was entsagende Arbeit heisst. Auf 28 Seiten drängt sich der Ertrag unsäglicher Mühe, gründlichen Könnens und nicht gewöhnlichen Scharfsinns zusammen. Unbefriedigend fiel nur eines aus, die Reproduktionen, die J. auf zwei Tafeln von den sämtlichen Noten zusammengedrängt hatte. Bei diesen schwierigsten aller Noten darf unter keinen Umständen das Gutdünken eines noch so sachkundigen Bearbeiters über die Frage entscheiden, was er für eine Reproduktion auswählt, sondern er muss das ganze Rekognitionszeichen samt Noten und Schnörkeln in photographischer Reproduktion zur Nachprüfung vorlegen. Diese ist jetzt an der Hand der neuen scharfen Lichtdrucke möglich, und sie zeigt doch, dass Jusselins Faksimiles an mehr als einer Stelle kleiner Verbesserungen und Berichtigungen bedürfen. An Ertrag stehen die erst von J. — und unbedingt richtig — entzifferten Noten der Rückseite von Taf. 20 (— ich zitiere die Urkunden fortan stets nach Lauer-Samaran —) obenan. Sie bilden, wie schon J. S. 17 zutreffend erkannte, das willkommene Seitenstück zu den Noten, die ich auf der Rückseite von DK. 116 gelesen und über die ich im XXL Bd. der Mitteil. d. Inst. f. Oesterr. Geschichtsf. berichtet hatte. Auch hier handelt es sich um die Aufzeichnung eines Voraktes, bestehend aus einem wichtigen Satz, der dann auch in die auf der Vorderseite stehende Ausfertigung der Urkunde überging. Jusselin hat dadurch für die so wichtige wie noch vielfach dunkle Konzeptfrage einen neuen, willkommenen Beitrag geliefert. — Im übrigen hat J. die älteren Lesungen von Kopp, Tardif, Havet nachgeprüft, mehrfach berichtigt und seine Vorgänger weit überholt. Ganz ans Ziel ist allerdings auch er nicht gelangt; die Noten in Taf. 16, 18, 23, 29, 30 bleiben für uns nach wie vor Rätsel, und auch sonst ist bei der, wie ich in Uebereinstimmung mit J. wiederhole, unsäglich schwierigen Materie noch manches zweifelhaft. In den verhältnismässig gut lesbaren Noten von Taf. 33 möchte ich eine meines Erachtens sichere Verbesserung vorschlagen 'ordinante domno nostro' statt einfach 'domno'. Für meine Lesung spricht sowohl die Richtung des angefügten 'n' wie die Stellung des Beizeichens, und ich gebe zu bedenken, ob die gleiche Aenderung nicht auch noch bei ein paar anderen Lesungen einzutreten hat (so Taf. 22). In Taf. 31 ist die Lesung 'per anolo Grimaldi maiore domus' nicht unmöglich, aber kühn, und der Beginn wird dadurch nicht wahrscheinlicher, dass ich, den Endungen gemäss, eher 'Grimaldo maiorem domus' zu sehen glaube (bei Merowingischer Latinität ist allerdings manches möglich). In Taf. 34 ist mir die ähnliche Lesung 'per anolo Raganfridi' in hohem Masse zweifelhaft und in Taf. 37 'per anolo Ramoser' kaum noch möglich. Alle drei bedürfen zusammenhängend noch der Ueberprüfung. In Taf. 36 stimme ich J. in der Zurückweisung der Lesung 'sigillavit' von Tardif vollkommen zu, ebenso bei Taf. 21. In Taf. 35 sind nur noch ganz schwache Spuren von Noten vorhanden, die Lesung von J. ist daher auch kaum zu kontrollieren. In Taf. 38 scheint es mir fraglich, ob überhaupt Noten vorhanden sind. Ueber die Noten von Taf. 17 (= Arndt-Tangl Heft I, Taf. 10) habe ich mich mit J. schon einmal auseinandergesetzt, worauf er jetzt eingehend erwidert. Meine Lesung der Noten im Chrismon 'Iesu Christi' halte ich auch jetzt gegen Jusselins Text 'In nomine Christi' aufrecht und verweise einfach darauf, wie recht verschieden in der von demselben Referendar Uulfolaecus rekognoszierten Urkunde Taf. 24 das 'in nomine Christi' geschrieben ist. Dagegen gebe ich unumwunden zu, dass ich bei der Lesung 'Uulfoleus' ein Opfer der ungenauen Reproduktion der ersten Note im Steindruck der Arndt'schen Tafeln wurde. Wenn ich früher die Möglichkeit der Deutung dieses Zeichens zu 'ul' annahm, so muss ich dies jetzt auf Grund der Lichtdruck-Reproduktion fallen lassen. Diese erste Note ist tatsächlich ein 'o' und die Analogie mit Taf. 28 sichert trotz der unregelmässigen Endung (man vgl. die korrekte Schreibung in Taf. 24, ebenfalls von Uulfolaecus) die von J. verfochtene Lesung 'ordinante'. Bei seiner Lesung des folgenden zu 'domno' kann ich aber nach wie vor nicht mit; hier steckt vielmehr, wenn nicht schwere und jeder Berechnung sich entziehende Unregelmässigkeit vorliegt, ein Name. In Taf. 15 kann ich an die Lesungen 'in precaria' und 'ordinante' bisher nicht glauben, und auch 'relegit' scheint mir noch recht zweifelhaft; dafür steht die letzte Note zuviel da. Jusselins Lesungen haben auch bei Lauer und Samaran bereits Aufnahme gefunden; sein Verdienst ist auch die Entzifferung der zahlreichen Noten der Dorsualvermerke, bei denen es sich aber mit Ausnahme des einen schon erörterten glänzenden Falles durchaus um Regest-artige Vermerke handelt, die später von den Empfängern beigefügt wurden. M. T.

224. Augusto Cacurri handelt in zwei kurzen Schriftchen über die Tironischen Noten der Codices Vat. 5750 und 5757 (La tachigrafia latina del cod. Vatic. lat. 5750 [5757], Roma, 1908). Beide Handschriften waren früher im Besitz des berühmten Klosters Bobbio; aber Cacurri sucht m. E. ohne überzeugende Gründe die Entstehung der Noten der ersten Hs. nicht ins 7. (oder 8.) Jh. nach Bobbio, sondern noch ins 6. Jh. zu setzen. Der zweiten Studie ist ein Anhang 'la tachigrafia di Bobbio' beigefügt. In beiden Schriften vermisse ich die Beachtung von Chatelain, La tachygraphie latine des manuscrits de Vérone (Revue des bibliothèques 1902). M. T.

225. Im 58. Jahrgang (1907), Heft 11/12 des Archivs für Stenographie, S. 326—333 gab M. Tangl Abbildung und Auflösung eines Messformulars in Tironischen Noten nach einer Hs. der Reginensis in der Bibl. Vaticana, im 4. Heft des 59. Jahrgangs (1908) derselben Zeitschrift S. 97—105 erklärte er die Tironischen Noten des Breviarium Alarici in der Berliner Hs. Lat. 4⁰ 150. O. H.-E.

226. In der Revue des bibliothèques XVI (1906), 349 sq. stellt G. Mercati, 'Un lessico tironiano di St.-Amand', für den von einem gewissen Bernarius nach ihm nur geschenkten (nicht wie nach G. W. Schmitz, Comment. not. tiron. p. 8, geschriebenen) Cod. Vatic. Lat. 3799 die Herkunft aus dem genannten belgischen Kloster fest. E. M.

227. Nicht des rein philologischen Stoffes, wohl aber allgemeiner Fragen des Schriftwesens wegen sei auf die Abhandlung von Josef Bick, Wiener Palimpseste, SB. der Wiener Akademie, phil.-hist. Cl. 1908, CLIX) hingewiesen. Eine planmässige Ausgabe der Wiener Palimpseste ist hier in Aussicht gestellt, die mit einer Bearbeitung des Cod. Vindob. Lat. 16 (olim Bobbiensis) beginnt. Besondere Beachtung verdienen die schönen Faksimiles, die sich bemühen, durch sorgfältiges Verfahren die getilgte Schrift möglichst deutlich hervortreten zu lassen. M. T.

228. Carlo Cipolla beginnt mit dem I. Teil einer Collezione paleografica Bobbiese: Codici Bobbiesi della Biblioteca nazionale universitaria di Torino, Mailand (Hoepli) 1907, die Veröffentlichung eines glänzend ausgestatteten Werkes, das durch Schriftproben die erhaltenen Hss. eines so bedeutenden und so verschiedenen Einflüssen ausgesetzten Kulturmittelpunktes wie Columbans Gründung Bobbio

vor Augen führen soll. Der erschienene erste Teil umfasst in zwei Bänden: 90 Tafeln und einem Textband, die Hss. der Universitätsbibliothek zu Turin, mit deren photographischer Aufnahme vor dem Brande von 1904 begonnen worden war, so dass auch damals zerstörte Hss. vertreten sind; aufgenommen sind auch wenige Texte der Kgl. Privatbibliothek und des Staatsarchivs zu Turin, sowie je ein Laurentianus, Neapolitanus und Casinensis, während den reicheren Beständen der Ambrosiana und Vaticana an Hss. aus Bobbio zwei weitere Teile gewidmet sein sollen. Von Hss. des ersten Teils, die für die MG. in Betracht kommen (ich nenne die uns interessierenden Stücke der Hss., auch wenn die Schriftproben sie nicht berücksichtigen), seien erwähnt Neapel IV. A. 8 (Tafel 1, 10, 11, 36, 42, Liber Pontificalis), Turin F. IV. 26 (58. 59, V. Columbani und Galli), F. IV. 12 (60—65, V. Columbani), F. IV. 8 (66 V. Gregorii M. des Johannes), F. III. 16 (67. 68. 85 II. Vitae und Passiones von Afra, Filibert, Otmar, Walarich, Sigismund), F. IV. 24 (69 V. Galli), F. III. 15 und F. II. 10 (76. 80, V. Columbani), endlich das von Brackmann, N. A. XXVI, 301 erwähnte Bruchstück des Liber Pontificalis im Turiner Staatsarchiv (Abbazia di Bobbio, pergamene b. 128), dessen Rückseite auf Tafel 82 wiedergegeben ist, während der vollständige Wortlaut im Textband S. 177—179 mitgeteilt wird. Hingewiesen sei auch auf die Güterverzeichnisse von Bobbio (vgl. N. A. XXX, 768. XXXII, 578), die auf Tafel 48 und 49 (vgl. 85 II) Berücksichtigung gefunden haben. Die Heiligenleben-Hss. setzt Cipolla teilweise in etwas frühere Zeit als Krusch.

W. L.

229. Die Zusammenstellungen von W. M. Lindsay, Contractions in early Latin minuscule manuscripts (St. Andrews University Publications n. V), Oxford (James Parker) 1908, werden gelegentlich bei der Bearbeitung frühmittelalterlicher Hss. von Nutzen sein können. W. L.

230. Der Aufsatz des Barons Desazars 'L'art à Toulouse. Les plus anciennes peintures de manuscrits' in der Revue des Pyrénées XVII (1905), 28—45 behandelt auch das Sakramentar des Wilhelm von Toulouse aus Gellone und das Evangeliar Karls des Grossen. E. M.

231. In der Revue archéologique, IV. sér., XI (1908), 75 sq. macht S. Reinach Mitteilung über 'Un manuscrit dérobé à la bibliothèque municipale de St.-Germain-en-

Laye' (un livre d'heures) aus der zweiten Hälfte des 15. Jh. unter Beigabe von acht schönen Miniaturen nach früheren Aufnahmen. E. M.

232. Die künstlerischen Bucheinbände der Metzer Bibliothek seit dem 14. Jh. behandelt ein Aufsatz von K. Westendorp im Jahrb. der Gesellsch. für lothring. Gesch. und Altertumsk. XIX, 391 ff., dem zahlreiche, wohlgelungene Abbildungen beigegeben sind. H. Br.

233. In der Revue Bénédictine XXV (1908), 240 sq. veröffentlicht D. Ursmer Berlière unter dem Titel 'La réforme du calendrier sous Clément VI.' aus dem Vatikanischen Archiv eine über Persönlichkeit und Tätigkeit des Johannes de Termis Aufschluss gebende Supplik desselben an Innocenz VI. von 1353. E. M.

234. Den 'Beiträgen zur Geschichte des Bildnisses' von G. von Bezold (Anzeiger des Germanischen Nationalmuseums 1907, S. 31—44. 77—89) sind mehrere Tafeln mit Nachbildungen von Siegeln Deutscher Könige und Kaiser von Ludwig dem Frommen bis zu Richard von Cornwallis beigegeben, die auf den Abgüssen von Posse beruhen. W. L.

235. Im Archivio storico Sardo III, 3—54 gibt Vincenzo Dessi eine genaue Beschreibung des Münzfundes von Puttadia nach Zahl, Aussehen und Gewicht der Münzen, sodann 2 Tafeln, mit anschliessenden numismatischen Erörterungen. B. Schm.

236. In der Rivista Italiana di numismatica 1908, fasc. I. II legt A. Luschin von Ebengreuth seine Ergebnisse für die italienischen Goldmünzen Karls des Grossen aus dem Münzfunde von Ilanz dar, wie er sie in dieser Zeitschrift XXXIII, Heft 2 begründet hatte. O. H.-E.

237. Mit dem Kloster St. Arnulf zu Metz beschäftigt sich eine wertvolle, z. T. auf archäologischen Untersuchungen, z. T. auf gedruckten und ungedruckten Quellen beruhende Abhandlung von R. S. Bour (Jahrb. der Gesellsch. f. lothring. Gesch. und Altertumsk. XIX, 1 ff.), in der die Topographie der Kirche wie des Klosters und ihrer Umgebung fest bestimmt, die Daten für ihre Baugeschichte zusammengestellt und kritisch gewürdigt und die Baulichkeiten selbst mit sorgfältiger Benutzung des erreichbaren Materials eingehend beschrieben werden.

Unter den beigegebenen Abbildungen ist von besonderem Interesse das Faksimile eines Bildes aus der Berner Hs. T. H. 292 der Sammlung Bongars, die Schriften aus der Zeit Leos IX. enthält; es stellt die Konsekration der Kirche durch Leo IX. im J. 1049 unter dem Abt Warinus dar. Die Fortsetzung der noch nicht abgeschlossenen Abhandlung wird sehr willkommen sein. H. Br.

238. Der Geschichte der Marienkirche in Aussig a. d. Elbe bis zum Jahre 1426 widwet J. Hrdy eine eingehende Darstellung in den Mitteil. des Vereines für Gesch. der Deutschen in Böhmen XLV (1907), 413, XLVI (1908), 3. B. B.

Neues Archiv

der

Gesellschaft für ältere deutsche Geschichtskunde

zur

Beförderung einer Gesammtausgabe
der Quellenschriften deutscher Geschichten des Mittelalters.

Vierunddreissigster Band.

Zweites Heft.

Hannover und Leipzig.
Hahnsche Buchhandlung.
1909.

Hannover. Druck von Friedrich Culemann.

Studien zu Benedictus Levita. VII.

(Studie VII, Teil I).

Von

Emil Seckel.

VII.

Die Quellen des zweiten Buches.

Wegen der Grundsätze, die für die Herstellung des Quellenverzeichnisses massgebend waren, ist auf die Einleitung zur vorangehenden Studie VI (N. A. XXXI), 61 f. zu verweisen. Von der Untersuchung der Quellen des II. Buches wird hier der erste Teil vorgelegt, dem der zweite baldmöglichst folgen soll. Nach Vollendung des zweiten Teils wird eine Zusammenstellung der Ergebnisse geliefert werden, wie sie für die Quellen des I. Buches in Studie VI, 62 f. 134—137 gegeben ist[1].

2, 1—53 aus dem Pentateuch.

Rubriken durchweg von Benedictus beigefügt. Auch die Inskription unserer Reihe 'Incipiunt nonnulla capitula legis divinae' rührt natürlich von der Hand des Sammlers her.

2, 1 = Genes. 9, 6 init.

2, 2 = Exod. 20, 7; eine unbedeutende Variante[2] ('nec' statt 'nec enim'). — 2, 3 = Exod. 20, 12 abgesehen vom Schluss. — 2, 4a = Exod. 21, 7. — 2, 4b = Exod. 21, 8 mit erheblich abweichendem Texte:

Vulgata.	Ben.
Si displicuerit oculis domini sui, cui tradita fuerat, dimittet eam: populo autem alieno vendendi non habebit potestatem, si spreverit eam.	Si placuerit domino suo, cui vendita est, admittat eam liberam[3]; et ad alium populum non licet ipsam vendere[4].

---

1) Dass ich MG. Conc. II, 2 in den Aushängebogen benutzen konnte, verdanke ich der Liebenswürdigkeit des Herrn Kollegen Werminghoff. — Die Hispana Gallica Augustodunensis liegt mir in einer Photographie vor, welche die Zentraldirektion der MG. für den Apparat der Monumenta dankenswerter Weise hat anfertigen lassen. 2) Gegenüber der Vulgata; vgl. unten S. 329 am Schluss vorliegender Reihe. 3) Vgl. 2, 14a (= Exod. 21, 26): 'dimittat eos liberos'. 4) Zur Sache vgl. Cap. Liftin. 743 c. 3 i. f.; Cap. Haristall. 779 c. 19 med. (MG. Cap. I, 28. 51).

— 2, 5 = Exod. 21, 12. — 2, 6 = Exod. 21, 14; eine nebensächliche Variante ('de industria' statt 'per industriam'). — 2, 7 = Exod. 21, 15. — 2, 8 = Exod. 21, 17; eine kleine Variante ('et' statt 'vel'). — 2, 9 = Exod. 21, 16(!)[1]. — 2, 10a = Exod. 21, 18; eine untergeordnete Variante ('et iacuerit' statt 'sed iacuerit'). — 2, 10b = Exod. 21, 19; am Schluss schreibt Benedikt 'operas inpensas eius medicis restituat' statt 'operas eius et impensas in medicos restituat'. — 2, 11a = Exod. 21, 20; vor 'virga' fügt Ben. ein: 'lapide vel' (aus Exod. 21, 18, oben 2, 10a); zweite Variante: 'mortuus fuerit' statt 'mortui fuerint'. — 2, 11b = Exod. 21, 21; drei unerhebliche Abweichungen ('Si' statt 'Sin'; 'supervixerit vel duobus' statt 'v. d. s.'; 'eius' statt 'illius'). — 2, 12 = Exod. 21, 22; sechs für den Sinn gleichgiltige Varianten ('homines' statt 'viri'; 'quidem' hinter 'abortivum' eingefügt; 'si' statt 'sed'; 'expetierit maritus mulieris' umgestellt aus 'mar. mul. exp.'; 'arbitres' statt 'arbitri'; 'iudicarint' statt 'iudicaverint'). — 2, 13a = Exod. 21, 23 ('Si' statt 'Sin'). — 2, 13b = Exod. 21, 24. — 2, 13c = Exod. 21, 25. — 2, 14a = Exod. 21, 26 ('dimittat' statt 'dimittet'). — 2, 14b = Exod. 21, 27 ('vero' statt 'quoque'); Schluss in der Fassung, aber nicht im Sinne verändert, indem Ben. statt der originalen Sanktion 'similiter dimittet eos liberos' verfügt: 'simili sententiae subiacebit'; die letztere Phrase hat Ben. wörtlich aus Exod. 21, 31 i. f. entnommen[2]. — 2, 15a = Exod. 21, 28, mit stärkeren sprachlichen Differenzen:

Vulgata.	Ben.
Si bos cornu percusserit virum aut mulierem et mortui fuerint, lapidibus obruetur et non comedentur carnes eius; dominus quoque bovis innocens erit.	Si bos cornipeta[3] virum aut mulierem occiderit, lapidibus obruatur et non comedetur; dominus, cuius bos est, innocens erit.

— 2, 15b = Exod. 21, 29 ('illius' statt 'eius'; 'reclusit' statt 'recluserit'; 'obruatur' statt 'obruetur'; nochmals

1) In dieser grossen Reihe die einzige Abweichung von der Ordnung der Vorlage. 2) Die Phrase war Benedikt geläufig als Kenner der Kanonen, die sie mehrfach verwenden; vgl. z. B. Statuta eccl. ant. c. 85 in. (Migne LVI, 887; = Conc. Carth. IV. Hisp. c. 69 in., Migne LXXXIV, 205); Conc. Aurel. a. 538 c. 25 (MG. Conc. I, 81 lin. 7: 'cui [andere Hss.: 'simili'] etiam sententiae subiacebit'). Vgl. ferner Capitulare ecclesiasticum 818. 819 c. 24 i. f. (MG. Capit. I, 279: 'simili sententiae subiaceat'). 3) Aus 2, 15b = Exod. 21, 29.

'illius' statt 'eius'; 'occidant' statt 'occident'). — 2, 15c = Exod. 21, 30 ('ei fuerit' umgestellt aus 'f. e.'). — 2, 16a = Exod. 21, 33 ('vel' statt 'aut'). — 2, 16b = Exod. 21, 34 ('dominus cisternae reddet' umgestellt aus 'r. d. c.'). — 2, 17a = Exod. 21, 35; Schluss gekürzt: 'divident praecium et cadaver', während in der Vulgata steht: 'divident pretium, cadaver autem mortui inter se dispertient'. — 2, 17b = Exod. 21, 36, im Tatbestande gemodelt:

Vulgata.	Ben.
Sin autem sciebat, quod bos cornupeta esset ab heri et nudius tertius[1], et non custodivit eum dominus suus . . .;	Si autem sciebat dominus eius, quod bos vitiosus erat[1], et noluit eum custodire . . .;

ferner im Hauptsatz 'reddat' statt 'reddet', 'accipiat' statt 'accipiet'. — 2, 18 = Exod. 22, 1; neben zwei für die Sache unerheblichen Abweichungen ('Qui' statt 'Si quis'; 'restituat' für 'restituet') begegnet hier eine sachlich relevante Auslassung (hinter 'ovem' fehlen bei Ben. die Worte: 'et occiderit vel vendiderit'); über den Sinn der Auslassung s. unten zu 2, 19c. — 2, 19a = Exod. 22, 2 ('effregerit' statt 'effringens')[2]. — 2, 19b = Exod. 22, 3 in. (ohne Variante; 'sole' statt 'solo' schreibt richtig Cod. Vat. Pal. 583); den zweiten Satz von Exod. 22, 3 'Si non habuerit, quod pro furto reddat, ipse venumdabitur' streicht Benedikt, da er zum fränkischen Rechte nicht passt[3]. — 2, 19c = Exod. 22, 4 (Schlusswort 'restituatur' statt 'restituet'); hinter 'asinus' folgen in der Vulgata die Worte: 'sive ovis, duplum'. Nach mosaischem Rechte (Exod. 22, 1. 4 cit.) ist beim Viehdiebstahl zu unterscheiden, ob der Dieb das gestohlene Vieh noch besitzt oder nicht mehr besitzt (weil er es geschlachtet oder verkauft hat). Im ersteren Falle soll er das gestohlene Tier herausgeben und als Busse ein zweites Tier entrichten; im

1) Vgl. 2, 15b (= Exod. 21, 29): 'Quod si bos cornipeta fuerit ab heri et nudius tertius'. Benedikt scheute in 2, 17b die Wiederholung, entweder weil er hier die Dauer der Mängelkenntnis für gleichgiltig erklären wollte, oder (weniger wahrscheinlich) weil er die bereits einmal kopierten Worte aus stilistischen Gründen nicht nochmals in den Mund nehmen wollte. 2) Dass der Dieb, der sich unter dem Hause durchzugraben versucht, straflos getötet werden darf, entspricht dem Rechte der fränkischen Zeit; vgl. Brunner, DRG. II, 483, N. 13. 3) Vgl. Studie VI (N. A. XXXI), S. 118 oben.

letzteren Falle soll er fünf Stück Rinder für ein Rind und vier Stück Schafe für ein Schaf als Busse leisten. Die mosaische Unterscheidung ist dem fränkischen Rechte unbekannt[1]; nach den Volksrechten fränkischer Zeit wird der nicht handhafte[2] Diebstahl regelmässig und unterschiedslos durch Busse gesühnt[3], nach den meisten Volksrechten durch Leistung des mehrfachen Werts der gestohlenen Sache. Benedikt konnte sonach die Strafe des Mehrfachen beibehalten, nur musste er sich entscheiden, ob es bei einem der mosaischen Strafsätze bleiben solle oder ob ein anderes Mehrfaches (etwa das Neungeld mancher Rechte) einzusetzen sei. Er blieb beim mosaischen Rechte, und zwar wählte er den höheren Strafsatz, der im Original nur bei Unmöglichkeit der Rückgabe des Gestohlenen platz griff[4]. — 2, 20 = Exod. 22, 5; Varianten untergeordnet ('agro' statt 'agro suo'; 'restituat' statt 'restituet'). — 2, 21 = Exod. 22, 6 ('spicas' statt 'spinas'). — 2, 22a = Exod. 22, 7 ('susceperit' statt 'susceperat'; 'ablatum fuerit' statt 'ablata fuerint'; 'reddat' statt 'reddet'). — 2, 22b = Exod. 22, 8 ('fur' hinter 'latet' gestrichen). — 2, 22c = Exod. 22, 9 ('in bove vel asino' statt 'tam in b. quam in a.'; 'ab eo' [sinnlos] statt 'ad deos'; 'perveniat' statt 'perveniet'; 'arbitres' [vgl. Ben. 2, 12] vor 'iudicaverint' eingeschoben, wodurch der Sinn des Originals verändert wird; 'restituat' statt 'restituet'). — 2, 23a = Exod. 22, 10 ('amico' statt 'proximo suo'). — 2, 23b = Exod. 22, 11 ('in rem' statt 'ad rem'; 'suscipiatque' statt 'suscipietque'). — 2, 23c = Exod. 22, 12 ('Si' statt 'Quod si'; 'sublatum' statt 'ablatum'; 'restituat' statt 'restituet'; 'suo' am Schlusse beigefügt). — 2, 23d = Exod. 22, 13 ('restauretur' statt 'restituet'). — 2, 23e = Exod. 22, 14 ('compellatur' statt 'compelletur'). — 2, 23f = Exod. 22, 15 ('restituatur' statt 'restituet'; 'conductus venerit' statt 'conductum venerat'). — 2, 24 = Exod. 22, 16; neben blos sprachlichen Varianten ('et dormierit' statt 'dormieritque'; 'habebit' statt 'habebit eam') findet sich eine sachlich einschneidende Aenderung ('virginem desponsatam' statt 'virginem necdum desponsatam'); während also Moses dem Verführer

---

1) Brunner, DRG. II, 639 ff. 2) Solchen Diebstahl hat sicher Ben. 2, 19c, wahrscheinlich auch Ben. 2, 18, im Auge. 3) Brunner a. a. O. S. 642, N. 39. S. 643. 4) War das gestohlene Tier noch vorhanden und wurde es zurückgegeben, so mussten sich wohl die Sätze von 2, 18 (Exod. 22, 1) um das Einfache vermindern; auf dem Schafdiebstahl stand dann nach Benedikt genau dieselbe Busse des Triplum wie nach ribuarischem Recht (Brunner, DRG. II, 644, N. 49).

einer unverlobten Jungfrau das bekannte 'duc et dota!' auferlegt, verfügt Benedikt, dass der (unverheiratete; auch unverlobte?[1]) Verführer einer (mit einem Dritten[2]) verlobten Jungfrau diese[3] zu dotieren und zu heiraten habe[4]. — 2, 25 = Exod. 22, 17; obgleich der Wortlaut des Originals nur in formeller Richtung geändert ist ('pater noluerit virginem dare' statt 'pater virginis dare noluerit'; 'reddat' statt 'reddet'; 'morem' statt 'modum'), hat dennoch das Kapitel einen völlig anderen Sinn als im Original, wie die Rubrik Benedikts und der Zusammenhang mit dem vorhergehenden, interpolierten Kapitel 2, 24 beweisen[5]. Nach Moses soll der Verführer einer unverlobten Jungfrau, wenn ihr Vater sich weigert, sie ihm zur Frau zu geben, (dem Vater) so viel Geld (als Quasidos, Entschädigung) zahlen, wie die gewöhnliche[6] Jungfrauendos[7] beträgt[8]. Nach Benedikt hat der Vater der (verlobten[9]) Jungfrau, wenn er sie (dem Bräutigam[10] auf dessen Verlangen) nicht zur Frau geben will, (dem Bräutigam[11]) so viel Geld zu zahlen, als die

---

1) Bejaht von Scherer, Ueber das Eherecht bei Benedict Levita und Pseudo-Isidor (1879) S. 15. 2) So mit Recht Scherer a. a. O. 3) Natürlich nur auf ihr (bzw. ihres Gewalthabers) Verlangen. 4) Also eine Art Schadensersatz durch Naturalherstellung. — Ueber die Rechte des verletzten Bräutigams gegen den Verführer und über das Regressrecht des Vaters, der (vgl. Ben. 2, 25) vom Bräutigam in Anspruch genommen worden ist, spricht sich Benedikt nicht aus. 5) Scherer a. a. O. und Freisen, Geschichte des kanonischen Eherechts (1888) S. 604 haben mit Recht auf beide Momente Gewicht gelegt. 6) Oder gesetzliche (vgl. Deuteron. 22, 29)? Für letzteres Scherer a. a. O.; doch tut seine Auslegung dem Wortlaut der Stelle Gewalt an, und der Elohist (8. Jh. v. Chr.), der in Exod. 22, 17 spricht, darf nicht aus dem Deuteronomiker (623 v. Chr.) heraus erklärt werden. 7) Dos = Kaufpreis der Jungfrau. 8) Der Verführer hat also dem Vater unter allen Umständen den Betrag der Dos zu entrichten; ein Recht auf Uebergabe der Verführten steht ihm nicht zu; seine Pflicht, die Verführte zu heiraten, erlischt wohl mit Ablehnung seiner Heiratsofferte. 9) Dieses Tatbestandsmoment ist aus Ben. 2, 24 in Ben. 2, 25 herüberzunehmen; dagegen kann nichts darauf ankommen, ob die Tochter (von einem andern als dem Bräutigam) verführt worden ist (Ben. 2, 24) oder nicht. 10) Richtig Freisen a. a. O.; unrichtig Scherer a. a. O., der an Uebergabeverweigerung gegenüber dem Verführer denkt! Ein Recht auf Uebergabe der Verführten kann Benedikt sowenig als Moses (Note 8) dem Verführer zubilligen wollen. Verweigert der Vater dem Verführer die Tochter, so ist diese Weigerung sein gutes Recht, und können sich daraus keine nachteiligen Folgen für ihn ergeben. 11) So auch Freisen a. a. O.; ob Scherer a. a. O. als Empfänger der zu zahlenden Summe (Scherer spricht von 'zurückgeben') den Bräutigam oder vielmehr den Verführer hinstellen will, ist seiner wenig klaren Ausführung nicht zu entnehmen.

gewöhnliche Dos[1] für Jungfrauen beträgt. Benedikt hat es sonach durch seine Interpolation in 2, 24 fertig gebracht, der lex divina in 2, 25 einen bekannten deutschrechtlichen Satz unterzulegen: der Muntwalt, der sich durch Verlobung seines Mündels dem Bräutigam zum Vollzuge der Trauung verpflichtet hat, wird bei Verletzung der Trauungspflicht bussfällig, d. h. er hat dem Bräutigam als Busse den Betrag des Wittums zu leisten[2] und er verliert den Anspruch auf das gestundete Wittum. Dem mosaischen Rechte ist dieser Satz unbekannt; Benedikt hat ihn gewiss aus der Kenntnis des Rechtslebens seiner Zeit geschöpft und gewiss nicht, wie Freisen[3] meint, auf dem Umweg über eine Analogie aus Exod. 21, 10 neu gebildet. — 2, 26 = Exod. 22, 18 ('patiaris' statt 'patieris'). — 2, 27 = Exod. 22, 19. — 2, 28a = Exod. 22, 20 in. ('occidatur' statt 'occidetur'). — 2, 28b = Exod. 22, 21 in. — 2, 29a = Exod. 22, 29 (das zweite 'tuas' hinter 'primitias' gestrichen; 'offerre domino' statt 'reddere'; 'de filiis tuis primogenitis' statt 'primogenitum filiorum tuorum dabis mihi', was Benedictus nicht brauchen konnte). — 2, 29b = Exod. 22, 30 ('facias' statt 'facies'; 'octavo' statt 'octava'; 'redde filium domino' statt 'reddes illum mihi').

2, 30a cf. Levit. 6, 2 in. 3 in., erheblich umgestaltet:

Vulgata.	Ben.
(2 in.): Anima, quae . . . negaverit proximo suo depositum, quod fidei eius creditum fuerat . . .	Depositum tuum aut pignore datum aut si aliquis sibi commendata celaverit
(3 in.): sive rem perditam invenerit et infitians insuper peieraverit . . .	aut si rem perditam invenerit et iuraverit non invenisse.

— 2, 30b = Levit. 6, 4 ('convictus' statt 'convicta'). — 2, 30c = Levit. 6, 5 ('tertiam' statt 'integra'; 'fraudem' statt 'damnum'); die erstere Abweichung bedeutet eine Erhöhung der Unterschlagungsbusse von $^3/_{15}$ auf $^8/_{15}$. — 2, 31a = Levit. 18, 6 ('sanguinem proximi sui' [!] statt 'proximam sanguinis sui'; 'accedat' statt 'accedet'; 'ego

---

1) Im deutschrechtlichen Sinn, das Wittum. Nach ribuarischem Recht beträgt es 50 solidi, s. Schröder, DRG.[4] S. 316. 347. 2) Schröder, Geschichte des ehelichen Güterrechts I (1863), S. 11 ff.; DRG.[4] S. 303, N. 162; R. Löning, Vertragsbruch (1876) S. 142 ff. 3) Freisen a. a. O.; er hat es versäumt, den deutschrechtlichen Einfluss zu erwägen.

dominus' gestrichen); vgl. unten 2, 209b. — 2, 31b lächerliche Fälschung Benedikts, zusammengesetzt mit Hilfe von Levit. 18, 7. 8 und 18, 10 i. f.:

Vulgata.	Ben.
18, 7 oder 18, 8: turpitudinem (patris tui *etc.*) . . . non discooperies; 18, 10 i. f.: quia turpitudo tua est.	Nec ullam (!) discooperies turpitudinem mulieris, quia vestra (!) turpitudo est.

— 2, 32 = Levit. 19, 20 ('fuerit' statt 'sit'; 'moriantur' statt 'morientur'; Schlussworte 'quia non fuit libera' gestrichen). — 2, 33 zusammengesetzt aus Levit. 19, 26 i. f.[1] und 19, 31:

Vulgata.	Ben.
19, 26 i. f.: Non augurabimini nec observabitis somnia.	Non auguriemini nec observabitis
19, 31: Non declinetis ad magos nec ab ariolis aliquid sciscitemini, ut polluamini per eos. Ego dominus Deus vester.	ad magos nec ariolos nec aliquid sciscitetis per eos. Ego Deus vester.

— 2, 34 = Levit. 19, 32 ('consurgite' statt 'consurge'; 'honorate' statt 'honora'; 'timete' statt 'time'; 'Deum' statt 'dominum Deum tuum . ego sum dominus'). — 2, 35 = Levit. 19, 35. 36 in. ('iniquum aliquid facere' umgestellt aus 'f. i. a.'). — 2, 36 = Levit. 20, 10 ('Qui moechatus' statt 'Si moechatus quis'; 'fecerit' statt 'perpetraverit'; 'moriatur' statt 'moriantur'). — 2, 37 = Levit. 20, 11 ('moriantur' statt 'morte moriantur').

2, 38. Tatbestand Erfindung Benedikts in Anlehnung an Numeri 5, 6 in. ('Vir sive mulier, cum fecerint ex omnibus peccatis')? und 5, 7 in. ('confitebuntur peccatum suum'); Anordnung der Rechtsfolge = Numeri 5, 7; Abweichungen hiervon nebensächlich ('reddat' statt 'et reddent'; 'capitalem'[2] statt 'ipsum caput'; 'et quintam' statt 'quintamque'; 'peccavit' statt 'peccaverint'). — 2, 39 = Numeri 35, 16; Abweichungen, die den Sinn nicht ändern: Einfügung von 'hominem' hinter (dem ersten)

1) Von Knust (MG. LL. IIb, 22) übersehen. 2) Zu dem der fränkischen Rechtssprache entlehnten Ausdruck vgl. Brunner, DRG. II, 613. 566, N. 8.

'percusserit'; (zweites) 'percusserit' statt 'percussus est'. — 2, 40 = Numeri 35, 30 i. f. ('condemnetur' statt 'condemnabitur').

2, 41a = Deuteron. 14, 28; Anfang stärker verändert ('Separabis decimas' statt 'Anno tertio separabis aliam decimam'); Rest wörtlich übernommen (nur 'inter' statt 'intra'). — 2, 41b cf. Deuteron. 14, 29[1], sprachlich und sachlich umgestaltet:

Vulgata.	Ben.
Venietque levites, qui aliam non habet partem nec possessionem tecum, et peregrinus ac pupillus et vidua, qui intra portas tuas sunt, et comedent et saturabuntur, ut benedicat tibi dominus Deus tuus in cunctis operibus manuum tuarum, quae feceris.	Foenerabis[2] ea sacerdotibus[3] et[3] levitis, advenis[4] et peregrinis, pupillis et viduis, et benedicet te dominus Deus tuus cunctis diebus[5] vitae[5] tuae[5].

— 2, 42a = Deuteron. 22, 6 ('ambulas' statt 'ambulans'; dann das erste 'et' eingesetzt; 'nidum — terra' die Wörter umgestellt; hinter 'pullis' die Worte 'vel ovis' gestrichen). — 2, 42b = Deuteron. 22, 7 ('pullos suos' statt 'filios'; 'benedicat te dominus' [vgl. zu 2, 41b] statt 'bene sit tibi et longo vivas tempore'). — 2, 43 = Deuteron. 22, 8 ('in domum tuam' statt 'in domo tua'). — 2, 44 = Deuteron. 22, 9 ('ea, quae sevisti' statt 'et sementis, quam sevisti' — Sinn unverändert; hat Benedikt das Wort 'sementis' nicht verstanden?). — 2, 45 = Deuteron. 22, 10 ('asina' statt 'asino', auffällig). — 2, 46 = Deuteron. 22, 11 ('indues vestimentum' statt 'indueris vestimento'; 'et lino' statt 'linoque'). — 2, 47a = Deuteron. 22, 23 ('Si quis puellam virginem desponsaverit' statt 'Si p. v. desponderit vir'). — 2, 47b = Deuteron. 22, 24 ('adducas' statt 'educes'; 'utrosque' statt 'utrumque'; 'et' vor 'vir' eingeschoben; 'eam' statt 'uxorem proximi sui'; Schlussworte des Originals: 'et auferes malum de medio tui' ge-

1) Vgl. ausserdem die in den 4 folgenden Noten zitierten Stellen des Deuteron. 2) Cf. Deuteron. 15, 6 in.: 'Foenerabis gentibus multis' etc. 3) Vgl. z. B. Deuteron. 18, 1 in.: 'sacerdotes et levitae'. 4) Cf. Deuteron. 15, 3 in.: 'A peregrino et advena exiges' etc. Vgl. ferner Deuteron. 24, 19—21. 5) Cf. Deuteron. 16, 3 i. f.: 'omnibus diebus vitae tuae'.

strichen); bezeichnend ist nur die vorletzte Variante, da sie, gleich anderen Stellen, zeigt, wie scharf Benedikt Verlöbnis und Ehe unterscheidet. — 2, 48 = Deuteron. 22, 25. 26 in. ('Si' statt 'Sin'; 'et dormierit' statt 'et apprehendens concubuerit'; 'illa' statt 'ea'; 'patiatur' statt 'patietur'). — 2, 49a = Deuteron. 23, 1 ('absciso' statt 'abscisso' [?]). — 2, 49b = Deuteron. 23, 2 ('Nec ingrediatur eam' statt 'Non ingredietur'; 'scorta' statt 'scorto'; Schlussworte des Originals: 'in ecclesiam domini usque ad decimam generationem' gestrichen, aus leicht begreiflichem Grund: es wäre als ungeheuerlich erschienen, die Abkömmlinge der Unehelichen, vollends bis ins zehnte Glied, zurückzusetzen)[1]. — 2, 50 = Deuteron. 23, 19. — 2, 51a = Deuteron. 23, 21 ('voveris votum' statt 'votum voveris'). — 2, 51b: 'donec facias, quod ore proprio domino promisisti' ist Exzerpt aus Deuteron. 23, 23: '. . . facies, sicut promisisti domino Deo tuo et propria voluntate et ore tuo locutus es'. — 2, 52 = Deuteron. 24, 5 ('nuper' hinter 'homo' gestrichen; 'accedat' statt 'procedet'; 'ullae iniungantur necessitates' statt 'quippiam necessitatis iniungetur'; 'domui' statt 'domi' [?]; 'et' vor 'ut' eingefügt). — 2, 53 = Deuteron. 24, 16 ('Quod' zugefügt; 'occidantur' statt 'occidentur'). —

In der vorstehenden, blos vorläufigen Quellenanalyse zu 2, 1—53 sind die Abweichungen Benedikts vom heutigen offiziellen Vulgattexte angegeben. Wie sich Benedikts Bibelrezension zu den lateinischen Bibelübersetzungen, insbesondere zu der Bibel des Hieronymus und ihren frühmittelalterlichen Rezensionen verhält, ist nicht gesondert für Ben. 2, 1—53, sondern seiner Zeit für alle Bibeltexte bei Benedikt zu untersuchen, soweit das vorliegende Material es gestattet.

2, 54—67 Mischreihe aus Breviatio canonum Sardicensium[2], Theodori Poenitentiale und Fulgentii Ferrandi Breviatio canonum[3].

2, 54 = Breviatio can. Sardic. c. 20 (22). Rubrik von Benedikt. Anfang der Vorlage ('Hosius episcopus

1) Durch Uebernahme der mosaischen Vorschrift bezweckt Benedikt, die bis dahin völlig unbekannte irregularitas ex defectu natalium aufzustellen. 2) Ediert in der Beilage zu dieser Studie. Es ist Knusts Verdienst, auf diese Quelle hingewiesen zu haben. 3) Gedruckt hinter der Dionysio-Hadriana, ed. 1609 p. 623—641 nach einem cod. Trecensis (jetzt Montispess. 233 saec. IX.); ed. Migne LXVII, 951—960 nach einem cod. Corbeiensis (jetzt Paris. Sangerm. 936 saec. VII.).

[verba Olymphi episcopi] dixit') selbstverständlich gestrichen. Varianten unerheblich.

2, 55 = [1] Theodori Poenit. II, 12 § 32, ed. Wasserschleben p. 216, ed. Haddan and Stubbs (Councils III) p. 201, ed. Schmitz, Bussbücher (I) p. 547. II p. 578; vgl. unten 2, 91a. Rubrik von Benedikt. Im Text drei unerhebliche Varianten. — Nicht benutzt ist das Poenitentiale Martenianum (c. 41; Wass. p. 291), ed. Martene, Thesaurus novus anecdotorum IV (1717), p. 38, weil an drei Stellen Benedikt mit Theodor gegen das Martenianum übereinstimmt [2].

2, 56 = Fulg. Ferrand. c. 37. Rubrik von Benedikt (wie zu allen folgenden Kapiteln aus Fulgentius). Text wörtlich übereinstimmend mit dem cod. Corb. (gegenüber dem Trecensis eine Variante).

2, 57 = Fulg. Ferrand. c. 92. Vor 'episcopi' schiebt Benedictus ein charakteristisches 'sui' ein, um zu betonen, dass der diözesenfremde Bischof den Priestern nichts zu befehlen und nichts zu erlauben habe; vgl. 2, 58. Im Uebrigen deckt sich Benedikts Text mit dem des Corbeiensis.

2, 58 = Fulg. Ferrand. c. 95, von Benedikt mehrfach interpoliert: 'sine licentia [3] vel scientia sui (vgl. zu 2, 57) episcopi' statt 'sine conscientia episcopi'; am Schluss fügt Ben. hinzu: 'nec cuiquam tribuant', um jede Verfügung über Kirchengut, nicht blos die Veräusserung zu treffen. Die Fulgentius-Hss. stimmen hier unter sich überein [4].

2, 59 = Fulg. Ferrand. c. 99. Eine Variante ('deserit ecclesiam suam et' statt 'deserta ecclesia sua'). Benedikt verschärft die Strafbestimmung gegen das eigenmächtige Verlassen des Kirchenamts, indem er vor 'deponatur' eine Strafbarkeitsvoraussetzung aus der Vorlage ('si post evocationem episcopi sui reversus non fuerit') herausstreicht.

2, 60 = Fulg. Ferrand. c. 100. Benedikt setzt hinter 'diaconus' ein: 'aut subdiaconus'; die Worte 'sancti ministerii quidpiam praesumpserit' hat er verändert zu 'suum ministerium incipiat praesumere'.

2, 61 = Breviatio can. Sardic. codicis Diessensis c. 19. Rubrik von Benedikt. Anfang des Originals ('Hosius episcopus dixit: Hoc nobis, fratres, fixum oportet inserere, ut, quod non credimus esse venturum') gestrichen, ebenso der Schluss ('Synodus respondit:. Omnibus nobis placet').

1) Vgl. Wasserschleben, Bussordnungen S. 37. 2) Also unrichtig Knust l. c. p. 22. 3) Vgl. 2, 156 interp. 4) Ebenso im Folgenden.

Im Uebrigen ist der Text der Vorlage, meist nur leicht, retouchiert (5 Varianten). Nur nach einer Richtung hin hat Benedikt wiederum die Norm seiner Vorlage zugespitzt: nach Benedikt genügt zur Verhängung der schweren Strafe, dass der Kleriker 'ad[1] bellum processerit et arma bellica indutus fuerit ad belligerandum'; die Vorlage verlangt Beteiligung am Kampf ('et belligerat', wo Benedikt schreibt 'ad belligerandum').

2, 62 = Fulg. Ferrand. c. 103. Vor 'presbiteris' fügt Benedikt 'ipsius regionis' ein, was den Sinn verdeutlicht, aber nicht verändert.

2, 63 = Fulg. Ferrand. c. 163. Drei unwesentliche Varianten.

2, 64 = Breviatio can. Sardic. c. 3. Rubrik von Benedikt. Der Text steht der Hs. von Diessen (in Kleinigkeiten, die hier Zufall sein können) näher als der Hs. von Freising. Benedikt hat seine Vorlage um den Eingang ('Hosius episcopus dixit') verkürzt, sprachlich in Nebendingen verändert (5 Varianten) und das Recht des verurteilten Bischofs, 'episcopum Romanum adire', unterstrichen durch Vorsetzung der Worte 'si necesse fuerit, libere'[2] (ep. adire Rom.).

2, 65 = Fulg. Ferrand. c. 192. Eine Variante.

2, 66 = Fulg. Ferrand. c. 219. Zwei Varianten; die eine besteht in dem überflüssigen Zusatz 'vel eruditioribus' zu 'instructioribus'.

2, 67 = Breviatio can. Sardic. c. 18 (20). Rubrik von Benedikt. Wiederum geht Ben. mit der Hs. von Diessen, und nochmals streicht er den Anfang ('Hosius episcopus dixit'). Hinter 'ab alio' fügt Ben. ein: 'episcopo[3], non deprecante vel consentiente suo'; er hat damit nichts Neues verfügt, sondern dieselbe Ausnahme vorbehalten, die sich schon im unverkürzten Kanon (19 Dion.-Hadr.) von Sardica findet. —

Die Stücke aus Fulgentius Ferrandus bilden eine zweimal (durch Ben. 2, 61. 64) unterbrochene Reihe, die genau der Ordnung des Originals (c. 37. 92. 95. 99. 100; c. 103. 163; c. 192. 219) folgt. Die Stücke aus den gekürzten Schlüssen von Sardica (c. 22. 19. 3. 20 codicis Diessensis) kann man ansehen als Reihe invertierter

---

1) Original: 'in'. 2) Von 'libere appellare' spricht auch Pseudoisidor, Anaclet. c. 16 i. f. (ed. Hinschius p. 76); Quelle unbekannt. 3) Blosse Erläuterung, da die Weihegewalt auch ohne 'episcopo' nur dem Bischof zugeschrieben werden könnte.

Ordnung (c. 22. 19. 3) mit einem extravaganten Anhängsel (c. 20). — Ob Benedikt eine Zwischenquelle benutzte, steht dahin; wahrscheinlich ist es nicht.

2, 68—78 aus unbekannten Quellen (Kapitularien und Canones [bzw. Bischofskapiteln oder Poenitentialien]?). Concilium ad Wizipurch?

Hört man Knust[1], so ist für alle Kapitel der Reihe 2, 68—78 oder wenigstens für 2, 68. 70. 73—75[2] die Quellenfrage gelöst. Wir werden sehen, dass dem leider nicht so ist. Eine Fälschung Benedikts scheint für keines der 11 bzw. 13 Stücke in Frage zu kommen. Dass die Stücke systematisch geordnet seien, habe ich nicht finden können.

2, 68: Quelle unbekannt. Knust verweist auf 'Lib. poenit. apud Martene Tom. IV, p. 31 sqq. Thesauri'[3] und: 'cf. Zachariae epist. 12'[4], ohne dass damit die Quelle ermittelt wäre. Von welcher Autorität in 2, 68 die Neutaufe vorgeschrieben wird, wenn Priester nicht im Namen der Dreieinigkeit getauft haben, lässt sich nicht ausmachen. — Zu den Worten 'iuxta praeceptum domini' etc. vgl. Ev. Matth. 28, 19; zu 'praesbiteri . . . iuxta p. dom. . . . baptizare' vgl. Canones apostolorum c. 49 (Dion.-Hadr. ed. 1609, Bl. XVII).

---

1) MG. LL. IIb, 22. 2) Hierzu gibt Knust seine Zitate ohne das abschwächende 'cf.'. 3) Gemeint ist Poenitentiale Martenianum (59, 3; Wass. S. 296), Martene l. c. col. 45: 'Baptizati a presbytero non baptizato iterum debent baptizari'; Parallelen: Poen. Cummeani 12, 2 i. f. (Schmitz II 635); Poen. Theodori II 2 § 13 (= Ben. 2, 94). Besser noch würde passen Poen. Merseburg. b, c. 43 (Wass. BO. S. 433): 'Baptizatus a presbytero non recte baptizante iterum debet baptizari'; fast gleichlautend Poen. XXXV capitulorum c. 32 i. f. (Wass. S. 524; Schmitz, Bussbücher II, 247). Vgl. ferner etwa Canones Gregorii c. 27 (Wass. S. 163): 'Si quis baptizatus est ab eretico, qui recte trinitatem non crediderit, iterum debet baptizari'; fast gleichlautend Poen. Theodori I 5 § 6 (Wass. S. 189) und Poen. Cummeani XI, 24 (Wass. S. 487; Schmitz II, 634). 4) Mit diesem Zitat weiss ich nichts anzufangen. Bei Mansi XII, 345 ist der 12. Brief gerichtet an Bonifatius 'Benedictus deus pater', Jaffé 2291 (= MG. Epist. III, 369—372); bei Migne LXXXIX, 948 an Reginfrid u. a. 'Gratias ego deo', Jaffé 2287 (= MG. Epist. III, 362—364); beide Briefe können nicht gemeint sein. Von der Taufe handelt Papst Zacharias in den Schreiben Jaffé 2274. 2276. 2286 (MG. Epist. III, 324. 336. 357—359); aber auch hier finden sich höchstens entfernte Anklänge (etwa p. 357, lin. 21. 23. 34 'sine invocatione trinitatis'; p. 359, lin. 19 'sine mist[er]ica invocatione').

2, 69a: Quelle unbekannt[1]. Knust bemerkt (a. a. O.): 'cf. Capit. Worm. 829 eccles. 3', d. h. Capitulare Wormatiense 829 c. 3 (MG. Capit. II, 12); c. 3 cit. ist eine Teil p a r a l l e l e zu Ben. 2, 69a, aber nicht dessen Quelle. Benedikt scheint ein nirgends sonstwo überliefertes echtes Capitulare vor sich zu haben. Möglicherweise hat er diese Vorlage interpoliert; verdächtig sind: 'propriis' hinter 'episcopis' (beziehungslos! denn die missi des Königs haben keine episcopi proprii), ferner 'vel quae dotem suam perditam vel subtractam habent'[2], weil diese Worte zu dem Imperativ des Hauptsatzes ('dotentur', nicht etwa: 'd. vel dotem recipiant') nicht genau stimmen; endlich der Schluss 'ut, quod iniuste perdiderunt, iuste recipiant', weil diese Motivierung zu der einen Hauptvorschrift (n i c h t - dotierte Kirchen auszustatten) passt wie die Faust aufs Auge. Die Antithese 'iniuste — iuste' findet sich auch im pseudoisidorischen Phrasenvorrat[3].

2, 69b: Quelle unbekannt. Vielleicht aus demselben nichtüberlieferten Capitulare wie 2, 69a. Auch in 2, 69b hat man mit möglicher Verunechtung zu rechnen; die Worte 'aut subtracta reddere noluerint'[4] hinken nach, das Wort 'noluerint' ist überflüssige Wiederholung; in dem 'episcopus p r o p r i u s' tritt die bekannte Lieblingsfigur Benedikts auf[5]. — Die Zwangsmittel, mit denen der Bischof den Widerstand der Kircheneigentümer brechen soll, sind den Kapitularien auch sonst geläufig; vgl. zum 'reliquias auferre' Cap. Wormat. 829 c. 2 (MG. Capit. II, 12 lin. 25), zum 'ecclesias destruere' Cap. missorum 803 c. 1 (l. c. I, 115), Hlotharii Cap. Papiense 832 c. 1 i. f. (l. c. II, 60, übrigens nicht auf Eigenkirchen bezüglich[6])[7]. — Zu der Frage, warum es heisst 'aliquis l i b e r o r u m', vgl. Stutz, Gesch. des kirchl. Benefizialwesens I, 1, 224, N. 37; was Stutz von der Frankfurter Synode 794 c. 54 sagt, gilt mutatis mutandis von unserem Kapitel.

2, 70: Quelle unbekannt, trotzdem Knust a. a. O. sie im 'Lib. poenit. apud Martene l. c.' gefunden zu haben behauptet. Dass für Selbstmörder Almosen und Gebete

---

1) Auch Stutz, Gesch. des kirchl. Benefizialwesens I, 1, 255, N. 62 litt. a, S. 268, N. 24 erwähnt unser Kapitel, ohne eine Quelle namhaft zu machen. 2) Vgl. auch zu 2, 69b. 3) Anaclet. c. 26 med. (ed. Hinschius p. 80): 'hi, qui iniuste opprimuntur, iuste reformentur' (Quelle davon unbekannt). 4) Vgl. zu 2, 69a. 5) Ben. 1, 134 med. 137. 2, 84 rubr. 85. 108; vgl. auch 1, 16. 2, 57. 58. 6) Vgl. Stutz a. a. O. S. 227, N. 54 (dazu S. 268, N. 24. 27). 7) Von blossem 'claudere ecclesias' ist in den Capitula incerta c. 3 (MG. Capit. I, 232) die Rede.

('oratio in psalmodiis'), aber nicht Oblationen und Messen zugelassen sind, entspricht der Disziplin der Kirche in fränkischer und älterer Zeit. Zum Verbote der Oblationen vgl. Conc. Aurel. II. 533 c. 15 (MG. Conc. I, 63)[1], Conc. Bracar. I. 563 c. 16[2] (Migne LXXXIV, 567)[3], Conc. Autissiodor. c. a. 573—603 c. 17 (MG. Conc. I, 181)[4]; zu der ganzen Vorschrift vgl. Capitula Dacheriana c. 93 = Poen. Theodori II 10 § 3 = Poen. Marten. c. 19 (Wass. S. 153. 211. 286): 'Qui se ipsum occiderit propria voluntate, missas pro eo facere non licet, sed tantum orare et elemosinas largiri'. — Die Motivierung im Schlusssatz ist gebildet mit Hilfe des Römerbriefs 11, 33 und vielleicht des Ecclesiasticus 1, 2. 3.

Absichtlich haben wir das Kapitel 2, 70 bisher betrachtet ohne Heranziehung der Kanonensammlung von 98 Kapiteln[5], die in zwei Hss.[6] überliefert ist und dem 10. Jh. angehört. Sie beruht[7] grossenteils, aber nicht ausschliesslich[8] auf Regino. Zu den Regino fremden

---

1) 'oblationem recipi'. 2) = Halitg. IV, 6 (Schmitz, Bussb. II, 280). 3) 'nulla illis in oblatione commemoratio fiat neque cum psalmis ad sepulturam corum cadavera deducantur'. 4) 'istorum oblata non recipiatur'. 5) Vgl. Theiner, Ueber Ivos vermeintliches Dekret (1832) S. 15—17; derselbe, Disquisitiones criticae (1836) p. 152—154; Wasserschleben, Beiträge zur Gesch. der vorgratianischen Kirchenrechtsquellen (1839) S. 29, und namentlich V. Krause, N. A. XVII (1892), S. 295—303. 304. 6) Wien 2198 (Ius can. 99) saec. X., fol. 88b—123b; Bamberg Can. 9 (P I 9) fol. 206a—231b (saec. X.). Die Sammlung ist benutzt im Codex iur. et pol. 107 der K. Handbibliothek zu Stuttgart, was bisher unbemerkt geblieben ist. 7) Krause a. a. O. S. 298—303 hat die Sammlung analysiert. Seine Analyse bedarf mehrfach der Ergänzung und Berichtigung (dabei ist hinderlich, dass Krause meist nur die Anfänge und Enden mitteilt): c. 15 = Regino 2, 272; c. 27a nicht aus Conc. Agath. c. 51, sondern c. 61; c. 27b nicht schlechtweg aus Conc. Mog. 847 c. 29, sondern zum Teil (vgl.: 'si quis consobrinam — privignam suam duxerit') aus Regino 2, 186; c. 30 allerdings aus Conc. Ancyr. c. 25 Hisp., aber vermittelt durch Poen. Pseudo-Romanum c. 2 § 15 (Wass. S. 366); c. 36b aus Conc. Toletan. I. c. 17 in. = Halitg. IV, 12 in. = Conc. Mog. 852 c. 15 in.; c. 42 Eingang 'Audiant raptores — Anacletus' ist nicht dem Original entnommen, sondern Regino 2, 282 i. f.; c. 69 nicht = Conc. Tolet. I. c. 11, sondern = Conc. Autissiod. c. a. 573—603 c. 44; c. 80 ist wohl aus Hrabanus ad Heribaldum c. 10 (Canisius-Basnage, Lectiones antiquae II, 2, p. 299/300); c. 84 = Conc. Cabillon. 813 c. 40 (MG. Conc. II, 281 f.); c. 92 vielleicht aus Pseudoisidor Calixt. c. 18 sq. (ed. Hinschius p. 141 f.); c. 95: der Schluss stimmt zu Conc. Epaon. 517 c. 30 = Conc. Agath. c. 61 Hisp., vgl. auch Halitg. IV, 21; c. 98: der Schluss stimmt zu Poen. Egberti, Prologus i. f. = Ps.-Beda Prolog. (Wass. S. 233. 250). — Von c. 34 behauptet Schulte, Wiener SB. Bd. 117, XI S. 26, es rühre aus Hraban. ad Herib. c. 20 her, was unrichtig ist. 8) Auf andere Quellen gehen von den 98 Kapiteln

Stücken gehört cap. 12 der Sammlung: 'De eadem re' (*scil.* De his, qui se interficiunt). Item constitutum est in concilio ad Wizipurch de eo, qui semetipsum occidit aut laqueo se suspendit, ut' (u. s. w. wie bei Ben. 2, 70)[1]. Von einer Synode zu Wizipurch (Weissenburg? Würzburg?[2] Wilzburg?) ist sonst nichts bekannt. Gerade weil der Kanon einem gänzlich unberühmten Konzil mit einem vor jeder Verwechslung sicheren Namen beigelegt wird, dürfte an der Richtigkeit der Angabe kaum zu zweifeln sein[3]. Dann hätte der Sammler der 98 Kapitel unser Stück natürlich nicht aus Benedikt, sondern aus dem Original entnommen. — Für Benedikt erhöbe sich die Frage, ob er nicht auch andere Kapitel (speziell unserer Reihe) dem Konzil entlehnt habe. Zur Beantwortung der Frage fehlen leider die Anhaltspunkte; höchstens dass zwischen Ben. 2, 70 und 71 eine gewisse Stilverwandtschaft besteht[4].

2, 71: Quelle unbekannt[5]. Knust notiert: 'cf. Capit. Aquis. 802 c. 35. 37' [= Capitulare missorum generale 802 c. 35. 37, vgl. auch ebenda c. 33. 38 (MG. Capit. I, 97 sq.)],

zurück 39 Kapitel und 4 Kapitelteile (c. 8 i. f.; c. 27a. b; c. 36b). Diese Quellen sind a) Konzilien: Afric., bzw. Carthag.: c. 77 (ex conc. Melivitano'). 88. 89. 94; Agath.: c. 27a; Ancyr.: c. 30; Autissiod.: c. 13a. 69 ('in synodo Toletano'); Cabillon. 813: c. 33. 84 ('conc. Hilerdensi'); Epaon.?: c. 95; Ilerd.: c. 81; Mog. 813: c. 65 ('ex conc. Rotumacensi'); Mog. 847: c. 13b (zu Conc. Autissiod. gezogen). c. 27b (zu Conc. Agath. gezogen); Mog. 851: c. 83; Tolet. I.: c. 36b (zu Conc. Agath. gezogen); Tribur 895: c. 24. 46 ('ex eodem concilio', scil. Namnetensi). 70. 96 ('in Antioceno conc.'); Wizipurch?: c. 12; Wormat. 868: c. 41; — b) Dekretalen (durchweg falsch): Ps.-Anacletus: c. 76; Ps.-Calixtus: c. 92; Ps.-Hormisda: c. 90; Ps.-Nicolaus: c. 47; — c) Kapitularien: c. 29 (Ansegisus). 93 (Ben. Lev.); — d) Capitula Angilramni: c. 74. 75; — e) Bussbücher: c. 82 ('ex conc. Magontiano sub Arnulfo rege', vielleicht in der Tat ein Kanon). 98; — f) Schriftsteller: c. 17 ('Augustinus'). 78 ('Beda'). 2 ('Hieronymus'). c. 8 fin. 59. 80 (alle drei: 'Rabanus'). 1b (aus Isidor); — h) Varia: c. 1a. c; — i) Quelle unbekannt: c. 16. 34 ('ex conc. Magont.'). 50. 73 ('in synodo Aurelianensi prima sub Ludowico').

1) Den weiteren Wortlaut teilt Krause S. 298 nicht mit; etwaige Varianten sind noch festzustellen.

2) Diese zwei Deutungen stellt Krause a. a. O. zur Wahl.

3) Soweit in der Sammlung die nicht aus Regino stammenden Kapitel mit einer Quellenangabe versehen sind, halten sich richtige und falsche Inskriptionen numerisch ungefähr die Wage. Die falschen sind oben S. 334, N. 8 angegeben. Von absichtlicher Fälschung der unrichtigen Inskriptionen kann keine Rede sein.

4) 2, 70: 'de eo (Einzahl zu beachten!), qui . . ., consideratum est'; 2, 71 'de illo iudicatum est, qui . . .'.

5) Vgl. Hinschius, Kirchenrecht V 1, 104, N. 7. Auch die Spezialliteratur (Scherer, Ueber das Eherecht bei Ben. Lev. S. 38. 40. 42; Freisen, unten S. 336, N. 2) macht keine Vorlage namhaft.

'Raban. epist. ad Reginbald. c. 5'[1]; damit sind höchstens Parallelen gewonnen, an denen auch sonst kein Mangel ist[2]. Dass als Quelle möglicherweise das rätselhafte Konzil von Wizipurch in Frage kommen könnte, ist zu 2, 70 bemerkt worden[3].

2, 72: Quelle unbekannt[4]. Knust l. c.: 'cf. Karlom. Capit. 742 c. 5' (MG. Capit. I, 25 = Epist. III, 311 lin. 15 = Conc. II, 4 lin. 2) — eine der vielen blossen Parallelen bezüglich der Amulete ('filacteria')[5]. Zu den falsae inscriptiones (Zaubersprüche) kann ich z. Z. keine Belege beibringen[6]; wohl aber ist von den Zauberknoten ('ligaturae') häufig die Rede[7]. Zum Krankengebet und zur Krankenölung vgl. Jac. 5, 14. 15 (darauf geht 'apostoli') und die unten zu 2, 75a beigebrachten Parallelen.

---

1) ed. Baluze, Capitularia II, 1379 (= Migne CXII, 1510): '. . . Unde sancti patres sancxerunt, quod parricidae deponentes militiae cingulum omni tempore vitae suae in poenitentia persistant sive in monasterio deo serviant'. 2) Vgl. Freisen, Gesch. des can. Eherechts (1888) S. 561 ff. 575 ff. Siehe z. B. Hrabanus ad Heribald. c. 7 (Canisius-Basnage II, 2, 299): 'Non enim eis (parricidis) licebit ultra militiae cingulum sumere et nuptiis atque coniugii copula uti' (= Hrab. Poenit. c. 11). Zur Sache vgl. ferner unten 2, 90. 98. 3) Vielleicht spielt Conc. Tribur. 895, Coll. Catalaun. c. 13 (N. A. XVIII, 398) auf unser Kapitel mit der dunkelen Wendung 'aliqua priorum statuta' an. 4) Hinschius V 1, 160, N. 1. 2 gedenkt unseres Kapitels nicht, weil es keine strafrechtliche Sanktion enthält. 5) Vgl. über diese ferner Karoli M. Capitulare primum 769 c. 6. 7 (Capit. I, 45), Indiculus superstitionum c. 10 (l. c. p. 223); Conc. Laodic. c. 36 (Dion.-Hadr. ed. 1609 p. 82: 'Quod non oporteat . . . clericos . . . facere phylacteria'); Conc. Roman. sub Greg. 721 c. 12; Epist. Gregorii III., Jaffé 2246 (MG. Epist. III, 291, lin. 26), Epist. Zachariae, Jaffé 2264 (l. c. p. 304, lin. 32); Bonifatii Mog. epist. ad Zachariam (l. c. p. 301, lin. 16. 22), epist. ad Cudberhtum (l. c. p. 351, lin. 20; = Concil. in Francia hab. 747, MG. Conc. II, 47, lin. 25); Poen. Egberti 8, 4 (Wass. S. 239; Schmitz II, 668) = Poen. Ps.-Bedae 30, 3 i. f. (Wass. S. 272). — Vgl. noch die nächste Note. 6) Concil. Venet. 465 c. 16 (Bruns II, 145): '. . . aliquanti clerici . . . quarumcumque scripturarum inspectione futura promittunt' (von c. 42 Conc. Agath. 506, Migne LXXXIV, 269 auch auf Laien bezogen) hat die Wahrsagerei im Auge, nicht den magischen Schutz. Auf Beschwörungssprüche gegen Krankheit(sgeister) könnte dagegen vielleicht gedeutet werden Conc. Burgund. (überliefert als Statuta q. d. Bonifatii c. 33, d'Achéry, Spicil. IX, 66): 'Si quis presbyter aut clericus . . . philacteria, id est scripturas, observaverit, sciat se canonum subiacere vindictis'. 7) Vgl. Indiculus superstitionum c. 10 cit.; Capitula Martini Bracarensis c. 59, gebildet aus Conc. Laodic. c. 36 cit. (Migne LXXXIV, 582): Regino 2, 5 § 44 (Quelle unbekannt; = c. 4 des angeblichen Conc. Rotomag., Bruns II, 269): 'quaedam nefaria ligamenta . . . ut sua animalia liberet a peste'; Bonifatii Mog. epist. ad Zach. (MG. Epist. III, 301, lin. 16); Poen. Ps.-Romanum 6, 7 (Wass. S. 368), Vindob. a c. 39 (Wass. S. 419, Schmitz II, 353), Merseb. a c. 36 (Wass. S. 395), Valicell. I. c. 89 (Schmitz I, 312), Ps.-Theodori 12, 22 (Wass. S. 598).

2, 73: Quelle des Kanon unbekannt[1]. Nach Knust a. a. O. soll das Kapitel stammen aus 'Concil. Paris. 829. I. 49' i. f. (MG. Conc. II, 643)[2], welche Behauptung gegen bekannte methodische Grundsätze verstösst. Der Kampf gegen die Pluralität der Kirchenämter setzt mit den Zeiten Ludwigs d. Fr. ein[3]; vgl. ausser Conc. Paris. 829 cit.: Episcoporum relatio 829 c. 44 (MG. Capit. II, 41); Conc. Aquisgr. 836 Cap. II B c. 16 (MG. Conc. II, 714); Capitulare ecclesiast. 818. 819 c. 11 (MG. Capit. I, 277). Abgesehen von der problematischen Quelle Benedikts in 2, 75b dürfte mit diesen wenigen Zitaten allerdings das karolingische Material einschlagender Vorschriften bis auf die Abfassungszeit der falschen Dekretalen (um 852) erschöpft sein[4, 5].

2, 74. Nach Knust aus Conc. Aquisgr. 836 Cap. II A c. 10 (MG. Conc. II, 710), was auf den ersten Blick zuzutreffen scheint. Doch ist der Text des Aachener Kanon abweichend formuliert, wenn schon sein Sinn sich mit Ben. 2, 74 decken mag. Zur Zeit Benedikts stehen sich bezüglich der grossen Bittprozessionen ('laetaniae maiores') römischer Brauch und gallisch-germanischer Brauch gegen-

---

1) Vgl. Hinschius, Kirchenrecht III, 245, N. 3 a. E. 2) '. . . Hoc tamen specialiter corum (episcoporum) sollertiae providendum est, ut hac occasione nullus presbyter duas aut tres avaritiae causa, quibus sufficere secundum divinum cultum nullatenus potest, habere audeat basilicas'. Also, abgesehen nur von den Worten 'nullus presbyter', völlig abweichende Formulierung. 3) Vgl. Hinschius a. a. O. 4) n. 5 der echten Canones Namnetenses (= Regino 1, 257; Studie I, N. A. XXVI, 60) kann jünger sein als 852, vgl. Studie I a. a. O. S. 61 f.; in den Worten: 'itaque nullus presbyter plures praesumat habere ecclesias' klingt der Canon Namn. an unser Kapitel an. — Der bei Regino I, 247 überlieferte can. 8 Conc. Remens. ist, wie der Schluss ergibt, nachpseudoisidorisch; am Anfang nimmt er auf den Satz Bezug: 'in unaquaque ecclesia presbyter debet esse'. — Die von Krause N. A. XIX, 117 f. edierten Capitula presbyterorum XVII gehören (wie die überliefernde Münchener Hs. 3851) dem 9. Jh. an; sie sind sicher älter als Regino (c. 15 = Reg. 1, 277; c. 16 = Reg. 1, 278) und jünger als die vor 813 fallenden Capitula ecclesiastica (MG. Capit. I, 178) = Anseg. 1, 147, weil c. 8 dieser Capitula in c. 2 der Krauseschen Capitula benutzt ist. Ob sie aber noch der 1. Hälfte des 9. Jh. angehören, steht dahin. In diesen Cap. presb. lautet c. 15: 'Ut unusquisque presbyter ecclesia una, ubi ordinatus est, contentus sit (ähnlich Episc. rel. 829 c. 44 cit.) et nullus in duabus ecclesiis ministrare praesumat'. 5) Stutz, Gesch. des kirchl. Benefizialwesens I, 1, 256, N. 66 zitiert noch Theodulfi Capitulare (primum) c. 16 und Ben. Lev. 3, 206; beide Stellen handeln aber nicht von der Uebernahme mehrerer Kirchen durch ein und denselben Priester, sondern von Geldspenden mit dem Zweck, eine Kirche ihrem Inhaber zu entziehen; solcher Simonie kann sich auch schuldig machen, wer noch garnicht angestellt ist oder wer bereit ist, auf sein geringeres Benefizium zu verzichten.

über[1]. Die Römer feiern die grosse Litanei an einem festen Kalendertag (25. April), die Franken an den beweglichen drei Tagen vor Himmelfahrt. An dem fränkischen Brauch hält noch Conc. Mogunt. 813 c. 33[2] (MG. Conc. II, 269) fest[3]. Spätestens mit dem Conc. Aquisgr. 836 setzen die Romanisierungstendenzen[4] in der fränkischen Kirche ein[5]. Doch bleibt die Möglichkeit offen, dass die Aachener Synode einer älteren Vorlage folgte, und zwar derselben, deren Text in Ben. 2, 74 vorliegt; vgl. was zu 2, 75a auszuführen sein wird.

2, 75. Knust bemerkt in seiner Tabula fontium: 'Concil. Aquis. 836. III. 5 et Concil. Paris. l. c.; cf. Concil. Nannetens. c. 8'. Die zitierten Quellen sind aber nur Scheinquellen.

2, 75a: Quelle unbekannt. Von den Parallelen[6] kommt allerdings Conc. Aquisgr. 836 Cap. II B c. 5 i. f. (MG. Conc. II, 712) unserem Teilkapitel am nächsten:

Ben.	Conc. Aquisgr.
Si infirmitate depressus quis fuerit, vitam sine communione non fi-	. . . Si autem infirmitate depressus fuerit, ne confessione atque ora-

1) Vgl. insbes. Walafridus De exord. et increm. rer. eccl. (a. 840—842) c. 29 (MG. Capit. II, 513 f.). Die sog. 'letaniae minores' (den Ausdruck finde ich im 9. Jh. nicht) werden die gewöhnlichen, minder feierlichen Bittgänge sein. Jedenfalls erhellt aus Walafrid, dass die spätere technische Bedeutung von 'letaniae minores' (= 'rogationes' an den drei Tagen vor Himmelfahrt) dem 9. Jh. noch nicht bekannt war; auch der gallische 3tägige Bittgang fällt unter die 'laetaniae, quas maiores vocamus'. 2) = Ben. 1, 150. 3) So auch Boretius, MG. Capit. I, 179, N. 12; a. M. Werminghoff (Note 3 zu c. 33 Mog. cit.), der 'laetania maior' im späteren Sinne versteht. 4) Seine Unterwerfung unter den mos Romanus verbrämt das Aachener Konzil mit dem Vorbehalt, dass die Feier am 25. April 'secundum consuetudinem nostrae ecclesiae' gehalten werden solle. Dabei wird an die liturgische Ausgestaltung und nicht an das Triduum zu denken sein, welch letzteres sich mit der eintägigen Feier des 25. April nicht verträgt. 5) Bezeichnend für ihren Sieg ist die Interpolation, welcher Regino 1, 279 den Mainzer Schluss unterzogen hat. — Zu 'more Romano' vgl. Ben. 1, 371. 372. 6) Betreffend die letzte Oelung bzw. Krankenölung: Innocentius I. ad Decentium, Jaffé 311, c. 8 Dion.-Hadr. (ed. 1609 p. 336 sq.); Karoli M. Cap. primum 769 c. 10 (MG. Capit. I, 45); Capitula a sacerdotibus proposita 802 (oder 801?) c. 22 (l. c. p. 107, cf. MG. Conc. II, 228); Capitula eccles. 810—813? c. 17 (l. c. p. 179); Ghaerbaldi Capitula 802—810 c. 19. 20 (l. c. p. 244); Conc. Cabillon. 813 c. 48 (MG. Conc. II, 283); Burgundische Synode bei Ben. 2, 178. 179; betreffend die Kommunion z. B. Capitula eccles. 810—813? c. 16 (MG. Capit. I, 179).

Ben.	Conc. Aquisgr.
niat[1] nec unctione sacrati olei careat. Et si finem perspiciat, sacrosancto corpore deo anima eius a sacerdote praecibus commendetur.	tione sacerdotali nec non unctione sacrificati olei per eius negligentiam careat. Denique si finem urgentem perspexerit, commendet animam christianam domino deo suo more sacerdotali cum acceptione sacrae communionis . . .

Die Abweichungen Benedikts von dem Kanon sind aber so erheblich, dass man Benedikts Quelle in dem Aachener Text schwerlich erblicken darf. Zudem erscheint Benedikts Fassung der Vorschrift als die rohere (vgl. 'sacrosancto corpore . . . commendetur') und darum ursprünglichere. Es wird also geraten sein, umgekehrt in Benedikts Text einen unbekannten Kanon (von 829?) zu vermuten, der 836 in Aachen überarbeitet wurde.

2, 75b: Quelle des Kanon (?) unbekannt[2]. Nach Knust soll Quelle sein lib. I c. 49 i. f. des Pariser Konzils 829 (s. oben zu 2, 73) und daneben noch Conc. Namnet. c. 8 (= n. 5 der echten Canones Namnet.)[3] in Betracht kommen. — Der Anfang unseres Teilkapitels (bis 'vindicet') deckt sich im Wesentlichen mit Ben. 2, 73; es gilt das oben zu 2, 73 Gesagte also auch für 2, 75b. Der Begründungssatz ('quia — ecclesiam') operiert mit dem Gleichnis der Ehe: wie dem Weltlichen der Besitz zweier Frauen verboten sei, so dem Priester[4] der Besitz zweier Kirchen. Dieselbe Analogie verwertet der angeführte echte canon Namnet., aber in anderer Fassung und in Verbindung mit einer zweiten Analogie[5]. Kann schon wegen letzterer Tatsachen von einer Benutzung des Nanteser Konzils durch Benedikt schwerlich die Rede

1) Vgl. Capitula ecclesiastica 810—813? c. 16 (MG. Capit. I, 179): 'ne sine communione moriatur'. 2) Vgl. Hinschius, Kirchenrecht III, 245, N. 3 a. E. 3) Vgl. oben zu 2, 73 a. E. Note 4. 4) Auch Pseudoisidor verwendet das Gleichnis: 'uxor episcopi, quae eius aecclesia vel parrochia indubitanter intelligitur' (Calixt. c. 14, ed. Hinschius p. 139; Quelle nicht ermittelt), übrigens zu einem anderen Zwecke (gegen Intrusion und Translation von Bischöfen). 5) Satz 1 des Kanon lautet: 'Sicut enim episcopus non plus potest habere quam unam civitatem et vir unam uxorem, ita presbyter unam tantum ecclesiam'.

sein [1], so steht ferner die unsichere Chronologie der Synode von Nantes [2] der Annahme einer Benutzung im Wege.

2, 76: Quelle unbekannt. Knust zitiert: 'cf. Concil. Paris. I. 35' [3]. Hier erscheint aber die halböffentliche Busse als ohne Weiteres eintretende Nebenstrafe der Degradation, während unser Kapitel die volle öffentliche Busse als Hauptstrafe über rückfällige bereits degradierte Priester verhängt. Der unbekannte Kanon, der in unserem Kapitel vorzuliegen scheint, richtet sich gegen die Entwickelungstendenz, die schliesslich zur Befreiung der Kleriker von der öffentlichen Busse alten Stils führte [4].

2, 77: Quelle unbekannt. In dem Bussbuch, auf das Knust verweist: 'cf. Capit. Theodori Cant. c. 103' [5], d. h. in den Capitula Dacheriana c. 146 (Wass. S. 158), steht nichts weiter als: 'Ex aqua benedicta domus aspergendae sunt'. Auch in der Bischofsrede, auf die Knusts Zitat: 'Martene collect. T. VII [6] p. 3' geht, d. h. in der sog. Homilia Leonis IV., lesen wir nur [7]: 'Omni die dominico ante missam aquam benedictam facite, unde populus (et loca fidelium) asperga(n)tur, et ad hoc solum vas habete'. — Wenn unser Kapitel (Kanon?) bestimmt, dass das am Sonnabend vor Ostern oder am Sonnabend nach Pfingsten zu Besprengungszwecken nach Hause erbetene Weihwasser abgegeben werden solle vor der Vermischung mit dem Chrisma, so stellt es sich m. E. in die Reihe der Vorschriften [8], die dem Missbrauch des Chrismas zu abergläubischen Zwecken entgegentreten wollen.

1) Vgl. Studie I (N. A. XXVI), 39, N. 2. 2) Vgl. oben S. 337, N. 4. 3) Conc. Paris. 829 lib. I c. 35 i. f. (MG. Conc. II, 635) lautet: '. . . ut unusquisque episcoporum . . . praesbyterorum . . . parroechiae suae gradum amittentium vitam et conversationem morumque emendationem . . . noverit cosque canonicae paenitentiae (dazu Hinschius V 1, 100/101, N. 12) subdere non neglegat'. — Vgl. auch Conc. Cabillon. 813 c. 40 (MG. Conc. II, 281 sq.: '. . . gradu amisso agendae poenitentiae gratia in monasterio . . . mittantur'); Hlotharii I. Capitulare Papiense 832 c. 3 in. (MG. Capit. II, 60). 4) Hinschius IV, 821 f. V 1, 100—102. 115 f. 5) Zuerst ediert in d'Achéry, Spicilegium IX (1669), p. 61. 6) Martene et Durand, Veterum scriptorum ampliss. collectio VII (Paris. 1733). 7) Vgl. auch den Text bei Sdralek, Wolfenbüttler Fragmente S. 181. 8) Capitula post a. 805 addita c. 1 (MG. Capit. I, 142); Capitula in dioecesana quadam synodo tractata (saec. IX. in.) c. 11 (l. c. p. 237); Capitulare Aquisgr. 809 c. 10 (l. c. p. 149); Capitulare missorum Aquisgr. primum 809 c. 21 (l. c. p. 150); Conc. Arelat. 813 c. 18 (MG. Conc. II, 252; = Statuta q. d. Bonifatii c. 5, vgl. Studie IV, N. A. XXIX, 311); Conc. Mogunt. 813 c. 27 (MG. Conc. II, 268) = Capitula e canonibus excerpta 813 c. 17 (MG. Capit. I, 174 = MG. Conc. II, 296); Conc. Turon. 813 c. 20 (MG. Conc. II, 289).

2, 78: Quelle unbekannt. Knust denkt an Pseudoisidor: 'cf. Pseudo-Clementis epist. 1 et 3', d. h. Ps.-Clem. I. c. 36 (p. 41). 42 in. (p. 44), Ps.-Clem. III. c. 70 (p. 57 sq.)[1]. Eine bessere Parallele — aber nicht mehr als dieses — bietet Conc. Valletanum c. 5 (Migne LXXXIV, 328). Benedikt wird nicht müde, Klerus[2] und Volk[3] den kanonischen Gehorsam gegen ihre Bischöfe einzuschärfen (Ben. 1, 137 Mitte; 1, 322b Anfang und Ende; 2, 163; 2, 176 nach dem Anfang und am Ende; 3, 155).

2, 79—81 aus S. Bonifatii et Lulli epistolae.

2, 79 aus Epist. 78 (Bonifatius Cudberhto archiep. Cantabrig., anno 747), MG. Epist. III, 351, lin. 12. 13[4]. Rubrik von Benedikt. Zwei harmlose Interpolationen ('Dignum est' statt 'Decrevimus', 'est' statt 'sit') und eine vielleicht tendenziöse: 'metropolitanus . . . honoretur[5] et caeteros admoneat' schreibt Benedikt, wogegen die Vorlage besagt: 'metropolitanus . . . hortetur caeteros et admoneat'.

2, 80 = Add. IV. 75a. — 2, 80a ('Progeniem — generationem') aus Epist. 28 (Gregor III. an Bonifatius, um 732, Jaffé 2239 [1724]), MG. Epist. III, 279, lin. 36. 37[6]. Rubrik von Benedikt. Zwei Varianten ('Progeniem' statt 'Pr. vero'[7], 'unumquemque'[7] statt 'quemque').

2, 80b ('Et quandiu — societatem') aus Epist. 26 (Gregor II. an Bonifatius, a. 726 Nov. 22, Jaffé 2174 [1667]), MG. Epist. III, 275, lin. 31. 32[6]. Zwei stilistische Veränderungen ('Et'[7] statt 'Dicimus, quod oportuerat quidem', 'accedant' statt 'accedere'[7]). — Die im Original folgende, wichtige Einschränkung des Verbots der Verwandtenehe lässt Benedikt weg.

2, 81 aus Epist. 45 (Gregor III. an Bonifatius, a. 739 Oct. 29, Jaffé 2251 [1734]), MG. Epist. III, 293, lin. 29—33. Rubrik von Benedikt. Textliche Abweichungen ohne sach-

---

1) Knust hätte noch auf Ps.-Pius c. 10 (p. 120) nebst Parallelen verweisen können. — Vgl. auch Conc. Matiscon. I. 583 c. 10 in. (MG. Conc. I, 157); Conc. Arelat. 813 c. 13; Mogunt. 813 c. 8; Turon. 813 c. 33; Capitula e can. excerpta 813 c. 10 u. s. w. 2) Also auch den Geistlichen an den Eigenkirchen der Grundherren. 3) Merkwürdig ist, dass in Benedikts Rubrik statt der 'populi' die 'presbiteri' erscheinen. 4) Wiederholt MG. Conc. II, 47, lin. 17. 18. 5) Also nur Ehrung (nicht Gehorsam)? 6) Auch Pseudoisidor (Gregor. ad Felicem, ed. Hinschius p. 751 unten) hat die Stelle benutzt; wie die Lesarten zu ergeben scheinen, hat Pseudoisidor sowohl Benedikt als das Original herangezogen. 7) So auch Add. IV. 75 und Pseudoisidor.

liche Bedeutung, zum Teil bedingt durch die Umsetzung der Brief- in die Kapitularienform ('Presbiteros' statt 'Pr. vero', 'unusquisque episcopus in sua parrochia repperit' statt 'ibidem repperisti', 'et apti' statt 'apti'); Benedikts Lesart 'omnique lege sancta educati' steht[1] als Korrektur in cod. 2[2], während cod. 4 'o. l. s. edocti' und die Mehrzahl der Hss.[3] 'omnemque legem sanctam edocati' schreiben. —

Von den genannten 4 Briefen aus der Sammlung des Bonifatius hat Benedikt den ersten in der Collectio maior, die 3 anderen in der Collectio minor vorgefunden; die Reihenfolge dieser letzteren 3 Briefe ist in der Collectio minor (und in unserer Ueberlieferung, d. h. in den codices 1. 2. 4) nicht: 26. 28. 45, sondern: 28. 26. 45[4], so dass Benedikt auch hier reihengetreu exzerpiert hat.

2, 82: Quelle unbekannt. Ein Kapitulare, das allgemein und ohne Weiteres auf Versagung der Herberge, die der Wanderer heischt, eine Busse von 60 solidi setzte, ist nicht überliefert. Das Gebot, den Wegfahrern oder gewissen Wegfahrern zu jeder Zeit oder wenigstens im Winter Obdach zu gewähren, kehrt mehrfach in den Kapitularien wieder; vgl. Pippini Capitulare Aquitan. 768 c. 6 (hier die Phrasen: 'in itineri pergit'; 'mansionem nullus vetet'); Cap. Haristall. 779, forma communis, c. 14 in der Fassung des cod. 10 ('mansionem vetare'); Capitulare missorum generale 802 c. 27; Cap. miss. 803 c. 17 ('mansionem contradicere')[5]; Capitula omnibus cognita facienda 801—814 c. 1 ('nullus . . . deneget mansionem'); Pippini Cap. Papiense 787 c. 4 ('et quando hibernum tempus fuerit, nullus debeat mansionem vetare ad ipsos iterantes')[6].

2, 83: Quelle unbekannt. Dass jeder Getaufte zur Förderung seines Seelenheils womöglich die Firmung empfangen soll, wird von Alters her als eine religiöse Pflicht betrachtet[7]. Zur Rechtspflicht hat das religiöse

---

1) Mit einer Abweichung: 'edocati' statt 'educati'. 2) Vgl. Studie VI (N. A. XXXI), S. 63 zu Ben. 1, 1. 3) Codd. 1. 2 im nichtkorrigierten Text. 6. 4) Vgl. Dümmler in MG. Epist. III, p. 215, N. 2, p. 216. 217 unten. 221 Mitte. 5) Nach Knust Quelle Benedikts, was nicht zutrifft. 6) MG. Capit. I, 43. 50. 96. 116. 144. 199. 7) Vgl. die bei Pseudoisidor p. 245 wiedergegebene Homilie (5. Jahrh.?); Cap. Dach. c. 7 = Can. Greg. c. 12 = Poen. Theod. II, 4 § 5 (Wass. S. 146. 162. 205).

Gebot nur Pseudoisidor[1] gesteigert. So weit geht Benedikt nicht: er verlangt nur, dass alle Dritten ('omnes', d. h. wohl zunächst Eltern[2], Priester, Bischöfe) ihr Möglichstes tun sollen, damit Niemand ohne bischöfliche[3] Konfirmation sterbe[4].

2, 84 cf. Lex Visigothorum 4, 5, 6 (Erv.), MG. Leges Visig. p. 202 lin. 20 — p. 203 lin. 3. Rubrik von Benedikt[5]. Die Textverhältnisse lassen sich nur durch Nebeneinanderstellung veranschaulichen:

Lex Visig.	Ben.
Multorum enim mentes pontificum . . . quedam de his, que in eorum diocesi	
fundatis ecclesiis pia fidelium oblatione donantur, insatiabili rapacitatis studio aut iuri ecclesie principalis innectunt	Qui fidelium oblationes ab ecclesiis vel a iure sacerdotum auferunt vel ablatas accipiunt,
aut donanda aliis vel sub stipendio habenda	
distribuunt, sicque non solum aliena vota disrumpunt, sed et sacrilegium operantur in eo, quod ecclesie Dei fraudatores existunt. Ecclesiam quippe fraudare sacrilegium esse a maioribus[6] adprobatur.	non solum aliena vota disrumpunt, sed et sacrilegium operantur nec non et ecclesiae Dei fraudatores existunt, quia ecclesiae aliquid fraudari vel auferre sacrilegium esse a maioribus adprobatur.

---

1) Urban. c. 10 i. f. (p. 146): 'Omnes . . . fideles per manus impositionem episcoporum spiritum sanctum post baptismum accipere debent'. 2) Vgl. unten 2, 177. 3) Vgl. Innocentius I. ad Decentium (Jaffé 311) c. 3. 4) Dem Taufenden wird mehrfach die Pflicht auferlegt, für die Vornahme der späteren Firmung zu sorgen; vgl. Conc. Eliberitan. (vor 316) c. 38. (77), Migne LXXXIV, 306. 310; Conc. Aquisgr. 836 Cap. II B can. 7 med. (MG. Conc. II, 712 lin. 5): 'Post acceptum autem sacrum baptisma sine manus inpositione episcopi non remaneat'. Den Kanon von Aachen hält Knust für die Quelle (!) Benedikts. Vollends abwegig ist Knusts Hinweis auf Cap. a sacerdotibus prop. 802? c. 22 (MG. Capit. I, 107), wo nicht von der Firmung, sondern von der Krankenölung gehandelt wird. 5) Sie lautet: 'De his, qui fidelium oblationes' (aus dem Texte) 'auferunt' (aus dem Text, vgl. das Folgende, S. 344 oben) 'vel vastant' (vgl. Ben. 2, 89 i. f. 370. 404. 405. 407. 430. 431) 'aut sine proprii episcopi iussione' (vgl. unten zu 2, 85. 108. 156. 157; Conc. Gangr. c. 8 D.-H.: 'praeter episcopum') 'dant vel accipiunt' (vgl. Conc. Gangr. cit.: 'dederit vel acceperit'; 'et qui dat et qui accipit'). 6) Zeumer weist die Quelle, die hier das Gesetz im Auge hat, nicht nach; gemeint ist

Interpoliert sind also der Anfang und, wenn wir von blos formellen Eingriffen ('nec non et', 'quia — fraudari') absehen, die Worte 'vel auferre' am Schluss. Die Quelle des Anfangs ist unbekannt; höchstens könnte 'accipiunt' durch Conc. Gangr. c. 8 (S. 343, N. 5) beeinflusst sein.

2, 85 aus Damasus' I. Schreiben an den Bischof Paulinus von Antiochia, a. 380, J. 235 (57)[1], ed. Migne LVI, 688 (Quesnelliana cap. LV); ed. Migne LXXXIV, 630 (Hispana num. 2, c. 3 in.)[2] u. s. w. Rubrik von Benedikt[3]. Text mehrfach leicht überarbeitet; beachtenswert, dass nach den Anfangsworten 'Presbiteri, qui' von Benedikt eingeschoben wird: 'sine iussione proprii episcopi' (vgl. zu 2, 84 rubr.), was aber keine Rechtsänderung bedeutet; die Aenderung 'a communione habeantur alieni' statt 'a communione n o s t r a hab e m u s (habeamus) alienos' forderte der Kapitularienstil. — Zur Sache vgl. Ben. 2, 59. 200.

2, 86. 87 a u s d e r S y n o d e v o n H e r f o r d 673[4].

2, 86 = Conc. cit. c. 6. Rubrik von Benedikt; im Original geht dem Texte das Wort 'Sextum' voraus. Text wörtlich wie in der Vorlage.

2, 87 = Conc. cit. c. 10. Rubrik von Benedikt; im Original lautet sie abweichend: 'Decimum pro coniugiis'. Zwei untergeordnete Varianten ('quisque' statt 'quisquam'; 'aut' hinter 'sed' eingeschoben).

2, 88: Quelle unbekannt. Wahrscheinlich von Benedikt entweder gefälscht oder zum Mindesten interpoliert. Das Kapitel kehrt noch zweimal in Benedikts Sammlung wieder (3, 397; Add. IV. 38); in Add. IV. 38 ist es inskribiert ('Item in capitulo domni Karoli imperatoris'), aber nicht

---

Hieronymus ad Nepotian., bzw. Conc. Vasense I. 442 c. 4 i. f., vgl. unten zu Ben. 2, 370. 394. 407. 1) Maassen, Gesch. der Quellen I, 232 f. zählt 21 Kanonensammlungen auf, in denen sich das Schreiben findet. Benedikt benutzt es wohl nach der Hispana Augustodunensis. 2) In der Hs. der Augustodunensis ist das Stück in Folge eines Versehens ausgelassen, s. Maassen, Pseudoisidor-Studien II (Wiener SB. CIX), S. 19. Der Text unseres c. 3 wird sich in der Augustod. mit dem pseudoisidorischen Text (ed. Hinschius p. 516 oben) gedeckt haben. 3) Sie fehlt in der Quesn.; lautet anders in der Hispana und in der Augustod. 4) Ueberliefert bei Baeda, Hist. eccl. 4, 5. Daraus ediert z. B. von Mansi XI, 127 f.; Bruns II, 310; Haddan and Stubbs, Councils III, 120 f.

rubriziert; in 2, 88 und 3, 397 rubriziert[1], aber nicht inskribiert. Der Text stimmt an allen 3 Stellen fast wörtlich überein[2]. An Mosaiksteinchen, aus denen Benedikt das Kapitel zusammensetzte, hat sich bisher Folgendes gefunden:

a) Der Anfang 'Si quis secularium'[3] und die Worte 'distulerit, tamdiu sit ab ecclesia', sowie zum Teil vielleicht der Gedankengang sind beeinflusst von Conc. Autissiodor. ca. a. 573—603 c. 44 (MG. Conc. I, 183):

> Si quis ex saecularibus institutionem aut ammonitionem archipresbyteri sui contumacia faciente audire distulerit, tamdiu a liminibus sanctae ecclesiae habeatur extraneus, quamdiu tam salubri (-brem) institutione(m) adimplere deberit (*sic*) . . .;

b) die Worte 'tam maioris[4] ordinis quam et[4] inferioris' stammen aus Innocentii I. epist. ad Victricium episc. Rotomag. 'Etsi tibi frater' (Jaffé 286 [85]) c. 3 in.[5]: 'tam superioris ordinis quam etiam inferioris';

c) 'vocatus . . . ad emendationem ac poenitentiam venire' — diese Worte finden sich fast buchstäblich[6] im Eingange der Exkommunikationsformel, die bei Regino 2, 413 (ed. Wasserschleben p. 371) steht und deren Ursprungsverhältnisse im Dunkeln liegen. Darf man annehmen, dass die Formel schon 60 Jahre vor Regino im Gebrauch war, so stände nichts im Wege, in ihr eine Quelle Benedikts zu sehen;

d) zu: 'ab ecclesia extorris' vgl.[7] Conc. Tolet. VI. 638 c. 6: 'ita de christianorum coetu habeantur extorres';

e) zu den Worten '(a) catholicorum consortio sequestratus' vgl. z. B. Conc. Tolet. V. 636 c. 3 i. f.: 'a consortio catholicorum (privatus)'; Conc. Aspasii 551 c. 1: 'a

---

1) Und zwar 2, 88 'De his, qui episcoporum vocationem vel correctionem contempserint'; 3, 397 'De secularibus, qui episcopis suis inobedientes existunt et ad emendationem sui tardant venire, quid agendum sit'. 2) Abweichungen: in 2, 88 fehlt 'a' (vor 'catholicorum') und 'inlicite' (vor 'commisit'), während sich diese Wörter in 3, 397 und Add. IV. 38 finden; am Schlusse hat 2, 88 'melioratus', 3, 397 'emendatus', Add. IV. 38 'per satisfactionem emendatus'. 3) So beginnt auch Conc. Agath. c. 32 Satz 2 'Si quis vero saecularium' (Migne LXXXIV, 268). 4) So sagt auch Pseudoisidor (Clemens c. 57, ed. Hinschius p. 53): 'omnesque principes tam maioris ordinis quam et inferioris'. 5) Hispana ed. Migne LXXXIV, 645; Hisp. Augustodunensis fol. 127b. 6) '(Igitur quia monita nostra . . . contemnit, quia tertio . . .) vocatus ad emendationem et poenitentiam venire (despexit' etc.). 7) Der Ausdruck 'extorris' ist in den echten Quellen überaus selten; dagegen gebraucht ihn Benedictus mit Vorliebe, vgl. 2, 370h. 383. 407d. 3, 261h.

. . . (convivio) catholicorum . . sequestratus'; Conc. Paris. 614 c. 8 (6): '(ab ecclesia) sequestratum'; ibid. c. 11 (9): 'a (communionis gratia) sequestratus'; Conc. incerti loci post a. 614 c. 12: 'ab (ecclesia) sequistrentur';

f) zu 'tamdiu sit . . . sequestratus, quousque emendet ac . . . reatum suum usque ad satisfactionem canonice diluat' vgl. Conc. Paris. 614 c. 11 (9) cit.: 'tamdiu sit . . . sequestratus, quo(ad)usque res ablatas cum fructuum satisfactione restituat'; ibid. c. 6 (4): 'ab ecclesia . . . tamdiu sit sequestratus, quamdiu reatum suum . . emendet'; Conc. Paris. 573 (MG. Conc. I, 150 lin. 13 sq.): 'per satisfactionem . . reatum suum abluere';

g) am Schlusse spricht Benedikt von der Rekonziliation des bussfertigen Gebannten; der Gebannte wird 'dem Schoss der Kirche, von deren Gebärmutter er auf Abwege sich begeben hatte', nach geleisteter Genugtuung gebessert 'zurückgegeben'. Diese gehobene, mit einem eigentümlichen Bild arbeitende Ausdrucksweise fällt so sehr aus dem Stil der Kanonen[1] und der weltlichen Gesetze heraus, dass es nahe lag, auf theologischem, z. B. liturgischem Gebiete nach der Quelle Ausschau zu halten. Und in der Tat stellten sich Anklänge heraus an ein Gebet (oratio), das der Bischof bei der feierlichen Wiederaufnahme des öffentlichen Büssers am Gründonnerstag ('Reconciliatio poenitentis in cena domini') spricht:

Oratio[2].	Ben.
Praesta, quaesumus, domine, huic famulo tuo dignum in paenitentiae fructum[3], ut aecclesie tue sancte, a cuius integritate deviarat peccando, admissorum veniam consequendo reddatur innoxius per.	. . . reconciliatione . . . episcopi divinis praecibus indulgentiam consequatur et veniam ecclesiaeque gremio, a cuius utero deviaverat, peracta satisfactione ab eodem melioratus episcopo canonice reddatur.

Das Alter des Sacramentarium Fuldense, in dem sich der Ordo poenitentiae mit dem Gebete findet, steht leider

1) Etwa abgesehen von den westgothischen. 2) Ed. Schmitz, Bussbücher II, 62 aus einer Fuldaer Hs. der Göttinger Universitätsbibliothek (Cod. theol. 231 saec. XI. fol. 56b'). 3) Vgl. Ben. 1, 121. 125 und dazu Studie VI (N. A. XXXI), S. 80.

nicht fest[1]; Schmitz[2] versetzt es ins 8. Jh. Aber auch wenn es jünger sein sollte, kann das Sacramentarium und speziell unser Gebet auf einer älteren, vorbenediktischen Vorlage beruhen. Es hat sogar den Anschein, als habe Benedikt die ältere, ungeschlachtere Fassung des Passus 'ecclesiae (tuae) gremio[3], a cuius utero devia[ve]rat' aus dem Gebete aufbewahrt; eine ästhetisch feiner fühlende Zeit mag (an dem 'gremium' und vollends) an dem 'uterus ecclesiae' Anstoss genommen und die betreffenden Worte durch die farblosen Ausdrücke ('sanctae' und) 'integritate' verdrängt haben[4]. —

Sollte Benedikts Vorlage ein echter Text gewesen sein, so kann ihn Ben. immer noch verunechtet haben. Der Interpolationsverdacht könnte sich richten auf die Worte:

α) 'sui' vor 'episcopi auctoritate', vgl. oben zu 2, 69b;

β) 'proprii' in der Wendung 'reconciliatione proprii episcopi', vgl. oben a. a. O.;

γ) 'divinis praecibus' vor 'indulgentiam consequatur', vgl. Studie VI (N. A. XXXI), S. 80 f. 83 zu Ben. 1, 128. 134. 136;

δ) 'ab eodem (melioratus) episcopo' vgl. oben zu α. β.

2, 89a. b: Quelle unbekannt. Vermutlich Fälschung Benedikts. Teile des Kapitels kehren unten 3, 261 wieder[5]. Woher Benedikts Phrasenschatz stammt, hat sich bisher nicht ermitteln lassen.

2, 89a. Knust verweist auf Conc. Paris. V. 614 c. 10 (8)[6] und Conc. Carthag. 33[7]; die angeführten Kanonen können kaum als Parallelen, geschweige denn als Quellen unseres Teilkapitels gelten.

2, 89b ('Similiter omnes monemus' etc.). Unaufhörlich mahnt Benedikt, 'a cuncta ecclesiarum omnium vasta-

---

1) Auf das ausgehende 10. oder beginnende 11. Jh. als terminus ante quem führt für unser Gebet nicht nur das Alter der Göttinger Hs., sondern auch die Aufnahme des Gebets in die Kanonensammlung Burchards (11, 8). 2) Schmitz a. a. O. S. 55 f. 3) Stand in der zu Benedikts Zeit gebrauchten Exkommunikationsformel: 'a sanctae matris ecclesiae gremio segregamus' oder 'eliminamus' (Regino 2, 416. 417; ed. Wasserschleben p. 374 sq.), so begreift sich die Wiederkehr des Wortes 'gremium' in dem Gebete der Rekonziliationsformel. 4) Auch das 'innoxius' kann sehr wohl einer jüngeren Entwickelungsstufe im Rechte der Rekonziliation entsprechen als das bescheidenere 'melioratus' (oder 'emendatus'). 5) 2, 89a fin. 'ambiant — exurat' = 3, 261f; 2, 89b 'nam devastantes' bis Schluss = 3, 261c. 6) MG. Conc. I, 188. 7) Dionysio-Hadriana ed. 1609 p. 200.

tione' abzustehen; vgl. 2, 84 (rubr.). 370 (gegen Ende). 404 (Anfang). 405. 407. 430. 431 u. s. w. — Sollte der rhetorische Schluss des Kapitels: 'Videant vastantes, pronuntiamus, ne ab illo si se commoveat vastentur, cuius percussionem montium dorsa ferre non possunt' in einer Exkommunikationsformel oder dgl. zu suchen sein?

2, 90—95 aus Theodori Poenitentiale[1].

2, 90 cf. Theodori Poen. I, 4 § 5, ed. Wasserschleben p. 188, ed. Haddan and Stubbs (Councils III) p. 180, ed. Schmitz (I) p. 528. II, p. 548. Rubrik von Benedikt. Text durch Benedikt mehrfach interpoliert. Er hat (am Schluss des Kapitels) statt der privaten die öffentliche Busse verhängt ('publicam poenitentiam gerat' statt 'poeniteat'). Den Mörder eines Mönches oder Klerikers bestraft er, wie die Vorlage, mit Verweisung ins Kloster ('Deo serviat')[2], hält es aber für nötig, die nach dem staatlichen und kirchlichen Recht der Franken ganz ungewöhnliche Strafe[3] durch nähere Erläuterungen zu verdeutlichen (Einschiebsel: 'in monasterio . . . cunctis diebus vitae suae'; vgl. wegen 'cunctis' etc. die Quellenangabe oben zu 2, 41b); mit dem Zusatz 'nunquam ad seculum reversurus'[4] greift Benedikt[5] auf altkirchliches Recht zurück, vgl. Leos I. Schreiben an Rusticus 'Epistolas fraternitatis' J. 544 (Dion.-Hadr. c. 24, ed. 1609 p. 458): 'contrarium est omnino ecclesiasticis regulis post poenitentiae actionem redire ad militiam saecularem'; ferner Conc. Arelat. II. a. 442—506 c. 25: 'Hi qui post sanctam religionis professionem apostatant et ad saeculum redeunt' etc.; Conc. Turon. I. a. 461 c. 8: 'Si quis . . post acceptam poenitentiam sicut canis ad vomitum suum, ita ad saeculares illecebras . . . fuerit reversus' etc.

2, 91a = Theodori Poen. II, 12 § 32, ed. Wass. p. 216 etc.[6]; vgl. oben 2, 55[7]. Rubrik von Benedikt.

1) Vgl. Wasserschleben, Bussordnungen S. 37. 2) Und mit 7jähriger Busse. Statt 'et' hat die Vorlage 'vel'; dass dieses 'vel' alternativ gemeint ist, zeigt die Vergleichung mit dem vorangehenden § 4 Poen. Theodori I, 4. 3) Hinschius, Kirchenrecht V 1, 40 f. Vgl. Poenitentiale Valicellanum c. 5, ed. Schmitz (I) S. 351. 4) Auch dies wird eine im Sinne des Originals liegende Erläuterung sein. 5) Gleich Halitgar 3, 7 (ed. Schmitz II, 276) und gleich der Relatio episcoporum Compendiensis über die Busse Ludwigs d. Fr. 833 (MG. Capit. II, 55, lin. 30). 6) Nicht Poen. Martenianum c. 41, wegen der Lesarten. 7) In 2, 91a bleibt Benedikt textlich der Vorlage näher als in 2, 55; einzige Abweichung von der Vorlage in 2, 91a: 'si poterit' statt 'si quis poterit'.

Eine Variante, wie schon in Note 7 bemerkt ist. — 2, 91b 'eo quod iuxta apostolum non potuit illi reddere vir suus debitum': Interpolation Benedikts; vgl. 1. Cor. 7, 3: 'uxori vir debitum reddat'.

2, 92 = Theodori Poen. II, 12 § 33, ed. Wass. p. 216 etc. Rubrik von Benedikt. Hinter 'viro' streicht Benedikt die in der echten Vorlage offengelassene Ausnahme: 'nisi illa omnino resistat'. Also darf der Gewalthaber die Verlobte unter keinen Umständen (vor Auflösung des Verlöbnisses) einem anderen Manne geben.

2, 93 cf. Theodori Poen. II, 4 § 11, ed. Wass. p. 206. Rubrik von Benedikt. Text kräftig interpoliert: a) hinter 'osculum eis dare' fügt Ben. hinzu: 'vel Ave eis dicere'; das Grussverbot stammt[1] aus 2. Joh. 10 ('nec Ave ei dixeritis'); b) hinter 'Quanto magis' schaltet Ben. ein: 'cum excommunicatis ab episcopo aut cum'; das allgemeine Verbot, Exkommunizierte[2] zu grüssen, ist eine Erfindung Benedikts[3], falls er nicht auch hier[4] aus der Exkommunikationsliturgie[5] geschöpft hat.

2, 94 = Theodori Poen. II, 2 § 13, ed. Wass. p. 203. Rubrik von Benedikt. Im Text zwei gleichgiltige Varianten. Auf das Schlusswort 'baptizav(er)it' folgt bei Theodor noch 'baptizentur' oder (in einigen Hss.) 'r e baptizentur'; Benedikt hatte vielleicht letztere Lesart vor sich, und er hätte dann das Wort gestrichen, um nicht selbst den Einwand der unzulässigen Wiedertaufe zu provozieren.

2, 95 = Theodori Poen. II, 13 § 5, ed. Wass. p. 217; vgl. auch den Text der ed. Schmitz II, 579. Rubrik von Benedikt. Varianten im Text unbedeutend.

Seiner Gewohnheit, die Vorlagen in deren Ordnung wiederzugeben oder auszuziehen, ist Benedikt in unserer Reihe untreu geworden (bei 2, 93. 94). Eine umstellende

---

1) Wenn man durchaus an eine geschriebene Quelle denken will. Vgl. Regino 2, 412 (unten N. 5). 2) Auf diese kommt es Ben. in erster Linie an, wie die Interpolation beweist. Im Original steht nur das Verbot der Tisch- und Kussgemeinschaft mit Katechumenen und Heiden. Ein Verbot, letztere beiden zu grüssen, ist mir aus echten Quellen nicht bekannt. 3) Uebernommen von Pseudoisidor, epist. Calixt. 10 (ed. Hinschius p. 138). Einen Vorgänger hat Ben. an dem Conc. Vernense 755 c. 9 (MG. Capit. I, 35), wo aber nur bezüglich zweier bestimmter Kategorien von Exkommunizierten das 'salutare' verboten wird. 4) Vgl. oben zu 2, 88 litt. g. 5) Vgl. Regino 2, 412 i. f. (Wass. p. 371). 416 (p. 375).

Bearbeitung Theodors, die Ben. als Zwischenquelle gedient haben könnte, ist nicht bekannt[1].

2, 96: Quelle unbekannt. Schwerlich echtes Capitulare, vielmehr vermutlich Fälschung Benedikts und zwar, wie gewöhnlich, mit mosaikartiger Heranziehung echter Quellen. Wenn Knust[2] auf das III. Konzil von Orléans 538 c. 19 (16)[3], auf die Gesetze der Westgothen III, 3, (1—12)[4] und auf das Konzil von Meaux 845 c. 64—68[5] verweist, so ist er auf falscher Fährte. Eine gewisse Verwandtschaft zeigt Ben. 2, 96 mit Ben. 3, 395, und auch hier zieht Knust[6] Texte heran, denen die Eigenschaft von Quellen Benedikts, mangels wörtlicher Uebereinstimmungen, nicht beigemessen werden darf; die Texte sind wiederum die Synode von Meaux 845 c. 64. 65[5], ferner das Concilium Vernense 844 c. 6[7] und Brev. C. Theod. 9, 19, 1 interpr.[8].

---

1) Von einer Benutzung der Parallelsammlungen (Capitula Dacheriana, Wass. p. 152 ff.; Canones Gregorii, Wass. p. 170 ff.; Beda, Wass. p. 224; Martenianum, Wass. p. 291 ff.; Cummeanus, Wass. p. 468 ff.) kann aus verschiedenen Gründen keine Rede sein. 2) Knust, MG. LL. IIb, 22. Freisen, Gesch. des can. Eherechts S. 605 behandelt unser Kapitel, weist aber keine Quelle nach. 3) MG. Conc. I, 79. Nicht einmal der Mittelsatz liefert eine richtige Parallele; er lautet (die bei Benedikt wiederkehrenden Worte gesperrt): 'Quod si, quae (nämlich: virgo consecrata vel devota!) rapta dicetur, cum raptore habitare consenserit, et ipsa excommunicatione simili feriatur'. 4) MG. Leges Visig. p. 139—146. Zufall sind die paar Anklänge im Tatbestand III, 3, 1: 'Si quis ingenuus rapuerit virginem vel viduam'; III, 3, 5: 'Si alienam sponsam quicumque rapuerit'. Ebensogut hätte Knust auf den Satz der Bussbücher verweisen können: 'Si quis virginem aut viduam rapuerit, III annos peniteat in pane et aqua'; vgl. Poenit. Merseburg. a c. 35 (Wass. p. 395), Parisiense c. 29 (Wass. p. 415), Poenit. XXXV capitulorum 8, 1 (Wass. p. 510; Schmitz II, 224); Poenit. Pseudo-Romanum 2, 14 (Wass. p. 366) = Halitgar 6, 19 (Schmitz II, 295); Poenit. Sangall. tripart. 1, 10 (Schmitz II, 180) u. s. w. 5) MG. Capit. II, 413 sq. Die Worte, an die Benedikts Text anklingt, etwa: 'raptores virginum et viduarum, postea voluntate parentum eas quasi desponsantes sub dotalicii nomine, publica poenitentia' in c. 64 Conc.; '(necdum) eas (quas) rapuerant cum voluntate parentum sub praefato desponsionis vel dotalicii nomine, publica poenitentia, raptae parentibus legaliter restituantur' in c. 65 Conc.; 'rapere virgines vel viduas, ipsi et complices eorum anathematizentur' (nach Gregor II., nicht nach Conc. Chalced.) in c. 66 Conc.; 'virgines vel viduas rapere, publica penitentia' in c. 67 Conc.; 'qui sponsas alienas rapiunt vel consensu parentum accipiunt, publica penitentia' in c. 68 Conc. — sind wenig charakteristisch; der Sinn weicht erheblich ab. 6) MG. LL. IIb, p. 28. 7) MG. Capit. II, 384 sq. 8) Lex Rom. Visig. ed. Haenel p. 192 ('C. Th. 9, 15, 1 interpr.' falsches Zitat bei Knust): 'Si cum parentibus puellae nihil quisquam ante definiat, ut eam suo debeat coniugio sociare, et eam

— Ich möchte vielmehr glauben, dass Benedikt bei Zusammenschweissung des Kapitels zwei Kapitularien vor Augen hatte. Einmal die Capitula legibus addenda 818. 819 (c. 4 und) c. 9:

Cap. leg. add. 818. 819.	Ben.
4.[1] De raptu viduarum. Qui viduam intra primos triginta dies viduitatis suae vel invitam vel volentem sibi copulaverit, bannum nostrum, id est sexaginta solidos, in triplo conponat. Et si invitam eam duxit, legem suam ei conponat, illam[2] vero ulterius non adtingat[2].	
9.[3] De raptu alienarum sponsarum. Si quis sponsam alienam rapuerit, (aut)[4] patri (eius) aut (ei), qui legibus eius defensor esse debet, cum sua lege (eam) reddat et quicquid cum ea tulerit, semotim unamquamque rem secundum legem reddat. Et si hoc defensor eius perpetrari consenserit et (ideo) raptori nihil quaerere voluerit, comes singulariter de unaquaque re freda nostra ab eo exactare faciat. Sponso vero legem suam componat et insuper bannum nostrum, id est sexaginta solidos, solvat, vel in praesentiam nostram comes eum advenire faciat, et quanto tempore nobis placuerit, in exilio maneat et illam feminam ei habere non liceat.	Si quis alterius sponsam virginem aut viduam[5] . . . rapuerit . . ., placuit, ut . . ., sive cum parentum eius voluntate . . . ipsam accipere vel tenere potuerit, numquam illam uxorem habeat, sed . . . proximis suis . . . reddatur. Raptor vero sive fur omnesque eis consentientes . . . proximis illius, quicquid iniuste . . . egerunt, in[5] triplo[5] componant[5] et unamquamque rem semotim legibus in[5] triplo[5] restituant *etc.*

Alleinigen Beweis, aber auch ausreichenden Beweis für die Benutzung der Capitula durch Benedikt scheinen mir die bezeichnenden Worte zu erbringen: 'unamquamque rem semotim leg(ibus) . . . re(stituant)', die sich, so wie sie lauten, nur in den Capitula finden. — Sodann das Capitulare ecclesiasticum 818. 819 c. 22—24:

vel invitam rapuerit vel volentem, si raptori puella consentiat, pariter puniantur'. 1) MG. Capit. I, 281 = Anseg. 4, 16 (l. c. p. 438). 2) illam — adtingat] 'ille tamen, qui eam rapuit, habere non permittitur' codd. 13—15; bei Ansegis keine Abweichung vom oben abgedruckten Texte. 3) MG. Capit. I, 282 = Anseg. 4, 21 (l. c. p. 439). 4) Das Eingeklammerte fehlt in den codd. 7. 13—15; bei Ansegis kehrt wiederum der Vulgattext unverändert wieder. 5) Vgl. etwa c. 4 der Capitula.

Cap. eccl. 818. 819.	Ben.
22.[1] De raptis vero et de raptoribus, quamquam specialiter decrevissemus, quid pati debeant, qui hoc nefas deinceps facere temptaverint, quid tamen super his sacri canones praecipiant[2], hic inserendum necessarium duximus; quatenus omnibus pateat, quantum malum sit, et non solum humana, sed etiam divina auctoritate constricti, ut[3] abhinc hoc malum caveatur.	De raptoribus et raptis virginibus vel viduis.
24.[4] De disponsatis puellis et ab aliis raptis ita in concilio Ancyrano . . . legitur . . . Proinde statutum est a sacro conventu, ut raptor publica poenitentia multetur, raptae vero, si sponsus recipere noluerit et ipsa eidem crimini consentiens non fuit, licentia nubendi alii non negetur; quod si et ipsa consensit, simili sententiae subiaceat. Quod si post haec se iungere praesumpserint, uterque anathematizetur.	Si quis alterius sponsam virginem aut viduam necdum[8] desponsatam[8] rapuerit . . ., placuit, ut . . . numquam illam uxorem habeat[9], sed . . . proximis suis alio viro . . ., si ipsa in hoc malum[10] non consenserit, nuptura . . . reddatur. Raptor vero . . . omnesque eis consentientes[11] publica poenitentia iuxta[12] canonicam[12] auctoritatem[12] multentur . . . Ipsa namque, quae rapitur, si . . . consenserit, numquam postea nubat, sed publica poenitentia multetur . . .
23.[5] De puellis raptis necdum desponsatis ita in concilio Calcidonensi, ubi DCXXX patres adfuerunt[6], capitulo XXVIII.[7] habetur: 'Eos, qui rapiunt puellas sub nomine simul habitandi, cooperantes et conhibentes raptoribus, decrevit sancta sinodus, si quidem clerici sunt, decidant gradu proprio; si vero laici, anathematizentur'. Quibus verbis aperte datur intellegi, qualiter huius mali auctores damnandi sunt, quando participes et conhibentes tanto anathemate feriuntur, et quod iuxta canonicam auctorita-	Et sacri[13] canones[13] . . . non solum raptores, sed etiam omnes eorum cooperatores eisque consentientes anathemate feriunt, sicut in Calcidonense concilio, in quo DCXXX patres

1) MG. Capit. I, 278 = Anseg. 1, 97 (l. c. p. 408). 2) 'praecipiunt' Ans. 3) 'ut' om. Ans. 4) MG. Capit. I, 279 = Anseg. 1, 99 (l. c. p. 408); Varianten bei Ansegis unbedeutend. 5) MG. Capit. I, 278 = Anseg. 1, 98 (l. c. p. 408). 6) 'fuerunt' Ans. 7) In der Kapitelzahl schwanken die Hss.; die richtige Ziffer wäre 27. 8) Unten c. 23 Cap. eccl. 9) Vgl. zur Sache, nicht zur Form c. 24 i. f., c. 23 i. f. Cap. eccl. 10) Vgl. c. 22. 23 Cap. eccl. 11) Vgl. c. 23. 12) Vgl. c. 23 i. f. 13) Vgl. c. 22 Cap. eccl.

Cap. eccl. 818. 819.	Ben.
tem ad coniugia legitima raptas sibi iure vindicare nullatenus possunt.	adfucrunt, capitulo XXVIII. cunctis legentibus patet[1].

Hier liegen die charakteristischen Uebereinstimmungen in dem 'publica poenitentia multare' und namentlich in dem letzten aus Benedikt abgedruckten Satze. — Mit den Worten: 'omnes cognoscant, quoniam nec seculi leges tam nefandis coniunctionibus consentiant nec sacri canones consilium ullum praebeant' bringt Benedikt wieder einmal sein System des Ius utrumque[2] in empfehlende Erinnerung. Mit den 'seculi leges', die den Frauenräuber und seine Gehilfen 'capite feriri praecipiunt', kann Benedikt nur meinen das römische Recht[3] und das von diesem beeinflusste Recht der Merowinger[4]. — Der Ausdruck 'virginem aut viduam furatus fuerit' mag aus den Decreta Gregorii II.[5] c. 10 ('Si quis viduam furatus fuerit in uxorem'), c. 11 ('Si quis virginem, nisi desponsaverit, furatus fuerit in uxorem) herstammen.

2, 97: Quelle unbekannt. Das Kapitel handelt vom Raub und dessen weltlicher (2, 97a) und kirchlicher (2, 97b) Bestrafung, sowie vom Kirchenraub (2, 97c). Es deckt sich (bis auf geringe Abweichungen) mit Ben. 2, 383; 2, 97 ist rubriziert, nicht inskribiert; 2, 383 ist inskribiert, aber nicht rubriziert. Nach der Inskription vor 2, 383 soll das Stück entnommen sein 'Ex capitulis domni Ludowici Inghilenaim apostolica auctoritate et synodali sanctione omnium, videlicet clericorum ac laicorum[6], generaliter consensu atque hortatu decretis'. Es ist aber wahrscheinlich[7] eine Erfindung Benedikts[8]. Im Einzelnen ist zu bemerken:

1) Vgl. etwa c. 22 cit. 2) Vgl. Seckel, Art. Pseudoisidor, in der Realencykl. f. prot. Theol. XVI, 302. 3) Brev. C. Theod. 9, 19 (ed. Haenel p. 192); die hier nicht ausdrücklich normierte Todesstrafe hat Ben. ('capite feriri') aus Brev. C. Theod. 9, 20, 2 ('capitali sententia ferietur') entnommen. Vgl. Mommsen, Strafrecht S. 702. 4) Brunner, DRG. II, 669 bei N. 27. 28. 5) Dionysio-Hadriana ed. 1609 p. 611. 6) Ius utrumque! 7) Nicht 'unzweifelhaft', wie Simson, Die Entstehung der pseudo-isidorischen Fälschungen in Le Mans S. 125 schreibt. Denn die Möglichkeit, dass wir es mit einem echten Capitulare zu tun haben, lässt sich nicht schlechthin ausschliessen. 8) Auf Ben. 2, 383 geht zurück: Capitulare Carisiacense 857 Anhang c. 11 (MG. Cap. II, 291), und auf das genannte Capitulare: c. 1 des Abschnittes E der Capitula post conventum Confluentinum missis tradita 860 (l. c. p. 300). Vgl. auch Karolomanni Capitulare Vernense 884 c. 4 (l. c. p. 373).

2, 97a. Der Anfang 'Si quis infra regnum' deckt sich mit dem Anfang von Ben. 1, 341. 2, 382 'Si quis (in exercitu) infra regnum'. — Zu 'in triplo componere' vgl. die älteren von den Kapitularien, die MG. Capit. II, Index p. 598a s. v. 'componere' (in der Mitte) zitiert sind. — Bei der zweiten Hälfte von 2, 97a scheint Benedikt ein Capitulare wie z. B. c. 9 der Capitula legibus addenda 818. 819[1] vorgeschwebt zu haben:

Cap. cit.	Ben.
... legem suam componat et insuper bannum nostrum, id est sexaginta solidos, solvat, vel in praesentiam nostram comes eum advenire faciat, et quanto tempore nobis placuerit, in exilio maneat ...	... legibus componat et insuper bannum nostrum, id est sexaginta solidos, nobis persolvat[2], postmodum vero ante nos a comite adducatur, ut in bastonico[3] retrusus, usque dum nobis placuerit, poenas luat.

2, 97b. Zum Anfang (öffentliche Busse wegen öffentlich bekannt gewordener Verbrechen) vgl. Conc. Arelat. 813 c. 26 (MG. Conc. II, 253)[4] und oben Ben. 1, 116. Der Apostelspruch am Ende steht 1. Cor. 6, 10.

2, 97c. Die Strafe der Infamie, die Benedikt hier auf den Kirchenraub setzt (vgl. unten 3, 261h), ist eine Neuerung des Fälschers; vgl. Hinschius, Kirchenrecht V 1, 41, N. 13[5]. — Zu 'sacrilegium' und 'sacrilegus' vgl. aus Buch II die Kapitel 84. 370. 383. 392. 394. 395. 404. 405. 407. 429. 431.

2, 98: Quelle unbekannt. Entweder echtes Capitulare oder (wahrscheinlicher) Fälschung Benedikts. Die Satzung nimmt Bezug auf die 'statuta priorum capitulorum, quae legi Salicae sunt addita'; damit ist gemeint c. 1 des Capitulare legibus additum 803[6] (= Ben. 1, 261 = 2, 291a), welches Capitulare in zahlreichen Hss. die

---

1) MG. Capit. I, 282. 2) Die Worte: 'componat — persolvat' kehren unten 2, 98 wieder. 3) Vgl. Du-Cange s. h. v. (unergiebig für die Quellenermittelung). — In den Kapitularien (s. MG. Capit. II, Index) kommt das Wort nicht vor. 4) Abgesehen von einem unbrauchbaren Pseudoisidor-Zitat die einzige Stelle, auf die Knust l. c. zu Ben. 2, 97 verweist. 5) Wo die Zitate Ben. 2, 361 und 3, 261 vertauscht sind. 6) MG. Capit. I, 113; auf dasselbe Kapitel wird bei Ben. 1, 186 verwiesen, vgl. Studie VI (N. A. XXXI), S. 89.

Inskription führt: 'Capitula, quae in lege Salica mittenda sunt' (oder ähnlich)[1]. Benedikts Referat aus dem Capitulare gibt das Original richtig wieder, soweit Ben. von der Ermordung der Kleriker und Mönche redet; dagegen existiert die Norm über Bussfälligkeit wegen Verstümmelung[2] nicht in der Vorlage, sondern nur in der Phantasie Benedikts. — Die Worte 'et insuper hannum' bis 'persolvat' stehen wörtlich ebenso im vorangehenden Kapitel Benedikts (2, 97a). — Die Worte 'arma relinquat (atque) . . . Deo serviat' decken sich mit einer echten Bestimmung in 2, 90 (= Theodori Poen. I, 4 § 5); die Erläuterungen 'in monasterio' und 'diebus vitae suae'[3] sind unserem Stück und den Interpolationen in 2, 90 cit. wörtlich gemeinsam; einigermassen kongruent sind die Phrasen 'nusquam postmodum seculo vel secularibus militaturus' (2, 98) und 'nunquam ad seculum reversurus' (2, 90 cit., interpoliert). — Der Schluss: 'neque uxori copulaturus' entspricht sachlich dem geltenden Recht, wonach Büsser sich des Umgangs mit der Ehefrau zu enthalten haben[4]; in der Wahl der Worte scheint Benedikt selbständig zu sein. — Zu dem Schluss der Strafsanktion vgl. auch oben 2, 71.[5]

2, 99: Quelle unbekannt[6]; ziemlich sicher Fälschung Benedikts, schon wegen des horrenden Inhalts, wonach Entehrung des Bischofs mit 'de vita componere', Einziehung des Vermögens zugunsten der Bischofskirche und mit dreifachem Königsbann[7] geahndet, eventuell exekutive Schuldknechtschaft[8] verhängt wird[9]. — Den Anfangsworten: 'Si

---

1) MG. l. c. p. **111** sq. 2) 'Si quis sacerdotem vel levitam aut monachum . . . debilitaverit'. 3) Woher 'sub ardua poenitentia' stammt, vermag ich nicht zu sagen. 4) Vgl. Hinschius, Kirchenrecht IV, 722, N. 10; V 1, 97, N. 5; Freisen a. a. O. S. 561—571; Schmitz, Bussbücher II, 171; s. ferner Poen. Merseburg. a c. 135 (= Vindob. a c. 94; Wass. p. 404. 421). 5) Bemerkenswert ist auch die sachliche Uebereinstimmung unseres Kapitels mit c. 24 Conc. Mogunt. 847 (MG. Capit. II, 182): 'Qui presbiterum occidit . . . usque ad ultimum vitae tempus miliciae cingulum deponat et uxorem amittat'. 6) Benutzungen nicht häufig. Vielleicht spielt König Karl II. 860 auf unser Kapitel an (MG. Capit. II, 301 l. 5). Regino App. I. 27 scheint der einzige Kanonensammler zu sein, der das eigenartige Stück wiederholt hat. 7) Vgl. unten S. 363, N. 2 zu 2, 116. 8) Nicht die unfränkische Verknechtung. 9) Nach römischem Recht wird der Angriff auf den Bischof mit dem Tode nur dann bestraft, wenn er durch Begehung in der Kirche qualifiziert ist: C. Th. 16, 2, 31 (a. 398) = Ben. 2, 115; dazu Ep. Paris. (ed. Haenel p. 248). Vgl. auch unten 2, 129, wo dieselbe Qualifikation gefordert, die Strafe aber zu lebenslänglicher Verbannung gemildert ist.

quis episcopo . . . iniuriam . . . fecerit' kann die Summa De ordine ecclesiastico c. 8 (unten 2, 129) zum Grunde liegen. Die Phrase: 'ecclesia in sacerdotibus constat' ist entlehnt aus dem Schluss der constitutio Theodosii II. et Valentiniani III. ad Albinum a. 430[1]. — Der Satz 'nam detractio sacerdotum ad Christum pertinet, cuius vice legatione in ecclesia funguntur' ist gebildet mit Hilfe von Conc. Aquisgran. 836 Cap. III, Praefatio capitulorum de honore episcopali i. f. (MG. Conc. II, 718 l. 32)[2] und von 2. Cor. 5, 20[3].

2, 100—102 aus der Summa De ordine ecclesiastico[4].

Zu den 3 Kapiteln sind von der Summa nur die Rubriken erhalten[5]; der Text der Vorlage ist verloren, lässt sich aber aus Benedikt grösstenteils rekonstruieren.

2, 100 = Summa c. 44; Vorlage der Summa: Iuliani Epitome Novell. 115, 67 (493), ed. Haenel p. 162 sq.; Parallelbenutzungen oben 1, 385[6] und unten Add. III. 81. Die Rubrik von 2, 100 zum Teil (bis 'decepta') aus der Summa, zum Teil ('id est' bis 'professa') von Benedikt. Der Text der Summa ist in 2, 100 stark interpoliert, wie die Uebereinstimmung von 1, 385, Add. III. und Iul. beweist. Die zwei Sätze: 'Si vero liberos habet, pars legitima eis reservetur. Quod si intra annum post cognitum tale scelus a religiosis locis ('laicis' Add.) non vindicetur, comes privatarum ('loci illius' 1, 385) haec ('hoc' Add.) nostro fisco addicat' — sind in 2, 100 gestrichen; dies bedeutet eine gründliche Entsäkularisierung der Vorlage, sofern das Vermögen den Kindern und dem Fiskus entzogen und allein dem Kloster zugewiesen wird. Aus dem 'praeses provinciae' (Add. Iul.; 'comes prov.' 1, 385) ist ein 'comes ipsius pagi' geworden; der Gaugraf hat nicht, wie in der Vorlage, allein einzuschreiten, sondern 'una cum consilio sui episcopi, in cuius parrochia tale scelus commissum est'. Versäumt der Beamte seine Pflicht, so verliert er nicht nur sein Amt (so die Vorlage), sondern verfällt er auch in öffentliche Zwangsbusse ('atque publica

---

1) ed. Haenel, Corpus legum p. 241b; dies haben schon Baluze und Knust in den Noten zu unserem Kapitel bemerkt. 2) Vgl. Studie VI (N. A. XXXI), S. 72 zu Ben. 1, 40b; S. 109 zu Ben. 1, 322b (litt. e). 3) Vgl. a. a. O. S. 109 zu Ben. 1, 322b (litt. f). 4) Vgl. a. a. O. S. 125, N. 2. 5) Vgl. Conrat, N. A. XXIV, 344. 6) Dazu Studie VI (N. A. XXXI), S. 127.

poenitentia multetur' [1]); er hat nicht 5 (so Add. Iul.) oder 2 (so 1, 385) Pfund Gold [2], sondern sein Wergeld [3] dem Fiskus zu entrichten. — Weniger einschneidend sind andere Eingriffe in die Vorlage ('ditionibus' statt 'cautioni'; 'hoc vindicare' statt 'vindictam tali crimini imponere'; 'iuribus' statt 'viribus' und dgl.); aus 'cingulo careat' (Add. Iul.) macht schon 1, 385: 'honore careat', 2, 100 vollends: 'honore careat et cingulum amittat'.

2, 101 cf. Summa c. 48; Vorlage der Summa: Iul. Ep. 71, 1 (257), ed. Haenel p. 95; vgl. unten Add. III. 84. Rubrik aus der Summa (Ben.: 'Deum' statt 'Deo'). Vom Text ist nur der Tatbestand: 'Si' bis 'iactaverit' aus der Vorlage entlehnt; die ganze Sanktion ist (anders als in der Additio tertia) eigenes Machwerk des Benedictus. Zu den Lappen, aus denen es geschickt zusammengeflickt ist, wäre etwa Folgendes zu bemerken:

a) 'comite pagi ipsius': vgl. die Interpolation in 2, 100;

b) 'carceri usque ad satisfactionem tradatur': vgl. Pippini Capitulare 754—755 c. 1: 'mittatur in carcere usque ad satisfactionem';

c) 'publica poenitentia multetur': vgl. die Interpolation in 2, 100 und oben 2, 96 (Cap. eccl. 818. 819 c. 24);

d) 'donec precibus proprii episcopi publice reconcilietur ecclesiaeque gremio canonice reddatur': vgl. oben 2, 88 'quousque . . . reconciliatione proprii episcopi . . . praecibus . . . ecclesiaeque gremio . . . canonice reddatur' (dazu oben S. 346 litt. g, S. 347 litt. β. γ).

2, 102 = Summa c. 41; Vorlage der Summa: Iul. Ep. 52, 1 (194), ed. Haenel p. 78; vgl. oben 1, 383 und unten Add. III. 75. Rubrik aus der Summa, an einer Stelle leicht geändert. Text, abgesehen von Nebensächlichem, mehrfach interpoliert:

a) 'nec agere cuiquam permittat', eingeschoben hinter dem Verbote, selbst in der Privatkapelle Messen zu feiern;

b) 'vel dedicatione', eingeschoben, um dem Messelesen am ungeweihten Orte entgegenzutreten (vgl. auch 2, 201. 208. 3, 431);

c) 'comes vero', hat die echten Worte 'praefectus praetorii' ('-rio' Iul.) Add. Iul. verdrängt;

---

1) Zu 'multetur' vgl. oben S. 352 f. (bei 2, 96); unten 2, 101. 102. 2) 5 Pfund Gold = 1200 solidi; 2 Pfund Gold = 480 solidi. 3) Das Wergeld des Grafen beträgt 600 solidi = 30 Pfund Silber = $2^1/_2$ Pfund Gold.

d) 'publica poenitentia multetur vel honore privetur' — statt des echten 'libra auri multabitur'; wegen der beiden hier von Ben. gebrauchten Wendungen vgl. oben zu 2, 100.

2, 103 cf. Brev. Cod. Theod. 16, 2, 38 Epitome Parisiensis, ed. Haenel p. 248; vgl. unten 2, 112. (114. 388.) 391; (3, 477). Rubrik nicht im Original. Textverhältnisse[1]:

Epit. Paris.	Ben.
Ut[2] privilegia, quae ecclesiis et clericis lege[3] concessa sunt, valeant[3].	Ut privilegia, quae ecclesiis et clericis ab[4] antecessoribus[4] nostris[4] vel nobis concessa sunt, semper[5] maneant[4] incorrupta[4].

2, 104a = Concil. Toletan. XI. 675 c. 5 in., Hispan. (Migne LXXXIV, 459 sq.) = Hispana Augustodunensis fol. 101b (wo das Wort 'motionum' wie bei Ben. fehlt); vgl. unten 2, 357. 3, 156. Rubrik nicht die des Originals. Im Text die Wortfassung nur wenig geändert ('turbetur' statt 'perturbari debet'; 'aliqua' statt 'levi'); am Schluss von Benedikt hinzugefügt: 'aut inique tractentur'.

2, 104b: drei Bibelstellen, 1) Zach. 2, 18 i. f.; 2) Luc. 10, 16 in.; 3) Matth. 18, 6; zu den Worten 'melius est illi' vgl. Luc. 17, 2 in.

2, 105. 106 aus Karoli M. Capitulare primum 769[6].

Rubriken von Benedikt.

2, 105 wörtlich = Cap. c. 9; vgl. unten 3, 131.

2, 106a wörtlich = Cap. c. 10 in.; vgl. unten 3, 132a.

2, 106b = Cap. c. 10 fin.; vgl. unten 3, 132b. Benedikt streicht hier (anders 3, 132) die letzte Oelung (vv. 'sacrati olei unctione et' vor 'reconciliatione').

---

1) Vgl. Studie VI (N. A. XXXI), S. 113 f. 2) Fehlt im Cod. Theod. (16, 2, 38). 3) 'lege — valeant'] 'legum decrevit auctoritas, hac quoque praeceptione sancta et inviolata permanere decernimus' C. Th. 4) Vgl. Cod. Theod. 16, 2, 29 in.: 'Quaecumque a parentibus nostris . . . sunt statuta . ., manere inviolata adque incorrupta circa sacrosanctas ecclesias praecipimus' (= Ben. 3, 477). 5) Vgl. 2, 112. 3, 421a und die Rubriken zu 2, 114. 3, 477. 6) MG. Capit. I, 45 sq.

2, 106c cf. Cap. c. 11; vgl. unten 3, 132 c. 3, 135; auch 2, 186. Textverhältnisse:

Cap.	Ben.
Ut ieiunium quatuor temporum et ipsi sacerdotes observent et plebi denuntient observandum.	Et ut quatuor temporum ieiunia a fidelibus diligenter custodiantur.

2, 107 = Pseudo-Nicaenisches Bischofsschreiben nach Rom[1], in Wahrheit wohl Kanon einer gallischen Synode des 7. oder 8. Jh.[2], enthalten in den Canonum Collectiones codicum [Pithoeani[3]], Burgundici[4], Sangermanensis[5], ed. Maassen, Bibliotheca Lat. iur. can. manuscripta I, 3—6 (Wiener SB. LVI, 1867) S. 194[6], ed. Nürnberger, Ueber eine ungedruckte Kanonensammlung aus dem 8. Jh. (S. A. aus dem 25. Bericht der wissenschaftlichen Gesellschaft Philomathie zu Neisse), 1890, S. 18 f.[7]. Eine Rubrik hat nur die Coll. Sangerman., wo sie aber anders als bei Ben. lautet: 'Qualiter episcopus iudices commoneat'[8]. Der Text

1) Ueberlieferung: Ohne Inskription (und ohne Rubrik), mit dem Einleitungssatze 'Omnino inter nos pariter uno ore consinsimus', steht das Schreiben in der Collectio Burgundica (N. 4). Der Zusammenhang, in dem sich das Stück hier (und vermutlich in der jetzt verstümmelten Collectio Pithoeana [N. 3]) befindet, belehrt uns darüber, wie die (nachher in dieser Note mitzuteilende) Inskription der Collectio Sangermanensis (N. 5) zu Stande gekommen ist. Vor dem Schreiben stehen nämlich in der Collectio Burgundica (und vermutlich schon in der Coll. Pithoeana) die Canones Nicaeni nebst Symbolum und, durch fortlaufende Bezifferung mit ihnen verbunden, die Canones Sardicenses; letztere sind folgendermassen subskribiert: 'Expliciunt canones CCCXVIII patrum Niceni transscripti in urbe Roma de exemplaribus sancti Innocenti episcopi. Amen', s. Maassen, Bibliotheca (unten im Text angeführt) S. 193; vgl. zu der Schlussklausel Maassen, Geschichte der Quellen I, 28. 57 f. — Mit Inskription (und mit Rubrik), aber ohne den Einleitungssatz kehrt unser Stück in der systematischen Collectio Sangermanensis (N. 5—7) wieder; die Inskription lautet hier: 'In epistola, quem (!) CCCXVIII episcopi Niceni transscripserunt ('-rint' Nürnberger) in urbe Romana cap. I.'. 2) Vgl. mutatis mutandis Studie VI, Nachtrag (N. A. XXXI), S. 238, N. 2. 3) Vgl. Studie VI, a. a. O. S. 238, N. 3 Anfang; im cod. Pithoeanus ist der Anfang der Sammlung verloren gegangen, s. Maassen, Geschichte I, 604. 4) Vgl. Studie VI, a. a. O. S. 238, N. 4 Anfang. 5) Vgl. Studie VI, a. a. O. S. 238, N. 5 Anfang. 6) Aus der Collectio Burgundica; in den Noten die Varianten der Sangermanensis fol. 14b. Die Inskription der letzteren Sammlung auch bei Maassen, Geschichte I, 839. 7) Aus der Coll. Sangerman. I c. 56. 8) ed. Maassen, Bibliotheca l. c. p. 194, N. 2; derselbe, Geschichte I, 839; Nürnberger p. 18.

Benedikts, der dem cod. Burgundicus (und, wie man vermuten darf, dem cod. Pithoeanus) näher steht als dem Sangerman.[1], weicht von der Vorlage meist lediglich formell ab: 'quicumque' statt 'quanticumque'; 'miserrimi' statt 'miseri in'; 'commonentem' statt 'commonitus' und dgl. Den Einleitungssatz der Vorlage 'Omnino — consinsimus' (S. 359, N. 1) hat Ben. gestrichen; andererseits hat er den echten Text um 5 Wörter bereichert, indem er hinter dem zweiten 'domini nostri' einschiebt: 'Iesu Christi', vor 'propter': 'et', und indem er, was allein eine sachliche Aenderung bedeutet, 'ac pentecosten' zu den zwei hohen Festtagen des echten Kanon (Weihnachten und Ostern) hinzufügt.

2, 108—110 aus der Summa De ordine ecclesiastico[2].

In der Hs. der Summa[3] sind zu allen 3 Kapiteln die Rubriken erhalten; dagegen ist der Text des ersten und letzten der 3 Kapitel verloren.

2, 108 = Summa c. 35; Vorlage der Summa: Iuliani Epitome Novell. 4, 5. 7. 8 (16. 18. 19), ed. Haenel p. 27 sq.; Dubletten oben 1, 379, unten Add. III. 62. Rubrik aus der Summa. Text an zwei Stellen interpoliert: 'fisci' verdrängt das echte 'praesidis', und am Schlusse ist beigefügt: 'sine abbatis sui et episcopi proprii licentia'[4].

2, 109 = Summa c. 29 (Rubrik und Text, Cod. Berolin. Phillippicus 1735, f. 159a. 164b); Vorlage der Summa: Iul. Ep. Nov. 119, 5 (510), ed. Haenel, p. 166; bei Benedikt keine Parallele. Einzige Variante 'constitutionem' statt 'constructionem'; letztere Lesart der Summa folgt dem Vulgattexte Julians ('constructiones').

2, 110 = Summa c. 33; Vorlage der Summa: Iul. Ep. 70, 1 (256), vgl. vielleicht noch Iul. Ep. 4, 5 (16) i. f., ed. Haenel p. 94 sq. 27. Rubrik aus der Summa. Wieweit Benedikt wortgetreu den Text seiner Vorlage wiedergibt, lässt sich nicht feststellen, da der Text der Vorlage fehlt und uns bei Ben. keine Parallelüberlieferung zu Hülfe kommt.

---

1) 'qui est' (hinter dem Anfangswort 'Episcopus') Sangerm., fehlt Burg. und Ben.; 'in' Sang., 'miseri in' Burg., 'miserrimi' Ben.; 'tenentur' Sang., 'detinentur' Burg., Ben.; 'ipsi' Burg., Ben., om. Sang.; u. dgl.
2) Vgl. oben S. 356, N. 4. 3) Von mir selbst eingesehen. 4) Vgl. oben S. 343, N. 5 zu 2, 84 rubr.

2, 111—117 aus dem Breviarium auctum Cod. Theod. lib. XVI. (zum Teil aus der Epitome Paris.).

Rubriken durchweg nicht in der Vorlage.

2, 111 = Cod. Theod. 16, 2, 47, ed. Mommsen p. 852; vgl. unten zum ganzen Kapitel 2, 390, zum Anfang 3, 421b, zum Schluss 3, 422b. Auf den Anfang des Textes scheint die Epitome Parisiensis[1] Cod. Theod. 16, 2, 29, ed. Haenel p. 248 (= Ben. 2, 114), neben der genannten Stelle des unverkürzten Theodosianus, Einfluss gewonnen zu haben:

C. Th.	Ep. Paris.	Ben.
Privilegia ecclesiarum omnium, quae saeculo nostro tyrannus inviderat, prona devotione revocamus, scilicet ut quaeque[2] a divis principibus[3] constituta sunt[4] vel quae . . .	Quaecumque circum sacrosanctas ecclesias a principibus diversis sunt statuta, manere inviolata praecipit.	Quaecumque a singulis regibus[5] circa sacrosanctas ecclesias[6] sunt constituta vel . . .

Im Uebrigen schliesst sich Benedictus ziemlich getreu der echten Kaiserkonstitution an; die Varianten 'impetraverunt' statt 'impetrarunt'[7], 'solida' statt 'solidata', 'clerici . . . reserventur' statt 'clericos . . . reservamus' besagen nichts. Die seinen Zeitgenossen ausserhalb des ursprünglichen Zusammenhangs unverständlichen Worte der lex: 'quos indiscretim ad saeculares iudices debere deduci infaustus praesumptor edixerat' änderte Benedictus zu: 'non secularibus iudicibus sed'.

2, 112 cf. Cod. Theod. 16, 2, 38 Epitome Parisiensis, ed. Haenel p. 248; vgl. oben 2, 103, unten 2, 391. Text interpoliert, am Schlusse ebenso wie oben 2, 103 (und ähnlich wie unten 2, 391), in der Mitte[8] anders als oben

1) Oder C. Th. 16, 2, 29 (oben S. 358, N. 4, zu Ben. 2, 103) selbst? 2) So die Hss. YD; 'quidquid' die Hss. VE und die Const. Sirm. 6. 3) 'a divis principibus' ist unverändert stehen geblieben in Ben. 2, 390. 4) 'constituta sunt' YD; 'constitutum est' VE. 5) 'a singulis regibus' — vgl. dieselbe Interpolation im folgenden Kapitel Benedikts (2, 112). 6) 'circa sacrosanctas ecclesias' — von dieser Interpolation (aus Epit. Paris.) ist Ben. 2, 390 noch frei. 7) So YD Sirm. und unten 2, 390; 'inpetrarant' VE. 8) Wo sich 2, 391 genau an die Epitome Paris. hält.

2, 103 ('a singulis regibus vel episcopis ceterisque rectoribus'[1] statt wie oben 'ab antecessoribus nostris vel nobis').

2, 113 aus Cod. Theod. 16, 2, 23, ed. Mommsen p. 842 (= Brev. C. Th. 16, 1, 3, ed. Haenel p. 246); vgl. unten 2, 381w. Im Text hat Ben. aus 'si qua sunt' der Vorlage sein 'Quaecumque sunt' gemacht. Obgleich er im Uebrigen buchstäblich kopiert, hat er durch sein Exzerpieren den Sinn des echten Textes in bekannter[2] staatsfeindlicher Tendenz (Ausschliessung der weltlichen Gerichtsbarkeit über Kleriker; Beseitigung der 'peregrina iudicia') umgefälscht.

2, 114 = Cod. Theod. 16, 2, 29 Original[3], ed. Mommsen p. 844, und Epitome Parisiensis, ed. Haenel p. 248; vgl. unten 2, 388 (wörtlich mit 2, 114 übereinstimmend).

C. Th.	Ep. Paris.	Ben.
Quaecumque a parentibus nostris diversis sunt statuta temporibus, manere inviolata adque incorrupta[4] circa sacrosanctas ecclesias praecipimus. nihil igitur a privilegiis[4] immutetur . . .	Quaecumque circum sacrosanctas ecclesias a principibus diversis sunt statuta, manere inviolata praecipit.	Quaecumque circa[5] sacrosanctas ecclesias[6] a principibus[7] diversis sunt statuta[8], manere inviolata[7] praecipimus[5].

2, 115 aus Cod. Theod. 16, 2, 31, ed. Mommsen p. 845 lin. 1—4. 6? 13—21; vgl. unten 2, 406. In den Lesarten folgt Benedikt den Hss. YD, während Sirm.[9] bezw. cod. O mehrfach abweichen ('ipso' YD [VE], 'ipsi' Sirm. O.; 'vindicandum' YD [EO], '-dam' V Sirm.; 'soli' YD [VE], 'solam'

1) Ueber die Tendenz dieser Interpolation vgl. Seckel, Art. Pseudoisidor S. 302, 20 ff. 2) Vgl. Seckel, Art. Pseudoisidor S. 281 Zeile 35, S. 282 litt. f, S. 301 litt. f. 3) Für dessen Benutzung spricht ausser 2 Lesarten (N. 5) die Reihenfolge (vgl. unten am Schluss der Reihe), sowie der Einfluss auf Benedikts Rubrik (N. 4). 4) Vgl. die Rubrik unseres Kapitels bei Ben.: 'Ut privilegia ecclesiarum semper maneant incorrupta'. 5) Lesart des Originals. 6) Wortumstellung wie in der Epitome. 7) Lesart der Epitome. 8) 'temporibus' wie in der Epitome (missverständlich) gestrichen. 9) Zufall ist es, wenn Ben. in der Lesart 'derelinquit' (statt 'dereliquit') gegen alle Hss. des Breviarium ex C. Th. auctum mit Sirm. übereinstimmt.

Sirm. O; 'etiam' YD Sirm., 'et' [VE] O). An der Vorlage hat Ben. teils harmlose, teils tendenziöse Aenderungen vorgenommen; nichts hat es auf sich, wenn Ben. schreibt: 'quod non oportet iniuriae inferat' statt 'inportet (so auch unten 2, 406) iniuriae . . . [deferatur]', wenn er das Wort 'capitali' umstellt, wenn er endlich (da die Exzerpierung einen Subjektwechsel zur Folge hat) 'expectet' in 'exspectetur' vewandelt; dagegen fälscht er die Vorlage, indem er den Kirchenraub[1] als todeswürdiges Verbrechen in den Originaltext einschmuggelt.

2, 116 Anfang = Cod. Theod. 16, 2, 34 in., ed. Mommsen p. 846; vgl. unten 2, 389 (welches Kapitel auch im Schlusse der Vorlage folgt). Im Text eine gleichgiltige Variante. — Der Schluss: (commissum) 'hoc in triplo iuxta legum sanctionem ecclesiae, cui factum est, conponatur nobisque bannus noster in triplo, hoc est ter sexaginta solidi persolvantur' hat die — natürlich rein fiskalische — Strafe von 5 Pfund Gold, die im Original verhängt ist, verdrängt, um im Kapitularienstil zu bleiben[2] und um für die Kirche einen finanziellen Vorteil herauszuschlagen.

2, 117 aus Cod. Theod. 16, 2, 40, ed. Mommsen p. 849 lin. 3—6. 12—14; vgl. oben 1, 339 (bearbeitet) und unten 2, 385. Im Text die Anfangsworte geändert ('Ab omnibus' [= 2, 385] statt 'prima quippe'); sinnlose Lesart 'sibi' (= 2, 385) statt 'usibus'[3]: Interpolation von 'quibusdam irruentibus'[4] statt 'sordidorum munerum faece (fasce)'; im Schlusssatz 'Quod si quis praesumpserit' (= 2, 385) statt 'Si quis contra venerit'; 'damnetur' statt 'uratur' ('uretur' unten 2, 385). — Die Kapitel 2, 117 und 2, 385 gehen beide nicht direkt auf das Original zurück, sondern, wie die übereinstimmenden Abweichungen vom Original beweisen, auf eine gemeinsame Zwischenquelle (Konzept Benedikts?); 2, 117 ist nicht Quelle für 2, 385 und umgekehrt, wie daraus erhellt, dass bald 2, 117[5], bald 2, 385[6] dem echten Wortlaut näher steht.

---

1) Aus 'ecclesias catholicas' (lin. 2) macht Ben.: 'ecclesias carumque res'. Vgl. Rubrik: 'Quod sacrilegium sit ecclesiae aliquid auferre' etc. 2) Zum dreifachen Königsbann vgl. oben 2, 99 und etwa Capitula legibus addenda c. 4 (MG. Capit. I, 281): 'bannum nostrum, id est sexaginta solidos, in triplo conponat'; zu 'in triplo componere' vgl. MG. Capit. II, Index s. v. 'componere, compositio'. 3) Was gegen direkte Benutzung der richtig schreibenden codd. YD spricht; die Lesart 'sibi' bietet überhaupt keine der erhaltenen Hss. des Breviarium auctum. 4) Unten 2, 385: 'a qu. irr.'. Das Wort 'irruere' aus 2, 115 (C. Th. 16, 2, 31). 5) 'secretorum' statt 2, 385: 'sacrorum'; 'perpetuae' statt 'publicae'. 6) 'uretur' statt 2, 117: 'damnetur'.

Die Kapitel 2, 113—117 bilden eine Reihe, und zwar gemessen nicht sowohl am echten Codex Theodosianus, als vielmehr am Breviarium auctum, wie es insbesondere in den Hss. Y (= Berol. Phillip. 1741, früher in Reims) und D (= Paris. Sangerm. 12445) vorliegt[1]. Von der letzten an die erste Stelle vorgerückt[2] ist 2, 111; dahinter eingeschoben das einzige lediglich aus der Epitome Par. schöpfende Stück.

2, 118—129 Mischreihe aus der Summa De ordine ecclesiastico[3] und aus dem Concilium Toletanum XII. 681[4], mit einer eingesprengten Fälschung.

Vorgelagert[5] ist c. 3 der Summa; dahinter sind eingeschoben die Toletaner Stücke und die Fälschung; den Grundstock bilden c. 8. 14—19 der Summa in invertierter Ordnung. Von den in dieser Reihe benutzten Kapiteln der Summa sind nicht nur die Rubriken, sondern auch die Texte[6] überliefert.

2, 118: vgl. Summa c. 3 in. (Rubrik und Text, Cod. Berolin. Phillipp. 1735, f. 158a. 160b); Vorlage der Summa: Iuliani Epitome Novell. 115, 6 (432) in., ed. Haenel p. 149; bei Benedikt keine Parallele. Schon die Rubrik[7] hat Benedikt interpoliert, damit nicht nur die Bischofs-, sondern auch die Priesterweihe dem Knecht und dem Hörigen (adscripticius) die Freiheit verleihe. In demselben Sinne ist Satz 1 des Textes umgestaltet ('episcopos et reliquos Domini sacerdotes')[8], welcher Satz noch einige andere, weniger einschneidende Abweichungen vom Original aufweist. Satz 2 des Textes ('Idcirco praecipimus, ut nullus ab eis alia nisi divina requirat servitia') scheint freie Erfindung Benedikts zu sein[9]; jedenfalls ist der Passus ohne Anhalt in der Summa[10].

---

1) Mommsen im Theodosianus I, 1, p. XC. 2) Die Erscheinung der Vorlagerungen ist bei Benedikt durchaus nichts Ungewöhnliches; vgl. aus dem ersten Buche c. 22? 102. 264. 315. 322. 3) Vgl. oben S. 356 (zu 2, 100 ff.), S. 360 (zu 2, 108 ff.). 4) Aus der (echten) Hispana, ed. Migne LXXXIV, 477. 475. 477. 5) Vgl. vorhin N. 2. 6) Im Folgenden nach der Hs. benutzt. 7) Die Rubrik der Summa c. 3 lautet: 'Ut episcopus sit liber ab ('ab' fehlt im Rubrikenverzeichnis f. 158a, steht f. 160b in der vor dem Texte wiederholten Rubrik) omnibus nexibus'. 8) Damit setzt sich Benedikt hinweg über das geltende Recht; vgl. Stutz, Gesch. des kirchl. Benefizialwesens I, 248—250. 273—275. 9) Zur Sache vgl. etwa Ben. 1, 174. 2, 124, und im allgemeinen Stutz a. a. O. I, 231 f. 10) Diese fährt in Uebereιn-

2, 119 = Conc. Toletan. XII. c. 9 § 12 Hisp.; vgl. Hisp. Augustodunensis f. 105b'; Lex Visigothorum 12, 3, 12 rubr. (Erv.), MG. L. Visig. p. 428. 438. Rubrik zur Rubrik von Benedikt. Dem Texte 'ne — christiana', der im Westgothengesetz, in der echten und in der verfälschten Hispana und bei Benedikt überall gleich lautet, geht in der Hisp. das Wort 'Item', bei Ben. das interpolierte Wort 'Placuit' voran. Dass Ben. nicht die Lex Visig., sondern das Conc. Tolet. benutzte, wird durch das folgende Kapitel nahegelegt.

2, 120 = Conc. Toletan. XII. c. 5 Schlusssatz Hisp.; vgl. Hisp. Augustod. f. 105a'[1]. Rubrik von Benedikt; die Rubrik zu c. 5. cit. lautet anders. Anfang des Textes gemodelt: 'Placuit' statt 'Ergo hoc ('hoc' om. Aug.) modis omnibus est tenendum'. Von den Varianten deckt sich eine ('perceptionis'; echte Hisp.: 'perceptioni') mit der Augustod., eine andere mit der echten Hisp. ('se participem'; statt 'p. se' Aug.).

2, 121: Quelle unbekannt. Fälschung Benedikts, der hier gegen die Chorbischöfe zu Felde zieht. Die einzige vorbenediktische Fälschung, die ihre Spitze gegen die Chorbischöfe kehrt, ist das aus der Fabrik der pseudoisidorischen Gruppe hervorgegangene Schreiben des Pseudo-Damasus De vana superstitione corepiscoporum vitanda, welches sich schon in der Augustodunensis (f. 120b—122b') findet. Im Anfang dieses Schreibens sind einige Phrasen gebraucht, an die Benedikts Kapitel anklingt. Die Wortanklänge sind in untenstehender[2] Wiedergabe zweier Sätze der Hs. von Autun (f. 129b') durch Sperrdruck kenntlich gemacht.

---

stimmung mit Julian fort (a. a. O. f. 160b): 'Taxiotas enim vel curiales ad episcupatum prosilientes curiae restitui sancimus. Quod si iam consecrati inveniantur, legittimam portionem de rebus suis curiae redda(n)t. Rebus vero, quas post episcupatum adquesieri(n)t, eclęsiae eorum conpetere disposuimus'. 1) Knust verweist irrtümlich auf Canon. apostolorum c. 9. 2) '. . . nil vobis certius respondere videtur, quam olim a predecessoribus nostris decretum reperimus, ut eis ad veniam nihil prorsus aliud reservetur quam privatio sacri ministerii, quod inlicite assumserunt, quia prohibiti tam ab hac sacra sede quam et a totius orbis fuerant episcopis . . . . . Nam, ut nobis relatum est, quidam episcoporum propter suam quietem eis plebes suas committere non formidant, et ut inlicita atque prohibita agant, id est ea, quae solis pontificibus debentur, sibi usurpant et ipsi in sua quiete torpent . . .'. — Die Wendung 'ad veniam nihil prorsus . . . reservare' stammt, was Hinschius, Decretales pseudo-isidorianae p. 510 nicht bemerkt hat, aus Conc. Epaon. 517 c. 30 in. (MG. Conc. I, 26) = Conc. Pseudo-Agath.

2, 122a = Conc. Toletan. XII. c. 9 § 19 Hisp.; vgl. Hisp. Augustod. f. 105b'; Lex Visigothorum 12, 3, 19 rubr. (Erv.), MG. L. Visig. p. 429. 448. Rubrik zur Rubrik von Benedikt. Der Text 'Ne Iudaei — audeant' deckt sich wörtlich mit der echten Hispana und mit der Lex Visig., während die Augustod. an zwei Stellen abweicht ('in ordinem' statt 'sub ordine'; 'redigere' statt 'regere'). Also hat Ben. wohl die echte Hisp. vor sich. Verdrängt ist der Schluss der Vorlage 'et de dampnis eorum, qui his ('his' om. Aug.) talia ordinanda iniunxerint' durch die von Benedictus herrührenden Worte: 'nec eis hoc a quoquam fieri praecipiatur'.

2, 122b ('Si quis vero' u. s. w.): Quelle dieser angeflickten Sanktion bisher nicht gefunden[1]. Die Gleichstellung der Degradation von Klerikern mit der Exkommunikation von Nichtklerikern in der kirchlichen Strafenskala[2] findet sich schon früh (Can. apost. c. 25, Conc. Carthag. I. c. 14 med., Conc. Chalced. c. 8. 27) und wird gelegentlich noch im 9. Jh. festgehalten[3]. Benedikt kann also seine die Kleriker privilegierende Strafbestimmung sehr wohl einer (bisher nicht ermittelten) Synode entnommen haben. Vgl. auch unten 2, 163. 3, 431 i. f.

2, 123 = Summa c. 19 (Rubrik und Text, Cod. Berolin. Phillipp. 1735, f. 158b. 163a); Vorlage der Summa: Iul. Ep. Nov. 115, 33 (459), ed. Haenel p. 155; bei Benedikt keine Parallele. Rubrik und Text sind wortgetreu wiedergegeben, nur dass Ben. das Wort 'misterio'[4] in 'ministerio' verwandelt[5], wodurch er — wohl zufällig — die ursprüngliche Fassung Julians wiederherstellt.

2, 124 = Summa c. 18 (Rubrik und Text, Cod. Berolin. Phillipp. 1735, f. 158b. 162b); Vorlage der Summa: Iul. Ep. Nov. 115, 8 (434). ed. Haenel p. 149 sq.; Parallelbenutzung in Ben. Add. III. 46 + 47. Beide Benutzungen gehen auf die Summa selbst zurück (nicht Ben. 2, 124 auf Add. III. oder umgekehrt); denn bald hält sich Ben. 2, 124 näher zu der Vorlage[6], bald Add. III. 46 + 47[7]. In

---

506 c. 61 (Migne LXXXIV, 272) = Conc. Arelat. 813 c. 11 (MG. Conc. II, 251): 'nihil prorsus veniae reservamus'. 1) Der Satzteil: 'si vero monachus aut laicus fuerit, communione privetur' deckt sich fast wörtlich mit Conc. Chalcedon. c. 8 i. f. (Dion.-Hadr. ed. 1609 p. 125) = Ben. 3, 155 i. f. 2) Vgl. Hinschius, Kirchenrecht IV, 739 (N. 1). 753; V 1, 75 f. 3) Conc. Aquisgr. 836 Cap. II A c. 12 (MG. Conc. II, 710). 4) Vorausgesetzt, dass es nicht blos verschrieben ist. 5) Vgl. auch unten 2, 129. 6) Bei Ben. 2, 124 ist die Vorlage nicht in zwei Kapitel zerrissen; ferner stimmen textlich 2, 124 und Summa gegen Add. in

Nebendingen weichen Ben. 2, 124 und Add. übereinstimmend von der Summa ab[1].

2, 125 = Summa c. 17 (Rubrik und Text, Cod. Berolin. Phillipp. 1735, f. 158b. 162b); Vorlage der Summa: Iul. Ep. Nov. 51, 1 (192), ed. Haenel p. 77 sq.; Parallelbenutzung in Bened. Add. III. 43. Rubrik wie Text von 2, 125 sind wortgetreue Wiedergabe der Summa (in der Fassung der ersten Hand[2] des Phillippicus). Dasselbe gilt auch von Add. III. 43, nur dass hier das 'nihil' der Summa zu 'nil' kontrahiert ist.

2, 126 = Summa c. 16 (Rubrik und Text erhalten in Cod. Berolin. Phillipp. 1735, f. 158b. 162b; die Rubrik lautet im Rubrikenverzeichnis[3] anders als vor dem Text[4]); Vorlage der Summa: Iul. Ep. Nov. 6, 4 (27) in., ed. Haenel p. 30; Parallelbenutzung in Ben. Add. III. 40. Benedikt stimmt an beiden Stellen wörtlich mit Rubrik II[4] und Text der Summa überein.

2, 127 = Summa c. 15 (Rubrik und Text, Cod. Berolin. Phillipp. 1735, f. 158b. 162a. b); Vorlage der Summa: Iul. Ep. Nov. 6, 8 (31) in., ed. Haenel p. 31; Parallelbenutzung unten Add. III. 37. Benedikt gibt wiederum an beiden Stellen seine Quelle wörtlich wieder, nur dass er beidemal (wohl auf Grund der Lesart seiner Hs. der Summa) statt 'ritum'[5] 'meritum' schreibt.

2, 128 = Summa c. 14 (Rubrik und Text, Cod. Berolin. Phillipp. 1735, f. 158b. 162a); Vorlage der Summa: Iul. Ep. Nov. 6, 7 (30), ed. Haenel p. 31; Parallelbenutzung unten Add. III. 34. Die drei T e x t e lauten Wort für Wort gleich; was die R u b r i k angeht, so ist sie genau wiedergegeben in Add., während sich Buch II wieder ein-

---

folgendem zusammen: 'publicarum' ohne das in Add. hinzugefügte 'rerum'; 'curator', während Add. mit 'curationis' alleinsteht; 'alii clerici' (vgl. auch Julian), wofür Add. schreibt 'clerici ibi'; 'sua substantia', Add. lässt 'sua' fort. 7) Ben. 2, 124 entfernt sich von Summa und Add. III. in folgendem: 'magister' eingeschoben hinter 'vectigalium'; 'istorum res', wo die Summa schreibt: 'eas (Schreibfehler für 'eius' ?) res' und die Additio 'res eius' [Julian hat 'eius res']; 'vendicari' (zufälliges Zusammentreffen mit Jul.) statt 'vindicare'; 'actione' statt 'exactione' (so Add.; im Phillippicus Schreibfehler: 'exaccio n e s').

1) vv. 'existimaverit', wo die Summa 'extimaverit' (C^1) bzw. 'estimaverit' (C^2; vgl. Julian: 'aestimaverit') schreibt; 'vel' vor 'administratores', was im Phillippicus fehlt (Schreiberversehen?). 2) Diese schreibt nämlich 'uso' = 'usu'; C^2 dagegen korrigiert: 'us u m'. 3) 'De clericis, quales fiant'. 4) 'Quales sint clerici'. 5) 'ritum' könnte auch Schreibfehler des Phillippicus sein; aus Julian lässt sich eine Entscheidung weder für 'ritum' noch für 'meritum' gewinnen.

mal[1] von der gemeinsamen Vorlage ('ordinibus') entfernt (durch die Aenderung 'ordinationibus').

2, 129 = Summa c. 8 (Rubrik und Text, Cod. Berolin. Phillipp. 1735, f. 158b. 161b); Vorlage der Summa: Iul. Ep. Nov. 115, 32 (478), ed. Haenel p. 159; Parallelbenutzung unten Add. III. 28. Benedikts beide Kapitel nebst Rubriken decken sich fast wörtlich mit der Summa; nur ist aus 'misteria' (so die Summa; vgl. Julian) sowohl in 2, 129 als in Add. III. 28 'ministeria' geworden (vgl. oben 2, 123)[2].

Für Ben. 2, 125—129 bzw. Add. III. 43. 40. 37. 34. 28 könnte man an sich annehmen, dass nur einmal direkt auf die Summa zurückgegangen worden sei, wenn sich nicht für Ben. 2, 124 bzw. Add. III. 46 + 47 das Gegenteil mit Sicherheit ergäbe; was bei letzterem Doppeltexte sicher ist, muss für die ganze Doppelreihe gelten.

2, 130—161 Mischreihe aus der Lex Visigothorum (Erv.) einerseits, aus älteren gallischen Konzilien andererseits[3].

A. Erste Unterreihe 2, 130—140. Aus der L. Visig. ist vorgelagert 12, 3, 8 rubr.[4], dann folgen in der Ordnung des Originals 3, 1, 9. 8, 1, 10. 11. — Die Konzilienexzerpte bilden zunächst eine chronologische Reihe (Arelat. I. 314, Agath. 506, Arvern. I. 535, Aurel. V. 549); schliesslich aber fallen sie aus der zeitlichen Folge heraus (Aurel. I. 511); beachtet man die Stoffe, die in 2, 131. 132 (vagabundierende Büsser, Kleriker und Mönche). 134—136 (Angriffe auf das Kirchenvermögen). 139. 140 (Disziplin über Aebte und Mönche) behandelt sind, so wird man zu der Vermutung gedrängt, dass Benedikt eine Kanonensammlung nicht chronologischer, sondern systematischer Ordnung[5] vor sich hatte.

2, 130 cf. Lex Visigothorum 12, 3, 8 rubr. (Erv.), MG. L. Visig. p. 428. 435; vgl. Conc. Toletan. XII. c. 9 § 8

---

1) Vgl. S. 366, N. 7 zu 2, 124. 2) Dass die Hs. der Summa 'ipsi' (C[1]) bzw. 'ipse' (C[2]) bietet statt (des Julian und beiden Texten Benedikts gemeinsamen) 'ipsa', dürfte auf einem Schreiberversehen beruhen. 3) Vgl. Studie III (N. A. XXIX), S. 299 f., wo sich eine Uebersichts-Tabelle der Mischreihe findet. 4) Kann ebensogut aus Conc. Tolet. XII. c. 9 stammen (vgl. vorige Reihe S. 365 f.). Dasselbe gilt für L. Visig. 12, 3, 25 rubr., unten 2, 143. 5) Vorläufig mag der Hinweis genügen, dass z. B. in der Collectio Andegavensis (Maassen, Quellen I, 822 f.) sich folgen tit. XIIII. 'De literis peregrinorum' u. s. w.; XXXIIII. 'De rebus ecclesiae abstractis aut contradictis'; XLV. 'De monachis et monasteriis'.

Hisp.[1], Migne LXXXIV, 477; vgl. ferner unten 2, 327. 408. 3, 179 i. f. Rubrik zur Rubrik von Benedikt. Den Originaltext (des Gesetzes oder des Kanons) hat sich Benedikt zurechtgemacht und dann weiter verfälscht:

Original.	Früheres Stadium der Fälschung[2]:
Ne ('Item ne' Tol.) Iudaei ex propinquitate sui sanguinis connubia ducant et ut sine benedictione sacerdotis nubere non audeant.	Ut[3] christiani ex propinquitate sui sanguinis[4] connubia non[3] ducant nec[5] sine benedictione sacerdotis[6] nubere audeant.

2, 131 = Concil. Arelat. I. 314 c. 16, Hispan. ed. Migne LXXXIV, 240; aus anderen Sammlungen ed. Bruns II, 109; aus der Sammlung der Hs. von Diessen (Clm. 5508) ed. Amort, Elementa iur. can. II, 252[7]; vgl. Ben. 1, 129 in. Rubrik aus Zwischenquelle oder von Benedikt? Varianten unbedeutend; die Auslassung von 'ita' (steht in Hisp. und Colon.) und der Plural 'in eisdem locis' scheinen auf eine der gallischen Sammlungen zurückzugehen.

2, 132 = Concil. Agath. 506 c. 38 in., Hispan. ed. Migne LXXXIV, 269; aus anderen Sammlungen ed. Bruns II, 153. Rubrik aus der Originalrubrik. Text wörtlich = Satz 1 der Vorlage, nur dass die Mönche ('vel monachis') aus Satz 2 der Vorlage herübergenommen sind.

2, 133a = Lex Visigoth. 3, 1, 9 rubr. init. (Erv.), MG. L. Visig. p. 121. 131. Rubrik zur Rubrik von Benedikt. Text leicht geändert ('Nullum' statt 'Ne'). — 2, 133b ('nec sine publicis nuptiis quisquam nubere praesumat'): Quelle unbekannt. Zur Sache vgl. unten 3, 179 und von älteren Quellen: Leos I. Schreiben an Rusticus 458—459 (Jaffé 544 [320]), Hisp. c. 4 i. f. (Migne LXXXIV, 766)[8]

1) Die Hispana Augustod. scheint auf unsere Reihe keinen Einfluss geübt zu haben. 2) Liegt vor in Ben. 2, 327. 3) Ben. 2, 408 hat noch das echte 'ne . . . ducant'. 4) Hier ist in 2, 130 eingeschoben: 'usque ad septimum gradum' (vgl. 2, 209b); vgl. dazu den Text von L. Visig. 12, 3, 8 (p. 435, lin. 26 sq.): 'usque ad sexti generis gradum'. 5) Ben. 2, 130: 'neque'. 6) Eingeschoben wird in Ben. 2, 130: 'qui ante innupti erant'; in Ben. 2, 408: 'cum virginibus'. 7) Amort ist mir z. Z. unzugänglich. Von der Kölner Hs. besitze ich eine Kollation Wasserschlebens. Leider fehlt eine kritische Ausgabe der Synode. 8) '. . . non ita accipiendum est, quasi eam coniugato dederit, nisi forte illa mulier et ingenua facta et dotata legitime et publicis nuptiis honestata videatur'.

und Conc. Vernense 755 c. 15 (MG. Capit. I, 36)[1]; ferner etwa Homilia Leonis c. 59: 'Omnibus denuntiate, ut nullus uxorem accipiat nisi publice celebratis nuptiis'.

2, 134 = Concil. Arvernense I. 535 c. 14, MG. Conc. I, 68; Hispana c. 13, l. l. col. 293. Rubrik von Benedikt? Im Text ist das Wort 'abstulerit' von Ben. interpoliert; mit der Lesart 'scripturarum titulis' steht Ben. allein. Das Wort 'ecclesiae' hinter 'munuscula' findet sich zwar bei Crabbius und Surius; da aber das echte Wort 'sanctis', das bei Bened. wiederkehrt, bei letzteren fehlt, so kann Ben. seinen Text nicht aus ihren Hss. haben; also wird auch 'ecclesiae' interpoliert sein. Im Uebrigen kann Benedikt oder seine Zwischenquelle, nach den Lesarten zu schliessen, eine der Hss. CLMN, bezw. die Hispana, dagegen nicht F und nicht P benutzt haben.

2, 135 = Concil. Aurel. V. 549 c. 14, MG. Conc. I, 104 = Concil. 'Arvernense II.' c. 14 Hisp., l. l. col. 297[2]. Rubrik von Benedikt? Im Text steht Ben. mit 4 Lesarten ('positas', 'ecclesiae', 'ipse', 'legibus') allein; vielleicht ist er der Urheber dieser Abweichungen. Drei Varianten beweisen, dass Ben. nicht die Hss.-Klasse β (= RHAB), eine Variante beweist, dass er nicht die Hss. TI vor sich gehabt haben kann. Somit bleiben als mögliche (Ur-)Quellen Benedikts die Hss. CKLFN und Hisp., letztere wohl trotz ihrer Lesart 'quaeque'.

2, 136 = Concil. Aurel. cit. c. 13, MG. Conc. I, 104 [= Concil. 'Arvern.' cit. c. 13 Hisp., l. l. col. 297]. Rubrik von Benedikt? Der Text Benedikts deckt sich bis auf zwei ganz untergeordnete Varianten ('si quis', letztes 'aut') mit dem Texte Maassens. Von den überhaupt vorhandenen (Ur-)Quellen kommen, wie sich an der Hand des Variantenapparats der kritischen Ausgabe zeigen lässt, die meisten als Vorlagen Benedikts nicht in Frage (RHAB; TI; FN Hisp.; K). Somit bleiben als (mittelbare oder unmittelbare) Vorlagen Benedikts nur die Hss. C und L, d. h. codd. Paris. 12097 und Berol. Phillipsii 1745 mit den Sammlungen der Hss. von Corbie und von Lyon.

---

1) 'Ut omnes homines laici publicas nuptias faciant tam nobiles quam innobiles'. Nach Scherer, Kirchenrecht II, 235, N. 17 ist Ben. 2, 133b 'nach' dieser Stelle gebildet; quoad sensum — möglicherweise, quoad verba — nein. 2) Nicht: Concil. Paris. V. 614 c. 11(9), MG. Conc. I, 188 sq. = Karoli M. Capitulare primum 769 c. 18, MG. Capit. I, 46 (wo Boretius irrtümlich auf Concil. Aurel. V. c. 14 verweist) = Ben. 3, 140.

2, 137 = Lex Visig. 8, 1, 10 Rubrik und Satz 1. 2 des Textes (Erv.)[1], MG. L. Vis. p. 317; vgl. unten 2, 355. Vorlage (in der Rubrik wie im Texte) leicht gemodelt.

2, 138 = Lex Visig. 8, 1, 11 Rubrik und Text ([Recc. oder] Erv.), MG. L. Vis. p. 317; vgl. unten 2, 356. Vorlage mit buchstäblicher Treue wiedergegeben, nur dass die Prügelzahl von 100 auf ein Grosshundert (120) erhöht wird (wie oben 1, 342).

2, 139 = Concil. Aurel. I. 511 c. 19 in., MG. Conc. I, 7 lin. 1—3 = Hisp. c. 15, l. l. col. 276. Rubrik von Benedikt? Rubrik ähnlich in der Hispana, aber nicht gleichlautend. Text genau[2] wie bei Maassen, also nicht aus KRHABPFON, sondern (direkt oder indirekt) aus einer der Hss. C(L)[3] BMS bezw. Hisp.

2, 140 = Concil. Aurel. cit. c. 22, MG. Conc. I, 7 = Hisp. c. 18, l. l. col. 276. Rubrik wie zu 2, 139. Text wiederum genau wie bei Maassen, von zwei Kleinigkeiten ('Ut', 'aut') abgesehen. Nicht benutzt KRHABPFON Hisp., möglicherweise benutzt (CL)MS.

Sieht man zurück auf die Ergebnisse, zu denen die Variantenvergleichung der Vorlagen für 2, 134—136. 139. 140 geführt hat, so gewinnt man den Eindruck, dass Benedikts ausgezeichneter Text der gallischen Konzilien den Sammlungen der Hss. C und L am nächsten steht[4].

B. Zweite Unterreihe 2, 141—161. Aus der Lex Visig. ist (in 2, 143) vorgelagert 12, 3, 25 rubr., dann folgen in der Ordnung des Originals 2, 4, 4. 5. 2, 5, 1. 2. 4. 3, 4, 18. 5, 4, 1. 5, 7, 7. 12. 7, 2, 7. 8, 1, 2. — Die Konzilienexzerpte bilden zunächst eine chronologische Reihe (Arelat. II. 442—506, Agath. 506, Epaon. 517, Paris V. 614), schliesslich aber scheinen sie aus der zeitlichen Folge herauszufallen (Agath. 506?). Vielleicht ist dieses Herausfallen in der Tat blosser Schein (vgl. unten zu 2, 156—158). Eine sachliche Ordnung der Konzilienexzerpte, die auf Benutzung einer systematischen Sammlung hinführen würde, habe ich bisher nicht[5] entdecken können.

---

1) Nicht Recc., vgl. die Lesart 'Quod' statt 'Qui'. 2) Abgesehen natürlich von der Orthographie. 3) Auf den leicht zu emendierenden Schreibfehler 'elegent' ist kein Gewicht zu legen. 4) Wobei vorausgesetzt wird, dass alle gallischen Konzilien von Ben. aus einer und derselben Urquelle entnommen sind. 5) Merkwürdig ist immerhin, dass 2, 141 + 142. 144. 154. 155 in umgekehrter Ordnung in die Collectio Andegavensis (tit. 64? 52. 14. 11) eingestellt werden könnten.

2, 141 = Concil. Arelat. II. 442—506 c. 25, Hispana, l. l. col. 244; aus anderen Sammlungen ed. Bruns II, 133. Rubrik von Benedikt oder aus Hisp. ruhr. init.? Benedikts Lesarten: 'Quicumque' statt 'Hi qui', 'sanctae' statt 'sanctam', 'apostant' statt 'apostatant', Streichung von 'sine poenitentia' vor 'communionem' finden sich in den bekannten Texten des canon Arelat. nicht, dürften also Benedikt eigen sein. Der Schluss der Vorlage 'Et quicumque — habeatur' kehrt bei Ben. nicht wieder. Welche Kanonensammlung Ben. benutzt hat, bleibt vorläufig im Ungewissen.

2, 142 = Concil. Arelat. cit. c. 49[1], ed. Bruns II, 136. Rubrik von Benedikt? Im Text der Vorlage streicht Ben. die 3 ersten Wörter 'Secundum instituta seniorum'; im übrigen stimmt sein Text buchstäblich mit dem gedruckten[2] überein. Welche der Kanonensammlungen Benedikts (Ur)-Quelle war, bleibt wiederum dahingestellt[2] (ebenso bei 2, 144. 145. 154. 155).

2, 143 = Lex Visigoth. 12, 3, 25 rubr. (Erv.), MG. L. Vis. p. 429. 453; vgl. Concil. Toletan. XII. c. 9 § 25 Hisp., l. l. col. 478[3]. Rubrik zur Rubrik von Benedikt. Einzige Variante: 'cohibentiam' statt 'conibentiam' (= coniventiam).

2, 144 = Concil. Arelat. II. 442—506 c. 51[4], ed. Bruns II, 136. Rubrik von Benedikt? Der verhältnismässig lange Text deckt sich buchstäblich mit dem gedruckten Text der Vorlage, nur dass vor 'calumniator' eingeschoben ist 'eius'.

2, 145 = Concil. Agath. 506 c. 8, Hispan., l. l. col. 264; aus anderen Sammlungen ed. Bruns II, 147 sq.; vgl. unten Add. IV. 65. Rubrik von Benedikt?, zum Teil verwandt mit der Originalrubrik. Die 2 ersten Worte im Text der Vorlage ('Id etiam') hat Ben. gestrichen; mit der Lesart 'et solatium' (statt 'et is, ad quem recurrit, solatium') steht Ben. auf Seiten der Sammlungen CFY; Paris. Ies. 563, jetzt nicht in Berlin, verschollen; Cotton. Claud. D IX u. s. w., im Gegensatz zur Coloniensis (K), Hispana u. s. w.[5] Das unmittelbar folgende 'ei' fehlt in der Hispana; 'iste' und das 'ab' (statt 'de') vor 'ecclesiae' scheint auf Rechnung Benedikts zu kommen.

---

1) In der Pithoeana (P) und in der Hispana fehlt der Kanon; vgl. Maassen, Quellen I, 195. 2) Die Sammlung der Kölner Hs. (K) weicht mehrfach ab: 'conventu' statt 'convivio', 'venire' statt 'redire', wie ich Wasserschlebens Kollation entnehme. Also geht Ben. nicht auf K zurück. 3) Vgl. oben zu 2, 130—140, S. 368, N. 4. 4) In P und Hisp. fehlt der Kanon; vgl. Maassen a. a. O. 5) Genauere Angaben sind mangels einer kritischen Edition nicht möglich.

2, 146 = Lex Visig. 2, 4, 4 in. (Erv.)[1], MG. L. Vis. p. 97; vgl. unten 2, 344. Rubrik von Benedikt. Zwei nebensächliche Varianten.

2, 147 = Lex Visig. 2, 4, 5 in. ([Recc.,] Erv.), MG. L. Vis. p. 98; vgl. unten 2, 345a. Rubrik von Benedikt. Im Text 2 Interpolationen ('absentes neque'; 'et viderunt'); ausserdem 'negotiis' hinter 'aliis' gestrichen.

2, 148 = Lex Visig. 2, 5, 1 in. ([Recc.,] Erv.), MG. L. Vis. p. 106; vgl. unten 2, 416. Rubrik aus der Vorlage. Im Text 'esse' hinter 'conscriptae' eingeschoben.

2, 149 = Lex Visig. 2, 5, 2 (Erv.), l. c. p. 107; vgl. unten 2, 346. Rubrik aus der Vorlage. Benedikt schreibt im Texte 'legitime ac iustissime' mit Erv. und gegen Recc. ('iust. ac leg.'). Gegenüber Erv. zwei Abweichungen: 'conservandis', 'scripturas'.

2, 150 = Lex Visig. 2, 5, 4 (Erv.)[1], l. c. p. 107; vgl. unten 2, 349. Rubrik aus der Vorlage. Rubrik und Text wörtlich wie in cod. E 1 ('licere', 'aut').

2, 151 = Lex Visig. 3, 4, 18 fin. ([Recc.,] Erv.), l. c. p. 158 lin. 17—20; vgl. unten 2, 350. Rubrik von Benedikt. Eine Variante ('videantur' statt '-eamur').

2, 152 = Lex Visig. 5, 4, 1 ([Recc.,] Erv.), l. c. p. 218; vgl. unten 2, 417. Rubrik aus der Vorlage ('Ut' statt 'Ut ita'). Text wörtlich gleichlautend.

2, 153 = Lex Visig. 5, 7, 7 (Erv.)[1], l. c. p. 237. Rubrik und Text wie in der Vorlage, mit ganz unbedeutenden Abweichungen.

2, 154 = Concil. Epaonense 517 c. 6, MG. Conc. I, 20 = MG. Auct. antiq. VI 2, 168; Hisp. c. 2, Migne LXXXIV, 287[2]. Rubrik von Benedikt? (ähnlich wie in der Hispana). Text wörtlich wie Maassens Text. Welche der Sammlungen Benedikts (Ur-)Quelle ist, lässt sich aus den farblosen Lesarten nicht ermitteln,

2, 155 = Concil. Epaon. cit. c. 9, MG. Conc. I, 21 = MG. Auct. antiq. VI 2, 169; Hisp. c. 5, l. l. col. 287[3]. Rubrik von Benedikt? Text wie im Original. Lesarten der Ursammlungen wiederum neutral; nur cod. I (Collectio Albigensis) weicht ab.

---

1) Nicht Recc. 2) Nicht: Concil. 'Agathense' 506 c. 52 (Migne LXXXIV, 271; Bruns II, 156; vgl. MG. Conc. I, 20, l. 35) wegen abweichenden Textes. 3) Uebereinstimmend: Concil. 'Agath.' 506 c. 57 (Migne LXXXIV, 271; Bruns II, 157); vgl. MG. Conc. I, 21, l. 33; nur cod. H weicht ab.

2, 156 cf. Concil. Parisiense V. 614 c. 6 (4), MG. Conc. I, 187[1] = c. 17 additum Karoli M. Capitulari primo 769, MG. Capit. I, 46[2]; vgl. unten 3, 139[3]. Rubrik von Benedikt? Wo Benedikts Text nicht seine eigenen Wege wandelt, geht er mit cod. D[4]. Eigentümlich sind Benedikt auffallend viele Textgestaltungen: 1. die Plurale 'presbiteros' und 'diaconos', 2. die Worte 'neque reliquos clericos vel' statt 'aut clericum aut', 3. 'licentia' statt 'scientia'[5], 4. 'proprii[6] episcopi' statt 'pontificis per se', 5. 'communione privetur' statt 'sit sequestratus' (vgl. n. 7), 6. 'agnoscat' statt 'cognoscat', 7. die Auslassung der auf 'fecerit' folgenden Worte des canon Paris.: 'ab ecclesia, cui iniuria inrogari dinoscitur'; am Schluss zwei Einschiebsel: 8. 'per satisfactionem'[7] und 9. 'ecclesiae quod commisit'. Mag man noch so viele Abweichungen vom Pariser Kanon als tendenziöse Aenderungen Benedikts ansehen (n. 4. 5 + 7. 8. 9), so bleibt doch eine Anzahl von Aenderungen (n. 1. 2. 3. 4 ['episcopi']), für die es an einer Erklärung zu fehlen scheint. So kann nur wiederholt[8], natürlich mit aller Reserve, die Vermutung ausgesprochen werden, dass Ben. 2, 156 vielleicht einer unbekannten merowingischen Synode entnommen sei, die ihrerseits den Pariser Kanon vor sich hatte oder ihm zur Quelle diente.

2, 157 cf. Concil. Agath. 506 c. 32 Rubrik und Textanfang, Hisp., l. l. col. 268; aus anderen Sammlungen ed. Bruns II, 152. Rubrik vor der Originalrubrik von Benedikt? Mit dem Texte verhält es sich so (vgl. dazu unten S. 375/6):

Conc. Agath.[9]	Ben.[10]
Ut cleric*us* inconsulto episcopo ad iudicem saecularem *non*	Nullus ex ordine clericorum inconsulto proprio episcopo ad iudicem

1) Aus cod. D (= Sammlung der Hs. von Diessen) und cod. R (= Sammlung der Hs. von Reims). 2) Aus dem verschollenen cod. S. Vincentii Laudunensis, herausgegeben von Baluze, Capitularia I, col. 193 sq., ignoriert von Maassen in der Konzilienausgabe. 3) Deckt sich mit dem cod. S. Vincentii (Note 2), abgesehen von 'sine scientia' statt 'extra conscientiam', 'si' statt 'si quis hoc'. 4) Nicht mit cod. R (wegen 'condempnare' und 'agnoscat'), und nicht mit cod. S. Vinc. (wegen 'iudicum', 'iuniores', 'sine licentia', 'si' ohne 'quis hoc'). 5) Vgl. die Interpolation in 2, 58 (oben S. 330). 6) Vgl. oben zu 2, 84 rubr. 7) Vgl. unten 2, 158. 8) Vgl. Studie III (N. A. XXIX), S. 300, N. 4. 9) Kursiv gedruckt ist, was bei Ben. nicht wiederkehrt. 10) Gesperrt gedruckt ist, was sich nicht mit dem canon Agath. deckt.

Conc. Agath.	Ben.
pergat[1]. *Clericus* ne quemquam[2] praesumat apud *saecularem iudicem* episcopo non permittente pulsare; *sed si pulsatus fuerit, [non]*[3] respondeat, *non* proponat nec audeat criminale negotium in iudicio saeculari proponere.	secularem pergat neque apud eum suo episcopo non permittente quenquam pulsare aut cuiquam ante eum respondere aut quicquam proponere praesumat neque criminale negotium in iudicio seculari proponere audeat.

2, 158 cf. Concil. Agath. cit. c. 32 Ende, ll. cc. Rubrik von Benedikt? Mit dem Texte verhält es sich so:

Conc. Agath.	Ben.
Si quis *vero* saecularium per calumniam ecclesiam aut clericum fatigare tentaverit et evictus[4] fuerit, ab[5] ecclesiae liminibus et[6] catholicorum communione, nisi digne poenituerit, *arceatur*.	Si quis secularium per calumniam ecclesiam vel res eius[7] aut clericos cuiuslibet ordinis[8] fatigare temptaverit et ex hoc convictus fuerit, ab ecclesiae liminibus et catholica communione, nisi digne poenituerit et per satisfactionem ecclesiae emendaverit[9], pellatur.

Zu 2, 157. 158. Kapitel 158 stimmt mit dem Original überein bis auf die aus der linken Spalte ersichtlichen 5 Varianten und bis auf die Zusätze bei Ben., die als Inter-

1) 'Ut — pergat' ist die Originalrubrik. 2) 'ne quemquam' anscheinend die meisten gallischen Sammlungen; 'nequaquam' Coll. Colon. (= K) und Hisp. 3) Dieses dem echten Texte fremde 'non' findet sich — abgesehen von der Augustod. und den von ihr abhängenden Sammlungen (z. B. Cod. Paris. 1536, Cotton. Claud. D IX, Berol. Phillipp. 1778) — im Cod. Paris. 1455 (vgl. Maassen, Pseudoisidor-Studien I, 18 f.; II, 62) und in der Collectio Hibernensis 21, 27b (Seckel, Art. Pseudoisidor S. 293, Z. 53). 4) 'evectus' cod. Colon.; 'victus' cod. Lucensis 124 und zwei Hss. der Hispana. 5) 'ab' fehlt in der Hispana und der Coloniensis. 6) 'a' fügen bei die Hispana und eine Anzahl gallischer Sammlungen; 'a' fehlt in der Coloniensis. 7) Vgl. die Interpolation von 'earumque res' (zu 'ecclesias') oben 2, 115. 8) Gewöhnliche Phrase; vgl. z. B. Conc. Clippiac. 626. 627 c. 7. 20; Conc. Tolet. I. c. 5 rubr. 9) Vgl. oben 2, 156 i. f.: 'et per satisfactionem emendet ecclesiae'.

polationen zu betrachten sein dürften. Kapitel 157 dagegen weicht, abgesehen von den wahrscheinlich von Ben. interpolierten Worten 'proprio' und 'suo' (je vor 'episcopo')[1], in Wortlaut und Wortstellung so stark und dazu tendenzlos[2] vom can. Agath. ab, dass sich wie bei 2, 156 der Gedanke an eine unbekannte Zwischenquelle für Kapitel 157 und damit auch für Kapitel 158 aufdrängt.

2, 159 = Lex Visig. 5, 7, 12 ([Recc.,] Erv.), MG. l. c. p. 239; vgl. unten 2, 352. Rubrik aus dem Original. Varianten des Textes an sich untergeordnet; sie beweisen aber wohl, dass Ben. den cod. E 1 oder einen nahen Verwandten desselben vor sich hatte, vgl. die Lesarten 'testimonia' (so cod. Goth.[b], Vat. Pal. 583), 'eisdem', 'progeniti'; 'ad' statt 'omnismodis ad'.

2, 160 = Lex Visig. 7, 2, 7 ([Recc.,] Erv.), l. l. p. 291. Rubrik die originale. Im Text eine nebensächliche Variante.

2, 161 = Lex Visig. 8, 1, 2 (Erv.), l. c. p. 313; vgl. unten 2, 353. Rubrik die des Originals. Varianten meist unbedeutend; der Schlusssatz durch Streichung des 'non' vor 'potuit' interpoliert, und damit der Sinn gründlich verändert.

Beilage.

Die Breviatio canonum Sardicensium.

Der von Benedikt benutzte Auszug der sardicensischen Kanonen ist in folgenden Sammlungen bzw. Hss. überliefert[3]:

1. Sammlung der Freisinger Hs.[4], ungedruckt, enthalten in Cod. Lat. Monac. 6243 (Fris. 43, zuvor Fris. B. G. 8) saec. IX. ineunt.[5];
2. Sammlung der Würzburger Hs.[6], ungedruckt, enthalten in Cod. Wirzeb. Mp. th. f. 146 saec. IX.;
3. Sammlung der Stuttgarter Hs.[7], ungedruckt, enthalten in dem Codex iur. et pol. 113 saec. VIII. der Stuttgarter Hofbibliothek (f. 71a—72a unser Auszug);

---

1) Vgl. oben zu 2, 84 rubr. 2) Eine Einschränkung erführe diese Behauptung, wenn Benedikts Vorlage 'respondeat' statt 'non resp.' schrieb. 3) Vgl. Maassen, Gesch. der Quellen I, 60 f. 4) Maassen a. a. O. S. 476—486, insbesondere S. 482. Die Sammlung gehört dem Ende des 5. Jh. an. 5) Für die Uebersendung der Hs. nach Berlin spreche ich der Münchener Bibliotheksverwaltung den verbindlichsten Dank aus. 6) Maassen a. a. O. S. 551—555, insbesondere S. 552. 7) Maassen noch unbekannt; von mir 1888 untersucht; vgl. Schulte in den Wiener SB. CXVII, 11, S. 1—15, insbesondere S. 4 (1889).

4. Vermehrte Dionysio-Hadriana[1], ungedruckt; die Breviatio can. Sardic. steht nicht in allen Hss. der Sammlung, sondern nur in Cod. Vallicell. A 5 saec. IX., Cod. Vercell. LXXVI saec. X., Cod. Vatic. 1353 saec. XII.; — mit der vermehrten Hadriana sind verwandt die Anhänge[2] der Hadriana des Cod. Sessorianus LXIII saec. IX. exeunt.[3] und des Cod. Lat. Monac. 3860a saec. X.[4]; — endlich gehört hierher die Hadriana des Cod. Vatic. 1337 saec. IX. ineunt.[5]

5. Sammlung der Diessener Hs.[6], von Amort[7] zum grössten Teil[8] herausgegeben[9], enthalten in Cod. Lat. Monac. 5508 (Diess. 8) saec. IX.

Von diesen 5 Sammlungen bieten die 4 ersten die reine Gestalt der Breviatio can. Sard.; in der Sammlung n. 5, deren Entstehung in die Zeit nach 626 fällt[10], ist die Breviatio um zwei Kanonen (Diess. c. 18. 19) vermehrt, die dem Konzil von Sardica sicher fremd sind[11].

Nachstehend wird die Breviatio ediert:

A. in ihrer reinen Gestalt, die als solche bisher nicht gedruckt war, nach Cod. Lat. Monac. 6243 (oben n. 1), f. 34b—36b (= F). Es entsprechen Breviatio c. 1 und 2 dem Original c. 2 und 1[12]; Brev. c. 3 dem c. 3[13]; c. 4 dem c. 4[14]; c. 5 den c. 5 + 6[15]; c. 6 — 20 den canones 7—21.

B. in ihrer interpolierten Gestalt, die zwar bei Amort (oben n. 5) gedruckt, aber wegen der Seltenheit seiner Elementa[16] fast unzugänglich ist[17], nach der editio princeps, II, 247—249 (= Cod. Lat. Monac. 5508, f. 13 = D).

---

1) Maassen a. a. O. S. 454—465, insbesondere S. 456 (unter n. LXXVIII). 2) Unter diesen Anhängen findet sich unsere Breviatio. 3) Maassen a. a. O. S. 60. 442, n. 26; Hinschius, Zeitschr. f. Rechtsgeschichte II, 457. 4) Maassen a. a. O. S. 60. 443, n. 56. 5) Von Maassen a. a. O. S. 60 übersehen; vgl. aber denselben, Bibliotheca Latina iuris can. manuscripta I 1 (Wiener SB. LIII), 394; Ballerini, De ant. coll. P. 3 c. 2 n. 6 (Migne LVI, 210 f.). 6) Maassen, Gesch. d. Quellen I, 624—636, insbesondere S. 625. 7) Amort, Elementa iuris canonici (Ius canonicum vetus ac modernum) II (Ulmae, Francofurti et Lipsiae 1757) p. 273—594. Ich benutze das mir nach Berlin überschickte Marburger Exemplar des seltenen Buches. 8) Ausser n. I—VIII. XI (Canones selbst). XIII—XXIII. 9) Was Maassen a. a. O. S. 624 hätte mitteilen sollen. 10) Maassen a. a. O. S. 631. 11) Ueber ihre Herkunft ist nichts bekannt. Es sind andere Kanonen, als die im griechischen Text überschiessenden canones 18. 19 (Bruns I, 104. 106; Uebersetzung bei Friedrich, Die Unechtheit der Canones von Sardica II [1902], 389). 12) c. 2 und 1 in den Rezensionen I (Dionysiana), III und IV (Migne LVI, 774 ff.); c. 1 in der Rezension II (Hispana). 13) c. 3 + 4 Hisp. 14) c. 5 Hisp. 15) c. 6 Hisp. 16) Die Berliner Bibliotheken besitzen sie nicht. 17) Die unechten Canones 18. 19 hat neuerdings Friedrich a. a. O. S. 386 f. aus der Hs. abgedruckt.

4b. [1]Incipit[a] concilium Nichenum[a] XX episcoporum, quae[b] in Greco[c] non habentur, sed in Latino inveniuntur[d] ita[d]. — — —[2]

5b. [3]Incip(iunt) regulae XL[4] aput Sardicam constitutae.

I. Hosius episcopus dixit: Nulla[e] excusatio recipiatur episcopi de civitate ad[f] civitatem[f] volentis migrare.

II. Hosius episcopus dixit: Ut, de civitate ad civitatem quisquam si migraverit aut episcopus aut clericus, excommunicatus praemaneat[g].

b'. III. Hosius episcopus dixit: Ut litem habens episcopus cum alio episcopo non alterius, sed suae provintiae iudices quaerant[h]. Et iudicato in aliqua causa episcopum[i] liceat iterare iudicium vel episcopum Romanum adire.

IIII. Gaudentius episcopus dixit: Ut, dum iterato iudicio causam suam agit, alius in loco eius[k] episcopus non ordinetur.

---

a) Incipit conc. nichenum ('nicenum' HS. D)] 'Regulae niceni concilii' Hauct. b) 'quae' F. HS. Hauct.; 'qui' D. c) 'greco' F (unrichtig Maassen I, 59. 482. 552: 'grego'). Hauct.(?). D; 'grego' HS. d) 'inveniuntur ita' F. HS. Hauct.[5]; 'esse inveniuntur tantummodo' D (nach dem Zeugnis von Amort und Maassen; anders Friedrich a. a. O. S. 386). e) 'Ut nulla' D. f) 'ad civitatem' om. D. g) 'remaneat' D. h) 'quaerat' D. i) 'episcopo' D. k) om. D.

1) Diese Ueberschrift des Ganzen steht, soviel bisher bekannt ist, ausser in F auch in der Hadriana cod. Sessoriani (HS) und mit leichten Modifikationen einerseits in der vermehrten Hadriana (Hauct.), andererseits in D. — In der Würzburger Sammlung ist die in F später folgende Ueberschrift 'Incipiunt regulae XL apud Sardicam constitutae' an Stelle der echten (wenn schon unrichtigen) Ueberschrift 'Incipit — ita' getreten. Die späteste Entwickelungsform repräsentiert die Stuttgarter Sammlung, wo der Sache nach die Inskription der Würzburger Sammlung wiederkehrt in folgender Gestalt: 'Incipit synodus aput sardicam constitutus' (korr. in: 'constituta'). 2) Auf 'ita' folgt in F das Stück 'Sunt etiam regulae ecclesiasticae — sequi debebit'; dieses Stück, eine Erörterung über die afrikanischen und die sardicensischen Kanonen, ist schon 4 mal aus verschiedenen Hss. herausgegeben (von Wendelstein, Ballerini, Hinschius, Maassen); vgl. letzteren in der Gesch. der Quellen I, 955—957. — Wie in F steht das Stück hinter der (obenstehenden oder einer sie verdrängenden) Inskription auch in HS, H cod. Monac. 3860a, H cod. Vat. 1337, Hauct. und in der Sammlung von Würzburg; es ist gestrichen in den Sammlungen von Stuttgart und von Diessen. 3) Diese (sachlich richtige) Inskription geht der Breviatio voraus wie in F, so auch in HS. (nach Maassen I, 60 ferner in H cod. Monac. 3860a und in Hauct.); vor das Ganze ist die zweite Inskription gestellt in den Sammlungen von Würzburg und Stuttgart (vgl. vorhin N. 1); gestrichen ist sie in D. 4) Nämlich zuerst der Auszug (c. I—XX), dann die Canones selbst (c. XXI—XL). 5) Nach den Ballerini (Migne LVI, 214 C); Maassen I, 456 lässt 'ita' weg.

V. Hosius episcopus dixit: Ut, si unus episcopus remanserit in provintia et his[a] admonitus aut[b] rogatus noluerit, ubi deest, episcopum ordinare, de vicina provintia alii qui sunt ordinent episcopum. Et ut non in locis minimis et abiectis episcopi[c] ordinentur[d].

VI. Hosius episcopus dixit: Ut, abiectus[e] episcopus[e] si vult[f] causam iterare ad Romanum episcopum, liceat ei[g].

VII. Hosius episcopus dixit: Ut non sint inportuni episcopi ad comitatum[h], sed aut invitati ab imperatore vadant aut pro grandi causa misericordiae.

VIII. Hosius episcopus dixit: Ut ad comitatum mittant magis *quam vadant[i] aut certe scribant ad amicos *f suos potentes.

VIIII. Alipius episcopus dixit: Ut pias intercessiones agant, et ipsas utinam non per se, sed magis per distinatos[k].

X. Gaudentius episcopus dixit: Ut poena statuatur non servantibus decreta concilii. Et inquirat episcopus in[l] sardinali[l] (!) ab eo, qui ad comitatum vadit, qua pergat ex causa. Ut[m], si notabilia[n] invenerit et probatum[o] (!) non potuerit retorquere, neque communicet ei.

XI. Hosius episcopus dixit: Ut prius decreta audiat unusquisque et ita demum, si non servaverit, damnetur. Et ut mittat, si opus est, non vadat ad comitatum.

XII. Hosius episcopus dixit: Ut[p] de laicis vel[q] divitibus aut de neophitis postulatus episcopus non prius ordinetur, nisi a lectore[r] in ecclesia coeperit militare.

XIII. Hosius episcopus dixit: De alia civitate episcopus non diu mo*retur[s] in alia, id[t] est ut a[t] sua *f ecclesia non ei plus[u] abesse liceat quam tribus dominicis diebus.

XIIII. Hosius episcopus dixit: De episcopis, qui alibi constituti sunt et alibi possessiones habent, quid debeant observare.

XV. Hosius episcopus dixit: Ne abiectum quemquam ab alio episcopo episcopus[v] recipiat alius.

---

a) 'is' D. b) 'ac' D. c) 'episcopus' D. d) 'ordinetur' D. e) abiectus episcopus] 'abiectis episcopis' D. f) 'volunt' D. g) om. D. h) 'ire' add. D. i) 'episcopi' add. D. k) 'destinatos' D. l) in sardinali] 'qui est in canali' D. m) 'et' D. n) 'notabilem' D. o) 'prohibitum' D. p) om. D. q) 'et de' D. r) 'prius' add. D. s) 'immoretur' D. t) id ē ut a] 'destituta' D. u) 'amplius' D. v) 'episcopus' D; 'epis' F.

XVI. Hosius episcopus dixit: Ut, si iracundus episcopus voluerit quemquam exterminare clericum, [ut[a] si] eius[a] causa audiatur a plurimis episcopis.

XVII. Ianuarius episcopus dixit: Ut nullus clericum alterius aut sollicitet aut in sua ecclesia ordinet*.

XVIII. (XX D). Hosius episcopus dixit: Ordinatus clericus alienus[b] ab alio in clero non maneat.

XVIIII. (XXI D). Aetius episcopus dixit: Ut clerici de civitatibus alienis redire cogantur ad suam[c], maximae de[d] Thessalonica[d] exire.

XX. (XXII D). Hosius episcopus verba[e] Olymphi episcopi[e] dixit: Ut, si qui vim a persecutoribus passus fuerit,

---

*) D inserit canones duos hosce:

XVIII. Aetius episcopus dixit: Ut filii clericorum ad spectacula non ambulent[1] neque ad synagogas Iudaeorum. Quod qui fecerint, excommunicentur et post satisfactionem revertantur ad gratiam. Dixerunt: Placet nobis.

XIX. Hosius episcopus dixit: Hoc nobis, fratres, fixum oportet inserere, ut, quod non credimus esse venturum[2], si quis episcopus, presbiter, diaconus, subdiaconus in bellum processerit et arma bellica indutus fuerit et belligerat, ab omni officio deponatur, etiam nec laicam habeat communionem[3]. Synodus respondit: Omnibus nobis placet.[4]

a) 'ut si eius' om. D. b) om. D. c) 'sua' D. d) 'de thessalonica' D; 'det hes salonica' F. e) 'verba olymphi episcopi' om. D.

1) Vgl. Carthagisches Konzil vom 28. August 397, erhalten in: Breviarium Hipponense c. 11 (ed. Ballerin.; Migne LVI, 424), Dionysiana Conc. Carth. 419 c. 15 i. f. (Migne LXVII, 189), Hispana Conc. Carth. III. c. 11 (Migne LXXXIV, 191), Ferrandus Breviatio c. 40 (ed. 1609 p. 623). Am nächsten kommt dem Text der Brev. can. Sard. Diessensis die Rubrik zum canon Carth. in der Hispana: 'Ut filii clericorum ad spectacula non accedant'. 2) Die Phrase 'quod non credimus esse venturum' findet sich wörtlich im Concil. Parisiense 614 c. 4 (MG. Conc. I, 187). Vgl. Friedrich a. a. O. S. 387, N. 1. 3) Vgl. Concil. Sardic. Dion.-Hadr. c. 1 (ed. 1609 p. 158): 'ut nec laicam communionem habeat'. 4) Zur Sache vgl. Hinschius, Kirchenrecht I, 26, N. 9; V 1, 266, N. 1; Scherer, Kirchenr. I, 378. — Friedrich a. a. O. S. 386, N. 1 behauptet Verwandtschaft des c. 19 Diess. mit c. 7 Conc. Chalcedon.; an letzterer Stelle dürfte aber mit 'militia' in erster Linie der subalterne Zivildienst gemeint sein.

suscipiatur et requiem inveniat, *in quacumque[a] ecclesia[a] *f. ierit.[1]

---

a) quacumque ecclesia] 'quamcunque ecclesiam' D.

1) Nun folgen (auch in HS?) die unverkürzten Kanonen von Sardica; in F, sowie in den Sammlungeu von Würzburg und Stuttgart (anscheinend auch in HS, Hauct.) geht ihnen folgende Inskription voran (Text nach F, Varianten in den angef. Sammlungen meist nur orthographisch): 'Item quae (statt dieses Anfangs hat die Stuttgarter Sammlung: 'Incip. synod. q.') aput graecos non habentur, sed aput latinos tantum inveniuntur'. Eine Randnote der Stuttgarter Sammlung fügt bei: 'in niceno'. In der Collectio cod. Diessensis ist die Inskription umgestaltet: 'Incipiunt canones Sardicensis'.

VIII.

Exkurse zu den Diplomen Konrads II.

§ 4. 5.

Von

Harry Bresslau.

---

§ 4. Die Diplome Konrads II. und Heinrichs III. für Ascoli.

Als ich in den Jahrbüchern Konrads II. Bd. II, 471 ff. über das D. Konrads II. für das Bistum Ascoli St. 2083 (A) und über die dazu in Beziehung stehenden DD. St. 2278 (B) und 2473 (C) zu handeln hatte, kannte ich keine dieser Urkunden aus Autopsie, sondern ich war auf schlechte Drucke und wenig ausreichende Facsimiles von A und C angewiesen. Dessen ungeachtet haben sich die damals gewonnenen Ergebnisse auch jetzt, nachdem ich von der handschriftlichen Ueberlieferung der Urkunden habe Kenntnis nehmen können, wenigstens in der Hauptsache als zutreffend erwiesen, während sie allerdings im einzelnen vielfach ergänzt und berichtigt werden können.

Von A und C befinden sich im Kapitelsarchiv zu Ascoli Piceno die angeblichen Originale, die, wie ich schon in den Jahrbüchern a. a. O. S. 472 auf Grund der mir damals vorliegenden Durchzeichnungen vermutete, nun aber bestimmt zu behaupten in der Lage bin, von einem und demselben Manne geschrieben sind. Ueber das Alter der Schrift ist, da beide Diplome, wie wir gleich sehen werden, Nachzeichnungen sind, schwer zu urteilen; ich bin geneigt, sie in die zweite Hälfte des 12. Jh. zu setzen; doch könnte, wenn man nur die graphischen Merkmale zu berücksichtigen hätte, danach auch die Entstehung der Urkunden im 11. Jh. nicht absolut ausgeschlossen werden. Als Schriftmuster hat für beide Urkunden zweifellos ein Diplom [1] von der Hand des von uns mit der Chiffre Burch. A bezeichneten Kanzleibeamten gedient, der unter Konrad II. in den Jahren 1033 und 1034 in der Kanzlei tätig war [2].

---

1) Oder vielleicht, wie sich zeigen wird, mehrere Diplome derselben Hand. 2) Wir kennen seine Schrift aus den DD. K. II. 198. 199 (St. 2045. 2046) und dem DH. III. St. 2224; sein Diktat ausserdem aus den DD. K. II. 200. 204. 205 (St. 2047/48. 2051. 2053) und aus dem DH. III. St. 2229, das Wiederholung einer verlorenen Urkunde Konrads II. ist, die Burch. A verfasst hatte. Da der Austritt des Notars aus der Kanzlei mit der Ernennung des italienischen Kanzlers

Daneben aber haben dem Schreiber der beiden Ascolaner Urkunden mindestens noch zwei Originaldiplome aus der Zeit Heinrichs III. vorgelegen. Das eine davon stammt aus den Jahren 1043—1046 und war geschrieben von einem deutschen Schreiber dieser Jahre: ihm ist das Rekognitionszeichen nachgezeichnet, das sich in C findet, und auch eine eigentümliche Ligatur, die in A begegnet, wird auf Nachahmung dieser Urkunde zurückgehen[1]. Die andere gehörte der Zeit des Kanzlers Gunther (1054—1056) an; eine Schrifteigentümlichkeit eines Notars aus dieser Zeit ist namentlich in den hochgezogenen Schäften des H wiederzuerkennen, durch welche die verlängerte Schrift in C sich von der in A unterscheidet[2].

Wenn schon dieser Schriftbefund die Originalität der beiden Diplome A und C, wie auf der Hand liegt, nahezu ausschliesst, so führt eine Betrachtung der übrigen äusseren Merkmale zu demselben Ergebnis. Zwar ist das Monogramm in beiden korrekt und echten Mustern gut nachgezeichnet; in A hat man sogar die Nachtragung des Vollziehungsstriches, der in der Vorlage wahrscheinlich nicht genau auf den Mittelbalken des E traf, nachgeahmt. Auch waren beide Diplome besiegelt; doch sind die Siegel abgefallen und das von A ist verloren, während ein echtes Siegel Heinrichs III.[3], das zu C gehört haben kann, besonders aufbewahrt wird. Aber in C lässt schon die Stellung der Beglaubigungszeichen die Fälschung leicht erkennen. Das Monogramm steht nämlich nicht innerhalb der Signumzeile oder unmittelbar dahinter, sondern es ist etwa 1 cm von ihr entfernt und so gezeichnet, dass der untere Teil des

---

Bruno zum Bischof von Würzburg zeitlich zusammentrifft und die einzige von Burch. A unter Heinrich III. geschriebene Urkunde für Bruno ausgestellt ist, so ist es wahrscheinlich, dass der Notar dem Kanzler nach Würzburg gefolgt ist. 1) Man kann annehmen, dass diese Vorlage das jetzt verlorene Original von B (oder vielmehr der echten Vorlage von B) war. 2) Vgl. schon Jahrb. Konrads II. II, 471. Jener Notar hatte also in der verlorenen echten Vorlage von C jedenfalls die verlängerte Schrift geschrieben. 3) Es ist das dritte Wachssiegel Heinrichs und scheint nach den Angaben Schums, N. Archiv I, 137, obgleich diese das nicht ganz klar besagen, im Jahre 1874 noch an C befestigt gewesen zu sein. Wenn ich früher (N. Archiv VI, 570 und Jahrb. a. a. O. S. 472) die Echtheit des Siegels bezweifelt hatte, so war das mit dem Vorbehalt geschehen, dass Schums Beschreibung davon genau sei. Das ist aber nicht der Fall; der Kaiser trägt in der linken Hand nicht ein Adlerszepter, sondern einen Stab und in der Legende heisst es nicht IMP AVG, sondern IMPR AVG; in beiden Beziehungen entspricht also das Ascolaner Siegel den echten.

Handmals mit der Kanzlerunterschrift etwa auf derselben Linie steht; dann folgt unmittelbar hinter dem Monogramm das Eigenhändigkeitszeichen, und unter diesem, also ausserhalb jedes Zusammenhanges mit der Rekognitionszeile, ist endlich ein kleines Rekognitionszeichen angebracht. Dieses selbst aber entspricht nicht dem zur Zeit des Kanzlers Gunther, der in der Rekognition genannt wird, in der Kanzlei Heinrichs III. geltenden Brauch. Denn in den von Gunther rekognoszierten Originalen findet sich ein Rekognitionszeichen überhaupt nicht[1]; und das Zeichen, das in C steht, weist, wie schon gesagt ist, eine Gestalt auf, die nur in Diplomen der Jahre 1043—1046 vorkommt, kann also in einem Diplom der Jahre 1054—1056 nur als Merkmal der Unechtheit betrachtet werden. Ergibt sich somit auch aus diesen Merkmalen, dass C, insofern es Original zu sein beansprucht, als eine Fälschung angesehen werden muss, so versteht sich von selbst, dass das von derselben Hand geschriebene A nicht anders zu beurteilen ist. Angefertigt aber sind die beiden Urkunden mit Benutzung von mindestens drei Originaldiplomen Konrads II. und Heinrichs III., deren eines aus den Jahren 1033—1034, das zweite aus den Jahren 1043—1046, das dritte aus den Jahren 1054—1056 stammte.

Für die erste und die dritte dieser Vorlagen lässt sich nun aus der Untersuchung der Protokolle von A und C noch eine nähere Bestimmung gewinnen. In A muss die Rekognition 'Bruno cancellarius vice Piligrini archicancellarii recognovit' aus einem Diplom stammen, das den Jahren 1027—1034 angehörte. Am 8. März 1034 wird Bruno zuletzt als Kanzler für Italien genannt. Von der nächsten italienischen Urkunde Konrads, dem DK. II. 208 (St. 2058) für Ravenna vom 30. April 1034, sind uns zwei Exemplare erhalten, ein unbesiegeltes, das bisher allein bekannt war, im erzbischöflichen Archiv zu Ravenna, dem die Kanzlerunterschrift fehlt, und ein besiegeltes im Britischen Museum zu London, das von Brunos Nachfolger, dem Kanzler Hermann, rekognosziert ist. Jenes ist offenbar in der Zeit der Vakanz des Kanzleramts geschrieben und nach Hermanns Ernennung durch das besiegelte Original ersetzt worden. Daraus folgt also, dass Bruno schon vor dem 30. April 1034

1) Vgl. Steindorff, Jahrb. Heinrichs III. Bd. I, 377. Das Subskriptionszeichen, das der Kanzler Gunther seiner eigenhändigen Namensunterschrift in verschiedenen Placiten hinzufügt, hat mit dem Rekognitionszeichen in C nicht die geringste Aehnlichkeit.

aus der Kanzlei ausgeschieden war, und dass Hermann nicht lange nachher ernannt worden ist; jenes Datum bezeichnet demnach den terminus ante quem für unser Ascolaner Diplom. Die Rekognitionszeile bestätigt also das aus dem Schriftbefunde gewonnene Ergebnis, dass die Vorlage der Zeit vom Sommer 1033 bis zum Frühjahr 1034 angehören muss, da nur in dieser Zeit Burch. A unter Konrad II. als Kanzleischreiber vorkommt. Dem gegenüber können die Jahresangaben in der Datierungszeile nicht in betracht kommen, zumal sie selbst durchaus unvereinbar sind: das Inkarnationsjahr würde auf 1037, die Indiktion auf 1036, das Königsjahr auf September 1034 bis September 1035 und das Kaiserjahr auf März 1035 bis März 1036 führen. Diese Angaben sind also völlig unbrauchbar, da der Fälscher offenbar die Datierung seiner Vorlage ganz willkürlich umgestaltet hat[1]. Brauchbar ist allein der Austellungsort 'Poderbrunnen'[2], den der Fälscher nicht willkürlich erfunden haben kann, und wir haben nur zu fragen, wo in den Zeitgrenzen, an die wir durch Rekognition und Schriftbefund gebunden sind, ein Aufenthalt des Kaisers in Paderborn sich einreihen lässt. Da könnte man zunächst an den Sommer 1033 selbst denken und geneigt sein zu vermuten, dass Konrad auf der Reise von Memleben, wo er am 21. Juli war (St. 2044), nach Limburg, wo wir ihn am 2. August finden (St. 2045), Paderborn berührt hätte, und für diese Vermutung könnte geltend gemacht werden, dass St. 2045 vom 2. August eben für das Bistum Paderborn ausgestellt ist und dass in dieser Urkunde und in St. 2046 sich einige Ausdrücke finden, die auf die Vorurkunde von A zurückgeführt werden können. Aber die letzteren Erwägungen sind nicht ausschlaggebend, denn St. 2045 ist zwar für Paderborn gegeben, beruht aber auf einer Vergleichsverhandlung zwischen dem Paderborner Bischof und dem Mainzer Erzbischof, sodass die Handlung ebensowohl nach Mainz wie nach Paderborn verlegt werden kann; und dass die Vorurkunden eines Diploms schon längere Zeit, ehe es zur

---

1) Der Versuch Fickers (Beitr. zur Urkundenlehre I, 213, vgl. II, 303), die Widersprüche des Schlussprotokolls zu erklären, war berechtigt, da er auf die Autorität Schums hin an die Originalität der Urkunde glaubte, braucht aber jetzt nicht mehr eingehend besprochen zu werden, da wir gesehen haben, dass Schum das Diplom ganz irrig beurteilt hat. 2) So wahrscheinlicher als 'Poderbrannen' ist zu lesen; Schums Lesung 'Podesbrannen' ist sicher unrichtig; das erste 'r' ist korrigiert aus 'P', dessen Unterlänge stehen geblieben ist; 'u' ist korrigiert aus 'o'.

Ausfertigung des letzteren kam, sich am Hofe und in der Kanzlei befanden, ist eine keineswegs seltene Erscheinung. Und andere Erwägungen sprechen doch gewichtig gegen die Einschiebung eines Paderborner Aufenthalts in den Juli 1033. Wie wir jetzt aus einer bei Stumpf noch nicht verzeichneten Urkunde für Eichstätt (DK. II. 197) wissen, hat Konrad von Memleben aus seinen Weg nach einem anderen Orte Namens 'Haga' fortgesetzt, worunter wir am ersten Haina bei Gotha zu verstehen haben: trifft diese Deutung zu, so ist die Reise über Paderborn durch die Richtung des Itinerars so gut wie ausgeschlossen. Aber auch abgesehen davon ist die Entfernung von Memleben nach Limburg, wenn der Umweg über Paderborn und ein Aufenthalt daselbst eingeschaltet wird, so gross, dass der Zeitraum vom 21. Juli bis zum 2. August für diese Reise eine ungewöhnliche und unmotivierte Geschwindigkeit voraussetzen würde. Dann bleibt die Möglichkeit, den Paderborner Aufenthalt entweder in den Herbst des Jahres 1033, als der Kaiser nach Beendigung des burgundischen Feldzuges nach Sachsen reiste, oder aber in den Anfang 1034 zu setzen, als er sich von Minden, wo er Weihnachten gefeiert hatte, nach Rheinfranken begab, wo wir ihn am 30. Januar in Worms treffen (St. 2051). Zwischen diesen beiden Ansetzungen ist eine sichere Entscheidung nicht möglich, für unsere Ausgabe aber auch nicht erforderlich; in ihr war die Ascolaner Urkunde zwischen den DD. K. II. 201. 204 (St. 2050. 2051) einzureihen und dabei zu bemerken, dass der Besuch Paderborns durch den Kaiser entweder kurze Zeit vor oder kurze Zeit nach der Mindener Weihnachtsfeier erfolgt sein muss.

Einfacher lässt sich über das Protokoll von C urteilen. Die Rekognition (Gunther an Stelle Hermanns) stimmt auch hier zum Schriftbefunde, demzufolge eine Vorlage aus den Jahren 1054—1056 dem Schreiber von C vorgelegen haben muss. Innerhalb dieser Zeitgrenzen sind im Jahre 1055 der Ausstellungsort Florenz und die Tagesangabe 'VI. kal. iun.' vortrefflich miteinander vereinbar (vgl. St. 2474), und es ist also nicht zweifelhaft, dass die Vorlage das Datum des 27. Mai 1055 gehabt haben muss. Die Jahresangaben sind aber auch hier unbrauchbar und sämtlich zu hoch, das Inkarnationsjahr, das Jahr der Ordination (im Vergleich zu St. 2472. 2474) und die Indiktion um eine, die Regierungsjahre um zwei Einheiten; man kann auch hier nur an willkürliche Veränderung der Zahlen durch den Fälscher denken, und dies um so sicherer, als ursprünglich die Fehler sogar noch grösser waren: das Ordinationsjahr war ursprünglich um zwei, das Königsjahr um drei Einheiten zu hoch, indem statt 'XXVIII' und 'XVIII' zuerst 'XXVIIII' und 'XVIIII' geschrieben war, was dann korrigiert worden ist[1]. Uebrigens ist auch die Formulierung der Signumzeile und der Datierung nicht korrekt, sondern durch den Fälscher entstellt, und dass dieser ein aus der Vorlage von B entlehntes Rekognitionszeichen ganz unpassend in C versetzt hat, ist schon oben erwähnt worden.

Ehe wir nunmehr zu der Frage übergehen, inwieweit der Kontext von A, B und C und damit ihr Rechtsinhalt auf die verlorenen Vorlagen zurückgeführt werden kann, wird es zweckmässig sein, dass wir zunächst dem Diplom Heinrichs III. St. 2278 (B), von dem bisher noch nicht die Rede war, unsere Aufmerksamkeit zuwenden. In Verbindung mit B aber muss ein bisher ungedrucktes und ganz unbekanntes D. Heinrichs III. vom gleichen Datum (D) betrachtet werden, das wir im Anhang zu diesem Paragraphen erstmals veröffentlichen.

Von B ist uns eine handschriftliche Ueberlieferung nicht bekannt. Weder Bethmann[2] noch Schum noch ich selbst haben das Original der Urkunde oder eine Abschrift davon im Kapitelsarchiv von Ascoli, wo die Urschriften von A, C und D beruhen, auffinden können; auch in dem Archivkatalog von Pastori aus dem Ende des 18. Jh. wird die Urkunde nicht erwähnt. Dass sie auch im Stadtarchiv zu Ascoli Piceno weder in originaler noch in abschriftlicher Gestalt überliefert ist, hat Herr Prof. H. Loevinson vom Staatsarchiv zu Rom durch nachträglich auf meine Bitte veranstaltete Nachforschungen feststellen lassen[3]. Wir kennen also das Diplom nur aus Drucken; mit diesen aber ist es eigentümlich bestellt. Die älteste Ausgabe bei Ughelli, Italia sacra ed. I. I, 499 beruht auf einer Abschrift, die Ughelli von dem Ascolaner Domherrn Sebastiano Andreantonelli erhalten hat. In Andreantonellis Historiae Asculanae p. 240, die erst nach dem Tode des Verfassers erschienen sind, ist die Urkunde zum zweiten Male gedruckt:

---

1) Der letzte Strich ist beide Male ausradiert und durch einen Punkt ersetzt worden, dessen dunklere Tinte sich deutlich abhebt. Der Erklärungsversuch Fickers (Beiträge zur Urkundenlehre I, 309) ist also auch hier abzulehnen. 2) Vgl. Archiv XII, 554. 3) Auch im Staatsarchiv zu Neapel, wo sich in den Processi di regio padronato CXVI, 19 ff. neuere Abschriften von A und C sowie von den Diplomen des 12. Jh. für Ascoli befinden, ist nach den von Winkelmann, Forschungen zur Deutschen Geschichte XVIII, 478 mitgeteilten Regesten eine Abschrift von B nicht enthalten.

diese neue Edition berichtigt einige Fehler der ersten, bietet aber an vielen Stellen einen ganz willkürlich veränderten Text, indem Andreantonelli die Fassung seiner ersten Abschrift, die er mehrfach nicht verstanden oder missverstanden hat, zu emendieren versuchte. Die späteren Drucke sind wertlos[1]; für die Herstellung einer neuen Ausgabe aber kommt uns, abgesehen von A und C, die als Vor- und Nachurkunde von B gelten können, auch das bisher unbekannte Diplom D zu Hilfe, das nicht nur im Protokoll fast wörtlich, sondern auch in den Schlussformeln des Kontextes grossenteils mit B übereinstimmt, dessen Inhalt aber ganz abweichend ist[2]. D ist nämlich in originaler Gestalt erhalten; die Originalität ist allerdings auf dem Wege der Schriftvergleichung nicht zu erweisen, da in der kurzen Zeit, während deren der Kanzler Humfred der italienischen Kanzlei Heinrichs III. vorstand, ein ständiger Kanzleischreiber in ihr nicht angestellt gewesen zu sein scheint[3]. Aber die Urkunde ist auf deutschem Pergament geschrieben — ein Umstand, der an und für sich schon den Gedanken an eine in Italien hergestellte Fälschung beinahe ausschliesst —; die Schrift ist völlig zeitgemäss;

---

1) Cappelletti, Chiese d'Italia VII, 697 wiederholt den Druck der Historiae Asculanae; Minicis, Numismatica Ascolana p. 66 gibt einen unvollständigen Abdruck aus Cappelletti; bei beiden sind nur Fehler hinzugekommen. Aber auch der Druck in der zweiten Edition der Italia sacra I, 447 kommt nicht in betracht; Coleti hat darin, ohne andere Hilfsmittel heranzuziehen, den Text Ughellis in sehr wenig glücklicher Weise mit dem der Historiae Asculanae kontaminiert. 2) D bestätigt dem Bischof Bernhard II. von Ascoli Schenkungen, die seinem zweiten Vorgänger Emmo, dem Zeitgenossen Kaiser Heinrichs II., gemacht worden waren. Als Schenker wird ein gewisser Elperimus genannt; ein im folgenden gebrauchter Ausdruck ('sicut cartulae corum qui dederunt') lässt indes darauf schliessen, dass noch andere bei der Schenkung beteiligt waren. Geschenkt sind 'medietas cortis . . . quę vocatur Aquis', 'castellum totum nomine Tutianum' und 'medietas castelli quod vocatur Ircla'. Nun haben in den Jahren 1037—1039 (die chronologischen Angaben der Urkunden des Registr. Farf. IV, 149. 151, n. 740. 743 sind widerspruchsvoll) ein gewisser Transmundus filius quond. Hilperini und ein gewisser Hilperimus filius Tiburgae dem Kloster Farfa ebenfalls Besitzungen zu Aqui, der letztere auch 'omnia quomodo nobis pertinent de castello de Hirclo' geschenkt. Die Schenker sind höchst wahrscheinlich Verwandte jenes Elperimus, der in D genannt wird; aber ein Widerspruch zwischen den Urkunden von Farfa und D besteht nicht; Ascoli und Farfa haben eben zu verschiedenen Zeiten Anteile an dem Besitz jenes Geschlechts zu Aqui und Ircla erhalten. 3) Die vier Diplome St. 2278a (D). 2280. 2282. 2283 stammen von fünf verschiedenen Händen (in St. 2283 sind zwei Hände zu unterscheiden); sie sind also wahrscheinlich sämtlich von Partei- oder Privatschreibern hergestellt worden.

der Vollziehungsstrich im Monogramm und das Eigenhändigkeitszeichen sind nachgetragen [1]; endlich war die Urkunde besiegelt. Da nun auch das Protokoll vollkommen korrekt ist [2] und der Inhalt der Urkunde [3] zu Bedenken keinen Anlass gibt, so kann ihre Echtheit und ihre Originalität als gesichert gelten.

Danach muss nun aber die Frage aufgeworfen werden, ob denn B, das, wie wir sahen, durch keinerlei handschriftliche Ueberlieferung verbürgt ist, überhaupt als echt angesehen werden darf: sprach, ehe D bekannt war, das im wesentlichen korrekte Protokoll [4] für die Echtheit von B, so wäre jetzt mit der Möglichkeit zu rechnen, dass ein Fälscher D als Muster für das Protokoll von B hätte benutzen können. Allein durch mehrere Umstände wird diese Möglichkeit ausgeschlossen und die Echtheit von B — abgesehen von einer gleich zu besprechenden Interpolation, die leicht auszuscheiden ist — hinreichend gesichert. Erstens haben wir oben gesehen, dass der Fälscher von C diese Urkunde mit einem Rekognitionszeichen ausgestattet hat, das er nicht dem Diplom von 1054—56, welches ihm vor-

1) Rekognition und Datierung sind mit dunklerer Tinte entweder nachgetragen oder vielleicht zusammen mit dem Monogramm voraufgefertigt. In der Datierung sind möglicherweise die Worte 'actum Colonię in dei nomine feliciter amen' noch für sich nachgetragen; 'actum' weist eine Ligatur auf, die den deutschen Kanzleischreibern dieser Zeit eigentümlich ist, so dass eine von einem deutschen Notar geschriebene Urkunde (wohl das Original von B) hier als Muster gedient haben wird. Beachtenswert ist auch die älteste Dorsualnotiz: 'Preceptum de aqq̇'; genau in der gleichen Orthographie begegnet dieser Name in dem Originalprivileg Leos IX. Jaffé-L. 4278. 2) Bemerkenswert ist, dass D (wie B) in der Signumzeile 'Heinrici regis tercii' (statt des üblichen 'tercii regis') bietet, (wiederum wie B) in der Datierung die Indiktion dem Inkarnationsjahr voranstellt, während sonst in dieser Zeit die umgekehrte Stellung vorherrscht, endlich (mit B) die Angabe der Regierungsjahre so formuliert: 'anno autem ordinationis regis H. tertii (B: 'H. regis tertii') XVI, regni vero VII', während sonst in dieser Zeit die Form: 'anno autem domni H. tertii regis ord. eius . . . . regni vero . . .' üblich ist. Diese Abweichungen von der vorherrschenden Form in Signumzeile und Datierung finden sich auch in St. 2268. 2269 vom Januar 1045. Da besteht gewiss ein Zusammenhang, der in verschiedener Weise erklärt werden kann, auf den hier näher einzugehen aber nicht erforderlich ist. 3) S. oben S. 391, N. 2. 4) Einzelne Verderbnisse in B, so das Fehlen von 'domni' und die Einschiebung von 'Romanorum' (welches Wort an die Stelle des Monogramms getreten ist) in der Signumzeile werden lediglich der schlechten Ueberlieferung zur Last zu legen sein. Wenn ferner D in der Rekognition 'archiepiscopi et archicancellarii' bietet statt des einfachen 'archicancellarii' in B, so trifft es zwar mit St. 2280. 2281 zusammen, aber die in B begegnende Formulierung ist doch die in dieser Zeit üblichere und wird also nicht zu beanstanden sein.

gelegen hat, sondern nur einem andern Diplom aus den Jahren 1043—46 nachgezeichnet haben kann. Da nun D ein Rekognitionszeichen nicht aufweist, so muss dem Fälscher noch ein anderes Originaldiplom Heinrichs III. aus jenen Jahren zur Hand gewesen sein, und es ist kaum eine andere Annahme möglich, als dass dies das Original von B gewesen sei. Zweitens enthält inhaltlich nicht nur C, was ja an sich nicht auffallend wäre, sondern auch A gegenüber B ein entschiedenes Plus, was der Annahme, dass B zusammen mit A und C gefälscht wäre, entschieden widerspricht. Drittens aber, und das ist ausschlaggebend, schliesst das Diktat von B seine Ableitung aus D auf das bestimmteste aus und zwingt vielmehr entweder zu der Statuierung des umgekehrten Verhältnisses oder zu der Annahme einer gemeinsamen Vorlage für B und D. Das tritt insbesondere in den Schlussformeln des Kontextes deutlich hervor, in denen B fast überall da, wo es von D abweicht, dem Gebrauche des schon erwähnten Kanzleinotars Burch. A entspricht[1].

Sprechen alle diese Erwägungen dafür, dass B in der Hauptsache als echt anzusehen ist, so muss nun freilich

1) Es genügt die Corroboratio anzuführen. Sie lautet in D: 'quod ut certius credatur et ab omnibus in perpetuo inconvulsum teneatur, manu propria subtus firmavimus et sigillo nostro insigniri iussimus'. In B dagegen heisst der Vordersatz: 'quod ut verius credatur et diligentissime ab omnibus in perpetuum inconvulsum conservetur, m. p. s. f. e. s. n. i. i.'. Das vergleiche man mit St. 2045 (geschrieben von Burch. A): 'quod ut verius credatur et diligentissime ab omnibus in perpetuum servetur' ('conservetur' in St. 2053). Ist es danach unzweifelhaft, dass B direkt und nicht etwa durch Vermittelung von D auf ein Diktat des Burch. A zurückgeht, so bedarf nun freilich dieser Zusammenhang einer besonderen Erklärung. Denn aus dem verlorenen Original von A, das im übrigen als Vorurkunde von B anzusehen ist, kann B diese Schlussformeln des Kontextes nicht entnommen haben, da A hier und an einigen anderen Stellen des Kontextes, an denen wir in B den Sprachgebrauch des Burch. A erkennen, abweichend formuliert ist und sich eng an ein Diktat aus der Zeit Ottos III. anschliesst. Dem Schreiber von B muss also ausser dem Original von A noch ein anderes von Burch. A verfasstes Diplom vorgelegen haben, und er schloss sich mehrfach an dieses an, weil die Fassung des Originals von A dem Gebrauch des 11. Jh. nicht überall entsprach. Welchen Inhalts diese von Burch. A verfasste Urkunde war, lässt sich nicht sicher feststellen. Möglich aber ist es, dass schon Konrad II. dem Bistum Ascoli die Schenkung des Elperimus (s. oben S. 391, N 2) bestätigt hat, und dass wir also an eine Vorurkunde für D zu denken haben, die von Burch. A verfasst war und gleichzeitig mit dem Original von A ausgestellt wurde. Die Beziehungen zwischen B und D würden dann nicht auf Benutzung von B in D, sondern auf gemeinsame Benutzung dieser Vorurkunde von D zurückzuführen sein.

zugegeben werden, dass auch diese Urkunde nicht in völlig unversehrter Gestalt auf uns gekommen ist. Sehen wir von einzelnen Ausdrücken ab, die der mangelhaften Ueberlieferung zugeschrieben werden können[1], so ist doch sicherlich der Satz 'nec non omne servitium, quod ipsi milites deberent dare vel facere mihi vel meis nuntiis et ad marchiones de corum castra[2] infra episcopatum sita' als Interpolation zu betrachten. Er kennzeichnet sich als solche nicht nur durch das formelle Ungeschick der Fassung, sondern ganz besonders dadurch, dass er an der Stelle der Urkunde steht, wo der Inhalt der Vorurkunde Konrads II. rekapituliert wird; in dieser Vorurkunde fehlt nämlich eine entsprechende Bestimmung selbst in der gefälschten Fassung, die uns allein davon in A erhalten ist; und auch in C sowie in den späteren Nachurkunden findet sich nichts ähnliches. Dessen ungeachtet ist aller Wahrscheinlichkeit nach diese Interpolation von demselben Manne ausgeführt, von dem die uns vorliegenden Nachzeichnungen A und C herrühren[3].

Was nach Ausscheidung dieser Interpolation als Rechtsinhalt von B übrig bleibt, steht in enger Beziehung zu dem Inhalt von A und C und führt uns zu diesen beiden Diplomen zurück.

Der Kontext von A beginnt mit einer Narratio, der zufolge der Bischof Bernhard — zu verstehen ist der erste der beiden Bischöfe dieses Namens, die in Ascoli aufeinander gefolgt sind — dem Kaiser eine Urkunde des Kaisers Otto — gemeint ist Otto III. — für den Bischof Adam vorgelegt hat, deren Inhalt nun angegeben wird. Diese Einleitung ist in der Hauptsache unbedenklich[4], und dass ein

---

1) Vgl. oben S. 392, N. 4. Auffallend ist auch die Wendung 'pater meus Chuonradus imperator augustus'. Freilich findet sich ein vereinzelter Singular auch sonst in Urkunden Heinrichs III. (vgl. besonders St. 2166: 'ante me beatę memorię dominus genitorque meus . . . Chuonradus, qui me interpellante'); aber in unserem Falle wird doch wohl eine Verderbnis vorliegen; der Interpolator hat vielleicht die Verbindung 'pater noster' vermeiden wollen, die indess bei Heinrich III. mehrfach vorkommt (St. 2139. 2235. 2273). 2) So ist mit der von Andreantonelli an Ughelli gesandten Abschrift zu lesen; 'corum castra' und 'et corum castra', wie Andreantonelli und Coleti gedruckt haben, sind missglückte Versuche, die ungrammatikalische, aber vulgäritalienische Konstruktion von 'de' mit dem Accusativ zu beseitigen. Es handelt sich nicht um den Dienst der Ritter, der den Markgrafen auf ihren Burgen zu leisten ist, sondern um den Dienst, den sie von ihren Burgen dem Kaiser, seinen Missi und den Markgrafen zu leisten haben. 3) S. die folgende Anmerkung. 4) Auffallend ist nur die Wendung 'pro dei nomine ac pro remedio animae

echtes DO. III., das jetzt verloren ist[1], wirklich existiert und als Vorurkunde von A gedient hat, unterliegt keinem Zweifel; die Schlussformeln des Kontextes von A, aber auch manche einzelne Ausdrücke in einzelnen Teilen der Urkunde zeigen unverkennbar das Diktat eines Kanzleibeamten, der in der Ausgabe der Diplome Ottos III. mit der Chiffre It. L bezeichnet ist[2]. Die gleiche Einleitung kehrt in B wieder, nur wird hier nicht mehr Otto III., sondern Konrad II. als Aussteller der benutzten Vorurkunde genannt. Als deren Inhalt wird in A und B im wesentlichen übereinstimmend zunächst eine Bestätigung des gesamten Besitzes der bischöflichen und der von diesen abhängigen Kirchen gegeben, die ganz unanstössig ist, aber nur in einzelnen Ausdrücken an den Stil des It. L anklingt. Ein Unterschied zwischen A und B besteht hier nur insofern, als sich in A an die Worte 'sive monasteria ad predictam ecclesiam respicientia' der Satz anschliesst: 'quorum vocabula haec sunt: monasterium sancti Angeli, quod situm est infra civitate, et sancta Maria in monte sancto et sancti Salvatoris iuxta fluvium Asum positum'. In B fehlt dieser Passus und an seiner Stelle steht die oben besprochene Interpolation. Dagegen findet sich etwas entsprechendes in C und in dem Privileg Leos IX. für Ascoli, das uns in originaler Gestalt erhalten ist[3]. Hier lautet der entsprechende Passus so:

Jaffé-L. 4278.	C.
confirmamus . . . . civitatem Esculanam ex integro cum ipsa sua portione de	confirmamus . . . . civitatem Esculanam ex integro cum ipsa sua portione de

suae', die in A und B gleichlautet, während es in C in ähnlichem Zusammenhange 'pro deo' heisst. Man erwartet 'pro dei amore', was auch dem Sprachgebrauch des It. L entspricht, und die gleiche Verderbnis in A und B spricht entschieden für die Autorschaft desselben Fälschers.

1) Das uns erhaltene Originaldiplom für das Domkapitel von Ascoli (DO. III. 214), in dem Adam erwähnt wird, hat damit nichts zu tun. 2) Er hat die DD. O. III. 69. 70. 97. 99. 100. 101 und die beiden DD. der Theophanu vom Jahre 990 (MG. DD. III, 876) verfasst (vgl. Kehr, Urkunden Ottos III. S. 62). Ausserdem ist aber, wie wir erst jetzt festgestellt haben, sein Diktat auch in dem D. Arduins n. 10, in dem DK. II. 69 (St. 1920) und in dem DH. III. St. 2450 zu erkennen. Dass er selbst in Arduins Kanzlei tätig gewesen ist, ist nicht wahrscheinlich; in allen drei Urkunden werden also von ihm herrührende Diplome benutzt sein; das für DA. 10 benutzte war wohl für einen anderen Empfänger ausgestellt. 3) Vgl. Mitteilungen des Inst. für Oesterreich. Geschichtsf., Erg. VI, 84. Wir verdanken der Güte P. Kehrs eine Abschrift der Urkunde.

Jaffé-L. 4278.	C.
monasterio sancti Angeli, quod in ipsa civitate est constructum, et monasterium sanctę Marię in sancto monte positum.	monasterio sancti Angeli, monasterium sancte Marie in sancto monte positum, monasterium sancti Salvatoris situm iuxta fluvium Asum.

Hier ist zunächst eine Interpolation in C zu konstatieren; das Salvatorkloster am Asoflusse, das in dem Privileg Leos IX. fehlt, kann auch in dem Original von C nicht unter den Besitzungen von Ascoli aufgeführt gewesen sein; es gehörte mindestens seit dem Jahre 1050 dem Kloster Farfa, dem es von Heinrich III. in diesem Jahre[1], von Leo IX. im Jahre 1051[2] bestätigt wurde; der Bischof Bernhard II. von Ascoli hat durch eine Urkunde von 1069 ausdrücklich darauf verzichtet[3], und in einer Farfenser Aufzeichnung über die Erwerbungen des Abtes Berard (1047—1089) wird es aufgezählt[4]. Abgesehen aber von diesem Zusatz führe ich den ganzen Passus sowohl in dem Privileg Leos wie in C auf das verlorene Diplom Ottos III. zurück, das in C auch sonst mehrfach direkt benutzt ist; in den jenem Passus in C unmittelbar vorangehenden Worten finden sich deutliche Anklänge an den Stil des It. L[5]. Dagegen halte ich in A nicht bloss die Erwähnung des Salvatorklosters für interpoliert, sondern die ganze Aufzählung der Klöster scheint mir der Interpolation dringend verdächtig[6]; ich glaube, dass der Fälscher

1) St. 2391, vgl. auch die Nachurkunden St. 2856. 3157. Dem entsprechend wird das Kloster auch in dem Originaldiplom Lothars III. für Ascoli St. 3352, das wir nach einer Kollation Bethmanns benutzen, nicht erwähnt. 2) Jaffé-L. 4264. 3) Registr. Farf. IV, 366, n. 986. 4) Registr. Farf. IV, 212. 5) Dem angeführten Passus unmittelbar voran gehen die Worte: 'corroboramus et confirmamus omnes res ac proprietates ac familias ad eandem ecclesiam pertinentia' (!). Vgl. DO. III. 97: 'cum omni rerum suarum ac familiarum hereditate . . . cum omnibus rebus atque familiis'. Auch an die Worte: 'civitatem Esculanam ex integro' erinnert in DO. III. 99 die Wendung: 'episcopatum Astensem cum integro districto civitatis'. Ich nehme an, dass die besprochene Stelle in dem zweiten Teile, d. h. in der Dispositio, des DO. III. gestanden hat, wie sie auch in C an dieser Stelle steht, und dass hier eine eingehendere Detaillierung der königlichen Verleihung stattfand, wie das in den Diplomen des It. L die Regel ist. In A und B ist diese durch die allgemeine Formel 'omnia supra dicta donavimus et . . . corroboravimus' ersetzt, während C sich enger an die Vorlage anschloss. 6) Auch die Erwähnung des Klosters S. Angelo in A als dem Bistum gehörig ist bedenklich, da nach C und dem Privileg Leos nur eine 'portio' davon bischöflich ist; noch in der Urkunde Lothars heisst es davon: 'mona-

sie in A eingeschoben hat, wie er auch in B gerade diese Stelle zu einer Einschiebung benutzt hat.

Auf die besprochene Stelle folgt in A und B fast wörtlich übereinstimmend die spezielle Bestätigung einer Schenkung, die Otmund, Otmunds Sohn, dem Bischof Adam gemacht hat, zweifellos liegt hier das verlorene DO. III. zu Grunde[1]; in dieses aber war schon ein Stück aus der Urkunde Otmunds[2] übernommen, und daraus erklärt es sich, wenn die Stilisierung dieses ganzen Abschnittes zu wünschen lässt. Die Echtheit des ganzen Abschnittes aber, einschliesslich der sich daran anschliessenden Worte 'nec non omnium munimina cartarum seu aliquorum scriptorum eidem Asculane ecclesię pertinentium', darf demnach als gesichert gelten, wenn man auch bezweifeln kann, ob die Schenkung Otmunds wirklich im vollen Umfange in den Besitz des Bistums gelangt ist[3].

---

sterium videlicet sancti Angeli in eadem civitate constructum, quod iuris nostri esse dignoscitur, quod donamus et confirmamus eidem ęcclesię Esculane attendentes devotissimum predicti episcopi Presbiteri servitium'. Es scheint also, dass erst durch Lothar das ganze Kloster an das Bistum gekommen ist. 1) Gleich das einleitende Wort 'seu nominatim terram, quam Otmundus' etc. entspricht dem Gebrauch des It. L, vgl. in DO. III. 101: 'nominatim sitas in Brimato' und 'quod nominatim predictum est'. Burch. A, der die Wendung in dem DO. III. kennen gelernt hat, hat sie dann in St. 2046 übernommen: 'nec non singulariter et nominatim'. Ebenso gehört dem Stil des It. L die in diesem Abschnitt begegnende Wendung 'cum omnibus suis integritatibus finibus et circumadiacentiis', vgl. DO. III. 99 'cum omnibus integritatibus et adiacentiis suis', DO. III. 101: 'cum tota integritate sua . . . cum omnibus adiacentiis suis'; auch der Ausdruck 'tam episcopus quamque suus nuntius' findet in DO. III. 99 in den Worten 'ad episcopi placitum aut sui nuncii' sein Gegenstück. 2) Nach Capponi, Memorie stor. della chiesa Ascolana (Ascoli Piceno 1898) p. 38 war sie im Jahre 984 ausgestellt. Ich habe sie leider in Ascoli nicht eingesehen. 3) Durch eine Urkunde von 1024 oder 1025 verkaufen 'Rainerius und Conius filii Odemundi' gewisse Güter 'infra comitatum Asculanum in loco qui dicitur Sumati et vocabulo Mocarca' an Kloster Farfa (Registr. Farf. III, 258, n. 549), und um dieselbe Zeit, ja noch in Urkunden von 1069 und 1085, wird in Farfenser Urkunden bei Grenzbeschreibungen Grundbesitz der 'filii Odemundi' erwähnt. (Registr. Farf. III, 257, n. 548; Chron. Farf. ed. Balzani II, 156 [der Text der Chronik ist hier vollständiger als der des Registr. Farf. IV, 366, n. 986, wo in der Grenzbeschreibung etwas ausgefallen ist]; Registr. Farf. V, 87, n. 1093, vgl. Chron. Farf. II, 190 Z. 23). Wenn, wie doch sehr wahrscheinlich ist, dieser Odemundus mit dem Otmund unserer Diplome identisch ist, so kann Otmunds Grundbesitz trotz seines Vertrages mit dem Bischof Adam nicht oder wenigstens nicht ganz an das Bistum übergegangen sein. Aber dass die Erben eines Mannes, der sein Gut der Kirche gegeben hat, sich der Vollziehung dieser Anordnung mit Erfolg widersetzt haben, ist ja weder in Deutschland noch in Italien eine seltene Erscheinung.

Was nun auf diesen Abschnitt in A folgt — die mit 'nos insuper concedimus atque confirmamus' eingeleitete Bestätigung einer Schenkung des Maginardus filius Sigolfi an den Bischof Bernhard von Ascoli — fehlt in B und ist in A zweifellos interpoliert. Die Interpolation ist aufs ungeschickteste in den Teil der Urkunde eingefügt, in dem der Inhalt der Vorurkunde Ottos III. angegeben war, und in dem also nur von Schenkungen an den Bischof Adam, aber nicht von Schenkungen an Bernhard die Rede sein konnte, und sie zerstört ausserdem den ganzen Zusammenhang des Diploms, wie gleich noch weiter darzulegen sein wird. Ueberdies aber wird in dem Diplom Lothars III. ausdrücklich gesagt, dass die Schenkung des Maginard dem Bischof Bernhard II. von Ascoli gemacht war[1]; der Empfänger der Urkunde Konrads, d. h. der echten Vorlage von A, war aber dessen gleichnamiger Vorgänger, der Bischof Bernhard I., und es ist also ganz unmöglich, dass in dieser echten Vorlage bereits eine Bestätigung jener Schenkung ausgesprochen war[2]. Offenbar ist vielmehr der ganze Abschnitt aus C oder seiner echten Vorlage in A eingeschwärzt; auf die Verschiedenheiten, welche die darin sich findende Liste der Besitzungen in beiden Urkunden aufweist, werden wir unten noch einmal zurückkommen.

Durch diese umfangreiche Interpolation ist nun ein anderer Passus, der notwendig in der echten Vorlage von A gestanden haben muss, verdrängt worden: die Petitionsformel nämlich, von der die am Schlusse der Narratio stehenden Konjunktive 'transfunderemus (in eius et successorum illius ius et dominium)' und ('corroborare et donare confirmare) dignaremur', sowie das vorangehende ('mercatum facere) liceret' in der echten Vorlage abgehangen haben müssen, so dass diese Konjunktive in der uns vorliegenden Fälschung des regierenden Verbums entbehren und ganz in der Luft schweben. Die Frage aber, wie diese ausgefallene Petitionsformel gelautet hat, hängt mit einer anderen zusammen, die zunächst erörtert werden muss.

---

1) Es heisst in St. 3352: 'Confirmamus et donamus ipsi terram de Summati, quam Maginhardus filius Sigolfi eidem optulit tempore Bernardi secundi episcopi'. 2) Wenn man überhaupt daran zweifeln könnte, dass der Empfänger des DK. II. Bernhard I. und nicht Bernhard II. gewesen sei, so würde jeder Zweifel durch B ausgeschlossen, wo es heisst: 'Asculanus episcopus nomine Bernardus secundus conspectui nostro praeceptum . . . praetulit, in quo continebatur, quod . . . imperator Chonradus . . . eiusdem Asculanae ecclesiae praesuli Bernardo eiusque successoribus donavit'. Die beiden Bernhard sind hier deutlich geschieden.

An die Interpolation der Bestätigung der Maginard-Schenkung schliesst sich in A der folgende Satz an: 'mercatum etiam, ubicumque in toto suo episcopatu voluisset, sine contradictione cuiuslibet hominis tam infra civitatem quam extra facere liceret; monetam etiam in civitate construere ad componendos nummos cuiuscumque generis, A s c u l a n a v i d e l i c e t s u i e p i s c o p i i, e t libere ac secure currendos per totum nostrum regnum; et quicquid ad regiam censuram et potestatem nostram pertinet, transfunderemus in eius et successorum illius ius et dominium per preceptum nostre confirmationis corroborare et donare confirmare dignaremur'[1].

Bis zu dem Worte 'pertinet', wofür in B 'pertinere visum est' gesagt ist, kehrt dieser Satz in B mit geringen stilistischen Abweichungen wieder; von Belang ist nur, dass die gesperrt gedruckten Worte 'Asculana videlicet sui episcopii[2] et' zwar in C gleichfalls stehen, aber in B fehlen, wie auch in dem Diplom Lothars III. sich nichts findet, was ihnen entspräche. Ihre Bedeutung kann ich nur so verstehen: es soll dem Bischof gestattet sein, eine Münze in der Stadt zu errichten, um Münzen jeder Art, nämlich bischöfliche Asculaner[4] (man weiss, dass die italienischen Pfennige durchaus nach den Städten ihrer Prägung benannt sind) zu prägen, die im ganzen Reiche frei und sicher kursieren sollen. Trifft diese Deutung zu, so ergibt sich, dass die in B fehlenden Worte in A und C interpoliert sind; denn zu betonen, dass den bischöflichen Münzen von Ascoli die freie Kursierfähigkeit zustehen solle, lag

---

1) Die letzten Worte lassen deutlich das Diktat des It. L erkennen, vgl. DO. III. 99: 'nostre confirmationis et donationis precepto corroborare et largiri dignaremur', DO. III. 100: 'nostre confirmationis precepto corroborare et confirmare dignaremur'; DO. III. 101: 'nostrae confirmacionis precepto corroborare confirmare dignaremur'. Vgl. auch DA. 10. Auf das in A eingeschobene 'donare' komme ich unten zurück. 2) So ist mit C gegen 'episcopi' in A zu lesen. 3) Der in den Drucken von St. 3352 entstellte Passus lautet im Originale so: 'mercatum quoque, ubicumque in toto suo episcopatu voluerit infra et extra civitatem, episcopis eiusdem civitatis liceat sine contradictione alicuius; monetam quoque ubi voluerint, habeant et faciant'. 4) Allerdings sollte man 'Asculanos' erwarten; aber der Fälscher hat auch sonst das Neutrum verkehrt angewandt; in C liest man 'omnes res ac proprietates ac familias ad candem ecclesiam pertinentia'. Vielleicht könnte er an das vorangehende 'generis' gedacht haben. Wollte man die von mir vorgeschlagene Deutung nicht annehmen, so müsste man 'Asculana' mit 'civitate' verbinden. Aber es hätte doch kaum einen Sinn, wenn man die Urkunde sagen liesse, 'in der Stadt, nämlich der Asculanischen, seines Bistums', und überdies wird eine solche Verbindung durch die Wortstellung ausgeschlossen .

eine Veranlassung doch erst vor, als es städtische Ascolidenare gab: davon aber kann vor dem 12. Jh. sicher keine Rede sein.

Scheiden wir diese Interpolation aus, so ist der angeführte Satz unbedenklich; die Verleihung des Münzrechtes an bischöfliche Kirchen ist zwar in Italien viel seltener als in Deutschland, lässt sich aber im Osten der Halbinsel vielfach nachweisen, so für Mantua und Treviso schon im 9., für Aquileia, Padua und Ravenna im 11. Jh.[1] Fraglich kann nur erscheinen, ob auch diese Verleihung schon in der Urkunde Ottos III. für Bischof Adam ausgesprochen war, oder ob sie erst durch Konrad II. zu Gunsten Bernhards I. erfolgt ist. Man könnte das letztere anzunehmen geneigt sein, weil in der Dispositio hinter 'mercatis moneta' eingeschoben ist: 'quam ei donavimus'[2], womit eine neue Verfügung Konrads bezeichnet zu sein scheint; aber es ist doch sehr wohl möglich, dass auch diese Worte nur aus der Vorurkunde Ottos wiederholt sind, und dass schon in dieser die Verleihung des Münz- und Marktrechtes von der Bestätigung der Besitzungen ausdrücklich unterschieden war. Und soweit das Diktat des Passus einen Schluss zulässt, ist es als wahrscheinlich zu bezeichnen, dass auch er schon dem Diplom Ottos III. angehört hat[3]. Ist dem aber so, so ergibt sich, dass nicht nur der erste Teil der Petitionsformel ausgefallen ist, sondern dass auch die Schlusssätze der Narratio, die in der Vorlage von A etwa von einem vorangehenden 'petiit (petens)' oder 'efflagitavit (efflagitans), quatenus' oder 'ut' abhingen, in A nicht ganz unversehrt geblieben sind; sie könnten etwa gelautet haben 'ut haec omnia sibi per pre-

---

1) Ob der Bischof von Ascoli von dem Münzrecht Gebrauch gemacht hat, ist unsicher. Während manche Ascolaner Lokalforscher (so zuletzt Capponi) uns erhaltene Münzen mit der Inschrift 'S. Emidius PP.' auf der einen und 'De Esculo' auf der anderen Seite für bischöfliche des 11. Jh. erklären, setzt Minicis, Numismatica Ascolana p. 13 diese Münzen teils ins 13., teils ins 14. Jh. Für unsere Zwecke kommt darauf nichts an. 2) Damit könnte in der oben S. 399 angeführten Formel die Wendung 'donare confirmare' zusammenhängen; dass sie asyndetisch ist, kehrt in DO. III. 101 'corroborare confirmare' wieder; nötig aber ist die Annahme eines solchen Zusammenhangs nicht; die Verbindung von Schenkung und Bestätigung ist auch in DO. III. 99 ausgesprochen: 'confirmationis et donationis precepto corroborare et largiri dignaremur'. 3) Man vgl. mit dem oben abgedruckten Passus die Sätze von DO. III. 99: 'quicquid ad publicum ius pertinet in telonei et mercati redibitione . . . tam infra civitatem et castella quam extra infra totum episcopatum . . . Astensem . . . negociatores sue civitatis ubicumque velint habent licentiam negociandi sine contradictione alicuius hominis'.

ceptum nostre confirmationis corroborare dignaremur . . . mercatum etiam . . . sibi[1] facere liceret, monetam etiam . . . construere . . . et quicquid . . . pertinet, transfunderemus, in eius . . . ius et dominium'[2].

Gegen den zweiten Teil von A liegt kein sachlicher Grund zur Beanstandung vor. Der die Dispositio einleitende Satz 'Unde vero et nos pia facta antecessoris nostri ad memoriam revocantes' ist gewiss von Burch. A formuliert[3]; im folgenden gehen dann Wendungen, die dem Stil des It. L entsprechen, neben anderen einher, die auf Burch. A zurückzuführen sind; Poenformel[4] und Corroboratio stammen sicher aus dem DO. III.; die Dispositio aber ist in A, wie sich aus C erschliessen lässt, gegen die Vorurkunde Ottos III. nicht unerheblich verkürzt worden, und darunter hat auch die Fassung gelitten. In B ist dann noch eine weitere Verkürzung gegenüber A vorgenommen.

Fassen wir das gesagte zusammen, so haben wir ermittelt, dass A durch drei sachliche Interpolationen verunstaltet ist, dass im Zusammenhang mit der umfangreichsten von ihnen einige Worte, die in dem Original gestanden haben müssen, fortgefallen sind, dass der Fälscher die Jahresangaben der Datierung willkürlich entstellt und auch sonst ein oder das andere Wort seiner Vorlage geändert hat, dass aber im übrigen die Urkunde ein echtes Diplom Konrads II. aus dem Ende des Jahres 1033 oder dem Anfang von 1034 wiedergibt.

Schon nach dem bisher ausgeführten ist es klar, dass in der Hauptsache das gleiche Urteil über C zu fällen ist, nur sind hier nicht ganz so sicher die einzelnen Bestandteile der echten Vorlage zu erkennen, da schon die echte Vorlage von C nicht bloss auf die von A und B, sondern daneben auch auf das verlorene DO. III. zurückging, da

---

1) Dies in A und C fehlende Wort darf wohl aus B ergänzt werden. 2) Natürlich kann für diesen Restitutionsversuch, was den Wortlaut betrifft, keine Sicherheit beansprucht werden. 3) Vgl. St. 2051: 'in memoriam revocetur'; Einleitung der Publicatio mit 'unde' in St. 2053. In dem DO. III. wird die entsprechende Formel ähnlich wie in den DD. 99. 100. DA. 10 ('cuius petitionem iustam ducentes') gelautet haben, und wir erkennen diese Wendung wieder, wenn es in der bisher ungedruckten Urkunde Heinrichs III. (D) heisst: 'quam petitionem iustam considerantes'. 4) In der Poenformel sind die Worte 'velle nolle' hinter 'sciat se compositurum' natürlich Zusatz des Interpolators, wie auch ein ähnlicher Zusatz in dem DO. III. 318 gewiss auf den Ueberarbeiter dieser Urkunde zurückgeht.

sie sich auch in der ganzen Anordnung wesentlich von beiden unterschied[1], und da endlich inhaltlich B zwar zur Kontrolle von A sehr nützlich war, für die Kritik von C aber nicht den gleichen Dienst leisten kann, weil eine Erweiterung der kaiserlichen Verleihungen gegenüber denen des Jahres 1045 keineswegs unwahrscheinlich ist.

Die Narratio gibt von den Worten 'petiit, quatinus' bis 'confirmare atque corrobare dignaremur' die Narratio des DO. III. ziemlich getreu wieder[2], wie ein Vergleich mit den von It. L diktierten Diplomen zeigt[3], während in A an die Stelle dieser Einleitung eine andere trat, in der die Vorlegung der Urkunde Ottos erwähnt und eine partielle Rekapitulation ihres Inhalts gegeben war. Ob auf die Bitte um Bestätigung ('confirmare atque corroborare dignaremur') in der Vorlage von C die Bitte um Verleihung oder Bestätigung des Münzrechtes in derselben Weise folgte, wie wir das für das DO. III. angenommen haben, oder ob diese Rechte etwa an anderer Stelle der Urkunde und in ähnlicher Fassung wie in dem Diplom Lothars erwähnt waren, möchte ich nicht zu entscheiden wagen. Jetzt steht der das Münzrecht betreffende Passus, wörtlich mit A übereinstimmend, also auch wie in dieser Urkunde interpoliert, in C ganz am Schluss der Dispositio, fast unmittelbar vor der Formel 'eo ordine ut nullus dux marchio' u. s. w. Seine Konjunktive 'liceret' und 'transfunderemus' schweben wie in A ganz in der Luft und entbehren des regierenden Verbums; und wenn dies in A damit erklärt werden konnte, dass hier die Petitionsformel ausgefallen war, so trifft diese Erklärung auf C, wo die Petitionsformel vorhanden ist, nicht zu: es ist also ganz sicher, dass der Passus in der echten Vorlage von C entweder nicht an dieser Stelle stand, oder, wenn an dieser Stelle, dann eine ganz andere Fassung gehabt haben muss[4].

---

1) Die Schlussformeln und z. T. auch die Eingangsformeln von C haben im Jahre 1055 eine von A und B, aber auch von dem DO. III. abweichende Fassung erhalten. 2) Nur kleinere Abweichungen sind zu erkennen. Statt 'pro dei amore', wie It L sicher geschrieben hat, heisst es in C 'pro deo'; 'pertinentiis et adiacentiis' mag an die Stelle von 'integritatibus et adiacentiis' (s. oben S. 397, N. 1) getreten sein. 3) Vgl. z. B. in DO. III. 99 die Ausdrücke: 'sibi sueque ecclesie', 'secundum nostrorum antecessorum imperatorum sive regum . . . precepta' (ähnlich DO. III. 101), in DO. III. 101 'omnes res . . . mobiles et inmobiles'. 4) Ich halte es für nicht unwahrscheinlich, dass der Passus in der echten Vorlage von C eine ähnliche Fassung gehabt hat wie in dem D. Lothars (s. oben S. 399, N. 3); dann kann er natürlich an dieser Stelle gestanden haben. Beachtung verdient auch, dass, während in C sonst über-

Die Schenkung Otmunds wird in C kürzer abgetan als in A, auf sie folgt dann in C, eingeleitet mit den Worten 'nos insuper concedimus atque confirmamus', eine Bestätigung der schon erwähnten Tradition des Maginard, Sohnes des Sigolf. Stellten wir früher fest, dass dieser Abschnitt in A interpoliert war, so ist in C gegen seine formale Gestaltung kein Einwand zu erheben[1], und auch sachlich wird eine Schenkung Maginards an Bernhard II. sowohl durch die schon oben S. 398 angezogene Stelle aus dem D. Lothars III. wie durch das Privileg Leos IX., in dem gleichfalls von einer solchen Schenkung die Rede ist[2], verbürgt. Auffallend ist nur, dass in A die Besitzungen, die zu der Schenkung Maginards gehörten, nicht nur in anderer Reihenfolge aufgezählt werden wie in C, sondern

---

wiegend die Form 'Aesculanus' ('Esculan.') gebraucht ist, hier wie in A (und allerdings noch einmal in C) die Form 'Asculana' angewandt ist. Auch das spricht dafür, dass hier eine Interpolation vorliegt. 1) Die vulgärlateinische Wendung 'confirmavit ad iam dicto episcopio' wird entweder auf eine vom Bischof eingereichte Vorlage zurückgehen, oder, was wahrscheinlicher ist, das 'ad' ist auf Rechnung des Fälschers zu setzen und hat in der echten Vorlage noch gefehlt. 2) Es heisst hier nach der Erwähnung gewisser Ortsnamen 'sicut in cartula Mainardi filii Sigolfi habetur et legitur'. Allerdings gerät auch hier der Anspruch Ascolis später mit dem Farfas in Konflikt. Durch eine in Ascoli ausgestellte Urkunde vom Jahre 1068 (Reg. Farf. IV, 364, n. 985) schenken 'Helperinus filius quondam Maginardi' und seine Gattin, ferner 'Petrus et Siolphus viri germani, filii quondam Siolphi' mit ihrer Mutter dem Kloster Farfa Güter in der Grafschaft Ascoli 'infra territorium Summatinum'. Dass es sich hier um Nachkommen des Maginard, Sohnes des Sigolf, handelt, der in C erwähnt wird, zeigt die Wiederkehr der Namen; Helperinus ist wahrscheinlich ein Sohn Maginards; Petrus und Siolphus werden als seine Neffen, Söhne eines verstorbenen Bruders, anzusehen sein. Jeden Zweifel an der Zugehörigkeit der Aussteller der Urkunde von 1068 zu dem Maginard von C behebt dann die Liste der Güter in beiden Urkunden; von den in C genannten Namen kehren acht in der Urkunde von 1068 wieder und zwei andere, die hier stehen, werden zwar nicht in C, wohl aber in dem D. Lothars III. unter den von Maginard tradierten Gütern aufgezählt. Ueberdies berufen sich die Aussteller der Urkunde von 1068 ausdrücklich auf einen Vertrag mit dem Bischof Bernhard von Ascoli, durch den 'Mainardus antecessor noster' die von ihnen an Farfa geschenkten Güter erworben habe. Wenn wir diesen Vertrag kännten, würden wir über den Sachverhalt genauer unterrichtet sein, so können wir nur vermuten, dass Maginard gewisse Güter von Ascoli erhalten und dafür eine Abtretung seines gesamten Besitzes nach seinem Tode versprochen hat, dass aber seine Erben diese Versprechungen ebensowenig wie die Otmunds ausgeführt und, um sich ihnen zu entziehen, einen Rückhalt an dem Kloster Farfa gefunden haben, dessen Aebte an Macht und Ansehen gewiss nicht erheblich hinter den Bischöfen von Ascoli zurückstanden. Welche Gegenleistung oder Gegenversprechung ihnen für die Urkunde von 1068 von dem Kloster gemacht ist, wissen wir nicht.

dass in A auch fünf Namen, die in C stehen, ausgelassen sind. Eine Erklärung dafür ist nicht leicht zu geben; am ehesten wird man vielleicht annehmen dürfen, dass, während in der echten Vorlage von C und demgemäss in C selbst die Urkunde des Maginard zu Grunde liegt, der Fälscher, als er den Passus in A interpolierte, einige Namen, an denen man zur Zeit der Fälschung in Ascoli kein Interesse mehr hatte, fortliess. Zu beanstanden ist jedenfalls die Liste in C nicht, da sie in dem Original Lothars wiederkehrt und hier sogar noch um zwei Namen vermehrt ist, die auch in der echten Vorlage von C gestanden haben werden und in C vielleicht nur aus Versehen ausgelassen, eben deshalb aber auch nicht in A übergegangen sind.

Auf den eben besprochenen Abschnitt folgt in C eine Bestätigung der namentlich aufgeführten Erwerbungen des Bischofs Bernhard II., an den sich die Verleihung eines Beweisvorrechtes für den Fall des Urkundenverlustes anschliesst. Die erstere kann natürlich in keiner der Vorurkunden gestanden haben; sie kehrt in erweiterter Gestalt (die sich begreift, da ja gewiss Bernhard II. auch nach dem Jahre 1055 Erwerbungen gemacht hat) bei Lothar wieder[1], und wenigstens ein erheblicher Teil der Namen findet sich auch in dem Privileg Leos IX.; irgendwie begründete Einwendungen gegen die Echtheit der Liste sind also nicht zu erheben[2]. Schwieriger ist die Beurteilung des das Beweisvorrecht betreffenden Satzes; in dem Diplom Lothars findet sich nichts entsprechendes; aber ich möchte nichtsdestoweniger nicht bestreiten, dass er dem der echten Vorlage von C angehört hat, da die Fassung des Satzes ganz unanstössig ist und durchaus den Eindruck macht, in der Kanzlei formuliert zu sein.

Das letztere gilt nun aber durchaus nicht von dem folgenden Passus der Dispositio. Er lautet: 'super haec

---

1) Nur 'Cinianum' fehlt in dem Lothardiplom, aber dieser Name erscheint in dem Privileg Leos IX. 'Vena rupta' erscheint in dem Diplom Lothars unter einer anderen Kategorie von Namen als in C. 2) Allerdings begegnen mehrere Namen der Liste von C wiederum auch in Farfenser Urkunden; aber dies kann nach dem bereits gesagten nicht gegen die Echtheit der Liste angeführt werden. — Ich möchte doch ausdrücklich darauf aufmerksam machen, dass diese Auffassung nicht im Widerspruch mit der oben in Bezug auf das Salvatorkloster am Asoflusse geltend gemachten steht. Das entscheidende ist hier, dass, während im übrigen der die Klöster betreffende Passus in dem Privileg Leos IX. fast wörtlich mit C übereinstimmt, in jenem, das drei Jahr älter ist als C, das Salvatorkloster fehlt. Ueberdies ist die ganze Sachlage natürlich bei einem Kloster anders als bei weltlichem Besitz.

omnia permittimus ei, quoniam in nostra fidelitate desudatum considerantes, et eo magis quia in restauratione suę aecclesię optime vigilat, donavimus ei, quicquid nobis pertinet de comitatu Aesculano in fodoro et placito'. Der Satz ist höchst ungeschickt formuliert und sticht auf das ungünstigste von dem entsprechenden Passus in dem D. Lothars ab, in dem es heisst: 'super hec omnia remittimus et condonamus . . . pro servitio fidelis nostri sepius nominati episcopi, quicquid nobis pertinet de comitatu Esculano in fodro et in placito' — schon die Vergleichung dieser beiden Fassungen muss den Verdacht erwecken, dass der Passus aus dem D. Lothars in C interpoliert ist. Dafür spricht nun auch, dass die Schenkung der aus der Grafschaft dem Könige zukommenden Einkünfte doch eigentlich die Verleihung der Grafenrechte selbst voraussetzt; diese ist in dem D. Lothars denn auch ausgesprochen, indem es hier zu Eingang der Dispositio heisst: 'confirmamus ipsi suisque successoribus et donamus comitatum Esculanum ex integro omnesque pertinentias, quas vel modo tenet vel iure tenere debet'; in C aber fehlt ebenso wie in A und B eine entsprechende Bestimmung; und die Verleihung der Grafschaft ist also, wenn nicht durch ein uns unbekanntes Diplom Heinrichs IV. oder Heinrichs V., dann erst durch Lothar erfolgt. Zur Gewissheit aber wird diese Auffassung, wenn man die Formel 'ut nullus' u. s. w. in A und C vergleicht. In A heisst es an der für uns in betracht kommenden Stelle: 'mercatis moneta, quam ei donavimus, piscationibus portubus aquis' u. s. w. In C steht statt dessen: 'mercatis moneta fodrum et placitum, quam ei donavimus, piscationibus portubus aquis' u. s. w. Dass hier die Worte 'fodrum et placitum', die im Ablativ statt im Nominativ oder Accusativ stehen müssten, und zu denen das folgende 'quam' durchaus nicht passt, eine Interpolation darstellen, liegt auf der Hand: der Kanzlei Heinrichts III., in der die Eingangs- wie die Schlussformeln der Urkunde formuliert sind, kann man eine so überaus ungeschickte Einschiebung in keinem Falle zutrauen.

Halte ich also wie den ganzen Passus über Fodrum und Placitum [1], so auch diese Worte der 'ut nullus'-Formel

---

1) Gegen diese Auffassung könnte man den Eingang des Passus geltend machen, der unverkennbar an das Diktat des It. L erinnert. Denn es heisst in DO. III. 70: 'quocirca respicientes . . . fidelitatem supra dicti Raimbaldi de bono . . . [de]sudantis in nostro servitio' und in DO. III. 100: 'cuius petitionem iustam ducentes . . . . considerata fidelitate predicti ducis', und es wird danach sehr wahr-

für interpoliert, so hege ich darüber hinaus Zweifel, ob überhaupt die Spezialisierung der Pertinenzen in dieser Formel, wie sie in C steht, auch in der echten Vorlage von C gestanden hat. Sie unterscheidet sich von der Formel von A ausser durch die Interpolation von 'fodrum' und 'placitum' noch durch einige andere Zusätze: vor 'forestis' ist eingeschoben 'cervorum ceterarumque ferarum' und hinter 'forestis' heisst es noch 'armentis gregibus'. Endlich ist am Ende der Formel hinter 'et omnia (so für 'omnibus' = A) quę dici vel nominari possunt' statt 'civitatem et castella'[1] in A noch eingefügt: 'eidem iuste pertinentibus'. Diese Zusätze entsprechen dem Privileg Leos IX., wo aber die Pertinenzformel auch sonst abweichend gestaltet und erheblich umfangreicher ist[2]; sollte wirklich der Kanzleischreiber Heinrichs III. für diese wenigen Worte das Privileg Leos zu Rate gezogen haben? Ich traue das eher dem Fälscher zu. Und wenn man erwägt, dass in B die ganze detaillierte Aufzählung der Pertinenzen, die in A stand, fortgelassen ist, und dass sie ebenso in dem D. Lothars fehlt, wo die Formel von B noch weiter verkürzt ist, so erscheint es mir sehr wahrscheinlich, dass die echte Vorlage von C in dieser Beziehung B entsprach, und dass erst

---

scheinlich auch auf eine Anregung durch das DO. III. des It. L für Ascoli, das schon im Sommer 1033 in der Kanzlei Konrads II. vorhanden war, zurückgehen, wenn Burch. A mit einem deutlichen Anklang an C in St. 2045 von Heinrich II. sagt: 'cuius semper animus in dei ęcclesiis meliorandis et amplificandis invigilavit'. Demnach stammt die Motivierung der in C interpolierten Verleihung von Fodrum und Placitum aus dem verlorenen DO. III. Aber gewiss hat sie hier ebenso wie in den DD. O. III. 70. 100 zu Eingang der Dispositio gleich hinter der oben besprochenen Formel für die Gewährung der Bitte des Bischofs Adam gestanden und nicht wie in C fast am Ende des Kontextes. Hierhin hat sie erst der Fälscher gezogen, dem die Motivierung in dem D. Lothars III. 'pro servitio fidelis nostri sepe nominati episcopi' zu nüchtern und zu einfach war. Denn auch sachlich ist es kaum denkbar, dass die Verleihung von Placitum und Fodrum schon in dem verlorenen DO. III. gestanden hätte: wie wäre es wohl zu erklären, dass sie in A und B fortgelassen wäre und erst in C wieder auftauchte! — Die Motivierung indessen ist nach dem gesagten echt, und da sie aus dem DO. III. stammt, so war es der Bischof Adam und nicht Bernhard II., der sich um die 'restauratio suę aecclesię' verdient gemacht hat. Wenn neuere Lokalhistoriker (vgl. Capponi S. 50) Bernhard II. den Dom restaurieren lassen, so geht das schwerlich auf eine andere Quelle als auf die Interpolation in C zurück.

1) 'Civitatem et castella' hat sicher in dem DO. III. gestanden (vgl. DO. III. 99. 100), ob aber auch an dieser Stelle, das ist nicht ebenso sicher zu entscheiden und erscheint mir sehr fraglich.

2) Sie schliesst hier mit den Worten: 'nec non et armentis cervorumque forestis seu omnibus iuste sibi pertinentibus'.

der Fälscher von C das von ihm noch mit Interpolationen bereicherte Verzeichnis der Pertinenzen aus A wieder einfügte.

Wenn unsere Ausführungen über den das Fodrum und Placitum betreffenden Passus von C Zustimmung finden, so ist schon damit festgestellt, dass die Verfälschung der drei Diplome nach dem Jahre 1137, in dem Lothar dem Bistum das Diplom St. 3352 verlieh, erfolgt ist; und dazu stimmt es, dass in diesem Diplom weder der das Münzrecht verbriefende Satz wie in A und C interpoliert, noch von dem Salvatorkloster am Aso die Rede ist. Das ist aber auch in den Nachurkunden von St. 3352, dem Diplom Konrads III. von 1150 (St. 3569) und dem Friedrichs I. von 1185 (St. 4433), nicht der Fall[1], und so wird man versucht sein, die Fälschung erst in die letzten Jahrzehnte des 12. Jh. zu setzen. Für ihre Entstehung in der späteren staufischen Zeit scheint mir denn auch die oben (S. 394) besprochene Interpolation in B zu sprechen; denn der Ausdruck 'nuntius' für den Königsboten (statt 'missus'), der sich hier findet, kommt zwar auch im 10. und 11. Jh. gelegentlich vor[2], wird aber doch erst in der staufischen Zeit recht üblich[3], wie denn auch gerade in Ascoli im Jahre 1186 ein kaiserlicher 'nuntius' begegnet[4]; und unter den 'marchiones', gegen deren Ansprüche der Interpolator die 'milites' des Bischofs in Schutz nimmt, sind doch höchst wahrscheinlich die staufischen Verwalter der Mark Ancona zu verstehen, zu der Ascoli wenigstens in der zweiten Hälfte des 12. Jh. gerechnet wurde[5]. Und auch die Interpolation des Satzes über das Münzrecht führt schliesslich in diese Zeit.

Welche besondere Veranlassung die Verfälschung von A und C herbeigeführt hat, lässt sich nicht sagen. Möglicherweise könnte ein Streit um das Salvatorkloster am Aso die Hauptursache ihrer Verunechtung gewesen sein, wenn auch die Interpolationen dann weiter ausgedehnt

---

1) Die späteren Diplome für Ascoli hängen mit der Reihe, die mit A, beziehungsweise dem verlorenen DO. III., beginnt und mit St. 4433 schliesst, nicht mehr zusammen. 2) Vgl. DO. I. 374a; DO. III. 360; DH. II. 426 und zufällig gerade St. 2279. 3) Vgl. Ficker, Forschungen zur Reichs- und Rechtsgesch. Italiens II, 6. 4) Stumpf, Acta imperii inedita p. 698, n. 498. 5) Ficker a. a. O. II, 255. Gegen diese Markgrafen richtet sich auch ein Passus in dem gleichfalls gefälschten D. angeblich Konrads II. für das Kloster S. Severo in Classe bei Ravenna DK. II. 284 (St. 1999), der aus dem D. Friedrichs I. St. 4007 stammt; das Kloster wird befreit 'ab illa gravi . . . collecta, quam marchiones comites imponunt'.

wurden, als der nächste Anlass notwendig machte. Doch sei das nur ganz unmassgeblich als eine Möglichkeit hingestellt, an die man denken könnte; irgend ein näherer Anhaltspunkt dafür ist nicht vorhanden: die Urkunden von Ascoli sind mit Ausnahme der Diplome und Papstprivilegien fast alle noch ungedruckt, und unsere Kenntnis von den Urkunden des Klosters Farfa hört mit dem Abschluss des Registrum Farfense und der anderen Werke des Gregor von Catino bekanntlich beinahe vollständig auf.

Beilage.

Heinrich III. bestätigt dem Bischof Bernhard II. und der bischöflichen Kirche zu Ascoli die seinem Vorgänger Emmo gemachte Schenkung des Elperimus.

Köln 1045 Juli 13.

Originaldiplom im Kapitelsarchiv zu Ascoli-Piceno (A).

Bisher ungedruckt.

(C.) § In nomine sanctę et individuae trinitats[a]. Heinricus divina favente clementia rex. Si fidelium iustis petitionibus aures prebe[mus nostrae][b] § clementiae, ad regni decus nostręque dilectionis augmentum credimus proficere. Unde omnium catholici conventus nostrique fidelium noverit industria, qualiter fidelis noster sanctae Asculanae ę[c]clesię[c] Bernardus secundus venerabilis episcopus regiam imploravit maiestatem, ut nostra regali confirmaretur auctoritate donum, quod quidam Elperimus divino provocatus instinctu Emmoni suo predecessori predictaeque aecclesiae contulit pro remedio animę suae et confirmavit, unde ipse pretendebat litteras ab eodem Elperimo factas et confirmatas, videlicet medietatem cortis, in quantum ad se pertinebat, quę vocatur Aquis, cum omnibus appendiciis servis ancillis censum solventibus silvis aquis agris pratis cultis incultis terris, quarum est utilit[as][b] trium milium modiorum, sicut in Elperimi cartis continetur, et castellum quoddam totum n[o]mine Tutianu cum omnibus pertinentibus ad ipsum, scilicet aecclesiam cum dotaliciis ornamentis ingressibus et egressibus, medietatem etiam alterius castelli quod vocatur

---

a) A. b) Dem Sinne und den Raumverhältnissen nach ergänzt. c) Die Ergänzung des ersten 'c' am Ende der Zeile ist nicht sicher; 'ę' oder 'ęc' und 'clesię' am Anfang der folgenden Schriftzeile sind nachgetragen.

Ircla cum omnibus ad hoc respicientibus. Quam petitionem iustam[a] considerantes obtentu nostrę lateralis Agnetis reginae ac Herimanni archiepiscopi nec non Hunfredi nostri cancellarii eidem episcopo Bernardo Asculanae aecclesiae suisque successoribus omnia supra dicta, sicut cartulae eorum, qui dederunt, representant, per preceptum hoc corroboramus, eo tenore ut [nu]llus[b] dux marchio episcopus archiepiscopus miles comes vicecomes sculdassius gastaldus vel ulla nostri regni magna vel parva persona distdisvestire[c] vel inquietare audeat eundem episcopum Bernardum eiusque successores. Si quis autem hoc nostrum preceptum in aliquo infregerit, sciat se compositurum auri libras M, medietatem nostrę camerae et medietatem eidem episcopo Bernardo suisque successoribus. Quod ut certius credatur et ab omnibus in perpetuo[c] inconvulsum teneatur, manu propria subtus firmavimus et sigillo nostro insigniri iussimus.

§ Signum domni Heinrici regis tercii (M.) invictissimi. § (SMP.)

§ Hunfredus cancellarius vice Herimanni archiepiscopi et archicancellarii recognovit. § (SI. D.)

Data IIII. id. iul. indictione XIII, anno dominicę incarnationis millesimo XLV, anno autem ordinationis regis Heinrici tercii XVI, regni vero VII; actum[d] Colonię; in dei nomine feliciter amen[d].

---

§ 5. Eine Fälschung aus dem Kloster St. Jakob zu Lüttich.

§ In nomine sanctę et inbividuę[e] trinitatis. § Honor regis est iuditium diligere[e], virga aequitatis regni negotia disponere[f], superbos[g] quosque debellare, subiectos[h] vero digne pro meritis honorare. Itaque ego Conradus gratia dei Romanorum augustus imperator rei publicę nostrę amministratores et strenuos defensores unice diligens emeritosque premiis et honoribus, uti nos decet,

---

a) 'a' korr. aus 'u'. b) Dem Sinne und den Raumverhältnissen nach ergänzt. c) A. d) Ueber die Schreibung dieser Worte und über die Ligatur bei 'actum' vgl. oben S. 391, N. 1. e) So die Urschrift. f) Vgl. Psalm 98, 4. g) Vgl. Hebr. 1, 8. h) Vgl. Verg. Aen. VI, 854: 'parcere subiectis et debellare superbos'.

semper liberaliter donare[a] cupiens inter plurima benefitia, quę Teoderico duci Alliesedis[b] pro fidelitate et egregia claritudine animi sui contuli, allodium quod dicitur Donumcyrici iuxta voluntatem suam hereditarium illi concessi. Quod quidem superioribus annis minime ad nostra spectabat negotia, sed pro insolentia cuiusdam nostri militis et maiestate nostra non modice ab eo lesa iudicio provincialium et optimatuum[b] nostrorum cecidit in manu nostra. Quare autem predictus dux hunc adoptaverit locum a finibus suis adeo remotum, paucis est absolvendum. Gozelo ex Ingeyes castello[c], quod est situm supra Mosam, pręses nominatus et ex summis Lothariensis regni primatibus, ut cunctis liquet, oriundus consueverat cum nepte eius Iuditha nomine, nondum inter eos legali matrimonio conveniente. Verum quia ex illustribus atque curialibus viris eadem mulier admodum esset generosa, parenti suę dux ipse prudenter consulens predictum comitem, ne repudiaret nuptias illius, ex hoc bono et multis aliis liberalissimis donariis secundum magnitudinem suam magnifice honoravit. Proinde quia summa malitia plerumque pręvalet in terra et tempora sunt periculosa, ne qua finitimorum versuta et invida potentia usurpet sibi quicquam infra illa confinia, in curia nostra, quę in sancto pascha cum primoribus regni nostri gloriose Leodii est peracta, hoc utrisque tradidit allodium cum omnibus appenditiis suis ingenuum, ut sit tantummodo respiciens tam ad servitium et dominationem eorum quam suorum heredium[b]. Si quid vero delicti aut in furto vel aliquo tumultu in potestate illa fuerit commissum, nostra auctoritate in eadem curia est sancitum secundum legem et consuetudinem priorum temporum ibidem discutiendum esse et corrigendum. Hęc denique ut in futuro absque omni scrupulo sint, gratia fidelis et amici nostri ducis Teoderici etiam litteris nostris mandavimus insigniri.

Acta sunt anno incarnationis dominicę MXXXIIII, indictione IÎ, regni autem nostri XIII, presidente sanctę Leodicensi ęcclesię venerabilis memorię Raginardo episcopo ordinationis eius anno X.

Testes qui affuerunt: Gozelo dux et filius eius Gozelo, preses Gilebertus de Los et frater eius Arnulfus, Cuno de Hairs, Elbertus de Iala[d], Gislanus del[e] Sarth, Wenricus

---

a) 'a' korr. aus 'o', 'e' auf Rasur, ursprünglich war 'donorare' geschrieben. b) So die Urschrift. c) 'lo' auf Rasur. d) oder 'Lala'. e) 'l' vielleicht nachträglich eingefügt.

de Pare, Algis de Torenbais, Razo de Melchue, Stephanus de Laice.

Si quis forsitan mendaciis suis confidens hanc legittimam traditionem infringere[a] vel quocumque pacto temptaverit immutare, ęterno pereat damnatus anathemate.

Die im vorstehenden gedruckte Urkunde[1] ist uns auf einem 38 cm breiten, 53,5 cm hohen Pergamentblatt überliefert, das aus dem Archiv des Klosters St. Jakob zu Lüttich in das dortige Staatsarchiv gekommen ist. Die Invokation zeigt verlängerte Schrift, wie solche Auszeichnung dieser und nur dieser Formel in den Lütticher Urkunden des 11. und 12. Jh. allgemein üblich ist; ein Siegel war nie vorhanden, doch macht die sorgfältige diplomatische Minuskelschrift den Eindruck, dass der Schreiber ein Dokument herzustellen beabsichtigte, das als Original gelten sollte.

Die Unechtheit der Urkunde, über die sich neuerdings Roland[2] und Schubert[3] ausgesprochen haben, bedarf keines ausführlichen Beweises. Abgesehen von der Formulierung (Stellung der Arenga vor der Intitulatio und der Poenformel hinter dem Eschatokoll, Fehlen von Königs- und Kanzlerunterschrift, Datierung nach Bischofsjahren, Zeugenliste, endlich ein in jedem Satze unmögliches Diktat), die jeden Gedanken an Entstehung in der Kanzlei Konrads II. ausschliesst, und der Schrift, die, wie wir gleich sehen werden, einer viel späteren Zeit angehört, genügt es darauf hinzuweisen, dass Konrad weder im Jahre 1034 noch überhaupt in irgend einem Jahre seiner Regierung das Osterfest in Lüttich gefeiert hat, sowie darauf, dass es im Jahre 1034 keinen Herzog Theoderich gegeben hat, da der einzige Herzog dieses Namens, der unter der Regierung Konrads II. gelebt hat, Dietrich von Oberlothringen, be-

---

a) Ueber 'n' eine Oberlänge getilgt.

1) DK. II. 285 = Stumpf Reg. 2054. Ich wiederhole hier den Druck unserer Ausgabe, weil der vollständige Text des bis in die jüngste Zeit nur durch das Stumpfsche Regest bekannten Schriftstückes bisher nur einmal von Roland — in den Bulletins de la Commission royale d'histoire LXXVI (Brüssel 1907), 548 sqq. — gedruckt ist, also an einer Stelle, an der er nicht allen Lesern dieser Zeitschrift zugänglich sein wird. Der Ausgabe Rolands ist ein stark verkleinertes Facsimile-Fragment beigegeben. 2) A. a. O. S. 551 f. 3) Eine Lütticher Schriftprovinz nachgewiesen an Urkunden des elften und zwölften Jh. (Marburg 1908) S. 85 ff.

reits am 2. Januar 1027, also ehe Konrad die Kaiserkrone trug, gestorben war[1]. Somit ist auch die Annahme ausgeschlossen, dass wir es mit einem ausserhalb der Kanzlei zur Zeit Konrads II. aufgesetzten Entwurf zu tun hätten; die Urkunde ist eine Fälschung ohne echte Vorlage irgend welcher Art.

Wann aber und wo ist die Fälschung entstanden, welchen Wert haben die in ihr gebotenen Nachrichten und welchen Zweck hat ihr Verfertiger im Auge gehabt?

Als Entstehungsort wird ohne Zweifel das Lütticher St. Jakobskloster gelten dürfen, nicht nur deshalb, weil die Urkunde aus seinem Archiv stammt, sondern auch deswegen, weil das Gut Donceel[2], um das es sich darin handelt, seit dem Jahre 1084 diesem Kloster gehörte; es verdankte seinen Besitz einer in diesem Jahre vollzogenen Schenkung des Bischofs Heinrich von Lüttich, der das Gut von Raginer, einem Ministerialen der Markgräfin Mathilde von Tuscien, mit Zustimmung des Albert von Briey, Verwalters der lothringischen Besitzungen der Markgräfin, angekauft und die nachträgliche Genehmigung dieses Erwerbes durch die Markgräfin sowie etwas später seine Bestätigung durch Heinrich IV. erwirkt hatte[3].

Ueber dies Rechtsgeschäft besitzen wir drei Urkunden, die alle drei für das St. Jakobskloster ausgestellt sind:

A. Urkunde des Bischofs Heinrich von Lüttich vom Jahre 1084, betreffend Donceel; angehängt ist vor der Datierung der Urkunde ein undatierter Brief der Markgräfin Mathilde an den Bischof und den Abt des St. Jakobsklosters, in dem ihre Genehmigung zu dem Ankauf von Donceel ausgesprochen wird[4].

B. Urkunde desselben, die in zwei Teile zerfällt. Der erste Teil stimmt mit A bis auf einen in B fehlenden Satz und einige kleinere unten zu besprechende Abweichungen überein; der zweite verbrieft ein zweites vom Bischof Heinrich zu Gunsten des Klosters St. Jakob mit

---

1) Vgl. meine Jahrb. Konrads II. Bd. I, 202; zustimmend Parisot, De prima domo quae superioris Lotharingiae ducatum tenuit p. 12. 2) Prov. Lüttich, Kanton Waremmes. 3) Diese war besonders deswegen erforderlich, weil nach der Aechtung Mathildens die Rechtsgültigkeit ihrer Verfügungen sehr anfechtbar war. 4) Urschrift im Staatsarchiv zu Lüttich. Herausgegeben von E. de Marneffe im Bulletin de l'institut archéologique de Liége XIV (1878), 257, n. 2 aus Abschrift des 17. Jh. im Ms. van den Bergh (n. 833, früher 188) der Universitätsbibliothek zu Lüttich. Ueber die Hs. vgl. Gachet in Comptes rendus de la Comm. royale 1. Ser., IX, 8 sqq.; Bormans ebenda 3. Ser., II, 276 sqq.

dem St. Petersstift zu Lüttich abgeschlossenes Rechtsgeschäft vom Jahre 1086[1].

C. Diplom Heinrichs IV. vom 23. April 1088, betreffend die Bestätigung des Erwerbes von Donceel[2].

Von diesen drei Urkunden ist das Diplom Heinrichs IV. (C) nur abschriftlich überliefert, aber über seine Echtheit kann kein Zweifel sein. Das Protokoll ist nicht zu beanstanden, und der Kontext geht jedenfalls auf ein in der Umgebung des Bischofs Heinrich aufgesetztes Konzept zurück: für die Arenga ist das DH. II. 115 für das Bistum Lüttich benutzt, die Publikationsformel ist aus dem Diplom Heinrichs III. Stumpf Reg. 2171 wörtlich abgeschrieben[3]; aus diesen beiden Diplomen stammen auch

---

1) Urschrift im Staatsarchiv zu Lüttich; erstmals gedruckt in der Beilage zu diesem Aufsatz. 2) Stumpf Reg. 2889a, gedruckt von Stumpf, Acta inedita p. 453, n. 322 aus dem Ms. van den Bergh. Der Druck ist mehrfach fehlerhaft; den wichtigsten Fehler ('a marchisa Mathilde et filio eius Rainero de Briez' statt 'et servo eius') hat schon Overmann, Gräfin Mathilde von Tuscien (dem A und B unbekannt geblieben sind) S. 205, N. 4 berichtigt; die Angabe, dass das Original der Urkunde erhalten sei, ist aber irrig. 3) Abweichend ist nur 'meique nominis' in C statt 'nostrique nominis' in St. 2171, doch beruht diese Abweichung nur auf einem Ueberlieferungsfehler in C, denn 'nostrique' steht in St. 3209 und in diesem D. Heinrichs V. ist die Publikationsformel zweifellos aus C entlehnt. — Ich benutze diese Gelegenheit, um über die späteren Diplome für St. Jakob, die freilich mit Donceel nichts mehr zu tun haben und deshalb hier nicht ausführlicher zu behandeln sind, wenigstens einige Bemerkungen anzufügen, die das, was Schubert a. a. O. S. 10 ff. 89 ff. darüber gesagt hat, ergänzen und z. T. berichtigen sollen. Von den 6 Diplomen für das Kloster, die wir ausser St. 2889a (C) kennen, sind vier, St. 2953. 3208. 3289. 3424, urschriftlich überliefert, zwei, St. 3209. 3316, jetzt nur aus Abschriften im Ms. van den Bergh bekannt. St. 2953 ist Original und von gleicher Hand geschrieben wie das im Jahre 1103 in Lüttich für das Bistum Bamberg ausgestellte D. St. 2965; der Schreiber ist jedenfalls ein Lütticher Kleriker, da er, wie Schubert bemerkt hat, auch eine Urkunde des Bischofs Otbert von 1112 geschrieben hat. — St. 3208, das Schubert S. 92 als echt behandelt, ist im Kloster geschrieben und der Fälschung (nach echter Vorlage) dringend verdächtig; die von Schubert S. 12 angenommene nahe Verwandtschaft der Schrift dieses Diploms mit der einer Urkunde des Abtes Olbert (1112—35) kann ich nicht anerkennen. — St. 3289 ist gleichfalls im Kloster geschrieben, es ist aber Schubert entgangen, dass Signum- und Rekognitionszeile der Schrift eines Kanzleibeamten Lothars nachgeahmt sind, der als ein Schüler des Kanzleibeamten Ekkehard A bezeichnet werden kann, von ihm aber zu unterscheiden ist. Im übrigen scheint die Schrift durch die einer Vorlage von der Hand des Mannes beeinflusst zu sein, von dem das Diplom Heinrichs IV. St. 2958 (vgl. Kaiserurkk. in Abbild. IV, 21) und wohl auch das Diplom St. 2966 herrührt. Die Originalität dieser Urkunde Lothars bedarf also ebenfalls noch weiterer Feststellung. — Unzweifelhafte Kanzleiausfertigung ist das Diplom Konrads III. St. 3424, aber das Diktat ist aus dem Kloster geliefert.

einige andere Wendungen der Narratio, Dispositio und Corroboratio, während die Narratio im übrigen inhaltlich und vielfach wörtlich mit B, einige Ausdrücke der beiden anderen Formeln aber mit dem fast gleichzeitig ausgestellten Diplom Heinrichs für das Bistum Lüttich, Stumpf Reg. 2889b, übereinstimmen.

Kann bei dieser Zusammensetzung des Textes die Echtheit des Diploms (C) als gesichert gelten, das im St. Jakobskloster nie so hätte gefälscht werden können, so ist dadurch auch die Echtheit des ersten Teiles von B verbürgt, während A, das vor B (und dem entsprechenden Teile von C) einen die Vogteiverhältnisse von Donceel betreffenden Satz voraushat, eben um dieser Bestimmung willen gefälscht ist; die Fälschung ist um das Jahr 1140 entstanden, da sie von einem Schreiber herrührt, der auch eine Urkunde des Abtes Elbert von St. Jakob vom Jahre 1140 geschrieben hat[1].

Wann ist nun aber B, dessen Echtheit — wenigstens soweit es sich um den uns allein näher angehenden ersten Teil handelt — durch die angestellten Erwägungen dargetan ist, entstanden? Die Frage ist für unsere Untersuchung deswegen wichtig, weil, wie bereits Schubert gesehen hat[2], B von derselben Hand geschrieben ist, wie das auf den Namen Konrads II. gefälschte Diplom, von dem wir ausgingen, sodass das letztere wenigstens annähernd um dieselbe Zeit wie diese Urkunde angefertigt sein muss. Aber eine ganz genaue Antwort auf jene Frage lässt sich nicht geben. Denn einmal ist die Originalität von B durch äussere Merkmale nicht sicher verbürgt[3], und es scheint,

---

1) Das hat bereits Schubert S. 89 ff. richtig ausgeführt. 2) A. a. O. S. 11. 86. Die im Text aufgeworfene Frage hat Schubert aber anscheinend für unnötig gehalten; er setzt vielmehr einfach B, das er als Original betrachtet, ins Jahr 1086 und deshalb die Fälschung c. 1086 an. 3) Die Urkunde (B) hat ein auf der Rückseite eingehängtes Siegel, von dem aber nur ein Bruchstück erhalten ist, das einen Teil des Brustbildes des Bischofs und von der Legende die Buchstaben 'INRIC . . . TIA' erkennen lässt. Das Siegel der Fälschung (A) ist dem Siegel von B sehr ähnlich, aber doch nicht ganz mit ihm übereinstimmend. Ein anderes Siegel des Bischofs Heinrich I. von Lüttich habe ich zur Vergleichung nicht heranziehen können; denn mit zwei Urkunden des Bischofs, die nach den Angaben ihrer letzten Herausgeber mit einem solchen Siegel versehen sein sollen, ist es anders bestellt, als die Editoren angegeben haben. Eine Urkunde vom J. 1079 für St. Hubert im Regierungsarchiv zu Luxemburg entbehrt — entgegen der Angabe von Kurth, Chartes de St. Hubert I, 46, n. 40 — jetzt der Besiegelung, und eine Urkunde vom J. 1092 für das Kloster Flône, die sich im Staatsarchiv zu Lüttich befindet, hat zwar das Fragment eines Siegels, aber es ist nicht, wie in

dass wenigstens von dem ersten Teile der Urkunde (den zweiten näher zu untersuchen haben wir kein Mittel) noch eine andere Ausfertigung existiert hat. Vergleichen wir nämlich B mit A, so ist zwar der Text von A, wie bereits ausgeführt wurde, an einer Stelle durch eine umfangreiche Interpolation verfälscht, an zwei anderen aber, an denen er von B abweicht, wie ich glaube, diesem vorzuziehen[1]: A dürfte daher nicht auf B, sondern auf eine andere Ausfertigung des ersten Teiles von B zurückgehen, und diese, nicht der erste Teil von B selbst, würde dann als das Original der Urkunde über den Erwerb von Donceel durch das Kloster anzusehen sein. Aber auch wenn diese Annahme nicht zuträfe und wenn die Originalität von B wirklich feststände, würde damit seine Entstehungszeit noch nicht genau bestimmt sein. Denn wenn in B zwei Rechtsgeschäfte verbrieft sind, deren erstes im Jahre 1084, das zweite 1086 vollzogen wurde, wenn also das im ersten Teile von B behandelte Geschäft jedenfalls erst längere Zeit nach seinem Abschluss durch B beurkundet worden ist, so ist es klar, dass auch die Beurkundung des im zweiten Teile erwähnten Tauschgeschäftes, das 1086 stattfand, keineswegs in diesem Jahre erfolgt zu sein braucht, sondern dass das Jahr 1086 nur den terminus post quem für die Abfassung der darüber ausgestellten Urkunde bildet.

Wenn ich dessen ungeachtet mit Schubert annehme, dass das von demselben Manne wie B geschriebene und wahrscheinlich annähernd gleichzeitig damit angefertigte Diplom, das auf Konrads Namen gefälscht wurde, um das Jahr 1086 entstanden ist, so leitet mich dabei eine andere Erwägung. Es erscheint mir nämlich durchaus unglaublich, dass der Mann, von dem die Fälschung herrührt, irgend eine echte Königsurkunde überhaupt gekannt hat; er würde, wenn ihm eine solche bekannt gewesen wäre, seinem Trugwerke sicherlich eine andere, in ihrer Fassung und ihren äusseren Merkmalen mehr der Beschaffenheit echter Diplome entsprechende Ge-

---

den Analectes pour servir à l'hist. ecclésiast. de la Belgique XXIII (1892), 282 behauptet ist, das Siegel des schon 1091 gestorbenen Bischofs Heinrich, sondern, wie die noch lesbaren Teile der Legende '. . . BERTUS GR . . .' beweisen, das seines Nachfolgers Otbert. 1) Man vergleiche:

A.	B.
Tunc etiam m e Heinrico episcopo, Roberto abbate s a n c t i I a c o b i; a c t u m f e l i c i t e r.	Tunc etiam Heinrico episcopo, Roberto abbate.

Weiter oben heisst es in beiden Ausfertigungen: 'm e quidem Heinrico episcopo (ibi) presente'.

stalt gegeben haben. Danach halte ich für höchst wahrscheinlich, dass die Fälschung angefertigt ist, ehe man im St. Jakobskloster das echte Diplom Heinrichs IV. vom 23. April 1088 empfangen hatte, und ich setze also, da sie andererseits gewiss nicht vor dem Jahre 1084 hergestellt ist, in welchem Jahre Donceel für das St. Jakobskloster erworben wurde, ihre Entstehung in die Jahre 1084—1088[1].

1) Auf die Anfangsworte der Arenga 'honor regis est iudicium diligere' wird angespielt in der Arenga von St. 3316 'quia iustitiam et pacem diligimus'; wörtlich kehren sie wieder in St. 3424, dessen Verfasser das Psalmzitat erkannt hat, das aber schon früher in dem DH. IV. St. 2922 verwandt ist. Auch sonst ist in den späteren echten und unechten Diplomen für St. Jakob, die im Kloster verfasst sind, unsere Fälschung mehrfach benutzt. So hat die Wendung 'in curia nostra, quę in sancto pascha cum primoribus regni nostri gloriose Leodii est peracta' (vgl. weiter oben 'iudicio provincialium et optimatuum nostrorum' und 'ex summis Lothariensis regni primatibus') wohl Veranlassung gegeben zu den entsprechenden (aber abweichend von unserer Fälschung sachlich nicht zu beanstandenden) in St. 2953: 'quia me celebrante pascha Leodii', 3208: 'cum enim in diebus paschę Leodii', 3209: 'cum pascha Leodii celebrarem', 3289: 'veniens ad curiam Aquisgrani in epiphania domini', 3316: 'cum pascha Aquisgrani celebrarem', 3424: 'cum pascha apud Argentinam celebrarem'; vgl. ferner: 'optimates regni' (2953), 'multisque regni nostri summis primatibus' und 'multis summisque regni mei primoribus' (3209), 'multis summisque regni mei primoribus' (3316). Ebenso entsprechen dem 'ego Conradus gratia dei Romanorum augustus imperator' in unserer Fälschung die Wendungen: 'ego igitur Heinricus gratia dei Romanorum imperator augustus' (3208. 3209), 'ego igitur Lotharius gratia dei tertius Romanorum imperator augustus' (3316). Ich habe mich natürlich gefragt, ob diese Beziehungen nicht dadurch zu erklären wären, dass der Fälscher unseres DK. II. 285 jene später datierten Diplome gekannt und benutzt hätte, in welchem Falle die Fälschung jünger sein müsste als das im Jahre 1141 ausgestellte DK. III. St. 3424. Aber wenn auch auf den ersten Blick manches für diese Annahme zu sprechen scheinen könnte, habe ich sie doch ablehnen müssen, nicht bloss aus der oben im Text angestellten Erwägung, dass die Formlosigkeit unserer Fälschung dann kaum erklärlich sein würde, sondern auch aus anderen Gründen. Erstens kann die Schrift unserer Fälschung nicht wohl in das fünfte Jahrzehnt des 12. Jh. herabgerückt werden, sondern macht entschieden einen erheblich älteren Eindruck als die zur Vergleichung herangezogenen Diplome. Zweitens ist es durchaus unwahrscheinlich, dass die oben als B bezeichnete Urkunde des Bischofs Heinrich, auch wenn sie nicht Original sein sollte, so viel, nämlich um mehr als ein halbes Jahrhundert, später geschrieben sein sollte, als die darin verbrieften Traditionen stattgefunden hatten. Drittens: da alle Diplome des 12. Jh. für St. Jakob scharfe und sehr nachdrückliche Bestimmungen gegen die Uebergriffe der Vögte enthalten, wäre es sehr auffällig, wenn man in unserer Fälschung, falls sie erst in den vierziger Jahren des 12. Jh. entstanden wäre, sich mit einer so unbestimmten und mehrdeutigen Wendung in dieser Hinsicht begnügt hätte, wie sie unten S. 423 besprochen wird, zumal da die um 1140 angefertigte Fälschung der Urkunde des Bischofs Heinrich (A) zeigt, dass man im Kloster ein lebhaftes Interesse hatte,

Was aber war nun die Absicht des Fälschers, der das merkwürdige Trugwerk herstellte? Als Besitztitel für den Erwerb von Donceel bedurfte man seiner nicht, da man die echte Urkunde des Bischofs Heinrich besass und die Bestätigung Kaiser Heinrichs IV. bald darauf erhielt; auch hat man die Fälschung nicht etwa angefertigt, um sie bei dem Gesuch um die Bestätigung des Kaisers diesem vorzulegen; denn in seinem Diplom findet sich kein Wort und keine Anspielung, die darauf Bezug nähme. Und wenn Schubert[1] annimmt, dass die Urkunde bei Gelegenheit der Verhandlungen von 1084 über die Uebertragung von Donceel an St. Jakob angefertigt sei, um die Rechtmässigkeit des Besitzes der Markgräfin Mathilde zu bezeugen, die zu jener Uebertragung ihre Zustimmung gab, und von der der Verkäufer Raginer das Gut als Dienstlehen gehabt zu haben scheint, so beruht diese Annahme auf einem Missverständnis des Inhalts der gefälschten Urkunde. Denn diese konnte, auch wenn, wie Schubert glaubt, der darin genannte Teodericus dux Alliesedis mit dem 1027 gestorbenen Herzog Dietrich von Oberlothringen zu identifizieren wäre, dessen Urenkelin Mathilde war, keineswegs als Zeugnis für die Rechtmässigkeit des Besitzes der Markgräfin dienen, da sie ja gerade bezeugt, dass Teodericus sich des ihm vom Kaiser verliehenen Gutes durch eine Schenkung zu Gunsten des Grafen Gozelo von Engis[2] bei dessen Heirat mit der Judith, seiner Nichte oder

---

die vogteiliche Gewalt auch in Donceel einzuschränken. Und wie wollte man es erklären, dass in St. Jakob ungefähr gleichzeitig B und A, eine Abschrift der echten Urkunde des Bischofs Heinrich und die gefälschte Fassung dieser Urkunde angefertigt worden wären! Endlich viertens erklärt sich bei unserer chronologischen Ansetzung der Fälschung am leichtesten ihr Verhältnis zu der ältesten Kaiserurkunde für das Kloster St. 2889a. Mit diesem Diplom zeigt nämlich die Fälschung, abgesehen von dem Ausdruck 'illustrium virorum', der dem Lütticher Sprachgebrauch angehören mag, keine irgendwie nähere stilistische Berührung, wie sie im Verhältnis zu den späteren Kaiserurkunden oben nachgewiesen ist. Nehmen wir an, die Fälschung wäre jünger als das Diplom: warum hätte der Fälscher, der die späteren Kaiserurkunden seines Klosters benutzt hätte, die älteste vernachlässigt, während doch in allen späteren Diplomen Wendungen aus jener wiederkehren? Ist dagegen die Fälschung älter als St. 2889a, so ist es nicht auffällig, dass sie zwar in den späteren Diplomen, aber nicht in St. 2889a benutzt ist; denn das letztere Diplom ist ja, wie oben S. 413 bemerkt wurde, nicht im Kloster, sondern am bischöflichen Hofe verfasst worden. 1) A. a. O. S. 88 f. 2) In der Urkunde wird die Schenkung zuerst als Gozelo allein ('predictum comitem . . . ex hoc bono honoravit'), dann als ihm und seiner Gemahlin ('utrisque tradidit allodium') gemacht bezeichnet. Judith allein ist also nach dem Wortlaut der Urkunde sicher nicht beschenkt worden. Auch

Enkelin (neptis), entäussert hat. Wie das Gut danach in den Besitz der Mathilde hätte kommen sollen, ist ganz unverständlich.

Eingehender als Schubert und nicht nur so obenhin wie dieser hat sich Roland[1] mit dem Inhalt der Fälschung beschäftigt. Er meint, man habe bei Gelegenheit des Erwerbs von Donceel im St. Jakobskloster Nachrichten über die frühere Geschichte dieses Ortes erhalten, die man im Archiv des Klosters aufzubewahren für gut befunden und deshalb in die Form eines Berichtes Konrads II. gekleidet habe; an die Absicht durch die Herstellung dieses in Urkundenform gebrachten Berichtes irgend einen rechtlichen Vorteil zu erzielen, scheint Roland nicht zu denken. Aber was darin erzählt ist, hält er wie Schubert für glaubwürdig, und die Brücke von dem Grafen Gozelo von Engis, der nach dieser Erzählung 1034 von Teodericus dux Alliesedis das Gut Donceel als Geschenk bei seiner Vermählung mit Judith erhielt, zu der Markgräfin Mathilde, deren Ministerial es 1084 an das St. Jakobskloster verkaufte, schlägt er durch die Annahme. dass Gozelo von Engis mit dem im Jahre 1046 wahrscheinlich kinderlos verstorbenen Herzog von Niederlothringen, Gozelo II., dem Bruder Gotfrieds des Bärtigen[2], identisch sei. In der Tat wäre, wenn diese Annahme zuträfe[3], der Uebergang des Besitzes erklärbar: Donceel wäre nach Gozelos Tod an seinen Bruder Gotfried den Bärtigen gefallen und von diesem auf seinen Sohn Gotfried den Buckligen, den Gemahl Mathildens, vererbt worden; dass die Markgräfin nach dessen Tode (1075) seine Güter für sich in Anspruch nahm,

---

wenn Schubert etwa annehmen sollte, dass Judith kinderlos gestorben wäre, hätte also das Gut nicht an ihre Erben, zu denen überdies Mathilde nicht allein gehört hätte, sondern an die des Gozelo fallen müssen.

1) A. a. O. S. 553 ff. 2) Vgl. über seinen Tod Steindorff, Jahrb. Heinrichs III. I, 293; Vanderkindere, Formation territoriale des principautés Belges II, 33 f. 3) Ich kann mich ihr nicht anschliessen, will aber auf die weit abführende Frage nach der Identifikation des Grafen Gozelo von Engis hier nicht eingehen. Ich beschränke mich auf die Bemerkung (die für die Geschichte Konrads II. in betracht kommt), dass ich zu dem Satze des Diploms Heinrichs III. für Stablo St. 2184: 'vel quicquid ad ipsum locum emit, sextum scilicet de Amblaua et Tumbis, a comite Godefrido de Eingeis' nicht, wie Roland, Konrad II., sondern den Abt Poppo von Stablo als Subjekt ergänze, wie dieser sicher zu dem folgenden 'concambiavit' als Subjekt zu denken ist. Auch die Urkunde von 1050, die Roland S. 566 abdruckt, interpretiere ich anders als er, abgesehen davon, dass sie in der vorliegenden Gestalt schwerlich echt ist und deshalb mit viel grösserer Vorsicht benutzt werden muss, als Roland getan hat.

ist bekannt[1]. Aber wenn Roland so versucht hat, eine Schwierigkeit zu beseitigen, die sich der Annahme entgegenstellt, dass das gefälschte Diplom wahre Tatsachen berichte, so ist er gegenüber einer anderen und grösseren ganz ratlos. Dass der im Jahre 1027 gestorbene Herzog Dietrich von Oberlothringen nicht mit dem Teodericus dux Alliesedis der Urkunde identisch sein kann, der nach seiner Annahme im Jahre 1034 von Konrad eine Schenkung erhalten und diese an Gozelo weiter gegeben haben soll, ist ihm klar — aber wer nun dieser Teodericus ist, das bleibt ihm ein Rätsel. 'Je n'ai pas réussi à l'identifier', sagt er resigniert, 'je laisse à d'autres la tâche de résoudre ce problème'.

Auch andere werden das Problem, das Roland ihnen überweist, nicht lösen, wenn sie an seiner Auffassung festhalten. Denn es steht nicht etwa so, dass wir uns mit dem Satze begnügen müssten: wir kennen ausser dem 1027 gestorbenen Oberlothringer[2] keinen Herzog Dietrich zur Zeit Konrads II., sondern wir können vielmehr positiv und auf das bestimmteste sagen, dass kein zweiter Herzog Dietrich in dieser Zeit existiert hat; und an dieser völlig sicheren Tatsache scheitert die Kombination Rolands, ohne dass sie durch irgend ein Mittel zu retten wäre.

Wer aber in Wirklichkeit unter dem Teodericus dux Alliesedis des Diploms verstanden werden muss, das ist nicht so schwer zu sagen, und Roland selbst hätte das Problem lösen können, wenn er nicht von der Voraussetzung ausgegangen wäre, dass der Bericht unserer Urkunde auf wahren Tatsachen beruhen müsse. Denn auf

---

1) Vgl. Overmann a. a. O. S. 38. 194 ff. 2) Dass an diesen nicht zu denken wäre, auch wenn man an dem in der Urkunde genannten Jahr 1034 und dem Kaisertitel nicht festhalten wollte, will ich nur beiläufig bemerken. Dietrich von Oberlothringen gehörte bekanntlich zu den Gegnern von Konrads Wahl und hat sich ihm erst Weihnachten 1025 unterworfen. Da er am 2. Jan. 1027 gestorben ist, bliebe also für die in unserer Urkunde erwähnte Tatsache nur das Jahr 1026 übrig. Dass er in dieser Zeit in ein so nahes Verhältnis zu dem König getreten wäre, wie die Urkunde voraussetzt, in deren Eingang es — offenbar mit Bezug auf den Empfänger — vom König heisst: 'rei publicę nostrę amministratores et strenuos defensores unice diligens', in der die 'fidelitas et egregia claritudo animi' des Herzogs gerühmt wird, und in der er zum Schluss noch einmal als 'fidelis et amicus noster' bezeichnet wird — das wird man ohne Frage als höchst unwahrscheinlich bezeichnen müssen und einer gefälschten Urkunde gewiss nicht glauben dürfen. Will man aber alle diese Wendungen ebenso wie die Chronologie und den Kaisertitel der Urkunde verwerfen — mit welchem Recht kann dann der Rest als glaubwürdig bezeichnet werden?

die einzige Stelle, an der dieser Ortsname sonst begegnet, hat er selbst bereits hingewiesen. In der ältesten Vita S. Theodardi, die nach der sehr wahrscheinlichen Annahme des neuesten Herausgebers dem 10. Jh. angehört und jedenfalls in Lüttich entstanden ist, wird von dem Heiligen erzählt, er habe, um sich an den Hof des Königs zu begeben, die Grenzen seiner Diözese überschritten 'et in pago Alliesede, quem sic nomine dicunt, bonis adhuc proventibus gressum fixerat'[1]. Hier wird er von Räubern überfallen und ermordet. Er wird in der Nähe begraben; der Name des Ortes, wo ihm das Grab bereitet ist, fehlt in der Hs., wo dafür eine Lücke gelassen ist. Der Bischof von Worms erfährt von dem Tode 'et supra modum quod in procinctu suae dioeceseos reiectus contigisset, gratulabatur'. Auch nach Speier und weiter schweifend nach Strassburg kommt die Kunde; ein Versuch des Bischofs von Worms, sich der Leiche zu bemächtigen, schlägt fehl; dagegen gelingt es dem heiligen Lantbert, sie nach Lüttich überzuführen.

Auf die älteste Vita S. Theodardi gehen die Angaben Anselms von Lüttich in seiner Fortsetzung der Gesta episcoporum Leodiensium[2] zurück. Er lässt den in seiner Quelle gefundenen Gaunamen fort, fügt aber eine andere Bestimmung hinzu, indem er erzählt, der Ueberfall Theodards sei erfolgt 'in saltu quodam qui dicitur Biwalt haut longe ab urbe Nemetensi, quae usitato nomine Spira nunc dicitur'. Die Biographie Theodards von Sigebert[3] von Gembloux, in der dieser, wie er selbst sagt, die ältere Vita 'urbano stilo' verbessert hat, setzt an die Stelle des 'pagus Alliesedis' einfach den 'pagus quem Alisatiam vulgo dicunt'. Aegidius Aureaevallensis endlich[4] verbindet die Angaben der ältesten Vita und Anselms, deutet aber den Gaunamen, den er nicht versteht, um und schreibt 'in pago aliene sedis in saltu Biwalt' u. s. w.

Den Namen Biwalt oder, wie man heute zu sagen scheint, Bienwald, führt ein sehr ausgedehnter Waldkomplex, der sich etwa von Lauterburg bis Weissenburg längs der pfälzisch-elsässischen Grenze hinzieht[5]. Der grösste

1) Saint Théodard et Saint Lambert, vies anciennes publiées par J. Demarteau (Lüttich 1886—90) S. 40. Demarteau hielt Heriger für den Verfasser der Vita Theodardi, was zweifelhaft bleibt. Vgl. auch Balau, Les sources de l'histoire de Liége (in den Mémoires couronnés et mémoires des savants étrangers der Belgischen Akademie Bd. 61) S. 144.
2) Cap. 2; SS. VII, 192. 3) Cap. 10; Acta SS. Sept. III, 596.
4) SS. XXV, 37. 5) Vgl. Clauss, Histor. topogr. Wörterbuch des Elsass S. 125; Reymann, Spezialkarte n. 237.

Teil des Waldes lag nicht im alten Elsass, sondern im alten Speyergau, dass er aber ins Elsass hineinreichte, ergibt sich mit Bestimmtheit aus einer Angabe im Liber miraculorum S. Adalheidis, wo erzählt wird[1], dass einem Manne auf dem Wege durch den Biwalt ein weidendes Ross bis an den Ort Selz gefolgt sei.

Fassen wir alle diese Angaben zusammen, so kann es keinem Zweifel unterliegen, dass Sigebert von Gembloux richtig interpretiert hat, und dass wir unter dem 'pagus Alliesedis' der Vita Theodardi das Elsass zu verstehen haben[2]; der Verfasser der Vita, der sich auch sonst durch allerlei Sprachkünsteleien hervorzutun sucht und gelegentlich selbst griechische Worte wie 'somata', 'domata' verwendet, hat den Namen ins Lateinische zu übersetzen versucht und ist dabei gar nicht ganz ungeschickt verfahren. Danach aber dürfen wir dann mit vollem Recht auch in unserer, etwa ein Jahrhundert später an demselben Orte entstandenen Urkunde die gleiche Bedeutung desselben Wortes annehmen: der Teodericus dux Alliesedis des Diploms ist gleich 'Teodericus dux Alsatiae'.

Unter diesem Namen nun verstand man in Niederlothringen zur Zeit, als unser Diplom entstand, ganz allgemein den im Jahre 1070 zum Herzog von Oberlothringen ernannten Dietrich II., der aus einem Geschlecht stammte, das die Bezeichnung 'von Elsass' gleichsam als Familiennamen führte[3]; an ihn zunächst muss der Verfertiger der Fälschung gedacht haben. Wie aber konnte, so wird man fragen, der Fälscher auf den Gedanken kommen, einen

---

1) Cap. 8; SS. IV, 647: 'qui, dum per silvam iter haberet, quae rustico vocabulo nuncupatur Biwalt, forte ab equo iuxta pascente usque ad oppidum Salsense comitatus est'. Der Wald wird nach Clauss durchschnitten von einer alten, im Volksmunde Dümel genannten Römerstrasse. 2) So haben auch schon die Bollandisten den Namen aufgefasst, Acta SS. a. a. O. S. 587, und ebenso versteht ihn Demarteau S. 15. 3) Schon seinen Vater Gerhard, der 1048 Herzog wurde, nennt Sigebert 'Gerardus de Alsatia'. Für Dietrich und seinen gleichnamigen Sohn, der 1128 Graf von Flandern wurde, ist dann die Bezeichnung in den niederlothringischen Quellen ganz allgemein üblich, wobei aber der Name sich die merkwürdigsten Entstellungen gefallen lassen musste. Ich führe nur einige der zahlreichen Formen an: 'Theodericus dux de Elsathen' SS. XVI, 452; 'Theodericus dux de Ellesath' SS. VI, 457; 'Theodericus comes Esselatensis' SS. XIII, 258; 'Theodericus comes de Auxois' ebenda; 'Theodericus dux de Helsath' SS. XIII, 659; 'Theodericus quidam de Alsait' SS. VII, 549. Theoderich von Flandern heisst dann 'ducis Auxsay filius' SS. XVI, 514 und er selbst wird 'Terricus de Auseis' genannt SS. XXVI, 10, vgl. VI, 489. 497. Vgl. auch Witte, Mittheil. des österreich. Instituts XVII, 394.

Mann, der sein Zeitgenosse war, in die Epoche Kaiser Konrads II. zurückzuversetzen? Hat er nicht etwa lediglich den Beinamen, den der zu seiner Zeit regierende Herzog von Oberlothringen führte, auf den ersten Theoderich, der dies Herzogtum besass, zurückübertragen? Ich glaube nicht, dass diese Erklärung zulässig ist, und zwar lehne ich sie wegen des Namens Judith ab, den der Fälscher der neptis seines Herzogs Dietrich vom Elsass gibt. Denn dieser Frauenname ist der ersten Herzogsdynastie von Oberlothringen, die mit Theoderichs I. Sohne Friedrich II. 1033 im Mannesstamme ausstarb, ganz fremd und kommt keiner Angehörigen des Geschlechts zu, die wir kennen; dagegen ist er im Hause Elsass, dem Theoderich II. von Oberlothringen angehörte, allerdings vertreten: Judith heisst im 11. Jh. die Gemahlin Adalberts II., des Grossvaters Gerhards I. von Oberlothringen [1], und von ihr kann der Name auf spätere Nachkommen übergegangen sein. Danach ist auch die Judith unserer Urkunde, wenn sie überhaupt existiert hat, gewiss im Hause Elsass zu suchen, dem sie der Fälscher zugewiesen hat.

Wenn sie überhaupt existiert hat! Denn ich verhehle nicht, dass ich nach diesen Erörterungen sehr geneigt bin, den ganzen Inhalt unserer Urkunde, wenigstens soweit Konrad II. dabei in Frage kommt, ebenso für eine Erfindung zu halten, wie die Osterfeier Konrads II. zu Lüttich, von der der Fälscher erzählt, zweifellos und sicher nachweisbar eine Erfindung ist [2]. Dass seiner Erzählung möglicher Weise irgend ein Ereignis aus seiner Zeit oder aus einer ihm näher liegenden Vergangenheit, die er dann willkürlich in die Epoche Konrads II. verlegt hätte, zu Grunde liegen mag, will ich nicht unbedingt in Abrede stellen, aber ich würde es jedenfalls für unzulässig erachten, auf Grund eines solchen Dokumentes irgend etwas von dem, was er berichtet [3], als eine glaubwürdig über-

---

1) S. die Stammtafel von Witte, Lothring. Jahrb. VII, 124 (wo die Namensform Judith durch die deutsche Jutta ersetzt ist). 2) Die Angaben der Urkunde etwa dadurch zu retten, dass der Vorgang in die Jugendzeit Dietrichs II. verlegt und angenommen wird, der Fälscher habe ihm nur fälschlich den ihm später zukommenden Herzogstitel gegeben, halte ich für unzulässig. Dietrich II. ist erst im Jahr 1115 gestorben und kann also in der Zeit Konrads II. überhaupt nicht in der Rolle gedacht werden, die ihm die Urkunde zuschreibt. 3) Auf das romanhafte der ganzen Erzählung will ich nur beiläufig aufmerksam machen. Wenn man auch an der Buhlschaft der Verwandten des Herzogs mit einem vornehmen Herrn und an dem Eigennutz des letzteren,

lieferte Tatsache zu betrachten, von der der Historiker unbedenklich Gebrauch machen dürfte[1]. Und ich möchte diese Gelegenheit doch benutzen, um vor der neuerdings in bedenklicher Weise zunehmenden Neigung zu warnen, gefälschte Urkunden ohne sehr sorgfältige und vorsichtige Prüfung ihres Inhalts als historische Zeugnisse zu verwerten. Der so häufig gehörte Satz: die Urkunde ist zwar falsch, aber es ist kein Grund, an der Richtigkeit ihres Inhalts zu zweifeln, birgt grosse Gefahren in sich; bei einer Urkunde, deren Fälschung feststeht, genügt es nicht, wenn die Unrichtigkeit des Inhalts sich nicht erweisen lässt, sondern wer von ihren Angaben Gebrauch machen will, muss vielmehr umgekehrt positive Gründe für deren Richtigkeit — und sehr viel bessere Gründe als beispielsweise in unserem Falle die Schuberts sind — anführen können.

Und nun — um von dieser allgemeinen Bemerkung zu unserem Diplom zurückzukehren — was war der Zweck der Fälschung? Wenn sie einen solchen überhaupt gehabt hat und nicht bloss einer Laune oder dem Spiel freier Phantasie ihre Entstehung verdankt, so scheint mir der Satz: 'si quid vero delicti aut in furto vel aliquo tumultu in potestate illa fuerit commissum, nostra auctoritate in eadem curia est sancitum secundum legem et consuetudinem priorum temporum ibidem discutiendum esse et corrigendum' die Absicht des Fälschers zu verraten. Wir können nicht bestimmen, was zu Donceel Recht und Gewohnheit älterer Zeit war, aber soviel ist klar, dass der Satz nur gegen die richterlichen Befugnisse des Klostervogts gemünzt sein kann, die einzuschränken man um das Jahr 1140 versuchte, indem man, wie wir oben gesehen haben, die Traditionsurkunde des Bischofs Heinrich durch eine umfangreiche Interpolation verfälschte.

---

der erst durch eine reiche Mitgift dazu bewogen werden kann, die Geliebte zu heiraten, keinen Anstoss nimmt, ist nicht wenigstens dies — auch nach mittelalterlicher Anschauung — sehr merkwürdig, dass der Herzog das Gut, das er seiner neptis mitgeben will, vom Kaiser erbetteln und zu diesem Behuf den ganzen, doch für beide Beteiligten recht kompromittierenden, Liebeshandel aller Welt offenbaren muss? 1) Ich füge noch ein Wort über die Zeugenliste der Fälschung hinzu, indem ich die Vermutung ausspreche, dass sie einer Urkunde des Bischofs Reginar von Lüttich aus dem Jahre 1034 entlehnt ist: die Namen, soweit wir sie kontrolieren können, passen in diese Zeit; auffällig ist nur, dass Cuno de Hairs in St. 2889a. 3208 begegnet, doch kann sehr wohl ein gleichnamiger Vorfahre dieses Mannes im Jahre 1034 gelebt haben.

Beilage.

Bischof Heinrich von Lüttich beurkundet zwei Verleihungen an das Kloster St. Jakob daselbst.

1084 und 1086.

Urkunde aus dem Ende des 11. Jh. im Staatsarchiv zu Lüttich.

Schubert, Eine Lütticher Schriftprovinz (Marburg 1908) S. 10 und 89 f. cit. und Extr.

§ In nomine sanctę et individuę trinitatis. § Pium esse credimus id perquirere[a] et providere, unde alantur et vestiantur[b] pauperes Christi, qui relictis omnibus nudi secuti sunt | ipsum nudum. Quapropter ego Heinricus gratia dei Leodicensis episcopus adhibui curam, ut predium[c] quoddam nomine Donumcyrici ad monachos sancti Iacobi perveniret, cognito scilicet, quod possessor eius dictus Raginerus id vendere decrevisset, reputans videlicet esse bonum et deo acceptum inde sanctorum necessitatibus[d] subveniri. Qua vero circumspectione[e] cauta sint omnia, quę eius venditionem nostramque emptionem infirmare poterant, memorię tradidimus, ut non solum presentes sed et posteri sciant, ne ulla dubitatio restare queat. Erat idem Raginerus de familia Mathildę marchisę habens advocatum Albertum de Briey ita constitutum, ut, quicquid ipse faceret de rebus marchisę, hoc ita esset ratum, ac si ipsa fecisset. Quamobrem non ante convenit inter nos, donec ipse Raginerus sacramento super reliquias se astringeret, quia illud predium suum, hoc est Donumcyrici, situm in comitatu[f] Hoiensi[f] in pago Hasbanię ad flumen Frnam, sancto Iacobo stabile ac firmum efficeret et per advocatum quem diximus et domina sua approbante. Sic ergo ventum est ad traditionem, quę facta est cum omnibus ad idem predium respicientibus, ęcclesia camba molendino agris pratis silvis et ceteris appenditiis. Facta est autem in urbe Metensium a predicto Alberto propter hoc, quia longe positus á nostra in illius urbis vicinia[g] commanebat[g], suscipiente illam Heinrico comite de Durbuy, quem illuc misimus ad hoc ipsum. Cui traditioni interfuerunt Herimannus eiusdem sedis episcopus, Herimannus nepos eius idemque noster

---

a) Am zweiten 'r' Rasur. b) Am 's' Rasur. c) Am 'r' Rasur. d) 'ss' auf Rasur. e) 's' nachträglich eingefügt. f) 'comitatu Hoiensi' auf Rasur; wahrscheinlich war zuerst 'pago Hasbanię' geschrieben. g) Beide Worte auf Rasur nachgetragen, wahrscheinlich von anderer, aber gleichzeitiger Hand.

archidiachonus, comes Conradus de Salma, Comes Gilebertus filius Ottonis de Los, Tiebaldus de Lehaia[a], Godefridus filius Frederici de Duerbon. Predictus autem comes Heinricus de Durbuy ipsam traditionem sancto Iacobo in ipsius ęcclesia reddidit offerens eam ad sacrosanctum altare, me quidem Heinrico episcopo ibi presente. Isti quoque interfuerunt: Arnulfus comes de Los, Godescalcus de Ceunaco, Cuno de Hairs, Lambertus de Forun, Guinricus de Calmunt, Albricus de Lineh, Elbertus de Seran. Quibus peractis non longe post ad huius rei confirmationem, et ut liber esset Raginerus a iuramento, a predicta marchisa directę sunt litterę[b] continentes hęc: 'H. Leggensi episcopo M. dei gratia si quid est fidele servitium et abbati de sancto Iacobo similiter fidele servitium. Mercatum, quod fecistis cum[c] Raginero[c] nostro scilicet de allodio quod emistis, recte fecistis et bene placet nobis et libenter concedimus vobis. Nos iccirco mandamus vobis, quam voluntatem habemus in hac re, ut absque ulla contradictione et refutatione in vestitura vestra amplius firmiter valeatis retinere'. Facta est utraque traditio anno ab incarnatione domini MLXXXIIII, indictione VI, imperante Heinrico III[d], tunc etiam Heinrico[e] episcopo, Roberto abbate[e].

Post hęc autem et aliud commodum eidem abbati et illis fratribus adquisivi. Erat enim de prepositura sancti Petri eorum possessioni nomine Calcharię terra quędam adiacens plena his quę raspalia vulgus vocat. Hęc vineis apta videbatur. Huius ergo concambium impetravi á preposito sancti Petri Iohanne, illisque fratribus reddita ex parte sancti Iacobi silva quadam, quę[f] illorum silvę pertinenti ad villam nomine Fleimala contigua et adherens erat, multum melior predicta terra, asserentibus ipsis fidelibus sancti Petri adiuratis á me per sacramentum fidelitatis, quod iuraverant, sicut moris est iurare ministros, quod etiam pretio librę valentior esset. Hoc autem nos eo consilio providimus, ne, si quando concambium displiceret, ipsum infringendi daretur occasio. Cum autem infra terminos eius ęcclesię, quę sita est in villa Auguria, eadem terra conia-

a) Zwischen 'de' und 'Lehaia' ein Verbindungsstrich. b) Dahinter kleine Rasur. c) 'cum Ragi' auf Rasur, dahinter 'nero' am Rande nachgetragen; vielleicht stand ursprünglich 'servo' da, wie in dem DH. IV. Stumpf Reg. 2889a, s. oben S. 413, N. 2. d) Vor 'III' Rasur wohl von 'I', über 'III' von anderer Hand 'cio' geschrieben. e) In dem gefälschten Exemplar (s. oben S. 415, N. 1): 'me Heinrico episcopo, Roberto abbate sancti Iacobi; actum feliciter'. f) Dahinter Rasur, auf der auch noch 'i' von 'illorum' steht.

iaceret, Lanzo, ad quem tunc eadem respitiebat ęcclesia, si vinea accresceret, decimam eius, quam ego pariter cum terra monasterio sancti Iacobi contuleram, suam esse dicebat, donec á cunctis prioribus nostris iudicatum est, nostri iuris esse illam decimam, cuius nec ille nec ipsius ęcclesia tenuisset aliquando vestituram. Unde ex auctoritate domini nostri Iesu Christi et beati Petri potestatem habentis a domino ligandi atque solvendi, nostra quoque, qui vicem eius cum cęteris episcopis gerimus, excommunicamus et anathematizamus omnes, quicumque hoc concambium infregerint et sive terram ipsam sive decimam eius vi aut calliditate aut ulla ratione subtraxerint, cui eam assignavimus loco, id est monasterio sancti Iacobi, et ibidem deo famulantibus cenobitis. Acta sunt hęc anno incarnationis dominicę MLXXXVI, indictione VIIII, imperante Heinrico III[a]. Testes: Dieduinus et Heinricus archidiachoni, Stephanus canonicus, comes Arnulfus idem advocatus ęcclesię, comes Balduinus de monte Castriloco, Rainerus advocatus et frater eius Liebertus, Arnulfus de Morelines, Lambertus de Forun. (SI.)[b]

---

a) Vor 'III' Rasur wohl von 'I', über 'III' von anderer Hand 'cio' geschrieben. b) Fragment des rückwärts eingehängten Siegels, s. oben S. 414, N. 3.

Nachtrag.

Aus dem soeben erschienenen Buche von R. Parisot, Les origines de la Haute-Lorraine et sa première maison ducale (Paris 1909) S. 427 ersehe ich, dass die Ansetzung des Todes des Herzogs Dietrich I. von Oberlothringen zum 2. Januar 1027 (oben S. 412) der Berichtigung bedarf. Sie beruhte auf der Angabe Calmets, dass das noch ungedruckte Necrologium von St. Mihiel den 2. Januar als Todestag des Herzogs nenne. Diese Angabe ist aber falsch, wie Parisot a. a. O. N. 2 bemerkt; Calmet hat den Herzog Dietrich mit einem gleichnamigen Grafen verwechselt, und das Necrologium verzeichnet die Commemoratio Theoderici ducis zum 11. April. Demnach ist der Herzog Dietrich am 11. April entweder 1026 oder 1027 (zwischen beiden Jahren lässt sich nun nicht entscheiden) gestorben. Im übrigen wird durch diese Richtigstellung des Datums an meinen Ausführungen nichts geändert.

IX.

Quellenuntersuchungen und Texte zur Geschichte der heiligen Elisabeth.

I. Ueber die Dicta quatuor ancillarum sanctae Elisabeth.

Von

Karl Wenck.

Die hier vorgelegten Untersuchungen verändern in keiner Weise die Auffassung der heiligen Elisabeth, wie ich sie zuletzt in Heft 52 der Sammmlung gemeinverständlicher Vorträge und Schriften auf dem Gebiete der Theologie und Religionsgeschichte, Tübingen 1908, geformt habe. Der biographischen Forschung lasse ich diese quellenkritische Abhandlung folgen, weil die quellenkritischen Erörterungen anderer Forscher sich mir und anderen als unbefriedigend erwiesen haben und mit einer falschen Würdigung der Quellentexte zugleich eine seltsame Verschiebung der Lebensdaten Elisabeths Platz zu greifen droht.

Dem gegenüber habe ich die zweifache Aufgabe, die 'Aussagen der vier Dienerinnen Elisabeths', die wichtigste Unterlage für die Heiligsprechung der frommen Landgräfin, wie für ihre Geschichte, auf ihre Entstehung und Ursprünglichkeit zu prüfen und sodann festzustellen, wo und durch wen dieses Aktenstück in den ersten Jahren nach der Kanonisation zu literarischer Verwertung für die Oeffentlichkeit gelangt ist, anders ausgedrückt, wer die Dicta zuerst zur Verbreitung unter den Verehrern der neuen Heiligen verwendet hat? Da sie in zwei verschiedenen Fassungen vorliegen, so war zu untersuchen, welche von beiden Fassungen die ursprüngliche sei?

Um es gleich hier zu sagen: mein Ergebnis ist, dass die Aussagen der vier Dienerinnen im Zeugenverhör, so wie die Protokollführer sie zusammenfassend niedergeschrieben haben, uns in der längeren Rezension unverändert erhalten sind, und weiter, dass die Brüder vom deutschen Hause zu Marburg, wie sie die Fürsorge für das Grab Elisabeths übernommen hatten, sich auch mit Hilfe jenes Aktenstückes der Aufgabe unterzogen haben, literarisch Elisabeths Andenken zu pflegen. Sie haben auf diese Weise ein bescheidenes erstes Blatt Marburger Literaturgeschichte geliefert.

Dieses Ergebnis steht nun fast durchgängig im Gegensatz zu dem durch das Elisabethjubiläum des Jahres 1907 angeregtem Buche von A. Huyskens, Quellenstudien zur

Geschichte der heiligen Elisabeth, Marburg 1908. Huyskens ist bezüglich der Frage nach der Ursprünglichkeit der Dicta auf halbem Wege stehen geblieben. Hätte er da das mögliche klare Ergebnis gewonnen, so würde er auch die von ihm zuerst veröffentlichte kürzere Fassung mit ihren grossen Verschiebungen und Lücken nicht als die ursprüngliche Fassung eingeschätzt haben. Er hat dann angenommen, dass diese Fassung weiterhin von fremdländischen Pilgern und Mönchen (von Nikolaus von St. Martin zu Tournai im Hennegau und von dem Verfasser einer 'Kompilation Ad decus et honorem') bearbeitet worden sei. Er suchte alles in der Ferne. Seine quellenkritischen Erörterungen aber belastete er mit der Aufsehen erregenden These, dass Elisabeth, die nach der übereinstimmenden Annahme der neueren Forscher unter dem Drucke des Gewissenszwangs die Wartburg freiwillig verlassen hat, vielmehr gewaltsam vertrieben worden sei, allerdings nicht von der Wartburg, sondern von der Marburg, ihrer Wittumsburg.

Ueber sein Buch habe ich mich auf Wunsch des Herausgebers dieser Zeitschrift (Bd. XXXIII, 562) ganz kurz und dann nur wenig ausführlicher in dem von mir redigierten Literaturteil der Zeitschrift für hessische Geschichte (Bd. XLI, 316—8) ausgesprochen[1]. Dabei hatte ich auf grosse allgemeine Mängel hinzuweisen, die sich zum Teil aus der raschen Entstehung des Buches im Jubiläumsjahr 1907 und aus seiner vorzeitigen Veröffentlichung in drei Absätzen erklären (S. 1—50 im Histor. Jahrb. der Görres-Gesellschaft Bd. XXVIII, Heft 3 und 4 im Juli bezw. Dez. 1907, der Rest S. 151—268 im Buch zu Ende Januar 1908). Ich hebe hier hervor, dass die Nachprüfung überaus mühsam ist, weil jede Verweisung auf die nachfolgenden Quelleneditionen mittelst Seitenzahlen fehlt, obwohl trotz der doppelten Bestimmung der Druckbogen leicht Rat zu schaffen gewesen wäre. Daher haben auch kritisch veranlagte Leser dem Buche einigermassen hilflos gegenübergestanden und seine Ergebnisse überschätzt. Scharf hat bei freundlichster Würdigung von Huyskens' Unternehmen, das auch ich nach Kräften zu fördern gesucht habe, den unausgeglichenen hastigen Charakter des Buches, das viele

1) Vorläufig Stellung zu nehmen zu den Ergebnissen H.'s hatte ich auch in den Beilagen zum Druck meines Marburger Elisabethvortrags vom Dez. 1907, Tübingen, Mohr 1908, S. 43. 46. 52. Dort handle ich S. 43—47 kurz über Quellen und Literatur.

Vermutungen und wenig sichere Ergebnisse bringe, A. Poncelet in den Analecta Bollandiana XXVII, 495—7 betont. Ausdrücklich sei, da ich im folgenden wenig Gelegenheit haben werde, auf die bezüglichen Teile des Buches zurückzukommen, bemerkt, dass Huyskens mit dem Abdruck mehrerer Wunderberichte wichtige bisher nicht veröffentlichte Texte (vgl. diese Zeitschrift Bd. XXXIII, 563) von grossem Werte für die Geschichte von Elisabeths Kanonisation und ihrer Verehrung als Heiligen, ja für kulturgeschichtliche Interessen verschiedenster Art geliefert hat.

Der Erörterung der strittigen Fragen hat Huyskens von vornherein eine ganz unnötige Schärfe gegeben, indem er 'die Versuche einer kritischeren Erfassung der Elisabethlegende von Boerner, Mielke und Wenck als schlecht begründete Hyperkritik bezeichnete, deren Ergebnisse heute zum grössten Teile von uns [Huyskens] überwunden sind'. So schrieb er in den Histor.-politischen Blättern für das kathol. Deutschland vom 15. Nov. 1907 (S. 727), wo jede Beweisführung unmöglich war, sechs Wochen vor dem Erscheinen seines zweiten Aufsatzes. Persönliche Verunglimpfungen enthielten dann, um von mehreren Zeitungsangriffen dieser Art zu schweigen, die Anmerkungen seiner Ausgabe der Schriften des Caesarius von Heisterbach über Elisabeth in den 'Annalen des historischen Vereins für den Niederrhein' Heft 86 (1908), S. 2. 12 und 13. Erhebt er da wunderlich genug recht deutlich den Vorwurf des Plagiats gegen mich, so klagt er anderwärts über meine Rückständigkeit, weil ich seine Ergebnisse grossenteils nicht angenommen habe. Ich habe mich selbstverständlich hier, wie bisher (vgl. auch meine Besprechung der Caesariusedition in Zeitschr. f. hess. Gesch. XLII, 178), eines streng sachlichen Tones befleissigt. Sollte nun doch jemand meinen, dass die Ablehnung der Ergebnisse Huyskens' mit grösserer Milde hätte erfolgen können, so vergegenwärtige er sich, dass die Schärfe der Widerlegung nicht in einzelnen Wendungen, sondern in dem Misverhältnis zwischen der hohen Selbsteinschätzung Huyskens' und dem geringen dauernden Gewinn seiner Untersuchungen gelegen ist, er möge ausserdem aber des begreiflichen Unmutes dessen gedenken, der viel Zeit und Kraft aufzuwenden hatte, um in Fragen, die nie hätten aufgeworfen werden dürfen, in aller Form den Gegenbeweis zu liefern. Ueber die Marburg-Hypothese, die ich dabei u. a. im Sinn habe, werde ich im fünften und letzten Kapitel dieser Abhandlung sprechen.

1. Die Dicta quatuor ancillarum: das Verhörsprotokoll.

Die herkömmliche Benennung der hier zu erörternden Quelle 'Libellus de dictis quattuor ancillarum', deutsch am besten 'Büchlein von den Aussagen der vier Dienerinnen', stützt sich nur auf die Bezeichnung, welche ihr Dietrich von Apolda in dem Vorwort seiner Lebensbeschreibung Elisabeths gegeben hat. Huyskens (S. 9, N. 1 und S. 19) hat diese Benennung angefochten, und man wird ihm zugeben dürfen, dass das Wort 'libellus' kaum von Dietrich als Titulatur gebraucht worden ist (vgl. die Anwendung des Wortes im Prolog einer anderen Vita an zwei Stellen bei H[uyskens] S. 12, N. 2), aber hoffentlich wird der farblose Titel 'Vita', den die Hss. gebrauchen, den Dicta sowohl in der Ueberlieferung ohne Vorwort, als in der Ausgabe mit Vor- und Nachwort erspart bleiben, da er nicht durch die Hinzufügung eines Autornamens belebt werden kann. Mit Recht hat Huyskens als ein besonderes Stück den Traktat über die Kanonisation Elisabeths, der von einem Dominikaner an der Kurie verfasst sein mag (nach Huyskens von Raimund von Pennaforte), abgetrennt (H. S. 20 f. 75 f. 140 f.). Wenn aber Huyskens erwiesen zu haben glaubt, dass der bei Mencke, Scriptores rer. Germanicar. praecipue Saxon. II, 2011 (in ganz verkürzter Wiedergabe nach der Leipziger Hs.) mitgeteilte, in so manchen Hss. erhaltene Prolog der Dicta 'Ad decus et honorem' (vgl. H. S. 11 und 69—73) noch wieder einen anderen Verfasser habe, als die den Dicta angehängte Conclusio (Mencke II, 2032—34 unvollständig), so ist ihm (S. 70, N. 1, S. 50 f.) dieser Beweis doch keineswegs gelungen, vielmehr werde ich weiter unten die Abfassung des Vor- und Nachworts durch denselben Verfasser endgültig sicher stellen können. An dieser Stelle soll uns zunächst nur das für die Biographie Elisabeths allein wichtige mittlere Hauptstück beschäftigen (Mencke II, 2012 B — 2032 B, in anderer Rezension: H. S. 112—40). Diese 'Vita' Elisabeths enthält die Aussagen, die im Kanonisationsprozess, wohl am 1. Januar 1235 (H. S. 46) von Elisabeths Frauen Guda und Isentrud, Elisabeth und Irmgard abgegeben wurden. Die eingeflochtene kurze Aussage des Mädchens Hildegund, das Elisabeth in ihr Hospital aufnahm (H. S. 133), bedarf hier kaum der Erwähnung. Bedeutungsvoll wäre es nun, wenn wir ein Zeugnis besässen über das Verhältnis dieser Vita zum Protokoll der Verhörsaufnahme. In der Tat scheint mir ein solches Zeugnis vorzuliegen in den Worten des Prologs (Mencke II, 2011 C): 'Nunc restat' — nach langen erbaulichen Betrachtungen in schwungvoller bezw. gezierter Redeweise — 'seriem historie sepe fate et semper dulciter nominande Elyzabeth verbis simplicibus testium, ruditatem[1] cum rei veritate sapientibus explicare. Pura enim et simplex debet esse fides testimonii, nihil habens adiectionis extrinsece ... Non enim rithmico, metrico vel prosaico alti stili est hic locus dictamini, sed nude attestationi et districto examini'. Es ist seltsam, dass man bisher in diesen Worten nicht einfach den Herausgeber gehört hat. Boerner, der sich verwunderte, dass die Sprache des 'Verfassers' 'gerade hier sehr rhetorisch' sei, obgleich er die Einfachheit rühme, stand unter dem Bann des Gedankens, dass die Dicta überarbeitet seien, Huyskens andererseits will ja die längere Fassung der Dicta, welche allein diesen Prolog hat, als eine Neuausgabe seiner angeblichen Nikolausbearbeitung der Dicta angesehen wissen; er lässt den Prologschreiber, der 'das Werk des Nikolaus den Lesern aufs neue wortgetreu vor Augen stellte' sich entschuldigen 'wegen der ungewandten, noch an das Verhör klebenden Darstellung'. Unten, in Kap. 4, werde ich zeigen, dass auch ein Prologschreiber der kürzeren Version (Montal.-Städtler 2. Aufl. S. CLII) das Verhörsprotokoll wiederzugeben erklärt. Dort werde ich die besondere Urteilsfähigkeit unseres Prologschreibers erweisen. Was wir so hier in abweichender, unbefangener Auslegung der Worte unseres Prologs gewonnen haben, die Ursprünglichkeit der Dicta als des Verhörsprotokolls, wird sich natürlich weiterhin zu bewähren haben. Es wäre ja zweifellos eine vereinzelte Tatsache, dass das Protokoll eines Verhörs im Kanonisationsprozess sich ohne Weiteres zum Heiligenleben gestaltet habe. Und wenn wir beispielsweise mit den lebensvollen Aussagen von Elisabeths Frauen die monotonen und vielfach abstrakten Aussagen der Zeugen im Verhör für die Kanonisation des heiligen Dominikus (Quétif et Echard, Scriptores ord. Praedicat. I, 44—56 und 56—58) zusammenstellen, so erkennen wir

1) So lautet der Text in der Breslauer Hs. der Dicta I. Q. 126 f. 230r. Huyskens, der diese Hs. nicht kennt, gibt denselben Wortlaut nur mit Auslassung von 'historie' nach 'seriem' und auch der zum Verständnis nötigen Interpunktion. Die Leipziger Hs. liest statt 'ruditatem': 'inclitatem', Mencke vermutete 'indigitatam', Boerner S. 450, Anm. 1: 'indicatam'. Der Sinn ist in jedem Falle klar.

sofort, dass die Möglichkeit zu solchem Gebrauch des Protokolls kaum je vorliegen mochte. In Elisabeths Falle aber war sie in einzigartiger Weise gegeben durch die besonderen Beziehungen jener Frauen zu den verschiedenen Lebensepochen Elisabeths.

Von diesen Frauen war Guda der kleinen Elisabeth, gleich als sie im vierten Lebensjahre (1210—11) nach Thüringen kam, als wenig ältere Gefährtin beigesellt worden. Isentrud von Hörselgau hatte zur Seite der verheirateten Landgräfin fünf von den sechs Jahren ihres Ehelebens (1222—27) verbracht, sie war bei ihr dann noch bis zum Herbst 1228 geblieben und besuchte nachher, als Konrad von Marburg durch sein Machtwort sie und etwas später auch Guda von Elisabeth getrennt hatte, mit Guda zuweilen die fürstliche Freundin in ihrem Hospital. (Wohl verdienen nach unserer Anschauung diese adligen Hofdamen nicht die Bezeichnung 'ancillae'. Aber unverkennbar wird sie ohne Unterscheidung in der Aussage Isentruds neben der anderen 'pedissequae' für jene vertrauten Begleiterinnen Elisabeths zumeist gebraucht [gegen Huyskens S. 19], und nur den einen Unterschied dürfen wir feststellen, dass in den beiden folgenden Aussagen auf ihre Nachfolgerinnen, arme Frauen unedler Abkunft [H. S. 136], allein die Bezeichnung 'ancillae' angewandt wird). Diese letzteren, Elisabeth und Irmgard [1], haben der fürstlichen Diakonissin in der Marburger Hospitalzeit gedient, sie waren an ihrem Sterbetage um sie [1]. Wenn nun diese vier Frauen von den rechtskundigen Männern ('iuris professores', H. S. 143 vgl. S. 18, anders S. 89; 'viri prudentes et in iure periti', Ep. pontif. ed. Rodenberg I, 486, 22), welche von den päpstlichen Kommissaren dazu bestellt waren, als Zeuginnen vernommen wurden, so war es im Grunde selbstverständlich, dass über die Kindheit Elisabeths als einzige Zeugin Guda, über die Jahre ihres Ehelebens und über die erste Marburger Zeit Isentrud

1) Keine von diesen beiden kann die adlige taube Witwe sein, von der Konrad von Marburg spricht (H. S. 158), weil jene 'ignobiles' waren (s. oben), Elisabeth ausserdem nicht, weil sie gewiss nicht taub war — vgl. H. S. 138: 'audivi vocem quasi intra collum eius' (der Landgräfin Elisabeth). Dann aber erweist sich die Angabe Konrads, dass er seinem Beichtkind nur zwei Frauen gelassen habe, eine 'ancilla' und eine adlige taube Witwe, nicht als richtig. Diese Witwe ist nach H. S. 96 Hedwig von Seebach, die mehrfach urkundlich bezeugt ist — MG. Epist. pontif. sel. I, 634, n. 737 und Wyss, Hess. UB. I, 1, 135, n. 178 —, aber im Kanonisationsprozess nicht auftritt.

und Guda, über die Marburger Spitalzeit Elisabeth und Irmgard auszusagen hatten, und dass diese Aussagen in zeitlicher Folge hintereinander gestellt wurden. Zu erörtern wäre aber doch, warum die Aussage Isentruds, der Guda nur Zustimmung leistet, da wo die Aussagende die Zeit der Ehe erledigt hatte (H. S. 121), unterbrochen wird durch die feierliche Bekundung des eidlichen Einverständnisses der beiden Frauen, die dann am Schluss der zweiten Aussage Isentruds über die Anfänge der Witwenzeit nochmals wiederholt wird, weil auch dafür Guda mit zeugen konnte. Den Grund für die Wiederholung haben wir wohl darin zu sehen, dass für die Heiligsprechung Elisabeths viel mehr als die Zeit ihrer Ehe die ihres Witwenlebens ins Gewicht fiel. Berthold von Regensburg hat einmal in einer Predigt über die heilige Elisabeth sich im Anschluss an 1. Cor. 7, 28 darüber verbreitet, dass die Jungfrau, wenn sie heiratet, keine Sünde tut. Er spricht aber doch aus, so wie es drei Klassen von Engeln im Himmel gebe, so in der Kirche: '3 sancti ordines, scilicet coniugatorum, viduarum, virginum'[1]. Nicht also blos das Moment, wer von den Frauen Elisabeths über diese oder jene Zeit zu berichten in der Lage war, kam für die Kommissare in Betracht, sondern auch der Wunsch, je besondere Auskunft zu schaffen über die verschiedenen Stadien von Elisabeths Lebensweg, also 1) über den status infantiae et pueritiae usque ad annos nubiles, 2) über den status matrimonii, 3) über den status soluti matrimonii, 4) über den status religiosi habitus (Elisabeth als Tertiarierin). Dass sich bei solcher Verhörsaufnahme ein zeitlicher Fortschritt des Berichtes ergab, war kaum in erster Linie erstrebt, obwohl das Ergebnis willkommen erscheinen mochte. Absichtsvoll war es gewiss, wenn den Aussagen Elisabeths und Irmgards über das selige Ende der Fürstin, dessen nähere Umstände besonders bedeutsam erscheinen mussten, noch ein Platz für sich eingeräumt wurde. Bezeichnender Weise ist eine Hs. der Dicta in der längeren Rezension (die Breslauer Hs. I. Q. 126) 'Vita et mors beatae Elisabeth' überschrieben (vgl. unten S. 445, Anm. 1).

Bei rechter Würdigung dieser Erörterungen hat die geschilderte Gliederung der Dicta, welche persönliche und sachliche Momente auf das glücklichste vereinigt, dem

---

1) Schönbach, Studien z. Gesch. der altd. Predigt. 4. St. Ueberlieferung der Werke Bertholds von Regensburg, SB. der Wiener Akademie, Bd. 151 (1906), S. 57.

Wissen der Zeuginnen und den Bedürfnissen der Verhörsaufnahme entspricht, hat insbesondere der zeitliche Fortschritt ihres Lebensberichtes nichts befremdliches, er nötigt keineswegs zu der von den meisten Forschern, namentlich von Boerner (in dieser Zeitschr. XIII, 446 f.) vertretenen Ansicht, dass uns die Dicta in einer Bearbeitung vorlägen[1]. Die Beobachtungen, durch welche Boerner in dieser, früher auch von mir angenommenen, Auffassung bestärkt worden ist, sind hier bereits oder werden im Folgenden in anderer Weise erklärt. Huyskens ist der Wahrheit näher gekommen als seine Vorgänger, er bezeichnet es (S. 46) 'schwer zu entscheiden, ob am Verhörstag schon der Bericht in der uns vorliegenden Form fertiggestellt oder ob damals nur die einzelnen Zeugenaussagen aufgezeichnet wurden und der Bericht erst später mit ihrer Benutzung entstand'. Sichtlich aber ist er geneigt, an die Ursprünglichkeit der Aufzeichnung zu glauben, wie er schon früher ausgesprochen hatte (S. 15. 17 und 18), dass wir die Urform des Zeugenprotokolls besässen, allerdings erst durch ihn, in der von ihm veröffentlichten kürzeren Rezension! Lassen wir die Unterscheidung der beiden Textformen zunächst noch bei Seite. Die Annahme, dass die Dicta die ursprünglichen Aufzeichnungen seien, wird alles etwa noch auffällige verlieren, wenn wir beobachten, welch' verschiedenes Verfahren die einzelnen Protokollanten — wir werden sie deutlich zu unterscheiden vermögen — gegenüber zwei Zeuginnen für dieselbe Tatsache, bezw. für die gleichen Tatsachenreihen, eingeschlagen haben, wenn wir ferner zusammenfassende abkürzende Wendungen der letzten Partien (H. S. 138 und 139) mit Huyskens (S. 18 unten und S. 46 f.) dem Eingreifen der Kommissare zuschreiben.

Ich unterscheide drei Protokollanten nach unscheinbaren, bisher nicht beachteten, stilistischen Merkmalen[2].

---

1) H. S. 11, Anm. 3 verzeichnet die neuere bezügliche Literatur. Anders Städtler: er erklärt sich in einem Zusatz zu seiner Uebersetzung von Montalemberts Leben der heil. Elisabeth, und zwar in der 2. Aufl. (1845) S. CXXVII noch bestimmter als in der 1. Aufl. (1837) S. CXXIX dafür, dass die Dicta das Protokoll seien. Die 3. Auflage (1862) mit durchgehender Paginierung hat acht Seiten mehr Text. Sie ist völlig vergriffen. 2) Nur über die Anwendung des Wortes 'Item' sind bisher einige, aber keineswegs genaue Beobachtungen von H. Mielke, Zur Biographie der heil. Elisabeth, Rostock. Diss. S. 28 oben, G. Boerner, Z. Kritik der Quellen für die Geschichte der heil. Elisabeth, N. A. XIII (1889), S. 449 und Huyskens S. 18 angestellt worden.

Guda und Isentrud sind von ein und demselben Protokollführer vernommen worden, wohl in der Weise, dass die Aussage Isentruds über die Ehezeit und dann ebenso die über das nachfolgende Jahr an Guda mitgeteilt und von ihr bestätigt wurde (H. S. 121 und 127). Am Ende (H. S. 127) bekunden beide, einzeln um die Quelle ihres Wissens befragt, dass sie dasselbe als Augenzeuginnen gewonnen haben. Elisabeth und Irmgard wurden von einem zweiten und dritten Bevollmächtigten befragt; der dritte verhörte dann beide auch über das Ende der Landgräfin.

Der erste Protokollant ist namentlich gekennzeichnet durch die Vorliebe für das Wort 'requirere' = verhören. Er allein gebraucht es für das Zeugenverhör und zwar nicht blos zu Anfang der Zeugenaussagen Gudas und Isentruds (H. S. 112 und 114), sondern je noch einmal am Ende ihrer beiden Aussagen (H. S. 114 und 127), immer in der passivischen Form ('requisita' bezw. 'requisite'). Ihm eigen ist auch die Wendung 'non recolit ad presens' (H. S. 113) in Gudas Aussagen, 'ad presens non recolunt' (Isentrud und Guda) H. S. 121, und endlich die Bezeugung 'iurata concordat' (H. S. 121) und 'iurate — concordant' (H. S. 127). Keineswegs gleichmässig verfährt dieser Protokollant in der Trennung, bezw. Einleitung, der Einzelaussagen durch ein 'Item'. Wie es so manchmal dasteht, so fehlt es auch wieder recht lange, z. B. völlig H. S. 121—26.

Die Aussagen der Dienerinnen Elisabeth und Irmgard werden beide eingeleitet durch die Worte 'iurata et interrogata dixit', die erstere allein mit der näheren Erläuterung 'de vita et conversatione b. El.' Unterschieden sind beide unter sich besonders dadurch, dass der eine Protokollant die Eidlichkeit der Aussage immer wieder betont, der andere nicht. In der Aussage Elisabeths treffen wir inmitten des Textes noch zweimal (H. S. 130 und 133) 'iurata dixit' von ihr gesagt, ferner von der zustimmenden Irmgard (H. S. 131) 'iurata testatur', von der aussagenden Hildegund und dem zeugenden Pfarrer (H. S. 133) 'iurata dixit . . et . . . testantur'. In der Aussage Irmgards kommt inmitten des Textes das Wort 'iurata' niemals vor und ebensowenig in den nachfolgenden Aussagen beider Dienerinnen über das Lebensende ihrer Herrin ('de fine', H. S. 138—39), die wir demselben Protokollanten zuweisen wollten. Die ganze Niederschrift dieses letzteren zeichnet sich ferner scharf ab durch vielfältige Einführung von Formeln zur Unterscheidung der einzelnen Aussagen —

ich zähle vierundzwanzig solche einzelne Aussagen. In buntem Wechsel treffen wir da 'Dixit etiam', 'item', 'et dixit prefata', 'item dixit'. Die Aussage Elisabeths wies statt dessen ganz eintönig immer wieder das Wort 'item' auf, es findet sich von der Eingangspartie abgesehen (H. S. 127—28) überall, wo man es erwarten darf.

Dass wir nun mit Fug und Recht die Aussagen Elisabeths und Irmgards über die Lebenszeit der künftigen Heiligen aus stilistischen Gründen zwei verschiedenen Protokollanten zuweisen, wird weiter bestätigt durch die Beobachtung, dass diese Aussagen in zwei Fällen über dieselbe Sache je einen Bericht für sich enthalten, nämlich 1) über die Pflege des mit Krätze behafteten Knaben [1] und 2) über die geringen, bisweilen sehr verunglückten Kochkünste der Herrin [2]. Es ist also nicht wie bei den Aussagen Gudas und Isentruds durch den gemeinsamen Protokollführer eine Wiederholung vermieden worden [3].

Das Ergebnis unserer Prüfung ist wieder wie zu Anfang dieses Kapitels, dass wir allen Grund zu der Ueberzeugung haben: wir besitzen die ursprüngliche Niederschrift des von den drei rechtskundigen Männern aufgenommenen Verhörs. Der Arbeitsanteil der drei Protokollanten lässt sich noch sondern. Es liegt keine Bearbeitung vor. Bei dieser Untersuchung stützten wir uns mit einer einzigen Ausnahme (gelegentlich der zuletzt erwähnten Doublette) auf ein beiden Rezensionen gemeinsames Material. Dieses Ergebnis nun ist bedeutsam für die ganze Einschätzung der Quelle, für ihre Ursprünglichkeit und für die individuelle Verschiedenheit der einzelnen Teile, nicht minder wichtig aber für die Frage, welche der beiden Rezensionen, ob die längere des Herausgebers Mencke oder die kürzere Huyskens' die ursprünglichere sei?

2. Die längere und die kürzere Rezension der Dicta.

In der kürzeren Rezension ist die Aussage der Dienerin Elisabeth über die Lebensführung ihrer Herrin

---

1) H. S. 128 und gegen die Mitte der Seite, vgl. Boerner S. 448, Anm. 7 und S. 451, Anm. 1. 2) Mencke II, 2024B und 2030A. B; vgl. Boerner S. 449, Anm. 1. Ich komme auf diese in Huyskens' Rezension S. 137 fehlenden Berichte zurück, s. auch S. 441, Anm. 3. 3) Dass ein Mal (H. S. 131) Irmgard von dem Protokollanten Elisabeths zu eidlicher Bestätigung hinzugezogen wird, hat seinen besonderen Grund darin, dass sie von der Zeugin Elisabeth als bei dem bezüglichen Vorfall mitwirkend erwähnt worden war. Aehnlich ging es mit Hildegund H. S. 132 f.

nach Verlauf von nur dreizehn Zeilen gesprengt worden durch ein erstes grosses Stück der bezüglichen Aussage Irmgards (H. S. 128—30), dann folgt hier der zweite Teil der Aussage Elisabeths (H. S. 130—35), und ihm reiht sich der zweite Teil der Aussage Irmgards an[1]. Nachdem wir aber den Nachweis geführt haben, dass Elisabeth und Irmgard für ihre grossen Aussagen je ihren besonderen Protokollführer hatten, ist es ganz unglaublich, dass diese ihre Niederschriften in einer solchen Weise hätten zerreissen lassen sollen, vielmehr hat die Anordnung des Textes, wie er sich in der längeren Rezension findet — ungeteilte Wiedergabe der Aussagen Elisabeths und Irmgards über die Lebensführung der Landgräfin nach einander — allen Anspruch als die ursprüngliche zu gelten.

Zur Bevorzugung der von ihm gefundenen Rezension ist Huyskens, wie es scheint, (S. 42f.) zunächst veranlasst worden durch die Beobachtung, dass die gleiche Aufeinanderfolge der Texte, wie dort, sich in der Vita Elisabeths von Caesarius von Heisterbach findet, also unzweifelhaft derjenigen Fassung der Dicta eigen war, welche an ihn aus dem Marburger Ordenshaus im Jahre 1236 als Vorlage für die von ihm erbetene Biographie geschickt worden war[2].

---

1) Vielleicht darf man es als einen Versuch Huyskens' ansehen, diese wunderliche Anordnung in etwas zu erklären, wenn er S. 18 durch den 'ersten Schreiber' ausser dem Verhöre Gudas und Isentruds noch die erste Aussage Elisabeths aufgezeichnet glauben möchte. Den 'folgenden Schreiber' muss er dann dem fröhlichen Wechsel zwischen Irmgard, Elisabeth, Irmgard, Elisabeth und Irmgard überlassen. Allerdings wird die Befragung Elisabeths und Irmgards 'de fine' Elisabeths, so sagte ich schon oben (S. 435), gewiss von vornherein nach dem Willen der Kommissare noch getrennt gehalten worden sein. Ich erinnere hier auch daran, wie ausführlich Konrad von Marburg (H. S. 159—60) und ein anderer Berichterstatter (H. S. 148 f.) über das Sterben Elisabeths berichtet hat. 2) Die Kenntnis des vollständigen Textes der Vita des Caesarius verdankte ich bei Ausarbeitung dieses Aufsatzes der Güte der Zentraldirektion der MG. Sie stellte mir eine Abschrift des Dr. Rump-Münster mit Kollation von E. Ranke aus der Nordkirchener Hs. zur Verfügung. An gedruckten Hilfsmitteln lagen mir vor die Mitteilungen Städtlers und Boerners aus derselben Quelle. Städtler hat in der 2. Aufl. seiner Uebersetzung von Montalemberts Buch (1845, S. CXLV—VIII und S. 568—76) über die Vita viel ausführlicher berichtet, als in der ersten Auflage (1837) S. CXLV—VIII, in den Anmerkungen und S. 589; Boerner handelt von ihr S. 434. 466—72 und 503—6, Huyskens in Qu. Stud. S. 5—7, S. 36. 41 f. und 267. — Die Nordkirchener Hs. des 15. Jh. ist die einzige bisher bekannte Hs. des Mittelalters. Ein Fragment der Vita von vier Blättern schien mir in der Sammelhs. 7483—86 der Königl. Bibliothek zu Brüssel an letzter 60. Stelle geboten zu sein.

So nahe es aber zu liegen scheint, dass die gelieferte Abschrift treu und vollständig war, so wäre das Gegenteil doch auch sehr begreiflich, denn bei dem ausserordentlich

---

Diese Hs. unbekannten Ursprungs stammt aus dem 13. Jh. Dass es sich um die Vita des Caesarius handle, schloss ich aus den Angaben in Pertz' Archiv VIII, 504 über die Anfangsworte und aus denjenigen des Catalogus codicum hagiograph. bibl. reg. Bruxell. I, 2, p. 59 und 65 über Inhalt und Form der handschriftlichen Vita. Diese Annahme bewährte sich allerdings nur zum kleinen Teil. Nach den überaus gütigen ausführlichen Mitteilungen, welche mir auf meine Bitte der Bollandist A. Poncelet aus der Hs. machte, handelt es sich in Wahrheit um eine Reihe aus der Vita des Caesarius, den Dicta und dem Briefe Konrads von Marburg entlehnter liturgischer Lektionen — im Ganzen acht, bezw. eine sich dann anschliessende Erzählung. Von den zwei ersten Lektionen schreibt mir Poncelet, dass sie den Text des Caesarius wörtlich und vollständig wiedergeben (= Huyskens' gleich zu erwähnender Edition S. 18, Z. 7 von oben — 19, Z. 7 von oben); die weiteren Lektionen folgen nach den mir mitgeteilten Anfangs- und Schlussstellen ebenso wie dann die Erzählung vielmehr den beiden anderen Quellen. Immerhin wäre für eine Edition der Caesarius-Vita diese alte Hs. zu beachten gewesen. Sie ist Huyskens, der inzwischen im Oktober 1908 'Des Caesarius von Heisterbach Schriften über die hl. Elisabeth von Thüringen' in den Annalen des histor. Vereins für den Niederrhein, Heft 86, S. 1—59 herausgegeben hat, entgangen. Wenn ich in meiner Besprechung seiner Ausgabe in der Zeitschr. f. hess. Gesch. XLII, 178 sagte, dass jene Hs. des 13. Jh. 'Teile der Vita des Caesarius in wörtlich gleicher, andere in verkürzter und veränderter Fassung enthalte', so hatte ich dies bezüglich der 'anderen' soeben zu berichtigen. Dagegen kann ich hier jetzt noch eine andere ältere Hs. anführen, welche Teile der Vita des Caesarius bietet. A. Poncelet war so gütig mich dafür auf Analecta Bollandiana V, 338 zu verweisen, wo eine, zahlreiche (74) Heiligenleben enthaltende, Hs. des 14. Jh. aus St. Trond, gegenwärtig n. 58 der Lütticher Universitätsbibliothek, beschrieben ist. Auf fünf Blättern stehen dort von der Vita S. Elisabeth viduae: 'capitula quaedam eaque mutila desumpta ex Vita auctore fratre Caesario in Valle S. Petri sacerdote et monacho et dicata Ulrico priori domus Teutonicae in Marburg'. Nach gütiger Auskunft des Lütticher Bibliothekars J. Brassinne setzt das Fragment ein mit den Worten 'Erat beata Elyzabeth filia regis Hungarie qui nuper mortuus est' (= Huysk. S. 18) und schliesst mit einem Satze der Conclusio der Dicta über das Oelwunder 'nam gutte . . . . eisque decidentibus vel abstersis alie paulatim renascuntur'. Es handelt sich also auch um eine Auslese aus mehreren Schriften. Es ist seltsam, dass Huyskens S. 2 mir geringschätzige Behandlung der Caesarius-Schriften nachsagt, obwohl er aus Boerner S. 434 ersehen konnte, dass ich eben diesen, meinen Schüler, auf dessen Arbeit ich später den Einfluss verlor, (im Jahre 1883 oder 84) zu eingehender Beschäftigung mit dem Inhalt der Nordkirchener Hs. veranlasst habe. Boerners Urteil (S. 471) über die Vita des Caesarius klingt wesentlich anders als in Huyskens' Wiedergabe (S. 2). Huyskens hätte bei seiner neuen hohen Einschätzung des Caesarius seine eigenen Urteile (Qu. St. S. 7 u. 41 f.) zurücknehmen sollen. Dass ich auf Grund seiner 'Quellenstudien' gegeben hätte, was ich jetzt im Anhang meines Elisabethvortrags S. 43 f. zu 'richtiger Würdigung' (so sagt Huyskens) des Caesarius gesagt habe, 'ohne dieses neue Urteil als Entlehnung zu kennzeichnen',

starken Eindruck der neuen Heiligen auf weite Kreise sind an die Schreibstube des Marburger Deutschordenshauses im Jahre 1236 gewiss sehr hohe Anforderungen gestellt worden[1]. Ein Kölner Chronist, der im Jahre 1238 seine wertvollen Aufzeichnungen beschloss, erzählt im Anschluss an seinen Bericht über die Erhebung der Gebeine Elisabeths am 1. Mai 1236, dass die Brüder des Marburger Hospitals von dem Oele, das aus dem heiligen Körper floss, an die frommen Männer, welche Kirchen und Altäre zu Ehren Elisabeths errichten wollten, gewissenhaft und sorgfältig mitgeteilt hätten. Er fügt hinzu, über ihr lobenswertes Leben und ihre Tugenden sei eine besondere Geschichte ('historia') abgefasst worden[2]. Ob er damit schon das Buch des geborenen Kölner Caesarius, das vor Mitte des Jahres 1237 vollendet sein muss, gemeint hat, oder dessen Quelle, die Dicta, die von Caesarius aus einer 'conversationis formula' hatten in eine 'historia' verwandelt werden sollen, ist eine Frage, über die ich ebenso wenig wie Georg Waitz in der Ausgabe der Kölner Königschronik entscheiden möchte. Jedenfalls gab es in den Maitagen des Jahres 1236 in Marburg neben dem wunderbaren Oel nur erst die Dicta zu holen, noch nicht die erst nachher bestellte Biographie des Caesarius, die auch später nach der Zahl der erhaltenen Hss. eine sehr geringe Verbreitung und recht wenig Benutzung gefunden hat. So wird man die Dicta, von denen viel mehr Hss. zum Vorschein gekommen sind, die den Historikern, z. B. sehr bald dem Dominikaner Vincenz von Beauvais[3], und den späteren Biographen als Quelle

---

m. a. W. den ziemlich deutlichen Vorwurf des Plagiats wird, wer sich die Mühe der Vergleichung nehmen will, leicht als gänzlich grundlos erkennen. Städtler, dessen Buch vor allem meine Quelle neben der Hs. war, hat übrigens seine Mitteilungen nach Kapiteln angeführt. Die Vita ist durch ausgemalte Anfangsbuchstaben tatsächlich in Kapitel (30 an Zahl) gegliedert, und es ist u. A. für die Auffindung der von Huyskens in der Einleitung besprochenen Stellen recht ärgerlich, dass Huyskens diese Kapitelzählung nicht von seinem Vorgänger übernommen und zur Verweisung benutzt hat. Ich werde im Folgenden, da ich öfters auf Caesarius und so manche unrichtige Behauptung von Huyskens zurückzukommen haben werde, auf Kapitel und Druckseiten verweisen. 1) Ueber die Anziehungskraft Marburgs als Pilgerstätte in den ersten Jahren und Jahrzehnten verwies ich im Elisabethvortrag Anm. 33 zu S. 27 auf Alberich von Troisfontaines (MG. SS. XXIII, 939, 13) und auf mehrere Auslassungen Bertholds von Regensburg. Ich füge hinzu: Richeri Gesta Senon. ecclesiae, MG. SS. XXV, 319, 50. 2) Chron. regia Coloniensis rec. G. Waitz (1880) p. 268. 3) Im Speculum historiale l. XXX, c. 136 und zwar mit wörtlicher Benutzung der längeren Rezension, z. B. für die üblen Küchenerlebnisse Elisabeths, die in der kürzeren Rezension übergangen sind (Mencke II, 2030 A. B, vgl. oben S. 438, Anm. 2).

gedient haben, gleich damals vielfältig in Abschrift verlangt haben, und begreiflicher Weise hat man in der Marburger Schreibstube unter diesen Umständen rasche und schlechte Arbeit geliefert. Der Schreiber, der einen Auftrag von so und so viel Abschriften vor Augen hatte, mochte bei Herstellung der ersten Abschrift, die andern als Vorlage dienen sollte, auf Abkürzung der Arbeit für sich und seine Genossen bedacht gewesen sein.

Die oben erörterte Ineinanderschiebung der Aussagen Irmgards und Elisabeths, welche Caesarius von seiner Vorlage übernahm, ist auch Boerner aufgefallen[1]. Da er diese Vorlage, die kürzere Rezension der Dicta, noch nicht kannte, so nahm er an, dass Caesarius eine Umstellung vorgenommen habe, um die Parallelberichte der Elisabeth und Irmgard über die Pflege des kranken Knaben (beide H. S. 128) zusammenzurücken. Jetzt erweist sich der Hergang vielmehr so: Caesarius hatte in Kapite 121 seiner Biographie S. 40 angefangen, die Aussage Elisabeths mit wenig veränderten Worten wiederzugeben, ihre Schilderung der Tätigkeit der Landgräfin im Marburger Hospital und insbesondere der Pflege jenes Knaben. Nun stiess er auf die Aussage Irmgards. Da war nach den üblichen Eingangsformeln zuerst ähnlich, aber doch wieder anders als von ihrer Kollegin die Tätigkeit der fürstlichen Diakonissin im allgemeinen geschildert, mit manchen neuen Einzelheiten.

---

1) S. 467 bes. Anm. 8. Huyskens S. 2 f. hat den Arbeiten von Boerner und Mielke einen erheblichen Vorwurf daraus gemacht, dass ihre Verfasser nicht gleich umfassende Hss.-Forschungen angestellt hätten wie er. Beide Arbeiten sind von Studenten unternommen. Wo aber kämen wir hin, wenn diese immer nach Huyskens' Vorschrift verführen! Und doch haben beide junge Forscher anerkanntermassen sehr nützliche Ergebnisse erzielt. Wenn Huyskens das grimmige Schlussurteil eines polemischen Aufsatzes von E. Michael über jene Abhandlungen abdruckte, so hätte er doch auch bemerken sollen, wie vielfältigen Gebrauch Michael in seiner Geschichte des deutschen Volks im 13. Jh. Bd. II kurz nachher zu seinem Vorteil von eben diesen Arbeiten machte. Huyskens hat Michael einseitig hochgestellt, so wenig dieser sich in die neuere Auffassung des Verhältnisses der legendarischen und historischen Quellen in der Cronica Reinhardsbrunnensis eingelebt hat. Michaels positive Ergebnisse, von denen Huyskens gerade recht weit abweicht, hat er mit keinem Worte angedeutet. Er hat ferner Montalembert gefeiert (S. 3 f. und noch viel mehr in den Histor. polit. Bl. 1907 S. 727), ohne den gänzlichen Mangel jeder Quellenkritik bei ihm zu kennzeichnen. Dem gegenüber hat er die 'Achtung vor dem Vordermann' auf protestantischer Seite an denselben Stellen keineswegs genügend gewahrt. Uebrigens beweist sein Buch, dass auch einem rührigen Hss.-Forscher wie Huyskens, wenn er seine Funde überschätzt, in Wahrheit 'der sichere Boden' fehlen kann, von dem aus er aburteilen zu dürfen meinte.

Caesarius, der seinen Vorlagen treulich zu folgen gewohnt war, übernahm die Formeln und den Bericht. Als er nun aber die Erzählung Irmgards von dem Knaben ebenfalls wiedergeben sollte, hatte er eine Regung seines ästhetischen Gewissens gegen die Wiederholung zu überwinden. Er fand sich ab mit der Wendung: 'Recitavit et alia quedam magne nimie misericordie opera ab Elyzabeth (der Zeugin) superius dicta, que replicare superfluum non est, ut in ore duorum aut trium testium stet omne verbum'. Nachdem er so aus der Not eine Tugend gemacht hatte, gab er die Erzählung Irmgards über die Pflege des Knaben mit ihren reicheren Einzelheiten wieder. Wie er dann zu dem neuen Wechsel der Aussage, von Irmgard auf Elisabeth, kam, genügte ihm die knappe Einführung in seiner Vorlage — begreiflicher Weise — nicht. Hatte diese statt des für sie unmöglichen Textes der längeren Rezension, welche immer bei der Aussage Elisabeths geblieben war, (Mencke II, 2024 B): 'Item eadem Elyzabeth iurata dixit' gesagt (H. S. 138): 'Item Elizabeth, ancilla beate Elizabet, iurata dixit', so vermittelte Caesarius besser den neuen Wechsel mit den Worten (Kap. 24, S. 42): 'Predicta Elyzabeth, ancilla beate Elyzabeth, iurata dixit'. Wenn dann seine Vorlage den Wortlaut der Aussage Irmgards einfach da wiederaufnahm, wo sie früher abgebrochen hatte, mit den Worten der längeren Rezension also, ohne den Wechsel zu markieren ('Item Irmingardis dixit'), so schrieb Caesarius wieder besser vermittelnd zu Anfang von Kap. 27 (S. 45) 'Irmingardis, cuius superius mencionem fecimus, testatur ... et hoc'). Aus allem ergibt sich: Caesarius hat an der wunderlichen Anordnung seiner Vorlage Anstoss genommen, er würde, wenn er die Wahl gehabt hätte, ohne Zweifel die längere Rezension vorgezogen haben. Gegenüber einer schweren Auslassungssünde seiner Vorlage, die sich doch leicht erklären wird — sie betrifft die Gründung des Marburger Hospitals (H. S. 125 mit Anm. b) — hat Caesarius (Kap. 18, S. 38) aus eigener Anschauung die Lücke ergänzt. Wie ist nun jene sonderbare Anordnung der kürzeren Rezension, deren Abhängigkeit von der längeren durch Einzelvergleichung natürlich noch weiter zu erweisen sein wird, entstanden? An eine absichtliche Verschiebung kann ich schlechterdings nicht glauben. Das Ergebnis, die andere Stellung der Texte, ist so wenig befriedigend, dass ich nur einen unglücklichen Zufall, eine Verschiebung der Bogenlagen, in der Eile des Abschreibens geschehen, als die Ursache annehmen kann. Als sie der Abschreiber dann erkannte, hat er baldmöglichst das vorher übergangene Stück der grossen Aussage Elisabeths über die Lebensführung der Landgräfin nachgetragen und so den mehrfachen Wechsel der Zeuginnen herbeigeführt. Zu der gleichen Auffassung scheint K. Hampe (in dieser Zeitschr. XXII, 677) gekommen zu sein, wenn er als das Ergebnis seiner Vergleichung der Cheltenhamer Hs. (der kürzeren Rezension) mit dem Texte Menckes eine 'Verschiebung' in der Aussage der Magd Elisabeth feststellte.

Ich gehe dazu über, die Besonderheiten der beiden Rezensionen zu erörtern. Huyskens hat als Editor ihre Vergleichung nicht erleichtert. Er hat uns vorenthalten, was die Herausgeber regelmässig zu gewähren pflegen, wenn ihnen eine Schrift in mehreren stärker abweichenden Texten von nahezu gleichzeitiger Entstehung vorliegt[1]. Den Abdruck der Abweichungen der längeren Rezension, der angeblichen Bearbeitung durch einen Pilger Nikolaus aus dem Hennegau, hatte Huyskens geben wollen (S. 50, N. 2), aber dann hat er, ohne auf jene Zusage Bezug zu nehmen, S. 110 erklärt, er sehe von einer fortlaufenden Anführung der Abweichungen des Nikolaus ab, da im grossen Menckes Druck genüge, nur in einzelnen Fällen werde er seinen Text in der Anmerkung wiedergeben. Er hat es in sechs Fällen getan, in zwölf anderen Fällen, wenn ich die Plusstellen der längeren Rezension richtig gezählt habe, unterlassen. Einen Grund für dieses sonderbare eklektische Verfahren gibt er nicht an. Die Eiligkeit seiner Arbeit wird die Schuld tragen. Unbegründet und guter Uebung widersprechend ist auch die Teilung der Ueberschau über die angeblichen Zutaten des vermeintlichen Nikolaus in zwei Hälften: auf S. 53 und S. 67. Dazwischen hinein hat H. seine Hypothese der Vertreibung Elisabeths von Schloss Marburg gesetzt, weil er sie durch die Annahme eines Zusatzes des Nikolaus begründen möchte. So sprengt er den Zusammenhang jener durchaus hypothetischen Erörterungen, die er übrigens in recht leichtgeschürzter Fassung vorträgt, durch den Aufbau einer neuen höchst wunderlichen Hypothese, für die er dann bald mit Ueberzeugung eintritt.

Halten wir uns — ohne jede Lieblingsvorstellnng — an die Vergleichung der beiden Rezensionen mit der Absicht, zu

---

1) Die längere Rezension soll ja nach H. S. 67 noch bei Lebzeiten Gregors IX. († 22. Aug. 1241) abgefasst sein.

erkennen, ob wir im einzelnen Falle in den grösseren Textabweichungen einen Zusatz der längeren oder eine Auslassung der kürzeren Rezension anzunehmen haben. Für die Fassung der längeren Rezension stütze ich mich auf den von Mencke wiedergegebenen Text der Leipziger Hs., auf die Breslauer Hs. I. Q. 126 (XV. saec.) und auf den Wortlaut der Vita Elisabeths von Dietrich von Apolda, welchem die längere Rezension vorgelegen hat. Unter sich sind die drei Ueberlieferungen unabhängig[1]. Um die Uebersicht nicht zu erschweren, will ich die Plusstellen der kürzeren Rezension nicht in dieselbe Reihe eingliedern. Ich stelle die leitenden Gesichtspunkte voran. Wir haben zu prüfen: 1) bei einigen Stellen von geringfügigem Plus oder Minus, ob die Annahme absichtlicher Kürzung näher liegt oder die eines Zusatzes? 2) ob die fragliche Mitteilung Material enthält, das für den Heiligsprechungsprozess notwendig war und nicht weggedacht werden kann, oder ob eine spätere Zusetzung aus einer naheliegenden Tendenz angenommen werden muss? 3) ob die Gewährschaft für die bezüglichen Mitteilungen mit grosser Wahrscheinlichkeit bei den Frauen oder bei einem fremden Pilger, der nur aus dem Gerede der Leute seine Kunde ziehen konnte, zu suchen ist? 4) ob die Mitteilung insbesondere lokale Kenntnis der Wartburg und ihrer Umgebung voraussetzt, wie wir solche bei den Genossinnen Elisabeths, aber nicht bei dem landfremden Manne (Nikolaus) voraussetzen dürfen, 5) ob das Fehlen der betr. Mitteilung in dem Zusammenhang des Lebensberichtes der Dicta eine merkliche sachliche Lücke lässt, bezw. ob die Annahme eines späteren Zusatzes

---

1) Ueber die Leipziger Hs. vgl. Huyskens, Qu. St. S. 21 und 73. Die Breslauer Hs. I. Q. 126, welche aus der Bibliothek des Kollegiatstifts zu Glogau stammt, ist kurz beschrieben in Pertz' Archiv XI, 701, doch sind die angeblich in dem Band Bl. 137 f. und 143 f. enthaltenen Viten Elisabeths vielmehr Viten Katharinas von Alexandrien. Unter dem Titel 'Vita et mors beate Elisabeth' steht Bl. 225a — 245 alles, was Mencke II, 2007 — 34 aus der Leipziger Hs., allerdings mit Kürzung des Prologs und Epilogs der Dicta, gedruckt hat. Es folgt Bl. 245a — 252a die Vita Elisabeths der Legenda Aurea Jakobs de Varagine (ed. Grässe p. 753 sqq.). — Die Leipziger Hs. hat gegenüber der Breslauer Hs. und Dietrichs von Apolda Vita, die an den bezüglichen Stellen mit der kürzeren Rezension übereinstimmen, einige kleine Auslassungen: Mencke II, 2017C 'pluries' nach 'diebus' und 2017D 'velo capitis sui vultus' nach 'detergens'. Dietrich von Apolda weicht von beiden Hss. ab durch Auslassung der vier in den Dicta gegebenen Bibelzitate, ferner der im Text besprochenen drei kleineren und grösseren Plusstellen der längeren Rezension bei Mencke 2018D. 2023C und 2030A. B. An Ableitung der Leipziger Hs. aus der Breslauer ist wegen der dieser eigentümlichen Fehler nicht zu denken.

durch die Beobachtung vorhandener Unstimmigkeiten zwischen Altem und Neuem nahe gelegt wird, 6) ob der Schreiber der kürzeren Rezension etwa durch schnelle Wiederkehr derselben Wortgruppe oder des gleichen Wortes in seiner Vorlage mit Wahrscheinlichkeit zu abirrender Auslassung gelangt ist, oder ob in den angeblichen Zusätzen ein stilistischer Unterschied gegenüber dem älteren Bestand bemerkbar ist und dadurch die Annahme der Niederschrift durch denselben Verfasser unwahrscheinlich gemacht wird?

Häufig werden begreiflicher Weise mehrere der angedeuteten Gesichtspunkte gleichzeitig in Geltung treten. Im ganzen wird die einfachste Erklärung stets den Vorzug verdienen. Billiger Weise wird man nicht in jedem einzelnen Falle einen durchschlagenden Beweis für die von mir vertretene Auffassung erwarten.

Ich beginne mit der Vorführung kleiner Zwischensätze, welche in der kürzeren Rezension fehlen, ohne dass dort eine merkliche Lücke zu empfinden wäre, während der vollere Wortlaut der längeren Rezension den Gedanken abrundet und verständlicher macht, ohne dass sich die Annahme einer Glosse aufdrängt. Die durchschossen gedruckten Worte bilden das Plus der längeren Rezension.

1) Mencke II, 2018 D (H. S. 121) setzt sich Elisabeth zu den Aussätzigen 'consolans et exhortans eos ad patientiam, ut carnis afflictio cederet eis ad meritum, nec plus horrebat eos quam sanos'.

2) Mencke II, 2022 B (H. S. 125): die Grossen des Landes bereiten Elisabeth in der Marburger Hospitalzeit allerlei Schimpf 'stultam eam reputantes et insanam, quia divitias mundi abiciebat, insultantes et infamantes eam multipliciter' (Caesarius c. 18, S. 38, der in seiner Vorlage die durchschossenen Worte nicht las und die ununterbrochene Aufeinanderfolge der vier Participia Praesentis unschön fand, schloss den Satz mit den Worten 'stultam et insanam illam reputantes').

3) Mencke II, 2028 D (H. S. 130): Elisabeth zum Baden gedrängt steckt nur einen Fuss in das Badegefäss 'et subito de doleo exivit corpori suo tantum commodi nolens impendere, ut balnearetur'. (Caesarius c. 23, S. 42 hatte die Erzählung eingeleitet mit den Worten: 'Et erat in tribulacione gaudens et de commodo corporis nil curans').

Man wird, wenn die Neigung zur Kürzung weiterhin hervortreten sollte, geneigt sein anzunehmen, dass diese

Motivierungen der ursprünglichen Niederschrift eigen seien, ebenso wie

4) die Worte bei Mencke II, 2016 oben (H. S. 117) in 'publico se hylarem exhibens et iocundam', mit denen ausgedrückt werden sollte, dass Elisabeth durch die Geisselungen, denen sie sich unterzog, nicht ihre Heiterkeit einbüsste.

Gehen wir an zweiter Stelle über zur Betrachtung einiger Ausführungen, die m. E. als unentbehrlicher Hausrat der Kanonisationsakten anzusehen sind und deshalb den Dicta ursprünglich eigen sein müssen.

Wiederholt schon erörtert hat man die Mitteilung Gudas bezw. Isentruds über die Anfeindungen und Verunglimpfungen, welche Elisabeth in ihrer Kindheit und später am thüringischen Hofe zu leiden hatte (vgl. Huyskens S. 53 und die dort angeführte Literatur), Mencke II, 2013 B (H. S. 113a) und 2023 CD. Nach meinem Dafürhalten ist es für unsere Erörterung fast gleichgültig, wieviel man davon für historische Wahrheit halten will — ich will aber aussprechen, dass ich geneigt bin, an Reibungen zwischen den ungarischen Begleitern Elisabeths und dem thüringischen Hofgesinde zu glauben (vgl. meinen Elisabethvortrag S. 4), und möchte es auch keineswegs für ausgeschlossen halten, dass von manchen Höflingen die Meinung vertreten wurde, der Sohn Landgraf Hermanns I., der die landgräfliche Kasse dereinst recht geleert finden werde, werde besser tun, eine Frau mit reicherer Mitgift zu heiraten, als Elisabeth mitgebracht hatte[1] (Königin Gertrud hatte weiteres versprochen, wurde aber bald ermordet), ferner er werde von der Verbindung mit einem Fürstenhaus der Nachbarschaft ('vicinioribus auxiliis potentum') grösseren Vorteil haben als von dem fernen Ungarnkönig. Rücksendungen fürstlicher Bräute sind ja im Mittelalter so manchmal vorgekommen. Jedenfalls bedurfte man für den Heiligsprechungsprozess den Hinweis auf unschuldiges Leiden. Die Kanonisationsbulle vermerkt denn auch, dass Elisabeth 'attrita persecutionibus et opprobriis extitit lacessita', und noch an vier anderen Stellen als den oben

1) Die Verbesserung Menckes 'pinguiore' (statt 'pignori' seiner, der Leipziger, Hs.) wird bestätigt durch die Lesart der Breslauer Hs.: 'pinguiori'. Dass Huyskens S. 113a mit Unrecht 'pignoris' druckt, hätte ihm auch der Wortlaut bei Dietrich von Apolda I, 6: 'asserentes, quod et dotem pinguiorem et potiora adiutoria posset per filiam cuiuspiam vicinioris principis obtinere', lehren können.

angeführten (H. S. 116. 122. 125b und 125) wird in den Dicta von Verunglimpfungen Elisabeths in verschiedenen Zeiten ihres Lebens berichtet — ganz abgesehen von den Mitteilungen über ihre rauhe Behandlung Seitens Konrads von Marburg —, und weil es nun höchst wunderbar wäre, wenn den Genossinnen Elisabeths dergleichen im Verhör nicht vielfältig und auch für die Kindheits- und Jugendzeit abgefragt worden wäre, so ist es in keiner Weise begründet mit Huyskens S. 53 diese Mitteilungen als 'Hofklatsch' einem Bearbeiter zuschreiben zu wollen[1]. Auch wenn es nichts als solcher gewesen sein sollte, so haben wir ihn viel eher aus dem Munde ihrer Hofdamen, als aus dem eines Pilgers zu erwarten, dem das höfische Leben zu Eisenach und auf der Wartburg fern lag, der nicht mehr für die Kanonisation Elisabeths zu wirken hatte. Ueberdies treten in der kürzeren Rezension an dieser Stelle die Spuren der gewaltsamen Kürzung in einer minder befriedigenden Gedankenverbindung hervor. Nachdem von den frommen Uebungen des Kindes die Rede war, wird über gewisse Gelübde berichtet, mit deren Abgabe und Ausführung Elisabeth eine Entsagung gegenüber modischer Kleidung geübt hat — sie verzichtete an den Festtagen vor der Messe auf gewisse Aermel und gebrauchte an den Sonntagvormittagen keine Handschuhe. Das fällt natürlich erst in die Jugendzeit. Die längere Rezension (Mencke II, 2013 B) fährt entsprechend fort: 'Sic in adolescentia humiliter Deum habuit pre oculis', um dann in den beiden nächsten Sätzen zur Kindheit zurückzubiegen ('In statu autem minoris etatis' und 'In quibus omnibus'). In einem dritten

1) Als von etwas Wesentlichem hat von den Verfolgungen Elisabeths in ihrer Jugendzeit schon Vincenz von Beauvais auf Grund der längeren Rezension der Dicta (H. S. 113a) in seinem kurzen Kapitel über Elisabeth (Spec. hist. l. XXX, c. 136) gehandelt. O. Dobenecker hält in der Zeitschr. f. thüring. Gesch. XXVI, 417 neuerdings im Gegensatz zu mir ('Die Wartburg' S. 699 f.) daran fest, dass dem ungarischen Magister Farcasius, der als Repräsentant des Königs Andreas Jahre lang am thüringischen Hofe lebte, Einwirkung auf Elisabeths Seelenleben zugeschrieben werden müsse. Aber abgesehen davon, dass wir von Farcasius schlechterdings nichts anderes wissen, als dass er unter dem Eindruck von Elisabeths Leben nachmals ihr zu Ehren einen Kirchenbau in der Heimat unternommen hat, ist es doch höchst unwahrscheinlich, dass man am thüringischen Hofe diesem ungarischen Magister breiteren Einfluss auf die Erziehung Elisabeths gewährt und damit die Absicht ihrer Verpflanzung vereitelt habe. Erstrebt mag Farcasius etwa solchen Einfluss haben, erreicht hat er ihn gewiss nicht. Reibungen auch aus diesem Anlass sind denkbar.

Satze ('Cum vero facta esset viri potens et nubilis') und ebenso in einem vierten handelt Guda von den Leiden Elisabeths in ihrer Jugendzeit, vom göttlichen Trost und von der Treue ihres Verlobten. Alle diese vier Sätze (H. S. 113a) fehlen in der kürzeren Rezension. Guda berichtet also hier fast nur über die Kindheitsjahre. Statt der angeführten Worte 'Sic in adolescentia' wird in dem kürzeren Text an das vorherige angeknüpft mit der Wendung 'e t i a m in adolescentia humiliter Deum habens pre oculis'. Mir will dieses 'etiam', da man von dieser Jungfrau wohl mit noch besserem Rechte Frömmigkeit erwarten kann als von dem Kinde, nicht glücklich erscheinen. Ich denke, die nachfolgende Kürzung hat schon hier Einfluss geübt, das 'etiam' ist an die Stelle des 'sic' getreten, weil die auch nach vorwärts deutenden Worte 'sic in adolescentia' bei dem Wegfall der folgenden Sätze mit ihrer Rückkehr in die Kindheitsjahre nicht wohl stehen bleiben konnten. Durch Auslassung der einen und andern hat sich der Abschreiber ein nicht geringes Stück erspart.

Die zweite der zur Erörterung stehenden Ausführungen der längeren Rezension über die unschuldigen Leiden Elisabeths ('Ab infantia vero', Mencke II, 2023 CD), die sich in der Aussage der viel beredteren Isentrud findet, endigt in einem ungenau wiedergegebenen Bibelzitat (nach Joh. 15, 19). Sollte es eine Glosse sein? Nur an drei Stellen der Dicta finden sich Bibelzitate, sämtlich in der Aussage Isentruds, alle nur in der längeren Rezension. Nun ist die Anführung zweier Bibelsprüche an der einen Stelle (Mencke II, 2018 B) wohl mit grosser Sicherheit als ursprüngliches Eigentum Isentruds bezw. ihrer Herrin Elisabeth zu erweisen. Elisabeth fügt der Mahnung zur Arbeit, die sie den von ihr im Hungerjahre 1226 Unterstützten erteilt hat, die Worte hinzu: 'Scriptum est enim "labores manuum tuarum manducabis". Item "qui non laborat, non manducet". Es sind zwei recht frei, also aus dem Gedächtnis, angeführte Bibelworte (Psalm 127, 2 und 2. Thess. 3, 10). Korrekt wiedergegeben stehen sie in der gleichen natürlichen Reihenfolge unmittelbar hintereinander in der sogenannten 1. Regel des Franziskanerordens[1]. Franz von Assisi hat seine Regel Anfang 1221 von dem gelehrten Bruder Caesarius von Speyer mit Bibelsprüchen schmücken lassen, Caesarius, der im Orden nächst dem

1) Regula 1, c. 7. H. Böhmer, Analekten zur Geschichte des Franciscus von Assisi (1904) S. 7, 17 f.

Gründer am höchsten verehrt wurde, hat gegen Ende desselben Jahres den Bruder Rüdiger in den Orden aufgenommen. Dieser ist einige Jahre später, vielleicht erst 1225, geistlicher Berater unserer Landgräfin Elisabeth geworden[1]. An diese Tatsache knüpfte ich die folgende Erwägung: da die erste Regel von 1221 mit ihrer Betonung der Arbeit durch die regula bullata vom Jahre 1223, welche vielmehr den Bettel voranstellte, ausser Geltung gesetzt wurde, und für die Verbreitung der älteren Regel mit ihren Bibelsprüchen von Ordenswegen dann nichts mehr geschehen ist, da auch die Bibelsprüche in den Dicta so ungenau wiedergegeben sind, so ist es böcht unwahrscheinlich, dass in der zweiten Hälfte der dreissiger Jahre ein Bearbeiter die Dicta an dieser Stelle nach schriftlicher Vorlage, nach der ersten Regel oder gar nach den beiden Büchern der Vulgata interpoliert habe; ausser Berechnung bleibt von Rechtswegen auch die Annahme des seltsamen Zufalls, dass ein Interpolator die beiden Sprüche als der Lage entsprechend aus seinem Gedächtnis eingesetzt habe, vielmehr ist das Wahrscheinliche: Elisabeth hat jene Bibelworte, die ihr durch Rüdiger nahegebracht worden waren, erst das alttestamentliche, dann das paulinische wirklich den Leuten, die sie zur Arbeit mahnte, zugerufen, sie bilden also einen ursprünglichen Bestandteil der Aussage Isentruds und sind von dem Schreiber der kürzeren Rezension ausgelassen worden. Liess er aber die biblischen Zitate an dieser Stelle aus, dürfen wir ihm dann nicht schuld geben, dass er ebenso an der oben berührten Stelle (Mencke II, 2023 CD) und an einer dritten mit Bibelspruch geschmückten (Mencke II, 2020 D, H. S. 123 a mit Zitat aus 2. Cor. 12, 7) eine Auslassung vorgenommen habe?[2] An diesen beiden

---

1) Diese Tatsachen werden alle von Jordan von Giano berichtet, dessen Denkwürdigkeiten wir nun in der neuen schönen Ausgabe Heinrich Böhmers besitzen: Cronica fratris Iordani, Paris 1908 (Collection d'études et de documents VI), cap. 9. 15. 25. 31. Böhmer S. 29 stellt als deutsche Namensform 'Rüdiger' statt 'Rodeger' fest. — Vgl. auch Anm. 13 meines Elisabethvortrags S. 50. 2) An der dritten Stelle handelt es sich nach vorgängigem Bericht über zwei Visionen Elisabeths an einem Tag in der Fastenzeit des Jahres 1228 darum, dass Elisabeth häufiger bei Tag und bei Nacht Visionen hatte. Dass sie öfter in Ekstase versetzt war, bezeugt auch die Conclusio bei Mencke II, 2032 BC und Konrad von Marburg (H. 159). Schon in meinem Elisabethvortrag (S. 29) habe ich ausgesprochen, dass man bei einer Heiligen des 13. Jh. Visionen vermissen würde, wenn sie nicht berichtet wären. Dem beiden Rezensionen gemeinsamen Text liegt übrigens dieselbe Anschauung zu Grunde wie dem angeblichen Zusatz, dass nämlich Elisabeth in demütiger

Stellen wird nichts wesentlich neues berichtet, sie sind dem Abschreiber vielleicht schon wegen der Bibelzitate als unnötiger Weitschweifigkeit verdächtig erschienen, so hat er sie in seiner eiligen Arbeit gleich völlig weggelassen.

Schneller können wir mit einer anderen dritten Gruppe von Stellen, die entweder als Auslassungen oder als Zusätze anzusehen sind, abrechnen. Den sechs zu erörternden Stellen ist gemeinsam, dass jeder Unbefangene durch ihre Ausführungen ganz unbedingt auf die Frauen Elisabeths als die Berichterstatterinnen verwiesen wird, vier davon setzen geradezu den besonderen weiblichen Interessenkreis voraus. Nur zwei hat Huyskens (S. 117 und 126) unter dem Strich seines Textes zum Abdruck gebracht; zusammengeordnet würden diese sechs Stellen allein eine Spalte von Menckes Ausgabe, in welcher die Dicta achtzehn Spalten einnehmen, ausfüllen. Es ist also eine recht stattliche Masse, deren Weglassung einen eiligen Abschreiber wohl fördern konnte. Ich spreche zunächst von der Mitteilung Isentruds (H. S. 117a, Mencke II, 2016 A) über die Neigung und Gewohnheit Elisabeths, in Abwesenheit ihres Gatten sich alles weiblichen Putzes zu enthalten, bei seiner Rückkehr aber sich festlich zu schmücken, damit sie ihm nicht missfalle und keine andere ihm mehr als sie gefalle. Wer konnte darüber besser Bescheid wissen als ihre Hofdamen? Der Inhalt dieser angeblichen Einschiebung passt auch vortrefflich zu der nachfolgenden, beiden Rezensionen gemeinsamen, Mahnung Elisabeths an Frauen des Weltlebens, sich des einen oder anderen eitlen Putzes oder eitlen Tuns zu enthalten. Wenn dieser Inhalt nach H. S. 53 'nicht des poetischen Reizes entbehrt, (aber) der Kritik zum Opfer fallen muss', so denken wir anders: der Wunsch des Abschreibers zu kürzen war grösser als sein Interesse für die oberflächlich von ihm angesehenen Toilettengewohnheiten Elisabeths. — Aehnlich ist es, wenn er (gegenüber Mencke II, 2022 A) auf die Aufzählung von Elisabeths Gerade, der kostbaren Gefässe, Decken, Schmuckgegenstände verzichtet, wenn er die ausführlichen Erzählungen beider Dienerinnen, Elisabeths und Irmgards, (Mencke II, 2024 AB und 2030 AB) über die geringen Küchenkünste Elisabeths zur Seite gelassen hat.

Zurückhaltung sich scheute, ihre Visionen zu offenbaren. Gegen die Anmerkung von Huyskens S. 53 ist auf Mielkes Dissertation S. 71 zu verweisen, wegen der beiden Visionen jenes Tags in der Fastenzeit 1228 unten auf S. 463, Anm. 1.

Sie sind von einer packenden Anschaulichkeit der Darstellung; den Worten Irmgards folgend könnte ein Maler, der bei den Niederländern in die Schule gegangen wäre, eine Reihe höchst drastischer Bilder gestalten, bei der Dienerin Elisabeth tritt mehr die schmerzliche Erinnerung an die schlecht zubereiteten und angebrannten Speisen hervor — und alles dies scheint Huyskens (S. 67) 'frommes Pilgergespräch' zu sein![1] Ueber die Notwendigkeit, solche Dinge der Legende dauernd einzuverleiben, konnte man ja verschiedener Meinung sein — Vincenz von Beauvais hat diesen Küchengeschichten im Anschluss an Irmgards Aussage stattlichen Raum, etwa ein Siebentel des Elisabeth betreffenden Kapitels seines Geschichtsspiegels, eingeräumt, eine Cantate zu Ehren von Elisabeth hat drastisch auf sie angespielt (E. Ranke, Chorgesänge S. 12), Dietrich von Apolda dagegen hat sich mit Benutzung der bezüglichen kürzeren Aussage der Dienerin Elisabeth begnügt — ein moderner Forscher aber hätte nicht zweifeln dürfen, dass hier echtes ursprüngliches Gut aus dem Verhör der Dienerinnen vorliege. — Die Ausführungen Isentruds an einer weiteren Stelle (Mencke col. 2023 BC) über die hingebungsvolle Liebestätigkeit Elisabeths gegen Kranke und Arme, über die Einschränkungen, welche ihr Konrad von Marburg auferlegte — er hat sie uns selbst auch bezeugt (H. S. 158 f.) — und über Elisabeths schmerzliche Entsagung hat Huyskens unter den Lücken seiner Rezension nicht angeführt. Der Charakter der Dicta, welche viele Einzelheiten an einander reihen, bringt es mit sich, dass ein ähnlicher Gedanke unmittelbar vor und am Schluss dieser Plusstelle auftritt, und so das folgende sich trotz der Auslassung gut an das vorausgehende fügt. — Wenn an der zuletzt besprochenen Stelle Isentrud als vertraute Freundin 'nobilis femina plus reliquis pedissequis ei familiaris', 'ei predilecta' (H. S. 123 und 126) über die Empfindungen Elisabeths berichtet, so treffen wir gleiche vertrauliche Aeusserungen auch an einer andern gleich zu erörternden Stelle (H. S. 126 a) von Isentruds Aussage, die aus mehr als einem Grunde sehr wichtig ist. Warum auch sie dem Kürzungseifer des Abschreibers zum Opfer fiel, ist schwer zu sagen — er hat sich in den letzten Partien der Aussage Isentruds in ganz ungewöhnlich starkem Masse

---

1) Zum mindesten hätte Huyskens erwähnen müssen, dass auch der Brief Konrads von Marburg die Tätigkeit Elisabeths in der Hospitalküche berührt: H. S. 158 Mitte der Seite.

geltend gemacht. Zweifellos aber ist wohl, dass der hier zu Grunde liegende Einblick in mehrere Briefe Papst Gregors IX., des verständnisvollen Freundes und Beraters franziskanisch gesinnter Frauen, an die verwitwete Landgräfin wohl ihrer lieben Freundin Isentrud, aber nicht einem beliebigen Pilger aus dem Hennegau, der etwa ein Lustrum nach Elisabeths Tode nach Marburg kam, zugestanden hat[1].

---

1) Huyskens erklärt die Stelle als besonderer Aufmerksamkeit würdig u. a. wegen des Briefes Papst Gregors IX. an Elisabeth, den ich im November 1907 in der Monatsschrift 'Hochland' in Autotypie und Transskription veröffentlicht habe. Nikolaus habe offenbar die Briefe des Papstes gekannt. Den Widerspruch zwischen den Angaben von Huyskens auf S. 67, Anm. 1, S. 76, Anm. 3 und derjenigen auf S. 267 über die (angebliche) Veröffentlichung dieses Briefes durch R. Forrer und über die (tatsächliche) Veröffentlichung durch mich wird der Leser empfinden, ohne ihn sich erklären zu können. Die Quelle von H.'s Irrtum dürfte das populäre Schriftchen des Eisenacher Gymnasiallehrers Dr. G. Kühn, Elisabeth, die Heilige, Eisenach 1907, S. 19 sein. Der Verfasser spricht, ohne Zweifel nach Hörensagen, in einem Zitat völlig gleichen Wortlautes wie Huyskens von einem 'Facsimile eines Briefes Papst Gregors an Elisabeth bei R. Forrer, Unedierte Miniaturen etc. des Mittelalters, Strassburg 1907, Tafel VIII'. Gemeint ist Bd. II dieser Publikation. In Wahrheit hat Forrer nur in dem begleitenden Text den Brief kurz erwähnt. Viel später hat er mir die erbetene Erlaubnis zur Veröffentlichung erteilt. Nach Fertigstellung des vorausstehenden Textes bin ich ganz zufällig auf eine zweite Ueberlieferung dieses Papstbriefes aufmerksam geworden. Sie findet sich in der Hs. 392a (15. Jh.) der Universitätsbibliothek zu Freiburg i. Br., welche mir gütigst zur Benutzung überlassen wurde, auf Blatt 235[r] und 235[v]. Die Abschrift ist sehr korrekt, es ergeben sich gegenüber den Lesungen des von mir herausgegebenen Blattes mehrere Verbesserungen. Ich werde in einer folgenden Abhandlung mit anderen Quellenstücken auch diesen Brief wieder mitteilen. Dass nach den letzten Worten beider Abschriften 'tribulacionibus invocare' in der Freiburger Hs. ein schwarzer und zwei rote Querstriche auf der Zeile folgen, könnte andeuten, dass dieser Abschreiber den Schluss und die Datierung seiner Vorlage wegliess. Wir kennen ihn mit Namen: Auf Blatt 236[r] folgen 'Varia de S. Elisabetha', und zwar 1) sonst bekannte annalistische Notizen des Marburger Deutschordenshauses (= Wyss, Hess. UB. I, 486, Z. 36 — 487, Z. 8, in etwas veränderter Fassung und Reihenfolge) und 2) eine Antiphonie auf Elisabeth, deren ich weiter unten in Kapitel 4 zu gedenken haben werde. Darunter steht von derselben Hand: 'Rescripta sunt hec a me fratre Conrado Schemel ordinis sancti Iohannis eyhang[eliste] in Marburg tempore peregrinationis mee anno MCCCCXCV[o]'. Die Worte 'fratre' und 'Schemel' sind von derselben Hand über der Zeile eingefügt worden, hinter Schemel die Worte 'ordinis — eyhang' (= evangeliste) von einer anderen alten Hand mit schwärzerer Tinte. Wir erhalten also Lesefrüchte eines Marburger Pilgers vom Jahre 1495, von dem übrigens noch manches andere in der merkwürdigen Sammelhs. stammt. Eine ausführliche Beschreibung derselben lieferte Herm. Fischer, Beiträge zur Literatur der Sieben weisen Meister. I. Die handschriftliche Ueberlieferung der Historia septem

Dem was die Frauen Elisabeths allein berichten konnten auf Grund ihres weiblichen Interesses, ihres Zusammenlebens, ihrer vertrauten Stellung schliesse ich eine vierte Gruppe von Stellen an, an denen die längere Rezension Kenntnis der Wartburg und ihrer Umgebung verrät, während dem Schreiber der kürzeren Rezension weder der Name noch die Sache bekannt ist. Isentrud handelt (Mencke II, 2016 C) von dem ersten Kirchgang Elisabeths als junger Mutter in Eisenach: 'ibat (H. S. 117 'venit') ad ecclesiam remotam per difficilem castri descensum via dura et lapidosa portans puerum suum in propriis ulnis'. Huyskens S. 53 lässt die Dicta (der kürzeren Rezension) 'nur schlicht vom ersten Kirchgang' sprechen, während 'Nikolaus die Heilige einen schwierigen Abstieg von der Burg zu einer weit entfernten Kirche auf rauhem und steinigem Wege' machen lasse. Wer aber kann vielmehr zweifeln, dass Isentrud von Hörselgau hier mit Seufzen des bösen Wegs von der Wartburg nach Eisenach gedenkt[1], dass der kürzende Abschreiber an jener Stelle teilnahmlos darüber hinweggegangen ist, weil ihm die Oertlichkeit ebenso fremd war als dem Rheinländer Caesarius von Heisterbach, der einmal von einem 'castrum Ysennacke' spricht, wo er sicherlich die Wartburg meinte[2].

---

sapientum S. 11—20, der Marburgensia S. 19. Kollege Fr. Vogt hatte die Freundlichkeit mich auf diese Elisabethana hinzuweisen. Es ist gewiss interessant, dass der Papstbrief im Jahre 1495 von einem Pilger zu Marburg, vielleicht nach dem Original, abgeschrieben werden konnte. Damit ist natürlich wenig gewonnen für die Annahme von Huyskens, dass sein Nikolaus die verschiedenen Briefe des Papstes an Elisabeth, deren die Dicta gedenken (H. S. 126 a), habe einsehen können. 1) Vgl. auch etwas später H. 119: 'non obstante difficultate multa ascensus et descensus', d. h. des harten Weges zwischen der Wartburg und dem unfern darunter gelegenen Hospital. In der Breslauer Hs. steht vor 'obstante' kein 'non'. 2) Kap. 5, Huyskens S. 26. Dass die Burg über Eisenach von Caesarius, der nach Erzählung von Augenzeugen die Aufführung von Passionsspielen 'in castro Ysennacke' berichtet, gemeint sei, unterliegt mir keinem Zweifel. Boerner S. 470, Anm. 1 hielt sich an den Namen und glaubte, dass Eisenach durch Verwechselung mit der Wartburg als castrum bezeichnet sei. Aber Caesarius wusste doch von einer Burg über der Stadt (Kap. 12, S. 32: 'equitans de civitate supra castrum', Kap. 14, S. 34: 'intrans civitatem sub castro sitam', er kannte Kap. 7, S. 26 das Katharinenkloster 'in Ysennacke'). Sicherlich glaubte er Stadt und Burg trage denselben Namen, wie so oft, wie z. B. in Marburg. Ganz mit Unrecht deutet Huyskens (Einleitung zu Caes. Schriften S. 15) 'in castro Ysennacke' = im Landgrafenhofe zu Eisenach. Castrum ist stets Burg, in älteren Zeiten wird darunter auch der sich anschliessende Ort verstanden, niemals aber kann castrum ein einzelnes Haus in der Stadt, eine domus lapidea am Markt, den Landgrafenhof,

Die Wartburg war etwas später (H. S. 119c) von Isentrud mit Namen genannt worden, um in örtlicher Beziehung zu ihr die Lage des Hospitals zu bezeichnen, in dem Elisabeth im Jahre 1226 ihre Liebestätigkeit übte: 'Sub castro Warthberch altissimo'. Hier soll man nun Huyskens (vgl. auch S. 60) glauben, dass der Pilger aus dem Hennegau den Namen Wartburg eingesetzt habe, den Isentrud, die aus der Nähe Eisenachs stammte und auf der Wartburg Jahre lang gelebt hatte, unter einem farblosen 'quoddam castrum' verhüllt habe. So unbestimmt mochte Konrad von Marburg, der ausser Marburg nie einen Ort mit Namen nennt, im Brief an den fernen Papst die Wartburg bezeichnen, die Dicta haben in ihrer wahren Gestalt die Ursprünglichkeit der Aussagen viel zu gut bewahrt, als dass ein 'quoddam castrum' für die Wartburg in ihnen denkbar wäre. In diesem Sinne, als 'die (selbverständliche) Burg', wird die Wartburg von Isentrud, die allein von ihr zu sprechen gehabt hat, sonst immer nur 'castrum' ohne alle Hinzufügung genannt. Das wollen wir uns für später merken!

Und nun zu den beiden letzten Gruppen, deren Vereinigung sich sachlich rechtfertigen wird. Die grosse Stelle (H. S. 125b), die ich da zunächst zu besprechen habe, ist ein notwendiges Glied in dem Bericht über Elisabeths Leben, den die Dicta geben sollten, und schon deshalb hätte H., der sie seinem Nikolaus als sein grösstes Verdienst anrechnet, den Gedanken verwerfen müssen, dass sie der ursprünglichen Gestalt der Dicta fremd sei. Obwohl der Mittelpunkt von Elisabeths Tätigkeit in den letzten drei Lebensjahren einzig ihr Marburger Hospital war, hätte nach Huyskens der Protokollführer sich mit den drei Worten 'fundans ibidem hospitale' begnügt, ohne von den rechtlichen Beziehungen Elisabeths zur Stadt Marburg als ihrem Witwengute, ohne von ihrem längeren Aufenthalt im benachbarten Dorfe (Wehrda) während des ersten Sommers (1228) und vor allem von der Erbauung des Hauses, in dem sie fernerhin wohnte und wirkte, ein Wort aus der Zeugin herauszuholen. Wahrhaftig, er hätte schlecht seines Amtes gewaltet. Natürlich hat

---

bezeichnen. Siehe über denselben: Storch, Beschreibung der Stadt Eisenach (1837) S. 101. Wegen der Deutung von castrum brauche ich wohl kaum auf die Abhandlungen von K. Hegel in dieser Zeitschr. XVIII (1893), S. 209 f., von Edw. Schröder in den Nachrichten der Götting. Ges. der Wissensch. 1906 Heft 2 zu verweisen.

Isentrud im Zusammenhang mit der Gründung des Hospitals auch von Elisabeths hingebungsvoller Tätigkeit an den Kranken und Armen daselbst gesprochen. Dem Kürzungseifer sind wieder die betreffenden Zeilen 'in quo (nämlich hospitale) — erogavit' (Mencke II, 2022 A) zum Opfer gefallen. Fast ebenso notwendig aber waren in diesen Dicta Mitteilungen geboten über die päpstliche Bestellung Konrads von Marburg zum Defensor der landgräflichen Witwe, über seine Vermittlertätigkeit, dank deren Elisabeth Seitens des landgräflichen Hofes auf ihr Wittum eine grosse Barsumme erhielt. Diese letzteren Mitteilungen sind in der längeren Rezension im Anschluss an die oben (S. 452 f.) besprochene Inhaltsangabe der Briefe Papst Gregors an Elisabeth gegeben. Im Text der kürzeren Rezension (H. S. 125) sind sie mit jener ausgefallen. Hart aneinandergedrängt steht nun, dass Elisabeth nach dem Tode ihres Gatten sich in früherer Bettelarmut befand, und dann, dass sie in Marburg fast 2000 Mark, 'que pro sua dote habuit', zu verschiedenen Zeiten an die Armen vergab, mit keinem Worte aber ist dort angedeutet, wie diese Bettelarmut gehoben wurde, wie Elisabeth in den Besitz der Dotalgelder kam. Caesarius von Heisterbach hat (Kap. 18, S. 38) das eben angeführte 'habuit' sinnvoll wenigstens in 'accepit' geändert, und da ihm seine Vorlage auch nur jene drei Worte 'fundans ibidem hospitale' bot, aus eigener Kenntnis über Bestimmung, örtliche Lage und Verwaltung dieses Hospitals einen dankenswerten Zusatz gemacht[1]. Auch das Verfahren des Caesarius kann uns lehren, dass es sich in diesem Falle um notwendige Glieder in dem Bericht der Dicta handelt. Wie aber ist jene erste grosse Auslassung zu erklären? Der Schreiber der kürzeren Rezension ist in diesem Falle weniger schuldig als sonst. Ihm ist nur widerfahren, was unzähligen Abschreibern im Mittelalter und noch heute immer wieder geschieht: er ist abgeirrt durch den gleichen Ausklang zweier Satzteile, von einem ersten 'se transtulit' zu einem zweiten 'se transtulit'. Zwischen den beiden Wortpaaren stehen die Sätze, die Huyskens zu so vielfältigen Vermutungen Anlass geboten haben: dass Elisabeth von ihrem Gatten

1) Kap. 18, S. 38: 'Fundavit eciam hospitale ad suscepcionem peregrinorum pauperumque extra muros oppidi Marburg in vallis planicie, nam ipsum oppidum in monte situm est. Huius hospitalis provisor magister Cunradus erat, in eo manens atque ex eo ad predicandum exiens usque ad tempus occisionis sue'.

die Stadt Marburg zum Wittum erhalten habe, dass und wie sie in dem benachbarten Dörfchen Wohnung nahm — in anschaulichster Schilderung einer Augenzeugin und Lebensgefährtin —, bis das kleine Haus aus Lehm errichtet war, in dem sie fortan als Tertiarierin lebte. — Aber hat nicht neuere philologische Forschung gelehrt, dass Zusätze eines Bearbeiters gerade durch die Wiederkehr desselben Ausklangs eines Satzes oder Verses sich deutlicher abgrenzen, da der Interpolator zur leichteren Wiederanknüpfung an das folgende gern die Worte, welche unmittelbar vor seinem Zusatz standen, wiederholte?[1] Gewiss! Aber die Voraussetzung für die Annahme eines Einschiebsels ist dann doch, dass die Naht zwischen den älteren und jüngeren Bestandteilen erkennbar ist, dass der Zusammenhang durchbrochen, irgend eine Lieblingsvorstellung in diesem und anderen Einschiebseln in ungeschickter Weise vertreten ist. Von alle dem kann, wie ich nicht mehr auszuführen brauche, hier nicht die Rede sein. Dagegen beobachten wir, dass die Auslassung durch Abirrung gerade in der Ueberlieferung unserer Dicta auch sonst eine Rolle spielt. So ist es zunächst (gegen Huyskens S. 53), wofern nicht absichtliche Kürzung vorliegt, zu erklären, wenn in dem Bericht Isentruds über die Brotverteilung Elisabeths an Hungernde im Jahre 1226 in der kürzeren Rezension ein Zwischensatz ausgefallen ist. Ich muss den zweifachen Wortlaut hierher setzen:

Mencke II, 2017 C: 'multis tantum dans singulis diebus q u a n t u m n e c e s s i t a t i (Bresl. Hs.: 'necessitatibus') opus erat, et quantumlibet ipsa dabat, divina providentia (Bresl. Hs.: 'cuilibet accipienti') accipienti eo die s u f f i c i e b a t'.

Huyskens S. 119: 'multis singulis diebus tantum dans q u a n t u m s u s t e n t a t i o n i n e c e s s a r i e s u f f i c i e b a t'.

Der Schreiber der kürzeren Rezension ist m. E. von dem Worte 'necessitati' seiner Vorlage zu dem Satzschlusse 'sufficiebat', der vielleicht gerade eine Zeile tiefer stand, abgeirrt, ohne dass dadurch ein Unsinn entstanden wäre. Vielleicht er selbst noch hat dann 'necessitati' mit dem volleren 'sustentationi necessarie' vertauscht.

Auf dem gleichen Wege sind einer Handschriftengruppe der kürzeren Rezension durch Abschweifen von

---

1) Ich verweise, um ein Beispiel zu bieten, auf die Ausführungen von Fr. Vogt in einer Anzeige von Arnold Bergers Ausgabe des 'Orendel' in der Zeitschr. für Deutsche Philologie XXII (1890), S. 487 f.

einem 'cena domini' zum andern (H. 120, 25) zehn Worte verloren gegangen, und auch der sorgfältige Schreiber der längeren Rezension hat an zwei Stellen auf diese Weise unabsichtlich ausgelassen, einmal (Mencke II, 2012 B verglichen mit H. S. 112) durch Abirren von 'genuflexiones' auf 'genibus flexis' um 28 Worte, ein ander Mal (Mencke II, 2028, Z. 2 verglichen mit H. S. 129 und den Varianten daselbst N. 13) durch schnelle Wiederkehr der Worte 'ad confitendum' um einige wenige.

Ich darf im Anschluss hieran einige andere kleine Verluste der längeren Rezension gegenüber der gemeinsamen Urquelle erwähnen. Ich hebe hervor, dass (H. S. 116) gelegentlich der Erzählung der lustigen Verwechselung Isentruds, die ihre Herrin ohne Störung des Landgrafen zu nächtlichem Gebet wecken sollte, aber einmal aus Versehen eben den Landgrafen an der Zehe zog, in der kürzeren Rezension von Landgraf Ludwig sehr anschaulich gesagt wird: 'qui crus suum in partem domine direxerat', Worte, die, aus der naiven Ursprünglichkeit mündlicher Aussage hervorgegangen, in der längeren Rezension fehlen, sei es, weil diese Ausführung dem betr. Schreiber missfiel, (sie fehlt auch bei Caesarius Kap. 28, S. 28, der wohl nicht zufällig seine Vorlage frei behandelt), sei es dass er doch auch wieder nur abgeirrt ist, weil der nächste Satz 'Qui expergefactus' ebenfalls mit einem 'qui' begann. Ist dieses Plus sicherlich ursprünglich, so gewiss auch die Worte, welche in einigen Hss. der kürzeren Rezension der Aussage des Mädchens Hildegund angehängt sind (H. S. 133). Elisabeth hatte diesem Mädchen ihr schönes langes Haar abschneiden lassen und sie zur dienenden Genossin ihres Hospitals gemacht. Zwischen dem bezüglichen Bericht und dessen eidlicher Bezeugung durch Hildegund, durch den Ortspfarrer und andere lesen wir in den Hss. C und E die Worte: 'Adhuc hodie est in hospitali apud Marpurc serviens et capillos (precisos) ornatissimos vidimus'. In anderen Hss. derselben Rezension sind sie wohl mit Absicht weggelassen worden und das gleiche werden wir für die Urhs. der längeren Rezension anzunehmen haben. Den Anlass zur Weglassung bot, dass der Satz doch eben nur für die Insassen und Nachbarn des Marburger Hospitals passte.

So haben beide Rezensionen Zeichen genug ihrer direkten Ableitung aus der ältesten Ueberlieferung der Dicta, allerdings mit der Einschränkung, dass der Wert der kürzeren Rezension erheblich beeinträchtigt worden ist durch teils willkürliche, teils unabsichtliche Kürzung des Textes um wichtige Stücke. Ein Text der kürzeren Rezension ist für Caesarius von Heisterbach nach der Translation, d. h. nach dem 1. Mai 1236, abgeschrieben worden. (Huyskens, Caesariusschriften S. 17 und S. 6). Ebenfalls nach diesem Tage ist dem Texte der längeren Rezension die Conclusio hinzugefügt worden, welche der Translation gedenkt (Mencke II, 2033 A). Husykens hat dieses Schlusswort ebenso wie die angeblichen Zusätze einem gewissen Nikolaus zuschreiben wollen. Welche Gründe hatte er dafür?

3. Die Nikolaus-Hypothese.

In einer Brüsseler Hs. 1770—77 war neuerdings ein Text der Dicta mit der Conclusio gefunden worden, der die Unterschrift trug: 'Ego Nycolaus scripsi hanc vitam in nomine domini nostri Ihesu Christi. Amen. Valete'[1]. Der Bearbeiter des Katalogs der Brüsseler hagiographischen Hss. hielt diesen unbekannten Nikolaus für den Bearbeiter der Dicta ('auctor nomen suum manifestat')[2]. Huyskens wollte in der ersten Abhandlung seiner Quellenstudien es doch für keineswegs ausgeschlossen erachten, dass darunter nicht auch der Abschreiber verstanden werden könne, etwas später (S. 50) aber trat er mit Gründen, die allerdings recht leicht wiegen und hier übergangen werden können, dafür ein, in ihm den Bearbeiter der Dicta zu sehen, und weiter hat er (S. 67 f) diesen Nikolaus zeitlich und örtlich festgelegt, soviel Nicolause auch in Wettbewerb treten konnten: er erkennt in ihm einen Mönch und Propst des Benediktinerklosters St. Martin zu Tournai im Hennegau und weiss von seinen Fähigkeiten und Interessen allerlei zu berichten. Man kann bedauern, dass soviel Fleiss auf so unfruchtbare Vermutungen verwendet wurde. Denn wenn es auch am Ende gleichgültig sein mag, dass die einzige uns erhaltene Hs. mit jener Nikolausunter-

---

1) Catalogus codicum hagiographicorum bibl. regiae Brux. I, 1 (1886), p. 294. Der Text entspricht dem Menckes II, 2012—2034, (alle Benutzer Menckes übernehmen den Druckfehler der Paginierung 2021 statt 2012), Huyskens S. 50, Anm. 2 sagt genauer: 'von "Haec vita distinguitur" ab'. Er spricht näher über diese Hs. S. 11, Anm. 5 und S. 32, Anm. 1. 2) Seiner zuversichtlichen Annahme, verstärkt durch einen Tadel gegen Mencke, der den Namen des Nikolaus habe nennen müssen, wenn er anders in seiner Leipziger Hs. stand, bin ich leider in einem kurzen Satze des Wartburgwerks (S. 190) gefolgt.

schrift von derselben Hand wie der voranstehende Text erst dem 14. Jh. angehört — Huyskens, der sie S. 13, Anm. 1 als eine Hs. 's· XIV.' anführt, der S. 32 sie sorgfältig benutzt zu haben erklärt, weist sie S. 50 ohne Weiteres dem 13. Jh. zu, ohne zu erwähnen, dass der Bearbeiter des Brüsseler Hss.-Katalogs (S. 293) den Codex als 'exaratus diversis manibus seculo XIV.' bezeichnet, eine Altersbestimmung, die mir bezüglich der Vita Elisabeths von dem Bollandisten A. Poncelet auf meine Anfrage gegenüber der Angabe von Huyskens als zweifellos richtig bestätigt und wohl kaum durch die Angabe 'sec. XIII' in der Beschreibung dieser Hs. in Pertz' Archiv VII, 643 umgestossen wird —, wenn also auch die vermutete Vorlage der Brüsseler Hs., ein nicht auffindbarer Codex von St. Martin in Tournai (vgl. H. S. 33. 50. 73 und 141) unbekannten Alters, aus dem 13. Jh. stammen mag, so ist damit gar nichts gewonnen. Denn ich bin in der Lage den Nachweis zu führen, dass der ganze Text des Schreibers Nikolaus keineswegs mehr enthält, als ihm seine Vorlage geboten hat, dass er also nicht irgendwelche Autorrechte beanspruchen darf, dass er vielmehr nur zwei von drei (bezw. vier [1]) Teilen seiner Vorlage wiedergegeben hat. Den Dicta ist nicht, wie Huyskens (S. 51) will, eines Tags die Conclusio durch jenen Nikolaus angehängt worden und (H. S. 69) geraume Zeit später von einem Unbekannten, einem niederländischen Franziskaner, der Prolog 'Ad decus et honorem' vorangestellt worden, sondern Einleitung und Schlusswort sind das Werk desselben Verfassers, dem wir weiter unten (in Kap. 4) noch erheblich näher treten werden, das dreiteilige Werk geht zurück bis in die erste Zeit nach der Translation. Und der Beweis? Er liegt darin, dass der Französische Dominikaner Vincenz von Beauvais für das Elisabethkapitel seines Speculum historiale (l. XXX, c. 136), welches Werk im Jahre 1244 ausgegeben wurde, den Prolog, die Dicta in der längeren Rezension und die Conclusio in leidlich geschickter Auslese wörtlich ausgeschrieben hat (vgl. oben S. 441 und 448). Aus dem Prolog 'Ad decus et honorem', von dem Mencke II, 2011—12 nur die Schlusspartie, die Ueberleitung zur Ausgabe der Dicta, wiedergegeben hat, entnahm Vincenz just einen Satz [2], den Huyskens

1) Der Mirakelbericht möge einstweilen ausserhalb der Erörterung bleiben. 2) Ich benutze die Venetianische Ausgabe von 1494, wo nur statt 'scola m.: scala m.', statt 'penitentie: patientie' steht. Bequemer findet man den vollständigen Text dieses Elisabethkapitels bei dem

S. 69, Anm. 3 zur Charakteristik des Stückes aus handschriftlicher Quelle mitgeteilt hat: ('Nostra enim Elyzabeth) viciorum extirpatrix, virtutum fuit plantatrix, scola morum, exemplum penitencie, speculum innocencie, (que singula breviter prosequamur')! Dank Huyskens' Mitteilung dieses Satzes hatte ich zunächst nicht nötig, durch Handschriftenforschung meine Vermutung zu erhärten, dass eben der Satz 'viciorum — innocencie', der bei Vincenz von Beauvais zwischen zwei der Aussage Gudas entnommenen Sätzen ('— in rebus ludicris quam etiam seriosis' und 'facta vero nubilis graves persecutiones passa est', vgl. H. 112 und 113a) steht, auf den Prolog zurückgehe. Später habe ich den Prolog in der Leipziger und Breslauer Hs. eingesehen und danach soeben durch Anführung in Klammern den von Huyskens ausgehobenen Satz vervollständigt. Deutlicher tritt nun hervor, dass dieser Satz das (dann folgerichtig durchgeführte) Thema des Prologs enthält; um so begreiflicher, dass Vincenz von Beauvais eben diesen Satz heraushob. Mit vollem Recht sagt Huyskens, dass der Prolog in Form eines schulgerechten Sermo verläuft. Den Verfasser desselben aber hätte er nicht in zeitlicher und räumlicher Entfernung von dem Verfasser des Epilogs suchen sollen. Man braucht sich nur wenig in dem Schlusswort umzusehen, um dort denselben Stilkünstler zu erkennen, der den Prolog und insbesondere den eben angeführten Satz schrieb. Ich verweise auf den vorletzten Satz in Menckes fragmentarischer Wiedergabe des Epilogs: 'Venerentur in ea (Elisabeth) . . . . . . nutricem . . suscitatricem . . . amatricem . . . . visitatricem . . consolatricem' und auf ein weiterhin folgendes Wort: 'Ipsa namque cum Iob et in regio statu fuit merencium consolatrix, egencium saciatrix, allisorum reparatrix'. Alle weitere Vergleichung auch nur der längst gedruckten Teile wird jedem Unbefangenen die stilistische Identität von Vorwort und Nachwort bestätigen. Danach ist nicht daran zu denken, dass zwischen 1236 und 1244 etwa zwei Stilkünstler sich um die Dicta hätten verdient machen wollen, der eine mit einem Schlusswort, der andere mit einem Vorwort. Vielmehr ist es nun sichergestellt, dass derselbe Verfasser die Stimmung zur Aufnahme des Lebensberichtes vorbereitete und ausklingen liess. Diese Annahme wird

---

Franziskaner Iacobus de Guisia [† 1399], Annales Hannoniae in Histoire de Hainaut par Jacques de Guise XIV (1832), p. 428 — 32. Vgl. auch Holder-Eggers Auszüge in MG. SS. XXIV, 106 und 154, 40.

unten (S. 478, N. 2) noch eine weitere interessante Bestätigung erfahren — hier sei nur vorläufig darauf hingewiesen, dass der Schlusssatz des schwungvollen Prologs in seinem verstümmelten sinnlosen Bestand bisher unverstanden, freilich auch unbeanstandet blieb —, sie lag ja freilich an sich überaus nahe, auch ohne die willkommene Zeitgrenze, die uns nun Vincenz von Beauvais für die Abfassung des Prologs gegeben hat.

Andererseits hätte Huyskens, wenn er sein Stilgefühl zu Rate gezogen hätte, nicht daran denken dürfen, die in schlichter Sachlichkeit geschriebenen Teile der Dicta, die er als Zusätze des Nikolaus ansah, dem blumenreichen Verfasser des Schlusswortes zuzuschreiben. Vor siebzig Jahren schon schrieb Städtler (1. A. S. CXXX, 2. A. S. CXXVIII): 'nur der Prolog und Epilog sind aus späterer Zeit [als die Dicta] und von einem anderen Verfasser, was auch schon der Stil hinlänglich beweist'. Wieviel Arbeit und Druckerschwärze hätte Huyskens sich und anderen ersparen können, wenn er nicht an dieser Aeusserung, wie an so mancher anderen seiner Vorgänger, vorübergegangen wäre.

Bezüglich der Frage, ob Nikolaus den Epilog verfasst haben könne, erkläre ich hier einstweilen, dass Nikolaus auch auf den Epilog keinen Anspruch hat, weil wir aus äusseren und inneren Gründen feststellten, dass Prolog und Epilog demselben Verfasser angehören, die Nikolausform aber ohne Prolog ist, also nur eine fragmentarische Abschrift darstellt.

Das allgemeine Ergebnis ist, dass die 'Depossedierung des Mencke'schen Textes' (H. S. 41), die Huyskens erstrebte, ihm nicht gelungen ist. Der 'neuaufgefundene Bericht über Leben und Tod der Elisabeth' hat sich als eine sehr lückenhafte, fast liederliche Wiedergabe der Dicta erwiesen. Die Annahme einer Bearbeitung der Dicta durch den trefflichen Nikolaus, ferner diejenige einer 'Kompilation Ad decus et honorem' sind völlig beseitigt[1]. Der so sehr gerühmte sach- und rechtskundige

---

1) Wenn der sorgfältige Dietrich von Apolda im Vorwort seiner Elisabethbiographie neben dem 'Libellus de dictis quattuor ancillarum' einen Sermo mit dem Anfang 'Ad decus et honorem' als Quelle anführt, so hat es einen solchen auch in Sonderausgabe, d. h. ohne Dicta, gegeben. Davon wird noch unten S. 472 mehr zu sagen sein. In der Leipziger Hs. füllt der mit den gleichen Worten beginnende Prolog der Dicta, von dem Mencke II, 2011C—2012A nur die kurze Schluss-

schriftstellernde Pilger Nikolaus muss es sich gefallen lassen, in die bescheidene Vergessenheit eines Schreibers, wahrscheinlich des 14. Jh., zurückzusinken. — Positiv haben wir gewonnen eine höhere Einschätzung der Dicta in allen ihren Teilen als eines Materials, wie es in der hagiographischen Literatur kaum wieder in solcher Ursprünglichkeit geboten ist[1]. Wir haben die Basis geschaffen für eine stärker individualisierende Beurteilung der Zeugenaussagen nach den verschiedenen Zeuginnen und nach den verschiedenen Protokollführern.

4. Die literarische Veröffentlichung der Dicta.

Es bleibt zu erörtern, in welchem literargeschichtlichen Verhältnis steht die Ausgabe der Dicta mit Vor- und Nachwort zu der Biographie des Caesarius, die ja auf der kürzeren Fassung der Dicta beruht, wo ist jene Umrahmung der Dicta mit Vor- und Nachwort entstanden, wie steht es ferner um die Gliederung der Dicta in vier Teile in dieser Ausgabe, und endlich, wie steht es um die Ausgabe des Wunderberichts?

---

partie mitteilt, vierzehn Spalten. Eine Benutzung des Sermo finde ich bei Dietrich VIII, 6 in den Worten 'vitiorum exstirpatrix'. Der verschollene Sermo 'Mulierem fortem' eines Dominikaners Otto, den Dietrich ebenfalls benutzte (H. S. 14), stammte vielleicht von dem gleichnamigen Dominikaner, der auf dem Frankfurter Hoftage König Heinrichs (VII.) im Februar 1234 mit Bischof Konrad von Hildesheim für das Andenken Konrads von Marburg eintrat, Annal. Erphord. fr. Praedicat., Mon. Erphesfurt. p. 86, 17, vgl. auch Holder-Egger in MG. SS. XXV, 682, N. 3. In beiden Sermonen fand Dietrich nur 'aliqua de gestis breviter introducta'. Auch deshalb ist nicht daran zu denken, dass Dietrich, wie Huyskens S. 69, N. 2 annehmen wollte, 'die ganze [angebliche] Kompilation Ad decus et honorem' als Sermo habe bezeichnen wollen.

1) An einer Stelle der Dicta — Mencke II, 2020, H. S. 122 f. — könnte man sich verleitet sehen zur Annahme einer Bearbeitung des Protokolls, da beide Rezensionen eine Lücke aufweisen: Elisabeth hatte an einem Tage der Fastenzeit 1228 in Eisenach zunächst eine Vision in der Kirche: 'genibus flexis acclinata est parieti, diutissime oculos habens defixos ad altare', dann eine zweite in ihrer Wohnung ('humile hospicium suum'): 'oculos defixos habebat versus fenestras apertas'. Ueber die letztere von Isentrud befragt berichtet Elisabeth wenn auch widerstrebend. Darauf will Isentrud auch über die erste Vision Bericht haben: 'sollicitabat eam de revelanda sibi visione, quam viderat in ecclesia, dum offerretur hostia, sicut supra dictum est'. Von der Darreichung der Hostie ist aber früher, wie man sieht, kein Wort gesagt. Indessen wird nichts als ein harmloses Versehen des Protokollführers vorliegen. Für die fleissige Arbeitsweise Dietrichs von Apolda aber ist es charakteristisch, dass er Buch IV, Kap. 9 die erste Vision und die zweite Frage der Dicta zunächst zusammen erzählt, dann die zweite Vision und die erste Frage.

Die Marburger Deutschherren haben sich nicht blos auf den Cistercienser Caesarius von Heisterbach, der die 'conversationis formula' (ich übersetze: den vorschriftsmässigen Bericht über Elisabeths Lebensführung) in eine 'historia' verwandeln sollte, verlassen. Die Nachfrage nach einem Leben der Elisabeth war zu stark (vgl. oben S. 441). Ich möchte da noch besonders hinweisen auf die grossen Ordensversammlungen, welche gegen Ende des Jahres 1236 und Anfang Juni 1237 in Marburg zusammengetreten sind, um die Frage der Einverleibung des livländischen Schwertbrüderordens in den Deutschorden zu erörtern bezw. die Verschmelzung der beiden Orden gutzuheissen. An der ersteren nahmen siebzig Deutschordensherren, an der letzteren nahezu hundert teil [1]. Gegenüber dem Interesse weiter Kreise und demjenigen der Ordensgenossen musste man in Marburg selbst Hand anlegen, das Bedürfnis nach Nachrichten über Elisabeths Leben und Wirken zu befriedigen. Die Ausgabe der Dicta ohne Beiwerk, die ja erfolgt ist, wie uns die Hss. der kürzeren Rezension zeigen (H. S. 110 f.), die das erste stürmische Verlangen zur Zeit der Translation befriedigen musste, erschien auf die Dauer nicht ausreichend [2]. Für die weiten Kreise der Frommen

---

1) Karl Heldmann, Geschichte der Deutschordensballei Hessen in Zeitschr. des Ver. f. hess. Geschichte XXX (1895), S. 27. Vgl. den dort angeführten Brief Hermanns von Salza in MG. SS. XVIII, 475, 30.

2) Ohne Zweifel ist die kürzere Rezension auch erhalten in Cod. 4401 (s. XIV.) der Vatikanischen Bibliothek und in Cod. 36 des Trierer Priesterseminars. Von ersterer berichtete am reichlichsten Städtler in Montalembert-Städtler 2. A. S. CLII, dann unabhängig davon Lemmens in den Mitteilungen des histor. Ver. der Diözese Fulda 4. Jahrg. (1901) S. 21, N. 4, vgl. Huyskens S. 15, N. 2. Ueber die Trierer aus St. Maximin stammende Hs. gab Huyskens in den Nachträgen S. 267 Mitteilung. Sie ist sicherlich identisch mit der von Huyskens S. 32, N. 2 und S. 111 vermissten Hs. D, obwohl Huyskens, der die Hs. noch nicht selbst sah, in cod. 36 eine Umformung der Dicta vermutet. Beide Hss. haben den gleichen Prolog 'Cum multi discant verba schole et pauci verba vite, decrevimus vitam beate Elyzabeth eo dictamine Christi fidelibus referendam, quo cognovimus relatione testium iuramentis mediantibus a reverendis dominis et magistris eam conscriptam ac summo pontifici et cardinalibus universis recitatam' (Städtler a. a. O. gibt den ganzen Prolog, Huyskens und Lemmens Teile). Aus den Mitteilungen von Städtler und Lemmens ('derselbe Text, wie im Libellus Menckes mit anderem Prolog') über die Auslassungen des Textes der römischen Hs. gegenüber dem Texte Menckes ergibt sich, dass sie die kürzere Rezension wiedergibt, allerdings nur ein Fragment (H. S. 112—120, Z. 6 von oben, vgl. Lemmens), während die Trierer Hs. das vollständige Werk enthält, deren Inhalt aber sonst mit dem der römischen gewiss vollständig übereinstimmt. Die Trierer Hs. soll in der ersten Hälfte des 13. Jh. ge-

mochte Caesarius von Heisterbach, der bekannte Biograph Engelberts von Köln, der treffliche Erzähler, sorgen[1]. Von ihm erwartete man wohl ausser der Biographie auch einen schön stilisierten Sermo über die Translation Elisabeths[2]. Aber bis dieser Cistercienser seine Schriften

---

schrieben sein. Die Voranstellung eines Prologs, nach dem die Dicta begreiflicher Weise verlangten, ist also sehr schnell erfolgt. Der Verfasser desselben hat sichtlich auch, wie der Prologschreiber der längeren Rezension, das Bewusstsein, das Aktenstück des Kanonisationsprozesses wiederzugeben, ohne natürlich zu ahnen, dass seine Fassung durch Willkür und Nachlässigkeit gekürzt war. Ueber den Verfasser und die Herkunft dieses — kurzen — Prologs kann handschriftliche Untersuchung vielleicht weiteres erbringen. — Eine Bearbeitung der kürzeren Rezension der Dicta, wohl aus dem ersten Jahre nach der Translation Elisabeths, liegt vor in der anonymen Vita Elisabeths einer Zwettler Hs., n. 326, die vor der Mitte des 13. Jh. geschrieben sein soll und danach wohl die Urschrift dieser Legende ist, welche nach der Translation Elisabeths und bei Lebzeiten Hermanns von Salza († 20. März 1239) verfasst wurde. Von der Absicht, diese Vita herauszugeben schrieb mir schon im Jahre 1903 der Franziskanerpater Diodorus Henniges. Er war jetzt so freundlich mir Korrekturbogen seiner Ausgabe, die im 2. Bande des Archivum Franciscanum historicum erscheinen soll, zur Benutzung zu überlassen. Der Verfasser war bei der Erhebung der Gebeine Elisabeths in Marburg ('oculus scribentis haec omnia clare perspexit'), er berichtet ausführlich von dem Oelwunder und der Anwesenheit des Kaisers mit seinem Sohne Konrad ('regni Ierosolymitani legitimo successore', die Vita wird also vor der im Februar 1237 zu Wien erfolgten Königswahl Konrads geschrieben sein), sie ist interessant auch bezüglich der Auslese des Stoffs aus der Quelle, den Dicta, charakteristisch für den sehr asketischen Geschmack des cisterciensischen Verfassers, der über das Leben Elisabeths ziemlich schnell hinweggeht, aus dem Wunderbericht aber ausführliche Mitteilungen macht. Dass ihm die kürzere Rezension der Dicta vorlag, schliesse ich vor allem aus der Uebergehung des wichtigen Nachrichtenmaterials über Elisabeths Leben im Sommer 1228 und über die Erbauung des Hospitals (H. S. 125[b]). Huyskens berührt diese Zwettler Vita mehrfach: Qu. St. S. 41. 52. 54. 107.

1) Vgl. über ihn die schönen Abhandlungen Anton Schönbachs in den SB. der Wiener Akademie CLIV, 9 und CLIX, 4 (eine dritte soll folgen); über die Vita Engelberti an ersterer Stelle S. 26 f.

2) Huyskens hat in der Einleitung zu seiner Ausgabe der Schriften des Caesarius von Heisterbach (Annalen des histor. Vereins f. den Niederrhein 86, 5 und 9) mit Berufung auf Schönbach CLIV, 9, S. 6 und 10 bestimmt behauptet, dass der Sermo de translatione zu derjenigen Gruppe von Schriften gehöre, die Caesarius zu seiner eigenen Uebung (oder Erbauung?) und ohne fremde Anregung geschrieben habe. Gewiss ist weder im eigenen Schriftenkatalog des Caesarius (bei Schönbach a. a. O. S. 10) solcher Anregung gedacht, noch ein Prolog, der in andern Fällen diese Lücke ersetzt, vorhanden, dagegen beides für die Vita, aber konnte ihm nicht eben, weil diese damit versehen war, ein besonderes Vorwort und Widmung in diesem Falle entbehrlich erscheinen? (Vgl. Schönbach a. a. O. S. 18). Der Sermo ist doch die notwendige Ergänzung der Vita, wie er auch handschriftlich mit ihr vereinigt auftritt. Mit Huyskens (S. 10, etwas anderes S. 15) die Worte des Sermo 'sicut audivi

vollendete, mochte Zeit vergehen, und dann lag es doch auch nahe, dass ein Ordensmann selbst den Ordensgenossen verkündete, welchen Schatz man an dem Andenken Elisabeths besass, an deren Grabe so unerhörte Wunder geschahen (Mencke II. 2033 A). Es ist merkürdig, dass Huyskens an der Bestimmung des Schlusswortes der Dicta, in eigener Sache des Ordens Propaganda zu machen für die Verehrung Elisabeths, hat vorübergehen können, dass er in dem Verfasser nicht einen Gelehrten des Deutschordens, einen Ordenspriester, erkannt hat. G. Boerner (S. 465 f) ist der Wahrheit nahe gewesen, aber indem er zur Erhärtung auf den 'Processus et ordo canonisationis' verwies, der von demselben Verfasser stammen sollte, und indem er an der entscheidenden Stelle des Schlusswortes ganz ohne Not in unglücklichster Weise den Text verbessern wollte [1], hat er mit verschuldet, dass Huyskens an seinem Hinweis stillschweigend vorübergegangen ist und seinen fremdländischen Pilger Nikolaus an die Stelle des Deutschordensmanns setzte. Als solcher zeigt sich der Verfasser ganz unzweifelhaft in den Worten (Mencke II, 2034 B): 'Cum igitur tuba clamet ewangelica: "beati qui esuriunt et sitiunt iustitiam" (Matth. 5, 6), ad nostram patronam, nostram dominam nostrarum culparum transferamus advocatam illam gloriosam Elyzabeth'. Elisabeth

---

a quibusdam fratribus domus Theutonice in Marburg' (S. 57) zeitlich zu trennen von der im Vorwort der Vita erwähnten Botschaft des Mönches Christian ('magnifica, que illic facta facta sunt et cottidie fiunt, ex parte recitans' S. 17) sehe ich keine zwingende Veranlassung, das 'audire' braucht kein persönliches zu sein, sondern was Caesarius erzählt, kann durch Vermittlung dritter, insbesondere des Mönches Christian Seitens der Deutschordensherren an ihn gekommen sein, wie auch die Mitteilung, dass Konrad von Marburg vor seinem Tode sich vorgenommen hatte, ihm die Biographie Elisabeths zu übertragen ('ex diversorum relacione didici', Widmungsschreiben S. 17). Möglich ist natürlich dass, wie Huyskens S. 11 will, durch die Erzählungen von Deutschherren, welche etwa den Dank für die Vita nach Heisterbach brachten, Caesarius zur Abfassung der Predigt angeregt wurde, und dass — so füge ich hinzu — jene Deutschherren heimkehrend die neue Absicht des Biographen in Marburg meldeten. Ich stimme Huyskens zu, wenn er die Predigt für die erste Erinnerungsfeier der Translation am 2. Mai 1237 geschrieben glaubt (Huyskens S. 9, 51 und 56). Dass die Vita vor dem Sermo geschrieben ist, zeigte schon Boerner (S. 471), ebenso dass sie geschrieben ist, ehe Caesarius die Kunde vom Tode des am 5. Juni 1237 gestorbenen Bischof Ekbert von Bamberg erhielt (Boerner S. 445).

1) Boerners Konjekturen (S 466, N. 1) bleiben ohne handschriftliche Stütze. Wenn die Hss. (vgl. unten S. 475, N. 1) von Deutsch-Nienhof, Breslau und von Brüssel (1770—77) statt 'transferamus': 'confugiamus' schreiben und Clm. 9506 dies Wort an das Satzende stellt, so hat der Schreiber ihrer noch verschieden wiedergegebenen Vorlage den originalen Text missverstanden und entstellt. Vgl. die Nachschrift S. 501.

soll am jüngsten Tage Fürsprecherin sein bei Maria, der Patronin des Ordens, für die Sünden seiner Angehörigen. Auf die grossen Heiligen ihres Ordens, die Jungfrau Maria und die Landgräfin Elisabeth, haben nach einem Worte K. Heldmanns (a. a. O. S. 49) die Baumeister und Bauherrn der Elisabethkirche allenthalben hingewiesen, das gleiche gilt von den Bildnern ihrer Glasgemälde, die uns jetzt durch die schöne Publikation Haseloffs neugeschenkt sind. Und wenn in einem Chorgesang zum Preise Elisabeths 'Letare Germania' Elisabeth selbst als 'pia mater et matrona' angerufen wird, so kann ich, obwohl es dessen kaum bedürfte, auch eine Antiphonie nachweisen, in der Elisabeth als Fürsprecherin angerufen wird ('o beata nostra esto advocata Elizabeth egregia'). Ein Pilger Konrad Schemel hat sie sich im Jahre 1495 zu Marburg aufgezeichnet[1].

Ist es nach dem angeführten Satze zweifellos, dass ein Deutschordensmann das Schlusswort geschrieben hat, und von vornherein wahrscheinlich, dass es ein Marburger Deutschordenspriester war, so wird diese Aufstellung alsbald bestätigt durch die Beobachtung intimer Kenntnisse Seitens des Verfassers. Er ist (Mencke II, 2034 A) genau unterrichtet über den Gemütszustand eines hohen Prälaten edler Abkunft, der nach vielen vergeblichen Versuchen, den Stachel der sinnlichen Begierde zu überwinden, am Grabe Elisabeths geistliche Stärkung fand. Dieser Prälat hat seinem Beichtvater Magister Konrad von Marburg nachher bekannt, wieviel er auf diesem Wege für die Ueberwindung des Fleisches gewonnen hatte, sodass er nun der Versuchung auf das leichteste widerstand. Der Verfasser berichtet auch (ebenda 2033 B) mit kurzen Andeutungen von der Erhebung der Gebeine Elisabeths aus ihrem Grabe im Beisein von Ordensmännern, von ihrer Verwahrung in einem bleiernen Kasten, von der am nächsten Tage vollzogenen Entdeckung eines wunderbaren Oeles, das den Gebeinen der Elisabeth entquoll. Sein Tropfen wird uns in anschaulichster Weise beschrieben: 'quod et

---

1) Diese Antiphonie wurde aus der Hs. 392a der Universitätsbibliothek zu Freiburg i. Br. mitgeteilt in der oben Kap. 2, S. 453 angeführten Greifswalder Dissertation von Hermann Fischer S. 19. Das Stück fehlt in Ernst Rankes Chorgesängen zum Preise der heiligen Elisabeth aus mittelalterlichen Antiphonarien (1883). — Huyskens hat in seiner Analyse des Schlusswortes der Dicta, Qu. St. S. 51 f., den oben angeführten entscheidenden Satz überschlagen.

hodie inspicientibus patet et fide nobis constat oculata'[1]. Nun aber sind wir durch den Sermo des Caesarius (S. 55 f.) unterrichtet, wer die Erhebung und Wiederbeisetzung der Gebeine vornahm: 'venerabilis vir Ulricus, prior loci assumptis secum VII fratribus .... sepulchrum aperuit', und weiter: 'predicti fratres sacrum corpus de sarcophago tollentes et purpura involventes in archa plumbea locaverunt, sic in sepulchrum reponentes'. In einer Urkunde vom 6. Februar 1236 über ein Kaufgeschäft der Kommende Marburg werden neben dem Komtur Bruder Winrich sechs Brüder als Zeugen genannt[2]. Dass unter ihnen Prior Ulrich fehlt, erklärt sich daraus, dass er zur Zeit jenes Kaufes in Preussen war, er ist am 29. Januar 1236 in Marienwerder nachweisbar. Es erscheint mir nun sehr einleuchtend, dass bei dem feierlichen Akt der Oeffnung des Grabes Elisabeths, der sich zu nächtlicher Zeit hinter geschlossener Kirchentüre vollzog, sämtliche Marburger Deutschordensbrüder zugegen waren, dass also Prior Ulrich mit sieben Brüdern die Gesamtheit ausmachte[3]. Diese Annahme wird richtig sein, wenn in der Urkunde vom 6. Februar 1236 alle Brüder, die es damals gab, nur mit Ausnahme des abwesenden Priors, als Zeugen auftreten. Von zweien derselben ist es keineswegs ausgeschlossen, dass sie Kleriker waren. Huyskens (Caesariusschriften S. 8) hat freilich unter den sieben Brüdern, die mit Prior Ulrich zusammenwirkten, die sieben Priesterbrüder verstehen wollen, welche neben zwei Diakonen, zwei Subdiakonen und zwei Akolythen jene reichliche Zahl (13) von Klerikern ausmachen sollten, für welche durch den Willen Konrads von Thüringen, des

1) Des Oelwunders sind nach Caesarius von Heisterbach (Sermo S. 57) vor Elisabeth erst drei Heilige gewürdigt worden. H. Günter, Legendenstudien (1906) S. 156 kennt so manche andere. Lehrreich zur Erklärung sind die Mitteilungen des Anonymus Haserensis c. 5 (MG. SS. VII, 255 sq.) vom Walburgisgrab zu Eichstätt. Vgl. auch Huyskens Qu. St. S. 52 u. 107. 2) Wyss, Hess. UB. I, 1, n. 56; über die Zahl der Kleriker: daselbst n. 77. Die urkundlichen Daten für Prior Ulrich von Dürn verdanke ich der höchst willkommenen Zusammenstellung Heldmanns a. a. O. S. 29, N. 1, vgl. Huyskens' Caesariusschriften S. 8, wo für die Herkunft des Geschlechts unseres Priors von Walldürn im Odenwald auf ein reiches Material bei A. Krieger, Topogr. Wörterbuch des Grossherzogtums Baden (Heidelberg 1898) S. 854 ff. verwiesen wird. 3) Wenn Heldmann S. 28 angibt, für die Jahre 1234—36 seien die Namen von 10 Brüdern zu ermitteln, so rechnet er wohl die oben erwähnten 8 und dazu Konrad von Thüringen und Ludwig von Oettingen. Den letzteren bezeichnet er S. 26 zum Jahre 1236 als Marburger Ordenspriester, wie mir indessen nach seinem Material scheinen will, für jene Zeit kaum mit Recht.

Landgrafenbruders, dem Ordenshaus Marburg schon vor Konrads Eintritt in den Orden (November 1234) hinreichende Einnahmequellen gewährt worden waren. Mit dieser Annahme wird sich aber Huyskens sehr getäuscht haben, denn einerseits wäre die Siebenzahl der 'presbiteri' dann sogar noch um Einen überschritten worden: VII Fratres + Prior Ulrich, andrerseits bezeugt die bestätigende päpstliche Urkunde von 1244 (Wyss, UB. I, n. 77), der wir als einziger Quelle die ebengenannten Zahlen entnahmen, dass erst 'in processu temporis' der Hochmeister Hermann von Salza († 1239) und sein Nachfolger Konrad von Thüringen († 1240) festsetzten, es solle die genannte Zahl von Klerikern immer eingehalten werden ('idem perpetuo habeatur ministrorum numerus'). So war die Zahl von 'septem presbiteri' sicher im Jahre 1236 noch nicht verwirklicht, ja, wohl kaum je hat es 13 Kleriker im Marburger Ordenshaus gegeben. K. Heldmann, der S. 32 die Einsetzung von 13 Klerikern nach der päpstlichen Urkunde von 1244 berichtet, sagt S. 37, dass bis zum Jahre 1251 die Zahl der Konventsbrüder nach den Urkunden durchschnittlich acht betrug, seitdem auf mindestens 12 stieg, dass die Zahl der Priesterbrüder (= Kleriker, nicht etwa nur = presbiteri ohne Diakonen usw.) 1265 auf acht gebracht wurde, nur im Jahre 1287 unter 25 Brüdern die Hälfte Kleriker waren. Wenn es hiernach im Jahre 1236 zweifellos nicht sieben 'presbiteri' in Marburg gegeben hat, so denke ich doch auch keineswegs daran, von Prior Ulrich zu behaupten, dass er damals der einzige Kleriker des Marburger Ordenshauses gewesen sei, aber er war unzweifelhaft in geistlichen und geistigen Dingen der führende Mann unter den Marburger Brüdern. Das bezeugt uns vor allem Caesarius, der unter seiner Leitung die Oeffnung des Grabes und die neue Bergung der Gebeine Elisabeths sich vollziehen lässt. Caesarius bezeugt auch, dass Prior Ulrich ihm die Aufgabe der Biographie Elisabeths stellte und die Dicta übersandte ('monachus noster Cristianus . . . quendam quaternulum, in quo eius conversacio breviter ac simpliciter notata erat, deferens e x p e r s o n a v e s t r a instanter satis me monuit et rogavit, quatinus eandem conversacionis formulam redigere vellem in hystoriam'). Daher hat ihm vor allen ('Ulrico priori ceterisque fratribus') Caesarius das vollendete Werk geschickt. Mit vollem Rechte sagt Huyskens (Caesariusschriften S. 8): 'Dieser Ulrich aus dem fränkischen Geschlechte der Edelherrn von Dürn (Walldürn im Odenwald) ist eines der hervorragendsten Mitglieder des Deutschen Ordens seiner Zeit'. So manche Urkunde der Jahre 1225—46 berichtet von seiner Wirksamkeit, die im Ordensland Preussen nachmals ihren Abschluss gefunden haben wird (Heldmann a. a. O. S. 29, N. 1). In diesem Prior den gelehrten Marburger Ordensmann zu sehen, der die Conclusio der Dicta schrieb, scheint mir eine nahe liegende Vermutung zu sein. Ich habe oben ausgeführt, welche intimen Nachrichten uns der Verfasser dieser Conclusio als Ohren- und Augenzeuge mitteilt, besonders berichtet er begleitende Umstände der Translation von Elisabeths Gebeinen. Niemand konnte besser über diese Vorkommnisse Bescheid wissen als Prior Ulrich, der leitende Mann bei diesem Schlussakt des Kanonisationsprozesses. Und nun liefert der Verfasser der Conclusio nicht nur eine liebevolle Schilderung des Oelwunders voll Anschaulichkeit — offenbar als einer von den 'quidam ex fratribus', welche nach erfolgter Translation 'aram plumbeam aperirent et sacrum corpus attenderent' (Caesarius S. 56) —, sondern er fügt auch einen sehr bemerkenswerten Umstand hinzu, der die neue Störung der Gebeine Elisabeths erst recht begreiflich macht: 'sarcofago proximo die post aperto pro reliquiarum distributione'. Die Verteilung von Reliquien ist sicherlich dem obersten Ordensgeistlichen vorbehalten gewesen, dem Prior Ulrich, und es ist ganz natürlich, dass wir durch ihn, den Verfasser des Nachwortes, diese Einzelheit erfahren, von der Caesarius und der Zwettler Augenzeuge schweigen.

Nicht zufällig ist nun auch, etwa gar von fremder Hand, der Epilog mit der längeren Rezension der Dicta verbunden worden. Gleich im zweiten Satze nimmt der Verfasser des Epilogs mit den Worten 'ut supra dictum est' Bezug auf eine Ausführung der Dicta (Mencke II, 2020 C) betreffend Elisabeths demütige Gewohnheit, ihre Visionen mit Schweigen zu bedecken. Der bezügliche Satz aber findet sich nur in der längeren Rezension. Andererseits ist es gewiss nicht von Ungefähr geschehen, dass für diese Veröffentlichung mit Nachwort und Vorwort von dem Marburger Ordensbruder zurückgegriffen wurde auf den vollständigen Text des Verhörsprotokolls, nachdem in den Tagen der Translation so manche Abschrift eines durch Verkürzung und Verschiebung entstellten Textes in die Welt gegangen war. Ich habe im vorausgehenden Kapitel aus Gründen der zeitlichen Entstehung und der stilistischen Gleichheit erwiesen, dass der Prolog von demselben Verfasser stammt wie das Schlusswort. Hier stelle ich fest, dass der Verfasser des Prologs in seinen moralisierenden Betrachtungen über Elisabeth eine gute Kenntnis der so manches Mal wörtlich wiederklingenden Dicta verrät[1]. Vielleicht hat er bei der Ausarbeitung des Prologs zunächst die kürzere Rezension der Dicta gelesen, dabei aber als ein kluger aufmerksamer Leser die Lücken empfunden — vor allem die Nachrichten über die Begründung des Spitals vermisst —, ferner haben ihn vielleicht die wunderlichen Textverschiebungen gestört. Diese Beobachtungen mögen ihn in das Archiv des jungen Ordenshauses zu der vollständigen Vorlage der verkürzten Rezension geführt haben, und das Ergebnis war, dass die zweite Auflage der Edition — so dürfen wir sagen — das Protokoll der Verhörsaufnahme viel treuer und vollständiger wiedergab als die erste. Wann ist sie ans Licht getreten?

An unbedingt sicheren Anhaltspunkten fehlt es, und wenn der Verfasser des Schlusswortes von dem Oelwunder sagt, dass es auch heute dem Beschauer sichtbar sei ('et hodie inspicientibus patet et fide nobis constat oculata'), so werden wir es für unsicher halten, schon deshalb, weil dieses Wunder (nach Huyskens Qu. St. S. 107) 'nur in der ersten Zeit nach der Translation sich bemerkbar gemacht zu haben scheint', die Abfassung der Conclusio in die nächsten Monate nach jener Feier zu verlegen[2]. Auf dieselbe Zeit erster begeisterter Werbung verweist aber mit Wahrscheinlichkeit der feurige Appell der noch ungedruckten Schlussworte an die Vertreter beider Geschlechter und jedes Alters, an alle Völker, an die körperlich und geistig Kranken zur Verehrung der neuen Heiligen. Ohne Bedeutung wieder für die zeitliche Festlegung der Buchausgabe wird es erscheinen, dass wir eben an dieser Stelle Worte lesen, die dem letzten (31.) Kapitel der Sprüche Salomonis 'vom Lobe des tugendsamen Weibes'

---

1) Ich gebe, zugleich zur Charakteristik, einige Stellen der Ausführungen des Prologs über Elisabeth als 'vitiorum exstirpatrix' wieder: 'nonne iram enervabat ('evacuabat' cod. Lips.), cui semper dulcis Ihesus in ore, que irascentibus dicere consuevit, ubi nunc dominus? — Numquit luxuriam non extinguebat, que propriis lumbis precinctis plurimas matronas ad continenciam inducebat? — Numquit gulam sectabatur, que in mensa divitis mariti sui siti et fame affligebatur'. Vgl. Mencke II, 2031 B. 2016 B. 2015 oben. 2) Es sei ausdrücklich ausgesprochen, dass auch Huyskens diese Folgerung nicht zieht. Seine Datierung (S. 67) der angeblichen Bearbeitung durch Nikolaus als noch bei Lebzeiten Papst Gregors IX. († 1241) erfolgt — nach dem Wortlaut der Stelle über Gregors Briefe an Elisabeth (H. S. 126 a) — ist bedeutungslos, da diese Stelle dem Verhörsprotokoll angehört.

entnommen sind, und dieses selbe Kapitel für den Prolog ganze Sätze geliefert hat; man braucht deshalb noch nicht an gleichzeitige Entstehung zu denken. Aber wir fragen, ob nicht doch gerade aus dem Prolog für unsere Erörterung Förderung zu gewinnen ist?[1] Wenn wir oben (S. 461) mit den Worten Huyskens' sagten, der Prolog verlaufe in der Form eines schulgerechten Sermo, so sagen wir jetzt bestimmter, er ist eine Predigt, und dieser Sermo hat als solcher sicherlich einst dem Biographen Elisabeths Dietrich von Apolda vorgelegen, von dessen Gewissenhaftigkeit ich mich vielfältig überzeugt habe. Er erwähnt im Vorwort neben dem Sermo 'Mulierem fortem': 'cuiusdam alterius alium sermonem, qui incipit: "Ad decus et honorem". In quibus aliqua de gestis reperi breviter introducta'. Es ist keineswegs ausgeschlossen, dass Dietrich, da er ausser dem 'Libellus de dictis', der den Sermo 'Ad decus et honorem' als Prolog enthielt, auch den Sermo selbst als Quelle anführt, die Dicta in der Nikolausform, also um den Prolog verkürzt, vor sich hatte. Auch noch in einer Oberaltaicher Hs. des 13. Jh. begegnet uns diese Form, s. S. 475, N. 1. Aber er hat auch recht wohl, da er, dem tatsächlichen nachgehend, weder den Sermo noch den Prolog erheblich benutzt hat, die Identität übersehen können. Einige Tage glaubte ich, dass uns der Sermo 'Ad decus et honorem' als solcher in einem zweibändigen Legendar der Nonnen zu Remiremont, der alten Reichsabtei in den Vogesen, in einer nun Pariser Hs. des

---

1) Ganz wunderliche Aufstellungen hat Huyskens S. 69, N. 1 und S. 70, N. 1 für die zeitliche und landschaftliche Festlegung des Prologs aus dort — übrigens sehr inkorrekt — gebotenen Stellen desselben geliefert. Ich kann unmöglich in die Berichtigung aller Einzelheiten eintreten. Sie werden von selbst durch die obigen Darlegungen widerlegt. Uebrigens teile ich hier den ganzen Eingangssatz des Prologs, der in vollem Wortlaut aus mehr als einem Grunde gedruckt zu werden verdiente, nach der Leipziger und Breslauer Hs. mit: 'Ad decus et honorem divine clementie ampliandum perhennem notitiam laudabilis vite beate Elyzabeth presenti etati innotescendam futureque posteritati transmittendam fidelibus scripturarum apothecis duximus committendam et exinde in pectorum scriniis recondendam, ne historia digna memoria et conversatio imitatione dignissima abusione aboleatur aut cum labente tempore labatur, iter deleatur sequendum, exemplum pereat amplectendum, per neglectus incuriam abeat in oblivionem, quod posteris est cessurum in edificationem, aut forsan invida pestis heretica supprimat et strangulet novercaliter, quod pia nutrivit ecclesie devocio maternaliter. Nostra enim Elyzabeth vitiorum exstirpatrix' . . . Das folgende oben S. 461 Z. 2. Ein Stück des ersten Satzes steht aus der Münchener Hs. 14126 schon in Pertz' Archiv III, 347.

Jahres 1425 erhalten sei[1]. So musste es scheinen nach den Angaben eines Bollandisten über diesen Codex. Sie sprechen von einem 'sermo encomiasticus' mit denselben Anfangsworten, der für den Elisabethtag (19. Nov.) bestimmt ist. Aber was dort auf drei bis vier Seiten steht, hat sich mir nach den überaus gütigen Mitteilungen des Pariser Bibliothekars L. Auvray über Fassung und Wortlaut vielmehr als zwölf Lektionen zum Elisabethtag erwiesen, von denen nur acht dem Sermo 'Ad decus et honorem' und zwar im allgemeinen ganz wörtlich entnommen sind. Von den übrigen vier kann ich die 'Lectio decima' (corr.: 'IX[a]') mit dem Anfang 'Celorum regnum, fratres carissimi, idcirco terrenis rebus' und den Schlussworten 'notum diligere discat et incognita amare' nicht identifizieren (vgl. jedoch unten S. 501 f.), die übrigen drei Lektionen sind nichts anderes als die Wiedergabe der zehn sechszeiligen Strophen eines Hymnus auf Elisabeth, den E. Ranke in seinen Chorgesängen zum Preis der h. Elisabeth aus mittelalterlichen Antiphonarien (1883) S. 16—18 mitgeteilt hat. Man könnte vermuten wollen, dass der Verfasser der Lektionen, wenn ihm 'Ad decus et honorem' nicht als Sermo, sondern als Prolog vorgelegen hätte, auch aus den nachfolgenden Dicta Stoff zu Lektionen gezogen hätte, wie so manche andere Lektionen eben aus dieser Quelle geschöpft sind, aber diese Folgerung scheint mir doch unsicher. Ich sehe also von dem Pariser Codex ab. Dagegen unterliegt es mir keinem Zweifel, dass, wer den Wortlaut dieses Sermo einsehen möchte, diese Predigt voll Nachdruck und oratorischer Kraft, diese ernste Mahnung zu sittlicher Lebensführung, vor allem an die Ehefrauen, Mütter, Witwen und Jungfrauen, nicht zweifeln wird, dass sie zunächst für Hörer und Hörerinnen berechnet war. Bedenken dagegen könnte nur der Eingangssatz erwecken, in dem der Verfasser sich rühmt, für die schriftliche

---

1) Den Inhalt der Hs. 'N. A. n. 2288' verzeichnet der Catalogus codicum hagiograph. Latinorum . . . qui asservantur in bibliotheca nationali Parisiensi ed. Hagiographi Bollandiani t. III (1893), p. 515, cf. p. 517. Der Sermo steht f. 13[v]—15[r]. Sehr seltsam ist, dass nach Huyskens (S. 73 bezw. S. 11), der diese Hs. als eine der 'Kompilation Ad decus et honorem' aufführt, auf den drei bis vier Seiten dieser Hs. 'der sogen. libellus, den Mencke veröffentlicht hat, nur ohne den kurialen Traktat über die Heiligsprechung' stehen müsste. 'Dieser sermo ist nämlich im wesentlichen nichts anderes als wie der sogenannte Libellus' (S. 11). Die ganzen Dicta und die Conclusio schliesst er hier mit in die Predigt ein! Später S. 69 spricht er verständiger von dem 'als Prolog dienenden Sermo'. Vgl. auch oben S. 462, N. 1.

Niederlegung des Lebens der Elisabeth zur Kunde an Mit- und Nachwelt Sorge getragen zu haben, aber in einer Sonderausgabe des Sermo, sei sie mündlich oder schriftlich gewesen, sehe ich darin ganz allgemein einen Hinweis auf die Tätigkeit der Schreibstube des Marburger Ordenshauses für die Verbreitung von Elisabethbiographien, wie sie zur Zeit der Translation eingesetzt hatte. In den nachfolgenden Worten 'et exinde in pectorum scriniis recondendam' (nämlich: 'notitiam . . . vite beate Elisabeth') kann man vielleicht schon den Prediger hören. Den Dicta vorangestellt gewann der Eingangssatz dann eine natürliche Beziehung auf die nachfolgende Edition, die ihm ursprünglich nicht zugekommen war.

Als den Tag, an dem die Predigt in Marburg von Prior Ulrich gehalten wurde, vermute ich, ohne dies nach den früheren Ausführungen wohl noch näher begründen zu müssen, die erste Feier des Elisabethtages nach der Translation ihrer Gebeine, also den 19. November 1236. Ich vermute endlich, dass, als gegen Ende dieses Jahres siebzig Deutschordensherren sich in Marburg versammelten zu wichtiger Beratung, und doch zugleich um dem neuen Gestirn des Ordens ihre Huldigungen zu bringen, die Predigt bereits hslich als Prolog der neuen vollständigen Ausgabe der Dicta vorlag.

Huyskens (S. 52) hat sich verwundert, dass das Schlusswort nichts erzählt 'von dem glänzenden Zuge, in dem der deutsche Kaiser Friedrich II. selbst die Gebeine Elisabeths auf den Altar trug' und daraus gefolgert, dass sein Verfasser nicht bei der Translation zugegen gewesen sei. Nachdem sich der Verfasser als ein Priesterbruder des Deutschen Hauses zu Marburg erwiesen hat, wird niemand glauben wollen, dass er an diesem lange vorausgesehenen Ehrentage des Hauses fern von Marburg geweilt habe. Das Argumentum ex silentio hat wieder einmal versagt. Das Schlusswort enthielt nichts von dem weltlichen Gepränge des 1. Maientags des Jahres 1236, vielleicht weil der Verfasser das Interesse des Lesers nicht von dem hohen Liede begeisterter Verehrung Elisabeths, das er uns bietet, ablenken wollte, vielleicht auch, weil er einem Sermo des Caesarius von Heisterbach über die Translation entgegensah, und endlich etwa, weil er nach der Weise mittelalterlicher Bescheidenheit nicht eingehender von Vorgängen sprechen wollte, bei denen er eine leitende Rolle gespielt hatte. Der gleiche Beweggrund hielt ihn ab von der Nennung seines Autornamens. Er trat mit seiner Person zurück. Sein Wort galt der Ehre und dem Vorteil des Marburger Ordenshauses. Wir aber dürfen uns freuen, wenn man anders meinen Erörterungen zustimmt, in diesem Prior Ulrich von Dürn mit grosser Wahrscheinlichkeit einen Namen ältester Zeit für die Marburger Literaturgeschichte gewonnen zu haben.

Noch könnte man fragen, wie ist es zu erklären, dass Prior Ulrich einerseits eine höheren ästhetischen Anforderungen entsprechende Biographie Elisabeths geschrieben wissen wollte, durch Caesarius, anderseits sich dazu verstand, das Verhörsprotokoll in die Welt zu schicken, um Mit- und Nachwelt mit dem Leben Elisabeths vertraut zu machen. Da meine ich nun das Nebeneinander seiner bisweilen nur zu sehr geschmückten Rede in Vor- und Nachwort und des offenen Anerkenntnisses, dass dem Gegenstande das schlichte Wort der Zeugenaussage am meisten entspreche (in der Ueberleitung vom Sermo zu den Dicta, vgl. oben S. 433), lässt es uns sehr begreiflich erscheinen, dass dieser kluge Mann zwei Biographien so verschiedener Art nebeneinander für berechtigt und erwünscht hielt. Daneben ist es auch möglich, dass er, wenigstens in erster Linie, weil die Caesarius-Vita noch nicht vorlag, den zusammengeströmten Ordensbrüdern schon vorher Genüge leisten wollte. Aber nicht nur dem Geschichtsforscher von heute erscheint seine Ausgabe der vollständigen Dicta unendlich wertvoller und zugleich ästhetisch befriedigender als die auf der kürzeren lückenhaften Rezension beruhende Vita des Caesarius, welche die Schattenseiten des Protokolls noch aufweist, seine Ursprünglichkeit aber unter geistlicher Schönrednerei verloren hat — auch das 13. und die folgenden Jahrhunderte haben den Dicta mehr Beifall gespendet, wie die Zahl der erhaltenen Hss. und Bearbeitungen beweist[1], als dem Werke des Caesarius, und

---

1) Vollständige noch heute erhaltene Hss. der längeren Rezension mit Vor- und Nachwort kenne ich vier: die Münchener Cl. 14126 (s. XIII. XIV), die Deutsch-Nienhofer n. 41 (s. XIV), die Leipziger n. 823 (s. XV), die Breslauer I. Q. 126 (s. XV). Vgl. Huyskens S. 72 f. und Archiv XI, 701 und oben S. 445, N. 1. Dazu kommt noch eine von Huyskens bei seinen Arbeiten auf der Münchener Bibliothek offenbar übersehene Hs., Cl. 9506, ein Legendar des 12. Jh. aus Oberaltaich, in welches von einer Hand des 13. Jh. f. 95—98v unter der Ueberschrift 'Vita sancte Elyzabeth' die Dicta in der längeren Rezension ohne Prolog, aber mit der Conclusio, also die Nikolausform, nur ohne die Disposition, eingefügt ist. Dem Abschreiber ist, wie dem Schreiber Nikolaus, der Prolog entbehrlich erschienen. Ich verdanke die näheren Nachrichten auch über diese Hs. (angeführt: N. A. IX, 546) wie über Cl. 13029 und

selbst nachdem die in ihrer Art vorzügliche Biographie Dietrichs von Apolda erschienen war und überaus grosse Verbreitung gefunden hatte, sind die Dicta noch immer abgeschrieben worden. Ein glücklicher Zufall wollte es, dass der Herausgeber Mencke vor fast zweihundert Jahren auf eine Hs. der längeren Rezension mit Vor- und Nachwort stiess, Huyskens hat vergeblich versucht diesen Text zu 'depossedieren', ich schlage jetzt vor, neben den von ihm veröffentlichten 'Dicta ... abbreviata' die Ausgabe mit Vor- und Nachwort des Prior Ulrich auch ferner als 'Libellus de dictis quatuor ancillarum S. Elisabeth' zu bezeichnen.

Cl. 14126 der Güte der Münchener Bibliotheksverwaltung, insbesondere Herrn Dr. Leidinger. Ferner aber muss man, um die einstige Verbreitung der Dicta in der längeren Rezension zu würdigen, die vielen Bearbeitungen hinzunehmen, die davon geliefert wurden. Ich erinnere an das in Kapitel 3 besprochene Elisabethkapitel des Vincenz von Beauvais und an dasjenige Sifrids von Ballhausen, der für seine Weltchroniken eine uns nicht bekannte Bearbeitung der Dicta benutzte, vgl. MG. SS. XXV, 700—702 und p. 682, 23. Weiter denke ich an eine franziskanische 'lediglich stilistische' (Huyskens S. 70, N. 3) Bearbeitung der Dicta in einer Hs. des 13. Jh. zu Valenciennes, die aus dem Benediktinernonnenkloster zu Marchiennes im Hennegau stammt. Dass sie der längeren Rezension folgt, beweist mir der im Archiv VIII, 442 mitgeteilte Schluss 'secula seculorum amen', gleich den letzten Worten des von Mencke unterdrückten Teiles der Conclusio. Ferner an die Legende in den cod. Bruxell. n. 4459—70 und 8609—20 (s. XIV.), abgedruckt in Catal. cod. hagiogr. bibl. reg. Bruxell. I, 1, 398 sqq., mit 'sub castro altissimo de Wartburh' p. 408 (gegen Huyskens S. 119), und an die Biographie Elisabeths von Dietrich von Apolda. Von mancher anderen Bearbeitung ist es nicht zu sagen, ob sie auf die längere oder kürzere Rezension zurückgeht, so von der noch nicht veröffentlichten in Cod. Bruxell. n. 1770—77 fol. 108r—119v (Catal. cod. hagiogr. I, 1, p. 296 ist das Vorwort mitgeteilt) und von einer anderen, die zu frei und zu sehr abkürzend mit ihrer Vorlage verfahren ist, der mehrfach gedruckten Legende 'Vas admirabile'; vgl. Huyskens S. 74, N. 3. Dagegen geht auf die kürzere Rezension, schon wegen 'sub altissimo castro' ohne 'Wartburg' (vgl. H. S. 119), zurück die stark verbreitete Legende, welche Jakob de Varagine in die Legenda Aurea aufnahm, vgl. die Ausg. von Th. Grässe (1850) p. 752—71 und Bibl. hagiogr. Latina. Ed. socii Bollandiani I (1899), p. 376, n. 10. Die älteste Hs. dieser Legende wird in cod. Lat. Monac. 13029 aus Kloster Prüfening vom Jahre 1282 vorliegen. Herr Bibliothekar Dr. Leidinger teilte mir Anfang und Schluss dieser Vita = ed. Grässe 752—71 mit. Huyskens hat sie S. 61, N. 1 und S. 91, N. 1 erwähnt (der an erster Stelle abgedruckte Satz steht bei Grässe S. 758), aber er hat sie nicht erkannt, ich finde sie auch in einer Hs. zu St.-Omer 724 (ohne Vorwort), vgl. Archiv VIII, 416, und teilweise in drei Hss. der Breslauer Universitätsbibliothek (I. Q. 126, I. Fol. 586, I. Q. 451), über welche mir von der dortigen Verwaltung durch Herrn Dr. Molsdorf gütige Auskunft gegeben wurde. Ueber andere Bearbeitungen bezw. Ausgaben der kürzeren Rezension der Dicta handelte ich oben S. 464, N. 1.

Den Dicta in der kürzeren Rezension und der Vita des Caesarius fehlt alle zeitliche Gliederung. Dagegen ist eine solche nach allgemeiner Annahme in dem Libellus de dictis 4 anc., wie er bei Mencke gedruckt ist, von einem Bearbeiter des Protokolls vorgenommen worden. Huyskens hat S. 50f. als einen wesentlichen Unterschied der längeren und der kürzeren Rezension bezeichnet, dass die erstere 'die Aussage mehr nach der zeitlichen Folge der Begebenheiten gruppiere, um so vier Kapitel zu gewinnen, von denen das erste die Jugendzeit der Heiligen, das zweite die Zeit ihres Ehelebens, das dritte ihr Witwenleben bis zur Einkleidung und das vierte endlich den Rest ihres Lebens von der Anlegung des klösterlichen Gewandes ab umfasse'. Indessen der Leser, der unter Vergleichung der beiden gedruckten Texte sich überzeugen möchte, wie es der angebliche Bearbeiter gemacht habe, die Aussagen mehr nach der zeitlichen Folge zu gruppieren[1], wird nichts finden, als dass die Dicta bei Mencke in vier Teile mit der Ueberschrift 'Prima, secunda etc. pars' zerlegt werden[2], und zwischen den Prolog und den Anfang der Dicta (Mencke II, 2012 A) die Disposition, ungefähr so wie ich sie verdeutscht eben mit den Worten von Huyskens wiedergab, beginnend mit 'Hec vita distinguitur in quatuor partes', eingefügt ist. Aber diese Disposition war sicherlich nicht ursprünglich an dieser Stelle zu lesen, vielmehr ist durch diese Einfügung, welche den Satzzusammenhang zwischen dem Finale des Prologs und der Einleitung der ersten Aussage unterbrochen hat, der letzte Satz des Prologs zu einem unverständlichen Rumpf ge-

---

1) Dieser angebliche Bearbeiter hätte doch, indem er die Aussagen der Dienerinnen Elisabeth und Irmgard über die Pflege des aussätzigen Knaben, welche in der kürzeren Rezension hart nebeneinander stehen (H. S. 128, vgl. oben S. 442), weit auseinander brachte (Mencke II, 2024 B und 2027 B), die zeitliche Aufeinanderfolge vielmehr gestört. 2) Die Ueberschrift 'Prima pars' findet sich nicht in der Leipziger Hs., sie fehlt auch in Clm. 14126, aber am Ende der Aussage Gudas steht 'Explicit prima pars huius libri. Incipit secunda' und so fort. Die ganze Disposition ('Hec vita — approbata') ist in der Leipziger und in der Nikolaushs. der Brüsseler Bibliothek 1770—77, über die mir A. Poncelet gütigst berichtete, ganz in Rot geschrieben, in der Münchener und Breslauer Hs. in schwarzer Tinte mit gewöhnlicher Miniierung. Die Ueberschriften der einzelnen Teile in der Breslauer Hs. zählen diese Teile nur anfänglich und halten sich nicht an den Wortlaut der Disposition. Sie lauten: 'Sequitur de primo. De secunda aula. Quomodo se rexit post mortem viri. De narracione ancille. De voluntaria pau[pertate]. De pulcris visis'. Sie sind wohl das Werk des Abschreibers.

worden, und auch dem ersten Satze der Dicta ist ein Missgeschick widerfahren. Der Verfasser des Prologs hatte den letzten Satz des vom Sermo zu dem Protokoll überleitenden Stückes, das er stilistisch sehr herausgeputzt hatte, so gestaltet, dass sich der erste Satz der Dicta mit Einfügung des kleinen Wortes 'fuit', so vermute ich, trefflich an jenen anschloss. Er schrieb also im Prolog: 'Inter testes itaque quamplurimos super his receptos testis status et cursus infantilis'[1] — weiter aber, in den Hss. durch Wiedergabe der Disposition getrennt: 'Guda virgo religiosa [fuit], que, cum esset circiter quinque annorum, adiuncta fuit beate Elyzabeth in quarto etatis sue anno. (Hec) requisita de conversatione et vita beate Elyzabeths iurata dixit: Quod' etc. Nachdem dann die Disposition dazwischen geschoben war — ich spreche noch davon —, liess der Schreiber den fragmentarischen Satz 'Inter testes — cursus infantilis', an dessen resultierender Unverständlichkeit bis heute niemand Anstoss genommen hat, unberührt, aber das vorher, bei Zusammenschliessung von Prolog und Dicta, nach 'religiosa' vermutlich eingesetzte 'fuit' musste nun — durch die Absperrung vom Prolog sinnlos geworden — wieder fallen, dagegen blieb das 'Hec' stehen, das bei jener Verkoppelung, um allzugrosse Schachtelung zu vermeiden, eingesetzt worden war. Dem ersten Satz der Dicta in der längeren Rezension ging auf diese Weise sein ursprüngliches Zeitwort 'iurata dixit' und auch der Ersatz 'fuit' verloren. Für uns ergibt sich aus diesen Beobachtungen, dass die mehrgenannte Disposition ein ziemlich plumpes Einschiebsel ist, das vom Rande in den Text gedrungen sein dürfte[2]. Bei Erörterung der Frage, ob der Herausgeber der Dicta mit Vor- und Nachwort selbst die Beigabe eines Wunder-

1) Hier setzen Mencke 2012A und Huyskens S. 69, N. 4 den Hss. entsprechend einen Punkt. Die Brüsseler und Breslauer Hs. lesen: 'Goda', die Münchener 14126: 'Gůda', die Leipziger: 'Guda', die drei ersten: 'religiosa' und 'quinque annorum', die Leipziger: 'religiosissima' und 'quinque annos', die Münchener 9506: 'Guda virgo gloriosa (!), que cum esset circiter annorum quinque . . . . anno. Hec requisita'. Ich wähle abgesehen von der Namensform die Lesarten der drei erstgenannten Hss., welche auch die der kürzeren Rezension sind. Ihr fehlt (H. S. 112) natürlich die Satzunterbrechung und das 'Hec', sie hat hier den Wortlaut des Protokolls treuer bewahrt. 2) Unsere Feststellung der Zusammengehörigkeit des letzten Prologsatzes mit dem ersten Satze der Dicta zu einem Ganzen liefert ungesucht auch einen neuen Beweis gegen die Annahme von Huyskens, dass die Nikolausform, beginnend mit 'Hec vita distinguitur', je eine literarische Rolle gespielt habe, denn ihr hätte unmöglich der Prolog mit jenem Schlussatz, der ohne die Ergänzung des Anfangs der Dicta ein sinnloser Rumpf ist, vorangestellt werden können.

berichts beabsichtigt habe, wie es das letzte Glied der Disposition glauben lässt, werden wir weiter unten auf die andere Frage, wer diese Glosse eingesetzt hat, einzugehen haben. Wir haben zunächst noch von der Einteilung der Dicta in vier Abschnitte zu handeln. Sie war wirklich kein Kunststück. Die Aussage Gudas, sich über die Zeit bis zur Verheiratung Elisabeths erstreckend, bildete natürlich Teil I. Dann war Isentrud bei der Protokollaufnahme in zwei Absätzen verhört und ihr Zeugnis zweimal durch Guda bekräftigt worden, der Stand der Ehefrau und der Witwe war dabei absichtlich geschieden worden, so nahmen wir oben (S. 435) an, weil sie für die Frage der Kanonisation noch verschiedene Bedeutung hatten. Teil II deckt sich also mit der ersten Aussage Isentruds über die Zeit der Ehe, Teil III mit ihrer zweiten Aussage über das erste Jahr ihres Witwenlebens bis ungefähr — aber nicht genau — zur Einkleidung Elisabeths. Endlich hatten die Aussagen der Dienerinnen Elisabeth und Irmgard über die Marburger Hospitalzeit zusammen Teil IV zu bilden. Diese Gliederung war ganz von selbst gegeben. Sachlich denkbar wäre auch, dass der Prior Ulrich die zweite Aussage Isentruds und die Aussagen der beiden Dienerinnen Elisabeth und Irmgard zusammengenommen hätte. Eine solche Einteilung in drei Teile, Jugend, Ehe und Witwenschaft, hat ein späterer Bearbeiter der Dicta vorgenommen, der die Namen der Zeuginnen ganz unterdrückte[1]. Aber ohne stärkere Antastung des Verhörsprotokolls wäre es nicht gegangen. Andrerseits lag die vierteilige Gliederung der Dicta gemäss den oben vorgetragenen Gesichtspunkten so nahe, dass sie auch von einem Abschreiber der kürzeren Rezension, die ja meist ohne Einleitung schmucklos einhergeht, von dem Schreiber der Cambraier Hs. oder dessen Vordermann, ebenso ausgeführt worden ist. Huyskens erwähnt diese Tatsache nur gelegentlich der Hss.-Beschreibung (S. 111), er hätte gut getan ihrer auch S. 41 und S. 50f zu gedenken. Dann würde er nicht die zeitliche Gliederung der längeren Rezension, die natürliche Frucht der Verhörsaufnahme, in ihrer Bedeutung überschätzt haben.

Ich habe einige Ausführungen hinzuzufügen über die Frage, ob unserer Ausgabe der Dicta mit Vor- und Nachwort ein Wunderbericht angehängt war, der etwa nur

---

1) Wir kennen nur die Vorrede. Sie ist gedruckt in Catal. cod. hagiogr. bibl. reg. Brux. I, 1, p. 296.

zufällig in einigen Hss. ausgefallen wäre. Nicht mit einem Worte ist die Antwort zu geben. So lange die vorausgeschickte 'Disposition' als authentisch, als ein Werk des Prologschreibers, galt, erschien es kaum zweifelhaft, dass nur ein Zufall der Ueberlieferung seine Rolle spiele, denn nach Aufzählung der vier Teile steht in der Disposition und zwar im Wesentlichen gleichlautend in der Breslauer Hs., der ich folge, und in der Leipziger (vgl. Mencke II, 2012 A): 'Ultimo annexa sunt miracula, que post mortem Dominus ad tumbam eius pro ipsa est operatus. Ex infinitis sunt electa circiter centum quinquaginta per testes idoneos solempniter et sufficienter probata, que in curia Romana examinata sunt et approbata et registrata' (das letzte Wort ist unsicher in der Lesung). Erheblich kürzer, nur aus dem zweiten Satz entnommen, ist, wenn die Wiedergabe in Pertz' Archiv VII, 635 genau ist, der Wortlaut in der Brüsseler Hs. 1770/77 (vgl. Huyskens S. 50, N. 2) (. . . 'habitus religiosus). Miracula circiter 150, que in Romana curia examinata sunt et approbata', Dagegen enthält, wie mir Herr Bibliothekar Dr. Leidinger freundlichst mitteilt, nur den ersten Satz 'Ultimo annexa sunt — approbata' die Münchener Hs. 14126, die Huyskens S. 72 wohl mit Recht als die älteste Hs. dieser Rezension ansieht. Bedeutungsvoll ist dies wohl nicht. Ich glaube viel eher, dass von ihrem Schreiber der längere zweite Satz weggelassen wurde, als dass ich diesen für einen Zusatz einer andern Hss.-Klasse halten möchte. Nun steht tatsächlich trotz der Voraussage in keiner dieser vier Hss. ein Wunderbericht, wie solche doch mehrere Hss. der kürzeren Rezension der Dicta haben[1]. Huyskens (S. 90) meinte

1) So die Hss. von Cheltenham und Cambrai, s. H. S. 242. Da in Wiedergabe der Wunderberichte vollständige Hss. dieser Rezension, wie uns solche allerdings nicht erhalten sind, neben den 24 Wundern von 1235 alle 105 Wunder von 1233 wiederholen sollten (H. S. 243), andererseits auch die oben S. 476 N. erwähnte Bearbeitung der Dicta (gedr. Catal. cod. hag. bibl. reg. Bruxell. I, 1, 398 sqq.), die wegen der Nennung der Wartburg auf die längere Rezension zurückgehen muss, ihre 110 Wunder aus beiden Wunderberichten geschöpft hat (wie übrigens auch die Vita der Legenda Aurea mit ihren nur 18 Wundern), so ergibt sich einerseits, dass es tatsächlich Hss. der längeren Rezension mit Wunderberichten gegeben hat, wie nach der 'Disposition' ja zu erwarten stand, andererseits kann aus den Wunderberichten der Bearbeitungen nicht auf ihre Quelle, ob längere oder kürzere Rezension, geschlossen werden. Noch sei bemerkt, dass in der Deutsch-Nienhofer Hs. der Wunderbericht von 1233 nicht den dort zu Anfang stehenden Dicta in der längeren Rezension, sondern den dann folgenden Schreiben von 1232 (= Wyss n. 35 und 34)

'ohne Zweifel habe Nikolaus die Absicht gehabt, den Wunderbericht von 1235 zu bearbeiten', 'er sei aber, wie es scheine, nicht dazu gekommen'. Dabei ist er jedoch hinweggegangen über zwei Auslassungen des Schlusswortes, das er doch von seinem Nikolaus verfasst glaubte. Der Verfasser des Epilogs spricht Mencke II, 2032 D in hochtönenden Worten von den notorischen Wundern am Grabe Elisabeths, 'quorum diversitates, titulos et distinctiones suo loco et tempori relinquentes preterimus'. Von den unzähligen wolle er hier nur die Erweckung von sechzehn Todten und die Heilung eines Blindgeborenen berühren[1]. Von letzterer sagt er: 'cuius rei processum et seriem alias credimus persequendum'. Eine den bezüglichen Andeutungen völlig entsprechende Geschichte findet sich gleich an der Spitze des Wunderberichts von 1233 (H. S. 161). Nach den angeführten Stellen unterliegt es wohl keinem Zweifel, dass Prior Ulrich auf die Wunderberichte zwar zurückkommen wollte, aber nicht die Absicht hatte, sie alsbald seiner Vita anzuhängen. Damit steht im besten Einklang, dass wir die den Dicta vorausgehende 'Disposition' mit ihrer Verheissung von 150 Wundern als fremdes Einschiebsel ansehen lernten. Ich darf nun vergleichsweise darauf hinweisen, dass der Bearbeitung der Dicta abbreviata durch den Zwettler Cistercienser im selben Bande von späterer Hand des 13. Jh. ein langer Wunderbericht angehängt wurde. So mag es auch mit dem Codex des Prior Ulrich gegangen sein, und der Schreiber des angehängten Wunderberichts hat die Disposition der

angehängt ist. Vgl. Wetzel in Zeitschr. f. Schleswig-Holstein-Lauenburg. Gesch. 20 (1890), S. 388. 1) In der eben erwähnten Bearbeitung der vereinigten Wunderberichte von 1233 und 35, die in Hss. zweier belgischer Cistercienserabteien von Anfang des 14. Jh. vorliegt (Catal. cod. hag. etc. I, 1, 398 sqq.), finden sich unter 110 Wundern p. 441 sqq.: 16 Erweckungen (in § 163 : 2), in den Berichten von 1233 und 35 bei Huyskens S. 161 f. und 243 f. nur 7 + 2. Woher stammen die übrigen 7, die zu den 16 fehlen? Ich bemerke, dass die in §§ 151—57 erzählten Wunder (Catal. l. c. p. 442 sq.) bei Huyskens S. 162—98 stehen, dann haben §§ 164 und 165 ihr Gegenstück bei Huyskens S. 255, die übrigen 7 entbehren, wie gesagt, eines solchen; auch unter den Wundern von 1232 bei Wyss, UB. I, 26 findet sich kein entsprechendes. Danach haben wir die Wunder Elisabeths doch bisher nicht vollständig (gegen Huyskens S. 242). Die 18 Wunder der Vita in der Legenda Aurea p. 766—71 finden sich sämtlich in den Wunderberichten von 1233 und 1235 bei Huyskens, wenn auch bisweilen wegen anderer Namensformen und dergl. nicht sofort erkennbar. Vier aus dem Wunderbericht von 1235 stehen voran, zwei aus demselben folgen S. 768 f., alle übrigen 12 gehören dem Wunderbericht von 1233 an.

Vita und die ganz unverhältnismässig breite Ankündigung des Wunderberichts als Glosse an den Rand gesetzt, auch vielleicht selbst erst die Teile markiert. Ein Abschreiber hat nachher die Glosse eingeschoben, aber der Wunderbericht wurde dann in dem Codex, aus welchem die uns erhaltenen Hss. stammen, doch nicht übernommen. Das ist für denjenigen nicht wunderbar, der beobachtet, wie allenthalben bei den Schreibern und Bearbeitern gegenüber der Fülle der Wunder die Ausdauer erlahmt. Noch vermögen wir die Literatur der Wunderberichte nicht völlig zu übersehen [1]. Einstweilen wird man sich mit den hier gewonnenen Ergebnissen begnügen können.

Die wesentlichsten Fragen, die sich an die Dicta und ihre literarische Veröffentlichung knüpfen, dürften durch die vorstehenden Erörterungen gelöst sein. Ich hatte immer gedacht, dass diese Aufgabe den mit grossen Mitteln arbeitenden wissenschaftlichen Vereinigungen, die über das weitschichtige Handschriftmaterial unbedingt verfügen würden, den Monumenta Germaniae und den Acta Sanctorum, vorbehalten bleiben müsse. Ich sehe jetzt, dass diese Zurückhaltung doch auch ihre Gefahren hatte, indem

1) Ich denke an die Wundererzählungen in den Hss. der Bearbeitung von Dietrichs von Apolda Vita Elisabeths. Von diesen handelte ich schon 1878 in meiner Schrift 'Die Entstehung der Reinhardsbr. Geschichtsbücher' S. 11 f., bes. S. 12 N. Das hätte Huyskens S. 77 f. nicht übersehen sollen. Das S. 91, N. 1 von ihm angeführte Breviarium miraculorum des Clm. 5664 aus Diessen wird im N. A. IX, 431 als eine Vita Elisabeths in 8 Büchern mit Wunderanhang bezeichnet, enthält also die Bearbeitung Dietrichs, nach Huyskens a. a. O. 49 Wunder, also ebensoviel, wie der offenbar gleiche Text bei Pray, Dissertatio de Vita S. Elisabethae viduae Tyrnaviae (1770) p. 164 sqq. (vgl. H. S. 151) nach einer Wiener Hs. und wie der Text einer Hs. des Chorherrenstifts b. Mariae virginis zu Coblenz (XV. s.), jetzt in der Universitätsbibliothek zu Bonn (n. 364), deren Verwaltung sie mir gütigst nach Marburg übersandte, vgl. Chirogr. in bibl. acad. Bonnensi servator. catal. Vol. II. comp. Klette et Staender (Bonn 1858—76) p. 104. Verwandt ist die Hs. des Schneeberger Gymnasiums unbekannten Ursprungs (s. XV), über welche E. Heydenreich im N. Archiv f. sächs. Gesch. XIII (1892), S. 95—99 berichtete. Das dort S. 97 wiedergegebene Wunder, in dem eine angebliche Gräfin Irmgard von Mansfeld die Hauptrolle spielt, findet sich auch in einer Hs. der Vita Dietrichs (s. XVI.) des Benediktinerklosters Ammensleben (Kr. Wolmirstedt), heute in der Göttinger Universitätsbibliothek (Theol. 200 i), vgl. [Wilh. Meyer] Die Hss. in Göttingen 2 (Verzeichnis der Hss. im preuss. Staate I, 2, 2) S. 423. Ich handelte von dieser Erzählung in meinem Elisabethvortrag (1908) S. 37, N., neuerdings über die genealogischen Fragen: H. Grössler in Mansfelder Blättern 22. Jahrg. (1908), S. 229—35. — Zu den Bearbeitungen Dietrichs vgl. Bibl. hagiogr. I, 374 sqq., ferner Huyskens in Fuldaer Geschichtsbl. 1907 S. 156 und namentlich Diod. Henniges im Literar. Handweiser zunächst für Katholiken 1908 n. 12, Sp. 471—4.

durch die Studien eines minder vorsichtigen Editors, der alles anders anzusehen gewohnt war als seine Vorgänger, auch die biographische Forschung in falsche Bahnen zu kommen drohte. Dem habe ich entgegentreten müssen. Andrerseits will es mir jetzt scheinen, dass auch ohne die handschriftlichen Forschungen Huyskens' hätte festgestellt werden können 1) die Einheitlichkeit und Ursprünglichkeit der Dicta in der längst bekannten Form, 2) die frühzeitige Abfassung von Prolog und Schluss in der Zeit zwischen dem 1. Mai 1236 und dem Jahre 1244 durch denselben Verfasser, einen Marburger Deutschordenspriester, 3) die ganz beiläufige Einführung einer noch anderen Gliederung der Dicta als derjenigen, welche durch den Wechsel der Zeuginnen gegeben war, mit der Markierung von vier Teilen durch einen Marburger Deutschordensbruder. Immerhin ist durch die Bereicherung des handschriftlichen Materials, welche wir Huyskens verdanken, der Forschung nicht blos Anregung, sondern auch in mancher Einzelheit die Möglichkeit schärferer Erfassung des Sachverhalts gewährt worden. Man würde ihm dafür noch mehr Dank wissen können, wenn er nicht durch die Aufstellung seiner These von der Vertreibung Elisabeths von Schloss Marburg die Forschung noch auf einem anderen Gebiete zur Negation gezwungen hätte. Davon habe ich ein Wort im nächsten Kapitel zu sagen.

5. Die Marburg-Hypothese.

Ich setze den Text der vielbesprochenen Stelle zu Anfang von Isentruds zweiter Aussage hierher:

Post mortem vero mariti sui ('sui' fehlt in der kürzeren Rezension) eiecta fuit de castro et omnibus possessionibus dotalicii sui a quibusdam vasallis mariti sui, fratre ipsius mariti adhuc ('adhuc' fehlt bei Mencke und in der Bresl. Hs.) iuvene existente. Ipsa vero intrans civitatem sub castro sitam' etc.

Ich erörtere nun zunächst, alles in möglichster Kürze, was Huyskens vorbringt, um wahrscheinlich zu machen, dass das 'castrum', aus welchem Elisabeth 'eiecta fuit', die Burg Marburg war, in zweiter Linie, warum es nicht die Wartburg gewesen sein soll? Endlich werde ich positiv auszuführen haben, mit welchem Rechte wir nach wie vor als die Burg, welche Elisabeth halb moralisch gezwungen, halb freiwillig einige Zeit nach dem Tode ihres Gatten verlassen hat, die Wartburg anzusehen haben werden.

Huyskens geht stillschweigend von der Voraussetzung

aus, dass sowohl 'castrum' als 'possessiones' mit dem Genitiv 'dotalicii' zu verbinden seien. Dann ist das castrum eine Wittumsburg, und Elisabeth wird von ihr und allen Besitzungen ihres Wittums vertrieben. Ich gebe zu, das ist grammatisch möglich — ob auch sachlich, ist eine andere Frage. Leider bin ich durch die inzwischen von Huyskens besorgte vollständige Ausgabe des Sermo de translatione von Caesarius von Heisterbach darum gekommen als Erster darauf hinzuweisen, dass derselbe Wortzusammenhang in dem angeführten Satze, wie von Huyskens dort auch von dem rheinischen Cistercienser angenommen worden ist. Während er in der Vita (Kap. 14, S. 34) sagt, dass die Vasallen Elisabeth 'miserabiliter satis de castro et omnibus possessionibus dotalicii sui eiecerunt' und erst am nächsten Tage 'allati sunt parvuli eius de castro', heisst es im Sermo S. 52, dass Elisabeth, man erfährt nicht auf wessen Anstiften, 'de castro et ceteris possessionibus dotalicìi sui cum liberis et ancillis suis miserabiliter satis eiecta est'. Boerner S. 471 hat diese Stelle mit Recht angezogen, um gestützt auf die Worte 'miserabiliter satis' zu erweisen, dass der Wortlaut des Sermo sich an die Vita des Caesarius und nicht an die Dicta anlehnt. So darf man keine sachlichen Offenbarungen von dem Sermo erwarten. Aber möchte Caesarius auch in der Vita an eine Wittumsburg gedacht haben und ebenso der niederösterreichische Cistercienser aus Zwettl, wenn er schrieb 'vasallorum suorum nequicia castro et possessionibus omnibus dotalicii sui eciam destituta' (Huyskens, Qu.-St. S. 54, Anm. 3), dürfen wir uns von ihnen die Deutung ihrer Vorlage vorschreiben lassen?[1] So frage

1) Es ist sehr seltsam, wie bemüht Huyskens (Caes.-Schriften S. 12 f. und S. 15) ist, die Abweichungen, vermeintliche und wirkliche, des Caesarius von seiner Vorlage, den Dicta, dem rheinischen Cistercienser, dessen Elisabethschriften er herausgab, zu ebensovielen Ruhmestiteln anzurechnen, fast in allen Fällen mit Unrecht. Man vergleiche seine Ausführungen auf S. 12 f. mit den Textstellen S. 31. 36. 38. 44. 45 und 52, diejenige von S. 15 mit S. 34. Man sehe die wunderliche S. 15 f. versuchte Rechtfertigung der im Jahre 1236—37 geschriebenen falschen Angabe (S. 26), dass Landgraf Ludwigs Kreuzzug gegen Damiette gerichtet gewesen sei. Recht bös ist es, wie Huyskens eine Geschichte um ihre Pointe bringt, indem er Kap. 15 S. 36 liest: 'Vetula vero venienti cedere v o l e n s' statt 'n o l e n s', wie doch in der Hs. steht, und indem er aus der Wirkung — Elisabeth wird in den Schmutz gestossen (und erträgt diese 'iniuria' mit Geduld) — S. 13 ein 'Werk nicht der Bosheit, sondern der Ungeschicklichkeit' Seitens der alten Frau macht. Schlimm ist es, wenn er ferner, weil der Schreiber der Hs. D der Dicta auch 'volens' las, ein näheres Verhältnis zwischen dieser Hs. und der Vorlage des Caesarius aufstellen will, schlimm endlich, dass er Qu.-St. S. 67 oben

ich gegenüber den Auslassungen von Huyskens in der Einleitung zur Ausgabe der Caesariuschriften S. 12f. Diese beiden Cistercienser aus entlegenen Landen haben in ihrer Vorlage kein Wort über das Wittum Elisabeths gefunden, da in der ihnen vorliegenden kürzeren Rezension, welche in den Tagen der Translation zur Verteilung kam, die bezüglichen Stellen (H. S. 125b und 126a) ausgefallen waren, sie haben auch bei ihrem Aufenthalt in Marburg 1233 (?) bezw. 1236 nach den vermögensrechtlichen Beziehungen Elisabeths keinerlei Nachfragen gehalten, weil diese ihrem Interessenkreise völlig fern lagen, um so mehr sind sie schlecht und recht, ohne darüber zu grübeln, ihrer Vorlage gefolgt. Uebrigens hat Caesarius, so werden wir noch sehen, bei dem 'castrum' ganz gewiss nicht an Marburg gedacht.

Wie kam Huyskens zu dieser Annahme? Er machte sich unabhängig von der bisherigen Auffassung. Bei der eigenen Prüfung aber fand er sich nicht mit der vorausgehenden Aussage Isentruds ab. Dass sie eines 'castrum' ohne ausdrückliche Benennung so manches Mal Erwähnung getan hat, war ihm gleichgültig, denn ihm stand es, wenn nicht im ersten Augenblick, so doch sehr bald fest, dass Elisabeth auf die Nachricht vom Tode ihres Gatten schleunigst die Wartburg verlassen habe, um sich nach ihrem Witwensitz zu begeben. Das war so selbstverständlich, dass Isentrud es für überflüssig ansah die Reise zu erwähnen (H. S. 64). Von dieser Voraussetzung aus suchte er über den Ort der Vertreibung, den die Biographen des 13. Jh. nicht gekannt haben sollen, im Folgenden Aufschluss, und da er nun bei dem angeblichen Nikolaus fand (H. S. 125b), was der rechtskundige Protokollant nicht von Isentrud erfragt haben sollte, dass nämlich Elisabeth die Stadt Marburg von ihrem Gatten zum Wittum empfangen hatte ('idem oppidum a marito suo in donationem propter nuptias accepisset'), so baute er eine Hilfskonstruktion, um auch die B u r g Marburg in dass Wittum einzubeziehen. Da er

---

mit derselben alten Frau, welche der Landgräfin begegnet 'a d e c c l e s i a m e u n t i i n s t r i c t o v i c o, ubi lapides erant positi propter transitum luti profundi' (H. S. 122) schon einmal ein Missgeschick hatte: sie soll Elisabeth auf dem Wege zu einer D o r f k i r c h e begegnet sein! Huyskens wollte es der Lokalforschung überlassen, welches Dorf es gewesen sei! Vergebens suche ich unter den 'Berichtigungen' auf S. 267 einen Vermerk über diese arge Entgleisung. Dass übrigens die Nordkirchener Hs. des Caesarius an der hier besprochenen Stelle (S. 36) 'cedere n o l e n s' liest, bezeugt mir die Kollation der Rumpschen Abschrift, brauchte aber wohl kaum noch bemerkt zu werden.

die oben angeführten Worte 'eiecta fuit . . a quibusdam vasallis mariti sui' dahin verstand (S. 55), Elisabeth sei von einigen Vasallen ihrer Burg und aller Güter ihres Wittums beraubt worden, 'da einige Vasallen genügen dies Werk zu vollbringen', so könne, meint er, dieser Witwenbesitz nicht allzuweit von einander gelegen haben, sonst wäre sie nicht aller Güter mit einem Male beraubt worden. Ich weiss nicht, wie schnell das gegangen ist, aber ich weiss, dass 'quidam' in der Einzahl 'ein gewisser' heisst, in der Mehrzahl 'einige, etliche', aber nicht im Gegensatz zu 'Vielen' sondern im Gegensatz zu einer bestimmt angebbaren Zahl, also am besten doch auch mit 'gewisse' zu übersetzen ist, und so ist es auch in der Aussage Isentruds (H. 115) an andrer Stelle gebraucht: 'Elizabeth de quibusdam bonis specialiter in dotem sibi assignatis . . sibi et suis providebat'. Ob danach Huyskens ein Recht hat, von den 'quidam vasalli' auf die Geschlossenheit des Witwenbesitzes und weiter auf die Nähe der Wittumsburg an die Stadt Marburg zu schliessen, sei dem Urteil des Lesers überlassen. Von Dietrich von Apolda sagt Huyskens (S. 56), er 'konnte darüber nichts mehr feststellen und Schlüsse zu ziehen wagte er nicht'. Ich möchte sagen, er hatte es nicht nötig, weil er seine Quelle unbefangen im Zusammenhang las. — Des Weiteren werden uns diese 'quidam vasalli' 'Adel der Marburger Gegend' (S. 56. 62. und 64) im übelsten Lichte gezeichnet als 'erbitterte Gegner' von Elisabeths schrankenloser Freigebigkeit. — Isentrud berichtet einmal (H. S. 125, Mencke 2022 AB) schon aus der Marburger Hospitalzeit, dass Elisabeth von den Grossen des Landes Schmähungen, Beschimpfungen und grosse Verachtung zu leiden hatte, in der Weise, dass jene nicht Sorge trugen, sie zu sehen oder zu sprechen, indem sie Elisabeth für töricht und unklug ('insanam') hielten, weil sie die Reichtümer der Welt von sich geworfen hatte, sie vielfältig verspotteten und verschrien. Ich habe den vollen unverstümmelten Text (vgl. oben S. 446) hierhergesetzt, damit der Leser erkenne: den grossen Worten über das angeblich schwere Martyrium Elisabeths folgt eine Ausführung, welche diese Leiden Elisabeths als keineswegs so schwer erscheinen lässt. Man kümmert sich nicht um sie, man hält sie für töricht, weil sie ihren fürstlichen Reichtum aufgab und macht sich hinter ihrem Rücken lustig über sie. Und aus solcher ablehnenden, geringschätzigen Haltung soll dem Amtmann und den Burgmannen von Marburg die Lust erwachsen sein, Elisabeth von der Burg zu vertreiben. Sie sollten gewagt haben, die Landgräfin-Witwe, die Mutter des Thronfolgers, zu vertreiben, obwohl, so sagt Huyskens (S. 62, Anm. 4), ein tiefer Gegensatz zwischen Elisabeth und dem Landesherrn Heinrich Raspe nicht bestand, jene also von ihm keineswegs eine blinde Billigung ihres Verfahrens zu erwarten hatten. Und warum sollen sie es getan haben? Wegen Elisabeths schrankenloser Freigebigkeit! Huyskens sagt uns nicht, was sie gerade davon zu befürchten hatten? Er hat auch übersehen, dass Konrad von Marburg (H. S. 159) aus den letzten drei Lebenstagen Elisabeths erzählt, sie habe, um sich nur religiösen Gedanken zu widmen, allen weltlichen Personen und auch den Adligen, die doch häufig gekommen waren, sie zu besuchen, den Zutritt versagt. So war es auch mit der Gleichgültigkeit des umwohnenden Adels gegen sie nicht einmal so schlimm, als es Isentrud in ihrem Eifer dargestellt hat, auf der andern Seite erscheint der thüringische Adel in ihrer Aussage gegenüber Elisabeths asketischem Treiben keineswegs so zuvorkommend, als ihn Huyskens S. 62 im scharfen Gegensatz zu dem hessischen Adel schildert. Er hat ihm für die Erfüllung des Speiseverbotes ihres Beichtvaters eine viel zu aktive Rolle zugeschrieben (s. dagegen den Text S. 115) und übersehen, dass doch auch nur an die adligen Genossen des thüringischen Hofes zu denken ist, wenn Isentrud (H. S. 116) berichtet: Gegen diese eigentümliche und ungewöhnliche Art zu leben (in Erfüllung des Speiseverbots) musste sie wie ihr Gatte, der seine Erlaubnis gegeben hatte, von den Seinigen, auch ins Gesicht, sich vielfältige Einwendungen ('multas oblocutiones') sagen lassen, sie ertrugen es aber mit grosser Geduld. Also nicht einmal bei Lebzeiten Landgraf Ludwigs nahm der durch das weltfrohe Treiben unter Landgraf Hermann verwöhnte thüringische Adel die neue asketische Weise Elisabeths widerspruchslos hin.

Ich darf kurz übergehen, was nach Huyskens' Zugeständnis (S. 60 gegenüber S. 56 f.) für die Wartburg und Eisenach ebenso gilt wie für Burg und Stadt Marburg: die Lage der Stadt unter einer Burg. Nur hat Huyskens übersehen, dass in keiner Weise bezeugt ist, ob die Marburg damals schon mehr als eine Wehr- und Wartburg war, während von der Burg über Eisenach sichergestellt ist, dass sie seit etwa 1224 — Huyskens erkennt S. 60 meine bezüglichen Forschungen an — nach Vollendung des Landgrafenhauses die fürstliche Hofhaltung aufgenommen hatte.

Für die eine und die andere Stadt sei, meint Huyskens, die Existenz eines Minoritenkonvents anzunehmen. Dazu ist doch zu bemerken, dass sie in Eisenach auch noch auf dem gleichzeitigen Zeugnis Konrads von Marburg (H. S. 157) und des Minoriten Jordans von Giano beruht, während Huyskens dafür, dass Elisabeth in Marburg einen Franziskanerkonvent vorfand, mit einigem Recht nur die fast dreihundert Jahre später verfasste Landeschronik Wigand Gerstenbergs anführen konnte, die vielleicht eine Marburger Nachricht unbekannten Alters übernommen hat[1].

Damit aber bin ich am Ende meiner Uebersicht über die positiven Stützen, auf welche Huyskens seine Hypothese gründen konnte, denn ein anderes gleich zu erwähnendes Material, das ihm erst nach Abschluss seiner Untersuchung bekannt geworden sei, durfte ein Forscher, der etwas auf sich hält, doch nur mit dem Bemerken anführen, dass es in sich auch schlechterdings gar keine Kraft der Bezeugung habe. In einer Hs. des Klosters Zwettl aus dem 15. Jh. finden sich auf 25 Blättern etwa 170 Heiligenleben, darunter ein solches Elisabeths, dessen Abdruck (H. S. 63, Anm. 1) nur acht bis neun Zeilen füllt[2]. Darin heisst es 'de castro Markpurkch eicitur', und weiter (H. S. 63, N. 2) findet sich in Annalen der Kölner Franziskanerprovinz, die um das Jahr 1650 verfasst wurden, der Satz 'ex arce cum prolibus suis exturbatur Marpurgi'. Was beweisen denn diese zeitlich und örtlich so abgelegenen Niederschriften anderes, als dass ihren Urhebern oder deren Gewährsmännern die Wartburg fremd, Marburg, der Ort, wo Elisabeth die Grabesruhe gefunden hatte, dagegen, als Pilgerstätte wohl bekannt war! Eine Verwechselung war aber um so leichter möglich[3], als in den Hss. des späteren

---

1) Das Zeugnis Jordans von Giano steht in Kap. 41 seiner Denkwürdigkeiten, in der neuen Ausgabe der Cronica fratris Iordani von H. Böhmer (1908) p. 37, Gerstenbergs Zeugnis in der neuen Ausgabe Herm. Diemars (1909) S. 189 mit Anm. 14. Vgl. H. S. 57 und S. 102 f. Wie wunderlich Huyskens S. 101 f. die Worte einer Urkunde Erzbischof Sigfrids III. von Mainz vom 19. Okt. 1235, welche auf die Besitzlosigkeit der Franziskaner anspielen, als Verzicht auf den Grund und Boden des Elisabethhospitals zu Gunsten der Deutschordensherren gedeutet hat, wurde schon von H. Reimer in seiner Besprechung von Huyskens' Quellenstudien in den Annalen des histor. Vereins für den Niederrhein Heft 86 (1908) S. 168 gezeigt. 2) Die näheren Angaben über die Hs. entnehme ich den Xenia Bernardina II, 1 (1891), p. 358. 3) Marburg scheint statt Wartburg als Ausstellungsort einer Urkunde Landgraf Heinrich Raspes vom 25. Febr. 1240, die nur durch Insertion in eine Urkunde von 1356 überliefert ist, zu stehen. Dobenecker, Reg. Thuring. III, 856.

Mittelalters dem Namen 'Wartburg' sehr nahestehende Namensformen von Marburg — Martpurc, Mardborg, Martburgk — unendlich oft wiederkehren. Ich verweise Leser denen dies nicht geläufig sein sollte, auf Huyskens' eigene Quellenveröffentlichungen (z. B. S. 127 f.) mit ihrem Variantenapparat und auf die Indices des UB. der Deutschordensballei Hessen s. v. Marburg, und führe ein drastisches Beispiel hilflosen Schwankens zwischen Wartburg und Marburg an: der Dominikaner Hermann Korner, der grosse Kompilator des 15. Jh., der s. a. 1229 Elisabeth 'de castro Wartberg' vertrieben werden lässt, wobei allerdings der Name 'Wartberg' in der Hs. D. auf Rasur steht, lässt sie s. a. 1236, wo er über Elisabeths Leben im Zusammenhang berichtend grosse Partien aus der Vita Dietrichs von Apolda in der Reinhardsbrunner Bearbeitung entlehnt, bei Lebzeiten (!) ihres Mannes in Marburg ein Hospital errichten ('sub castro autem dicto Marthburg de consensu viri sui Elizabeth hospitale solempne fundaverat'), kurz darauf lässt er die Todesbotschaft zur Wartburg kommen und weiter erzählt er, immer derselben Quelle (Dietrichs Bearbeitung) folgend, dass Elisabeth sich nach dem Tode ihres Gatten nach Marburg begab und dort ein Hospital errichtet habe[1]. Also mit jenen Zeugnissen hätte uns Huyskens nicht kommen sollen!

Ich weiss nicht, ob ich es unter die Argumentation für Marburg rechnen soll, wenn Huyskens S. 63 von seinem Nikolaus sagt: 'er konnte sich nicht entschliessen, das, was er in Marburg gehört hatte (Elisabeths angebliche Vertreibung von der Marburg) an derjenigen (am Anfang unseres Kapitels wiedergegebenen) Stelle des Berichtes einzuschieben, die schon von der Vertreibung sprach'. Huyskens hat uns trotz seiner genauen Kenntnis seines Nikolaus nicht dazu verholfen, das psychologische Rätsel dieser Verschlossenheit zu lösen.

Ich gehe über zur Betrachtung der Gründe, welche Huyskens gegen die Wartburg als Ort der Vertreibung vorführt. Ihm erscheint bedeutungsvoll, dass erst spät in der handschriftlichen Ueberlieferung die Wartburg in diesem Zusammenhang genannt wird, er schliesst, dass Eisenacher Lokalpatriotismus die Einsetzung ihres Namens

---

1) Die Chronica novella des Hermann Korner, herausgegeben von Jak. Schwalm (1895) S. 156. 160 f. Daneben benutzte ich den vollständigen Text in Eccards Corpus histor. med. aevi II (1723), col. 861. 871 f. 875.

bewirkt habe. War denn aber wirklich diese Vertreibung eine Tat, auf die man in Thüringen stolz sein konnte? Wie sehr man im Gegenteil den Makel, der davon auf Heinrich Raspe fiel, noch im 15. Jh. in Thüringen empfand, habe ich in anderm Zusammenhang ausgeführt[1]. Ich denke nun aber nicht daran, ein Schweigen oder Reden der Ueberlieferung auf Erwägungen solcher Art zurückzuführen.

Wir haben zu scheiden zwischen der biographischen Literatur uud der chronikalischen. Für die erstere gilt dasselbe, wie für die Aussagen Isentruds bei der Verhörsaufnahme. Es war natürlich und selbstverständlich, dass sie die ihr so wohl bekannte Burg ihres Heimatgaues, die ein Erfurter Annalist des 13. Jh. einmal schön 'nobile illud castrum Wartberc' genannt hat, nicht jeden Augenblick mit Namen bezeichnete, sondern als 'die Burg' behandelte. Davon abgewichen ist sie begreiflicher Weise da, wo sie die Lage des Spitals ('sub castro Warthberg altissimo'), zu dem Elisabeth im Hungerjahre 1226 täglich mehrmals auf rauhem Pfad von der Wartburg herabstieg, schildern wollte (vgl. oben S. 454). Einmal schon vorher (Mencke II, 2016 C) und zwei mal nachher (Mencke II, 2018 A, H. S. 120) gedenkt sie 'der Burg' als solcher, ehe sie (H. S. 121) Elisabeths Weggang von ihr berichtet, auch da natürlich nur schlechtweg 'de castro'. Es ist geradezu irreführend, wenn H. S. 53 sagt, ohne dass sie den Ort näher angäbe. Warum fordert er das Ueberflüssige? Niemand bis auf Huyskens hat den Namen vermisst, obwohl der Satz von der Vertreibung zu Anfang eines neuen Teiles, der zweiten Aussage Isentruds, steht. Und wie alle neueren Forscher so haben auch Caesarius von Heisterbach und Dietrich von Apolda bei Verarbeitung der Dicta an allen den genannten Stellen, wenn sie auch als treue Benutzer ihrer Vorlage deren Wortlaut nichts zugesetzt haben, doch zweifellos nur an die Wartburg gedacht. Das stelle ich zunächst von Caesarius von Heisterbach fest, obwohl er auch jenes eine Mal ihren Namen nicht genannt hat, aus dem einfachen Grunde, weil der Schreiber seiner Vorlage, der vielleicht den Namen nicht lesen konnte, ein 'quoddam castrum' daraus gemacht hatte und auch die Worte vom 'difficilis castri descensus via dura et lapidosa' (Mencke II, 2016 C) ausgelassen hatte. An der letzten der beiden noch übrigen

---

1) In dem Beitrag 'die heilige Elisabeth' zu dem Prachtwerk 'Die Wartburg, ein Denkmal Deutscher Geschichte und Kunst' u. s. w. 1907 S. 209 mit der dritten Anmerkung zu dieser Seite auf S. 701.

Stellen (Kap. 12—13, S. 32 = H. S. 120), wo von der Speisenverteilung vor den Toren der Wartburg die Rede ist, schrieb Caesarius 'ante castrum suum' statt des 'ante castrum' der Vorlage, in dem Sinne wie Konrad von Marburg noch nach dem Tode des Landgrafen Eisenach als Elisabeths Stadt, 'oppidum suum', bezeichnet hat (H. S. 157). Eine ungefähre Vorstellung hatte Caesarius von der Wartburg auch ohne ihren Namen zu kennen. Es war nicht uneben, wenn er sie 'castrum Ysennacke' nannte, da wo er (Kap. 5, S. 26) nach der Erzählung mündlicher Augenzeugen von den Passionsspielen zu berichten hatte, die Landgraf Ludwig 'in castro Ysennacke' — offenbar auf der Wartburg, siehe oben Kap. 2, S. 454, N. 2 — hatte aufführen lassen. Dietrich von Apolda hat mehrfach auf Grund mündlicher Tradition von der Wartburg gesprochen, ohne doch, wie ich ihm schon an anderer Stelle — im Wartburgbuch — nachrühmte[1], sie fälschlich in die Mädchenjahre Elisabeths als den bevorzugten Sitz der thüringischen Hofhaltung einzuführen. Auf Grund der Dicta aber nennt er sie jeweils Wartburg bezw. blos 'castrum', gerade so wie sie an der bezüglichen Stelle seiner Vorlage genannt ist, und höchst erstaunt würde er sicherlich gewesen sein, wenn er hätte ahnen können, dass aus diesem unbefangenen Anschluss an seine Quelle, ihm, dem Thüringer, dereinst eine latente Unwissenheit über ein vielbesprochenes Ereignis der thüringischen Geschichte nachgesagt werden würde. — Entschlossen von der Wortfessel der Dicta befreit, die, hervorgegangen aus der knappen Zusammenfassung von Isentruds Aussage über die Entziehung der Wittumsnutzung und über Elisabeths Weggang von der Wartburg, dem Verständnis entgegenstand, hat sich zuerst ein Biograph Elisabeths unbekannter Herkunft, dessen Vita wohl nicht lange vor dem Jahre 1282 verfasst sein wird. In einer Hs. des Klosters Prüfening von diesem Jahre (Clm. 13029 vgl. oben S. 476 N. und S. 480 f. N.) kann ich sie zuerst nachweisen, dann scheint sie viel verbreitet gewesen zu sein. Durch ihre Aufnahme in die Legenda Aurea des Jakob de Varagine ist sie uns leicht zugänglich. Der Biograph schöpft durchaus, aber in freier Wortführung und mit Einfügung vieler geistlicher Betrachtungen aus den Dicta (in der kürzeren Rezension).

---

1) Im Kapitel 'Die älteste Geschichte der Wartburg von den Anfängen bis auf die Zeiten Landgraf Hermanns I.' in dem eben genannten Werke S. 42.

Von dem Ereignis, das hier erörtert wird, sagt er (ed. Grässe p. 758), dass, als die Todeskunde Landgraf Ludwigs sich in Thüringen verbreitete, Elisabeth 'de patria ipsa tamquam dissipatrix et prodiga a quibusdam vasallis viri sui turpiter et totaliter est eiecta, ut ex hoc eius patientia claresceret'. Mit der ihm eigenen freien Behandlung seiner Quelle setzte er statt des 'castrum et omnes possessiones' gleich die ganze 'patria'. Wo sich dann das Martyrium der Vertriebenen zunächst abspielte, kann der Leser nicht erraten, und der Legendenschreiber hat es vielleicht selbst nicht gewusst.

Etwas schärfer mussten die Chronisten doch die Dinge anfassen. Es war selbstverständlich, dass eine thüringische Chronik, die noch über tausend andere Dinge als über die Lebensschicksale Elisabeths zu berichten hatte, die Namen Wartburg und Eisenach einsetzen musste, wenn sie Elisabeths Weggang von der Wartburg erzählen wollte. Während des 13. Jh. ist nach den Zeiten Landgraf Ludwigs in Reinhardsbrunn, im Hauskloster der Ludowinger, nicht mehr Geschichte geschrieben worden, das Kloster ist, noch ehe das alte Landgrafenhaus ausgestorben war, in seiner Zucht tief herabgesunken[1]. Auch in Erfurt, wo überdies andere Interessen vorwalteten, ist um das Jahr 1230 kein Geschichtschreiber aufgetreten. So blieb im 13. Jh. der Legende allein aller Raum! Sie hat sich in der schriftlichen Ueberlieferung mit der oben berichteten Ausnahme im engen Anschluss an die Dicta mit nur einigen begreiflichen Ausmalungen entwickelt[2]. Sehr merkwürdig ist nun, dass wir bei einem thüringischen Chronisten zu Anfang des 14. Ih. in zwei durch wenige Jahre getrennten Werken, eigentlich nur verschiedenen Auflagen desselben Werkes, den bewussten Uebergang von der Fassung der Dicta, welche die Burg nicht ausdrücklich genannt, Vertreibung und Wittumsentziehung verkoppelt hatten, zu der leicht verständlichen Erzählung einer Vertreibung Elisabeths von der mit Namen genannten Wartburg — ohne anderes — feststellen können. Der Pfarrer

---

1) Innocenz IV. hat gehört, dass Reinhardsbrunn 'in spiritualibus graviter deformatum' sei. Schreiben an Erzbischof Sigfrid III. von Mainz vom 5. Juli 1246, Dobenecker, Reg. Thur. III, 1341. 2) Man vergleiche die unabhängig von einander erfolgende Umgestaltung der Dicta in Sachen der Vertreibungsgeschichte im Sermo des Caesarius oben S. 484 und bei Dietrich von Apolda IV, 7, dessen Fassung von Mielke S. 64 ff. gut erörtert wird.

Sifried von Ballhausen bei Weissensee im Herzen Thüringens hat seiner Universalgeschichte, die er 1304 oder 1305 vollendete, ein Leben der heiligen Elisabeth eingefügt, das vorwiegend auf die Dicta zurückging (MG. SS. XXV, 700 sqq. cf. Holder-Eggers Vorrede S. 682). Dort schrieb er, dass 'quidam vasalli' Elisabeth 'de castro et aliis possessionibus eiecerunt'. Als er aber, wohl 1307, unter dem Titel 'Compendium historiarum' eine neue Auflage seines Werkes herausgab, die er um manches verbessert und bereichert hatte, da hiess es an derselben Stelle von den Vasallen 'de castro quod Wartberg dicitur eiecerunt'! Bedeutungsvoller für die weitere Entwickelung der Ueberlieferung war, dass der Kompilator der vielbenutzten Reinhardsbrunner Chronik ebenfalls die anderen Besitzungen todtschwieg und die Namen der Wartburg und Eisenachs in der Vertreibungsgeschichte nannte (M. G. SS. XXX, 1, 612). Er sprach nur von der Vertreibung von der Wartburg, nur von Landgraf Heinrich als dem allein Schuldigen und er verschärfte die Erzählung weiter durch die Einführung eines strengen Verbots an die Eisenacher, die Vertriebene aufzunehmen. Diese Darstellung schöpfte der Reinhardsbrunner Mönch, der im fünften Jahrzehnt des 14. Jh. die Chronik aus manigfaltigen Bestandteilen verschiedensten Wertes zusammenstellte, aus der mündlichen Ueberlieferung — sie liebt es, das Verwickelte zu vereinfachen und den Bösewicht mit grellen Farben zu schildern —, aus Dietrichs Vita hat er sie nicht entnehmen können, wenn er auch den Hinweis gibt, dass darüber — er meint natürlich über die ganze Vertreibungsgeschichte — ausführlicher in Elisabeths Biographie zu lesen sei. Huyskens freilich unternimmt es (S. 57 f.), die Nennung der Wartburg und Eisenachs im Texte der Reinhardsbrunner Chronik zu verdächtigen, ohne zu bedenken, dass die Worte, die er beseitigen möchte, wie in dem Hannoverschen Codex der Chronik, so in den Schedelschen Excerpten stehen, dass sie auch durch den Liber cronicorum Erfordensis, der kurz nach der Reinhardsbrunner Chronik entstanden ist und aus ihr geschöpft hat, zweifellos als ihr Bestandteil verbürgt werden. Huyskens möchte die fraglichen Worte statt dem Reinhardsbrunner Chronisten 'einem für Eisenach begeisterten Historikus, der die fehlenden Ortsnamen in ein Exemplar Dietrichs von Apolda eingetragen habe', als ursprüngliches Eigentum zuschreiben. Es ist schwer von allen Irrwegen unmethodischer Kritik, welche Huyskens' Buch durchziehen, das doch mit dem Anspruch epochemachender Bedeutung auftritt (vgl. S. 107 f.), mit Gleichmut zu berichten. Wenn aber Huyskens zur indirekten Erhärtung seiner These das Schweigen der thüringischen Geschichtsschreibung im 13. Jh. und angeblich darüber hinaus feststellen wollte, wie durfte er unterlassen, sich damit abzufinden, dass weder Konrad von Marburg in seinem Schreiben an den Papst ein Wort über das angebliche Marburger Ereignis gesagt hat, noch Caesarius von Heisterbach, der nicht lange vor Konrads Tode einmal in Marburg war und seinen Lesern eine anschauliche Vorstellung der Lage von Stadt und Land gegeben hat (vgl. oben S. 456, N. 1 und den Sermo S. 54), irgend etwas erwähnt. Und doch hätte er, der bezüglich des Spitals der Elisabeth seine lückenhafte Quelle auf das beste ergänzte, sicherlich nicht übergangen, was in Marburg doch die Spatzen auf den Dächern gepfiffen haben müssten. Gerade aus Hessen aber kommen uns aus dem 14. Jh. mehrere Zeugnisse für Elisabeths Vertreibung von der Wartburg. Der Niederhesse, Hermann von Fritzlar, ein gelehrter und vielbelesener Mann, wusste in den vierziger Jahren des 14. Jh. in seinem 'Buch von der heiligen lehine' zu erzählen, dass Elisabeth 'von dem huse zu Warperg' verstossen wurde und in Eisenach keine Herberge fand [1], der hessische Dichter des 'Lebens der heiligen Elisabeth', der nach 1297 Dietrichs Vita in deutsche Verse umsetzte, vielleicht ein Marburger Ordenspriester, liess die vertriebene Fürstin nach Eisenach herabsteigen [2]. Dasselbe sagen auch der lübische Chronist Hermann Korner [3] und eine köstliche Legende des 15. Jh., die sicher nicht in Thüringen entstanden ist [4]. Und doch sagt

1) Hermanns von Fritzlar Legende steht in Deutsche Mystiker des 14. Jh. I (1845), S. 242—6, die angeführte Stelle S. 244, 14. Vgl. über Hermann: Wackernagel, Gesch. der deutschen Literatur I² (1879), S. 450 f. und das Buch von Frdr. Wilhelm, Deutsche Legenden und Legendare 1907 mit den Ausführungen von Ph. Strauch über Herm. v. Fritzlar in der Deutschen Literaturztg. 1908 n. 33, Sp. 2204 — 9, bes. 2207. 2) Das Leben der heiligen Elisabeth vom Verfasser der Erlösung. Herausg. von Max Rieger, Stuttg. 1868, S. 201, V. 4907; über den Verfasser: Rieger S. 58 f. und K. Heldmann, Gesch. der Deutschordensballei Hessen, Zeitschr. des Ver. f. hess. Gesch. XXX (1895), S. 61, N. 2. Dass Dietrich von Apolda seine 1289 begonnene Vita erst 1297 vollendete, bezeugt die Brüsseler Hs. 7917 (XIV. s.), Archiv VIII, 507 f., Catal. cod. hagiogr. bibl. reg. Bruxell. I, 2, p. 161, N. 1. Huyskens, der S. 8 darauf hinwies, setzt im weiteren Verlauf seines Buches immer wieder versehentlich 1298 statt 1297. 3) Die bezügliche Stelle ist nur in der alten Ausgabe Eccards II, 872 gedruckt: 'ad adiacens castri opidum Ysenac dictum properans'. 4) Diese Legende gab aus einer Hs. des

Huyskens (S. 67) 'bis in die neueste Zeit war die Vertreibung von der Wartburg nur den thüringischen Chronisten bekannt'.

Ganz einverstanden war und bin ich darin mit Huyskens (S. 60), dass die Wartburg, 'das Haupt des Landes', sicherlich nicht zum Witwensitz bestellt worden ist. Aber war denn die Annahme Huyskens' (S. 64) richtig, dass Elisabeth auf die Nachricht vom Tode ihres Gatten 'sich selbstverständlich von der Wartburg fort, die nun den Nachfolgern in der Landesregierung gebührte, auf ihr Wittum nach Marburg begab?' Ueber diese Rechtsfrage habe ich meinen Kollegen E. Heymann befragt, und was ich dann über das Rechtsverhältnis Elisabeths zu ihrem Schwager Landgraf Heinrich Raspe im mündlichen und gedruckten Vortrag angedeutet habe, beruht auf der trefflichen Auskunft, die er mir aus einem engeren und weiteren Quellenkreise heraus gegeben hat. Heute liegt ein schöner bezüglicher Aufsatz Heymanns vor: E. Heymann, Zum Ehegüterrecht der heiligen Elisabeth, Zeitschr. f. thüring. Gesch. XXVII, 1, S. 1—22. Diese Abhandlung wird voraussichtlich über den aktuellen Anlass hinaus für die Geschichte des Güterrechts der deutschen Dynastien Beachtung finden, die Leser meines Aufsatzes, welche Heymanns Ausführungen lesen, werden sich vielfältig gefördert sehen. Ich verweile nun blos ganz kurz bei diesen Dingen. Heymann hat nachgewiesen, dass die landgräfliche Familie Thüringens in Ansehung ihres Familiengutes in einer privatrechtlichen Gemeinderschaft lebte. Danach hatte die ganze Familie einschliesslich der Frauen und Kinder das Recht auf Naturalunterhalt im Kreise der Familiengenossen. Diese 'sustentatio' wurde in erster Linie auf der Hauptburg, der Wartburg, geboten, auch Elisabeth sollte sie erhalten. Heymann hat mit feinsinniger Erörterung (S. 9, vgl. S. 20) die bezügliche Aussage der Dienerin Irmgard (H. S. 129), welche Huyskens (S. 61) kurzweg als 'Klatsch' verwarf, in ihr gutes Recht wiedereingesetzt. Aber Elisabeth hat aus Gewissensbedenken,

15. Jh., einem Legendenbuche, das sich in der Konsistorialbibliothek zu Brixen befand, Reding von Biberegg, d. h. Hyazinthus Holland, in 'Altes und Neues herausg. von Frz. Pocci und Reding von Biberegg' II (1856), S. 1—46 heraus, s. S. 27. In der Darstellung des Rosenwunders (S. 4 f.) stimmt diese Legende wörtlich zusammen mit Hermann von Fritzlar S. 242. Aus derselben Brixener Hs. veröffentlichte übrigens I. V. Zingerle eine Legende 'Von den heyligen drey Künigen' Innsbruck, Rauch 1855.

weil sie nach Vorschrift ihres Beichtvaters nicht von den Einkünften leben wollte, die aus der Landgrafschaft flossen, und weil Landgraf Heinrich ihr die Nutzung ihres Wittums vorenthielt — das tat Heinrich in begründeter Sorge vor unberechtigten Verfügungen Elisabeths über das Wittumsgut — Elisabeth hat diese 'sustentatio' von sich gewiesen und die Wartburg verlassen. Sie hat sie verlassen unter moralischem Druck, unter Gewissenszwang, so habe ich auch früher ausgesprochen, und ungefähr so andere vor mir (vgl. H. S. 62 und Heymann S. 20, Anm. 1), Huyskens freilich nennt das S. 64: 'verrenkende Interpretationskunst'. Unzweifelhaft ist, dass durch die Darlegung Heymanns unser Verständnis der Sachlage und der Handlungsweise beider Teile erheblich gefördert wird, und Heymann (S. 21) hat auch die folgende durchschlagende Argumentation gegeben, die ich mir mit etwas anderen Worten zu eigen mache: wenn das 'castrum', aus dem Elisabeth 'eiecta fuit' ein 'castrum dotalicii' wäre und zwar das Schloss Marburg, und das Wort 'eiecta', wie Huyskens will, im Sinne handhafter Gewalt, körperlicher Austreibung zu verstehen wäre, nicht im Sinne blosser Rentenvorenthaltung, wenn die Vertriebene sich dann länger in der Stadt Marburg aufgehalten hätte, die sicher zu ihrem Wittum gehörte, so läge, da Elisabeth ja 'de castro et omnibus possessionibus dotalicii sui' vertrieben sein soll, ein Widerspruch vor, indem Elisabeth aus der Stadt, die sie als Vertriebene betritt, eben nicht körperlich 'eiecta' ist, sondern sich darin aufhält. Also, mag es auch grammatisch allenfalls möglich sein, sachlich ist es unmöglich in der Aussage Isentruds an ein 'castrum dotalicii' zu denken, eine Vertreibung Elisabeths vom Schloss Marburg als ihrer Wittumsburg anzunehmen.

Ueber die Aussagen der beiden Zeuginnen Isentrud und Irmgard bemerke ich noch folgendes: die Dienerin Irmgard, die, arm und geringer Herkunft, erst in der Marburger Hospitalzeit Elisabeth dienstbar wurde, wird verwundert gefragt haben, wie doch die Fürstin zur Preisgabe ihres fürstlichen Glanzes gekommen sei? Es war fast derselbe Gedankengang, der nach Isentruds Aussage die hessischen Grossen bewog, Elisabeth für unklug zu halten, weil sie die Reichtümer der Welt von sich geworfen hatte ('stultam eam reputantes et insanam, quia divitias mundi abiciebat', vgl. oben S. 486). Auf ihre Frage hatte Irmgard, vielleicht von Isentrud, erfahren, dass Elisabeth, da sie verhindert wurde, das Speiseverbot zu erfüllen, den fürstlichen Hof verliess und ihrem Drange nach einem Leben in Armut und Niedrigkeit folgte. Die edle Isentrud hatte die Empfindung ihrer fürstlichen Freundin in der kritischen Zeit geteilt. Elisabeth verliess die Wartburg, weil der Eingriff in ihre rechtlichen Befugnisse, die Entziehung ihres Wittums, ihr die Ausübung ihrer sittlichen Befugnis, der Lebensführung nach dem Gebote Konrads von Marburg, unmöglich machte. Eins folgte aus dem Andern, und deshalb lag es nahe, eins mit dem andern zu berichten. Isentrud und Guda aber werden die allzuknappe Formulierung des Protokolls über die Entziehung der Wittumsnutzung und über die damit gegebene moralische Verstossung Elisabeths von der Wartburg, wo sie nicht mehr hatte das Speiseverbot Konrads erfüllen können, nur deshalb gutgeheissen haben, weil der Protokollführer, als er den Frauen den lateinischen Text des Protokolls verdolmetschte, den zweifachen Eingriff in Elisabeths (vielleicht nur vermeintliches) juristisches Recht und in ihr sittliches Recht in seiner erläuternden Wiedergabe sicherlich unterschieden haben wird. Der Protokollführer aber hat sich gewiss nicht vorgestellt, wie er von der Nachwelt missverstanden werden würde, da er an eine körperliche Austreibung weder hinsichtlich der Witwengüter noch der Wartburg dachte, und doch ist er grösstenteils schuld an der volkstümlichen Verderbnis der Ueberlieferung, die dann der Reinhardsbrunner Chronist festgelegt hat: wo er von Elisabeths Weggang von der Wartburg zu berichten hatte, verschwieg er die tatsächlich erfolgte Entziehung der Wittumsgüter ganz, die ungeschichtliche Vertreibung Elisabeths von der Wartburg trat dafür in ein um so schärferes Licht.

Noch eins bleibt mir zu erledigen: die zeitlichen Daten, in denen sich Elisabeths Geschick im ersten Halbjahr nach dem Tode ihres Gatten vollzogen hat. Wie wunderlich sich diese Vorgänge in Huyskens' Darstellung (S. 64—66) gestalten, ist, da er fast keine Belege gibt und so manches unerwähnt lässt, nicht ohne Weiteres ersichtlich. Am 11. September 1227 ist Landgraf Ludwig auf dem Meer bei Otranto gestorben, am 29. September hat Elisabeth ihr drittes Kind Gertrud geboren und einige Wochen später hat die Zwanzigjährige die Nachricht vom Tode des Gatten erhalten. Im Laufe des Winters ('in maxima frigoris asperitate') hat sie die Wartburg verlassen, an irgend einem Tage der Fastenzeit, die im Jahre 1228 vom 8. Februar bis 25. März reichte, hat sie in Kirche und Herberge Visionen (H. S. 122). Das ist offenbar der

Anhalt für Huyskens, wenn er sie 'mitten im Winter zu Beginn der Fastenzeit des Jahres 1228' von der Marburg vertrieben werden lässt. Isentrud berichtet uns weiter, dass Elisabeths Tante, die Aebtissin von Kitzingen, aus Mitgefühl für ihre traurige Lage sie nach Bamberg führte. Sie habe davon 'erfahren', schreibt Huyskens, also muss er mindestens die Dauer eines Botenwegs von Marburg nach Kitzingen neben der zweimaligen Reise der Aebtissin bis zur Ankunft in Bamberg in Rechnung ziehen[1]. In allen drei Fällen war der Weg über Würzburg und Frankfurt der gegebene; auf der Eisenbahn, die doch sehr stattliche Abkürzungen gegenüber dem damals gangbarsten Wege im Maintal vornimmt, würden heute insgesamt nahezu 800 Kilometer zurückzulegen sein. In seinen 'Untersuchungen über die Reise- und Marschgeschwindigkeit im 12. und 13. Jh.' (Berlin 1897) S. 180 f. berechnet Frdr. Ludwig als normale Reiseleistung die tägliche Zurücklegung einer Strecke bis 40 und 45 km, für die Reisen der deutschen Kaiser und Könige sei als normale Reisegeschwindigkeit ein Durchschnitt von 20 bis 30 oder 35 km pro Tag anzusehen. Lassen wir die 800 km mit je 40 pro Tag in 20 Tagen erledigt sein, so würde bei dieser äusserst knappen Berechnung (Damen in Winterszeit!) doch der Anfang des März bis zur Ankunft Elisabeths in Bamberg herangekommen sein. Der Bischof von Bamberg, ihr Oheim, nimmt sie ehrenvoll auf, er will sie verheiraten, sie widerstrebt und wird bis zu ihrer Verlobung nach Pottenstein geführt. Es liegt ungefähr 80 km von Bamberg entfernt. Aber der Bischof muss sie von Pottenstein zurückrufen lassen, weil inzwischen die Gebeine ihres Gatten, von seinen Getreuen begleitet, eingetroffen sind. Mit den heimkehrenden Kreuzfahrern, welche die Leiche ihres Gatten zum Begräbnis in Reinhardsbrunn mit sich führen, kehrt sie nach Thüringen zurück. Huyskens sagt, dass sie 'nicht allzu lange in Bamberg gewesen sei', und er lässt sie mit den Gebeinen ihres Mannes nach Eisenach ziehen (von Bamberg aus auf der Eisenbahnlinie ungefähr 180 km). Schon vor dem 24. März müsste sie den Weg hinter sich gelegt haben,

1) Natürlich hat Elisabeth keineswegs alsbald nach dem Verlassen der Wartburg einen Boten an ihre Tante gesendet, sondern diese wird vielmehr auf dem Wege des umlaufenden Gerüchts von dem Schicksal ihrer verwitweten Nichte gehört haben. Entsprechend schiebt sich die Abholung hinaus.

denn an diesem Tage, am Charfreitag, vollzieht sie nach dem Briefe Konrads von Marburg — daran zweifelt auch Huyskens nicht — in der Franziskanerkapelle zu Eisenach ihren Entsagungsakt[1]. Was soll sich doch in diesen drei Wochen seit Anfang März alles für sie zusammengedrängt haben! Die absolute Unmöglichkeit, dass die Ereignisse sich in dieser Hast gefolgt sind, will ich ja nicht behaupten, dazu bleiben zu viele unbekannte Grössen übrig, aber die grösste Unwahrscheinlichkeit liegt bei unserer doch auch viel zu knappen Rechnung unverkennbar vor. Ueberaus unwahrscheinlich ist nun auch und mit dem Wortlaut ebenso der Dicta wie Dietrichs von Apolda, der neben den Dicta hier Bertholds Gesta Ludovici benutzt hat, kaum zu vereinbaren, dass die Gebeine Landgraf Ludwigs erst nach Eisenach gebracht worden seien, statt dass das Leichengefolge direkt von Bamberg nach Reinhardsbrunn zog, etwa von Schmalkalden abbiegend. Aber Huyskens konnte das Leichenbegängnis nicht auch noch vor dem 24. März unterbringen, auch weil in einer Urkunde Landgraf Heinrichs, die er am 28. März 1228 zu Marburg ausstellte, noch keiner der rückkehrenden Kreuzfahrer als Zeuge auftritt. Diese Kreuzfahrer finden wir erst in Urkunden Heinrichs vom 16. Mai aus Mossburg bei Steinbach-Hallenberg, und eben um diese Zeit erst wird die Beerdigung Ludwigs in Reinhardsbrunn stattgefunden haben. Es ist eine seltsame stillschweigende Voraussetzung von Huyskens, dass jene Kreuzfahrer schon im März nach Bamberg gekommen sein sollten. Zwar die Erfüllung ihres Kreuzzugsgelübdes nach dem Tode des Landgrafen (Dietr. v. Ap. IV, 5 und V, 2) würde sie nicht daran gehindert haben, sie haben wohl um Neujahr aus Jerusalem nach Unteritalien zurückgekehrt sein können, aber sicherlich sind sie nicht mitten im Winter mit der teuern Last von Otranto, wo sie die Leiche abgekocht haben, heimgezogen, noch ehe die Frühjahrssonne den Weg über die schneebedeckten Alpen erleichterte. Erst im April werden sie nach Bamberg gekommen sein, und Elisabeth ist ihrerseits erst nach dem Charfreitagakt (24. März), erst Ende März von ihrer Tante aus Eisenach

1) Wenn die Dicta von dem Charfreitagsakte nicht berichten (nur eine Anspielung auf die Entsagung findet sich einmal Mencke II, 2023 B), also Konrad von Marburg ihn allein bezeugt (s. auch H. S. 148, N. 1), so wird das seinen Grund darin haben, dass die 'ancillae' ebenso wie Konrad nur bezeugen, was sie mit Augen gesehen haben.

dahin entführt worden. Sie hat dann wohl Anfang Mai mit den Kreuzfahrern unmittelbar den Weg nach Reinhardsbrunn zur Grabesstätte des Landgrafen genommen.

So angesehen gliedert sich alles ungezwungen ein, dem Wortlaut und Sinn der Quellen und den Gesetzen der Wahrscheinlichkeit entsprechend.

Dass in Huyskens' Quellenstudien nur allzuviel sich findet, was einer methodischen Quellenbehandlung, einer unbefangenen Deutung und lebendigen Erfassung schnurstracks zuwiderläuft, hat mich zum Widerspruch gedrängt. Ich habe die Widerlegung selbst und nicht auf wenigen Seiten erledigen wollen, weil die scharfe Erfassung der dafür dienlichen Argumente keineswegs immer mühelos zu gewinnen ist, von mir aber, da ich nun einmal mit diesen Quellen seit dreissig Jahren vertraut bin, am leichtesten zu geben war. Ich habe sie unternommen ohne Hoffnung, wesentliche positive Früchte zu gewinnen, nur um den Weg wieder frei zu machen von dem Gestrüpp, das weitere Irrgänge herbeiführen konnte. Wenn ich nicht irre, ist dann diese Untersuchung doch nicht ohne dauernden Ertrag für die Würdigung und richtige Einordnung der ältesten Quellen zur Geschichte Elisabeths geblieben. Das würde der beste Lohn dieser Arbeit sein.

In einem zweiten Aufsatze habe ich vor allem eine von mir aufgefundene neue, sehr reizvolle Quelle zur Geschichte Elisabeths mitzuteilen. Leider kann ich zunächst nur ein Bruchstück versprechen, obwohl ich nicht der Hoffnung entsage, das Ganze auch noch zu finden. Aber auch dieses Bruchstück ist von stattlichem Umfang, etwa zwölf Seiten dieser Zeitschrift füllend. Es handelt sich um das letzte Stück der Franziskanischen Biographie Elisabeths aus dem 13. Jh., aus welcher Sedulius und Wadding nach einer dann verschollenen Löwener Hs. Mitteilungen gemacht haben. Sie ist etwa fünfzig Jahre nach dem Tode Elisabeths geschrieben, bietet aber viele bisher unbekannte Einzelzüge, welche auf Zeitgenossen Elisabeths als Berichterstatter zurückgehen. Gefunden habe ich sie in einer Hs. des Franziskanerkonvents zu Coblenz (XV. s.), deren in Pertz' Archiv VIII, 613 und XI, 741 angegebener Inhalt durch die Vereinigung mehrerer Biographien des heiligen Franz mit einem Bruchstück einer mir unbekannten Vita Elisabeths das beste hoffen liess. Heute befindet sie sich nicht mehr in der Bibliothek des Gymnasiums zu

Coblenz, sondern ist in die Verwahrung des Königl. Staatsarchivs daselbst übergegangen. Meine Abschrift mit den begleitenden Untersuchungen gedenke ich, wie gesagt, in dieser Zeitschrift zu veröffentlichen. In der vorstehenden Abhandlung des Inhalts dieser Vita ausdrücklich zu gedenken, hatte ich keinen Anlass.

Weiter beabsichtige ich den Brief Papst Gregors IX. an Elisabeth (s. oben S. 453) und die Urkunde König Belas IV. für Magister Farcasius (Dobenecker III, 1201), beides in berichtigtem Text, endlich ein für die Geschichte der Reliquien Elisabeths interessantes ungedrucktes Schreiben des Franziskanerkonvents unterhalb der Wartburg an Kurfürst Friedrich den Weisen vom Jahre 1491 mitzuteilen.

Daran gedenke ich einige kleinere Untersuchungen, namentlich über die 'forma de statu mortis S. Elisabeth' (Huyskens S. 92 f. und 147 f.) und über die Oertlichkeit von Elisabeths Aufenthalt im Sommer 1228 (ob Wehrda oder Wetter?), beides Fragen von methodischem Interesse, endlich Mitteilungen über die vier Sermone Heinrichs von Langenstein, eines begeisterten Verehrers Elisabeths, anzuschliessen.

Nachschrift.

1) Zu S. 466, N. 1. In der Münchener Hs. Cl. 14126, die auch in Teil 3 und besonders 4 der Dicta lückenhaft ist (vgl. Pertz' Archiv III, 347), fehlen die drei Sätze 'Quidam enim — gloriosam Elyzabeth' = Mencke II, 2034 A. B. — Die Lesart der Leipziger Hs. (fol. 24r) 'transferamus' derjenigen aller übrigen Hss. ('confugiamus') vorzuziehen, bestimmt mich die Erwägung, dass einem Abschreiber, der nicht an die zweifachen besonderen Beziehungen der Deutschherren zu der neuen Heiligen und zur Gottesmutter dachte, sondern dem eben nur Elisabeth im Sinn lag, ganz von selbst sich die Zusammenschliessung der 'patrona' und 'advocata' als nächstliegender Gedanke darbieten musste. Durch Einstellung von 'confugiamus' statt 'transferamus' bewirkte er sie. Er fand das Wort 'confugiamus' überdies bald nachher in ähnlicher Beziehung: 'ad ipsam tanquam singulare refugium . . confugiamus'. Dass umgekehrt ein Abschreiber 'transferamus' für 'confugiamus' eingesetzt habe, erscheint mir völlig unglaubhaft. Gegen die letztere Lesart scheint mir auch die mit ihr verbundene wunderliche Häufung der Epitheta Elisabeths 'patrona, domina, advocata' zu sprechen. Dass die Leipziger Hs. eine Hss.-Klasse für sich darstellt, ist durchaus nicht ausgeschlossen (vgl. oben S. 433, N. 1 und 445, N. 1). Der künftige Herausgeber dürfte bei Würdigung des gesamten Hss.-Materials und seiner Verzweigung zur Bestätigung der Lesart 'transferamus' gelangen. Der Gedankenzusammenhang des Epilogs an unserer Stelle ist übrigens der: Wie Elisabeth nicht nur von leiblichen Gebrechen hilft, sondern auch in geistlichen und seelischen Kämpfen erfolgreichen Beistand leistet (hierfür wird das oben

S. 467, Absatz 2 nacherzählte Beispiel gegeben), so ('igitur') dürfen wir am jüngsten Tage auf sie als Fürsprecherin unserer Sündenschuld bei der Gottesmutter rechnen. Dieser Gedankenzusammenhang verträgt sich allerdings auch mit der Lesart 'confugiamus'. Für die Lesart 'transferamus' aber mag noch die Erwägung des verehrten Herausgebers dieser Zeitschrift sprechen, dass dem Verfasser bei dem auffälligen Ausdruck 'transferamus' die Erinnerung an die vorher erwähnte irdische Translation Elisabeths vorgeschwebt habe. Sollte man nun über diese Frage wider Erwarten anders zu denken geneigt sein, so werden auch ohne diese Stütze die S. 467—70 vorgetragenen Erwägungen hinreichend für den Deutschordenspriester als Verfasser sprechen.

2) Zu S. 473, Z. 12 f. bemerke ich, dass die Lektion 'Celorum regnum — incognita amare' aus einer Homilie Papst Gregors I. zu Evang. Matth. 13, 44—52 stammt. Ich verdanke diesen Nachweis der Güte des Herrn Pater Diodorus Henniges O. F. M. zu Wiedenbrück in Westfalen. Er beabsichtigt die Hymnen, Sequenzen, Lektionen und Offizien zu Ehren Elisabeths herauszugeben und darf wohl auf die Unterstützung seines dankenswerten Vorhabens in weiten Kreisen rechnen. Pater D. H. verweist für jene Lektion auf: Breviarium Romanum in Communi nec virginum nec martyrum.

Während des Druckes ist ein Aufsatz von Emil Michael S. J. 'Ist die hl. Elisabeth von der Marburg vertrieben worden?' in der Zeitschr. f. kathol. Theologie XXXIII, 41—49 erschienen. Indem M. auf die Bitte von Huyskens, 'rückhaltlos seine Meinung über dessen Forschungsergebnis zu äussern', H.'s Darstellung der Vertreibungsgeschichte prüfte, kam er aus dem Zusammenhang der Dicta heraus zu einer runden Ablehnung. M.'s Beweisführung ist bündig und unwiderleglich. Da er sich auf den einen Gesichtspunkt beschränkt, könnte sie noch kürzer sein, wenn M. nicht die Nikolaushypothese H.'s angenommen hätte. Ich konnte mir die Erörterung der wunderlichen Doublettentheorie (H. S. 55 f.) sparen. Was M. über H.'s 'zu hohe Einschätzung seiner Arbeit' und von dem 'überraschend wenig Neuem' sagt, das 'in Wirklichkeit H.'s Buch für die Kenntnis der hl. Elisabeth biete', dient den vorstehenden Ausführungen zur Bestätigung.

Eine vergessene Schrift Gerts van der Schuren.

Von

G. Kentenich.

Zu den handschriftlichen Schätzen der Trierer Stadtbibliothek gehört unter n. 689 ein Sammelband, der bisher weniger beachtet worden ist, als er wohl verdient. Enthält er doch u. a. einen bisher unbekannten Traktat Peters von Kaiserslautern (Petrus de Lutra), der für die Geschichte der litterarischen Kämpfe, welche die Fehde zwischen Kaiser und Papst zur Zeit Ludwigs des Baiern begleiten, nicht ohne Wert ist. Der Traktat ist gegen die 'nefaria liga fratrum' der Franziskaner, der Parteigänger des Kaisers, gerichtet und die Mittel, mit welchen diese die Gläubigen der Weltgeistlichkeit entfremden. Als solches scheint vorzüglich die dritte Regel des h. Franziskus benutzt worden zu sein. Die Schrift verdient um so grösseres Interesse, als Petrus darin Daten über sein Leben und seine Schriften u. a. einen 'laqueus Caesenae' gibt.

Nicht minder wichtig aber ist wohl die unten abgedruckte Schrift, welche f. 241—249 unserer Hs. umfasst. Sie gibt wertvolle Beiträge zur politischen Geschichte der Herzogtümer Cleve und Burgund sowie des Bistums Utrecht, ihre eigentliche Bedeutung liegt aber wohl auf kulturgeschichtlichem Gebiet, indem sie uns das Idealbild eines deutschen Fürsten der ersten Hälfte des 15. Jh. zeichnet und uns wertvolle Einblicke in das Denken und Fühlen eines Mannes tun lässt, den die Geschichtswissenschaft ebensosehr als Verfasser einer Clevischen Chronik wie die deutsche Sprachwissenschaft als Autor des Teutonista verehrt: Gerts van der Schuren.

Ihn glaube ich als Verfasser des anonymen Traktats in Anspruch nehmen zu sollen.

Die Zeit der Abfassung des Traktats ergibt sich daraus, dass der Verfasser als seinen Herrn einen Clevischen Herzog Adolf bezeichnet, der wie sein ganzes Haus mit dem Utrechter Bischof befreundet ist, dessen Vorgänger Bischof Friedrich von Blankenheim war. Diesem folgte 1433 Rudolf von Diepholz, Verwandter und Kandidat Herzog Adolfs II. von Cleve und Mark, desselben getreuer Verbündeter in der bekannten Soester Fehde. Der Traktat ist also vor dem Jahre 1448, in welchem Herzog Adolf II. starb, abgefasst. Eine genauere Zeitbestimmung glaube ich den Worten 'si dominus meus . . . thesaurum et bona temporalia non habuisset, quomodo tot malis et adversis tanto tempore restitisset et adhuc vereretur ab omnibus' entnehmen zu sollen. Sie deuten wohl auf die noch dauernde Soester Fehde, welche die letzten Regierungsjahre Adolfs füllte, hin.

Der am Hofe Adolfs lebende Verfasser hat Beziehungen zum Sekretariat, wenn es erlaubt ist, den kanzleimässigen Einschlag im Vorwort 'ad perpetuam memoriam tam praesentium quam etiam futurorum' in diesem Sinne zu betonen. Wir kennen nun einen Sekretär des Herzogs in den vierziger Jahren: Gert van der Schuren. Wahrscheinlich war er in dieser Eigenschaft seit dem Jahre 1442 tätig [1].

In unserem Traktat ist nun ersichtlich derjenige Fürst, welcher dem Verfasser als Idealbild vorschwebt, Herzog Adolf. Für die Freunde der Clevischen Chronik brauche ich aber nicht auf die geradezu enthusiastische Verehrung, die ihr Verfasser für Herzog Adolf hegt, hinzuweisen. Sie bricht wiederholt fast elementar hervor. Adolf heisst 'spyegel alre fursten' und 'pryns alre prynsen spegel' [2]. Dass aber diese Ausdrücke nicht ohne eine gewisse Praegnanz geprägt sind, dass vielmehr theoretische Studien Gerts über das Fürstenideal zu Grunde liegen, das leuchtet uns sofort ein, wenn wir a. a. O. S. 144 lesen: 'Es ist weynich, dat ick alhier gemeldet hab, mer wie die volkomenheyt von dem regiment der glorioser fursten ind princen hoeren ind weten wille, die lese Egidium de Roma in den boick genant "de regimine principum"!

Das scheint mir ein deutlicher Hinweis, dass der Verfasser unseres Traktats eben Gert van der Schuren ist. Mir steht hier nur ein Inkunabeldruck des weitschichtigen Werkes des Aegidius de Colonna zur Verfügung, die einigermassen beschwerliche Lektüre hat mich in der geäusserten Vermutung bestärkt. Wie für den Begründer der Augustinerschule und den Erzieher Philipps des Schönen ist für den Verfasser unseres Traktats die Haupttugend die Gerechtigkeit.

---

1) Vgl. Harless in der Allgemeinen Deutschen Biographie XXXIII, 80. 2) Ausgabe der Chronik von Scholten (Cleve 1884) S. 133.

Ein eingehender Vergleich der Chronik Gerts mit unserem Traktat dürfte den Beweis noch zwingender gegestalten. Es sei mir hier nur gestattet ein Bedenken zu zerstreuen. Den Beschluss unseres Fürstenspiegels bildet eine Verherrlichung der Messe, so dass man zunächst unbedingt einen Geistlichen als Verfasser in Anspruch nehmen möchte. Aber abgesehen davon, dass Gert nach Harless a. a. O. die niederen Weihen empfangen hatte, drei seiner Söhne geistlich wurden, fehlt es auch nicht an Zeugnissen aus seiner Chronik, welche seine besondere Wertschätzung des kirchlichen Gottesdienstes an den Tag legen. So rühmt er an Adolfs Sohn die 'liefde tot vermeeryngen des gotliken dyenstes'. So ist der letzte Absatz gerade umgekehrt geeignet unsere Ansicht zu unterstützen.

Ich muss es zur Zeit anderen überlassen, den politischen, biographischen und kulturgeschichtlichen Gehalt des hier folgenden Traktats auszuschöpfen, bemerke nur noch, dass die Hs. dem Trierer Benediktinerkloster St. Matthias entstammt und in unserem Abschnitt noch dem 15. Jh. angehört. Zu Beginn dieses Jahrhunderts hat der Mattheiser Abt Johannes Rode, der Vater der bekannten Reform des Benediktinerordens im 15. Jh., enge Beziehungen zu den Niederlanden unterhalten.

Illustri viro, reverendo in Christo patri ac domino N. f. episcopo Traiectensi, domino suo generoso ac praecipue dilecto, N. humilis venerator et servus ecclesiam vestram, terram et subditos vestros cum dei timore ac iusticia feliciter gubernare. Amen.

Christi nomine invocato, ex speciali affectione, quam ad vos et ecclesiam vestram aliquo tempore habui, ad perpetuam memoriam tam praesentium quam etiam futurorum, eorum praesertim, qui honoris et status eiusdem ecclesiae vestre zelatores existunt, de his primo, quae ecclesiam vestram respiciunt, 2. de consiliariis, 3. de officiatis, 4. de faciendis et praecavendis circa illos, 5. de aliis quibusdam pennae occurentibus statui vestrae [dignitati] necessariis, prout ea habui et recepi partim ex scriptis antiquis, partim ex antiquorum dictis et relatibus, partim quae ego ipse tempore parvo, quo in curiis dominorum exstiti, et vidi, didici et cognovi, hanc epistolam reverentiae vestrae duxi conscribendam. Ad hoc etiam, ut huic compilationi operam darem, me favor ille praecipuus generosi et magnifici domini mei, domini Adolphi, ducis Clevensis ac comitis Markensis, nec non omnium suorum, quem ad vos et ecclesiam vestram gerunt, non verbo et lingua, sed opere et veritate. Intendo etiam huic nonnulla inserere fiendorum, videlicet de castrorum et munitionum conservatione ac de consiliariorum et consiliorum qualitate, prout dominus dederit, et pro ingrato non capiat vestra magnificentia, si per simplicitatem minus plene minusque caute in hoc aliqua scribere praesumo, quae vestrae vel aliorum intentionis (f. 241[v]) voto minime videantur expedire, cum non ut pater filio nec ut magister discipulo, sed ut avicula modica dulci quadam garrulatione memoriam excitans non imperando, sed consulendo pio bonoque zelo loquor in hoc opere. Scio enim vobis a deo talem datam ac tantam industriam naturalem, quod, si mente sollicita istis, licet parvis, velitis intendere, negotia vestra multo levius, multo facilius poteritis expedire.

His igitur generaliter praelibatis primo et ante omnia vos exhortor, ut in omnibus vestris factis semper deum prae oculis habeatis, iusta iudicia faciatis et fieri permittatis, ecclesias honoretis et presbiteros bonos ac honestos honore habeatis eosque non gravetis, sed ab iniuriantibus defendatis, discolos vero et malos corrigatis et corrigi faciatis, ne in vos et animam vestram eorum redundent mala opera. — Item viduas, orphanos, pupillos et pauperes ab iniuriantium et calumpniantium oppressionibus relevetis.

Publicas vias et strata terrae vestrae pro transeuntibus et venientibus tam incolis quam extraneis secura et libera conservetis, nec sit vobis aliquis ita carus, quem non puniatis, qui hanc violaverit libertatem, in his taliter vos habentes, ut mali vos timeant et boni diligant.

Item hereditates vestras et bona, iurisdictiones, iura et dominia in vigore conservetis et non minuatis, sed augeatis, sicut bonae memoriae pius ille dominus Fridericus vester fecit precessor.

Item vestros subditos inter se discordantes, quantum in vobis est, ad pacis concordiam revocetis.

Item non sitis in terra vestra spoliatoris receptator vel fautor, ne vobis (f. 242) contingat, quod pluribus dominis contigit, quos novimus, et contingat, ut pro ipsis vos oporteat spolia persolvere. De domino nostro predecessore vestro non audivi, quod spoliatores diligeret vel eis faveret, sed potius eos odiebat et, dum apprehensi fuerant, vivere non sinebat.

Item cum vicinis vestris dominis, civitatibus ac opidis, quantum in vobis est, amicitiam et concordiam continuetis, non permittentes, ut subditi vestri vel quicunque alii ex vestris munitionibus et de terra vestra ipsos dominos vel eorum terras, civitates et opida infestent seu aliquid molestie inferant, ne sic de vestris amicis vobis faciant inimicos et in vos consequenter transferant guerram suam, sicud tempore meo recolo dominis quibusdam non semel, sed pluries contigisse. — Ipsis quoque vestris vicinis civitatibus et opidis ac aliis pertranseuntibus iter tutum faciatis, non permittentes eis inferri molestiam. Hec vobis cum vestris concordiam stabilem conservabunt, hec vestram famam longe lateque divulgabunt, per haec eritis tam incolis quam extraneis non solum metuendus, verum etiam ab omnibus collaudandus, sicque terra vestra stabit in pace et requie opulenta.

II. De consiliariis.

Item consiliarios habeatis viros maturos, iustos et fideles, deum timentes, qui in consiliis dandis non querant lucra propria vel suorum. In consiliis autem semper attendatis, quid quisque consulat, utrum bene aut non bene, et eorum dicta tacite examinetis in corde, ut possitis, dum tempus fuerit, commode respondere et ad ea vos habere prudenter, ut, si (242^v) dixerint vel consulant, quae vera sunt et iusta, illa admittatis.

Et si ex eis aliqui sint, qui odio aut favore ducti rogant vel consulant, quod non sit iustum, illius nequaquam admittatis consilia sive partes, semper veritatem sequentes et iustitiam, doctore propheta[1]: 'Iuste iudicate filii hominum'; unde dicitur Sapientiae VI[2]: 'qui custodierint iustitiam, iustificabuntur'.

III. De officiatis.

Item ad officiatos vestros attendere curetis, ne vestros homines et subditos gravent indebite. Eorum computationes personaliter audiatis ad eas sollicite attendentes. Officiatos, in quantum vitare poteritis, mediante pecunia in officiis vestris non ponatis, pro qua ipsa officia obligetis eisdem, quod eo ipso quodammodo se reddunt suspectos, qui quaerunt officia pro pecunia obtinere. Et si quos huiusmodi in officiis vestris inveneritis, suo tempore, quo commodius breviusque poteritis, non officiantes, si vobis utiles

---

1) Das ist kein wörtliches Vulgata-Zitat. 2) V. 11: 'Qui enim custodierint iusta iuste, iustificabuntur'.

sint, sed obligationes pecuniarias, ut praedictum est, persolventes removeatis, licet per pium vestrum praedecessorem bonae memoriae officia vestra satis onerabiliter invenietis gravata, non sua, spero, cupiditate personali, quod, ut audivi, nec pecunias novit nec dilexit, et male illis(?), qui hunc dominum tam pium, tam modestum, senio confectum et in huiusmodi factis quasi puerum effectum non suo bono, sed cupiditate sua ad tam grande onus totius terrae vestrae induxerunt. Nec fuit hoc consuetum ab antiquo officia pro pecunia sic obligare, quod non possent deponi ab officiis nisi prius pecunia persoluta. Quam dampnosum autem sit vobis et subditis vestris officia pro pecunia (f. 243) obligare, exemplum recipere poteritis experientia, quae vobis profutura est, et ex pluribus, quae partim nostis et ego novi. Saepius visum est et videtur cotidie, quomodo hi, qui lucra immoderata sectantur et captant deum non timentes, tales sunt, qui quaerunt et procurant, ut in officiis ponantur mediante pecunia. Et si quando a se ipsis pecuniam tantam, quae ad hoc sufficiat, non habeant, ab amicis, qui libenter lucri volunt esse participes, sub mutuo recipiunt vel sub usura conquirunt, et hoc totum in dominorum et subditorum dampnum redundat, maxime autem, cum ex ipsis officiatis aliquando sint nonnulli, qui lucra exercere usuraria consueverunt, quorum tanto minus conscientiis in officiorum administratione et regimine credendum est. — Maxime periculosum est ponere administratores officiorum seu in quocumque regimine dominorum, qui deum non timent nec conscientiam de huiusmodi factis habent. Nam tales per tyrannidem subditos rodunt et opprimunt, computationes quoque aggravant et cumulant, ut dominis adempta facultate redimendi officia tanto diutius in officiis valeant permanere. — Haec magnificentiae vestrae scribo, ut similia inconvenientia vitare possitis, si placet. Proverbio enim dicitur[1]:

'Felix, quem faciunt aliena pericula cautum'.

Existimo enim non omnino infelicem, quem domino permittente propria informant discrimina, propter quod, domine generose, officiatos, quos experientia docente fideliter se in officiis habere noveritis, non de facili ad eorum ammotionem seu mutationem vos permittatis induci. Et ex quo ad bene agendum plerumque exempla plus prosunt quam

---

1) Vgl. MG. SS. XXXII, 418, N. 2.

verba, licet vos et vestri praedecessores episcopi Traiectenses plures habueritis et adhuc habeatis officiatos merito commendandos, illorum tamen prae ceteris est (f. 243ᵛ) memoria specialiter recolenda et saepius recitanda, qui plus ceteris terram vestram et episcopatum in castris, munitionibus, iurisdictionibus et possessionibus dilatasse et provexisse noscuntur, ut eorum exempla sequentes moderni, qui officia gubernanda suscipiunt, tanto diligentius tantoque fidelius in ipsis se studeant exercere officiis. Et de illis inveniendis, quorum facta merito sunt laudanda atque aliis in exemplum revocanda, vestrae reverentiae vestrorumque experientiis cum humilitate relinquo, quod tutius reor me omnino non scripsisse quam aliquid posuisse dubie; sed hi procul dubio recommendandi sunt, qui, ut reperio in c r o n i c i s quibusdam non modernis, omni tempore officii sui nullum sibi fecerunt nec procuraverunt fortilicium, sicud proh dolor! nunc temporis officiati plurimum faciunt, et castra dominorum suorum ruere quandoque permittunt et perire.

Item castra vestra in edificiis et condependentiis integra conservetis et conservare faciatis et, dum tempus requirit, prout possibile vobis erit et necessitas requirit, munita hominibus et victualibus provideatis. Item, quantum in vobis est, cum omnibus tam dominis quam terris pacem habeatis, quia ecclesiasticorum est non armis aut galea protecti incedere salcim (?) invasuris, sed solum signo fidei armati in agricultura laborare, cuius formam gerunt, Iesu Christi. Item in guerris et actibus bellosis[1], si quando insurgunt tempestatum more ab invasoribus dominis et principibus, qui proh dolor! hodie, licet ad hoc orti, licet ad hoc nobilitati, ut dei ecclesiam defendant, ipsi suam malitiam in eandem plus ceteris, ut frequenter, exercent et extendunt: (f. 244) si huiusmodi ecclesiae vestrae occurrunt, semper vos confortatum, constantem atque magnanimem vultu et animo ostendatis, non solum in prosperis seu minimis, verum etiam in magnis et adversis, illud attendentes magnifici Machabaei primo Machabeorum[2], ita exercitus suos exhortantis: 'Facile est multos concludi in manus paucorum, et non est differentia in conspectu dei caeli liberare in multis et in paucis, quoniam non in multitudine exercitus victoria belli, sed de caelo fortitudo est; ne timueritis multitudinem eorum, et nunc clamemus in celum, et miserebitur nostri dominus'. Seniorum con-

1) So Hs. 2) 3, 18. 19. 4, 8. 10.

silia et conversationes ne spernatis, illud III⁰ Regum XII. praecaventes, quod de Roboam Salomonis filio legitur, qui, seniorum spreto, sed iuvenum consilio arrigens aures, quo populum amisit et regnum. Non taedeat vos habere consilia habere[1] in factis vestris, sed illud[2] sapientis[3]: 'Omnia fac cum consilio, et postea non paenitebis', et iterum[4]: 'qui agunt omnia cum consilio, reguntur sapientia'. Haec consilia cum amicis tractanda sunt, quos in vestros consiliarios duxeritis specialiter eligendos, non cum levibus personis vel inexpertis, qui adulantur et locuntur vobis blanda et placentia[5]. Hi trahunt vos ad vana et ad ea aliquando, quae non expediunt, et tales non curant, quantum expendatis et consumatis quantumve detis vel unde vel qualiter exposita persolvantur. Item non sic innitamini vestro sensui, ut non velitis audire consilia vestrorum specialium consiliariorum vobis fidelium, de quibus certi estis, quod non vellent consulere, nisi quod ad vestrum pertineret profectum et honorem, Salomone dicente[6]: 'Ne innitaris prudentiae tuae', hoc est pertinaciae tuae.

Attamen in publicis iusticiis propter delicta publica faciendis expedit quandoque, ut domini inexorabiles se ostendant, maxime dum salva iusticia et honore (f. 244ᵛ) non licet facere quod rogatur. Nam quandoque rogant illi, qui non vellent, quod fieret hoc, quod rogant.

Item dum estis in comitatu populi, exhibeatis vos affabilem et benignum in salutationibus et loquelis vestris, cum moderamine tamen tali, ut secundum dictum Augustini coram subditis appareatis praelatus et sitis, coram deo humiliamini, quasi substratus eorum pedibus. Unde et Ecclesiasticus[7]: 'Quanto magnus es, in omnibus te humilia'. Hominibus quoque pauperibus vobis attinentibus in eorum necessitate conqueri volentibus audientiam non negetis, sed benivolentia vos eis exhibentes in paupere personam Christi comprehendatis, ut ipse docet in Matthaeo[8] dicens: 'quod uni ex his facitis minimis, mihi facitis'.

Pro servicio vobis impenso vel pro re alia quantumque gratanter exhibita non negligatis hominibus grates reddere leto vultu, ut cognoscant et ex hoc intellegant vobis gratum quod fecerunt.

---

1) So wiederum Hs. 2) Etwa 'attendatis' zu ergänzen. 3) Eccli. 32, 24, nicht wörtlich zitiert. 4) Prov. 13, 10. 5) Is. 30, 10: 'loquimini nobis placentia'. 6) Prov. 3, 5. 7) 3, 20. 8) 25, 40, nicht genau wörtlich zitiert.

Illis namque, qui in servicio vestro usque in finem vitae suae fideliter perseverant, decet vestram magnificentiam non solum grates referre, sed eorum successoribus, filiis et nepotibus, ut propter hoc etiam illis tanto favorabiliter existatis.

Tempora vestra non inutiliter expendatis, quia tempore nihil pretiosius, ut diem non vertatis in noctem et noctem in diem, ut, proh dolor! hodie fere omnes dominorum domestici et divites huius saeculi faciunt, quo mala infinita, tam animarum dampna quam etiam bonorum temporalium et corporum subsequuntur, et ex hoc crescit in omne malum vehementius (f. 245) totum genus mortalium.

Horas diei, si placet, taliter distinguatis, ut primo mane vacetis soli deo et vobis orando, horas canonicas personaliter et intentione vobis possibili legendo et missam devote audiendo vel etiam aliquando, si non in publico, tamen in privato, celebrando secundum quod tempus expostulat aut res, id est: secundum quod occupatio permittit aut devocio excitat. De missa audienda, quam utile sit et salutiferum, secundum quod dominus dederit, postea aliquid annectam.

Deinde divino peracto officio, si tempus patitur, consiliis insistatis in causis arduis, vel pocius, si placet, ante missam hora ordinetur ad hoc, qua ad vos conveniant vestri speciales de consilio ad videndum, si quae occurrant tractanda de arduis vel necessariis, quod mens seu intellectus hominis de mane ieiuno stomacho ad aliquid captandum eo ingeniosior et aptior hora serotina, quo minus gravatur natura de singulis. Experientia docente videmus, quod hoc homo ieiunus de mane capit, discernit atque diffinit, quod facto prandio aut cena et repleto stomacho nullatenus posset aut valeret. Etiam homines illa hora magis sunt docibiles, plures in consiliis conveniunt et, licet omnes bene velint et iuste, non omnes tamen ad eundem intellectum capiunt materiam. Necesse ergo in quocumque bono consilio, quod sanior pars praevaleat, et alia cedat, et hoc quietius, lenius ac convenientius fit de mane quam de sero. Sapientum est dicere audita aliqua difficili materia: 'dormitabimus super huiusmodi et tunc respondebimus'. Non gratis aurora dicta illa hora quasi aurea hora, quod, sicud aurum omni metallo, sic illa praevalet omni hora. Vidi etiam ego in curiis plurium dominorum et praecipue in curia domini ducis Burgundiae piae memoriae, ubi aderat sapientia tunc magna, prout (f. 245v) audivi, et etiam ex illo quidem conici potest per sapientis testem[1], quod in senibus est sapientia[2], ubi tot et tanti senes et grandaevi, sed quotquot erant, omnes illa hora, videlicet ante missam, visitabant cameram domini et intrabant consilium, et illo tunc peracto, modo longius modo brevius, secundum quod factum se extendebat, simul cum domino duce capellam intrantes ibi missam audiebant; sic, domine mi, consilia vestra secundum tempora ordinare poteritis et seniorum atque expertorum ornare interessentia. Inter omnes ornatus et situs ubicumque curiarum dominorum, quos vidimus, nullus mihi placuit amplius nec adhuc parvo meo sentire placet, quam eorum progressus sive ad consilia sive ad quoscumque[3] eorum status sessiones cum seniorum et longebarbatorum comitatu. Haec est facies hominis ut facies leonis cuncta animalia terrens.

Non casu gestum esse arbitror Iohannem, ut in Apocalipsi[4] scribitur, XXIIII vidisse seniores in circuitu sedere domini in thronis, et Esaiam dicere Esaiae III[5]: 'dominus ad iudicium veniet cum senioribus populi sui'. Quid sibi ista volunt, prout ad praesens nobis deservit, nisi secundum Gregorium, si 'omnis Christi actio nostra est instructio', quod sedentes in thronis et in cathedris ecclesiam domini iudicantes omnibus eorum iustitiam facient non cum levibus et inexpertis, sed honestis et senioribus. Ex quo omnis salus, virtus dominorum et potestas in eorum exsistit consiliariis et consiliis, non taedeat quemquam me aliquamdiu hic immorasse[6].

Item finito consilio et missa audita, ut praedictum est, secundum status vestri existentiam procedere poteritis ad mensam cibum capientes cum dei timore et sacerdotis benedictione, immo et super omnia vitantes, quantum in vobis est, ut ludibria (f. 246) nugatoria et detractoria in praesentia [vestra[7]] et a vestris non audiantur. 'Ex habundantia cordis os loquitur'[8], et nusquam dominorum status sive rigor ab extraneis et advenis commodius leviusque discernitur quam in mensa.

De ferculorum qualitate et quantitate aliquid scribere vanum reor et ridiculum audientibus, sed hoc unum, si placet, quod omnia apponenda per duos ordinentur transitus, quod quanto brevius tanto levius. Vidi saepius quasi omnes etiam discumbentes attediari per tot varias

---

1) 'testimonium' zu lesen. Red. 2) Nicht wörtliches Bibel-Zitat. 3) 'quascumque'? Red. 4) 4, 4. 5) V. 14. 6) So Hs. 7) Fehlt Hs. 8) Matth. 12, 34 und Luc. 6, 45.

et plures ferculorum appositiones. Deificum est et honestum semper moderare sumptus superfluos. Unde Bernardus in epistula de cura et modo rei familiaris[1]: 'Sumptus pro militia honorabilis est, sumptus pro iuvando amicos rationabilis est, sumptus pro iuvando prodigos perditus est'. Exemplum etiam capere poteritis de statu generosi domini mei, quem nostis et ut saepe vidistis quam superhabundanter, attamen per duos transitus ministratur omnibus advenientibus et discumbentibus, sed etiam vitantur vagorum inutilium et prodigorum continuantium conventus et non ad malum sui nec animae nec bonorum temporalium.

Vino pro honestate et necessitate in curia vestra parcendum non est, sed maxime pro gulositatis prodigalitate et, quantum in vobis est, summe vitentur in vestri praesentia isti modi appotandi, qui heu heu! permultum regnant in istis partibus, unde summa mala oriuntur. De usu vini dicit Bernardus in libro unde supra[2]: 'Qui in diversitate vinorum et habundantia sobrius est, ille est terrenus deus, ebrius nihil recte facit, nisi dum in lutum cadit. Si sentis vinum, fuge consorcium. Quaere somnum potius quam colloquium. Qui se ebrium verbis excusat, ebrietatem suam aperte accusat. Male sedet in iuvene cito vina agnoscere'. Haec Bernardus.

Facto prandio fiant per sacerdotem vestrum omnipotenti deo (f. 246v) debitae gratiarum actiones de singulis vobis datis atque dandis. Unde beatus Augustinus: 'Quid est de datis deo gratias agere, nisi ipsum ad plus dandum incitare?'

Et si tunc vacaveritis et necessaria tractare non habueritis, recreatoriis et solaciis, prout placuerit et decuerit, uti poteritis; unde poeta[3]:

'Interpone tuis interdum gaudia curis'.

Et ymmo non negligatur, si aliquomodo horola ad hoc vacaverit, quin studiis seu sacris relationibus insistatis. Hoc summe vires recreat, sensus renovat et hominem deo unit. Unde dominus in Matthaeo[4]: 'Non in solo pane vivit homo, sed in omni verbo, quod procedit de ore domini'.

De vestibus dicit beatus Bernardus ad eundem militem, quod 'vestis sumptuosa probatio est pauci sensus. Vestis nimis apparens pluribus cito taedium parit. Ergo

---

1) Opera, Basileae 1566, p. 1381. 2) A. a. O. S. 1382. 3) Catonis Dist. III, 7. 4) 4, 4.

stude bonitate, non vestibus placere'. Ex quo dicto, domine mi, formam capere potestis honestati vestrae convenientem et episcopum decentem, sed quanto servata honestate vestis simplicior, tanto capiti nostro, Christo Iesu, similior et subditorum bonorum mentibus fructuosior.

Cena erit semper levior prandio et brevior et ordinetur continue et, quantum fieri potest, bona hora. Post cenam autem longae vigiliae et inordinatae vitentur, quod in illis plurima tam dominorum quam subditorum bona male superhabundanter et criminose consumuntur.

Pro maximo bono totius status et salutis vestri summe diligatis requiem noctis et plus quam diei, non solum personae vestrae, sed omnium vestrum, ne, ut prius tetigi, noctem vertatis in diem et diem in noctem [1]. Per hoc plura mala vitentur et bona vestra tam animae quam temporis multimode augeantur.

Item in expensis faciendis, in curiis tenendis seu conviviis et in donis tribuendis vos taliter (?) temperetis, ne plus expendatis quam convenienter et commode persolvere valeatis. (f. 247) Minus quippe vituperabile est in his excessum non facere quam semper in debitis manere. Nam principes et magni, qui habent terras discernere sive defendere, non timentur nec quicquam facere valent, si in bonis deficiunt. Exemplum habemus ad oculum, ut scitis. Si dominus meus, licet parcus in ore nescientium dictus sit, si thesaurum et bona temporalia non habuisset, quomodo tot malis et adversis tanto tempore restitisset et adhuc vereretur ab omnibus?

In donis tribuendis secundum sapientis doctrinam haec quatuor vobis sunt advertenda, videlicet: Cui detis, quid detis, quare detis et quando detis. Multo melius est quandoque non dare, quam quod dandum est sub mutuo recipere et postea illud difficulter posse persolvere.

Et si quando ex qualicunque causa vos oporteat mutuum contrahere, caveatis vobis a mutuis usurariis, in quantum poteritis, et maxime ab illis periculosis et dampnosis mutuis, pro quibus vos oporteat multitudinem fideiussorum equestrium ad comestus ponere, sicut in Colonia et, ut audio, in Traiecto et istis partibus fieri est consuetum. Huiusmodi enim debita mutuorum saepius debitores creditorum servituti et paupertati extremae subiecerunt, ut in libro Sapientiae [2]: 'Qui accipit mutuum, servus est fenerantis'.

---

1) Iob 17, 12: 'noctem verterunt in diem'. 2) Vielmehr Prov. 22, 7.

Ad ea igitur, quae superius sunt praedicta, ad debitam et pacificam terrae gubernationem et defensionem inter cetera expediens esse puto, ut ipsius episcopatus Traiectensis ecclesiae vestrae unitas indivisibiliter conservetur, videlicet ut castra, iurisdictiones et districtus per unum tantundem in quolibet iure suo officiatum et non per plures gubernentur. Sic enim pax in terra poterit conservari. Et qui in officiis gubernandis fideles et iusti inveniantur, non de facili, ut praedixi, de officiis illis deponantur, cum saepius ex innovatione huiuscemodi, (f. 247v) antequam ad noticiam pervenerint debitam, iura, iurisdictiones et districtus minuuntur et pereunt.

Ad vos igitur castrorum castrenses et alios episcopatus Traiectensis milites et armigeros universos nec non opidorum opidanos dirigo nunc sermonem benivole hortando, ut, si volueritis in terra vestra habere tanquillitatem et pacem perpetuam, vobis et filiis vestris atque successoribus necessariam et quam maxime profuturam, hoc unum agite, ut dominis vestris de singulis iurisdictionibus et iuribus suis fidelitas prestetur et fiat. Alioqui, si eos per vos defraudari contigerit, citius ad suspitiones incitantur, et ex hoc formidandum esset, ut multa inconvenientia et pericula maiora sequerentur, videlicet guerrae et discordiae intestinae, quod secundum Augustinum inter omnia bella pessimum, inter dominos videlicet et subditos et consequenter inter milites et armigeros atque inter opida, quorum una pars domino et alia aliis adhaerebit, ut praedictum est. Et sic terra vestra et episcopatus redigeretur in destructionem. Haec experientia didici, quae modo scribo, videlicet in terra Merkensi, cuius factum similiter et dampnum pluribus patet, etiam ut dominus dicit in evangelio[1]: 'Omne regnum in se divisum desolabitur'. Quod et philosophus confirmat in naturalibus dicens: 'Omnis virtus unita fortior est se ipsa dispersa'.

Plura de istis scribere et ad ulteriora circa subditos et officiatos verba mea extendere non audeo nec expedire puto, cum terra ista in tantum mihi non constet nec etiam eorum modi. Et quia secundum dictum sapientis difficile est de ignotis iudicare, elegi igitur magis humiliter subsistere quam aliquid temere diffinire. Ad promissum (f. 248) revertens, quo praedixi, de missa audienda quam

---

1) Luc. 11, 17.

utile[1] huic aliquid annectens[2] breviter et modicum, per hoc ad dominum meum complens affectum.

De missa audienda, quam utile sit, invenietur in concordantiis doctorum beati Augustini et fere omnium, ut dicit Iacobus de Padua, doctor in sacra theologia, magister in medicina et in artibus licentiatusque in legibus, septem virtutes specialiter fore missae[3]: prima virtus est, si homo tantum spatium terrae, quantum, quo audiret missam, pertransire posset, vendens erogaret pauperibus et in puram elemosinam daret propter deum, non tanti meriti esset sicut missam audire cum devotione pro se vel suis, pro quibus tenetur et intendit audire; secunda virtus est, quando homo audit missam pro parente vel benefactore, illa hora missae hi non patiuntur in purgatorio; tertia virtus est, quod, si homo audiret missam hodie et cras etiam intendens pro peccatis suis missam audire iterum, peccata perpetrata ei ante mortem per confessionem remittuntur; quarta virtus est, quod post auditionem missae omnia, quae comederit vel biberit homo, post missam melius naturae conveniunt, quam si non audisset missam; quinta virtus est, quod homo audiendo missam illo tempore non senescit, id est quod in agone mortis vel ante mortem tempus vitae suae prolongatur, quantum est spatium missarum ab eo auditarum; sexta virtus est, quod missa est optima oratio, quae potest fieri in hoc mundo pro omni genere hominum et pro ecclesia communi, quod est oratio Christi et apitis (?). Septima virtus est, quod melior est una missa audita cum devotione ante mortem et in vita, quam mille post mortem. Haec magister Iacobus de Padua, ut scriptum inveni in collectario cuiusdam magni et devoti viri, et haud dubium, quin infinitae sint huius sacrosancti sacramenti virtutes, ut dicit beatus Augustinus (f. 248v): 'Mare non abundat tot guttis nec sol tot splendoribus nec silva tot frondibus nec terra tot graminibus nec aer tot archanis, quot sacrosanctum sacramentum altaris abundat carismatibus et confert rite ac debite accedentibus atque devote audientibus'. Quibus bene consideratis bonus Christianus suum diligens profectum et salutem multum debet laborare et se disponere ad saepe accedendum ad sacrosanctum misterium altaris, et si non potest per se, instet ad minus missam

---

1) 'quam utile' scheint aus dem Anfang des folgenden Abschnittes hier falsch eingesetzt zu sein, zu streichen. 2) 'annectam' zu lesen. 3) Vgl. hierzu: Franz, A., Die Messe im deutschen Mittelalter, Freiburg 1902, S. 42.

audire cum devotione. Ad quod nos hortatur beatus Augustinus super illo verbo beati Matthaei: 'Panem nostrum cotidianum da nobis hodie', dicens sic: 'Si cotidianus est panis, cur per annum illum sumat homo? Accipe cotidie, quod cotidie tibi prosit, sic vive, ut cotidie merearis illum accipere. Qui enim non meretur cotidie, non est dignus post annum'. Exemplum patet ad oculum: Qui heri aut nuper accessit, magis aptus est ad celebrandum hodie, quam si diu abstinuisset, quod clarius et levius singula confitetur nec irretitus est multis et magnis criminibus. Et sic cotidie accedens prope[1] deum et animae[2] suae salutem et suorum semper magis se custodit a peccatis, ex quo cras et sequenti die intendit celebrare. Et etiam ipsum sacramentum ex se tantae est virtutis, quod custodit eum a multis peccatis et etiam peccatorum occasionibus. Quo ad supradictam beati Augustini exhortationem cotidie accedendi dicit beatus Ambrosius in libro de sacramentis[3]: 'Qui vulnus habet, medicinam requirit. Volnus habemus, quod sub peccato sumus. Medicina summa est istud caeleste sacramentum; si sanguis Christi in remissionibus funditur peccatorum, debeo illum semper accipere, ut mihi semper donentur peccata. Et quod semper pecco, semper debeo habere medicinam'. Haec Ambrosius.

Querat quis, quando accedere debeo. Respondit beatus Augustinus[4] dans nobis formam, quando licite possumus accedere, dicens: 'Eukaristiae communionem cotidie accipere nec laudo nec (f. 249) vitupero, sed cuiuslibet conscientiae iudicio relinquo. Omnibus tamen dominicis diebus hortor, si mens in affectu peccandi non est'. Glosa ibidem: 'Sed quando dicis, quod mens non est in affectu peccandi? Credo, quod quando homo proponit firmiter abstinere a quolibet peccato mortali, et nisi sit in proposito umquam peccandi, debet semper accipere corpus Christi. Si autem quis in affectu magis peccandi sit, gravari magis dico quam purificari. Sed si quis peccato mordeatur, peccandi tamen de cetero non habeat voluntatem, id est, quod si non consentiat, licet peccati temptationes sentiat et parvos motus, ymmo delectatio sequatur, quae reprimenda est, ne praevaleat per consensum, talis concitaturus (?) satisfaciet lacrimis et oratione et confidens de dei miseratione accedat ad eukaristiam intrepidus et securus, si eum peccata mortalia non gravant'. Ecce satis palam regula beati Augustini,

---

1) 'propter' zu lesen? Red. 2) 'et' folgt Hs. 3) Opera, Venetiis 1751, III, 476. 4) Opera, Antwerpiae 1700, II, 94.

quando sacerdos potest accedere vel quando debet dimittere. Et subdit idem Augustinus[1]: 'Zacheus et centurio non contenderunt et ambo salvatorem honoraverunt, quamvis non eodem modo. Ambo peccatis miseri, ambo misericordiam consecuti. Verum sine comparatione sanctius est et salubrius dispositio cum timore et reverentia accedere, quam ex humilitate indignum se reputando dimittere, quod sic caret quam pluribus fructibus, quos sacrosanctum confert sacramentum.

Venerabilis Beda dicit, quod sacerdos, qui est sine peccato mortali et in proposito celebrandi et non celebrat, cum habeat copiam, quantum in ipso est, sanctam trinitatem privat gloria, angelos in celesti Ierusalem manentes laetitia, homines in terra laborantes beneficio et gratia, animas in purgatorio detentas patrocinio et venia etc. Haec praedicta de audiendo missam, de celebrando et communicandi modo verba non sunt mea, sed sanctorum doctorum hic allegatorum, prout ex eorum libris collegi et magnificentiae vestrae, ut promisi, praemissis adiunxi.

(f. 249^{v}) Haec, domine mi, scripsi et magnificentiae vestrae pro munusculo et donativo gratuito mittere curavi, quod vestra dilectio pie recipere dignetur, licet ab indocto et incongruo, ab affectu tamen magno, ut in eo terentes granum medullam sapere botroque[2] quassantes mustum bibere atque apum more mel dulce de flore et murrato eliquare dignemini, non colorem advertentes aut verborum formam, sed solum, si quid in eo est vestrae utilitati seu vestrum deserviens, capientes, reliquum vero ignorantiae meae assignetis, quatenus sic gradum, quem incepistis, non in impetu spiritus[3], sed gradatim et cum humilitate, qua secundum Bernardum ascenditur ad sublimitatem, ascendere valeatis et in sanctimoniae novitate ad Christum scalae innixum feliciter pervenire, quod vobis una vobiscum et nobis tribuere dignetur unus in trinitate perfecta regnans deus in saecula saeculorum! Amen.

---

1) Opera, Antwerpiae 1700, II, 94. 2) 'botrosque' zu lesen. Red.
3) Dan. 14, 35: 'in impetu spiritus sui'.

XI.

Miscellen.

Zu den Porträts deutscher Herrscher.

Von F. **Philippi.**

Max Kemmerich hat im XXXIII. Band dieser Zeitschrift (S. 463 ff.) endlich mit einem Unternehmen Ernst zu machen versucht, welches vor ihm schon viele nicht nur als sehr erwünscht angesehen, sondern geradezu als eine Ehrensache des deutschen Volkes bezeichnet haben: mit der Sammlung nämlich des Materials für 'Die Porträts deutscher Kaiser und Könige' bis auf Rudolf von Habsburg.

Die von ihm in dieser Sammlung geleistete Arbeit ist in ihrem Umfange gewiss anerkennenswert, da aber ein Einzelner ohne die Unterstützung Vieler ein so umfassendes Unternehmen nicht zu einem vollkommen befriedigenden Ende führen kann, weil es nicht nur Kenntnis der Spezialliteratur auf den verschiedensten Gebieten zur Voraussetzung hat, sondern auch ein reifes Urteil und methodisch sicheres Arbeiten auf diesen verschiedensten Gebieten historischer Forschung verlangt, ist nur etwas unvollkommenes erreicht und ich will im folgenden versuchen, zur Vervollkommnung beizusteuern, indem ich mir zufällig zur Verfügung stehende Ergänzungen zu dieser Arbeit liefere[1] und auf einige allgemeine Gesichtspunkte aufmerksam mache, welche m. E. bei der Arbeit nicht genügend beachtet sind[2]. Da das Neue Archiv nun einmal in dankenswerter Weise seine Spalten der Behandlung dieses Gegenstandes geöffnet hat, erscheint es wünschens-

---

1) Da es mir nicht möglich ist, alle Zitate nachzuprüfen und so alle Irrtümer darin richtig zu stellen, sehe ich auch von einer Aufzählung der mir bekannt gewordenen derartigen Flüchtigkeiten ab (vgl. jedoch den Schluss S. 535). 2) Herr M. Tangl hat mir in liebenswürdiger Weise weitere Ergänzungen u. s. w. zur Verfügung gestellt, die im Folgenden verwertet und nach Möglichkeit durch die Sigel (T) als seine Beiträge bezeichnet sind.

wert, dass derselbe auch darin weiter besprochen und gerade an dieser Stelle allmählig immer mehr Material zur endgültigen Lösung der Aufgabe zusammengetragen wird.

Zu diesem Zwecke möchte ich zunächst Einzelheiten beisteuern, weil sich aus ihnen z. T. schon eine Grundlage für einige später zu bringende allgemeine Erörterungen von selbst ergibt.

I. Bei den Bildnissen der Karolinger kommt vor allem das Verhältnis der älteren mittelalterlichen Kunst zur Antike zur Sprache. Und gerade auf Grund dieses Verhältnisses versagt bei ihnen z. T. das sonst zuverlässigste und wichtigste Material, die Siegel[1].

Diese Siegel (Karls des Grossen, Ludwigs des Frommen und Ludwigs des Deutschen) enthalten keine für diesen Gebrauch besonders angefertigten Bilder, sondern ältere klassische Bildwerke (Intaglios), welche von dem Könige zwar als Siegelbilder benutzt werden, durchaus nicht aber mit dem Anspruch, die Darstellung des Sieglers zu bieten. Das beweist die Umschrift deutlich, welche in der Form gefasst ist: 'Christe protege ... regem Francorum'[2]. Man wich damit bewusst und ausdrücklich von dem Brauche der Merowinger ab, indem man antiken Brauch aufnahm; denn es ist ja z. B. bekannt, dass Augustus auf dem Siegel, welches er dem Maecenas als Statthalter hinterliess, nicht sein Bild, sondern das der Victoria führte. Der Vorgang der Aptierung eines schon vorhandenen älteren Kunstwerkes zum Siegelstempel durch Umlegung eines Reifens mit der Inschrift ist auch auf den Abdrücken klar ersichtlich.

---

1) Am besten orientiert darüber im Allgemeinen Mühlbacher in der Einleitung zur zweiten Ausgabe der Regesten der Karolinger S. XCI ff., wenn auch die dort gegebenen Identifizierungen der auf den Intaglios dargestellten Personen noch der Nachprüfung bedürfen. Im letzten Anzeiger des Germanischen Nationalmuseums (1907) S. 75 ff. hat sich auch v. Bezold mit diesen Fragen beschäftigt. So beachtenswert die darin geäusserten Anschauungen sind, so erscheinen sie dennoch schon um deswillen anfechtbar, weil das zu Grunde liegende Material zu wenig kritisch gesichtet ist. Die beigefügten Münzabbildungen sind meist vortrefflich und sehr lehrreich, die Siegelabbildungen dagegen vielfach nach sehr schlechten Abdrücken gefertigt. 2) So zeigt denn auch der Kopf auf dem Siegel Karls des Grossen keinerlei Herrscherattribute; es ist das Bildnis eines Philosophen oder Dichters, ohne dass bisher die Persönlichkeit im Einzelnen einwandsfrei hat festgestellt werden können. Dass die bei Mühlbacher a. a. O. gegebene Deutung als Antoninus Pius irrig ist, ergibt eine Vergleichung des Siegels mit guten Münzabbildungen z. B. bei Imhoof-Blumer, Porträtköpfe auf römischen Münzen II, 38 und Anzeiger des Germanischen Nationalmuseums (1907) Tafel VII ohne weiteres.

Diese Tatsache, welche schon in der einschlägigen Literatur mehrfach klargestellt ist, hätte bei der Besprechung der betreffenden Stücke schärfer betont werden müssen; es wäre dann wohl auch die missverständliche Aeusserung über das Siegel Karls des Dicken: 'Wohl das erste in Deutschland geschnittene Porträtsiegel ohne unmittelbare Anlehnung an die Antike' anders formuliert worden. Es handelt sich bei den Siegeln der älteren Karolinger nicht um eine Anlehnung an die Antike, sondern um eine Anleihe bei der Antike, um unmittelbare Verwendung antiker Kunstwerke, ein Vorgang, welcher wohl mit der Karolingischen Renaissance und zwar mit dem Gefühle der Unfähigkeit, würdige Bilder der Herrscher selbständig zu schaffen, zusammenhängt. Rohe Machwerke, wie die Merowinger-Siegel sie darstellen, genügten dem verfeinerten Geschmack der Karolingerzeit nicht mehr. Die Siegel Karls des Dicken sind nun sicher mit die ersten in Deutschland geschnittenen Porträtsiegel [1], und darauf, dass es auch den Inhaber wirklich darstellen sollte [2], könnte die nunmehr veränderte, wohl den Münzen entnommene Form der Aufschrift: 'Karolus rex' und 'Karolus imperator' deuten. Diese Absicht ist aber — entgegen der Aeusserung Kemmerichs — gerade in engster Anlehnung an die Antike ausgeführt worden [3]. Der mit einem Eichenkranz, von dem lange Bänder flattern, gezierte Kopf, das auf der Schulter zusammengehaltene Paludamentum sind deutliche Nachbildungen von Kaiserdarstellungen auf antiken geschnittenen Steinen, wie sie z. B. das grosse Vortragekreuz im Aachener Münster (Augustus) ziert [4]. Der durch dieses Siegel Karls des Dicken geschaffene Typus wird dann mit geringeren oder stärkeren Modifikationen bei den folgenden Herrschern bis auf Otto I. wiederholt [5].

Zu den Angaben über Friedrich Barbarossa ist zu bemerken, dass sein Königssiegel (Kemmerich 1)

---

1) Als ältestes ist nach Mühlbacher a. a. O. das Porträtsiegel Ludwigs des Deutschen anzusehen; abgebildet Bezold a. a. O. Tafel XIII und Kaiserurkunden in Abb. I, 9. 2) Sie ist jedoch nicht im Entferntesten erreicht worden, da 'die Darstellungen so vollständig auseinandergehen (von der Stumpfnase zu schärfster Spitznase und von vollen zu eingefallenen und gefurchten Backen), dass selbst von einem äusserlichen Streben nach Porträtähnlichkeit nicht die Rede sein kann' (T). 3) Abbildungen z. T. bei Bezold Tafel XIII. 4) Bock, Das Heiligtum zu Aachen S. 27. 5) v. Bezold a. a. O. S. 84 möchte freilich auf spätrömische Vorbilder zurückgreifen; dagegen scheint mir aber die grosse Vertiefung und kräftige Modellierung des Kopfes zu sprechen.

einen bärtigen, nicht aber einen bartlosen Kopf zeigt, der nicht wesentlich abweicht von dem auf dem Kaisersiegel erscheinenden. Die einzige mir bekannte bartlose Darstellung des Herrschers findet sich auf der Weimarer Taufschüssel (Kemmerich 13); obwohl er auf dieser Darstellung ausdrücklich inschriftlich als: 'Fridericus imperator' bezeichnet ist, hat sie für die Erkenntnis vom Aussehen des Kaisers gar keinen Wert, weil die Inschrift über dem Kopfe des im Taufsteine stehenden, noch dazu ganz schematisch gezeichneten Kindes angebracht ist. Diese Nummer hätte daher in der Aufzählung ruhig fehlen und in einer Anmerkung kurz erwähnt werden können; wollte sie aber der Verfasser der Vollzähligkeit halber nicht auslassen, so hätte er sie schärfer charakterisieren und auf die massgebende Besprechung dieses oft behandelten Kunstwerks durch M. Rosenberg in der Zeitschrift für christliche Kunst III, 12 hinweisen müssen, welchem auch modernen Ansprüchen entsprechende Abbildungen des Stückes beigefügt sind. — Kemmerichs Aufzählung hinzuzufügen ist ferner ein höchst wahrscheinlich Friedrichs Porträt enthaltendes gleichzeitiges Kunstwerk, welches bis jetzt m. W. noch nicht in den Kreis dieser Betrachtungen gezogen ist, der grosse Kronleuchter des Aachener Münsters. Er ist vom Kanonikus Bock in seiner Schrift: Der Kronleuchter Kaisers Friedrich Barbarossa im Karolingischen Münster zu Aachen, Leipzig, T. O. Weigel 1864, eingehend besprochen worden. Unter den beigefügten Abbildungen finden sich auch Originalabzüge der auf dem Kronleuchter befindlichen Kupfergravierungen. Die dritte Tafel dieser Kupferstiche stellt die Anbetung der heiligen drei Könige dar. Zwei der Königsköpfe sind ganz sichtbar, der dritte ist grösstenteils verdeckt. Der erste der sichtbaren Köpfe zeigt den Typus Karls des Grossen mit langem Schnurrbarte und tief herabhängendem Vollbarte; der zweite weist einen jugendlichen Typus auf mit ganz schwachem Schnurrbarte und kurzem, in einzelnen Flocken sich ordnenden Kinnbarte; die Augen sind im Gegensatze zu den müde herabhängenden oberen Augenliedern der anderen Personen des Bildes weit geöffnet und die Augenbrauen auffallend hoch gewölbt. Es ist schwer, in diesem so individuell gebildeten Kopfe nicht eine Anspielung auf den Herrscher zu sehen, der laut Inschrift den Kronleuchter gestiftet hat, zumal die oben hervorgehobenen charakteristischen Merkmale durchaus mit den Einzelheiten der Kappenberger Büste[1] übereinstimmen.

II. Doch genug der Einzelheiten. Methodologisch ist zu bemerken, dass die höchst dankenswerten allgemeinen Bemerkungen, welche Kemmerich als Einleitung vorausschickte, nur einen Teil der Fragen behandeln, deren gründliche Erörterung notwendig erscheint, wenn die Arbeit allen wissenschaftlichen Ansprüchen genügen soll. Kemmerich teilt die von ihm aufgeführten Bilder mit Recht in die beiden Klassen der eigentlichen 'Porträts', d. h. solcher Bilder, deren Verfertiger nicht nur den Willen, sondern auch die Fähigkeit besass, ein individuelles Bild des darzustellenden Herrschers zu liefern, und 'Bildnisse', worunter Kemmerich Darstellungen versteht, welche zwar durch Attribute sich als Königsbilder erkennbar machen, andererseits aber entweder eines individuellen Zuges überhaupt ermangeln oder Züge aufweisen, welche mit dem uns aus anderen Bildern bekannten Aussehen des betreffenden Herrschers sich nicht vereinigen lassen. So wären unter 'Bildnissen' also nicht nur die schematischen Herrscherdarstellungen zu verstehen, sondern auch die konventionellen Idealporträts, welche sich das Mittelalter von einzelnen Herrschern ebenso wie von Christus, den Aposteln und anderen Heiligen gebildet hatte. Da diese 'Bildnisse' für unsere Kenntnis des wirklichen Aussehens der Könige gänzlich belanglos sind, hat Kemmerich sie mit Recht als solche gekennzeichnet. Dass er sie jedoch trotzdem bei seiner Aufzählung mit beibringt, ist durchaus gerechtfertigt, weil die Verteilung der einzelnen Bilder auf die beiden Klassen vollkommen subjektiv und daher der Fall sehr wohl denkbar ist, dass einzelne Stücke von dem einen Forscher den Porträts, von dem anderen den Bildnissen beigerechnet werden. Daraus ergibt sich als unbedingtes Erfordernis, die Frage, welche Bilder eines Herrschers zur einen, welche zur andern Klasse zu rechnen sind, für jeden einzelnen König in einer besonderen Abhandlung zu untersuchen. Dass Kemmerich diese Arbeit noch nicht ausgeführt, ja noch nicht einmal in die Hand genommen hat,

---

1) Im Vorbeigehen sei bemerkt, dass ebenso, wie bei der Taufschüssel die Besprechung M. Rosenbergs, bei der Kappenberger Büste (K. 8) meine bei Simonsfeld, Jahrb. Friedrich I. I, 37 ff. zur Grundlage seiner Darstellung gemachte Besprechung dieses Kunstwerks (Zeitschrift für [westf.] Alterthumskunde 1886 S. 150 ff.) hätte umsomehr erwähnt werden müssen, als darin zuerst die Deutung des Stückes als Porträt Friedrichs gegeben ist.

wird man ihm kaum zum Vorwurf machen können, denn er will erst die Materialsammlung für eine solche Bearbeitung liefern. Dagegen könnte die Frage berechtigt erscheinen, ob es notwendig war, eine solche Materialsammlung überhaupt zu drucken, und wenn man sie drucken wollte, ob es dann angezeigt war, darin schon eine vorläufige Klassifizierung der Bilder zu geben; denn dieses Vorgehen musste bei dem jetzigen Stande der Forschung vielfach Stückwerk bleiben; die Scheidung konnte nicht überall wirklich durchgeführt werden und, wo sie durchgeführt ist, wird sie oft durch spätere eingehendere Forschung umgeworfen werden. Bei dem nun einmal beliebten Vorgehen hätten aber jedenfalls von dem Verfasser die Schriften, welche schon lange vor ihm sich mit der äusseren Erscheinung unserer alten Herrscher auf Grund älterer Bildwerke beschäftigt haben, als ausserordentlich wichtige Vorarbeiten angesehen werden müssen: von ihnen wäre bei der Abfassung der einzelnen Artikel am besten auszugehen gewesen. Ein solches Verfahren hat jedoch der Herr Verfasser m. E. zu seinem Schaden nicht beliebt. Er erwähnt solche Arbeiten, wie das bekannte und besonders als Erstlingsarbeit auf diesem Gebiete sehr verdienstvolle Buch von Clemen über Karl den Grossen[1], polemisiert gegen solche Darlegungen auch gelegentlich im Einzelnen, setzt aber weder bei ihren Ergebnissen ein, noch setzt er sich mit ihnen im Grossen auseinander. Eine ähnliche Arbeit über Friedrich II. von J. R. Dieterich wird mit der Zensur: 'Sehr wichtig' und der Bemerkung: 'Dieterich dürfte die Frage nach dem Aeusseren Friedrichs II. gelöst haben' erledigt. Ist das Urteil richtig, so müsste diese Arbeit doch die Richtschnur für den ganzen Abschnitt über Friedrich II. bilden. Meine eingehende Charakteristik Friedrichs I. auf Grund von Bildwerken, welcher Simonsfeld 'zum Teil' seine Charakteristik (Jahrbücher S. 37 ff.) entnommen hat, wird aber überhaupt nicht erwähnt. Diese Art, die ältere Literatur zu behandeln, hat selbstverständlich der Arbeit sehr geschadet. Der Herr Verfasser hat sehr fleissig und umsichtig gesammelt, sich aber nicht die Zeit gelassen, das Gesammelte auf Grund der vorhandenen, ihm übrigens grössten Teils bekannten Literatur durchzuarbeiten; daher

---

1) Hier wäre vor allem auch noch auf die Leipziger Dissertation von Karl Brunner, Das deutsche Herrscherbildnis von Konrad II. bis Lothar von Sachsen (1905) hinzuweisen, die nur gelegentlich erwähnt wird.

haben seine Aufzählungen vielfach etwas Planloses und Unfertiges.

Ehe also mit dem gesammelten Materiale weiter gearbeitet werden kann, müssen Einzelabhandlungen über jeden einzelnen Herrscher, welche übrigens teilweise sehr kurz ausfallen werden, vorausgehen.

Bevor aber diese Arbeit im Einzelnen durchgeführt wird, erscheint es erforderlich, sich noch über eine weitere, m. E. sehr wichtige Frage auszusprechen: die Frage nach der Klassifizierung der einzelnen 'Porträts' unter einander. Diejenigen Stücke, welche Kemmerich als Porträts ansieht, zählt er nacheinander auf, und wenn man auch gelegentlich ein Prinzip, nach welchem diese Aufzählung erfolgt, zu erkennen glaubt, so tritt dieses Prinzip, z. B. an erster Stelle die Siegel aufzuführen, oder die Bilder vor der Literatur zu berücksichtigen, dennoch an anderen Stellen wieder zurück. Demgegenüber ist es durchaus notwendig, die Frage aufzuwerfen, ob denn wirklich alle erhaltenen Bilder als selbständige Kunstwerke und daher als gleichwertig anzusehen sind, oder ob nicht mehrfach Ableitungen des einen aus dem anderen festzustellen sind, und dann diesen Nachbildungen entweder alle Bedeutung abzusprechen oder doch nur ein sehr geringer Wert beizumessen sein wird. Obwohl eine derartige Nachprüfung in jedem Einzelfalle besonders anzustellen sein wird, lassen sich dafür dennoch einige allgemeine Gesichtspunkte aufstellen, wenn man die Arten von Kunstwerken unterscheidet, auf welchen uns Königsbilder überliefert sind. Dabei wird denn auch die je den einzelnen Arten innewohnende Bedeutung für den Gegenstand zu berühren sein.

Von diesen verschiedenen Arten der in Betracht kommenden Kunstwerke sind nun an erster Stelle — wie das übrigens ja auch von Kemmerich meistens geschehen ist — die bis vor kurzem überhaupt kaum beachteten, als Kunstwerke meistens aber sehr gering geachteten S i e g e l zu nennen. Sie bieten ein sicher beglaubigtes[1], zeitlich genau zu bestimmendes Material, bei dem im allgemeinen die Vermutung berechtigt ist, dass die ausführenden Künstler nicht nur die Absicht hatten, ein Porträt — im

---

1) Wozu allerdings eine voraufgehende kritische Sichtung des Materials Voraussetzung ist. Soweit die hierzu gemachten Vorarbeiten, welche in ziemlichem Umfange vorliegen, z. B. die von v. Bezold in dem oben (S. 524, Anm. 1) angezogenen Aufsatze, nicht voll ausgenutzt sind, werden sie unten noch kurz zu erwähnen sein.

Sinne Kemmerichs — zu liefern, sondern auch insoweit dazu befähigt waren, als ihnen der König von Angesicht zu Angesicht bekannt war. Ferner waren die Stempel für längeren und häufigeren Gebrauch bestimmt und bestanden meist aus Edelmetall, woraus sich die Tatsache erklärt, dass wir bei den Siegelstempeln es durchweg mit sorgfältig ausgeführten, unter Anwendung aller zu ihrer Zeit bekannten Feinheiten der Technik gefertigten Arbeiten zu tun haben. Die Stempel selbst sind allerdings bis auf ganz vereinzelte Beispiele verloren gegangen, oder vielmehr absichtlich vernichtet worden; dafür aber besitzen wir von den meisten eine Mehrzahl von Abdrücken, aus deren Vergleichung man sich ein ziemlich zuverlässiges Bild verschaffen kann.

Trotz dieser zweifellosen Vorzüge der Siegelbilder vor anderen Darstellungen in Metall, Stein oder auf Pergament sind sie dennoch nicht ohne weiteres als selbständige Zeugen für das Bild eines Herrschers zu verwenden. Ich sehe dabei zunächst von den als Ausnahme zu betrachtenden Fällen ab, in welchen, wie bei Otto II. und Wenzeslaus, feststeht, dass der Sohn den Stempel des Vaters weitergebraucht[1]; möchte aber andererseits um so nachdrücklicher auf die oben über die Karolingersiegel gemachten Bemerkungen zurückverweisen, wonach die ältesten in Frage kommenden Siegel überhaupt keine gleichzeitigen Erzeugnisse der Stempelschneidekunst sind[2] und somit ganz und gar aus dem Kreise dieser Betrachtung auszuscheiden haben, die darauf folgenden aber bis auf Otto I. je von einander abhängige Bilder aufweisen, deren Urbild ebenfalls der Antike angehört, und deren Individualität daher mit vollem Rechte sehr in Zweifel gezogen werden kann. Um also die Brauchbarkeit dieser Reihe für die Erkenntnis des Äusseren der betreffenden Herrscher festzustellen, müssten sie zunächst einmal als Ganzes untersucht und dann mit den anderweitig vorhandenen Bildern je der einzelnen Herrscher verglichen werden.

Die für die späteren Karolinger- und ersten Sachsensiegel behauptete Abhängigkeit von einander führt weiter

---

1) Was Kemmerich für Otto II. ohne Anführung eines Beweises gegen die sorgfältigen, auf Kenntnis des Gesamtmaterials gegründeten Darlegungen von Foltz und Bresslau auf S. 483 und 485 in Frage stellt (T). 2) Die Siegel Pipins und Karls stellten nicht einmal einen Herrscher dar; auch von dem Gemmensiegel Ludwigs des Deutschen, welches als ein Bildnis Hadrians angesprochen wird, erscheint das sehr zweifelhaft.

zu der Erwägung, ob denn überhaupt die Siegel in ihrer Mehrzahl als selbständige Kunstwerke anzusehen sind. Diese Frage ist nun zwar ja im allgemeinen insoweit zu bejahen, als sich wohl schwerlich ausser dem oben charakterisierten Beispiele Karls III. der Fall wird nachweisen lassen, dass ein Siegel nach einem aus einem ganz anderen Kreise stammenden Kunstwerke gefertigt ist. Um so sorgfältiger dagegen ist nachzuprüfen, ob nicht das neue Siegelbild durch ein anderes beeinflusst ist oder geradezu als die Nachbildung eines solchen sich darstellt. Und in der Tat ergibt sich da eine starke Abhängigkeit im Typus und den Einzelheiten des Kostüms bei einer grossen Zahl von Siegeln verschiedener einander folgender Könige, und diese Beobachtung legt den weiteren Gedanken nahe, dass ebenso wie das Kostüm auch die Gesichtsbildung dem Vorbilde entnommen sein könnte. Dieser Gedanke drängt sich noch mehr bei der Betrachtung verschiedener Siegel desselben Herrschers auf, und bei der Nachprüfung z. B. der verschiedenen Siegel- und Bullenstempel Friedrichs I. ist es für mich nicht zweifelhaft, dass sie in engster Verwandtschaft zu einander stehen. So ergibt sich also, dass auch bei dieser als die selbständigste anzusprechenden Ueberlieferung sich vielfache Abhängigkeitsverhältnisse feststellen lassen[1]. Ehe diese nicht sorgfältig geprüft sind, wird die Wertung des einzelnen Bildes für den vorliegenden Zweck immer eine unsichere bleiben.

Ebensowenig wie den Siegeln wird den auf den Namen der betreffenden Herrscher geprägten Münzen im allgemeinen die Gleichzeitigkeit nicht abzusprechen sein; ihre Selbstständigkeit und ebenso die Sorgfalt der Ausführung dagegen erscheint erheblich geringer einzuschätzen als bei den Siegeln. Eine Durchmusterung der Abbildungen bei Dannenberg und eine Vergleichung mit den Königssiegeln wird jedem aufmerksamen Beobachter den Eindruck

---

1) Noch mehr tritt diese Abhängigkeit zu Tage, wenn wir Herrscherbildnisse auf Siegeln anderer Gewalten, besonders der Städte antreffen. Es ist da häufig der Fall festzustellen, dass das Bild des Stadtsiegels unmittelbar dem Königssiegel entnommen ist, z. B. bei Lübeck (Milde, Mittelalt. Siegel aus den Archiven der Stadt Lübeck, Tafel 3, 14), Nimwegen (van den Bergh, Nederlandsche Gemmentesegels S. 75) und Aachen (Endrulat I, 1). Ein gleiches Verhältnis möchte ich auch für das von Dieterich (Zeitschrift f. bildende Kunst N. F. XIV, 253) so stark betonte Oppenheimer Siegel mit dem allerdings sehr reizvollen Kopfe annehmen. Die Abhängigkeit von dem 2. Königssiegel Friedrichs II. (ebenda abgebildet als Abb. 12, besser durch mich ebenda S. 86) ist doch kaum zu verkennen.

aufnötigen, dass ein grosser Teil der Münzbilder den Siegelbildern entlehnt, ein anderer klassischen oder anderen Vorbildern nachgeahmt ist. Liegen aber diese Fälle vor, so verliert das Münzbild jeden Wert. Des weiteren lehrt dann noch eine solche Vergleichung, dass die Münzbilder durchschnittlich sehr viel roher und liederlicher ausgeführt sind, als die Siegel, was alles vollauf seine Erklärung findet, wenn man bedenkt, dass die Stempelschneider der Münzen oft in und für sehr entlegene Münzstätten arbeiteten, wohin die Kaiser kaum je gekommen sind, und weiter, dass die Münzstempel wohl durchweg in Eisen und für einen sehr vorübergehenden Gebrauch geschnitten wurden, da ja von den Münzherren das grösste Geschäft bei der Einziehung der alten und Ausgabe neuer Gepräge gemacht wurde. Diese Erwägungen führen also zu dem Gesamtergebnis, dass den Münzbildern nur eine sehr bedingte Bedeutung für die vorliegende Aufgabe innewohnt[1].

Die übrigen Arten von Bildern: Statuen, Reliefs und Miniaturen lassen sich nicht so einfach klassifizieren und so einheitlich behandeln, wie die Siegel und Münzen; trotzdem aber wird man die bei jenen gemachten Erfahrungen auch auf diese zu übertragen haben und auch für sie die Forderung aufstellen müssen, dass sie auf etwaige Abhängigkeit von einander zu prüfen und nicht ohne weiteres als selbständige Zeugnisse neben anderen zu verwerten sind.

Neben den eigentlichen Bildern hat Kemmerich — und sehr mit Recht — auch das 'literarische Porträt' mit in den Kreis der Betrachtung gezogen[2]. Aber auch hier ist die Beobachtung zu machen, dass er die einzelnen Nachrichten durchweg als von einander unabhängige und selbständige Zeugnisse nebeneinander stellt. Wenn dieses Verhältnis nun auch durchaus möglich ist, so muss dennoch andererseits die bei mittelalterlichen Schriftstellern immer wieder zu machende Beobachtung, dass es ihnen in erster Linie auf Eleganz der Form, in zweiter aber erst auf Selbständigkeit der Gedanken und Reichhaltigkeit des Inhalts ankam, zur Vorsicht mahnen. Ich bin daher geneigt, z. B. die verschiedenen Berichte über die äussere Erscheinung

---

1) Gelegentlich erwähnt das freilich auch Kemmerich z. B. S. 488 und 491. 2) Jedoch auch nicht vollständig: es fehlt z. B. die Charakteristik Karlmanns und Arnulfs bei Regino von Prüm, SS. r. Germ. ed. Kurze p. 116 (T).

Friedrichs Rotbart nach wie vor als nur teilweise inhaltlich selbständig anzusehen. Freilich kann sich Kemmerich bei seinem Vorgehen gerade bei diesem Herrscher auf Simonsfelds Autorität berufen[1]; da hier jedoch ein sehr lehrreiches Beispiel für mehrfache Darstellung der Persönlichkeit desselben Herrschers zur Hand ist, sei es gestattet, etwas näher darauf einzugehen. Die ausführlichsten Beschreibungen von Friedrichs Aeusserem finden sich bei Rahewin (Gesta Friderici IV, 86) und Acerbus Morena (MG. SS. XVIII, 640), beide abgedruckt bei Simonsfeld a. a. O. S. 35, Anm. 75 und 36, Anm. 77). Ich stelle sie nebeneinander:

Rahewin.	Acerbus Morena.
a) Forma corporis decenter exacta; statura longissimis brevior,	b) pulcre stature.
b) procerior eminentiorque mediocribus.	a) mediocriter longus.
c) flava cesaries paululum a vertice frontis crispata. d) aures vix superiacentibus crinibus operiuntur tonsore pro reverentia imperii pilos capitis et genarum assidua succisione curtante.	e) capillis quasi flavis et crispis.
e) orbes oculorum acuti et perspicaces.	
f) nasus venustus.	
g) barba subrufa.	
h) labra subtilia nec dilatati oris angulis ampliata.	i) ore venusto.
i) totaque facies laeta et hylaris.	f) illari vultu, ut semper velle ridere putaretur.
k) Dentium series ordinata niveum colorem representant.	g) dentibus candidis.
l) gutturis et colli non obesi, sed parumper succulenti lactea cutis et quae iuvenili rubore suffundantur.	d) alba facie rubeo colore suffusa.

1) Jahrbücher Friedrichs I. S. 36, Anm. 78.

Rahewin.	Acerbus Morena.
m) eumque illi crebro colorem non ira, sed verecundia facit.	
n) humeri paulisper prominentes, in succinctis ilibus vigor. o) crura suris fulta turgentibus honorabilia et bene mascula. p) incessus firmus et constans.	c) recta et bene composita membra habens.
q) vox clara totaque corporis habitudo virilis.	
	h) pulcerrimis manibus.

Obwohl die Reihenfolge eine andere ist, bietet Morena allein nur die Bemerkung über die Hände; die übrigen Teile seiner Beschreibung erscheinen, wie mannigfacher — durch Sperrung angedeutete — Gebrauch derselben gesuchten Ausdrücke erweist, als verkürzte Auszüge aus Rahewin. Auch die Bemerkung der Ursperger Chronik (bei Simonsfeld Anm. 78): 'erat quoque statura *mediocris*, magis tamen longa quam brevi' scheint mir auf Bekanntschaft mit Rahewin zu deuten[1]. Dasselbe möchte von den Worten des Londoner Ricardus (Simonsfeld Anm. 79) '*statura mediocriter eminens*' gelten, während das Folgende allerdings mehr Selbständigkeit verrät. Mag man nun über die Stärke der Beeinflussung der einzelnen Schriftstücke durch einander verschiedener Meinung sein, jedenfalls möchten diese Gegenüberstellungen die Notwendigkeit sorgfältiger kritischer Behandlung auch der literarischen Ueberlieferung dartun.

Als Gesamtergebnis dieser Betrachtungen möchte hervortreten, dass es notwendig erscheint, das reichhaltige von Kemmerich beigebrachte Material durch Beihülfe der Gelehrten, Kenner und Liebhaber, welche sich für die vorliegende Frage interessieren, nach Möglichkeit noch zu ergänzen, dass ferner Einzeluntersuchungen über das Aeussere jedes einzelnen Herrschers auf Grund des zusammengebrachten Materials auszuführen sind und schliesslich in erster Linie das Gesamtmaterial einer gründlichen kritischen Durcharbeit nach den verschiedensten Gesichts-

---

1) 'statura longissimis brevior eminentiorque medriocribus'.

punkten unterzogen werden muss, selbst auf die sicher vorauszusagende Gefahr hin, es wesentlich zusammenschrumpfen zu sehen. Dieser Verlust an Menge wird jedoch mehr als aufgewogen werden durch den Gewinn an Zuverlässigkeit.

Eine grosse Schwierigkeit boten die Zitate bei der grossen Verschiedenartigkeit der herbeigezogenen Literatur; doch hätte hier wohl mehr für die Uebersichtlichkeit und die Bequemlichkeit des Lesers geschehen können. So unangenehm und aufdringlich oft langatmige Literaturverzeichnisse zu Beginn von Abhandlungen berühren, so wünschenswert, so notwendig können sie in anderen Fällen sein. Z. B. hätte die vorhandene Literatur über die Königssiegel und die grösseren Serien von Abbildungen in übersichtlichen Nachweisen gegeben werden müssen. Es wären dann wohl auch Kemmerich die über zwei Dutzend Abbildungen von Königssiegeln, welche ich im II. Bande der Wilmans'schen Kaiserurkunden der Provinz Westfalen in gutem Lichtdrucke veröffentlicht habe, ebensowenig entgangen, wie meine Abbildungen der sämtlichen Siegel Friedrichs II. und seiner Söhne in meinem Buche: 'Zur Geschichte der Reichskanzlei unter den letzten Hohenstaufen'. Mit Erbens vortrefflicher Arbeit 'Die Kaiser- und Königsurkunden d. M. A.' ist diese Literatur bequem zusammenzubringen. — Ferner wäre für weitere Arbeiten des Verfassers grössere Sorgfalt beim Zitieren wünschenswert; die Literaturangaben z. B. auf S. 508 über Dieterichs und meine Abhandlungen in der Zeitschrift für bildende Kunst bilden einen schwer zu entwirrenden Rattenkönig von Irrtümern, S. 481 sind die Zitate aus Dümmler, Ostfr. Reich I^2, 850 und II^2, 140 zu verbessern in II^2, 413 und III^2, 139 (T).

Anm. In der Zwischenzeit ist M. Kemmerich in seinem soeben erschienenen Buche: 'Die frühmittelalterliche Porträtplastik in Deutschland' auf das vorstehende Thema aufs Neue eingegangen, und es ist anzuerkennen, dass er in diesem Werke älteren Arbeiten, z. B. der Dieterichs über Friedrich II. und meiner über Friedrich I. besser gerecht wird, sowie eine richtige Würdigung der einzelnen Bildarten (Siegel, Münzen u. s. w.) versucht. Trotzdem fehlt es aber auch noch hier an einer richtigen kritischen Wertung und Verwertung der Vorarbeiten, wie die unglaubliche Anmerkung auf S. 78: 'Vergl. die ganz brauchbare Arbeit von H. Bresslau, Die Siegel der deutschen Könige und Kaiser aus der salischen Periode' wohl zur Genüge erkennen lassen möchte.

Verse über die Entstehung des Kosmos.

Von Siegmund Hellmann.

Die Hs. memb. II 129 der Herzoglichen Bibliothek zu Gotha s. XII besteht aus zwei von verschiedenen Schreibern herrührenden, ursprünglich wohl selbständigen Teilen. Der erste, 20.7 × 12 cm, umfasst vier Quaternionen und enthält einen Auszug aus der ersten Hälfte des Registrum Gregors des Grossen; vgl. P. Ewald in dieser Zeitschrift III (1878), 458 und L. M. Hartmann, MG. Epp. II, p. XII. Der zweite Teil, 20,2 × 11,2 cm, also von etwas kleinerem Format, zählt vier Quaternionen und einen Einblatter. Den Inhalt bilden: Anselm, Cur deus homo, Hildeberts von Tours gleichnamiges Gedicht (Migne CLXXI, 1406), ein kurzes Bücherverzeichnis (gedruckt bei Jacobs und Uckert, Beiträge zur älteren Literatur II, 101 und bei Th. Gottlieb, Ueber mittelalterliche Bibliotheken S. 54), endlich auf der letzten Seite, von zwei verschiedenen Händen geschrieben, das nachstehend zum Abdruck gebrachte Gedicht.

Provenienzvermerke stehen auf der ersten, sonst leeren Seite der Hs. und auf fol. 38, am Kopfe des zweiten Teils. Den ersten entzifferte R. Ehwald[1] mit Hilfe von Reagentien: 'Liber monasterii S. Godehardi prope hilđ ordinis sancti Benedicti'. Der zweite lautet: 'Liber sancti Godehardi. Bernhardus episcopus'. Die Hs. stammt also aus Hildesheim. Bischof Bernhard (1130—1153, † 1154), den wir aus dem Chron. Hildesheimense kennen[2], der Beschützer Wibalds von Stablo[3], ist der Erbauer des Godehardskloster.

Der Text des Gedichtes lautet:

Concipiens mundum   ratio divina secundum
Conceptum mentis   tribuit formas elementis.

1) Abhandlungen der Kgl. Bayerischen Akademie der Wissenschaften, III. Klasse, XXIII, 2, S. 363. 2) c. 20, MG. SS. VII, 855. 3) Jaffé, Bibl. rer. Germ. I, 145, vgl. 209. 231. 251. 299.

Res praefinivit. res mente prius stabilivit;
Deinde creavit eas ⟨et⟩ eis impressit ideas,
5 Verbo dictante quicquid conceperat ante.
Quaeque prius iecit rerum primordia, fecit
Sic simul uniri, quod possent pace potiri.
Aequavit primum vires, ne semper ad imum
Terrea descendat, sursum vis ignea tendat.
10 Pondere tardatur levitas pondusque levatur.
Pondera vibravit, mediis extrema ligavit.
Nam cum diversae vires nequeant sibi per se
Concordes esse, quod opus fuit ac necesse,
Binis iunguntur mediis et pace fruuntur.
15 Ne labefactentur velut vinclis nexa tenentur,
Uniturque globus, quia sunt duo iuncta duobus.
Est geometralis commensuratio talis.
Pace sub alterna tenet hic tenor illa quaterna,
Mundum conservat, dispersa simul coacervat,
20 Conciliatque fidem modus ille ligaminis idem.
Exemplo mentis sic archetypas elementis
Formas impressit opifex motusque repressit.
Sicque secanda secans et vires viribus aequans
Conveniente modo stabili ligat omnia nodo.
25 Sic in tranquillo sita sunt, sic illud ab illo
Nec timet impelli propria nec sede revelli.
Haec ubi collegit et in unum sparsa redegit,
Mundo pace data pugnaque reconciliata
Miscet per totum vitalem denique motum.
30 Quem sic infundi voluit per climata mundi,
Ut nullis esset discors nullisque deesset.
Hincque potestates confert et commoditates
Corpora formandi formataque vivificandi.
His ita collatis virtutibus et modulatis
35 Toti miscetur mundo mundusque movetur,
Cui rationari motu datur orbiculari.
Ex hac mixtura sequitur mundi genitura
Et fit fecundus diverso germine mundus.
Caelum stellatur, genus aerium spatiatur,
40 Terra suos fructus, sua fert animalia fluctus.

Ich widerstehe der Versuchung, der kleinen Dichtung einen Platz innerhalb der philosophischen Literatur

---

4 'et' in der Hs. durch Wurmfrass zerstört. 15 Ne] 'non' Hs. 15 vinclis] 'ulvis' Hs. 18 'ille' Hs. 22 'opifex' aus 'opofex'. 23 'secans' aus 'sequens'. 23 'equans' aus 'equens'. 35 Von hier an zweite Hand.

des 11. und 12. Jh. anzuweisen; es sind feinere Finger nötig, um sich in dem Für und Wider ihrer Gedankenwelt zurechtzufinden, für deren Entwirrung die Forschung, so viel sie auch schon getan haben mag, doch noch allzuviel schuldig geblieben ist. Indessen möchte ich den Leser doch nicht entlassen, ohne wenigstens eine Erklärung des Gedichtchens zu wagen.

Seinen Inhalt bildet die Entstehung der Welt aus den vier Elementen nach den im göttlichen Geiste befindlichen Ideen, also im Sinne des Realismus. Beachtung verdient, dass neben und unter der Ratio divina das Verbum (v. 5) und der Motus vitalis (v. 29 ff.) als Gehilfen des Werkes auftreten. Es liegt nahe, in ihnen metaphysische Verflüchtigungen der Personen der Trinität zu sehen.

Deutlich heben sich drei Teile ab: I (v. 1—6). Die Gottheit verleiht bei Erschaffung der Welt in ihrem Geiste ('concipiens mundum') den Elementen die ursprünglichen Formen (vgl. auch 'archetypas formas' v. 21—22), wobei das Verhältnis der Res zu den Elementen, ob sie mit ihnen identisch oder als aus ihnen hervorgehend und die sichtbare Welt bildend zu denken, unklar bleibt. II (v. 6—26). Nun geschieht die Herstellung des Gleichgewichtes zwischen den Elementen und ihren Kräften (man beachte 'Pondus' und 'Levitas' in v. 10), die Ausgleichung ihrer gegensätzlichen Tendenzen. Das Ergebnis ist die Harmonie des Alls (v. 18—26). III (v. 27—40). Es vollzieht sich die Mitteilung des Motus vitalis an das All, das sich in kreisförmiger Bewegung zu beleben beginnt ('rationari'? v. 36) und selbst Leben zeugt (v. 38). Am Schlusse treten wieder die vier Elemente hervor, nun nicht mehr als Grundprinzipien alles Seins, sondern in der speziellen Ausgestaltung der sichtbaren Welt, als (feurig gedachter) Himmel, als Luftraum, als Meer und als Festland mit ihren Lebewesen (v. 39—40).

Zur Geschichte der Fehde zwischen Grafen Adolf von Nassau und Godfrid III. von Eppenstein.

Von F. W. E. Roth.

Wie bekannt[1], war Graf Adolf von Nassau, der spätere deutsche König, ums Jahr 1280 mit Godfrid III. von Eppenstein wegen Gerechtsamen in der Umgegend von Wiesbaden und im Taunus in Fehde geraten. Godfrid hatte möglicherweise eine Abwesenheit Adolfs benutzt und dessen Gebiet, namentlich Sonnenberg und Wiesbaden, feindselig heimgesucht. Dass Graf Adolf ebenfalls in Godfrids Gebiet einfiel und dasselbe schädigte, dabei die 1196 bereits vorhandene Kapelle zu Oberjosbach[2] einäscherte, war bisher nicht bekannt. Es handelte sich um das Gericht zu Oberjosbach als Streitpunkt zwischen Nassau und Eppenstein und musste scheinbar der Ort selbst büssen. Entnommen ist diese Tatsache einem Ablassbrief aus 1288, der als ungedruckt in der Anlage folgt. Wie bekannt, endete die Fehde zwischen Adolf und Godfrid durch die von Werner II. Erzbischof von Mainz, einem Eppensteiner, am 30. August 1283 errichtete Sühne[3]. Das Jahr des Einfalls Adolfs ist wohl zwischen 1280—1283 zu suchen; Genaueres steht nicht fest. Der Text des Ablassbriefs stand auf einer in der Oberjosbacher Kapelle aufgehängten Tafel, ein Beispiel, das für Ablassbriefe zu Gunsten einer Kirche nicht allein stehen dürfte. Diese Tafel ist jetzt verschwunden. Der fleissige Pfarrer und Geschichtsforscher Severus von Walldürn sah und kopierte solche noch, die Abschrift, deren Sprache ganz modernisiert ist, entnahm ich seinem im Pfarrarchiv zu Geisenheim a. Rh. s. Z. aufbewahrt gewesenen Nachlass.

---

1) Schliephake, Gesch. v. Nassau II, 156 f. — Roth, Gesch. v. Wiesbaden S. 25 f. 2) Cod. dipl. Nass. I, 219 f., n. 301. 3) Schliephake a. a. O. II, 162 f. II, 228. — Roth a. a. O. S. 26 f. — Cod. dipl. Nass. I, 2, 600, n. 1015.

Anlage.

Den inwonern zu Obernjosbach wie auch allen gleubigen, die diss gotshauss besuchen und darin andechtig betten.

Wyr Symon ein bischoff zu Wormss tun kundt undt zu wissen allen Christgläubigen im Herrn. Nachdem die Capelle in dem Dörfchen Obernjosbach bei Eppenstein im Maintzer Chrysam gelegen in dem Kriege zwischen Adolf von Nassau und Godefrid von Eppenstein durch Feuersbronst vernichtet worden, die Inwoner des Dörfchens aber grossen Mangel an Geld zum Bau dieser Capelle leiden und alle Zierde des Hauses des Herrn fehlt, erteilen allen wahrhaft reuigen Christgläubigen, die zum Bauw und zur Ausschmückung dieser Capelle ettwas beytragen oder habhafte Handleistung thun, vierzig Täge Ablass von deren verwirckten Sündenstraffen, wann sie am Tag der Geburt, der Auffart des Herrn, der Sendung des heyligen Geysts und an den vier Festtägen der unbefleckten Jungfrau und Gottesmotter Mariä in der Capelle Nachlassung ihrer Sündenstraffen von Gottes Barmhertzigkeit erflehen. Gegeben an den III^ten^ iden des Mondes Martius im Jahr des Herrn M.CC.LXXXVIII.

Gwyhet aber ward diese Capelle von Dittmarus Predigerordens dem Weihbischof Mainzer Chrysams am Vorabend von St. Michaels des heiligen Fürbitters und Ertzengels Tag 1321 zu Ehren des gleichen Heiligen, der heiligen Jungfrau Petronella, des heiligen Bekenners Pancracius, deren Reliquien hier ruhen.

Nachrichten.

239. In den Scriptores rerum Germanicarum ist zu Ende des Jahres 1908 erschienen: Alberti de Bezanis abbatis S. Laurentii Cremonensis Cronica pontificum et imperatorum. Primum edidit Oswaldus Holder-Egger. Die Chronik reicht bis zum J. 1370.

240. Von der Abteilung Leges sind folgende zwei Halbbände ausgegeben: Sectio III, Concilia, tomi II. pars II: Concilia aevi Karolini, t. I. pars II. Recensuit Albertus Werminghoff. — Sectio IV, Constitutiones et Acta publica imperatorum et regum, tomi IV. partis posterioris fasc. I (noch ohne Titel und Register. Bearbeitet von Jakob Schwalm).

241. Ein Nekrolog auf Theodor von Sickel von C. Cipolla steht im Archivio storico Italiano, serie V, t. XLII, 214—221, und ein Vortrag über ihn mit interessanten Mitteilungen aus seinen autobiographischen Aufzeichnungen von B. Bretholz in der Zeitschr. d. deutschen Vereins f. die Gesch. Mährens und Schlesiens Jahrg. XIII mit Sonderabdruck Brünn 1909.

242. Gesellschaft für Rheinische Geschichtskunde. Die Frist für die beiden Preisaufgaben der Mevissen-Stiftung: 1. Die rheinische Presse unter französischer Herrschaft (Preis 2000 M.). 2) Begründung und Ausbau der Brandenburgisch-Preussischen Herrschaft am Niederrhein (Preis 3000 M.), ist bis zum 1. Juli 1910 verlängert worden.

243. Ueber 'die neuere Geschichtswissenschaft und die Landesgeschichte' handelt ein Aufsatz von O. Redlich in der Zeitschrift des deutschen Vereins für die Geschichte Mährens und Schlesiens XII (1908), 1, der klar und übersichtlich die Aufgaben zusammenfasst, die sich für die Landesgeschichts-Vereine und -Institute angesichts

der Wandlungen auf dem Gebiete der Geschichtswissenschaft in den letzten Jahrzehnten ergeben. B. B.

244. Hinzuweisen ist auf den Aufsatz 'Origine des bibliothèques publiques de Liège avec aperçu des anciennes bibliothèques de particuliers et d'établissements monastiques liégeois' von Th. Gobert im Bulletin de l'inst. archéol. liégeois XXXVII, 1—97, der in mancher Hinsicht auch für den mittelalterlichen Historiker von Interesse ist. A. H.

245. In den SB. der Wiener Akademie, Philos.-Histor. Kl. CLVIII, 2 setzte Rudolf Beer seine nach vielen Richtungen ergebnisreichen Studien über die Hss. des Klosters Santa Maria de Ripoll in zweiter Abhandlung fort (vgl. N. A. XXXII, 751, n. 238). An dieser Stelle ist besonders hinzuweisen auf seine Ausführungen über die Hs. der Annales S. Victoris Massilienses (S. 16 ff.), den Codex, der die Werke des Rangerius von Lucca, daneben auch Briefe Gregors des Grossen enthält (S. 43 ff.), und die Hs. der Vita Petri Urseoli ducis Veneti (S. 59). Zwölf Hss.-Tafeln sind beigegeben. O. H.-E.

246. Eine Studie über die Hss. der Cisterzienser-Abtei Hauterive in der Schweiz im 12. und 13. Jh. lieferte Giulio Bertoni in der Revue des bibliothèques 1908 Sept.-Okt. Unter den Hss., die jetzt mit einer Ausnahme zu Freiburg Schw. aufbewahrt werden, finden sich keine klassischen, das darf man aber mit B. nicht damit begründen, dass zur Zeit der Gründung des Klosters (1138) die klassischen Studien erloschen waren — sie wurden im Gegenteil in Frankreich wenigstens damals mehr als je betrieben —, sondern nur damit, dass die Cisterzienser solchen Studien abgeneigt waren. Ebenso wenig fand die Geschichtschreibung bei ihnen eine Pflegstätte, daher finden sich auch unter den Hss. — abgesehen von Heiligenleben — keine geschichtlichen. O. H.-E.

247. In den SB. der Wiener Akademie, Philos.-Histor. Kl. CLIX, 6 stellt Wilhelm Weinberger in einem ersten Beitrag zur Handschriftenkunde nach mühsamer Arbeit die Hss. zusammen, die der Bibliothek des Königs Mathias Corvinus von Ungarn angehörten, die in Bibliotheken aller Länder verstreut sind. Er weist 122 Codices als sichere Corviniani nach, doch möchte ich glauben, dass nach weiteren Forschungen, nachdem noch mehr Hss.-Kataloge publiziert sein werden, ihre Zahl sich

bedeutend wird vermehren lassen. Hss. zur Geschichte des Mittelalters finden sich unter den bisher aufgeführten fast garkeine. O. H.-E.

248. Im Bibliographe moderne XI, 232 sqq. publiziert H. Stein ein Summarisches Verzeichnis der in der Bibliothek zu Ferrara bewahrten Hss. sehr verschiedenen Inhalts aus dem 14.—18. Jh. H. W.

249. Mit dem XXL Bande ist jetzt die dritte Auflage der Realencyclopädie für Theologie und Kirche, herausg. von Albert Hauck, die so viele und zum Teil sehr wertvolle Artikel für die Geschichte und Quellenkunde des Mittelalters enthält, zu Ende geführt worden. Sie kann in vielen Fällen dem Geschichtsforscher Belehrung und Orientierung über die vorhandene Literatur bieten, namentlich über solche Dinge, die mehr dem Gebiet der Theologie und Kirchengeschichte angehörig, dem Wissen der meisten Historiker fern liegen. Nach einigen Jahren soll noch ein Ergänzungsband folgen. O. H.-E.

250. Von der durch Th. Schön fortgesetzten Bibliographie der Württembergischen Geschichte von W. Heyd liegt die erste Hälfte des vierten Bandes vor (Stuttgart 1908). Die Literaturangaben sind nach den Orten, auf die sie sich beziehen, diese wiederum alphabetisch angeordnet. H. H.

251. Zu der Bibliografia di Roma nel medio evo (476—1499) (vgl. N. A. XXXI, 735, n. 367) hat der Verfasser Emilio Calvi 1908 ein erstes starkes Supplement publiziert, das unter 2620 Nummern meist früher übersehene Schriften, aber auch die seit Fertigstellung des Buches neu erschienene Literatur aufführt. Eine besondere Abteilung enthält die Bibliografia delle catacombe e delle chiese di Roma. Die Anordnung ist eine möglichst unpraktische, so dass man Schriften über denselben Gegenstand, z. B. über die Mirabilia Romae, die Ordines Romani, an ganz verschiedenen Stellen aufgeführt findet. Es sind auch Schriften genannt, die mit Rom nicht das geringste zu tun haben, z. B. über eine ganz zufällig in Rom, nämlich in der Bibliothek der Königin Christine im Vatikan, befindliche Hs., die aus Frankreich stammt. Wenn man auch dem Sammelfleiss des Verf. Dank schuldet, muss man doch bedauern, dass die Arbeit nicht mit mehr Geschick und Verständnis angelegt und durchgeführt ist. O. H.-E.

252. Die Badische historische Kommission hat ein 'Inhaltsverzeichnis der Zeitschrift für die Geschichte des Oberrheins. Alte Folge Bd. I—XXXIX', bearbeitet von K. Sopp (Heidelberg 1908), herausgegeben, das ein alphabetisches Verzeichnis der Mitarbeiter und ihrer Beiträge und ein systematisches Inhaltsverzeichnis nach Sachrubriken enthält. H. W.

253. Zu den ersten zwölf Bänden der Byzantinischen Zeitschrift (1892—1903) ist ein von Paul Marc mit musterhafter Sorgfalt ausgearbeitetes Register erschienen (Leipzig 1909, 592 Seiten 8°), das auch für die deutsche Geschichte des M.-A. manche wichtigen Nachweise enthält. R. S.

254. Ein geschichtliches Ortsverzeichnis des Vogesen-Departements veröffentlicht N. Haillant in den Ann. de la soc. d'émul. du départ. des Vosges LXXXI (1905), 293 sqq. E. M.

255. Einen Beitrag zur geschichtlichen Ortskunde Frankreichs gibt der Graf de Loisne in seinem alphabetischen Verzeichnis der verschwundenen Ortschaften des Departements Pas-de-Calais in Bull. et mém. de la soc. nat. des antiqu. de France LXVI (1906), 57 sqq. E. M.

256. In L'université catholique LII (1906), 317 sqq. untersucht A. Devaux 'Les noms de lieux d'origine religieuse dans la région Lyonnaise'. — In den Annales du Midi XIX (1907), 495 sqq. handelt J. Anglade 'Sur le traitement du suffixe latin "— anum" dans certains noms de lieu des départements de l'Aude et de l'Hérault'. E. M.

257. Bernhard Sepp ('Wann wurde Pippin König?' Altbayrische Monatsschrift VIII, 84—87) unternimmt den gut gemeinten, aber verfehlten Versuch, die Epoche Pippins auf Grund einer Freisinger Urkunde von November 751 nach dem Anfang des J. 752 herabzurücken. Ich komme auf diese Frage nächstens im N. A. zurück. M. T.

258. Mit grosser Gelehrsamkeit und völlig überzeugend weist Hugo Koch, 'Die Ehe Heinrichs II. mit Kunigunde' (Görres-Gesellschaft, Sektion für Rechts- und Sozialwissenschaft 5. Heft, Köln 1908), die seltsame und mit den Quellen in Widerspruch stehende Hypothese zu-

rück, die Sägmüller 1905 in der Tübinger theolog. Quartalschrift über diese Ehe aufgestellt hat. O. H.-E.

259. R. Friedrich setzt in der Wissenschaftlichen Beilage der Realschule in Eppendorf zu Hamburg 1908 seine Studien zur Vorgeschichte des Tages von Canossa fort (Teil 2: Die Wirkungen der Wormser Synode vom 24. Jan. 1076 in der Beleuchtung der Urkunden). H. W.

260. Eine sorgfältige und eindringende Schilderung der politischen und kolonisatorischen Wirksamkeit des Erzbischofs Wichmann von Magdeburg gibt Willy Hoppe in den Magdeburgischen Geschichtsblättern XLIII, 134—294, eine Arbeit, deren drittes Kapitel nebst einem Exkurs auch als Berliner Dissertation 1908 ausgegeben ist. M. Kr.

261. Das Monasticon metropolis Salzburgensis antiquae von P. P. Lindner (vgl. N. A. XXXIII, 229, n. 8) liegt nun durch den zweiten 1908 erschienenen Halbband vollendet vor. Er bringt die Abtlisten und Literaturzusammenstellungen für die Klöster der Diözese Regensburg, Beilagen und Nachträge, zuletzt ein Namensverzeichnis. H. H.

262. Das Buch von J. R. Kušej über 'Joseph II. und die äussere Kirchenverfassung Innerösterreichs' (Kirchenrechtl. Abhandlungen herausgeg. von Stutz, 49. u. 50. Heft, Stuttgart 1908, 358 S.) muss hier, obwohl es zeitlich weit über unser Arbeitsgebiet hinausfällt, doch genannt werden, weil es auf die Gründung der Salzburgischen Bistümer in den Ostalpen zurückgreift und für Umfang und Einrichtung dieser Diözesen und ihrer Archidiakonate Quellenzeugnisse beibringt, die auch bei Untersuchungen auf dem Gebiet der mittelalterlichen Entwicklung nicht übersehen werden dürfen. Besonders dankenswert ist die Beigabe der ersten in grösserem Massstab ausgeführten und zuverlässigen Vorjosephinischen Diözesankarte Innerösterreichs. M. T.

263. Der zweite Band der Geschichte des Hauses Hohenlohe von Karl Weller 'Vom Untergang der Hohenstaufen bis zur Mitte des 14. Jh.' (Stuttgart 1908) ist im grossen ganzen wie der erste Band wohl eine tüchtige und nützliche Leistung, im wesentlichen auf das Hohenlohische Urkundenbuch desselben Verf. gegründet, klebt aber freilich etwas zu fest an diesem. Darüber hinaus lässt die Kenntnis und Durcharbeitung der Quellen zuweilen

doch manches zu wünschen übrig. So kennt der Verf. z. B. nicht die Berichte über die für die Hohenlohe so wichtige und ruhmvolle Schlacht bei Kitzingen 1266 in zwei Fortsetzungen der Cronica Minor, in der Erfurter St. Peterschronik und im Erfurter Liber cronicorum, zitiert dagegen dafür u. a. den angeblichen Meissner Sifridus presb. statt Sifrid. de Balnhusin (MG. SS. XXV) und das Chron. Elwang. bei Freher statt der Ann. Neresheim. (daraus Chron. Elwac.) in MG. SS. X. O. H.-E.

264. Eine 'Handels- und Gewerbegeschichte der Stadt Magdeburg im Mittelalter bis zum Beginn der Zunftherrschaft (1330)' gibt E. Ilgenstein in den Magdeburgischen Geschichtsblättern XLIII, 1—77. M. Kr.

265. Ueber die Herkunft der Lutgardis, Gemahlin des Magdeburger Burggrafen Gebhard IV. von Querfurt, aus dem Hause Nassau handelt in den Geschichtsblättern für Stadt und Land Magdeburg 43. Jahrg. (1908), S. 295—334 E. Krüger. E. P.

266. Eine Arbeit von G. Thiele: 'Geschichte des Zisterzienser-Nonnenklosters Anrode bei Mühlhausen i. Th. I: 1268—1525' enthalten die Mühlhäuser Geschichtsblätter VIII, 29—58 (1907/8). E. P.

267. J. Paech setzt in den Studien und Mitteilungen aus dem Benediktiner- und dem Cistercienser-Orden XXIX (1908), 355 ff. seine Untersuchungen über die ältere Geschichte der ehemaligen Benediktinerabtei Lubin fort und behandelt im 2. Abschnitt vornehmlich die äussere Entwicklung des Klosters, die frühesten Schenkungen an Grundbesitz, Kapitalien und Naturalien und die sich daran anschliessenden Fragen der deutschen Kolonisationstätigkeit bis 1294. B. B.

268. 'Die Geschichte der Stadt Römerstadt (Mähren)' von K. Berger, veröffentlicht in der Zeitschrift des deutschen Vereins für die Geschichte Mährens und Schlesiens XII (1908), 209 ff., beschäftigt sich im ersten Teil eingehend mit der älteren Zeit, der Gründung der Stadt durch Bergleute noch vor dem Mongolensturm, gibt eine eingehende Darstellung des Bergbaus auf dem Römerstädter Gebiete seit dem 13. Jh., unterrichtet über die in den mährischen Städten interessante Entwicklung der Braugerechtigkeit, da die brauberechtigten Bürgerhäuser zumeist identisch sind mit den ursprünglichen Bürger-

häusern bei Gründung der Stadt, und andere stadtwirtschaftliche Fragen. B. B.

269. Ueber das mährische Geschlecht der Herren von Lippa, die sich bis zum Ende des 12. Jh. zurückverfolgen lassen, beginnt H. Brunner (Pseud.) eine eingehende Monographie in der Zeitschrift des deutschen Vereins für die Geschichte Mährens und Schlesiens XII (1908), 395 ff. B. B.

270. Auf die unserer Redaktion zugesandte Schrift von L. K. Gretz, Staat und Kirche in Altrussland (Berlin 1908), kann an dieser Stelle nur kurz hingewiesen werden. Eine Besprechung ist hier leider nicht möglich.

---

271. In der Revue des questions hist. LXXXIII (n. s. XXXIX), 1908, 24 sqq. und 426 sqq. veröffentlicht P. Allard zwei Aufsätze über Apollinaris Sidonius: 'La jeunesse de A. S.' und 'A. S. sous les règnes d'Avitus et de Majorien'. E. M.

272. In der Revue de philol., de littér. et d'hist. anciennes, nouv. série, XXX (1906), 124 sqq. erörtert E. Rey in Uebereinstimmung mit Lippert und im Gegensatze zu Nisard und Briand die Echtheit der beiden Gedichte des Venantius Fortunatus De excidio Thuringiae und der Epist. ad Artachin (Auct. ant. IV, 1, 271. 278), die mit Unrecht der heil. Radegunde zugeschrieben seien. E. M.

273. Dr. B. Sepp, Ein neuer Text der Afralegende bietet im 1. Teil (S. 1—6) einen Wiederabdruck des oben S. 233 besprochenen Artikels, der nun als 'selbstständiges Buch' den neuen Literaturkalender zieren kann, im zweiten die Entgegnung auf meine Abhandlung (N. A. XXXIII, 26 ff.), von der er 'hinterher' 'erstaunt' Kenntnis genommen hat. Bei mir kann er sich 'kurz' fassen, was auf S. 6—16 geschieht, denn alle gegen Vielhaber vorgebrachte Argumente findet er auch gegen mich anwendbar, und den kleinen Unterschied zwischen uns beiden hat er wohl nicht erfasst. Zu den im ersten Teil aufgestellten und verteidigten Annahmen der Entstehung der beiden kürzeren Fassungen (α und a. b) aus der längeren (β) oder von a. b aus α und β oder gar von α aus β, die in ihrer bunten Mannigfaltigkeit den Ideenreichtum dieses genialen Kopfes wiederspiegeln, fügt der zweite Teil einen neuen, doch nicht weniger wunderlichen Satz, dass α und a. b einem

gemeinsamen, von β völlig unabhängigen Exemplar entstammen sollen. Das ist just das Gegenteil von dem, was eben behauptet war, und nach dieser plötzlichen Sinnesänderung erklärt der Verf. keck die a. b und β gemeinsamen Teile für den Urtext, muss nun natürlich auch aufgeben, was in beiden fehlt, und so bringt er es fertig, den allein in der ausgezeichneten Hs. α erhaltenen Satz über die Befehle der Kaiser (S. 48, 7 meiner Ausgabe), d. h. die den echten Texten am nächsten stehende Wendung, zu streichen, die dieser Rezension ihre hervorragende Stellung in der Textfiliation gegen Ungeschick und Beschränktheit für ewige Zeiten sichert. Nach dieser Probe wollen wir nicht länger bei 'seiner Methode zur Sanierung der Legendentexte' verweilen, die allein wegen ihrer Wunderlichkeit Beachtung verdient. Noch am Schluss soll eine lange Zitatenreihe aus andern Passionen 'mit absoluter Gewissheit' den 'positiven Beweis' für die Echtheit des Inhalts der P. Afrae erbringen. S. weiss kaum, wie ein wissenschaftlicher Beweis aussieht, wohl aber weiss er, dass es zu Afras Zeit 'noch keine Krematorien gab, welche mittels erhitzter Luft die Leiche nach 2—3 Stunden in Asche verwandeln konnten'. Diese tiefsinnigen Betrachtungen, die immer mit der gleichen natürlichen Frische vorgetragen werden und stets den Nagel auf den Kopf treffen, zeigen am allerbesten, dass die Seppschen Forschungen nach dem gewöhnlichen Massstabe nicht bemessen werden dürfen.

B. Kr.

274. In einer umfangreichen Arbeit 'Saint Cybard, étude critique de texte', in Bull. et mém. de la soc. archéol. et hist. de la Charente, VII. série, VII (Jahrg. 1906/7, ersch. 1907), 1—292, sucht J. de La Martinière Geschichte und Legende in der Ueberlieferung über den heil. Eparchius zu scheiden. Von den Quellen hält er die sog. Manumissio für echt, die Vita dagegen mit Br. Krusch für ein unglaubwürdiges Machwerk des 9. Jh., im Gegensatze zu A. Esmein, der einen älteren echten Kern in ihr finden wollte (vgl. N. A. XXXIII, 231, n. 15); die Interpolationen der Historia des Ademar von Chabannes in Angoulême werden ausführlich behandelt und das Wesen der merowingischen 'reclusio' untersucht. E. M.

275. In einem sechsten Abschnitt seiner 'Mélanges d'histoire Bretonne' in den Annales de Bretagne XXII (1906/7), 700—759 (vgl. N. A. XXXII, 759, n. 260) behan-

delt F. Lot die verschiedenen Redaktionen der Vita S. Maclovii. E. M.

276. M. Besson, Contribution à l'histoire du diocèse de Lausanne sous la domination franque 534—888, Fribourg (Suisse) 1908, führt seine kirchengeschichtlichen Forschungen unter Beschränkung auf die Diözese Lausanne weiter und behandelt zuerst die Bischöfe, dann die ziemlich nebelhaften Anfänge des Mönchtums in dieser Gegend. So findet er den Weg zu dem h. Himerius, der dem Dorfe Saint-Imier im Kanton Bern, seit 884 im Besitz des Klosters Moûtier-Grandval, den Namen gegeben hat. Das Leben des Heiligen ist auf Grund des gesamten handschriftlichen Materials neu herausgegeben und in der kritischen Untersuchung die von liebevollen Lokalhistorikern erfundene historische Ausschmückung der Legende, sowie die Identifizierung des Verf. mit Freculf von Lisieux schonungslos zur Seite geschoben. Die Aufzeichnung wird, wie mir scheint, mit Recht in das 9. Jh. gesetzt, doch möchte ich den Verf. eher für einen Lausanner Geistlichen, als für einen Mönch von Moûtier-Grandval halten. In dem inhaltsarmen Leben stellt sich Himerius ähnlich wie Goar als ein Verehrer der Gastfreundschaft vor. Bei dem Fehlen älterer Nachrichten war der Legendenschreiber in misslicher Lage und nach den Nachweisungen B.'s hat er starke Anleihen an die V. Benedicti gemacht. Für die Erklärung in sprachlicher und sachlicher Hinsicht ist alles geschehen. Für die Textkritik bietet die älteste Hs. in der Freiburger Bibliothek, die nicht, wie der Katalog angibt, dem 15., sondern dem 12. Jh. angehört, zwar eine altertümliche Orthographie, erweist sich aber sonst z. T. als stark interpoliert, so dass die jüngere Ueberlieferung des 15. Jh. nicht unberücksichtigt bleiben konnte. Eine Anzahl Urkunden, z. B. die Ludwigs d. Fr. 814 Juli 28, hat B. aus dem in Bern befindlichen Lausanner Chartular, einige Briefe Johanns VIII. (878) aus dem Vatikanischen Archiv zum Abdruck gebracht. Am Schlusse (S. 178 ff.) ist der schon oben Bd. XXXIII, 581, n. 246 besprochene Artikel Silentium oder Sallentium? wiederholt. B. Kr.

277. W. E. Crum behandelt in der Zeitschrift der Deutschen Morgenländischen Gesellschaft LXII, 552 ff. den in den späteren Teilen des Liber Pontificalis von Textilstoffen öfter gebrauchten Ausdruck 'quadrapulus' (oder 'quadrapolus') und erklärt ihn mit Heranziehung eines Koptischen Textes aus dem Namen einer Landschaft im

Nordwesten Bagdads, die danach den Namen für den dort verfertigten Stoff abgegeben zu haben scheint. W. L.

278. In den Annales du Midi XVIII (1906), 145 sqq. untersucht J. Calmette 'La famille de saint Guilhem'; ebenda p. 166 sqq. handelt er über dessen Sohn 'Gaucelme, marquis de Gothie sous Louis le Pieux'. E. M.

279. Die Schrift von Josef Becker 'Textgeschichte Liudprands von Cremona' (Quellen und Untersuchungen zur lateinischen Philologie des M.-A. begründet von L. Traube, III, 2. Heft, München 1908) ist eine tüchtige und fördernde Vorarbeit für eine Neuausgabe der Werke Liudprands. Nach Aufzählung der Hss. und Beschreibung einzelner geht der Verf. von der Feststellung Köhlers aus, dass der Frisingensis nicht, wie Pertz annahm, Autograph sei, unterscheidet drei Hss.-Klassen, von denen die erste und zweite allerdings durch ein Mittelglied unter einander näher verwandt sind, zeigt, dass der Frisingensis Archetyp der ersten Klasse ist, dass aus ihm auch die jetzt in Florenz befindliche Ashburnham-Hs. und der Brüsseler Spanheimensis abgeschrieben sind, woran für jenen von Traube, für diesen von Köhler noch gezweifelt wurde. Ebenso wird die Affiliation in den beiden anderen Hss.-Klassen festgestellt. Noch bemerke ich, dass der Verf. doch wieder geneigt ist, an Entstehung des Frisingensis in Italien wie Pertz (nicht in Metz) zu glauben, freilich denkt er auch mit Traube an spanischen Ursprung. O. H.-E.

280. Philipp Wilhelm Kohlmann, Adam von Bremen. Ein Beitrag zur mittelalterlichen Textkritik und Kosmographie (Leipziger historische Abhandlungen, Heft X, Leipzig 1908) bringt für die Textkritik Adams so gut wie nichts, obgleich auch ein Abschnitt überschrieben ist 'Textkritische Erläuterungen zur hamburgischen Kirchengeschichte', steht auch da nichts zur Textkritik. Der brauchbarste Teil der Arbeit ist der Anhang, in welchem der Verf. mit grossem Fleiss gesammelte Vulgata-Verse und Stellen aus klassischen Schriftstellern und Patristikern beibringt, die Adam zitiert oder gekannt hat, oder die doch in Parallele zu Stellen von ihm gesetzt werden können. Da finden sich auch allerhand kleine Ausführungen, von denen einige in den Anmerkungen zu einer neuen Ausgabe verwandt werden können. Von den anderen Teilen des Buches dürfte der dritte, der überschrieben ist 'Adams

kosmographische Anschauungen' noch am meisten Beachtung verdienen, den andern Abschnitten, die in bunter Folge Bemerkungen über Adams Persönlichkeit, die Olla Vulcani, Adams Begriff von dem Namen 'Germania' u. s. w. enthalten, kann ein grösserer Wert nicht zugemessen werden. In einem Exkurs handelt der Verf. über die Mappa terre Saxonic, die Landkarte, die angeblich ehemals in der Wiener Adam-Hs. enthalten gewesen sein soll. Mir ist sehr zweifelhaft, ob die jemals existiert hat, von Adam oder aus der Zeit Adams stammte sie sicher nicht her.
O. H.-E.

281. Im Bulletin de la Soc. d'art et d'histoire du diocèse de Liège t. XV. edierte Joseph Brassinne eine nach dem J. 1085 gemachte Aufzeichnung über den vergeblichen Versuch, die Reliquien der hh. Trudo und Eucherius zu St.-Trond zu erheben, die in der dritten Fortsetzung der Gesta abbatum Trudonensium ausgeschrieben ist.
O. H.-E.

282. Im Arch. stor. per le prov. Napoletane XXXIII, 545 sqq. handelt M. Schipa kurz über eine schwer zu interpretierende Angabe in Amatus' Normannengeschichte zur Genealogie der letzten Fürsten von Salerno. E. C.

283. Die Schicksale des Archivs von Gembloux im Jahre 1793 bespricht B. Lefebvre in der Revue des bibliothèques et archives de Belgique VI, 246 sqq. 336 sqq. Er macht dabei u. a. Mitteilungen über die Originalhs. der Chronik Sigeberts. A. H.

284. Im 52. Jahresbericht der K. K. Staats-Realschule im IV. Bezirke Wiens (Wien 1907) untersucht K. Partisch das zweite Buch der Historia Hierosolymitana des Albertus Aquensis (vgl. N. A. XXX, 506, n. 241) und kommt zu dem Ergebnis, dass Albert diesen Abschnitt seines Werkes zum grösseren Teil auf Grund verlässlicher schriftlicher Quellen verfasst habe. H. H.

285. Die Diskussion über die Acta Murensia und die ältesten Urkunden des Klosters Muri ist durch zwei Arbeiten von H. Steinacker (Die ältesten Geschichtsquellen des habsb. Hausklosters Muri, Zeitschr. f. d. Gesch. des Oberrheins N. F. XXIII, 387 ff.) und H. Bloch (Ueber die Herkunft des Bischofs Werner I. von Strassburg und die Quellen zur ältesten Geschichte der Habsburger, ebenda S. 640 ff.) neuerdings in Fluss geraten. Steinackers Aufsatz ist eine in sehr verbindlicher Form gehaltene Er-

widerung auf die Verteidigung meiner Aufstellungen im Jahrb. f. Schweiz. Gesch. XXXI. Im ersten Teil verficht er neuerdings für die gefälschte Stiftungsurkunde den Zeitansatz 1082—86, erblickt aber jetzt die Veranlassung zur Fälschung vor allem in dem Streit Muris mit St. Blasien um das Recht der freien Abtwahl, das St. Blasien anfänglich dem neuen Reformstift nicht zuerkennen wollte und das in dem Spurium sehr genau und bestimmt formuliert wird. Ich verkenne die Wichtigkeit dieses Momentes nicht, kann mich aber doch diesem Zeitansatz nicht anschliessen, weil abgesehen von allem anderen die Jahrb. XXXI, 90 ff. vorgebrachten Bedenken diplomatischer Natur unerschüttert fortbestehen, und weil ich mit allem Nachdruck auf der palaeographischen Wertung der Urschrift (1. Viertel des 12. Jh.) bestehen muss, zu der ich mich von allem Anfang an bekannte (vgl. nun auch Wentzcke, Reg. d. Bisch. v. Strassburg S. 386). Und wenn Steinacker mit Erfolg gegen den Zeitansatz polemisiert (1106—8), den ich von den zweien, die mir von jeher allein möglich erschienen, bevorzugt hatte, so kann mich das nur bewegen, den zweiten (1120—30) in den Vordergrund zu rücken, für den sich mittlerweile Bloch entschieden hat. Im zweiten Teil des Aufsatzes sucht Steinacker die Beweiskraft der stilistischen Momente, die ich für die Einheitlichkeit der Acta ins Treffen geführt hatte, zu erschüttern und weist in Ausführungen, die allgemeines Interesse verdienen, auf die in der klassischen und modernen Philologie bereits erprobte Methode der Wort- und Sprachstatistik zur Bestimmung mittelalterlicher Quellen hin. Die inhaltliche Verschiedenheit beider Teile der Acta ist freilich, wie St. selbst zugibt, ein Hindernis für wortstatistische Zusammenstellungen, die weder für die Identität noch für die Verschiedenheit der Verfasser ein sicheres Resultat bringen. Die 'gefühlsmässige Erfassung der Diktateigentümlichkeiten' ist mir neben anderem auch weiterhin wichtig für meine Auffassung von der einheitlichen Entstehung der Quelle. Bloch geht von einer Beurteilung der Geschichtsquellen von Muri aus, um das Mass ihrer Zuverlässigkeit betreffs der Angaben über den Bischof Werner zu ergründen. Wie ich stellt er die Acta hinein in den Streit der Klosterparteien in der ersten Hälfte des 12. Jh. Während die 1120—30 entstandene, auf den Namen Bischof Werners gefälschte Gründungsurkunde die Ansprüche der Habsburger und reformfeindliche Tendenzen vertritt, zeigt sich Abt Chuno in seiner Klostergeschichte als Anhänger der Reform und sucht den Anteil des Bischofs Werner an der Gründung von Muri möglichst herabzudrücken. Eine Werner gegenüber vorwaltende Tendenz der Acta hatte bereits ich betont, B. arbeitet sie aber schärfer heraus und sucht auf Grund der an mehreren Punkten tendenziösen Darstellung der Acta ihren Wert für die Gründungsgeschichte soweit herabzusetzen, dass es ihm möglich wird, die Angabe, Bischof Werner sei ein Bruder der Ita und Schwager Radbots, im Gegensatze zu Steinacker zu Gunsten der Behauptungen der Gründungsurkunde und des um 1160 entstandenen Chronicon Ebersheimense zu verwerfen. Danach erscheint ihm Werner als Habsburger, als Bruder Lanzelins und Oheim Radbots. Steinacker hat (Zeitschr. f. d. Gesch. des Oberrheins N. F. XXIV, 154 ff.) eine vorläufige Erwiderung publiziert, die mir dank seinem Entgegenkommen in der Korrektur zugänglich gemacht wurde. Ich kann durch seine Verteidigung die Aufstellung von Bloch nicht als widerlegt ansehen und glaube, dass B. durchdringen wird. Bischof Werner erscheint nicht nur in der falschen Stiftungsurkunde, sondern auch in dem echten Diplom St. 3106 und in der echten Papsturkunde J.-L. 7984 als Gründer von Muri, Ita dagegen wird nur in den Acta als eigentliche Stifterin gefeiert. Die Klostertradition, die an Werner anknüpfte, scheint also doch stärker gewesen zu sein, als der Verfasser der Acta zugeben will, der obendrein an zwei Stellen anders geartete Auffassungen über den Bischof zurückweist. Diese Erkenntnis schwächt das Vertrauen auf die Angaben der Quelle über Werner soweit, dass man tatsächlich geneigt ist, in diesem Punkte die Aussage der Stiftungsurkunde und der von B. besser verwertbar gemachten Ebersheimer Chronik vorzuziehen. Ich zweifle nur, dass es um dieses Resultates willen nötig war, von einer Verfälschung der Gründungsgeschichte durch Abt Chuno zu reden. Der Platz, den B. dem Bischof in der habsburgischen Stammreihe zuweist, ist derselbe, den ich in meiner ersten Arbeit ihm zusprechen wollte (später bin ich Steinackers Meinung beigetreten). Dieser Irrtum der Acta hatte mich nicht gehindert, sie als historiographische Leistung sehr günstig zu beurteilen. Die bisherige Diskussion hat gezeigt, dass bei Bewertung dieser Quelle ein Kompromiss zwischen unbedingter Verlässlichkeit und bewusster Entstellung der Wahrheit gefunden werden muss. Ich suchte es nach der guten Seite hin, Bloch mehr nach der schlechten. Das mag Ansichtssache sein; sicher ist, dass die scharfsinnigen Ausführungen von Bloch, die ich persönlich als wichtige Stütze

meiner Darlegungen begrüsse, die Fragen der älteren habsburgischen Genealogie bedeutend gefördert haben. Ungeteilte Zustimmung wird er ja mit seinem Beweise finden, dass die Gemahlin Radbots, Ita, nicht dem Geschlecht der älteren, sondern dem der jüngeren Herzoge von Lothringen angehört.
H. H.

286. In der Hist. Vierteljahrsschrift XI, 4, S. 517 ff. interpretiert Karl Hadank in einer Miscelle 'Zur Kontroverse über Legnano (1176)' richtig eine Stelle der Gesta Federici I. imp. in Lombardia gegenüber einer irrigen Uebersetzung von F. Güterbock, er hält den Bericht des Tolosanus von Faenza über die Schlacht von Legnano für wertlos, weil er von Boso abhängig sei. Das zu erweisen bedürfte aber stärkerer Gründe, als er sie gegeben hat.
O. H.-E.

287. Einen sehr reichen und verschiedenartigen Inhalt hat das Buch von Wilhelm Ohnesorge, Einleitung in die lübische Geschichte. Teil I: Name, Lage und Alter von Altlübeck und Lübeck (Zeitschrift d. Ver. f. Lübeckische Gesch. und Altertumskunde X, Heft 1, Lübeck 1908). Der Verf. behandelt in Abschnitt I die Namen von Altlübeck und Lübeck und lässt sich dabei u. a. ausführlich über die Glaubwürdigkeit und die Beziehungen Helmolds zu Wagrien aus; in Abschnitt II über die Lage von Altlübeck in vielen Kapiteln; Abschnitt III handelt über das Alter von Altlübeck, IV über das Alter von Bucu. Ich möchte mich hier nur zu zwei Punkten äussern. Des Verf. allgemeine Ansicht über Helmold, seine Persönlichkeit und Glaubwürdigkeit, scheint mir durchaus richtig und annehmbar, in den einzelnen Punkten betr. das Alter, Geburtsland und die Schicksale Helmolds dagegen weiche ich von seinen Annahmen fast durchweg ab. — Kern- und Ausgangspunkt der Arbeit sind die Untersuchungen über die Lage von Altlübeck, der Verf. hat durch neue Ausgrabungen hier wichtige Resultate erzielt. Schwierigkeiten bietet noch eine Stelle Helmolds von einer 'ecclesia sita in colle, qui est e regione urbis trans flumen'. Der Verf. ist als erster dafür eingetreten, dass diese 'ecclesia in colle' nicht die Kirche in der Burg war, deren steinerne Fundamente noch heute existieren. Ohne in den schwierigen lokalen Fragen ein Urteil abgeben zu wollen, glaube ich soviel sagen zu können, dass des Verf. Ansicht, insofern er zwei Kirchen annimmt, allein eine mögliche und richtige Interpretation der Helmoldstelle ergibt.
B. Schm.

288. Chronicon universale anonymi Laudunensis (1154—1219) für akademische Uebungen herausg. von Alex. Cartellieri, bearbeitet von Wolf Stechele, Leipzig und Paris 1909. Die wegen ihrer merkwürdigen Nachrichten und Fabelgeschichten sehr interessante und auch recht wertvolle Chronik verdiente eine Sonderausgabe durchaus, und man wird Alex. Cartellieri, der eine kurze Vorrede zu dem Büchlein geschrieben hat, danken, dass er sie angeregt hat. Noch dankbarer würde man ihm sein, wenn der Abdruck schon früher als erst von 1154 an begonnen wäre. Es sind für die Ausgabe die beiden Hss. des 13. Jh., die schon G. Waitz für die mit dem Jahre 1066 beginnenden Excerpte MG. SS. XXVI heranzog, benutzt. Sie ergeben zusammen einen guten Text, der nur ganz selten leichter Emendation bedarf, doch lässt die Ausgabe viel zu wünschen übrig. Es sind manche unmöglichen Lesarten von 1 gegenüber den richtigen von 2 in den Text aufgenommen, an andern Stellen, wo auffälliges oder unmögliches steht, kann man nicht ersehen, ob Druckfehler, die sonst zahlreich sind, oder Lesarten der Hss. vorliegen. Die Interpunktion ist meist nicht gut, oft irreführend. Auf einen Schönheitsfehler möchte ich hier doch einmal aufmerksam machen, da man ihm gar zu oft begegnet. Wenn man in dem lateinischen Text kein j setzt, darf man es auch nicht als Wortinitiale schreiben, wie man es hier durchweg findet. Absichtlich, wie in der Einleitung gesagt ist, sind vorläufig keine quellenkritischen oder anderen Erläuterungen beigefügt, sie sollen später gegeben werden, sind freilich auch unbedingt für die Benutzung der Ausgabe notwendig, Nachweisung von Zitaten, die Waitz zum Teil schon gegeben hatte, ist schon für die Textkritik geboten. Diese hätten wie einigemal stets kursiv gesetzt werden müssen. O. H.-E.

289. In den SB. der Wiener Akademie, Philos.-Hist. Kl. Bd. CLIX, 4 handelt Anton Schönbach über Schriften des Caesarius von Heisterbach, die er früher für verloren hielt, jetzt aber in rheinischen Hss. gefunden hat, teilt aus ihnen Vorreden und andere Stücke mit, analysiert und kommentiert sie. Die Schriften sind: Expositiuncula sequentiae 'Ave praeclara maris stella', Predigten an Marienfesten, mehrere Psalmenkommentare. Am Schluss charakterisiert Sch. den Caesarius auf Grund seiner jetzt so zahlreichen bekannten Schriften als Mensch und Schriftsteller. In der Vorrede der erstgenannten Schrift

ist von besonderem Interesse eine zum Teil fabelhafte Erzählung über Hermann Contractus, die in anderer Fassung in mehreren (noch unedierten) Rezensionen des Liber certarum historiarum Johanns von Victring, dann erst (nach Schönbach) bei Trithemius erscheint. O. H.-E.

290. Vom Jahre 1908 ab erscheint eine neue Zeitschrift zur Geschichte des Minoritenordens unter dem Titel Archivum Franciscanum historicum, herausgegeben von den PP. des Kollegs des h. Bonaventura zu Quaracchi bei Florenz, von der Bd. I in vier Heften erschienen ist. Die Beiträge sind lateinisch, deutsch, englisch, französisch, italienisch oder spanisch geschrieben. Wir können aus dem reichen Inhalt hier nur einige Artikel, die für uns von besonderem Interesse sind, namentlich Quellenpublikationen, hervorheben. Im ersten Heft handelte P. Hieronymus Golubovich sehr gründlich über die Einteilung des Minoritenordens in Provinzen im 13. und 14. Jh., die oft verändert wurde, indem er die vorhandenen acht Provinzialverzeichnisse aus der Zeit von 1263 bis ca. 1385 beigibt. Eine kurze Bearbeitung der Legenda S. Francisci nach der grösseren des Thomas von Celano zu Sakralzweck aus einem Breviar des Clarenordens gab P. Theophil Domenichelli heraus, der auch den Anfang des Compendium chronicarum des fr. Marianus von Florenz zuerst publizierte. P. Athanasius López edierte einen Brief des Generalministers Ieronimus vom J. 1275 an das zu Padua abgehaltene Ordenskapitel über ein Wunder des h. Franciscus, P. Michael Bihl einen Bericht des Provinzialkapitels zu Fulda 1310 an den Ordensgeneral über einen von ihm nominierten Minister der Kölner Ordensprovinz, um dessen Bestätigung es bittet. P. Leonard Lemmens stellte sorgfältig im I.—III. Heft alle Stellen über den h. Franciscus zusammen, die sich in chronistischen und anderen Quellen des 13. Jh. finden.

Eine kurze Vita eines Genossen des h. Franciscus, des fr. Aegidius von Assisi, von dem zwei längere Lebensbeschreibungen vorhanden sind, gab in fasc. II/III P. Ferdinand M[a] ab Araules heraus und Giuseppe Presutti im II.—IV. Heft eine noch unedierte Vita Ludovici episcopi Tolosani, des Minoriten aus dem königlichen Hause von Frankreich.

Von besonderem Wert sind noch die jedem Heft unter dem Titel Codicographia beigegebenen Mitteilungen über handschriftliche Ueberlieferung und Beschreibungen von

Hss. zur Geschichte des Franziskanerordens, z. B. im IV. Heft das von P. Konrad Eubel gegebene Verzeichnis der jetzt auf der Kommunalbibliothek in Assisi befindlichen Briefe der Päpste von Honorius III. bis Johann XXI, die ehemals dem Minoritenkonvent von Assisi gehörten. Auch zahlreiche Referate über Schriften zur Geschichte des Minoritenordens finden sich in jedem Heft. O. H.-E.

291. Eine Hs. des Kapitelarchivs zu Sarzana des 13. Jh. enthält einen Papst- und Kaiserkatalog bis 1251 der gewöhnlichen Einrichtung in zwei Kolumnen, in den von zwei Händen zahlreiche, sehr beachtenswerte, Veroneser Nachrichten eingetragen sind, die auf Veroneser Annalen zurückgehen. Diese hat C. Cipolla mit reichen Erläuterungen und Mitteilungen über die Hs. im Bullettino dell' Istituto storico Italiano n. 29 (Roma 1908), p. 7—81 herausgegeben. Von den beiden Händen sind auch viele Zusätze zur Geschichte der Kaiser und Päpste beigeschrieben, von denen der Herausgeber einige mitteilte. Da Herr Cipolla das nicht gesagt hat, bemerke ich, dass diese wohl sämtlich aus dem sogenannten Chron. breve fratris ordinis Theutonicorum, dessen letzten Teil G. Waitz SS. XXIV, 151 sqq. herausgegeben hat, wörtlich ausgeschrieben sind, denn auch die von Cipolla mitgeteilten Abschnitte, die von jener Chronik ungedruckt sind, gehen auf deren Hauptquelle, Gottfrieds von Viterbo Pantheon, und mit deren Excerpten dort verbundene Nachrichten eines Papst- und Kaiserkataloges, sicher durch eine vermittelnde Quelle, zurück. O. H.-E.

292. Seiner Monographie über den Kaiser Theodor II. Lascaris von Nicaea fügt J. B. Pappadopoulos (Thèse pour le doctorat, Paris 1908) dessen Totenrede auf Friedrich II. im Abdruck nach dem Msc. suppl. gr. 472 der Nationalbibliothek zu Paris bei. H. W.

293. Gutolf von Heiligenkreuz ist uns als fruchtbarer und vielgewandter Schriftsteller erst kürzlich durch Anton E. Schönbach bekannt geworden (vgl. N. A. XXX, 537 f., n. 345. XXXI, 786, n. 525), jetzt hat Oswald Redlich ein neues, bisher ganz unbekanntes, Werkchen von ihm, das Gutolf als Abt von Marienberg zwischen 1281 und 1287 schrieb, gefunden und mit Schönbach zusammen in den SB. der Wiener Akademie, Philos.-Histor. Kl. CLIX, 2 herausgegeben und erläutert. Es ist die Translatio S. Delicianae, eine sehr interessante und als

historische Quelle recht brauchbare Schrift. Als 1275 das Kloster der Cisterzienserinnen in der Stadt Wien unter der tätigen Mitwirkung des sonst wohlbekannten reichen Wiener Bürgers Paltram vor dem Stephansfriedhof und seines Neffen Paltram Vatzo gegründet worden war, brachten diese 1276, als sie kurz vor Ausbruch des Krieges gegen König Rudolf von König Ottokar nach Prag berufen waren, das Haupt der h. Deliciana, angeblich einer der 11 000 heiligen Kölner Jungfrauen, aus dem Prager Prämonstratenserkloster Strahov in die neuerbaute Kirche. Das gab den Anlass zur Entstehung des hübschen Schriftchens, in dem die Translation selbst sehr kurz behandelt ist. Es scheint aber, dass wir mit ihm noch ein weiteres Werk für Gutolf gewonnen haben, denn Redlich vermutet und macht wahrscheinlich, und Schönbach tritt ihm darin mit weiterer Begründung bei, dass auch die wertvolle Historia annorum 1264—1279 von ihm verfasst sei. O. H.-E.

294. Im Hist. Jahrbuch XXIX, 3, S. 537—558 zeigt J. A. Endres, dass Wilhelm von Tocco für seine Vita Thomae Aquinatis schon die Schrift Bernards Guidonis de ortu, vita et obitu s. Thomae benutzt, dass nicht umgekehrt, wie man bisher annahm, Bernard Wilhelms Werk ausgeschrieben hat. E. führt dann aus, dass Bernard nach seiner ersten Vita Thomae noch eine zweite, die ungedruckt ist, im Speculum sanctorale 1329 verfasst hat, gibt aus ihr einen Epilog über chronologische Daten zum Leben des h. Thomas heraus und handelt dann über die Quellen Bernards für die erste Biographie. O. H.-E.

295. In den Fonti per la storia d'Italia hat Carlo Cipolla die ersten drei Bücher von Ferreti Vicentini Historia (Le opere di Ferreto de' Ferreti Vicentino. Vol. I, Roma 1908) herausgegeben. Die Vorrede mit der Darlegung des handschriftlichen Apparats fehlt noch, aber man erkennt schon, dass er einfach die Vatikanische Hs. Lat. 4941, 14. Jh., von der er zwei Facsimile beigibt, abgedruckt hat[1]. Die angegebenen Varianten zahlreicher

1) Sein Druck zeigt nur 2 Abweichungen von den Facsimile: einmal 'Innocentius' statt 'Inoc.', dann 'lantgrauio' für 'latraguio' (oder 'lacraguio'). Diese Emendation ist unzulässig, denn solche deutsche Formen sind von allen Italienern stets verunstaltet, man findet kaum je eine richtige Form. Dann ist am Satzanfange stets kleiner Buchstabe, oft statt Majuskel der Hs. gesetzt in Nachahmung der seltsamen, unbegründeten Manier, die altklassische Philologen und einige Germanisten bei uns eingeführt haben.

anderer Hss. sind meist gleichgültige orthographische, die besser weggeblieben wären. Wertvoll sind die reichen erläuternden Anmerkungen, die, wie bei dem Namen des Verf. nicht anders zu erwarten, sehr sorgfältig und mit umfassender Kenntnis und Belesenheit gearbeitet sind. Weiteres berichten wir nach Vollendung der Ausgabe.
O. H.-E.

296. In seiner Abhandlung 'L'entrée du partie populaire au conseil communal de Liège en 1303' im Bulletin de l'inst. archéol. liégeois XXXVI, 193 sqq. gibt G. Kurth kleine Beiträge zur Kritik des Johann Hocsem und des Jean d'Outremeuse. A. H.

297. Zwei Beiträge für die handschriftliche Ueberlieferung des Textes der Cronica principum Polonie aus Hss. der Prager und der Breslauer Universitätsbibliothek veröffentlicht W. Schulte in der Zeitschrift d. Ver. f. Gesch. Schlesiens XLII, 323—330. M. Kr.

298. Antonii Nerlii breve chronicon monasterii Mantuani S. Andreae, das unbedeutende Werkchen, hat Orsini Begani in der Neubearbeitung der Scriptores rerum Italicarum (t. XXIV, parte XIII, fasc. 60) nach der einzigen Hs. von neuem gedruckt. Der oben angegebene Titel ist unrichtig, denn Ant. Nerlius, der selbst Abt von Sant' Andrea war, hat das Büchlein höchstens nur bis zum J. 1393 geschrieben, den letzten Teil bis 1431, von dem der Schluss verloren ist, hat ein Fortsetzer hinzugefügt. Statt das Werkchen auf seine Quellen hin zu untersuchen und diese anzugeben hat der Herausgeber eine Menge überflüssiger, wertloser, zum Teil falscher Noten beigegeben. Eine solche besagt z. B., dass Lothar II. der Sachse den Gegenpapst Anaklet II. gegen Innocenz II. unterstützte! Ant. Nerlius, der seine allgemein geschichtlichen Nachrichten meist der Chronik Martins von Troppau entnimmt, war darüber schon besser unterrichtet als sein Herausgeber. Als Appendix beigegeben ist (noch unvollständig) die Reimchronik von Mantua in italienischer Sprache des Bonamente Aliprandi, die zum Teil Muratori früher in den Antiq. Ital. herausgab, darunter die Virgil-Fabeln, von denen ein Teil mit den so viel früheren und hübscheren Erzählungen unseres Jans Enikel übereinstimmt. O. H.-E.

299. P. Michael Bihl O. F. M. gab im Hist. Jahrbuch XXIX, 3, S. 590—597 eine kurze um 1450 von dem Minoriten Marcus Michael von Cortona verfasste

Annotatio de vita et obitu fr. Bertholdi Ratisponensis heraus, die unbekannt war, zeigt aber auch, dass sie völlig wertlos ist. O. H.-E.

300. Den letzten, bisher unedierten Teil, des Chronicon universale des Sozomenus presbyter Pistoriensis 1411—1455 hat Guido Zaccagnini nach der einzigen Vatikanischen Hs., die diesen Teil enthält, in der neuen Ausgabe der Scriptores rerum Italicarum (t. XVI, parte I, fasc. 59) herausgegeben. Dafür sind die Excerpte aus dieser Chronik, die Tartini in Bd. XXIV (1001—1294) und Muratori in Bd. XVI (1362—1410) gaben, als wertlos weggelassen. Die Textbehandlung in dieser ersten Ausgabe nach der einzigen Hs. ist mangelhaft, dankenswert, dass wenigstens auf die Quellen, die Sozomenus auch in diesem Teile noch ausschrieb, hingewiesen ist, höchst beklagenswert aber, dass, wie in allen Bänden dieser Neuausgabe, nicht durch den Druck kenntlich gemacht ist, was aus jenen Quellen ausgeschrieben ist. O. H.-E.

301. In den Forschungen zur bayerischen Geschichte XVI, 286 ff. weist H. Ankwicz nach, dass eine bisher als 'Kompilation einer Weltchronik reichend bis Kaiser Friedrich III.' angeführte Hs. der Innsbrucker Universitätsbibliothek, die aus dem Nachlass des Tiroler Humanisten J. Fuchsmagen stammt, eine Abschrift der Weltchronik des Leonhard Hefft von Eichstätt (nach Clm. 26632) sei. Sie ist bei Gelegenheit eines Aufenthaltes Fuchsmagens in Regensburg, wie A. zeigt, wahrscheinlich 1494, entstanden. H. H.

302. Im Jahrbuch f. Schweizerische Geschichte XXXIII, 269 ff. legt E. Gagliardi auf Grund eines Hs.-Fundes in der Züricher Stadtbibliothek dar, dass das seiner Zeit von A. Bernoulli veröffentlichte Chronikenfragment nicht ein von H. Brennwald abhängiges Elaborat, sondern vielmehr eine Quelle Brennwalds und auch Tschudis sei. Diese Zürcher Chronik scheint zwischen 1520 und 1524 entstanden zu zein, ob Fridli Bluntschli ihr Verfasser ist, lässt G. unentschieden. H. H.

---

303. Die Angriffe Hilligers und Rietschels (vgl. N. A. XXX, 773 ff.) gegen die herrschende Ansicht, dass die Lex Salica in den letzten Jahren Chlodovechs entstanden sei. haben jetzt ihre endgültige Widerlegung durch

den Aufsatz H. Brunners: 'Das Alter der Lex Salica und des Pactus pro tenore pacis' (Zeitschr. der Savigny-Stiftung f. Rechtsgeschichte, Germ. Abt. XXIX, 136—179) gefunden. Br. wendet sich zunächst gegen H.'s Lehre, dass ein dem Schilling der Lex (zu vierzig Denaren) entsprechender Solidus (zu zweiundvierzig Halbsiliquen) erst im römischen und fränkischen Münzwesen der zweiten Hälfte des 6. Jh. begegne und daher auch die Lex nicht früher anzusetzen sei. Dabei geht H. von der ganz unerwiesenen Annahme aus, dass der fränkische Denar sich genau mit der römischen Halbsiliqua gedeckt habe. Doch ergibt sich aus der Lex Salica, dass die Münzveränderung, die ihrer Abfassung voraufging, nicht den Solidus betraf, sondern den Denar. Dieser ist als eine Neuerung Chlodovechs und als eine Eigentümlichkeit des fränkischen Münzwesens zu betrachten. Daher ist jede Busszahl nicht nur in Denaren — diese erscheinen durchaus als die primären Zahlen —, sondern auch in Schillingen angegeben, weil das Wertverhältnis der neuen Münze zu der altbekannten ständig erläutert werden musste. Es ist ferner auch wohl begreiflich, wenn dieser spezifisch fränkische Denar ausserhalb der fränkischen Leges erst verhältnismässig spät begegnet. Auch daraus braucht nicht auf ein jüngeres Alter der Lex geschlossen zu werden. Denn schon zu Beginn des 7. Jh. ist der Denar im fränkischen Rechtsleben so fest eingewurzelt, dass seine Einführung unbedenklich auf geraume Zeit früher angesetzt werden kann. Weiterhin widerlegt Br. die gänzlich haltlose Theorie H.'s von den verschiedenen Entwickelungsstufen des salischen Busssystems und seine nicht minder anfechtbare Vergleichung der fränkischen Wergelder mit denen der übrigen Stammesrechte; er bekämpft dann mit zahlreichen durchaus überzeugenden Argumenten, die im Einzelnen hier nicht angeführt werden können, die Ansicht Rietschels über das Alter des Pactus der Könige Childebert und Chlothar und sein Verhältnis zur Decretio Chlothars II. von 595/96. Als Entstehungszeit jenes Gesetzes müssen nach wie vor die Jahre zwischen 511 und 557 gelten. Da in ihm und in dem Edikt Chilperichs (entstanden zwischen 567 und 584) die Lex bereits erwähnt wird, ist schon dadurch ihre Entstehungszeit ungefähr bestimmt; sie kann nicht nach 557 entstanden sein. Ein älterer terminus ad quem lässt sich nicht sicher angeben, doch ist es nach allen Anzeichen das Wahrscheinlichste, dass die Lex bereits unter Chlodovech († 511) und zwar, da 509 als terminus post quem feststeht, in dessen letzten Regierungsjahren verfasst ist.

M. Kr.

304. In der Zeitschr. der Savigny-Stiftung f. Rechtsgesch., Germ. Abt. XXIX (1908), 248—250 veröffentlicht M. Conrat aus der Vatikanischen Hs. Reg. Christ. 1050, saec. X. XI, fol. 157'—158 einen Traktat über romanisch-fränkisches Aemterwesen, wie dies in merowingischer Zeit gestaltet war. Dem Abdruck des Textes und des Versuchs seiner Emendation sind Erläuterungen beigefügt (S. 250—260), die zur Erklärung der eigenartig systematisch geordneten Angaben jener Schrift beitragen; bei ihrer Lektüre wird man an das oft besprochene 33. Kapitel des Buches De exordiis et incrementis quarundam in observationibus ecclesiasticis rerum von Walafrid Strabo erinnert (MG. Capit. II, 515 f.), — hier wie dort hat man es sicherlich mit einem Elaborat der Schule zu tun, dessen Inhalt im Einzelnen einer Schilderung der wirklich bestehenden Verhältnisse keineswegs durchgängig zu Grunde gelegt werden darf. Der Rest des Aufsatzes (S. 239—247) gilt einer genauen Beschreibung der Hs. und der Untersuchung mehrerer in sie versprengter Rechtsaufzeichnungen. A. W.

305. Ein hübscher Fund ist René Poupardin geglückt ('Fragment du recueil perdu de formules Francques dites Formulae Pithoei', Bibl. de l'école des Chartes 1908, LXIX), indem er im Cod. 379 der Collection Baluze der Bibliothèque nationale in Paris einen sehr viel reichhaltigeren Auszug aus den Formulae Pithoei entdeckte, als ihn Zeumer MG. Formulae p. 596—598 aus den Zitaten bei Du Cange zusammenzustellen vermochte. Die früher ganz unsichere örtliche Zuweisung der Sammlung ist jetzt durch die Erwähnung der Kirchen von Laon und St.-Denis und des Gaues von Paris wenigstens für Nordfrankreich und hier wohl wahrscheinlich für den Parisergau festgelegt. Der Zahl der Formeln nach (110), von denen auch in der neuen Ueberlieferung viele noch ganz fehlen (1—14. 18. 21. 26. 29. 43. 50. 54. 56. 61. 62. 64—70. 76. 78. 98. 99), war es die reichhaltigste aller Sammlungen. Nach der neuen Ueberlieferung, die durchweg nur Formelteile enthält, darf man aber bezweifeln, ob diese Kollektion überhaupt je Volltexte aufgewiesen hat.

M. T.

306. Ein wertvoller Beitrag zur deutschen Verfassungs- und Wirtschaftsgeschichte ist die Arbeit von H. Thimme 'Forestis, Königsgut und Königsrecht nach den Forsturkunden vom 6.—12. Jh.' (Archiv f. Urkundenforschung II, 101—154), welche auf Grund systematischer Durcharbeitung der Forstprivilegien den interessanten Nachweis erbringt, dass Forestis bis zum Ende der Karolingerzeit nicht Forst in unserem Sinne bedeutet, sondern ein vom Könige auf herrenlosem Lande okkupiertes Terrain, das 'hinsichtlich sämtlicher Nutzungsrechte: Jagd, Fischerei, Schweinemast, Viehweide, Holzhieb, Siedelung für Draussenstehende bei Strafe geschlossen ist' (S. 118). Erst allmählich nähert sich Forestis der Bedeutung 'Wildbann'; diesen Prozess verfolgt Th. dann bis ans Ende der Salierzeit. Der 2. Exkurs stellt die 'Entwicklung des Urkundenformulars für die Forstverleihungen vom 6. bis zum Anfang des 12. Jh.' dar. M. Kr.

307. 'Das Karolingische Zehntgebot' macht Ulrich Stutz (Zeitschrift der Savigny-Stiftung für Rechtsgesch., Germ. Abt. XXIX, 1908) zum Gegenstand tief eindringender Forschung. Gegenüber der herrschenden Lehre, die das Eintreten der Karolingischen Staatsgewalt für Ausschreibung und Eintreibung des Kirchenzehnts erst Karl d. Gr. zuschrieb, nimmt er diese entscheidende Wendung schon für Pippin in Anspruch und sieht in ihr eine Gegenleistung und teilweise Sühne für die Divisio des Kirchenguts durch Karl Martell. Ein bündiger Beweis ist angesichts der ungünstigen Quellenüberlieferung schwer zu erbringen; aber selbst als Hypothese verdienen seine Ausführungen jedenfalls sehr ernste Beachtung, ja ihre Beweiskraft dürfte sich in der Folge vielleicht noch wesentlich verstärken. Ganz neu ist seine Interpretation des Schreibens Pippins an Lull von Mainz (MG. Epp. III, 408), in dem er ein an alle Metropoliten und Bischöfe ergangenes, aber zufällig nur in der Ausfertigung für Lull erhaltenes Rundschreiben sieht. Ob seine Auffassung, in Lull nichts als einen einfachen fränkischen Bischof zu sehen, zutreffend ist, scheint mir zweifelhaft. Die Bedeutung der wirtschaftlichen Verhältnisse des Ostens für die Zehntfrage unterschätzt Stutz. Weitere Darlegungen gelten der Interpretation der Zehnten und Neunten und der beiden Fassungen des Kapitulars von Herstal. M. T.

308. In überaus gründlicher und umsichtiger Untersuchung schildert W. Lüders den Kultus der cappa s. Martini (um die Mitte des 7. Jh. in Neustrien aufkommend), die Ausgestaltung der Hofkapelle unter den Karolingern bis zur Mitte des 9. Jh. und endlich die Entstehung und Rechtsstellung der capellae auf Königs- und Privatgut (die allmähliche Verbreitung der Bezeichnung 'capella' erinnert an die der Bezeichnung 'abbatia', die in den echten Konzilsakten von 742—843 nur zweimal zu den Jahren 798 [?] und 832 begegnet, Conc. II, 196, 25. 691, 10; vgl. dazu M. Tangl, N. A. XXXII, 203, N. 1). So liefert die Arbeit nicht allein wertvolle Beiträge für die Geschichte der kirchlichen Verfassung, sondern sie berichtigt auch durch die mit gewissenhaftem Fleiss zusammengetragenen Notizen über das Leben der einzelnen Vorsteher der Kapelle mannigfach die über ihre Tätigkeit und Bedeutung herrschenden Ansichten. In der Kontroverse zwischen Tangl und Seeliger hinsichtlich der Frage, ob schon zur Zeit der ersten Karolinger der oberste capellanus eine Stellung gegenüber der Kanzlei eingenommen hat, die er nach Seeliger erst unter Ludwig dem Deutschen empfing, wagt L. keine Entscheidung (vgl. S. 36 f. und 59). Ein Exkurs (S. 93 ff.) legt dar, unter welchen Umständen das Bestreben auftaucht, jeweils dem obersten capellanus die Stellung eines Vertreters des Papstes im ganzen Frankenreich zuzuschreiben, dass ihm aber Hinkmar in seiner Schrift De ordine palatii fälschlich den Titel eines 'apocrisiarius' zubilligte, um auf solche Weise einen päpstlichen Vikariat unmöglich zu machen (Archiv für Urkundenforschung II, 1908, S. 1—100). A. W.

309. Augusto Gaudenzi hat die bisher vermisste Konstitution K. Friedrichs II. (vom Jahre 1225), durch die er das Studium zu Bologna verbietet, in einer Hs. des Kapitelarchivs zu Pistoia aufgefunden und im Archivio stor. Italiano, serie V, t. XLII, disp. 4, p. 352—363 herausgegeben und erläutert. Das Stück wird als Nachtrag zum II. Bande der Constitutiones zu geben sein. O. H.-E.

310. Eine Abhandlung von Fritz Salomon: 'Die brandenburgische Stimme bei der Doppelwahl von 1314' (Forschungen zur Brandenb. und Preuss. Gesch. XXI, 201—212, 1908) kommt zu dem Ergebnis, 'dass die Erzählung von der Betätigung des Nikolaus von Buch bei der Wahl selbst eine Sage ist', und untersucht, 'wo die Grundlagen dieser Sage zu finden sind'. E. P.

311. Seinen bisherigen verdienstvollen Arbeiten auf dem Gebiet der Publizistik des ausgehenden Mittelalters gedenkt R. Scholz jetzt eine Reihe weiterer Veröffentlichungen folgen zu lassen, in denen nicht weniger als siebzehn grössere und kleinere Traktate aus der Zeit des Kampfes Ludwigs des Bayern mit der Kurie besprochen und z. T. abgedruckt werden sollen. Von diesen Publikationen liegt die erste ('Studien über die politischen Streitschriften des 14. und 15. Jh.', Quellen und Forschungen aus italienischen Archiven und Bibliotheken XII) jetzt vor; sie bringt 1) einen unbekannten Schlussteil des Dialogus Wilhelms von Occam, nämlich den von den ersten Herausgebern wahrscheinlich aus politischen oder religiösen Bedenken fortgelassenen Schluss zu III, tractatus II, liber III, c. 23 und 2) einen zur Verteidigung der Frankfurter Erlasse von 1338 dienenden Tractatus de potestate imperiali; beide Stücke stammen aus Vatic. Lat. 4115. Der letztgenannte hochinteressante Traktat wird in der Hs. gleichfalls dem W. von Occam zugeschrieben. Dem von Sch. ausserdem noch für Occams Autorschaft angeführten Argument, dass der Traktat in der Streitfrage nach dem Rechte der Führung des Kaisertitels 'Occams sonst bekannte Ansicht', d. h. die des Tractatus de coronatione Caroli IV., wiedergebe, vermag ich mich nicht anzuschliessen, da mir eine derartige Uebereinstimmung nicht vorzuliegen scheint. Weil aber nach Zeumers Ausführungen (N. A. XXX, 92) Occam in De coronatione mit Rücksicht auf den Zweck dieser Abhandlung von jeder Bezugnahme auf das Kaisertum abgesehen hat, und wir daher seine Ansicht über jene Frage aus dieser Schrift nicht kennen lernen, so kann des ungeachtet Occam sehr wohl als Verfasser des Tractatus angesehen werden.

M. Kr.

312. Ueber Verbot des Laien- und Mädchengesanges in der Kirche durch fränkische Konzilien handelt Johann Kelle in den SB. der Wiener Akademie, Philos.-Histor. Kl. CLXI, 2. O. H.-E.

313. Sägmüller, 'Die Bischofswahl bei Gratian' (Görresgesellschaft, Sektion für Rechts- und Sozialwissenschaft, 1. Heft, 1908) erörtert in kurzen, aber gehaltvollen Ausführungen die rechtsbildende Bedeutung Gratians für die Theorie der kanonischen Wahl. Mit Recht nennt er das Dekret das in dieser Frage wichtigste Mittelglied zwischen den Canones des 2. und 4. Laterankonzils. M. T.

314. In eingehender Darstellung und kritischer Würdigung verfolgt Achille Luchaire die Verhandlungen des 4. Laterankonzils v. J. 1215. (Innocent III. et le quartième concile de Latran, Revue historique 1908, XCVII, 225—263. XCVIII, 1—21). M. T.

315. A. Hauck, Die angeblichen Mainzer Statuten von 1261, Leipzig 1908, schreibt mit Finke der unter Erzbischof Wernher 1261 gehaltenen Provinzialsynode von den genannten Statuten nur die letzten 12 der 54 Kapitel zu, bestimmt aber die Herkunft der vorausgehenden älteren Bestandteile unter Hinweis auf die Unzuverlässigkeit der Inskriptionen etwas anders, nämlich, dass nicht blos Beschlüsse der Fritzlarer Synode von 1244, sondern auch ältere Mainzer Statuten von 1225 und nach 1233 darin verborgen seien. Die Quellenfrage ist von allgemeinerer Bedeutung, da die 54 Kapitel in die Mainzer Statuten von 1310 übergegangen sind, die bekanntlich bis zur Reformationszeit für die Mainzer Provinz ihre Gültigkeit behalten und auf die Regulierung der kirchlichen Verhältnisse bis weit nach Norddeutschland hinein grossen Einfluss gehabt haben. B. Kr.

316. Die Geschichte des Bistums Konstanz erfährt ansehnliche Bereicherung durch zwei Tübinger Doktordissertationen von Alois Ott, Die Abgaben an den Bischof bezw. Archidiakon in der Diözese Konstanz bis zum 14. Jh., Freiburg i. Br. 1907, und Alfons Heilmann, Die Klostervogtei im rechtsrheinischen Teil der Diözese Konstanz bis zur Mitte des 13. Jh. (Görresgesellschaft, Sektion f. Rechts- und Sozialwissenschaft, 3. Heft, Köln 1908). Aber auch allgemeine Fragen des Kirchenrechts werden besonders durch die erste Arbeit in erfreulicher Weise gefördert. M. T.

317. Eine ausführliche Untersuchung über die 'Eerstbewaarde Brugsche keure van omstreeks 1190' veröffentlicht L. De Wolf in den Annales de la soc. d'émulation de Bruges LVIII, 308 sqq. A. H.

318. Mit Dr. A. Kiesselbachs Buche über 'die wirtschaftlichen Grundlagen der deutschen Hanse und die Handelsstellung Hamburgs bis in die zweite Hälfte des 14. Jh.' beschäftigen sich die kritischen Ausführungen Walther Steins über 'die deutsche Genossenschaft in Brügge und die Entstehung der deutschen Hanse' in den Hansischen Geschichtsblättern 1908 S. 409 ff. Sie sind hier

zu erwähnen, weil sie die Untersuchungen Th. Kiesselbachs über das Hamburger Schiffsrecht von 1292 wesentlich berichtigen und ergänzen, namentlich seine ausschliessliche Beziehung auf den flandrischen Verkehr als irrig erweisen. Es beruht zum Teil, vielleicht zum weitaus grössten Teil, sicher auf ältern (Hamburger) schiffsrechtlichen Satzungen und liegt selber wieder dem etwas später verfassten und seinerseits allerdings viel deutlicher und ausschliesslicher auf Flandern bezogenen Lübecker Schiffsrecht zu Grunde; die vielfachen Uebereinstimmungen sind also nicht ohne weiteres aus der gemeinsamen Entstehung beider aus demselben Verkehr und Ursprungsort zu erklären.
A. H.

319. Für die Geschichte des Zunft- und Innungswesens sind von Interesse 'Urkundliche Beiträge zur Geschichte der Mühlhäuser Grob-, Huf- und Nagelschmiede', die K. von Kauffungen in den Mühlhäuser Geschichtsblättern VIII, 12—26 (1907/1908) darbietet; darunter befinden sich alte Schmiedeordnungen aus den Jahren 1298 und 1392. E. P.

320. Mit den Camerarii in der Stadt Trier (vgl. G. Kentenichs Miscelle im N. A. XXXII, 499 ff.) beschäftigt sich ein Aufsatz von F. Rudolph im Trierischen Archiv, Heft XII, 50—64. R. S.

321. In der Alemannia N. F. VII, 241 ff. veröffentlicht H. Flamm aus dem 'roten Büchlein' des Freiburger Stadtarchivs eine Freiburger Rechtssammlung aus der Zeit um 1340, die er zum erstenmal in seinem Buche über den wirtschaftlichen Niedergang Freiburgs i. Br. im 14. und 15. Jh. benutzt hat, und die für die Geschichte des Bürgerrechts dieser Stadt von Bedeutung ist. H. H.

322. Unter den Privilegien der Stadt Weseritz in Westböhmen, mit denen sich ein Aufsatz von G. Schmidt in den Mitteilungen des Vereines für Geschichte der Deutschen in Böhmen XLVII (1908), 66 ff. beschäftigt, ist die älteste von K. Georg, der 1459 Okt. 31 das Dorf Weseritz (Bezdruzicz) zur Stadt erhebt, ihm Stadtrecht, Wochenmarkt, Gerichtsbarkeit mit Pranger und Galgen verleiht, die zweite vom Grundherrn Georg von Kolowrat und auf W. vom 28. Juli 1494 wegen Testierfreiheit, Freizügigkeit, Heimfallsrecht, Robotleistung der Handwerker; die übrigen sind jüngeren Datums. B. B.

323. Umfangreiche und eingehende Beiträge und Erörterungen zur Entwickelung des Rechts und der Verfassung in Venedig bietet Melchiore Roberti, Le magistrature giudiziarie veneziane e i loro capitolari fino al 1300, vol. I, Padova 1907. Auf S. 146—160 veröffentlicht er 19 Urkunden von 1072—1176. Befremdlich ist, dass R. mein 'Dux und comune' nicht kennt oder wenigstens niemals nennt, auch bei solchen Bemerkungen und Ansichten nicht, die dort erstmalig ausgesprochen und von dort in die weitere Litteratur übergegangen sind.

B. Schm.

---

324. Den Angriffen von Uhlirz und Steinacker auf das Archiv für Urkundenforschung tritt K. Brandi im zweiten Bande dieser Zeitschrift S. 155—166 entgegen.

M. Kr.

325. Ein überaus wertvolles Nachschlagewerk bescherte uns Henri Stein, Bibliographie générale des Cartulaires français, Paris 1907, XV und 627 S. Soviel ich auf Grund eigener Kenntnis nachprüfen konnte, ist das Werk mit grosser Sorgfalt und Zuverlässigkeit gearbeitet.

M. T.

326. Die schwierige Deutung der Ortsnamen in der Schenkung Karls des Grossen für St. Pilt (DK. 84) hat nun auch auf germanistischer Seite eine Untersuchung angeregt. R. Henning beschäftigt sich (Nannenstol u. Brunhildenstuhl, Zeitschr. f. deutsches Altertum XLIX, 469 ff.) mit den Ortserklärungen Wiegands, von denen er mehrfach abweicht (vgl. dazu Wiegand, Zeitschr. f. d. Gesch. des Oberrheins N. F. XXIII, 774 f.). Sehr wertvoll sind die Ausführungen über die Bedeutung des Wortes Nannenstol (= Sitz der Nanna, einer weiblichen Naturgottheit), in dem er eine Reminiscenz aus der ersten heidnischen Zeit der deutschen Besiedelung des Elsass erblickt.

H. H.

327. In den G. Schmoller gewidmeten Beiträgen zur brandenburg. und preuss. Geschichte (1908) S. 369—401 handelte M. Tangl über die Gründung der sächsischen Bistümer und die gefälschten Urkunden, die von deren Stiftung trügerische Kunde geben, nachdem er früher schon Zeit und Quellen der Verdener Urkunde nachgewiesen hatte. Er räumt gründlich mit den phantastischen Luftsteinbauten auf, die H. Hüffer auf jene Fälschungen

gegründet hatte. Die Entstehung der Halberstädter (nicht erhaltenen) Fälschung setzt er nicht, wie B. v. Simson, schon in die Zeit des Poeta Saxo, sondern in die sechziger Jahre des 10. Jh., in die Zeit, da Otto I. die Gründung des Erzbistums Magdeburg betrieb; benutzt sei in ihr die nur wenig verunechtete Immunitäts-Urkunde Ludwig des Frommen für Halberstadt. Die Bremer Fälschung wäre dann mit Benutzung der Halberstädter vor 1070 entstanden, die Vorbilder für beide wären aber die Gründungsurkunden Ottos I. der Bistümer Brandenburg und Havelberg gewesen, in denen zuerst, wie in den Fälschungen, Circumscriptionen der Diözesangrenzen vorkommen. Das lässt sich freilich, so höchst wahrscheinlich es ist, durch den Wortlaut der Urkunden nicht mit voller Gewissheit erweisen, zumeist wohl deshalb, weil ein Mittelglied, die Halberstädter Fälschung, nicht existiert. Noch ist zu bemerken, dass T. als Quelle des Poeta Saxo für die Erdichtung des Friedens von Salz (vgl. N. A. XXXII, 27 ff.) ein, schon durch Zutaten entstelltes, Kapitular Karls des Grossen vermutet. O. H.-E.

328. F. Lot verfolgt in Fortsetzung seiner Mélanges Carolingiens (Moyen Age 1908 p. 185—209) in dem ersten Teil die Schicksale Adalhards, des Seneschals und Günstlings Ludwigs d. Fr., hauptsächlich nach 840. Er stand zunächst auf Seite Karls d. Kahlen, ging dann zu Lothar I. über, kehrte 861 wieder nach Westfrancien zurück, wo er abermals zu Einfluss und Ehren gelangte. 877 ist er zum letztenmal, und zwar als comes palatii, erwähnt. Ein zweiter Aufsatz untersucht die Datierung eines Diploms Karls d. Kahlen von 846 Nov. 8, das Jusselin kurz zuvor in der gleichen Zeitschrift veröffentlicht hatte (vgl. N. A. XXXIV, 269, n. 106). Lot gelangt zum Schluss, dass uneinheitliche Datierung vorliege; das Tagesdatum gehe auf die Zeit der Handlung, während der Ort, Roucy zwischen Laon und Reims, der zwischen den 1. und 25. Dez. 846 fallenden Beurkundung entspreche. Die Bemerkungen, die hier Lot S. 205—207 über die Einreihung der Briefe n. 55 und 59 des Lupus von Ferrières einflicht, werden für die Nachträge zum VI. Bd. unserer Epistolae noch sehr zu beachten sein.

Ferner handelt F. Lot a. a. O. 1908 S. 234—274 in zwei weiteren kleinen Studien (VII und VIII) über die strittige Einreihung mehrerer Diplome Karls des Kahlen, für die er durch sorgsame Prüfung des Itinerars neue Ansätze gewinnt. In der folgenden Studie (IX) sucht er die Echtheit der Urkunde Karls d. Kahlen für Moutiers-Saint-Lomer vom 14. Okt. 843 zu erweisen, an der Mühlbacher [2] n. 1372k wegen der ganz ungewöhnlichen Unterschrift Ludwigs d. Deutschen Anstoss genommen hatte. Der Vorschlag Lots, diese Unterschrift als spätere Beifügung anlässlich der Heerfahrt Ludwigs d. D. nach Westfrancien, Herbst 858, zu erklären, scheint mir in der Tat sehr erwägenswert. Sein Versuch, die Ortsangabe 'Carisiaco villa sancti Salvatoris' anders zu deuten und zu emendieren, wird aber bei allem Aufwand von Sachkunde und Scharfsinn doch eine blosse Vermutung bleiben müssen. M. T.

329. In fein durchgefeilter diplomatischer Untersuchung gewinnt L. Schiaparelli in Fortsetzung seiner trefflichen Studien über die Urkunden der italischen Könige ('I diplomi dei rè d'Italia', parte IV, Bullettino dell' Istituto storico Italiano 1909 n. 30) aus einer längst bekannten Fälschung einer Urkunde Rudolfs II. von Burgund nach Ausscheidung der im Interesse der Genealogie der Grafen Confalonieri vorgenommenen Verderbungen eine echte, durch die Nachurkunde Hugos und Lothars gedeckte und mit ihrer Hilfe sicher zu rekonstruierende Urkunde dieses Königs für den Bischof Leo von Pavia. Im Anhang handelt er unter Beigabe der faksimilierten Monogramme kurz über die ganz wenigen Originaldiplome dieses Königs. M. T.

330. In den Bijdragen voor vaderlandsche geschiedenis en oudheidkunde, Reeks IV, 7, 25 ff. druckt und erläutert J. H. Grones das Diplom Heinrichs III. Stumpf n. 2180 für das Bistum Utrecht, das in seiner jetzigen Gestalt eine Fälschung aus der Mitte des 12. Jh. zu Gunsten des Domkapitels auf Grund echter Vorlage ist. H. W.

331. Die Forschungen von H. Simonsfeld nach den Ueberlieferungen der Diplome Friedrichs I. in den italienischen Archiven u. Bibliotheken haben zu zwei weiteren Berichten (SB. der bayer. Akad. d. Wiss., philos.-philol. u. hist. Kl. 1907 S. 531 ff., 1908 S. 1 ff.) Anlass gegeben. Der erstere betrifft oberitalienische Fundstellen (Bergamo, Borgo S. Donnino, Brescia, Crema, Cremona, Imola, Mailand u. Parma), der letztere verbreitet sich über Archive u. Bibliotheken von Mittelitalien (Arezzo;

Assisi, Città di Castello, Florenz, Foligno, Narni, Nonantola, Perugia, Pisa, Pistoia, Rieti, Siena, Spoleto u. Terni). Von den beigegebenen Exkursen heben wir besonders die des zweiten Berichtes hervor; in dem einen begründet S. näher, dass das angebliche Or. von St. 3699 Nachzeichnung sei (zur Stelle S. 36, an der sich ein Hinweis auf eine briefliche Nachricht von mir befindet, vgl. N. A. XXXII, 554, n. 113), im dritten Exkurs geht er den Spuren eines Deperditums Friedrichs I. für Spoleto nach, im vierten wird nachgewiesen, dass der angebliche Briefwechsel zwischen Friedrich I. und Hadrian IV. im Jahre 1159 — bekanntlich Stilübungen späterer Zeit — in Flugschriften aus der Zeit vor Beginn der Reformation verwertet wurde.
H. H.

332. Die verdienstvolle Untersuchung von F. M. Haberditzl 'Ueber die Siegel der deutschen Herrscher vom Interregnum bis Kaiser Sigismund' (Mitteil. d. Inst. f. Oesterr. Geschichtsf. XXIX, 625—661) bemüht sich mit Erfolg, auf diesem bisher noch wenig behandelten Gebiet durch diplomatische und kunsthistorische Forschung sichere Grundlagen zu schaffen. Auf der Bahn des Mistrauens gegen da und dort auftauchende angebliche Originalstempel von Siegeln mittelalterlicher Herrscher werden wir wieder um einen Schritt weiter geführt. Die Siegelstempel Wilhelms von Holland (Haag) und beide Stempel Rudolfs von Habsburg (Wien und Sigmaringen) sind moderne Fälschungen. Für die Siegel Heinrichs VII. und Karls IV. wurde Heffner durch verfälschte Gypsabgüsse in der Melly'schen Siegelsammlung getäuscht.
M. T.

333. P. Kehr hat den III. Bd. seiner Italia Pontificia erscheinen lassen (Berlin 1908, 492 S.), den er 'Etruria' benennt. Da die Bistümer des römischen Tuscien bereits im II. Bd. behandelt worden waren und einzelnes für den IV. Bd. Umbria aufgespart ist, wird hier das Material für die Bistümer Arezzo, Chiusi, Fiesole, Florenz, Grossetto, Lucca, Massano, Pisa, Pistoia, Siena, Soana und Volterra geboten, das aber dank den günstigen Ueberlieferungsverhältnissen reichhaltiger ist als für andere Gebiete. Der Ertrag an neu verzeichneten Urkunden ist wieder recht bedeutend, aber für die ältere Zeit hauptsächlich durch die Acta deperdita und durch die Aufnahme solcher Stücke gewonnen (Erwähnung päpstlicher Missi und Legaten), die Jaffé und seine Neubearbeiter nicht ver-

zeichnet hatten und nach dem Plan ihres Werkes wohl kaum verzeichnen konnten. M. T.

334. Von dem Werke Diplomatarium Norvegicum ist das 4. Heft (Christiania 1907), 'Romerske Oldbreve' herausg. von A. Bugge und Chr. Brinckmann erschienen, beginnend mit dem Privileg Leos IX. für Hamburg (n. 849). H. W.

335. Einen sehr lehrreichen Einblick in die Gesamtentwickelung der päpstlichen Wahlkapitulationen gibt ein Vortrag von Jean Lulvès (Quellen u. Forsch. aus ital. Archiven u. Bibl. herausg. v. Preuss. histor. Institut in Rom 1909, XII). Die angebliche Wahlkapitulation Bonifaz' VIII. wird mit vollem Rechte endgültig abgelehnt; die erste zuverlässige Kapitulation stammt erst aus dem J. 1352, die nächste aus 1431. Die Geschichte und Wandelung dieser Kapitulationen wird dann bis zu den letzten Ausläufern im 17. Jh. verfolgt. Die Belege und Einzelausführungen wird Lulvès anlässlich der von ihm vorbereiteten Ausgabe der ganzen bisher etwa zur Hälfte nur handschriftlich bekannten Quellengruppe beibringen. M. T.

336. Die noch wenig bekannten Besitzverhältnisse im päpstlichen Patrimonium zu Ausgang der Avignonesischen Zeit erhalten durch M. Antonelli 'La dominazione pontificia nel Patrimonio negli ultimi venti anni del periodo Avignonese' (Arch. della Soc. Romana di storia patria, 1907, XXX, 269—332 und 1908, XXXI) eine eingehende Beleuchtung.

An gleicher Stelle setzt G. Tomassetti seine vieljährigen und höchst verdienstvollen historisch-topographischen Untersuchungen über die römische Campagna fort ('Della Campagna Romana', XXX, 333—388). Seine Forschungen gelten diesmal dem von der Via Tiburtina durchquerten Gebiet. M. T.

337. Die Geschicke der Engelsburg vom 13.—15. Jh. und die Bedeutung, die ihr in den stadtrömischen Kämpfen jener Zeiten zukam, verfolgt in dankenswerter Zusammenstellung E. Rodocanachi 'Le rôle du Château Saint-Ange dans l'histoire de la papauté du XIII. au XV. siècle' (Revue historique 1908, XCVIII, 225—254). M. T.

338. Die Register der Avignoneser Papstperiode, die schon von verschiedenen Seiten für landesgeschichtliche Publikationen ausgebeutet wurden, haben

nun auch für die Konstanzer Bistumsgeschichte einen Band an Quellenmaterial (Monumenta Vaticana historiam episcopatus Constantiensis in Germania illustrantia bearb. v. K. Rieder) geliefert (Innsbruck 1908). Die Stücke sind den Supplikenbänden, den Bullen- und Kammerregistern entnommen und sind auch in der Edition nach diesen drei Provenienzen und erst innerhalb derselben chronologisch angeordnet. In der Einleitung berichtet der Herausgeber im allgemeinen Teil über Quellen und Editionsweise, Zahl und Verhältnis der einzelnen Urkundenarten zu einander, im besonderen Teil greift er aus den Fragen, für die der Band neues Material bietet, drei Kapitel zur Geschichte des Bistums heraus und zwar die Einwirkung der Kurie auf die Besetzung des Bischofsstuhles und der Abteien, sowie auf die Besetzung der Stellen im Domkapitel zu Konstanz. Ein ausführliches Orts- und Personenregister und ein Sachregister bilden den Schluss des Bandes. H. H.

339. In den Pommerschen Jahrbüchern IX, 151—172 (1908) veröffentlicht M. Wehrmann 'Vatikanische Nachrichten zur Geschichte Greifswalds und Eldenas im 14. Jh.'. Es werden 75 Regesten päpstlicher Urkunden von 1326—1398 gegeben, die auf die Geschichte der betreffenden Orte Bezug haben. E. P.

340. Als II. Bd. der Veröffentlichungen des Belgischen histor. Instituts in Rom (Analecta Vaticano-Belgica) gibt Arnold Fayen die auf Belgien bezüglichen Urkunden Johanns XXII. heraus ('Lettres de Jean XXII', Rom 1908, LXIX und 753 S.). Die Einleitung gibt eine genaue Beschreibung der Registerbände dieses Pontifikats, spricht dann über die Grundsätze der Edition und stellt schliesslich 31 der gebräuchlichsten Formulare zusammen. Die Edition selbst umfasst im Wechsel von Regesten und Volldrucken die Jahre 1316—1324. M. T.

341. In den Annales de Bretagne XXII (1906/7), 692 ff. 697 ff. druckt G. Mollat in weiteren 'Etudes et documents sur l'histoire de Bretagne' (vgl. N. A. XXXII, 791, n. 334) drei Urkunden Johanns XXII. aus den Jahren 1318. 1324. 1327. E. M.

342. Aus der Zeit des Gegenpapstes Clemens VII. veröffentlicht E. Göller (Zur Gesch. d. päpstl. Sekretariats, Quellen u. Forsch. aus ital. Archiven u. Bibl. herausg. v. Preuss. histor. Institut in Rom XI, 360—364)

zwei Urkunden, welche die engen Beziehungen der Sekretäre zur päpstlichen Kammer bestätigen. M. T.

343. E.-R. Vaucelle publiziert einen 'Catalogue des lettres de Nicolas V. (1447—55) concernant la province écclesiastique de Tours' nach den Vatikanischen Registern (Thèse pour le doctorat ès lettres, Paris 1908). Der Katalog enthält 1502 Regesten, beigegeben sind 10 Urkunden aus den Jahren 1451—54 in vollständigem Abdruck. Eine Einleitung behandelt die kirchlichen Verhältnisse der Erzdiözese; am Schluss folgt ein ausführliches Namenregister. H. W.

344. Pierre Bourdon, 'L'Abrogation de la pragmatique et les règles de la chancellerie de Pie II.' (Mélanges d'archéologie et d'histoire 1908, XXVIII, 207—224) teilt aus dem päpstlichen Kanzleibuch des 15. Jh. und zwei Hss. aus München und Florenz eine Supplik und zwei Bruchstücke von Kanzleiregeln Pius' II. mit, deren Bedeutung für die päpstliche Kanzlei und die durch die Aufhebung der pragmatischen Sanktion von Bourges geschaffene kirchenpolitische Lage er in sehr hübscher Darstellung erläutert. M. T.

345. Vom Westfälischen Urkundenbuch ist die erste Abteilung des VIII. Bandes, bearbeitet vom Archivrat R. Krumbholtz, welche die Urkunden des Bistums Münster 1301—1310 enthält, erschienen. Sie umfasst 568 Nummern, zum grossen Teil nur Regesten. Zu den wichtigsten ganz gedruckten neuen Stücken gehören die Urkunden über die Klage des Domkapitels gegen den Bischof Otto von Münster und seine Absetzung 1306. Auch vom VII. Bande dieses UB. sind Abt. 6 und 7 erschienen, haben uns aber bisher nicht vorgelegen.

O. H.-E.

346. Von den Regesten der Landgrafen von Hessen ist die erste Lieferung (1247 [1249]—1308), bearbeitet von Otto Grotefend (Marburg 1907), erschienen. Sie schliessen an die vorzüglichen Regesta Thuringiae von O. Dobenecker an, es musste also gestrebt werden, dieses Vorbild zu erreichen. Auch machen die weitaus wichtigsten, die Urkunden-Regesten, den Eindruck, dass sie gut und sorgfältig gearbeitet sind, doch habe ich für diese kurze Notiz nicht viele Stellen des erst kürzlich bei uns eingetroffenen Buches nachprüfen können. Wie weit Vollständigkeit erreicht ist, konnte ich natürlich noch weniger

feststellen. Die Regesten dagegen, die auf chronistischen Zeugnissen beruhen, sind zuweilen unbefriedigend, ganz verunglückt ist n. 63, was ich hier nicht näher ausführen kann, zu dürftig in den Quellenangaben n. 81, fehlerhaft n. 139. Für Angaben über Geburt und Tod von Persönlichkeiten der Landgrafenfamilie wäre doch Anführung der Quellen, nicht nur Verweis auf moderne Aufsätze erwünscht gewesen. Viele Zitate öfter angeführter Bücher hätten im Interesse der Raumersparnis stark gekürzt werden können und müssen. O. H.-E.

347. Th. J. Scherg, Das Grafengeschlecht der Mattonen und seine religiösen Stiftungen in Franken (Studien und Mitteilungen aus dem Benediktiner- und dem Cistercienserorden XXIX, 1908, 506 ff.) behandelt vorläufig 1. die Schenkungen an das Kloster Fulda, 2. das Frauenkloster Schwarzach am Main, 3. das Kloster Megingaudshausen. B. B.

348. Im Sammelblatt des hist. Vereins Eichstätt Jahrg. XXII (1907), 81 ff. bringt J. E. Weis Beiträge zur Siegelkunde im Fürstbistum Eichstätt mit zwei Siegeltafeln, enthaltend Abbildungen von Siegeln der Bischöfe, des Kapitels und der Stadt Eichstätt vom Ende des 13. bis zur Mitte des 15. Jh. H. W.

349. Mit den kirchlichen Zuständen im Rheinlande während des 14. Jh., besonders mit der Stellung der Priestersöhne, der Pfarrverwaltung, der Erfüllung der Residenzpflicht u. a. m. beschäftigt sich ein langer Aufsatz von H. V. Sauerland in der Westdeutschen Zeitschrift XXVII (1908), 264—365. Die Arbeit trägt polemischen Charakter; sie richtet sich gegen H. K. Schäfers Kritik der 'Urkunden und Regesten zur Geschichte der Rheinlande'. R. S.

350. Die 'Untersuchungen zum Trierer Balduineum', deren ersten Teil Bastgen im Trierischen Archiv Heft XII (1908), 1—34 veröffentlicht, lassen erkennen, dass das sog. Balduineum Kesselstadense, welches als Depositum in der Trierer Stadtbibliothek aufbewahrt wird, verhältnismässig wenige Urkunden enthält, die nicht noch anderweitig überliefert sind. Der Wert der viel genannten, aber wenig gekannten Hs. ist stets überschätzt worden. Es wäre sehr zu wünschen, dass die gräflich Kesselstadtsche Administration künftig einer Versendung

des Kopiars, dessen wirklicher Wert ja nun erst richtig zu beurteilen ist, keine Schwierigkeiten mehr bereite.

R. S.

351. Die dem XXIII. Bande der Zeitschr. f. die Gesch. des Oberrheins (N. F.) beigegebenen Archivberichte (vgl. über den ersten Teil oben n. 144) betreffen Archivalien aus den Amtsbezirken Oberkirch, Heidelberg und Emmendingen, aus den adeligen und Privatarchiven Nussloch, Sulzfeld, Schatthausen, Grombach, Waldkirch i. Br. und aus der kath. Stadtpfarrei Messkirch. Die ältesten der verzeichneten Urkunden gehören noch dem 13. Jh. an.

H. H.

352. In den Mannheimer Geschichtsblättern VIII, 267 f. 286 f. setzt K. Christ seine Publikation älterer Urkunden zur Geschichte Mannheims fort. Abgedruckt und erläutert werden je eine Urkunde der Pfalzgräfin Mechthild von 1323 und Rupprechts von 1393 nach den Originalen.

H. W.

353. In der Alemannia N. F. VIII, 43 ff. publiziert P. P. Albert die älteste deutsche Urkunde in städtischem Besitz von Freiburg i. Br. und gibt auch eine Reproduktion in Autotypie bei. Zu den allgemeinen Ausführungen über das Eindringen der deutschen Sprache in den Urkunden der Freiburger Gegend, die A. hinzufügt, bemerke ich, dass die älteste der in deutscher Sprache abgefassten Privaturkunden nicht aus dem Jahre 1221 stammt; das Stück, um das es sich da handelt, gehört in den Beginn des 14. Jh. (vgl. J. Seemüller, Mitteil. des Inst. XVII, 310 ff.).

H. H.

354. Das Konstanzer Häuserbuch, von dem nun die erste Hälfte des zweiten Bandes, bearbeitet von K. Beyerle und A. Maurer, vorliegt (Heidelberg 1908), ist nicht nur ein wichtiger Beitrag zur Geschichte und Topographie des alten Konstanz, die einleitenden Kapitel sind überhaupt für das deutsche Städtewesen und für das städtische Urkundenwesen ein wertvoller Beitrag. Es obliegt uns hier, auf die Abschnitte über die Fertigungsbehörden (namentlich das Ammanngericht), über Fertigungsbücher und Buchführung, über Fertigungsurkunden und Einträge hinzuweisen. In dem zuletzt genannten Kapitel und in den folgenden über Bodennutzungsrechte und über Realkreditgeschäfte ist zur Illustrierung der Ausführungen

eine grössere Anzahl von Konstanzer Privaturkunden des 13., 14. und 15. Jh. abgedruckt. H. H.

355. Dem ersten Halbband der Regesten der Bischöfe von Strassburg, in dem H. Bloch eine grossangelegte Untersuchung über die elsässischen Annalen der Stauferzeit bietet (vgl. oben S. 245, n. 51), ist die zweite Hälfte, die die Regesten bis 1202 mit dem Register enthält, rasch gefolgt. Der Bearbeiter, P. Wentzcke, hat viel Mühe und Sorgfalt auf diese an sich dankbare Aufgabe verwandt. Seine Arbeit stellt denn auch nicht nur für das Gebiet des Oberrheins, sondern in Anbetracht der Stellung der Strassburger Bischöfe und der zahlreichen Kaiserurkunden, die bei der Bearbeitung einzubeziehen waren, für die deutsche Reichsgeschichte überhaupt ein wichtiges Quellenwerk dar. Die im Vorwort dargelegten Grundsätze schliessen sich im grossen und ganzen den Forderungen an, die in den zuletzt erschienenen Regestenwerken und bei den Beratungen der Vertreter landesgeschichtlicher Publikationsinstitute für Arbeiten dieser Art erhoben worden sind. Mit dankenswerter Genauigkeit sind die Ueberlieferungsfragen behandelt. Das bereits bekannte Urkundenmaterial ist durch W. um 12 Stück vermehrt worden. Diplomatische Erörterungen werden dort geboten, wo dies die Natur der Sache erforderte; das ist häufig genug der Fall. Die Art der Herstellung der Strassburger Bischofsurkunden wird, von verstreuten Bemerkungen abgesehen, nicht erörtert. Es ist richtig, dass diese Untersuchungen über den Rahmen der Regesten hinausgeführt hätten, aber sie würden eine wichtige Vorarbeit abgegeben haben und einen Beitrag zu unserer Kenntnis der deutschen Bischofsurkunde, den zu liefern niemand berufener ist als der Bearbeiter der Regesten. Wir wollen hoffen, dass W. diese Arbeit nachträgt, seine diplomatischen Ausführungen im letzten Band der Mitteil. des Inst. zeigen, dass seine Studien in dieser Richtung schon sehr weit gediehen sind. An wertvollem und viel versprechendem Material hierzu fehlt es ja in Strassburg keineswegs. H. H.

356. P. Wentzcke hat in einer Abschriften-Sammlung des 15. Jh. im Archiv des Strassburger Hospitals wertvolle Urkunden zur älteren Geschichte des Augustinerstifts Ittenweiler gefunden, darunter auch vier unbekannte Papsturkunden s. XII und XIII, die er (Zeitschr. f. d. Gesch. des Oberrheins N. F. XXIII, 565 ff.) in Regestenform veröffentlicht. H. H.

357. Der II. Bd. der Beiträge zur Geschichte der Stadt Rufach, ges. u. herausg. v. Th. Walter (Rufach 1908), enthält Urkunden und Regesten der Stadt Rufach (662—1350). Besonders zahlreich sind schon für das 13. Jh. Urkunden der Bischöfe von Strassburg vertreten. Die Einleitung bietet einen Ueberblick über die Geschichte von Rufach. Kleinere Ungenauigkeiten in der Anführung von Druck- und Regestenwerken wird man einem in einer kleinen Stadt arbeitenden Editor zugute halten dürfen; niemals aber darf es geschehen, dass (vgl. n. 25) eine Urkunde ohne Angabe einer Ueberlieferung und eines Druckes publiziert wird. H. H.

358. Edouard-L. Burnet verifiziert in einem Aufsatz über die Chronologie in Urkunden des 12. Jh. der Diözese Genf in den Mémoires et documents de la soc. d'histoire et d'archéologie de Genève XXXI (Ser. 2, tom. XI) die Datierungen einer Reihe von Genfer Privaturkunden. H. W.

359. Die Arbeit von J. Loserth über das Archiv des Hauses Stubenberg (Veröffentlichungen der hist. Landes-Kommission f. Steiermark, Heft XXVI) ist ein Supplement zu seinem früheren Bericht über das Archiv dieser Familie (vgl. N. A. XXXII, 565, n. 159). Es handelt sich um den Rest der Archivalien des den Stubenbergern gehörenden Schlosses Gutenberg, die früher nur zum Teil an das steierm. Landesarchiv abgegeben worden waren, nun aber der allgemeinen Benutzung daselbst zugänglich gemacht wurden. Dem eigentlichen Archivverzeichnis gehen Bemerkungen zur Geschichte von Gutenberg voraus, es folgen Nachträge zum Stammbaum der Familie und Quellen-Beilagen, darunter ein älteres Archiv-Inventar und die Urkunde von 1288, die den Verkauf der Burg durch Leutold von Khuenring an die Brüder von Stubenberg verbrieft und in zwei verschiedenen Fassungen überliefert ist. H. H.

360. Herr Landesarchivar Dr. A. v. Jaksch teilt mir freundlichst mit, dass die engen Formularbeziehungen zwischen n. 1735 und 1855 seiner Mon. ducatus Carintie Bd. IV, auf die ich N. A. XXXI, 527, n. 290 verwiesen hatte, durch Ausstellung beider Urkunden im Kloster Admont zu erklären seien; n. 1735 hat den Abt Gottfried von Admont zum Aussteller, in n. 1855 handelt es sich aber, obwohl das Stück aus dem Viktringer Archiv

stammt und des Klosters Admont keine Erwähnung geschieht, um Admonter Besitz (vgl. Mon. duc. Car. IV, 2, 1055). H. H.

361. Mit dem V. Bd. des Codex diplomaticus regni Croatiae, Dalmatiae et Slavoniae (ed. Smičiklas, vgl. N. A. XXXII, 796, n. 359) ist diese Urkundenausgabe bis zum Jahre 1272 gediehen. Zwei Diplome Manfreds, B.-F. n. 4669 u. 4689, die aus den Originalen neu gedruckt sind, seien eigens erwähnt. H. H.

362. Karl Graf Kuefstein hat seinen Studien zur Familiengeschichte (Wien und Leipzig 1908) einen Urkundenanhang (1294—1518) beigegeben, zu dem das Archiv seines Stammschlosses Greillenstein in Niederösterreich das wichtigste Material beigesteuert hat. Die älteste Urkunde des Jahres 1294 ist in der Darstellung S. 48 in Autotypie reproduziert. Derselbe Verf. hatte schon 1906 ein Verzeichnis des Kuefsteinschen Familienarchivs zu Greillenstein aus dem Jahre 1615 veröffentlicht (als Ms. gedruckt), das zahlreiche Urkunden des 15. Jh. ausweist und wichtig ist, weil nicht alles, was dort verzeichnet steht, auf uns gekommen ist. Das Interesse der adeligen Geschlechter für die Geschichte ihrer Familie und ihres Archivs kommt lokalgeschichtlichen Forschungen sehr zu statten. H. H.

363. In seiner Schrift über die Gerichtsbefugnisse der patrimonialen Gewalten in Niederösterreich (Leipziger hist. Abhandlungen Heft V) sucht P. Osswald im Anhang nachzuweisen, dass die Gründungsurkunde des Schottenklosters zu Wien von 1158, ausgestellt von Herzog Heinrich Jasomirgott, eine Fälschung des ausgehenden 13. Jh. sei. Die Urkunde ist zweifellos verdächtig. H. H.

364. Als XXXII. Bd. des Historischen Archivs der Böhm. Akademie in Prag (1908, XIV u. 169 S.) veröffentlicht Franz Mares die sehr interessante und wichtige Praxis Cancellariae Prokops, Stadtschreibers der Neustadt Prag, die zwar von Palacky und Tomek vielfach benutzt worden ist, aber bisher noch nicht vollständig ediert worden war. Es ist eine ars notaria, aber speziell für Stadtschreiber behufs richtiger Anlegung und Führung einer ordentlichen Stadtkanzlei und der notwendigen Stadtbücher im 15. Jh. In gewisser Beziehung ist sie also vergleichbar Rolando Passagieras 'De officio tabellionatus in

villis et castris' v. J. 1258. Die von Prokop zusammengestellten Urkunden und Briefmuster sind gleichzeitig und nicht fingiert, besitzen somit historischen Wert. Die Ausgabe Mares' ist mit grosser Genauigkeit gearbeitet und mit mehreren wichtigen Indices versehen. Die tschechisch geschriebene Einleitung unterrichtet zunächst über die drei benutzten Hss. und gibt sodann Beiträge zur Biographie Prokops. Er ist um 1393 geboren, wurde bald, nachdem er 1410 unter Johann von Hussinetz das Bakkalaureat erlangt hatte, Stadtschreiber in Prag-Neustadt und begann 1453 Vorlesungen an der Universität zu halten; und zwar las er 1) über des Mag. Nikolaus Dibin (Tibin) Viaticum rhetoricae, 2) über Praxis et cursus cancellariae civilis, 3) über Litterae et privilegia de forma cancellariae apostolicae et imperialis und 4) über Litterae et privilegia circa humana negocia. M. bespricht auch die Frage, wie sich seine theoretischen Ausführungen zu seiner tatsächlichen Amtsführung in der Prag-Neustädter Kanzlei verhalten, worüber auch Celakovsky in dem N. A. XXXIII, 572, n. 217 erwähnten Buch gehandelt hat. B. B.

365. Val. Schmidt veröffentlicht in den Mitteilungen des Vereins für Geschichte der Deutschen in Böhmen XLVII (1908), 62 ff. aus einer Breslauer Hs. das interessante Testament Peters von Rosenberg vor seinem Zuge gegen die Preussen, das nur die Jahreszahl 1324 trägt, aber jedenfalls in den ersten Monaten des Jahres, wahrscheinlich im Januar, zu Klingenberg abgefasst ist. B. B.

366. M. Kinter druckt nach dem Raigerer Original die Exkommunikationsurkunde des Peter Rabstein in Lubau (Hluban) und seiner Genossen auf Veranlassung des Abtes und Konventes des ehemaligen Benediktiner-Klosters Postelberg d. 1402 Sept. 13 Breslau in den Studien und Mitteilungen aus dem Benediktiner- und dem Cistercienser-Orden XXIX (1908), 504 ff. ab. B. B.

367. Der XLII. Band der Zeitschrift des Vereins f. Gesch. Schlesiens bringt mehrere Beiträge W. Schultes zur Geschichte des Bistums Breslau. S. 268 ff. stellt er 'Die Siegel des Bischofs Lorenz von Breslau' zusammen (aus den Jahren 1208—1228) und untersucht sie auf ihre Echtheit; S. 280 ff. handelt er über 'Die Todestage der älteren Bischöfe von Breslau' und veröffentlicht endlich im Anhang einer 'Ergänzung zu Jungnitz, Die Grenzen

des Bistums Breslau' (S. 284 ff.) eine Urkunde des päpstlichen Legaten Anselm, Bischofs von Ermland, vom 20. Mai 1262 und eine Urkunde des Bischofs Thomas von Breslau von 1240. M. Kr.

368. Vom Codex dipl. Lusatiae superioris III. ist das 4. Heft, enthaltend die Görlitzer Ratsrechnungen aus den Jahren 1406—13, erschienen (Görlitz 1908). H. W.

369. Im Neuen Lausitzischen Magazin LXXXIV, 145 ff. erläutert Alfred Meiche die topographischen Angaben der Oberlausitzer Grenzurkunde vom J. 1241, insbesondere mit Rücksicht auf die Festlegung der drei Burgwarde Ostrusna, Trebista und Godobi, die unter diesen Namen zuerst in dem Diplom K. Heinrichs II. vom 1. Jan. 1007 (MG. DD. III, 149, n. 124) auftreten und verschieden gedeutet worden sind. Meiche identifiziert sie entgegen den bisherigen Annahmen (abgesehen von Godobi oder Godibi = Göda) mit den in der Urkunde von 1241 genannten Dolgawitz, Dobrus, Godou, die auf Dolgowitz, Doberschau und Göda zu deuten sind. H. W.

370. 'Regesten zu den im Archiv der Stadt Mühlhausen in Th. deponierten Urkunden des Pfarramts zu Görmar (1318—1597)' veröffentlicht in den Mühlhäuser Geschichtsblättern VIII, 1—11 (1907/1908) K. von Kauffungen. E. P.

371. Im Anhang zu seinem Aufsatz 'Ueber die Anfänge des Herrenmeistertums in der Ballei Brandenburg' druckt W. Füsslein (Jahresbericht der Realschule in St. Georg zu Hamburg 1908) ein in dem Cod. 145 der Amplonianischen Bibliothek zu Erfurt eingeklebt gewesenes Notariatsinstrument von 1324 über zwei Johanniter-Urkunden von 1318 und 1323, ferner zwei Privilegien Johanns XXII. von 1328 und 1329 nach den Originalen im Reichsarchiv zu München. H. W.

372. Die Beiträge zur Geschichte der Vitalienbrüder von H. Chr. Cordsen in den Jahrbüchern des Vereins für Mecklenburgische Geschichte und Altertumskunde LXXIII, 1—30 handeln reichlich knapp über die Zeit der Ausgabe und die Form der mecklenburgischen Kaperbriefe, die C. mit Lindner zu 1390 statt 1391 ansetzt, wiederholen den Nachweis Storms, dass nur ein Angriff der Vitalienbrüder auf Bergen und zwar 1393 stattgefunden hat, und stellen die in den Quellen erwähnten Namen von Vitalienbrüdern (bis 1394) zusammen. Von grösserem Inter-

esse ist der Nachweis, dass der Name 'Vitalienbrüder' nicht erst damals entstand, sondern sich bereits in den Quellen aus der Zeit des 100jährigen Krieges zwischen England und Frankreich findet, speziell 1347 für die zur Verproviantierung von Calais verwendeten Schiffe gebraucht wird, wie sich auch andere Beziehungen zu den Soldkompagnien feststellen lassen: Nennen sich die Vitalienbrüder 1398 'Godes vrende unde al der werlt vyande', so bezeichnet sich schon ein Menschenalter vorher der Söldnerführer Jean de Gouges als 'l'ami de Dieu et l'ennemi de tout le monde'. A. H.

373. In Anlagen zu dem Aufsatze von Dr. Engelke über 'Alte Gerichte in dem alten Amte Cloppenburg' sind eine Anzahl von Privaturkunden seit der ersten Hälfte des 14. Jh. meist nach den Originalen abgedruckt (Jahrbuch für die Gesch. des Herzogtums Oldenburg XVII, 177 ff.). H. W.

374. Im Archief voor de gesch. van het aartsbisdom Utrecht XXXIII, 307—309 teilt J. H. Hofman Auszüge aus dem Diversorium des Utrechter Bischofs Rudolf von Diepholz (1433—1456) unter dem Titel 'Uit den Ordinarius van Utrechts Bisschop' mit und handelt ebenda S. 281—303 über den Bischofshof zu Utrecht. A. H.

375. Ebenda XXXIII, 317—485 veröffentlicht J. C. van Slee das Nekrolog und Chartular des Konvents der regulierten Kanonissen zu Diepenveen aus dem 15. Jh. A. H.

376. In der Revue des bibl. et arch. de Belgique VI, 270 sqq. setzen E. Dony und L. Verriest ihr alphabetisch geordnetes 'Répertoire d'inventaires imprimés ou manuscrits d'archives Belges' für Eecloo bis Ypres fort. A. H.

377. In den Analectes pour servir à l'hist. ecclés. de la Belgique XXXIV, 304 sqq. und 416 sqq. beendet R. Weemaes seine Studien über die belgischen Privaturkunden vom 10. bis zum Anfang des 13. Jh. mit den Abschnitten: 'Le rôle de l'acte écrit dans les contestations. Le sceau et l'authenticité des chartes privées'. A. H.

378. In den Bijdragen tot de gesch. biiz. van het aloude Hert. Brabant VII, 422 ff. 485 ff. beschreibt J. Vannérus ausführlich die Siegelabdrücke des Staatsarchivs

von Antwerpen in 5 Abteilungen: Souverains et seigneurs. Personnages et communautés ecclésiastiques. Communes et échevinages. Grand conseil de Malines. Corporations. A. H.

379. In derselben Zeitschrift VII, 533 ff. veröffentlicht F. Lefèvre aus den Archivalien des Stifts Coudenberg in Brüssel u. a. ein Verzeichnis der Pröpste (und Achte) von 1225—1792 und einen 'Catalogus religiosorum in hoc monasterio S. Iacobi in Frigido-monte, vulgo Coudenbergh, mortuorum' von 1225—1687. A. H.

380. Im Bull. mens. de la soc. d'archéol. Lorraine VII (1907), 164—175 druckt E. Duvernoy ausser einem Brief des Herzogs René II. von Lothringen vom J. 1477 eine Erklärung des Lothringischen Adels von 1425 zu Gunsten der Nachfolge von Isabella, Tochter Karls II., und ihres Gatten René von Anjou. Ebenda werden auch S. 234 ff. vier Lothringische Urkunden des 13. Jh. (1220. 1254. 1256. 1266) veröffentlicht. E. M.

381. Von den Actes de la chancellerie d'Henri VI. concernant la Normandie sous la domination Anglaise (1422—1435), herausg. von Paul Le Cacheux, ist der zweite (Schluss-) Band (Rouen und Paris 1908) erschienen. Er enthält die Urkunden n. 159—246 in vollständigem Abdruck, ferner eine grosse Zahl von Regesten (n. 246*—724) von nicht abgedruckten Stücken und ein Namenregister für beide Bände. H. W.

382. Auf Grund von Photographien, die der englische Pfarrer Rev. H. Salter angefertigt hatte und die jetzt auf der Bibliothèque nationale in Paris hinterlegt sind, teilt L. Delisle über 100 Urkunden K. Heinrichs II. von England und im Anhang auch einige Wilhelms d. Eroberers und Wilhelms I. mit. (Recueil de 109 chartes originales de Henri II., Bibl. de l'école des Chartes LXIX, 541—580 und Nachtrag S. 738—740). M. T.

383. Im Archeografo Triestino, terza serie, vol. IV. (XXXII. della raccolta), p. 323—333 veröffentlicht C. de Franceschi Regesti di 14 pergamene Veronesi. Es finden sich darunter 9 Stück aus dem 13. Jh., die übrigen aus dem 14. und 15. — Ebendort S. 333—342 druckt derselbe Autor 'Gride del comune di Pola degli anni 1381—82' ab, öffentliche, notariell aufgezeichnete Bekanntmachungen, die das Bestreben der Venezianer zeigen, in der im Kriege mit den Genuesen verlorenen und viel-

fach zerrütteten Stadt nunmehr wieder Ruhe und Ordnung herzustellen. B. Schm.

384. Im Nuovo archivio Veneto, Nuova serie n. 30 (n. 70) druckt Diego Sant-Ambrogio, Donazione di San Stefano Veronese al monastero Cluniacense ed a San Gabriele di Cremona, Urkunden für die Cluniazenser von 1076 Apr. 29 und 1100 Juni 2 und 1133 Dez. 22 mit einleitenden Erläuterungen und sehr vielen Druckfehlern aus den Annales de Cluny wieder ab. B. Schm.

385. Im Bollettino stor. bibliogr. subalpino, Anno XII, Torino 1907, p. 58—64 gibt Ferdinando Gabotto, Sui conti di Lomello, eine Genealogie des Grafenhauses im 12. Jh. auf Grund vieler Urkunden. B. Schm.

386. Seinem Aufsatz 'La dote Romana negli statuti di Parma' (Archivio stor. per le prov. Parmensi, Serie 2, III, 15 sqq.) fügt Franco Ercole einen Anhang unedierter Urkunden des 12.—14. Jh. an. H. W.

387. Eine grosse Anzahl reichs- und rechtsgeschichtlich wichtiger Urkunden, zum grössten Teil Inedita, meist aus toscanischen Archiven und Bibliotheken, publiziert Fedor Schneider in den Quellen und Forschungen, herausg. vom Preuss. hist. Inst. XI (1908), 25—65 und 245—318 unter dem Gesamttitel 'Toscanische Studien'. Die wichtigsten seien hier genannt: ein Placitum eines Königsboten Ottos III. (1001/2), drei Placita der Markgrafen und Herzoge von Toscana (1015. 1045. 1063), ein Placitum B. Eberhards von Naumburg (1055), eine zwar bekannte, jedoch nicht gedruckte Urkunde Markgraf Ulrichs von Toscana für Papst Eugen III. (1151), zwei Urkunden von einem Hofgericht Heinrichs VI. (1186), verschiedene Inedita Friedrichs II., Akten betr. die Reichssteuer von Siena (1226—48) und eine Anzahl Urkunden von Reichsbeamten in Italien. Die den einzelnen Stücken vorausgeschickten Einleitungen legen Zeugnis ab von den vielseitigen Kenntnissen und Interessen des Herausgebers; hie und da wäre freilich eine Einschränkung seiner Neigung zu Hypothesen zu wünschen. So vermag ich seinen Ausführungen über die interessante Liste der von der Gräfin Mathilde von Toscana dem Pisaner Kapitel geschenkten Einkünfte (S. 50 ff.) nicht zu folgen, zumal da der schlecht erhaltene Text mit den nicht unbedingt ge-

wissen Ergänzungen des Editors keine hinreichend sichere Grundlage zu bieten scheint. R. S.

388. Im Bullettino storico Pistoiese, Anno X, fasc. 4, p. 133—185 veröffentlicht Romolo Caggese Note e documenti per la storia del vescovado di Pistoia nel secolo XII. Es befindet sich darunter eine Urkunde Paschals II. von 1105 Nov. 14 (Jaffé-L. n. 6052). B. Schm.

389. Im Bullettino Senese di storia patria, Anno XV, 1908 veröffentlicht Fedor Schneider, Studi Volterrani I, La vertenza di Montevaso del 1150, Zeugenaussagen aus Anlass einer Untersuchung, die der Kardinal Guido(?) im Auftrag des Papstes in einer Streitigkeit zwischen Pisa und Volterra führte. Von allgemeinem Interesse sind die Nachrichten über das Vorleben des Papstes Eugen III. (auf S. 8 ff. des Sonderabzuges). B. Schm.

390. Als Anhang zu seiner umfassenden Arbeit über das Kathedralarchiv von Viterbo, die P. Egidi im Bullettino dell' Istituto storico Italiano n. 27 publizierte, gab er n. 29 (Roma 1908) derselben Zeitschrift S. 83—103 eine Reihe von Urkunden dieses Archivs von c. 1050—1300, teils in vollständigem Abdruck, teils in Regesten. O. H.-E.

391. V. Federici gibt Nachricht über die wenig bedeutenden, erst für das 15. und 16. Jh. reichhaltigeren Bestände des Archivio notarile von Sutri ('I frammenti notarili dell' archivio di Sutri', Archivio della Soc. Romana di storia patria XXX (1908), 463—471). Von gewissem Interesse ist vielleicht das als Beilage gedruckte Ausgabenverzeichnis aus Siena v. J. 1249. M. T.

392. In derselben Zeitschrift XXXI (1908), 101—120 veröffentlichte B. Trifone zehn Urkunden aus Subiaco, zum grössten Teil dem späteren Mittelalter angehörend, darunter eine Urkunde Alexanders IV., teils im Wortlaut, teils in Regesten. R. S.

393. Im Archivio stor. per le prov. Napoletane XXXIII, 439 sqq. beginnt R. Bevere aus den angiovinischen Registern eine Reihe von Dokumenten, welche die Signorie Karls von Calabrien, des Sohnes K. Roberts, in Florenz 1326—27 betreffen, teils vollständig, teils im Auszug zu publizieren. E. C.

394. Im Archivio stor. per la Sicilia orientale V, 161 sqq. untersucht C. A. Garufi von neuem die ge-

fälschten Urkunden des wichtigen und umfangreichen Tabularium von S. Maria di Giosafat, deren Zahl er durch drei Inedita auf 24 vermehrt, und versucht ihre Entstehung, entgegen seiner eigenen und K. A. Kehrs früherer Ansetzung um die Wende des 13. zum 14. Jh., vielmehr in die Jahre 1245—48 und wahrscheinlich in die ersten Monate des Jahres 1248 zurückzudatieren und sie ihres Rechtsinhalts wegen in Zusammenhang mit der die wirtschaftlichen Privilegien des Klosters bedrohenden Finanzgesetzgebung Friedrichs II., insbesondere mit der Collecta von 1248 (B.-F. 3685), zu setzen. Als Fälscher vermutet er einen Calabresen. Regesten des ganzen Tabularium und ein Anhang von Ineditis sollen demnächst folgen. E. C.

---

395. Louis Halphen, 'La lettre d'Eude II. de Blois au roi Robert' (Revue historique 1908, XCVII, 287—296) handelt unter Abdruck des Textes über die Bedeutung des Briefes, den Graf Odo II. von der Champagne c. 1022 in seinem Streite mit K. Robert von Frankreich an diesen richtete. M. T.

396. Aus den vatikanischen Hss. der noch unedierten Formelsammlung des Marinus de Ebulo publiziert Fritz Schillmann, Zur byzantinischen Politik Alexanders IV., Römische Quartalschrift XXII (1908), Gesch. S. 108—131, zwölf Schreiben, die sich auf die Unionsbestrebungen des Papstes beziehen. Hauptquelle des Marinus sind nach einer gelegentlichen Bemerkung Schillmanns die päpstlichen Register. R. S.

397. Heinrich Otto hat in den Quellen und Forschungen aus ital. Archiven und Bibl. XI (1908), 80—146 aus einer Vatikanischen Hs. eine italienische Briefsammlung herausgegeben, die zwischen 1421 und 1429 geschrieben, aber aus verschiedenen Bestandteilen zusammengesetzt ist. Der älteste und interessanteste Teil umfasst 18 Briefe, von denen die meisten die Geschichte oberitalienischer Städte, namentlich Piacenza und Reggio nell' Emilia, im Jahrzehnt 1270—1280 betreffen. Von diesen war nur ein Brief König Rudolfs I. als Formel unvollständig bekannt. Dem Herausgeber war offenbar die oberitalienische Geschichte dieser Zeit ziemlich fremd und er hat sich mit ihr nicht genügend vertraut machen können, davon zeugen Briefdatierungen und Anmerkungen. So können n. 10. 11, in denen es sich um Vertreibung der de Fontana aus

Ferrara handelt, nicht 1272 geschrieben sein, denn erst 1273 Juli 31 verliessen jene Ferrara. Der in der Hs. vielfach verdorbene Text bedarf noch öfter und in anderer Weise der Besserung, als der Herausgeber geschrieben hat. Von den übrigen, dem 14. und 15. Jh., angehörigen Briefen waren mehrere bekannt, sie sind daher weggelassen, andere bisher unbekannte sind von Wert. Das ganze ist eine sehr willkommene Publikation. Auffallend ist, dass der Herausgeber noch nicht die Bände SS. XXXI. XXXII der MG. kennt. O. H.-E.

398. Im N. A. XXV, 741 ff. hat J. Schwalm aus dem Vatikanischen Archiv drei Mitteilungen und Petitionen, die der Propst Heidenreich von St. Severin in Köln im J. 1327 an den päpstlichen Notar Bernhardus Stephani richtete, veröffentlicht. In dem ersten dieser Stücke spricht der Schreiber von einem gleichzeitig abgesandten Verzeichnis von Herren und Städten am Rhein, das am Schlusse eine Anweisung enthalte, wie Ludwig der Bayer am besten in die Enge zu treiben sei. Die Auffindung dieses bisher vermissten Verzeichnisses ist L. Schütte gelungen. Das äusserst interessante Aktenstück gibt Auskunft über die politische Stellungnahme der einzelnen rheinischen Fürsten und Städte und enthält den bemerkenswerten Vorschlag, der Papst solle kraft seines Vikariatsrechtes die drei rheinischen Erzbischöfe mit der als erledigt betrachteten Pfalz belehnen, um dadurch eine dauernde Feindschaft zwischen Ludwig und den ersten geistlichen Fürsten des Reiches herbeizuführen. Der Verfasser des Planes denkt übrigens offenbar nicht an eine Aufteilung des pfälzischen Gebietes, sondern an eine Belehnung zu gesamter Hand. An letzter Stelle findet sich dann die Bemerkung, die Erzbischöfe könnten auch geeignete Kandidaten für die Neubesetzung der anderen erledigten Fürstentümer, Brandenburg und Bayern, vorschlagen. (Zur Stellung der Städte und Fürsten am Rhein zu Ludwig dem Bayern. Ein vatikanisches Aktenstück vom Jahre 1327, Quellen und Forschungen, herausg. vom Preuss. hist. Inst. zu Rom XI, 1908, 66—79). R. S.

399. Einen im Archiv der Familie Colonna aufgefundenen unbekannten Originalbrief des Cola di Rienzo vom 1. Juli 1347 ediert G. Tomassetti im Archivio della Soc. Romana di storia patria XXXI (1908), p. 93—100. Das nach Sizilien gerichtete Schreiben ist in-

haltlich mit den von Gabrielli, Epistolario n. 2—5 veröffentlichten verwandt. R. S.

400. Fr. Bliemetzrieder, Der Kartäuser-Orden und das abendländische Schisma, zugleich zur Geschichte der Kartause Mariengarten bei Prag (Mitteil. des Ver. für Geschichte der Deutschen in Böhmen XLVII, 1908, 47 ff.) bringt aus einem Baseler Codex, der dem Kartäuserkloster St. Margaretental bei Basel entstammt, einige Dokumente, die die Verhältnisse des Ordens in den beiden Obedienzgebieten beleuchten; u. zw. Schreiben Urbans VI., des Kardinals Nikolaus Misquinus und der Visitatoren der Kartäuser, betreffend die Regelung der Ordensverfassung während des Schismas (1379—1381). B. B.

401. Im Archivio storico Lombardo, serie IV, anno XXXV, fasc. 19, 193—208 druckte und erläuterte Franc. Novati zwei Briefe Uberts Decembri an den Florentiner Collucius Pierius vom J. 1393 und berichtigt S. 208—216 das Datum zweier schon früher veröffentlichter Briefe, die Decembri 1395 (nicht 1399) von Prag aus schrieb. O. H.-E.

402. Im Freiburger Diözesan-Archiv N. F. IX, 304 ff. publiziert K. Rieder aus dem Staatsarchiv Zürich ein interessantes Entschuldigungsschreiben des Herzogs Friedrich von Oesterreich-Tirol (1415 März 30) über die Flucht des Papstes Johann XXIII. aus Konstanz; es folgen aus gleicher Fundstätte zwei Suppliken des Bischofs Otto IV. von Konstanz (1479—1491). H. H.

---

403. Jakob Werner hat in den Nachrichten der Kgl. Ges. der Wiss. zu Göttingen, Philol.-hist. Kl. 1908 S. 449—496 die Gedichtsammlung eines Baseler Klerikers, der eigene und fremde Verse zusammengeschrieben hat, herausgegeben. Er lebte in der zweiten Hälfte des 13. Jh., hat namentlich in den achtziger Jahren gedichtet, war ein armer Teufel, der eine Zeit lang die Kirche zu Roppensweiler im Elsass gehabt hat, die ihm aber vom Baseler Bischof wieder entzogen war. In seinen Gedichten treten Peter Reich als Mainzer Domprobst (bis 1286) und Bischof von Basel und Heinrich von Isny als Bischof von Basel und Erzbischof von Mainz, auch einige andere Baseler Personen auf, auch ein Epitaph auf den 1281 im Rhein ertrunkenen und zu Basel begrabenen

Hartmann, Sohn Rudolfs I. von Habsburg, findet sich da. Sonst ist die Sammlung sehr bunt aus mannigfaltigen, geistlichen und weltlichen, frommen und auch frivolen Liedern, manche in künstlichen Versen, zusammengesetzt.
O. H.-E.

404. Aus derselben Baseler Hs., in der die eben genannte Gedichtsammlung steht, aus der auch schon N. A. XXXII, 591 ff. ein Gedicht, XXXIII, 535 ff. ein Brief ediert ist, gab Jakob Werner in den Romanischen Forschungen XXVI Teile eines moralischen Lehrgedichtes, lateinischen Tugendspiegels, heraus, der überschrieben ist 'Incipit Guiardinus'. W. vermutet, dass der Bischof Guido oder Guiard vom Cambrai († 1247) der Dichter wäre, doch scheint das doch ganz unsicher. In der Hs. geht diesem Lehrgedicht ein Gedicht über Geschichte der Stadt Jerusalem nach der Bibel von einem Magister Everard von Heisterbach voran, von dem W. nur die Anfangs- und Schlussverse mitteilte. O. H.-E.

405. Eine interessante Publikation findet sich im Nuovo archivio Veneto, Nuova serie n. 30 (n. 70), p. 322—359, von A. Segre, Carmi latini inediti del secolo XIV. intorno alla guerra di Ferrara del 1309. Besonders das erste Gedicht ist recht ausführlich und gibt, von streng kurialistischem, antivenezianischem Standpunkt geschrieben, viele Einzelheiten über die Ereignisse. Leider ist die Ausgabe denkbar schlecht. Nicht nur dass für die sachliche Erläuterung fast nichts geschehen ist, auch die Textherstellung lässt nicht mehr als alles zu wünschen übrig. Die Interpunktion widerspricht dem Sinne meist so sehr wie möglich. Es finden sich eine Menge Druckfehler, die auf den ersten Blick als solche zu erkennen sind, wie v. 131 'convertibur' statt 'convertitur'. An vielen anderen Stellen kann man zweifeln, ob Druckfehler oder Schreibfehler der Hs. vorliegen. Ich schlage vor v. 39 'Ferre' statt 'Terre', v. 51/52 'summi — Pontificis' statt 'sumi — Pontificio', v. 73 'Et' statt 'Ut', v. 124 'Totidem' statt 'Totius', v. 132 'iniuria' statt 'incuria', v. 169 'id ipsum' statt 'ad ipsum', v. 171 'Cur' statt 'Cum', v. 203 'vincimur' statt 'vincimus' zu lesen etc. Im zweiten Gedicht muss es sogleich v. 2 'animus' statt 'animis' heissen und wohl 'domine' statt 'dominus'. Manche Verse sind im Druck völlig sinnlos, ohne dass man zunächst sieht, wie sie zu verbessern wären, der Herausgeber aber hat niemals den geringsten Hinweis auf solche Unmöglichkeiten beigesteuert. Dass beide Ge-

dichte von einem Verfasser herrühren, wie der Herausgeber meint, ist mir ganz unwahrscheinlich, der einleitende Brief an die Anzianen von Ferrara bezieht sich auch nur auf das erste Gedicht. Beide Gedichte, zumal das erste, verdienen ein eingehendes Studium und eine bessere Ausgabe, als ihnen hier zu Teil geworden ist. B. Schm.

406. In den Memorie della R. Deputazione di storia patria delle prov. Modenesi, serie V, vol. VI versucht G. Bertoni die öfters publizierte Inschrift der Parochialkirche zu Cittanova über ihre Erbauung durch den Langobardenkönig Liutprand nach rythmischem Gesetz besser als bisher herzustellen. O. H.-E.

407. In den Annalen des historischen Vereins für den Niederrhein 81. Heft, S. 71—111 (Nachtrag dazu 82. Heft, S. 169 f.) erweisen Schrörs und Clemen schlagend die Echtheit der Weihinschrift von Schwarzrheindorf auf Grund einer eingehenden historischen und archäologischen Untersuchung. Die zuletzt von Ilgen mit grosser Sicherheit dagegen vorgebrachten Gründe (N. A. XXXI, 285, n. 160) fallen völlig in sich zusammen. Wir haben in der Doppelkirche von Schwarzrheindorf zweifellos den Bau vor uns, dessen Weihe im Jahre 1151 Otto von Freising berichtet; die Inschrift ist wohl nicht lange nach 1156 angefertigt worden und befindet sich noch heute an ihrem ursprünglichen Platze hinter dem Hochaltar, wo sie sicher 1625 nachweisbar ist, wie der von Ilgen missverstandene Brief des Kanonikers Hippolyt Franciotti zeigt. So sind hier die Brüder Gelenius glänzend gerechtfertigt. Damit wird es mehr als fraglich, ob der von Ilgen noch in weiteren Fällen gegen sie ausgesprochene Vorwurf der Fälschung (s. N. A. XXXII, 577, n. 203. XXXIII, 253, n. 78) besser begründet ist. A. H.

408. In der Zeitschrift für Vaterländische Geschichte und Altertumskunde (Westfalens) LXIII, Abt. 2, 82 ff. publiziert Kl. Löffler Auszüge aus dem Totenbuch von Kloster Abdinghof (in Paderborn) nach der Abschrift Kindlingers, mit Eintragungen von der Gründung des Klosters bis in die Mitte des 17. Jh. H. W.

409. Ein Nekrolog des Brüsseler Konvents 'ter ziekenlieden' aus dem 15. Jh. beschreibt Ch. Pergameni in der Revue des bibl. et arch. de Belgique VI, 256 sqq. A. H.

410. Der Abhandlung 'Das Augustiner Chorherrenstift Heiligenberg bei Winterthur (1225—1525)' von K. Hauser (Neujahrsblatt der Stadtbibliothek Winterthur 1908, 243. Stück, Winterthur 1907) ist das Anniversarium des Stifts von 1342 beigegeben. H. W.

411. Zu dem von Wattenbach in der Zeitschr. d. Ver. für Gesch. Schlesiens V, 110 ff. mitgeteilten böhmisch-schlesischen Necrologium gibt Schulte in derselben Zeitschrift XLII, 330 f. eine Ergänzung. M. Kr.

412. Ein sehr stattlicher Band der Fonti per la storia d'Italia ist kürzlich (1908) erschienen: Necrologi e libri affini della provincia Romana a cura di Pietro Egidi, (der in Bullettino dell' Istituto storico Italiano n. 25 über die bevorstehende Ausgabe gehandelt hat). Vol. I. Necrologi della città di Roma. Er enthält Necrologium SS. Cyriaci et Nicolai saec. XI—XIV, S. Mariae Transtiberinae saec. XII—XIV, Liber annualium S. Spiritus in Saxia saec. XIII—XV, Liber anniversariorum basilicae Vaticanae, eine Reihe Notae necrologicae anderer römischer Kirchen und Liber anniversariorum societatis S. Salvatoris ad Sancta sanctorum vom 14. Jh. an. Es ist das eine sehr wertvolle Publikation, praktisch eingerichtet und scheint die Texte mit der grössten Genauigkeit wiederzugeben, aber man vermisst noch Anmerkungen, Identifikationen der sehr zahlreichen bestimmbaren Personen mit Angabe ihres Todesjahres, das ist ein grosser Mangel, dem vielleicht in den einem späteren Bande beizugebenden Indices abgeholfen werden soll. Vorläufig wird man grosse Schwierigkeiten bei Benutzung dieses schönen Bandes, der ein so reiches Material enthält, zu überwinden haben und steht ihm ohne Register recht hilflos gegenüber. O. H.-E.

413. In der Festschrift der K. Universitätsbibliothek in Münster (Münster Westf. 1906) 'Aus dem geistigen Leben und Schaffen in Westfalen' behandelte A. Bömer S. 57—136 eingehend 'das literarische Leben in Münster bis zur endgiltigen Rezeption des Humanismus' und K. Molitor, 'Ein westfälischer Bibliothekskatalog von 1353', S. 301—14, veröffentlichte das Testament des Stiftsherrn Mag. Johann v. Bersen mit dem Verzeichnis seiner hauptsächlich theologischen und juristischen Bücher, die er dem St. Martinsstift in Minden vermachte. E. M.

414. Die ältesten erhaltenen Trierer Stadtrechnungen: ein Steuerverzeichnis vom Jahre 1363/4

und die Rentmeistereirechnung von 1373/4, veröffentlicht G. Kentenich in einer als Ergänzungsheft IX des Trierischen Archivs erschienenen Sonderpublikation.
R. S.

415. In sorgfältigen palaeographischen und archivalischen Forschungen zur Ueberlieferung der ältesten Urbarien des Bistums Strassburg (Zeitschr. f. d. Gesch. des Oberrheins N. F. XXIII, 421 ff.) gelangt H. Kaiser zu dem sicheren Ergebnis, dass das älteste noch erhaltene Urbar des Bistums aus den Jahren 1351—53 in einer Abschrift aus dem Beginn des 15. Jh. vorliegt, die im Auftrage der Stadt Strassburg — oder der Stadt und des Domkapitels — angefertigt wurde und wahrscheinlich erst durch Grandidier aus dem Stadtarchiv in das bischöfliche Archiv gebracht wurde. Von dem nur teilweise erhaltenen Urbar des Jahres 1362 sind zwei Ueberlieferungen erhalten, die beide gleichfalls keine gleichzeitige Ausfertigung sind. Die eine stammt aus dem Beginn des 15. Jh., die andere hängt von der ersteren ab und war seit der zweiten Hälfte des 15. Jh. Handexemplar der bischöflichen Verwaltung. Das dritte gleichfalls unvollständige Verzeichnis von 1384 ist gleichzeitige Niederschrift. K. geht auch den noch erhaltenen Spuren des Gesamturbars von 1362 nach und stellt die Möglichkeit fest, dass es in der zweiten Hälfte des 19. Jh. noch vorhanden gewesen ist. H. H.

416. In der Basler Zeitschr. f. Geschichte u. Altertumskunde VIII, 1 ff. veröffentlicht C. Roth die Farnsburgischen Urbarien von 1372—1461, nämlich das Urbar des Grafen Sigmund II. von Tierstein-Farnsburg 1372/76, das Urbar der Falkensteiner von 1430 und einen Zinsrotel vom Jahre 1461, in welchem Basel Schloss und Herrschaft Farnsburg von den Falkensteinern erwarb. Eine kurze Einleitung gibt Beschreibungen der Hss. und informiert über die rechtlichen und wirtschaftlichen Verhältnisse der Herrschaft auf Grund der Angaben des ältesten Urbars von 1372/76. H. H.

417. In den Veröffentlichungen der hist. Landes-Kommission für Steiermark (Heft XXV, Graz 1908) verzeichnen A. Mell und V. Thiel aus den Beständen des K. K. Statthaltereiarchives und des steiermärkischen Landesarchives in Graz die Urbare und urbarialen Aufzeichnungen des landesfürstlichen Kammergutes in Steier-

mark. Im Anhang folgen Zusammenstellungen über die Urbare des landesfürstlichen Kammergutes in Kärnten, Krain und im Friaulischen. Eine grössere Anzahl der angeführten Urbare gehört noch dem Ende des 15., die Mehrzahl aber schon dem 16. Jh. an. Durch diese dankenswerte Uebersicht über das vorhandene Material soll einer Geschichte des steirischen Kammergutes vorgearbeitet werden. H. H.

418. J. Kapsas handelt in der Zeitschr. d. Ver. f. Gesch. Schlesiens XLII, 60—120 in eingehender Darstellung über das Thema Oberschlesische Landbücher. Ein Schlussabschnitt erörtert die Frage der Amtssprache in Oberschlesien. M. Kr.

419. In den Hansischen Geschichtsblättern Jahrg. 1908 S. 357 ff. setzt Friedr. Bruns die Publikation der Lübeckischen Pfundzollbücher 1442—1496 fort. H. W.

420. S. Hellmann bietet in den 'Texten und Untersuchungen zur Geschichte der altchristlichen Literatur' 34, 1 eine treffliche Ausgabe der im Mittelalter vielgelesenen, u. a. in Cathvulfs Brief an Karl d. Gr. (vgl. N. A. XXXI, 540), in den Beschlüssen der Pariser Synode von 829 und von Hinkmar benutzten Pseudo-Cyprianischen Schrift 'de XII abusivis saeculi'. Eine manche wertvolle Beobachtung gebende Einleitung unterrichtet zunächst über Entstehungszeit und Heimat: das kleine Buch ist zwischen 630 und 700 im südlichen Irland in den Kreisen verfasst worden, denen auch die Irische Kanonensammlung ihre Entstehung verdankt, in welcher die Schrift zum ersten Mal benutzt erscheint, wie sie denn auch anfangs unter dem Namen des Patricius auftritt; von Irland ist sie zu den Angelsachsen und auf das Festland gelangt, um hier Jhh. hindurch nicht geringen literarischen Einfluss zu üben. Die Ausgabe des Textes beruht auf 9 Hss., in welchen die Hauptgruppen der Ueberlieferung gleichmässig zu Worte kommen. W. L.

421. In der Revue Bénédictine 1908 p. 304—320 führt Emmanuel Flicoteaux aus, dass die Eclogae de officio missae, die unter dem Namen des Amalarius gehen, nicht von ihm herrühren, sondern später aus seiner Expositio missae excerpiert seien. Von diesem Werk, das er nach seiner Constantinopoler Reise an den Abt Petrus von Nonantola sandte, seien zwei Fragmente in der

Züricher Hs. erhalten und daraus gedruckt. Es ist dabei die Voraussetzung, dass Amalarius von Trier und Metz, die man früher unterschied, eine Person sind. O. H.-E.

422. Eine unbekannte Schrift des Abtes Isaak von Stella (Diöz. Poitiers) (c. 1147—1169), eine Exposition über das Buch Ruth, aus Cod. 45 der Bibliothèque Ste.-Geneviève, angeführt im Catalogue général des mss. des Bibliothèques publiques de France I, 37, erörtert Fr. Bliemetzrieder in den Studien und Mitteilungen aus dem Benediktiner- und dem Cistercienser-Orden XXIX (1908), 433 ff. Die Herausgabe behält sich B. vor, die Fortsetzung des Artikels über die Philosophie und Theologie Isaaks wird im Commer'schen Jahrbuch erscheinen. B. B.

423. Z. V. Tobolka veröffentlicht im 'Historischen Archiv' der Böhmischen Akademie der Wissenschaften n. 33 (1908, VIII u. 193 S.) die tschechisch geschriebene Schrift 'Jiri Spravovna' (König Georgs Verwaltung) des böhmischen Schriftstellers und Arztes jüdischer Abstammung Paulus de Praga oder Paulirinus, auch Paulus der Jude genannt (geb. 1413, gest. c. 1471), von der bis nun nur Bruchstücke bekannt waren. Die Schrift, wahrscheinlich nur eine Paraphrase und ein Auszug aus Pauls verloren gegangenem lateinischem Werk 'Liber viginti artium', verfasste P. auf Veranlassung K. Georgs; sie zerfällt nach T. in drei Bücher, deren erstes Belehrungen über die Pflichten eines Königs überhaupt gegenüber dem allgemeinen Wohle, deren zweites gleichsam Verhaltungsmassregeln für K. Georg selbst in den verschiedensten Verhältnissen enthält, während das dritte die guten und schlechten Taten der bedeutendsten Herrscher zusammenstellt, also gleichsam eine moralisierende Chronik darstellt. Eigenartig in ihrem Wesen, ungleich und unfertig in ihrer Ausführung ist die Schrift nicht ohne Wert für die Geschichte Böhmens und wurde auch von den älteren böhmischen Historikern, Palacky, Tomek, J. Jirecek u. a. mehrfach benutzt und berücksichtigt. Die Einleitung unterrichtet über die interessanten Lebensschicksale des unglücklichen Autors, über seine literarische Tätigkeit und über die handschriftliche Ueberlieferung des hier zum ersten Male vollständig edierten Werkes. B. B.

---

424. Der Pietät einiger der nächsten Schüler und Freunde Ludwig Traubes verdanken wir die Inangriffnahme der in hohem Masse wertvollen Publikation seines wissen-

schaftlichen Nachlasses, dessen erster Band vor kurzem erschienen ist: Vorlesungen und Abhandlungen von Ludwig Traube, herausgegeben von Franz Boll. I. Bd. Zur Palaeographie und Handschriftenkunde, herausgegeben von Paul Lehmann. München 1909, LXXV u. 263 S. Boll hat das Material gesichtet und den Editionsplan entworfen; in die Arbeit der Herausgabe werden sich, wie schon beim I. Bd., er und Lehmann teilen. Nach einer biographischen Einleitung folgt ein Verzeichnis der Veröffentlichungen Traubes und sodann die Aufzählung seines litterarischen Nachlasses. Nicht alles ist nach dem Urteil der Freunde für den Druck reif, aber das Wichtigste soll uns bescheert werden, und wenn die folgenden Bände in Durcharbeitung und Darstellung so wenig von den Schwächen solcher opera posthuma an sich tragen werden wie dieser erste, dann werden wir voll auf unsere Kosten kommen. Geplant ist die Herausgabe eines Werkes über die Halbunziale (Traubes Spezialität!), ferner die Vorlesungen 'Einleitung in die Philologie des Mittelalters' und 'Ueberlieferungsgeschichte der römischen Litteratur im Mittelalter', endlich eine Ausgabe der gedruckten kleinen Schriften, die Skutsch zusammenstellen will. Was der erste Band bringt, ist keine völlig geschlossene Darstellung der Palaeographie, wohl aber eine Behandlung der Gebiete, die Traube meisterhaft wie keiner beherrschte. Voran geht eine, Seite für Seite höchst lehrreiche, in der Auffassung von bekannten Darstellungen vielfach stark abweichende, wie ich aber feststellen muss, von Einseitigkeit nicht freie Geschichte der Palaeographie. Es folgen 'Grundlagen der Handschriftenkunde', deren eigenartiger Wert in Traubes überlieferungsgeschichtlichen Forschungen liegt, eine 'Lehre und Geschichte der Abkürzungen', ein Gebiet, über das wir am ehesten durch Traubes bereits erschienene bahnbrechende Arbeiten unterrichtet waren, und ein Anhang über 'die lateinischen Hss. in alter Capitalis und in Uncialis', der auch neben Chatelains Uncialis scriptura seinen bedeutenden Wert behält. Die Herausgeber verdienen unsern wärmsten Dank. Es wird ihr Verdienst sein, wenn uns von den zusammenfassenden Ergebnissen der Einzelforschungen Traubes viel mehr zugute kommt, als wir nach seinem frühen Hinscheiden zu hoffen wagten.

M. T.

425. Ueber 'eine Lütticher Schriftprovinz, nachgewiesen an Urkunden des 11. und 12. Jh.' handelt in sorgsamer und recht beachtenswerter Weise und mit

Heranziehung umfangreichen archivalischen Materials die Marburger Dissertation von Hans Schubert (Marburg 1908). Er gelangt zu dem Schluss, dass es misslich sei, die Schrift eines Einzelklosters fester zu fassen, dass es aber um so besser gelinge, für eine grössere Gesamtheit geistlicher Stiftungen eine solche Schriftprovinz nach charakteristischen Eigentümlichkeiten unter sich und Verschiedenheiten von anderen Schriftgruppen bestimmter abzugrenzen. Auf drei Tafeln sind leider recht karge, aber nicht ungeschickt ausgewählte Schriftproben zusammengestellt. M. T.

426. Anknüpfend an die Ausführungen Swarzenskis in dessen grundlegendem Buche über die Regensburger Buchmalerei legt P. Buberl ('Ueber einige Werke der Salzburger Buchmalerei des 11. Jh.', Kunstgesch. Jahrb. der K. K. Zentral-Kommission f. Kunst- u. hist. Denkmale 1907) in einleuchtender Beweisführung dar, dass das Perikopenbuch des Kustos Berthold aus der Bibliothek von St. Peter in Salzburg ebendort und nicht in Regensburg entstanden sei, und dass eine Admonter und eine Grazer Hs. derselben Schule angehören. Vermutungsweise verlegt er auch die Entstehung des Münchener Perikopenbuches Clm. 15713 (Cim. 179) nach Salzburg. Wir hätten also Salzburg nicht erst im 12., sondern schon im 11. Jh. als Zentrum einer Schreib- und Miniatorenschule anzusehen. H. H.

427. Nachträglich sei hingewiesen auf die Beschreibung und Abbildung, die A. Boinet von den Miniaturen der um 1100 entstandenen Hs. der Vita s. Audomari der Bibliothek von St.-Omer im Bull. archéol. du comité des trav. hist. et scientif. 1904 p. 415 sqq. gab.; sie sollen nach ihm die Vorlagen für bildhauerische Darstellungen in der Kirche gebildet haben. Die Hs. enthält auch den Brief des Bischofs Johann von Tusculum an Bischof Richard von Albano über Heinrichs V. Vorgehen gegen Paschal II. im J. 1111 (Mansi XXI, 59). E. M.

428. Eine Leipziger Dissertation von Wilh. Acht behandelt 'Die Entstehung des Jahresanfangs mit Ostern' (Berlin 1908). Der Verf. kommt zu dem Schluss, dass dieser sog. Paschalstil oder mos Gallicanus entstanden ist aus dem bis zur Mitte des 6. Jh. in Gallien üblichen Beginn des Kirchenjahres am 25. oder 27. März (bei stabilem Osterfest am 27. März). Zu der Verallgemeinerung dieses Brauches auch für das bürgerliche Jahr kam die

Einführung des beweglichen Osterfestes und die Uebernahme der Jahreszahl aus dem Inkarnationsstil. Während unter den Karolingern der Osterstil stark zurückgedrängt wurde, wurde er von der Kanzlei der Kapetinger akzeptiert und verbreitete sich von dort aus über Frankreich. Zu Anfang des 13. Jh. war er ganz überwiegend verbreitet und hielt sich, bis er wegen der vielen damit verbundenen Nachteile durch Edikt Karls IX. von 1564 offiziell beseitigt wurde. H. W.

429. Im Anschluss an frühere Arbeiten über flandrische Zeitrechnung (vgl. N. A. XXXI, 271, n. 111. XXXII, 587, n. 225) weist C. Callewaert in den Ann. de la soc. d'émul. de Bruges LVII (1907), 150 sqq. auf Grund der Regestenveröffentlichung von Coppieters (1906) den Weihnachts-Jahresanfang und die Bedasche Indiktion mit Beginn vom 24. Sept. in den Urkunden Philipps von Elsass, Grafen von Flandern, überzeugend nach. E. M.

430. Die Revue numismatique XI (1907) enthält folgende Beiträge zur merowingischen Münzgeschichte: G. Amardel, 'Trois monnaies mérovingiennes d'argent inédites', p. 66 sqq.; P. Bordeaux, 'Triens mérovingien du monétaire Dedo et siliques franques', p. 229 sqq.; M. Prou et S. Bougenot, 'Catalogue des deniers mérovingiens et anglosaxons de la trouvaille de Bais (Ille-et-Vilaine'), p. 184. 362. 481 sqq. — Ebenda handelt p. 106 E. A. Stückelberg über 'Une monnaie de l'antipape Felix V'. E. M.

431. C. Jahnel, Einige Bemerkungen zur Geschichte der 'Marienkirche in Aussig' (Mitteilungen des Vereines für die Geschichte der Deutschen in Böhmen XLVII, 1908, 110 ff.) berichtigt und ergänzt die Ausführungen von J. Hrdy über den gleichen Gegenstand; vgl. N. A. XXXIV, 317, n. 238. B. B.

432. Ueber die sog. Kaiserdalmatik zu St. Peter in Rom und den Krönungsmantel Kaiser Ottos III. handelt Aug. Kolberg in der Zeitschr. für die Gesch. u. Altertumsk. Ermlands XVII, 175 ff. Danach ist die heute noch zu St. Peter verwahrte sog. Kaiserdalmatik der von Otto III. bei der Kaiserkrönung im J. 996 verwandte Mantel, ein Tributstück der Venezianer, das der Kaiser dann dem h. Adalbert nach der Umarbeitung zu einem Pallium schenkte. Das undatierte, in den MG. Leges II, 78 (Folioserie) gedruckte Krönungszeremoniell 'ordo coronationis Romanae' bezieht er auf die Krönung Ottos III. H. W.

Neues Archiv

der

Gesellschaft für ältere deutsche Geschichtskunde

zur

**Beförderung einer Gesammtausgabe
der Quellenschriften deutscher Geschichten des Mittelalters.**

Vierunddreissigster Band.

Hannover und Leipzig.
Hahnsche Buchhandlung.
1909.

Hannover. Druck von Friedrich Culemann.

Inhalt.

XII.

Zu den Karolingischen Rhythmen.

Von

Karl Strecker.

I. Der Codex Leidensis Voss. Lat. Q. 69.

P. v. Winterfeld hat mehrfach auf den Wert der Leidener Hs. Voss. Lat. Q. 69 für die sogenannten Karolingischen Rhythmen aufmerksam gemacht. Leider waren seine Kollationen in dem Nachlasse zum grössten Teil nicht zu finden, darum sah ich mich genötigt, die Direktion der Leidener Universitätsbibliothek um nochmalige Uebersendung des Codex zu bitten, die auch in der freundlichsten Weise bewilligt wurde. Es stellte sich heraus, dass der Inhalt der schon oft von verschiedenen Gelehrten zu den mannigfaltigsten Zwecken ausgenützten Hs. noch immer nicht vollständig erschöpft ist; so möchte ich, was für mittelalterliche lateinische Litteratur darin Unbenutztes enthalten ist, hier vorlegen.

Die Hs. ist in ihrem Hauptbestandteil fol. 7^v—46^r mit gleichmässigen Zügen um 800[1] geschrieben. Ob eine oder mehrere Hände tätig gewesen sind, ist schwer zu sagen. Fol. 20, mit dem Anfange der Glossen, beginnt weit hellere Tinte, doch tritt stellenweise die dunklere wieder ein, um schliesslich die Oberhand zu behaupten. Zum mindesten gehören die Schreiber derselben Zeit und der gleichen Schule an. Anders ist es mit dem Anfange und Ende. Ueber das letztere vgl. N. A. X, 336. XXIII, 741. Am Anfange stehen 6 Blätter, die im 11. Jh. geschrieben und erst später hier angebunden sind. Sie bilden aber keinen Ternio; allerdings ist die Zusammengehörigkeit diese

doch ist hinter 3 durch Ausfall eines Doppelblattes eine Lücke entstanden. Ich gebe einen Ueberblick über den Inhalt.

---

1) Nach Traubes Urteil, vgl. Glogger, Das Leidener Glossar Cod. Voss. lat. 4. 69, Programm, Augsburg 1901, S. 2.

Fol. 1—3 enthalten die tiburtinische Sibylle (vgl. Sackur, Sibyllin. Texte u. Forschungen S. 117 ff.). Da die älteste bis jetzt bekannte Fassung E aus dem Jahre 1047 stammen soll, so wird unsere Hs. einen ungefähr gleichzeitigen Text bieten und von einigem Werte sein. Ich mache darauf aufmerksam, dass sie die einzige ist, die an der wichtigen Stelle Sackur S. 183, 6 mit der erwähnten Hs. E 'Tunc exsurget rex Salicus E nomine' liest, während alle anderen, späteren C haben. Im folgenden gebe ich die Varianten ohne Rücksicht auf orthographische Abweichungen nach Sackur S. 177 ff.: 'Incipit prefatio in libro Sibillę'. 2 'hominibus]·omnibus'. 3 'prenuntiare'. 4 'prima] una'. 5 'troiano'. 6 'eritrea in Bab. orta'. 9 'aellespontia'. 10 'greca'; 'et] ex'. 12 'Explicit ellibbis rebil tipicni ∸'. 13 'uit', die Initiale ist nicht ausgeführt. 178, 2 'vaticiniis suis'. 4 'Palarmum'. 7 'ventura predixit'. 9 'traiani'. 10 'fecit eam cum'. 13 'Videbant in visu'. 15 'Primus sol splendidior magnus aethereum habens claritatem. Tercius'. Von anderer Hand ist übergeschrieben 'erat splendidus et fulgens super omnem terram. Secundus sol', ohne dass 'splendidior' getilgt wäre. Dann ist das Uebergeschriebene wieder ausgewischt und von derselben Hand, wie es scheint, am Rande wiederholt mit der Wortstellung 'spl. et f. erat s. o. t. Sec. sol'. 28 'venusta vultu, aspectu decora'. 30 'dulce'. 179, 3 'numquam — non vidimus'. 4 'in unam noctem' L[1]. 8 'apentinum'. 9 'prenuntiabo'. 14 'Primus sol'. 19 'colentesque'. 23 'habet'. 25 'filii'. 28 'adiunget'. 31 'gloria in excelsis usque bone voluntatis'. 180, 5 'respondit . . dixit: o iudei'. 11 'crescet per etates' L[1]. 16 'conprehendent eum. In manus infidelium postea veniet. Dabunt autem deo alapas'. 17 'expuent impur||o' (aus 'impurato') 'ore venenata sp.'. 18 'simplicem sanctumque dorsum . . . . . . tacebit, ne quis agnoscat quod verbum vel unde venit ut inferis locatur et corona spinea coronetur. Ad cibum . . . . dabunt. Inhospitalitatis hanc monstrabunt mensam et suspendent'. 20 'valebit eos. Ipsa enim insipiens tuum deum non intellexisti ludentem mortalium sensibus, sed spinis coronasti et horridum fel miscuisti[1]. Templi enim

---

1) Vgl. die Sibylle bei Lactanz De div. inst. IV, 18:

εἰς δὲ τὸ βρῶμα χολὴν καὶ εἰς δίψαν ὄξος ἔδωκαν,
τῆς ἀφιλοξενίης ταύτην δείξουσι τράπεζαν und

αὐτὴ γὰρ δύσφρων τὸν σὸν θεὸν οὐκ ἐνόησας
παίζοντα θνητοῖσι νοήμασι ἀλλὰ καὶ ἀκάνθαις
ἔστειψας στεφάνῳ, φοβερήν τε χολὴν ἐκέρασας.

Hrab. Maur. de Universo XV, 3; Sackur S. 175.

velum scindetur et medio die nox erit tenebrosa nimis in tribus horis et morte morietur tribus diebus somno suscepto. Et tunc ab inferis regressus ad lucem veniet primus resurrectionis principio revocatis ostenso. Die tertia resurgens ostendet se'. 24 'galileam' L[1]; 'galilea' L[2]. 25 'lege propria'. 27 'subicientur ei omnes'. 29 'generatio est'. 30 'in terra'. 181, 1 'generatio erit oct.'. 2 'pariemur'. 4 'autem] vero'. 7 'sanguis'. 9 'civitates et gentes tremescunt'. 10 'disperdentur'. 13 'surget'. 14 'edificavit'. 15 'adimplet; iustitiam] iudicium'. 16 'terra'. 17 'expugnabit' L[1], von erster Hand korr. 18 'erit rex B et de B proceditur'. 182, 1 'saligus'. 2 'de' fehlt. 3 'tanta namque erit in eo divina gratia'. 5 'in' fehlt. 6 'autem' fehlt. 8 'L nomine'. Dieses 'nomine, per . . nomine' u. s. w. steht unregelmässig und wird im folgenden nicht mehr notiert; 'procedent'. 11 'aqua terram'. 14 'salicus'; 'ipse' fehlt; 'potestatem in terra'. 15 'c̄pugnans contra'. 17 'pauperibus' fehlt. 23 'multum sanguinis effusio'. 25 'prelię'. 26 'in cappadocia et pamphiliam et captivabunt . . temporis'. 183, 4 'et multę pugnę'. 9 'tarantum'. 11 'qui eis resistat'. 12 'et Persidam'. 15 'pacem annis aliquantis'. 17 'locustę'; 'arbores] labores'. 18 'cruciabunt'. 20 'indignabunt'. 21 'In diebus illius' ('Et' fehlt). 23 'erant' L[1]; 'erunt' L[2]. 26 'sanctorum; fornicatores'. 27 'visio] iussio'. 29 'et amantes'] 'et' fehlt. 184, 1 'accipiendam' fehlt. 3 'in illis diebus'; 'et' fehlt (dreimal). 4 'fient'. 5 'civitates et regiones'. 6 'demergentur; peccorum'. 10 'veniet obtinebit'. 11 'aliquantulo; Romam captivabit'. 12 'mortificabit'. 13 'illius sed erit magnus et bonus'. 14 'iudicium et iustitiam'. 16 'procedent; regnabitque'. 17 'surget rex E nomine Salicus'. 20 'sanguis effusio'. 23 'iratus erit terrae'. 25 'homines rapaces cupidi'. 27 'exterminium'. 27 'erit in terra'. 28 'pro eis resistat'. 185, 1 'grecorum et Romanorum'. 2 'et — Grecorum' fehlt. 6 'divitiae magnae'. 9 'omnem'. 10 'ergo' fehlt. 11 'devastabit' fehlt. 12 'destruet templa'. 13 'templa idolorum; Christi Iesu'. 14 'eius' fehlt. 15 'crucem'. 16 'CXII anni'. 20 'et' fehlt. 21 'et' fehlt. 25 'sicut ebdomade et ebdom.'. 186, 1 'et — puncti' fehlt. 2 'Indus' fehlt. 3 'autem' fehlt. 6 'in hierusalem'. 7 'et ibi deposita diadema a capite et omnem habitum regale'. 8 'deo patre'. Mit Zeile 11 'hierusalem' schliesst das Blatt, der Schluss ist verloren.

f. 4 beginnt 'terrę elementa sunt mutata . et ilico signa renovantur antiqua et ad hictu ferientis lanceę tanquam ex materia sensibili aqua et ignis distillare cepit ad laudem et gloriam eterni dei patris'. Es handelt sich um die unter dem Namen des Athanasius gehende Predigt über das Kruzifix von Beryt, das von Juden durchstochen wird und durch die von dem hervorquellenden Blute ausgehenden Heilungswunder die Bekehrung der ganzen dortigen Judenschar herbeiführt; vgl. v. Dobschütz, Christusbilder, Beilagen S. 280 ff. Wir haben hier eine Fassung, die am meisten zu dem bei Migne, Patr. Graeca XXVIII, 811 (unten) ff. abgedruckten Texte stimmt: Petrus von Nicomedien liest den zu Caesarea in Cappadocien versammelten Bischöfen die Schrift des Athanasius über das Kruzifixwunder vor. Die Uebereinstimmung ist teilweise wörtlich, teilweise nur inhaltlich, von einer Angabe der Varianten sehe ich ab; hervorheben möchte ich nur, dass der Cap. IV erwähnte Metropolitanus hier den Namen Adeodatus trägt. Die Reihenfolge der Personen, die das Bildnis nach dem Tode des Verfertigers Nicodemus besessen haben, ist hier Gamaliel, Zacheus, Iacobus, Simeon, Matthias. Das VII. Capitel fehlt in unserem Text, dafür wird das Ende der Versammlung der Bischöfe berichtet. — Da von der Sibylle der Schluss und von dieser Erzählung der Anfang fehlt, so wird man annehmen dürfen, dass sie an einander schlossen, mithin nur ein Doppelblatt verloren ist.

Wertvoller als das vorhergehende Stück ist nun das folgende: 'Incipit tractatus ex libro Sirorum translatus in Latinum a domno Smira archiatrali de quodam linteo divinitus transformato, qui in hac sollemnitate optime congruit'. Es ist der ältere lateinische Abgartext, den v. Dobschütz, Christusbilder, Beilagen S. 130 f. gedruckt hat. Die Hs., die er zu grunde legt, ist aus dem XIV. Jh., um so wertvoller muss eine Hs. des XI. Jh. sein, die denselben Text bietet. Ich gebe darum die Abweichungen von dem von v. Dobschütz hergestellten Texte: 131, 1 'ex libro Sirorum'. 3 'valde] optime'. 132, 1 'salute hominum pateretur'. 9 'in Hierosolimam suam; epist. dir. deprecatoriam'. 13 'toparchię Ichame', also wie p (die zu grunde gelegte Pariser Hs.). 16 'diversas curas languoribus; curare'. 17 'e duobus'. 19 'ante nemo; potuit'. 20 'fatigare'. 21 'detineor in grabato per a. pl.' (also wie die zweite Hs. d). 24 'tibi et mihi'. 37 'heu] hunc', sicherlich richtig; d hat 'hoc'. 39 'Quem] que'. 42 'Quam' in Uncialen, ausserdem ist für eine Initiale Raum gelassen. 44 'mortificando sublimari'. 45 'propriis ab eo descripto m.'. 48 'quodam'. 49 'vel auditu' fast wie 'inlauditu'. 50 'transformata repente est' wie d. 56 mit den Worten 'In precipuis vero' schliesst die Seite und damit das unserer Hs. vorgeheftete Stück aus dem 11. Jh. Uebermässig ist der Gewinn ja nicht, den der Abgartext hat, aber einige Stellen können doch sicherer hergestellt werden. Und lohnend ist ein Vergleich mit der Beschreibung, die von Dobschütz S. 130 von seinem Pariser Codex p 6041 gibt: 'derselbe enthält eine Sammlung der nach damaligen Begriffen interessantesten und wertvollsten Geschichtsquellen, zumal solcher, die auf den Orient Bezug haben, so . . . . . Sibylle Tiburtine vaticinium f. 124—127, (Thomasevangelium f. 127—128 von späterer Hand), libellus de passione Ymaginis Christi f. 129—131, Epistola Abgari f. 131—132'. Der Zusammenhang springt in die Augen, p stammt aus einer Hs., die mit unserer sehr nahe verwandt war; fast könnte man daran denken, p sei aus der noch unverstümmelten Hs., aus der unsere Blätter übrig geblieben sind, abgeschrieben, doch lassen sich manche Abweichungen dann nicht recht erklären.

f. 7^r, die erste Seite der alten Hs. L, ist leer.

fol. 7^v 'Incipit opus Furtunati in laudem sanctae Mariae' (ed. Leo S. 371 v. 1—44). Da die Hs. von Leo nicht benutzt wurde, notiere ich die Varianten und füge die Hss. hinzu, die dieselbe Lesart aufweisen. 1 'de virginis partu' LS. 4 'viri' LSG^2. 6 'ipsa' LS. 7 'terreus' L^1. 8 'Emmanuel . . virgini tante'. 10 'radices' $LPQG^1$. 17 'Eecce . . veniunt . . . iermen'. 20 'eros' L^2G^2. 21 'ista] iuxta' (wohl = 'iusta'). 22 'lira corda'. 23 'dicit (dic̄)'. 25 'est' fehlt. 31 'coniuncta' L^1. 32 'sit'. 33 'acepit' L^1 ('accepit' Q). 36 'carnem' L^1. 40 'origo] virgo' L^1; 'et virgo' L^2. 41 'dina' L^1. 44 'patre' L^2. An einigen Stellen tritt eine gewisse Verwandtschaft mit den beiden St. Galler Hss. G u. S hervor.

Nun folgt der uns besonders angehende Teil der Hs., die Rhythmen.

fol. 7^v 'Rhythmus auf die Zerstörung Jerusalems, beginnend 'Arvi poli conditorem'. Abecedarius in troch. Fünfzehnsilbern, 23 Strophen zu 3 Zeilen mit Refrain. Unten abgedruckt.

fol. 8^v. 'Versus de Asia et de universi mundi rota', beginnend 'Asia ab oriente', herausgegeben von Pertz, Abh. der Berl. Akad. 1845 S. 253 ff. und von mir im Programm des Kgl. Luisengymnasiums zu Berlin 1909.

fol. 9r 'De sex ętatibus mundi', das von Dümmler Zeitschr. f. deutsches Alt. XXII, 423 aus einer St. Galler Hs. S veröffentlichte Gedicht des Theodofrid. Unsere Hs. zeigt, dass die von W. Meyer, Kl. Schr. I, 213 hervorgehobene Roheit der Form zum Teil auf das Konto der Ueberlieferung kommt. 1, 3 'una cum spiritu sancto'. Das ist Prosastellung, 'una' ersetzt vielleicht das geforderte 'et'. 1, 4 'ordi|||nes' aus 'ordinesnes'. 1, 5 Hinter jeder Strophe hat L den Refrain 'Deus qui iustus semper es laudabilis', der in S gänzlich fehlt. Der Refrain war in der Rhythmendichtung der Zeit sehr beliebt, und es ist nicht zweifelhaft, dass die Zeile aufzunehmen ist. 2, 2 'Teodofredis' L (viersilbig zu lesen). 1, 3 'de sex aetates' richtig. 3, 1 'Adam plasmato'. Der Nom. absol. 'Adam plasmatus' in S ist natürlich nicht zu beanstanden, aber bei dem Charakter der Ueberlieferung in L ist nicht anzunehmen, dass aus grammatischen Bedenken 'plasmato' korrigiert wäre, mithin ist diese Lesart mindestens gleichberechtigt. 3, 2 'drago'; 'fraudulenter'. 4, 1 'crudelem' L; 'crudilem' S. 4, 2 'occidit'. 5, 2 'ostenditur'. 5, 3 'Qui ita dixit' gibt die geforderten 5 Silben. 5, 4 'occidi virum in vulnere pessimo', vgl. Gen. 4, 23: 'quoniam occidi virum in vulnus meum et adolescentulum in livorem meum'. Für 'vulnere' spricht der Wortlaut der Stelle, für 'livore' vielleicht der Tonfall. 6, 1 'a domino'; v. Winterfeld, dessen Abschrift ich für dies Gedicht benutzen kann, schreibt 'Ductus Enoch in cęlis ⟨est⟩ a domino'. Besser scheint mir 'Ductus ⟨est⟩ Enoch', so erhält die erste Vershälfte die geforderten 5 Silben. 6, 2 'et ambulavit una cum spiritu sancto'; vgl. 1, 3. — Es ist merkwürdig, wie bei dieser Formel die Hss. schwanken. Bei Du Méril 1854 S. 280 (Chant sur la nativité) hat 1, 2 die Brüsseler Hs. 'ut Maria fecundaret de sancto spiritu', d. h. 'espiritu', die Leidener dagegen 'de spiritu sancto'. In dem unten abgedruckten Rhythmus, der mit dem eben angeführten verwandt ist, hat L wiederum 'ut Maria conciperet de spiritu sancto'. P. Kar. II, 253, Str. 15, 3 schreibt Dümmler 'utraque natura deus cum spiritu sancto, amen'. Der Vers ist nicht schön, 'amen' gehört sicherlich nicht mehr dazu, auch hier wird er enden müssen 'cum sancto espiritu'. In L fehlt leider diese Strophe, die Münchener Hs. hat den Knoten zerhauen und schreibt 'cum sancto spiramine'; 'espiritu' ist auch zu lesen Dümmler, Rhythm. ecclesiast. specimen XVI, 3, wo überliefert ist 'de sancto et spiritu'. — 6, 3 'Elię'; 'dormiet', besser wohl 'dormiens', er ruht im Paradiese, also Gegenwart, und wird als Prophet auftreten, vgl. die Antichristsage. 7, 1 'Ecce intravit Noe in arcam domini'. Die erste Vershälfte ist richtig, in der zweiten ist vielleicht 'in' zu tilgen. 7, 2 'omne'. 7, 3 'nuris] maris'. 7, 4 'finivit'. 8, 2 'et' fehlt. 8, 3 'de magno periculo'. 9, 3 'pater gentium Abraham', also wohl nach S 'patri', nach L ist 'in' zu tilgen. 9, 3 'loquitur sub arbore' L[1]; zweifellos ist in dieser Fassung der Vers wohlklingender, aber L[2] und S stimmen überein. 10, 1 'filius' fehlt. 10, 2 'quem ante deus Abraham promiserat', wohl richtig, das 'repromissus — promiserat' ist sicherlich dem Dichter zuzuschreiben. In der Vorlage von S war offenbar Isaac als Erklärung über 'filius' geschrieben und hat dann 'Abraham' verdrängt. 10, 3 'ipse Rebecce iungitur coniugio'. 10, 4 'quo'; 'nascuntur' richtig; 'in utero' vielleicht ebenfalls, vgl. Gen. 25, 24.

11 Iacob a patre suo benedicitur,
quem fratri suo Esau subripitur,
quem ipse pater miseranter ordinat,
ut iugum sibi de cervicis offerat.

Diese Fassung wird im wesentlichen ursprünglich sein. V. 2 'quem' ist aus v. 3 entstanden, vermutlich muss es 'quae' (sc. 'benedictio') heissen oder 'quam fratri suo Esau subripuit', vgl. Gen. 27, 36. V. 4 ist 'cervicis' merowingisch = 'cervices' S und nicht zu beanstanden. 'offerat' verderbt für 'auferat'. 12, 1 'fugivit' L ist mit 'fugebat' S gleichberechtigt; 'cum duabus filias', S hat richtig 'duas'; 12, 2 'et hospitando invenerunt gratiam', also wohl 'qui hospitando'. 12, 3 und 4 sind auch in L nicht recht verständlich; 'ex ipsis nascuntur gentes Moabitide, in quibus verbis se carnis conglutinant'. Natürlich ist auf Gen. 19, 31 sq. angespielt, für 'ipsis' wird aus S 'quo' einzusetzen und V. 3 u. 4 umzustellen sein. 13, 1 'Iosep'. 13, 2 'noluit ad dominam'. 13, 4 'ne macularet fidem quam'. 14, 1 'reduxit populum per heremum'. 14, 2 'quam Pharao adflixit in': hier ist aus S 'rex' aufzunehmen 'quam rex Pharao', dagegen 'adflixit' dem 'obprimebat' vorzuziehen. 14, 3 'ipse accepit legem coram domino'. 14, 4 fehlt, dafür ist der Refrain, der von Str. 2 an nur angedeutet war, hier ausgeschrieben. Mit dieser Strophe endet in unserer Hs. der Rythmus, doch sind 2 halbe Spalten freigelassen, um den Rest (aus einer leserlicheren Hs.) nachzutragen. Die Form des Gedichts hat durch L wesentlich gewonnen, die Pause steht regelmässig hinter der fünften Silbe, denn 6, 1 'Ductus ⟨est⟩ Enoch' darf man doch wohl wagen, sämtliche Verse haben 12 Silben oder sind durch eine leichte Aenderung zu heilen. Nicht so leicht lassen sich die wenigen 5 ◡ — zu 5 — ◡ verbessern und mögen ursprünglich sein. Für die zweite Hälfte des Gedichts muss natürlich dasselbe gelten: wo das Versmass verletzt ist, halte ich die Ueberlieferung für falsch. An einzelnen Stellen ist das ganz deutlich.

fol. 9^v 'Incipit ('incipiunt? incip̄' L) versus de adventu domini', das von Du Méril 1854 S. 280 aus der Brüsseler Rhythmenhss. herausgegebene Gedicht 'A superna celi parte', teilweise stark abweichend.

fol. 10^r 'Angelus venit de ȩelo'. Abecedarius, nur bis L reichend, dafür sind 2 halbe Spalten freigelassen, ebenso wie bei dem Gedichte 'De sex aetatibus mundi.' Der Text folgt unten.

fol. 10^v 'Item versus de Iesu Christo domino. Gratuletur omnis caro', am besten herausgegeben von Dümmler im Anhange zu Hraban P. Kar. II, 252. Ich gebe die Abweichungen von diesem Drucke und zugleich übereinstimmende Lesarten anderer Hss. an: 1, 2 'qui a culpa protoplausti' L; 'protoplausti' schreibt auch B, die Brüsseler Hs., 'protoplausto' auch C, der Kölner Codex XXXV saec. IX. f. 224^1 (bei Jaffé und Wattenbach, Eccles. Col. cod. p. 105). 1, 3 'quod' (so auch Morels Abdruck S. 12). 2, 2 'servi formam suscepit', 'suscepit' auch BC. 3, 1 'Magnum' L^1; 'iohannis'. 4, 1 'et vox' (mit B), 'et' aber getilgt; 'ēcōm̄s filius', d. h. 'ecce omnis filius', über 'omnis' steht (von erster Hand?) 'mens'. 4, 2 'conplacuit' (so auch CF), 'con' getilgt; 'dominum' mit B. 4, 3 'ipsum' L^1 mit BC; 'que' fehlt, 'ac' schreibt L^2 (erste Hand?) über. 5, 1 'surdos audire' L^1. 5, 2 'gressum' mit B; 'vivescere' mit B. 5, 3 'mundare' mit C, aus 6, 1. Da B das richtige 'curare' bewahrt hat, mag in C und L der Fehler unabhängig von einander aus Str. 6 entstanden sein. Freilich ist in L die Strophe 6 ausgefallen, das beweist aber nicht, dass sie auch in der Vorlage fehlte. 7, 1 'immolare' L^1. 7, 2 'sputos infectis coronatis' L^1. 7, 3 'lignoque claves' L^1; 'per claves' von zweiter Hand. Doch ist über 'e' radiert, vielleicht war zuerst 'lignoque clavis' mit langem i geschrieben; 'patibulum' L^1. 8, 1 'lignum' L, o von zweiter Hand übergeschrieben; 'fides vera' LB. 'putrum' L^1, von zweiter Hand korr. 8, 2 'qua' L^1; 'sacra' L^1, 'menta' von zweiter Hand übergeschr. 8, 3 'aquā' L^1; 'aqua' L^2, Str. 9 fehlt. 10, 1
chaos sol us at
'Verus pepulit illitri', also von späterer Hand korrigiert 'Verus chaos sol illustrat'. Hier ist die Wertlosigkeit der Verbesserungen der zweiten Hand ganz deutlich. Uebrigens

hat sich der Mann nicht übel zu helfen gewusst. 'Verus pepulit ilitri' auch die Kölner Hs., die allein ausser L die Strophe bewahrt hat; 'inferus' L[1]. 10, 2 'captivitas' L[1]; 'captivitos' (d. h. — tås) L[2], von zweiter Hand verbessert. 10, 3 'paradiso'. 11, 1 'ferrea] cethea' wie C; 'disrumpit' L[1]. 11, 2 'terra' von erster Hand übergeschrieben. Mit 11, 3 schliesst das Gedicht in L, zum dritten mal bringt die Hs. nur die erste Hälfte eines Rhythmus. Sie weist in diesem Gedichte deutlich Verwandtschaft mit der Brüsseler und Kölner auf. — Ich benutze die Gelegenheit auch aus der Brüsseler Hss. folgende Varianten nachzutragen: 4, 2 'conplacui'. 8, 3 'aqua'. 12, 2 'fortis', 'o' aus 'e' korr. von erster Hand. 15, 2 'immolatus'. 15, 3 'deus natura cum scō spū' ohne 'amen'. Ferner ist zu bemerken, dass die von Dümmler im Apparat abgedruckte Strophe zwischen 14 und 15 steht, nach Dümmlers Angabe könnte man annehmen, dass die Strophe 'Gloria aeterno patri' fehlt, das ist aber nicht der Fall. In der Plusstrophe hat B Zeile 2 'relavavit'[1].

11[r] ohne Ueberschrift. 'Audite omnes canticum mirabile de cruce Christi, quantum fructum prębuit'. Gedruckt von v. Winterfeld Zeitschr. f. d. Alt. XLVII, 89 ff.

fol. 11[v] ohne Ueberschrift. 'Alma vera ac preclara inlibata caritas', ed. Dümmler P. Kar. II, 255. Die zahlreichen Abweichungen sind bei der mangelhaften Ueberlieferung hier besonders wichtig. 1, 1 'inlibata' L. Obwohl B mit F geht, möchte ich die charakteristische Lesart für echt halten. 2, 2 'consentaneos' mit F. Hinter diesem Worte ist bei Dümmler das Komma zu tilgen. 2, 3 'pena'. 3, 2 'bonum] iustum' mit F; 'qui] q:'. 3, 3 'quam'. 5, 3 'simul] soli'; es ist deutlich, dass 'simul' in B aus 5, 2 entstanden ist und die Lesart von L Beachtung verdient, zumal sie durch 'sola' in F gestützt wird. 'compata' L[1], von erster Hand korr. 6, 1 'fatetur malus'. 6, 2 'rigosa et'

1) Zu P. Kar. II, 254 'Surrexit Christus' ist aus B zu notieren: 1, 2 'suscetavit'. 1, 3 'mortem'. 1, 3 'quē'. Str. 3 fehlt, also ist im Apparat zu 3, 1 und 3, 2. 3 das B zu streichen. 6, 3 'neglentiam'. 6, 4 'dona/'. 7, 2 'paradiš'. — P. Kar. I, 133 'Fuit domini': 2, 2 'pretiosi' FB. 4, 1 'mystice'. 4, 3 'fixum clavis per scissuram et apertum lanceae'. 6, 2 'pretioso' VB. 7, 2 'quorum' V2 B. 8, 4 'desolatas' B[1] von erster Hand korr. 9, 1 'non ad mortem non' B. 10, 4 'vivunt' fehlt nicht in B. — P. Kar. I, 144 'Gloriam': 6, 3 'premet'. 37, 3 'premet' B[1]. 38, 2 'respersit amen'. 38, 3 'hac in lucero sōli'. 39, 2 'collecti testis' (von ganz junger Hand das 't' getilgt). 42, 2 'paraclyto'. 42, 3 'per] semper' ('sem' auspunktiert).

intollerabilis'. 6, 3 'nequa'. 7, 2 'alacra' mit B. Kein Schreibfehler, vgl. 11, 2, und in den Text zu setzen. 8, 1 'Heu qua quam'; 'est' fehlt wie in B und ist zu streichen, denn 'heu' ist zweisilbig zu lesen wie oft, vgl. Traube, Karol. Dichtg. S. 112 f. 8, 2 'frendenque'. 9, 2 'que' fehlt; 'proximum' hat B. 10, 1 'Kalix' mit B. 10, 3 'quod' mit F; 'nomine'. 11, 2 'alacro' mit B, aufzunehmen. 12, 1 'mala' mit B. 12, 3 'placito'. 13, 1 'conlaetetur'. 13, 3 'susciperunt'. 14, 1 'namque' vielleicht richtig. 14, 2 'latae'. 14, 3. F hat den Vers nur halb, in B fehlen Str. 14—23, L. gibt 'quosque vult considerare rogas vita flammeos', eine unverständliche Lesart. Da es sich um die Geschichte vom reichen Manne und armen Lazarus handelt, so mag etwa 'rogos . . flammeos' ursprünglich sein, doch eine Heilung finde ich nicht. In V. 2 heisst es wohl 'ullum puto latet'. Dass hier alle 3 Hss. versagen, lässt darauf schliessen, dass die Vorlage recht unleserlich war. Das stimmt zu dem Umstande, dass in L von 4 Gedichten nur die erste Hälfte überliefert ist. 15, 1 'conlocatur'; 'habrahę'. 15, 2 'patriarchis glomeratis' ('clomeratis' L[1]); 'deget sanctis sedibus', wodurch der Vers einen guten Sinn erhält. 16, 1 'christianę'. 16, 3 'post vitam' aufzunehmen. 17, 2 'reddet' aufzunehmen; 'fatis et meritum'. 17, 3 'quem post huius secli finem omnes ymmo paenetrant', leider wird der Vers nicht besser durch die neue Lesart, 'quem' gibt so wenig Sinn wie 'quae' und 'ymmo (immo)' so wenig wie 'in imo'; etwa 'quo post huius secli noctem omnes simul penetrant'? 18, 1 'Sana fides at est (fides atẽ) homo', der Vers ist wenigstens richtig, was von dem gedruckten Text nicht behauptet werden kann, aber die Korruptel ist nicht geheilt. Der Schreiber setzt deswegen, wie es scheint, ein Kreuz an den Rand, ebenso wie zu 'illitri' fol. 10^v. 18, 2 'ipsa' fehlt. 18, 3 'lata'. 19, 1 'beati'. 19, 3 'et tunc' richtig? 'dicto atque facto'. 20, 1 'salpix'. 20, 2 'hunc'; 'populi'. 20, 3 'capissere'. 21, 1 'vocis'. 21, 2 'trahae'; 'sequere' aufzunehmen. 21, 3 'luxque] vera'; beides ist möglich, es scheint aber auf Ev. Joh. 14, 6 Bezug genommen zu sein: 'Ego sum via et veritas et vita', darum möchte ich 'vera' für richtig halten, sei es, dass der Dichter dem Verse zu Liebe ein Substantivum 'vera' (entsprechend dem 'via' und 'vita' gebildet hat, sei es, dass er 'vera' als Adjectivum zu dem vorhergehenden Substantivum gezogen wissen will. Auf alle Fälle aber haben 'vita' und 'via' ihre Plätze zu tauschen, Christus kann wohl als 'ewiges Leben' aber nicht als 'ewiger Weg' bezeichnet werden, ausserdem bezeugt es auch die Johannesstelle. Also auch hier F und L in einem Fehler übereinstimmend! 22, 1 'dicamus sacra sancta'; 2 'tu es quia'; 3 'es homen'. 23, 1 'luces] en'; 'gemme'. 23, 2 'spendens' L^1 von erster Hand korr.; 'sedens] scandens' aus 22, 2.

fol. 12^r. 'Angelus domini Mariae nuntiat' ohne Ueberschrift; vgl. Dümmler, Rhythm. ecclesiast. n. 2. Ueber die Abweichungen siehe unten.

fol. 12^v 'de bone sacerdote' (Dümmler, P. Kar. I, 79). 1, 1 'fontem vitae'. 1, 2 'axio'; 'rennuere'. 3 'aulem'; 'cura tua exibeat'. 2, 1 'commissis ovibus'. 2, 2 'monte'. 2, 3 'inprobam'. 3, 1 'Cursus'; 'mentem suam'; 'occupat'] statt 'a' hatte der Schreiber zuerst 'c' geschrieben. 3, 2 'aut augeat'. 4, 3 'dominum'. 5, 1 'Excitet'. 5, 2 'et' fehlt. 5, 3 'exterris'. 6, 3 'germina'; 'opem'. 7, 1 'iussit] iam'. 7, 2 'triperpertrita' ('per' auspunktiert). 8, 1 'gradis'. 8, 2 'refugi dilitias'. 8, 3 'curram'; 'propria'. 9, 2 'audientium'. 10, 1 'est' von erster Hand übergeschr. 10, 2 'aequaliter diligat'. 11, 1 'Lignas'; 'retendans', aus 'retendas' von erster Hand verbessert. 11, 3 'possit et'. 12, 2 'plandis'. 12, 3 'nova rei ferens'; 'suplicio'. 13, 1 'Christo plebem'. 13, 3 'sit'. 14, 3 'de' fehlt auch hier und ist bei Dümmler zu tilgen. 15, 1 'astutia'. 15, 2 'reprehendit malitia'. 15, 3 'hos est toleranda'. Str. 16 fehlt. 17, 1 'frene', vgl. die Ueberschrift 'de bone sac'. 17, 3 'olfatu'; 'maetatibus', v. Winterfeld verbessert in einer Abschrift schlagend 'in tactibus'.
÷ ÷
18, 3 'tribusque'. 19, 1 'Talis | presul quisque (durch übergeschriebene Zeichen umgestellt). 19, 2 'adquesierit'. 20, 1 'Vox'; 'patris'. 20, 2 'prȩcor'; 'condite'. 21, 1 'gestatis'. 21, 2 'disserite'. 21, 3 'seper baiolantes'. 22, 1 'plangite'. 23, 1 'possidete'.

fol. 13^v 'de malo sacerdote' (Dümmler I, 81). 1, 1 'meis q. d. f. oculis meis'. 1, 2 'deplorandum'. 2, 1 'qui' L^1; 'quis' L^2 von zweiter Hand; 'omnibus'. 2, 3 'at] ut'; 'habundant', das erste n in Rasur. 3, 2 'fugatibus'. 4, 2 'qui periat'. 4, 3 'ieiunus'. 5, 1 'sagati'. 7, 3 'Ne'; 'ictus] iotus'. 8, 4 'verantur'. 9, 1 'Iubamen'. 9, 3 'saucient'. 9, 2 'tribulantium'. 9, 3 'vi depremunt', so auch bei Dümmler zu verbessern. 9, 4 'flumina'. 10, 1 'donum' fehlt. 11, 1 'Lignos'. Mit Str. 11 schliesst das Gedicht.

fol. 13^r 'de divite et paupero Lazaro', nach den 4 Hss. im N. A. XXV, 392 ff. herausgegeben und kommentiert von P. v. Winterfeld. Hiermit schliesst die Rhythmensammlung unserer Hs. Ueber den weiteren Inhalt vgl. Steinmeyer und Sievers, Altd. Glossen IV, 481 ff.

II.

Ich gebe im folgenden 2 noch unbekannte Rhythmen der Leidener Hs. Der Text ist sehr roh, doch ist offenbar ein grosser Teil der Schäden durch die Ueberlieferung verschuldet. Freilich sind auch die Dichter keine grossen Geister, vor allem ist der erste ein echtes Kind seiner Zeit. So ist es vielfach schwer zu entscheiden, wie weit man bessern darf. Ich habe geglaubt Zurückhaltung üben zu müssen.

ITEM VERSUS DE IESU CHRISTO DOMINO.

1. Angelus venit de cęlo directus a domino,
Ut conciperet Maria de sancto espiritu.
Venite et audite, quanta fecit dominus.

2. Beata fuit virgo Maria consentiens ad angelum;
Ipsa fuit paritura Iesum Christum dominum.
Venite et audite, quanta fecit dominus.

3. Cęlesti dono repletus fecit mirabilia:
De quinque panes et duos pisces satiavit milia.
Venite et audite, quanta fecit dominus.

4. Dominus venit in mundum, natus est in saeculo,
Ut nos a morte liberaret, ductus ad patibulum.
Venite et audite, quanta fecit dominus.

5. Erat dominus stans — ᴗ super maris litore,
Petrus cum fratre Andrea piscabant in maria.
Venite et audite, quanta fecit dominus.

6. Festina, Petre, venire, veni tu me sequere,
Ut mecum possis habere partem vitae ęternę.
Venite et audite, quanta fecit dominus.

7. Gaudium nobis advenit, quando Christus natus est,
Qui pro nobis — ᴗ passus, ipse crucifixus est.
Venite et audite, quanta fecit dominus.

8. Herodes functus querebat Christum occidere,
Adorare se fatebatur, quem regnare verebatur.
Venite et audite, quanta fecit dominus.

9. Ioseph monitus in sopore, cum matre et puero
Quod transmearet in Egyptum, evitavit gladium.
Venite et audite, quanta fecit dominus.

10. Katervam martyrum fecit innocentum ad interficiendum dominum.
Quem fures namque querebant nec invenire poterant.
Venite et audite, quanta fecit dominus.

11. Lavacri gurgites discenderunt baptizare dominum:
Ipse peccatum non habebat, ut nostra ablueret.
Venite et audite, quanta fecit dominus.

---

1. 'IHV DNO XPO' L. Man kann bei unserem Gedicht zweifelhaft sein, wie weit man den mangelhaften Versbau korrigieren darf. Es wäre ja ein Leichtes, in der ersten Halbzeile den daktylischen Tonfall fortzuschaffen und zu schreiben 'angelus de cęlo venit', doch habe ich mich nicht dazu entschliessen können, weil derselbe in den wenigen überlieferten Strophen sich häufig findet. Str. 4 beginnt 'Dominus venit in mundum'; auch hier könnte man leicht durch Umstellung helfen. St. 5, 1 'Erat dominus stans', auch hier daktylischer Wortschluss. 5, 2 'Petrus cum fratre Andrea': hier wenigstens kein daktylischer Wortschluss, durch Umstellung leicht zu heilen. 7, 1 'Gaudium nobis advenit', ebenfalls 9, 1 'Ioseph monitus in sopore'. 10, 1 'Katervam martyrum fecit', eine Aenderung scheint unmöglich. 11, 1 'Lavacri gurgites discenderunt'. Also die Form des Gedichtes ist sehr verwahrlost; dass man korrigieren darf, glaube ich nicht. Wie sich herausstellen wird, gehört das Gedicht zu einer ganzen Gruppe, die vermutlich aus einer Schule stammt, und da findet man dieselben Schönheitsfehler, vgl. Du Méril 1854 S. 281, 10 'Kallidus hostis Herodes'. Zeitschr. f. deutsches Alt. XXIV, 155, 4 'libera animas nostras'. Ohne Frage ist aber in der zweiten Zeile die Korrektur angebracht, denn die Hs. gibt die reine Prosa 'ut Maria conciperet de spiritu sancto'. 'Spiritu' muss natürlich vor s impura mit vokalischem Vorschlag gelesen werden, wie vor allem häufig in dem von P. v. Winterfeld Zeitschr. f. deutsches Alt. XLVII, 89 f. aus unserer Hs. herausgegebenen Osterrhythmus 'Audite omnes canticum mirabile'. Der Anfang unseres Gedichts erinnert sehr auffällig an den eines von Du Méril 1854 S. 280 aus der Brüsseler Rhythmenhs. B 8860—5 herausgegebenen, ebenfalls in L erhaltenen Rhythmus:

A superna caeli parte angelus dirigitur,
ut Maria fecundaret (fecundetur?) de sancto spiritu.

Und auch hier liest L 'de spiritu sancto'. Die Berührung zwischen den beiden Rhythmen ist so eng, dass man das nicht durch Zufall erklären kann. Darüber ist unten im Zusammenhange zu sprechen. — Der Refrain ist nur in der ersten Strophe ausgeschrieben.

2. 'Beata fuit virgo Maria consentiens ad angelum' L. Die Ueberschreitung der normalen Silbenzahl um 2 gibt zu Bedenken Anlass, durch Streichung des zweisilbigen 'virgo' wird der Schaden leicht kuriert, ich zweifle aber doch, ob dies angängig ist, denn 3, 2 und 11, 1 haben ebenfalls 10 Silben. Vgl. auch Dümmler, Rhythm. eccles. I, 5. Zu 2, 1 vgl. Theodofrid Zeitschr. XXII, 424, 13: 'qui consentire nolebat dominam', wo unsere Hs. das erforderliche 'ad' bietet und auch den Vers verbessert. Was der Dichter mit diesen Worten sagen will, wird klar, wenn wir uns erinnern, dass er hier Lucas 1, 38 im Sinne hat: 'Dixit autem Maria: ecce ancilla domini: fiat mihi secundum verbum tuum'.

3. 'De quinque panes et duobus pisces' L[1], ein späterer Korrektor verbesserte 'd. q. panibus et duobus piscibus' und genügte damit mehr seinen grammatischen Bedürfnissen als den Forderungen des Metrums. P. v. Winterfeld N. A. XXV, 383 verbesserte 'de quinque panes et duos pisces', gewann also einen 10zeiligen Halbvers. Diese Korrektur hat eine starke Stütze durch eine Parallele in einem anderen von Dümmler (Rhythm. ecclesiast. specimen I) gedruckten Gedichte, das in seiner fünften Strophe, wie P. v. Winterfeld a. a. O. nachweist, von unserer Stelle abhängig ist. Dort lautet es geradeso:

quinta die fecit deus magna mirabilia:
de quinque panes et duos pisces satiavit milia.

Und noch einmal finden wir den Vers in dem eben erwähnten Gedicht Zeitschr. f. d. Alt. XXIV, 155, 7. — 'de' mit dem Akkusativ ist ganz gewöhnlich.

3, 1. 'Dominus venit in mundum' vgl. zu 1, 1.

5. Die Strophe soll Matth. 4, 18 wiedergeben: 'Ambulans autem Iesus iuxta mare Galilaeae vidit duos fratres, Simonem, qui vocatur Petrus, et Andream fratrem eius, mittentes rete in mare'. Doch wie ist zu bessern? Oder ist die Zeile wirklich nur sechssilbig? Uebrigens vermischt hier der Dichter Matth. 4, 18 'Iesus ambulabat' und Lucas 5, 1 'et ipse stabat secus stagnum Genesareth', aber bei Lucas fischen die beiden nicht. — 'mare litori' L, 'litori' steht merowingisch für 'litore', dann ergibt sich 'maris' von selbst. 'piscabant' erregt kein Bedenken, auch 'in maria'

= 'auf dem Meere' stammt wohl vom Dichter. Ebenso findet man in einem andern Rhythmus 'in cęlestia regna' = 'im Himmel'.

6. Diese Strophe soll offenbar die in 5 begonnene Erzählung fortsetzen, doch ist es dem Dichter nicht gelungen den Zusammenhang auch nur äusserlich einigermassen kenntlich zu machen. Und dabei ist die erste Zeile gradezu vollgestopft mit Synonymis, 'festina venire', 'veni me sequere'. Man sollte meinen, für ein 'inquit' u. dergl. hätte sich Platz finden müssen. Auch sonst tritt die Stümperhaftigkeit des Mannes gerade hier besonders hervor. Dass nur Petrus, nicht auch Andreas, angeredet wird, mag ja in der bevorzugten Stellung dieses Jüngers seinen Grund haben, aber dass er so hervorgehoben wird: 'veni tu', geht doch über den Spass; muss es heissen 'venito'? Oder hat gar der Dichter hier diese ungerechte Bevorzugung wieder gutgemacht und 'venite' geschrieben? vgl. Matth. 4, 19: 'venite post me'. 'Sequere' würde nicht dagegen sprechen, es ist auf alle Fälle als Infinitiv, parallel dem 'venire', aufzufassen. Doch fürchte ich, man wird bei 'veni tu' oder 'venito' bleiben müssen, da auch in der folgenden Zeile nur dieser Jünger angeredet wird. Bei diesem Dichter ist nichts zu retten, seine Unbeholfenheit liegt zu klar am Tage: in Str. 3 wird die Speisung der 5000 berichtet, in 4 die Geburt, in 5 und 6 die Wahl der Jünger, die in 3 schon vorausgesetzt werden, in 7 sind wir glücklich wieder bei der Geburtsgeschichte, die auch im folgenden fortgeführt wird. Es ist nicht anders, dieser Rhythmus, der als einer der ältesten erhaltenen angesehen werden muss — vgl. unten — ist ein unsäglich klägliches Machwerk, und dem Inhalt entspricht die Form. So ist auch der fehlerhafte Tonfall des Versschlusses 'partem vitae ęternę' durchaus nicht auffallend.

7. Warum beginnt der Dichter hier von neuem mit der Geburt? Nun, es soll ein Abecedarius zu Stande gebracht werden, das ist keine so leichte Aufgabe. Der Dichter sucht unter G, und da liegt 'gaudere', wie es scheint, sehr nahe, hat doch auch der Dichter des oben schon angeführten Rhythmus 'A superna caeli parte' für diese Strophe den Anfang 'Gaudet infans' und der Rhythmus bei Dreves, Anal. hymn. 19, 14 'Gaudebant sancti'. Aber dazu kommt noch etwas anderes. Diese alten Abecedariendichter hatten ein Vorbild, zu dem sie aufschauten, bei dem sie auch wohl Hülfe suchten, das ist der Hymnus des Sedulius 'A solis ortus cardine'. Man kann die Ein-

wirkungen dieses Gedichtes weithin verfolgen, nirgends aber so deutlich wie bei dem uns beschäftigenden Rhythmus. Bei Sedulius beginnt nun Str. 7 'Gaudet chorus caelestium et angeli canunt deum'; hier ist mit vollem Rechte von der Freude über die Geburt Jesu die Rede, denn der Dichter ist im Gedankengange seiner Dichtung mit Str. 7 bis zur Anbetung der Hirten gekommen, dagegen hat der Dichter unseres Rhythmus einen allzukühnen Flug gewagt und muss nun beschämt zu seinem Vorbilde zurückkehren, um es nicht wieder zu verlassen: in den folgenden Strophen lehnt er sich ganz eng an ihn an. Darum hier noch einmal die Freude über die Geburt Christi. Leider hört diese Freude in der zweiten Zeile schon wieder auf, der Verfasser klebt mit seinen Gedanken noch an Str. 4, wo ebenso Geburt und Tod vereinigt werden. — Auch hier fehlen der ersten Halbzeile des zweiten Verses 2 Silben, ohne dass man weiss, ob Korruptel vorliegt; 'mortem' einzuschieben ist ja leicht, aber ich weiss nicht, ob nicht dadurch der Gedanke noch vergröbert wird. Die Frage, ob in diesen Rhythmen gelegentlich auch weniger Silben stehen dürfen, als das Schema fordert, ist noch nicht entschieden, ich möchte es freilich bezweifeln.

8. Sedulius 8 beginnt: 'Hostis Herodes impie, Christum venire quid times?' — Je mehr unser Gedicht sich dem Ende nähert, desto schlechter wird die Ueberlieferung, bis es schliesslich mit Strophe L ganz aufhört. Es ist offenbar kein Zufall, dass von den 12 Rhythmen in L nicht weniger als 4 nur halb abgeschrieben sind, 2 so, dass Raum blieb, um aus einer anderen Hs. den Rest nachzutragen. War die Hs. so schlecht oder war die Ueberlieferung mündlich, wo dann gegen Ende das Gedächtnis versagte? Jedenfalls ist der Text in den letzten Strophen zum Erbarmen und, bei der Sprache dieser Zeit, kaum mit einiger Sicherheit zu verbessern. Für 'functus' vermute ich 'furens', vgl. Hagen, Carmina medii aevi S. 109: 'Furens Herodes impie nocere non permitteris', und auch sonst ist 'Herodes furens' eine beliebte Verbindung. Für die zweite Halbzeile kann man schwanken, entweder 'dominum occidere' oder 'Christum interficere'. In der zweiten Zeile halte ich 'se' für echt, am Silbenzusatze dürfen wir hier keinen Anstoss nehmen, dagegen ist die zweite Halbzeile ebenfalls verderbt, denn statt des steigenden Siebensilbers einen Achtsilber mit sinkendem Schlusse zu setzen, ist auch in einem solchen Gedichte kaum angängig. Auch ist die Veranlassung des Fehlers hier deutlich, 'verebatur' ist durch 'fate-

batur' hervorgerufen. Es fragt sich, ob man 'veretur' verbessern soll, was nach der Analogie von 6, 2 'partem vitae ęternę' erlaubt ist, oder, wozu ich geneigt bin, 'veritur' schreiben.

9. Die Anlehnung an Sedulius ist hier aufgegeben, dieser bringt die Anbetung der Magier. — Die Hs. hat 'evitaret'. Ich wollte der Konstruktion aufhelfen und 'monitus' zu 'monetur' verbessern, (e = i), vorteilhafter scheint es aber nach dem Vorschlage von Herrn Stud. R. Jahn 'evitavit' zu schreiben, wenn auch der daktylische Wortschluss bleibt, in diesem Gedichte ist er nicht falsch.

10. Sedul. 10 beginnt:

Katerva matrum personat, conlisa deflens pignora,
quorum tyrannus milia Christo sacravit victimam,

also Kindermord. Unsere zehnte Strophe enthält diesen ebenfalls, aber aus der 'katerva matrum' ist eine 'katerva martyrum' geworden. Es scheint, dass dies durch 'innocentium' bezw. 'innocentum' glossiert war, denn das Wort lässt sich im Verse durchaus nicht unterbringen und muss als Einschub getilgt werden. Aber auch dann fehlt eine durchschlagende Besserung; 'interficiendum' sprengt den Vers ebenfalls. Möglich ist 'ad necandum dominum', oder mit Silbenzusatz 'ad occidendum dominum'. Im folgenden ist 'fures', aus 'fueres' verbessert, ganz unklar. Ob es in der Bedeutung 'die Schergen des Herodes' hier gebraucht sein soll, ist mir doch zweifelhaft. Ich vermute, dass auch hier 'furentes' zu ändern ist. Auch 'namque' erscheint verdächtig.

11. Der Dichter schwimmt jetzt ganz im Fahrwasser des Sedulius. Bei diesem lautet Str. 11:

Lavacra puri gurgitis caelestis agnus attigit,
peccata qui mundi tulit, nos abluendo sustulit.

Es ist schade, dass hier das Gedicht abbricht, es wäre nicht ohne Interesse zu verfolgen, wie der Dichter allmählich sich ganz mit seinem Vorbilde identifiziert. — Wie ist Zeile 1 zu bessern? Etwa 'discesserunt' = die Wasser teilten sich, um den Herrn zu taufen? Oder ist gar an Sedul. Carm. pasch. II, 160 ff. zu denken und zu schreiben 'recesserunt'? Fast möchte ich es glauben, weil in dem nahe verwandten Gedichte 'Ama puer castitatem', Zeitschr. f. deutsches Alt. XXIV, 155 Str. 5, auf dieselbe Sache angespielt zu werden scheint. — Auch hier ist die Halbzeile zehnsilbig, zum drittenmal. Das stimmt ganz zu dem Eindrucke, den das Gedicht nach Inhalt und Form macht. Der Versbau zeigt alle Mängel, die ein anständiger Rhythmendichter (W. Meyer, Götting. Nachr. 1908 S. 201) meidet: Zusatz von einer und zwei Silben, reichlich daktylischer Tonfall und Wortschluss, unreiner Schluss, einmal (5, 1) womöglich einsilbig, Hiat. Doch wird 5, 1 und 7, 2 ein zweisilbiges Wort ausgefallen sein. Schwache Reimversuche, oder sind sie dem Zufall zu danken? — Ueber den kümmerlichen Inhalt ist schon gesprochen. Es ist dies nach meiner Meinung eins der ältesten Gedichte dieser Gattung, die wir haben. Darüber unten.

2.

HAEC EST PRAEFATIO DE IESV CHRISTO DOMINO INTER VESPASIANUM ET TITUM QVOMODO VINDICAVERVNT CHRISTVM.

1. Arvi, poli conditorem, ponti, mundi, fluminum
Iudęorum gens adfixit per crucis patibulum,
Quam tandem Vespasianus ulciscitur per filium.
Ad delendam gentem sevam convenerunt principes.

2. Belli Titus curam sumit pergens Hierusolimam,
Ulcionem exercere de Iudęis properat;
Velut leo frendens sevit contra gentem inprobam.
Ad delendam gentem sevam convenerunt principes.

3. Castra ponit erga muros, clangor urbem concutit,
Die paschę sic conclusit cunctis Hierusolimam
Dispersis per Palestinam ad depredandum cuneis.
Ad delendam gentem sevam convenerunt principes.

4. Dena quater iam peracta ⟨sunt⟩ annorum circula,
Quod Iesus ad cęlos victor angelorum umeris
Sedem patris conlocavit, regebat cęlestia.
Ad delendam gentem sevam convenerunt principes.

5. Ebreorum gentem nequam digna quatit ultio;
Digna pena iam percellit reos tanti criminis,
Carnes, crura cruentorum conterebat cęlitus.
Ad delendam gentem sevam convenerunt principes.

6. Facto iure fraudolento quondam super domino
Qui sputa illinientes vultum Christi dispicent,
Cuncti cede, simul fame iam consumpti pereunt.
Ad delendam gentem sevam convenerunt principes.

7. Gladiis se offerebant, cursim cuncti properant,
Nemo dignus inpunitus absque pena corporis:
Velut quedam simulacra apparebant pallida.
Ad delendam gentem sevam convenerunt principes.

8. Hibant namque tabescentes velut canes rapidi,
Lora, frenum commedentes vel portarium colla.
Huc illucque circumvolventes efflabant passim animas.
Ad delendam gentem sevam convenerunt principes.

9. Inter fratres erant bella, parentes ac liberos,
Dum de manibus non solum, sed de ipsis faucibus
rapere cibos certabant alter ab alterutrum.
Ad delendam gentem sevam convenerunt principes.

10. Kadebant passim vel certatim seniores populi,
Crucifigi qui clamabant angelorum principem,
Participes Iscariotis adherebant tellori.
Ad delendam gentem sevam convenerunt principes.

11. Linguis quondam venenatis increpantes dominum
Iam silebant nec audebant nec mutiri quispiam,
Ad postremum commedebant, quod reiectant bestię.
Ad delendam gentem sevam convenerunt principes.

12. Maria namque inter omnes opulenta femina
Prolem perimit, serra secat dulcis nati viscera,
Partem edens, partem servans tradidit predonibus.
Ad delendam gentem sevam convenerunt principes.

13. Nuper natus nullus vivit, exsiccata ubera;
Omnis etas, uterque sexus dira fame corruit;
Nullus audet, nullus valet sepelire proximum.
Ad delendam gentem sevam convenerunt principes.

14. Oberrantes tunc predones per meatus corporum
Sude sulcus, nullam passim referentes gratiam;
Flagellis senes verberabant, trucidabant iuvenes.
Ad delendam gentem sevam convenerunt principes.

15. Plangi quidem nemo valet propter flatum tenuem,
Absque voce palpitabant semiviva pectora;
Redolet in castris Titi odor cunctis nequior.
Ad delendam gentem sevam convenerunt principes.

16. Quod cum Titus inspexisset, de humana corpora
Valles plenas ac paludes, iacebant cadavera
Inrigarum, mox inmenso pavore concutitur.
Ad delendam gentem sevam convenerunt principes.

17. Reminiscens tandem ait ad priores hostium:
Obsede hic profundum, quos cum raris habitis;
Nullam tamen se vidisse ultionem fieri.
Ad delendam gentem sevam convenerunt principes.

18. Servus, liber iuncti simul, pauci qui remanserant.
Trucidentur seniores, reserventur pueri,
Nexus membra dividentur per metalla urbium.
Ad delendam gentem sevam convenerunt principes.

19. Turpis lucri mercatores vinctis terga manibus
Extorres ab arva patrum dissolutis edibus
Servi fiunt Romanorum cunctarumque gentium.
Ad delendam gentem sevam convenerunt principes.

20. Vae clamantes toto orbe circuibant iugiter,
Omnes fines peragrantes regna mundi penetrant,
More canum pervagabant segi Christi vacui.
Ad delendam gentem sevam convenerunt principes.

21. Xristi magni fili dei fallanx laudes referat,
Qui superbos sic contrivit, allevavit humiles,
Abdicavit venenatis, conlocavit placidis.
Ad delendam gentem sevam convenerunt principes.

22. Ymnis cuncti sacerdotes dignis laudes offerant
De triumpho Romanorum tropheoque maximo;
Servi Christum vindicarunt de gente viperia.
Ad delendam gentem sevam convenerunt principes.

23. Zosaphi istoriarum relegantur tituli,
Et nefandum Iudęorum agnuscatur dedecus,
Ut nec ultra contra gentes se iactare audeant.
Ad delendam gentem nequam convenerunt principes.

---

1. 'Praefatio' ist unverständlich. Man könnte sich vorstellen, dass der Rhythmus einer Abschrift des lateinischen Josephus, des sogenannten Hegesippus, als Vorrede oder Widmung beigegeben werden sollte. Aber hier scheint es doch ein Zwiegespräch, eine Verhandlung zwischen Vespasian und Titus darüber bedeuten zu sollen, wie sie Christi Tod an den Juden rächen können. Davon ist im ganzen Gedicht nicht die Rede, wenn man nicht 1, 3 so auffassen will. Und vielleicht noch den Refrain. So bleibt, wie mir scheint, als einzige Erklärung die Annahme, dass ein Schreiber nach einem flüchtigen Blick auf die ersten Zeilen des Gedichtes diese Ueberschrift fabriziert hat.

Eine grössere Wahrscheinlichkeit hat diese Annahme, weil man dasselbe Verfahren bei diesen Rhythmen auch sonst beobachten kann. So ist das in B und L überlieferte Gedicht (Du Méril 1854 S. 280) 'A superna caeli parte angelus dirigitur, ut Maria fecundaret' in B überschrieben 'De fecunditate scae Mariae', in L nicht viel passender 'Versus de adventu domini', während der Inhalt das ganze Leben Jesu umfasst. Aehnlich Dümmler, Rhythm. ecclesiast. II.

1, 1 'Arve' L[1], wie so oft in dieser Hs. noch 'e' für 'i' gesetzt ist. Die Verbesserung wohl von späterer Hand. 'Arvi polique creator' beginnt P. Kar. II, 118, doch ist sonst kein Zusammenhang zu entdecken; 'pontum' L. 1, 2 'adfigere per' kann ich nicht belegen. 1, 3 'Quem' L[2], wie es scheint von späterer Hand, der in unserer Hs. wenig Wert beizulegen ist; 'ulciscitur' heisst 'er bestraft das böse Volk' wie 'exercere ultionem de' Str. 2, 2. — 1, 4 'sevam gentem' L[1], vgl. 5, 1 'gentem nequam', dgl. 23, 4. Refrain ist, wie bemerkt, in dieser Gruppe von Rhythmen ausserordentlich beliebt; nur zur ersten und letzten Strophe ausgeschrieben.

2, 1 'citus' L. Der zweite Halbvers ist natürlich siebensilbig zu lesen 'Hjerusolimam', desgl. 3, 2, vgl. z. B. Theodofrid Zeitschr. f. d. Alt. XXII, 425 Str. 18, 1. 2, 3 vgl. Sedul. Carm. paschale II, 110 'ceu leo frendens'.

3. Die Quelle des Dichters ist Josephus, in der letzten Strophe 'Zosaphus' genannt. Doch ist engerer Anschluss nur selten zu bemerken und für die Besserung des Textes herzlich wenig daraus zu gewinnen. Zu unserer Strophe vgl. (Hegesippus ed. Weber) V, 49: 'eo undique convenerunt tempore paschalis sollemnitatis'. Die zweite und dritte Zeile sind sehr verderbt, ich habe einen lesbaren Text zu geben versucht. 2 'Diem paschę sit conclusit' L. 3 'Dispersos per P. ad depredandos cuneos' L. Ich verstehe: Titus schliesst mit allen bisher im Lande zerstreuten Truppen die Stadt ein; möglich wäre auch 'dispersi — cunei', er schliesst die Stadt ein und lässt das Land durch Streifkorps verwüsten. Aus dem Josephus ist, soweit ich sehe, keine Entscheidung zu treffen. An dem Silbenzusatz 'ad depredandum' ist hier kein Anstoss zu nehmen, doch ist leicht möglich, dass 'ad depredandum' durch 'ad delendam' hervorgerufen wurde und 'predandum' richtig ist.

4, 1 'iam' fehlt L[1], von erster Hand übergeschr.; 'sunt' fehlt L. Zu 'circula' vgl. 'latercula' Rhythm. eccles. I Str. 11. Zeile 2 und 3 weiss ich nicht in überzeugender Weise zu heilen. Die Ausdrücke 'angelorum humeris' und 'ad celos' scheinen den Begriff des Hebens und Tragens zu fordern, und dieser wäre ja aus 'victor' — zumal wenn man die merowingische Schreibweise berücksichtigt — leicht zu gewinnen = 'vectus'. Man wird wohl auch nicht umhin können diese Aenderung vorzunehmen, wenn man auch das 'victor' nicht gern missen mag, ist es doch eine beliebte Vorstellung, dass Christus als Sieger zum Vater zurückkehrt, vgl. z. B. Mone I, 230: 'victor triumpho nobili ad dextram patris residens', Du Méril 1854 S. 283: 'laureatus cum triumphum reversus est ad solium'. Schwieriger noch ist Zeile 3. Am nächsten liegt die Besserung 'sede patris collocatur', doch dürfte die Anschauung, dass er seines Vaters Platz einnahm, schwer nachzuweisen sein. Das gewöhnliche ist ja 'patris locaris dextera' Mone I, 229, daneben auch 'propriam sedem remeat' Mone I, 232, 2. Nach der zuletzt zitierten Stelle scheint es am angemessensten zu schreiben 'sede propria locatur' oder 'conlocatur'; fliessender wäre 'collocatus (locatus)', doch ist dies Participium neben 'vectus', wenn man diese Aenderung vornimmt, wohl besser zu vermeiden.

5, 2 'p̄cellit' L; 'reus' L. 5, 3 'carnis' L; 'conterabat' in 'conterebat' verbessert L (von erster Hand?), zu 'conterebat' ist wohl 'poena digna celitus (missa)' als Subjekt zu verstehen.

6, 1 'facto ore fraudolente' L; 'quoddam' L (vgl. als Gegensatz 6, 3 'iam'). 6, 2 'linientes' L, die Aenderung scheint durch den Sinn und den Versbau gefordert zu sein, der entstehende Hiat ist in diesem Gedicht kein Hindernis. Möglich wäre ja auch 'esputa' zu lesen, doch würde dem Gedanken dadurch nicht geholfen. — Vgl. Matth. 26, 66 ff.: 'at illi respondentes dixerunt: reus est mortis. Tunc exspuerunt in faciem eius'.

7, 1 'cursū' L. 7, 2 'inpunitus absque pena' erscheint als arge Tautologie, der Dichter will aber wohl sagen: niemand, der es verdient hatte und trotzdem bis jetzt ohne Strafe geblieben war, entgeht ihr jetzt? 7, 3 vgl. Josephus V, 21: 'figura sola hominis remanserat, usus interciderat. simulacra cerneres, officia desiderares'.

8. 'Hibant' ist offenbar das Imperf. von 'hio' für 'hiabant'. Joseph. V, 39: 'aperto ore sicut rabidi canes aurarum captantes spiramina huc atque illuc circumferebantur inopia duce . . . et cum alia famis solatia non reperirentur, detrahebant coria scutis, ut cibo sibi essent quae praesidio non essent. mandebant calciamentum, nec

pudor erat solutum pedibus ore suscipere et lingua lambere'. Darnach möchte ich 7, 2 lesen 'vel scutorum coria'. Die Ueberlieferung führt ja wohl auf 'portarum vincula', aber was soll man sich darunter vorstelllen? 8, 3 'huc illucque'] auch sonst findet sich Silbenzusatz im Innern des Verses. — 'circumvoventes' L[1], von erster Hand korr.; 'afflabant' L.

9, 1 'fratres] atros' L, korrigierte P. v. Winterfeld auf einem Blatte aus seinem Nachlasse nach Joseph. V, 18, 25: 'inter suos triste certamen . . . rapiebant fili parentibus, parentes filiis et de ipsis faucibus cibus proferebatur'. 9, 3 'cib:' L. Besserer Tonfall wäre leicht durch die Umstellung 'cihos rapere certabant' zu erreichen, doch sind die Beispiele so häufig (vgl. zu dem oben abgedruckten Rhythmus 1, 1), dass ich eine solche Aenderung bei diesen alten Rhythmen nicht als berechtigt ansehen kann.

10, 1 'populi' ist wohl der Genetiv, die Alten aus dem Volke, die vor 40 Jahren u. s. w. — 10, 2 vielleicht 'crucifige', vgl. Marc. 15, 14: 'crucifige eum'; 'qui] q' L; 'clamab't' L. 3 'particeps scariothis' L, korrigierte v. Winterfeld, vgl. 23, 1 'storiarum'. Diese Erscheinung beweist, dass auch dies Gedicht zu der Gruppe gehört, für die unten französischer Ursprung wahrscheinlich gemacht wird.

11, 2 'ne (ne — quidem) mutiri' v. Winterfeld; falls eine Aenderung nötig ist, was ich bezweifle, würde ich 'vel' vorziehen. 11, 3 'commebant' L, korrigierte v. Winterfeld, vgl. Jos. V, 41: 'diligunt ferae fetus suos, quos etiam fame sua nutriunt, et quae alienis corporibus pascuntur, a consimilium ferarum abstinent cadaveribus'.

12, 2 'prolem punit' L, 'perimit' (d. h. 'pımıt') verbessert v. Winterfeld, hat dann aber nachträglich in 'peremit' verändert, wohl wegen des besseren Tonfalles; ich glaube nicht, dass diese zweite Aenderung nötig ist, vgl. 9, 3. — 'serras secat ducis' L, korr. v. Winterfeld. — 12, 3 'servans] sevens' L, korr. v. Winterfeld, vgl. Joseph. V, 40: '(Maria) in frusta filium secans igni imposuit, partem comedit, partem operuit . . (zu den Räubern): partem vestram vobis reservavi, — habetis quod et vos edatis'.

13, 1. Kein neugeborenes Kind bleibt am Leben. 13, 2 'utriq;' L, 'atque' v. Winterfeld, wohl aus metrischen Gründen, aber Silbenzusatz findet sich auch 8, 3. — 'fama' L, korr. v. Winterfeld; Jos. V, 21: 'nec humandi miseros officia suppeditabant exhaustis primo omnibus et continuo morituris . et si cui vires recentior cibus dabat, congestio cadaverum spem ademerat; inpossibilitatem incusserat'.

14. Verstehe ich nicht. Vermutlich ist auf den bekannten Vorgang Bezug genommen, den Jos. 5, 24 berichtet: 'quos occidi non licebat, incidunt adhuc viventes cruentisque manibus eviscerant ventris secreta, alvum scrutantur et inter eius manantia purgamenta aurum requirunt'. 14, 1 'meatos' L, wohl zu verbessern 'meatus', offenbar die Eingeweide; für 'sulcus' schreibe ich 'sulcant', weiss aber mit 'sude' (wie es scheint aus 'sudi' verbessert) nichts anzufangen. — 'nulla' L, 'ohne Gnade'. 14, 3 'flagella' korr. v. Winterfeld.

15, 1 'valet'] 'a' aus 'i' L. — 2 'palbitabant' L[1] von erster Hand korr.

Zu 15, 3 vgl. Jos. V, 21: 'vindicabant se mortui ultorem sui foetorem creantes — sed ubi occurrere nequeunt, tunc de muro defunctorum reliquias in profunda praecipitia deiciebant. Itaque aspiciens Titus praeruptos specus plenos cadaverum, saniem dilaceratis cadaveribus innatantem, alte ingemuit et manum ad caelum elevans testabatur hautquaquam illud sibi adscribendum, qui voluisset veniam dare, si deditio procederet'. Hiernach kann man ahnen, was in Str. 16 gestanden hat, herstellen lässt sich der Text wohl nicht mehr ganz. Ich denke, 'valles et paludes plenas de humana corpora' ist Objekt, dazu als weitere Ausführung ein Hauptsatz 'cadavera iacebant' — dann ist nur 'inrigarum' ('a' ist von erster Hand aus einem nicht mehr kenntlichen Buchstaben hergestellt) korrupt. Ueberhaupt hat grade wie bei dem vorigen und bei anderen verwandten Gedichten gegen das Ende hin die Verderbnis des Textes immer mehr um sich gegriffen.

17. v. Winterfeld schreibt 'Reviviscens', ich möchte vorziehen 'Regemiscens', vgl. die oben angeführte Josephus-Stelle. Auch das folgende ist unklar, man weiss nicht einmal, ob es direkte oder indirekte Rede ist, Zeile 2 direkt, 3 indirekt. — 17, 3 wohl 'nullam talem se vidisse'.

18. Hier steht es nicht viel besser. — 'iunctis simul' L, korr. v. Winterfeld, vielleicht 'vincti'. Man könnte nach 'trucidentur, reserventur' annehmen, dass die Strophe einen Befehl des Titus enthalten soll, doch lässt sich dies wohl nicht mit 'remanserant' u. a. vereinigen. Ich verstehe: der Sturm hat stattgefunden und die Stadt ist erobert. Freie und Knechte werden zusammengefesselt (oder werden gleichmässig behandelt?), die Alten werden erschlagen, 'trucidantur', die Jungen geschont ('reservantur') und ('nexis

membris dividuntur') als Sklaven in die Steinbrüche u. dergl. verteilt.

19. 'vincti' L. — 'terga' auch für dieses Latein sehr kühn = 'post terga'. — 'ab arva' vgl. oben Str. 16, 1.

20, 1 vgl. Jos. V, 44, 49. 'orbi' L. 20, 2 'perpetrant' L. 20, 3 'mora' L, korr. v. Winterfeld; 'segi'] ist an 'signi', das Kreuzeszeichen, zu denken?

21, 2 'allevabit' L.

22, 3 'servi' sind wohl die Heiden im Gegensatz zu den Kindern, den Juden, die von Gott nichts wissen wollten.

23, 1 'storiarum' vgl. Str. 10, 3. — 'Zosaphi' = 'Iosephi', aber was sind die 'tituli'? — 23, 2 'agn'cat'' L; 23, 3 'ultra iam contra' L. 23, 4 'nequam' vgl. 5, 1.

Das leider nicht überall verständliche interessante Gedicht ist, mit dem obenstehenden und anderen der Zeit verglichen, verhältnismässig gut gebaut. Silbenzusatz am Anfang der Zeile findet sich 7 mal, 4 mal in 8 — ∪, 3 mal in 7 ∪ —. Silbenzusatz im Innern von 8 — ∪ zweimal, 8, 3 und vermutlich auch 13, 2. Eine Silbe zu wenig in 8 — ∪ 6, 2, wo sicherlich zu bessern ist, und 17, 2, wo es noch schlimmer steht. Daktylischer Wortschluss 9, 3 und, hier durch Konjektur hergestellt, 12, 2. Die Schlüsse sind in 8 — ∪ tadellos, in 7 ∪ — ist 8, 2 fehlerhaft und sicher verdorben. Hiat ist wie üblich nicht gemieden. Reim nur an wenigen Stellen, auch Assonanz fehlt häufig. In allen 3 Zeilen ist der Reim nur in Str. 1 durchgeführt.

III.

Die Ueberlieferung der Karolingischen Rhythmen.

Die Bedeutung der Leidener Hs. ist nicht damit erschöpft, das sie uns 3 unbekannte Rhythmen und für einige schon bekannte neue, z. T. recht wichtige Lesarten bietet. Wie mir scheint, kann man mit ihrer Hülfe für einzelne Fragen, die für die Geschichte der Rhythmenüberlieferung und damit für die Ausgabe derselben in den P. Kar. IV wichtig sind, grössere Klarheit gewinnen. Paul von Winterfeld hat in seinen Rhythmen- und Sequenzenstudien N. A. XXV, 381 ff., Zeitschr. f. deutsches Alt. XLII, 73 ff. schon eine Reihe hierher gehöriger Beobachtungen niedergelegt, im folgenden ist der Versuch gemacht auf Grund derselben weiter zu kommen.

Man spricht im allgemeinen von 4 Hss., die uns die Hauptmasse der Rhythmen überliefert haben (vgl. Dümmler, Die handschriftliche Ueberlieferung der lateinischen Dichtungen aus der Zeit der Karolinger, N. A. IV, 114 ff. 152 ff.). Diese sind: 1) Codex der Kapitelsbibl. zu Verona n. 85, IX. Jh. ex. = V_1. 2) Ebenda n. 83, IX. Jh. = V_2. 3) Codex der Burg. Biblioth. zu Brüssel n. 8860—67, saec. X. in. = B. 4) Codex der Nationalbibl. zu Paris n. 1154, früher Limoges, X. saec. = P. Dazu kommt jetzt die Leidener Hs. L, um 800 geschrieben. Nun sind einige der Rhythmen nur in einer dieser Hss. enthalten, wie in L die beiden oben abgedruckten und der Höllenfahrtsrhythmus, Zeitschr. f. d. Alt. XLVII, 89, andere wieder in mehreren, aber, wie es scheint, in ganz zufälliger Verteilung, BV, BL, VP u. s. w. Aber mag diese auch zufällig sein, so ist es doch nicht zu verkennen, dass die Hss. zusammengehören. Dieser deutliche Zusammenhang führt dann weiter zu der Frage, woher diese Verwandtschaft denn stammt. Schon mehrfach ist es hervorgehoben worden, dass die Geschichte unserer Rhythmenüberlieferung nach St. Gallen weist, die wichtigste und reichste Hs. B stammt daher. Da trifft es sich glücklich, dass die Heimat unserer Hs. L so gut wie sicher ebenfalls in St. Gallen gesucht werden muss, alle Gelehrten, die sich mit ihr beschäftigt haben, stimmen darin überein, dass sie dort geschrieben ist (vgl. u. a. Steinmeyer, Altd. Gl. IV, 481 ff.; Glogger, Das Leydener Glossar, Programm von Augsburg 1901), und speziell für den uns hier angehenden Teil, die Rhythmen, darf man dies kaum bezweifeln. Ich machte schon S. 605 darauf aufmerksam, dass die Varianten des Stückes aus Pseudofortunat sich mit St. Galler Hss. berühren. Noch klarer wird dies bei den 12 rhythmischen Gedichten: 3 davon, 1, 5 und 7, scheiden aus, sie stehen nur in L; von den 9 übrigen sind nicht weniger als 4 in Hss. erhalten, die noch jetzt in St. Gallen liegen, 2 'Asia ab oriente' in der berühmten Winitharhs. n. 2, und ausserdem in n. 213, die ich dank der Freundlichkeit der St. Galler Bibliotheksverwaltung hier benutzen durfte, 3 'De sex aetatibus mundi' von Theodofrid (ed. Dümmler, Zeitschr. f. d. Alt. XXII, 423) in derselben Hs. n. 2[1]. n. 10 'Ad perennis vitae fontem' (P. Kar. I, 79)

1) Und ausserdem in dem Fuldensis des X. Jh., der von Brower für die Ausgabe von Hrabans Gedichten im Anhange zu seiner Ausgabe des Venantius Fortunatus, Moguntiae 1617, benutzt wurde und zu einem kleinen Teil in der Einsiedler Hs. 266 S. 207—24 erhalten ist. Wie sich

und n. 11 'Aquarum meis quis det fontem oculis' (P. Kar. I, 81) finden sich in der St. Galler Hs. 573.

Dazu kommt noch, dass die übrigen 5 Gedichte auch in B, der ebenfalls nach St. Gallen gehörenden Hs., stehen, 4 'A superna caeli parte' (Du Méril 1854 S. 280), deutlich an das oben abgedruckte Gedicht 'Angelus venit' anklingend, 6 'Gratuletur omnis caro' P. Kar. II, 252 und 8 'Alma vera ac praeclara' P. Kar. II, 255, 9 'Angelus domini Mariae nuntiat', Dümmler, Rhythm. eccles. spec. 2, 12 'De divite et paupere ('paupero' L) Lazaro', ed. Dümmler Zeitschr. f. d. Alt. XXIII, 271, ed. P. v. Winterfeld N. A. XXV, 392 f. Von diesen 5 stehen 2 sogar nur in diesen beiden Hss., es ist also klar, dass sie zusammengehören. Dies geht zudem noch aus gemeinsamen Fehlern hervor. So setzen beide P. Kar. II, 253 in der Zeile 'hoc in ligno vitis vera pinguem botrum protulit' für 'vitis' ein 'fides', oder in demselben Gedichte 4, 3 'dominum' für 'dominus' u. a.

Das ist wichtig für den erwähnten Fuldensis F, aus dem Brower Hrabans Gedichte herausgegeben hat. Diese Hs. gehört nämlich, das lässt sich garnicht verkennen, ebenfalls hierher. Bei Brower von S. 83 an haben wir eine ganze Reihe von Gedichten, die in den verwandten Hss. wiederkehren. Br. 83 'Ante saecula et mundi principium' steht auch in L und St. Gallen n. 2, s. oben. 83 'Angelus domini venit ad virginem'. Dies Gedicht — leider sind nur die ersten Zeilen von Brower gedruckt wie bei manchen der hierher gehörigen Gedichte, mag es nun Schuld der Hs. oder des Herausgebers sein — steht freilich nur in F, ist aber garnicht zu trennen von Dümmlers Rhythm. eccles. n. 2, der in BL erhalten ist, 'Angelus domini Mariae nuntiat': dasselbe Versmass, derselbe Inhalt, derselbe Refrain. S. 83 'Deus orbis reparator lux aeternae gloriae' (P. Kar. II, 253) V_1 und F. S. 84 'Surrexit Christus a sopore dormiens' B und F. S. 84 'Tertio in flore mundus' in BF und mehreren andern. Nun kommt S. 84 ein Gedicht ganz anderen Charakters und nur hier erhalten, 'Sophia patris' u. s. w., herausgegeben P. Kar. II, 257. Daran schliesst sich S. 85 das verbreitete 'A solis ortu usque ad occidua' (P. Kar. I, 435), in F B V_1 P (und einer Trierer Hs.), und zwar ist dies Gedicht nicht wie die bisher aufgeführten unvollständig. Es folgt S. 86

---

zeigen wird, gehört dieser Fuldensis auch zu dieser Gruppe von Rhythmenhss. Wegen des Umzuges der Kgl. Bibliothek habe ich das Buch bei der Korrektur leider nicht benutzen können.

'Alma vera et praeclara indivisa caritas' P. Kar. II, 255 in FBL. Es kann mithin keinem Zweifel unterliegen, dass dies Stück von Browers Hs. auf dieselbe Sammlung zurückgeht, die auch durch BL vertreten wird, also ebenfalls nach St. Gallen gehört. Engere Zusammengehörigkeit von L und F ergibt sich auch an einer Stelle des letztgenannten Gedichtes, 21, 3, wo F hat 'quia tu es vita luxque viaque perpetua', L 'quia tu es vita vera viaque perpetua', während, wie oben schon gezeigt wurde, 'vita' und 'via' ihren Platz zu tauschen haben. Schliesslich ist zu erwähnen, dass von demselben unter Fortunats Namen gehenden Gedichte 'In laudem sanctae Mariae' (Leo 371), von dem L den Anfang bringt, in F die Schlussverse erhalten sind.

Das Ergebnis ist nicht ohne Bedeutung. Durch das Hinzutreten von L ersehen wir, dass schon um bezw. vor 800 eine Sammlung solcher Rhythmen in St. Gallen bestand, aus der L B F oder ihre Vordermänner schöpften, dass also garnicht daran zu denken ist, dass diese Gedichte, die Dümmler als 'Hymni incertae originis' im Anhange zum Hraban hat drucken lassen, mit Hraban irgend etwas zu tun haben, sie sind von den anderen herrenlosen Rhythmen nicht zu trennen[1], und es ist zu bedauern, dass sie, weil schon in den vorhergehenden Bänden gedruckt, von der Sammlung im IV. Bande ausgeschlossen werden müssen. Wenn es mir, wie ich hoffe, einst vergönnt sein wird, eine Separatausgabe dieser merkwürdigen karolingischen Rhythmen zu machen, so werden sie dort natürlich eine Stelle finden.

Nachdem wir erkannt haben, dass die bei Brower von S. 83 ab gedruckten Gedichte aus der St. Gallener Rhythmensammlung stammen, ist natürlich zu fragen, ob auch die im ersten Teil des Buches stehenden etwa Beziehungen zu dieser Sammlung haben. Leider ist Brower sehr schweigsam über seine Quellen, es ist nicht ganz klar, ob er nur eine Hs. abgedruckt hat oder den letzten Teil aus anderen entnahm, wir sind da lediglich auf Vermutungen angewiesen. Nun beginnt bei ihm S. 66 ein Abschnitt mit der Ueberschrift 'Hymni Hrabano in eodem msc. attributi'. Es ist, als ob der Herausgeber selbst der Sache nicht so ganz getraut hätte. Und in der Tat findet man hier auch ein wunderliches Gemisch von metrischen und rhythmischen Stücken, von dem man gern wissen möchte, wie das zusammengeraten ist, und bei dem wohl

1) Vgl. jetzt Dreves, Hymnol. Stud. zu Ven. Fortunatus und Rabanus Maurus und meine Bemerkungen dazu im nächsten Heft des Anzeigers f. deutsches Altert.

nur das eine sicher ist, dass ein Teil dem Hrahan nicht gehört. Wunderbar ist dabei der Umstand, dass eine ganze Reihe dieser Gedichte nur in F erhalten ist, andere wieder in zahllosen Hss., oft in Brevieren u. dgl. Dümmler hat sich in dieser Not so zu helfen gesucht, dass er bei seiner Ausgabe des Hraban von den weitverbreiteten Hymnen wie 'Veni creator spiritus' u. a. keine Notiz nahm, dagegen die nur oder fast nur in F erhaltenen Gedichte hinter denen Hrabans abdruckte. Doch ist das kein durchschlagendes Kriterium, und so liegt durchaus die Möglichkeit vor, dass auch in diesem Abschnitte Rhythmen erhalten sind, die zu der St. Gallener Sammlung gehören. Das ist nun auch wirklich der Fall. Br. S. 74 steht der Hymnus de natali Christi: 'Gratuletur omnis caro', P. Kar. II, 252, den wir schon in L fanden und der auch in B erhalten ist, also ohne Frage aus der Sammlung stammt. Nicht anders verhält es sich mit dem Rhythmus 'Gloriam deo in excelsis' (Br. S. 76), den Dümmler I, 144 unter den Carmina dubia Paulini hat; er ist in 5 Rhythmenhss. $V_1 V_2$ B P und F überliefert.

Doch nicht genug damit. Auf 1) 'Gratuletur omnis caro' folgt bei Brower 2) der metrische Hymnus 'Quod chorus vatum', und unmittelbar darauf 3) 'Fit porta Christi pervia', dann 4) der Hymnus auf St. Michael, 'Christe sanctorum', dann der erwähnte 5) 'Gloria deo in excelsis hodie', 6) Hymnus ad sanctum Michaelem: 'Tibi Christe splendor patris' und 7) schliesslich der Hymnus de sancto Petro: 'Aurea luce et decore roseo'; n. 1 und 5 gehören, wie gezeigt wurde, zu unserer Rhythmenüberlieferung. Nun ist aber sehr auffallend, dass n. 2 und 3 in derselben Reihenfolge und n. 7 in ziemlicher Nähe in der ebenfalls hierher gehörenden Berner Rhythmenhs. n. 455, von der unten noch zu sprechen ist, stehen. Der Schluss ist doch naheliegend, dass auch Brower S. 66—83 einer Quelle entstammt, aus der F und Be, der Bernensis 455, geflossen sind, dass also die Sammlung nicht nur Rhythmen enthielt, sondern wenigstens später — beide Hss. sind im X. Jh. geschrieben — auch metrische Gedichte. Ob freilich die ganze Partie Br. S. 66—83 hierher zu ziehen ist, muss unentschieden bleiben.

Wie sah denn nun diese St. Gallener Sammlung, die vorzugsweise Rhythmen, aber — wenigstens später — auch andere Stücke enthielt, aus? Beachtenswert ist es, dass von den 12 rhythmischen Gedichten in L, der ältesten Hs., nicht weniger als 9 Abecedarien sind. Dazu stimmt es, dass auch in der wie nachgewiesen mit L verwandten Hs. B eine grosse Menge solcher Gedichte enthalten ist, und zwar alle geistlichen Inhalts. In dieser Hs. stehen auf F. 7v—31 hinter einander 17 solcher Abecedarien, nur von einem abweichenden Gedichte (F. 18v) unterbrochen; und dies ist nur durch einen Zufall dorthin geraten, es ist zwar nicht abecedarisch, beginnt aber mit 'Apparebunt', und der Sammler liess sich offenbar dadurch täuschen[1]. Ich verweise auf die unten folgende Tabelle. Doch vgl. auch Dümmlers Aufsatz N. A. IV, 156, der für diese Untersuchungen unentbehrlich ist. Woher kommen diese vielen Abecedarien? Man sagt, es war damals Mode so zu dichten. Gewiss, aber hat diese Form in einem so auffallenden Masse überwogen? Eine interessante Auffassung hat P. v. Winterfeld in seinem letzten Aufsatze 'Hrotsvits litterarische Stellung' S. 33 (Archiv f. d. Stud. d. neueren Sprachen und Litteraturen CXIV) entwickelt. Nachdem er seine Ansicht dargelegt hat, dass die Sänger und Pfleger der 'karolingischen' Rhythmen die Mimen gewesen, die dieselben nicht aufgezeichnet, sondern von Mund zu Mund überliefert hätten, fährt er fort: 'Und nun versteht man auch ein weiteres Hülfsmittel der Mimen, das uns ohnedem eine Tollheit oder eine müssige Spielerei dünken müsste. Die Hälfte dieser Stücke sind Abecedarien . . . . Das hat seinen guten Sinn, wenn der Vortragende dies als Gedächtnishülfe benutzte, um die Stichworte der Strophenanfänge festzuhalten: bei schriftlicher Tradition ist es sinnlos'. Mir will das nicht einleuchten. Wie es mit den Mimen auch gewesen sein mag: ein sehr grosser Teil dieser Abecedarien, vor allem von den von Dümmler so genannten ecclesiastischen Rhythmen, ist doch nicht derart, dass man sie sich von Mimen vorgetragen denken möchte, und fast der einzige Dichter, den wir fassen können, Theodofrid, den v. Winterfeld wie schon Dümmler mit dem späteren Abt von Corbie identifiziert, war doch eben kein Mime. v. Winterfeld sagt: 'Akrosticha wie die Commodians wird man nicht dagegen ins Feld führen wollen'. Nein, aber darauf ist aufmerksam zu machen, dass unter

1) Ebenso hat man allgemein dies Gedicht für rhythmisch gehalten, bis W. Meyer diesen Irrtum aufdeckte, Kl. Schr. II, 349. Auch ein Abecedarius gehört genau genommen nicht hierher, die Beichte 'Audi me deus piissime', über deren wunderliche Form W. Meyer kürzlich, Nachrichten d. Gött. Ges. d. W. 1908 S. 47 gehandelt hat.

diese Abecedarien der Hs. B auch der bekannte Abecedarius des Sedulius 'A solis ortus cardine' und der alte 'Apparebit repentina magna dies domini' aufgenommen sind. Ich meine, das Auftauchen dieser alten ehrwürdigen Abecedarien zusammen mit der oben hervorgehobenen Beobachtung, dass ein mit A anfangendes, nicht alphabetisches Gedicht dazwischen geraten ist, führt uns auf den richtigen Weg: wir können uns die Sache nur durch die Annahme erklären, dass irgend jemand aus Laune oder irgend einem anderen Grunde eine Sammlung solcher damals häufigen Abecedarien veranstaltete, wobei dann alles zusammengerafft wurde, was aufzutreiben war, und auch wohl ein Stück dazwischen kam, das nicht dahin gehörte. Und den Hymnus des Sedulius aufzunehmen, war besondere Veranlassung, es scheint, dass er bei den Verfertigern dieser Art von Gedichten eine bedeutende Rolle gespielt hat: ihn zogen sie heran, wenn es galt einen Abecedarius zu dichten. Es war natürlich garnicht so leicht, zu Anfang der Strophe immer das passende Wort zu finden, und auch inhaltlich war eine Stütze recht angenehm, da wurde das berühmte Vorbild ausgeschlachtet. Es ist ja geradezu mitleiderregend, wie der Dichter des oben abgedruckten Rhythmus von ihm abhängig ist (vgl. die Anmerkungen)[1]. Ganz so arg ist es bei dem Rhythmus 'A superna caeli parte' Du Méril 1854 S. 280, der sich mit dem Anfange des eben erwähnten eng berührt, ja nicht, aber die Abhängigkeit ist auch vorhanden. Str. 2, 2 'Pater elegit templum talem filioque thalamo' vgl. Sedul. 4 'Domus pudici pectoris templum repente fit dei', bei beiden beginnt Str. 7 mit 'Gaudet', und ganz beweisend ist es, wie von ihnen der Besuch der Maria bei Elisabeth dargestellt wird. Luc. 1, 41 berichtet: 'Et factum est, ut audivit salutationem Mariae Elisabeth, exultavit infans in utero eius'. Demgegenüber heisst es bei Sedulius Str. 5 'Quem Gabrihel praedixerat, quem matris alvo gestiens clausus Iohannes senserat', und in dem Rhythmus Str. 7 'Gaudet infans gestiendo infra ventris ambitum, creatorem summum sensit'. Hiernach wird man es begreiflich finden, dass sich auch inhaltlich Sedulius und dieser Rhythmus decken.

1) Ich erinnere daran, dass nach Gregors Bericht auch Chilperich bei seinen Bemühungen Verse zu bauen sich an Sedulius angelehnt haben soll. Ueber die Beliebtheit des Sedulius bei den Iren vgl. Traube, O Roma nobilis S. 43.

Und weiter. P. v. Winterfeld hat N. A. XXV, 383 nachgewiesen[1], dass Dümmlers erster Rhythmus 'Primo die dixit deus' in Strophe 5 von dem oben abgedruckten 'Angelus venit' abhängig ist. In der vierten Strophe hat der

---

1) Die Art und Weise, wie v. Winterfeld sich das Gedicht entstanden denkt, ist recht kompliziert, trotzdem bin ich überzeugt, dass er ungefähr das Richtige trifft. Freilich werden auch so nicht alle Bedenken zerstreut. Warum gerade 13? Natürlich liegt die Antwort nahe, der Stoff sei dem Dichter ausgegangen. Sie befriedigt aber doch nur halb. Herr Studiosus S. Aschner macht mich auf ein hebräisches mnemotechnisches Lied aufmerksam, das sich ganz sonderbar mit unserem lateinischen berührt, Hagadah ed. Japhet S. 103 f. Ich gebe das auch sonst interessierende Gedicht in der mir von Herrn Aschner freundlichst verfertigten Uebersetzung:

1. Wer kennt 1? 1 ist mir bekannt: 1 ist unser Gott, der im Himmel und auf Erden.

2. Wer kennt 2? 2 ist mir bekannt: 2 Tafeln des Bundes. 1 ist unser Gott, der im H. u. a. E.

3. Wer kennt 3? 3 ist mir bekannt: 3 Stammväter, 2 Tafeln, 1 Gott.

4. Wer kennt 4? 4 i. m. b.: 4 Stammmütter, 3 Stammväter, 2. 1.

5. Wer k. 5? 5 i. m. b.: 5 Bücher der Lehre, 4 Stammmütter, 3. 2. 1.

6. Wer k. 6? 6 i. m. b.: 6 Ordnungen der Mischnah, 5. 4. 3. 2. 1.

7. Wer k. 7? 7 i. m. b.: 7 Sabbathtage, 6. 5. 4. 3. 2. 1.

8. Wer k. 8? 8 i. m. b.: 8 Tage der Beschneidung, 7. 6. 5. 4. 3. 2. 1.

9. Wer k. 9? 9 i. m. b.: 9 Monate bis zu der Geburt, 8. 7. 6. 5. 4. 3. 2. 1.

10. Wer k. 10? 10 i. m. b.: 10 Worte des Gebotes, 9. 8. 7. 6. 5. 4. 3. 2. 1.

11. Wer k. 11? 11 i. m. b.: 11 Sterne (Josephs), 10. 9. 8. 7. 6. 5. 4. 3. 2. 1.

12. Wer k. 12? 12 i. m. b.: 12 Stäbe (Stämme), 11. 10. 9. 8. 7. 6. 5. 4. 3. 2. 1.

13. Wer kennt 13? 13 ist mir bekannt: 13 Accidenzien Gottes, 12 Stäbe, 11 Sterne, 10 Worte, 9 Monde bis zu der Geburt, 8 Tage bis zur Beschneidung, 7 Sabbathtage, 6 Ordnungen der Mischnah, 5 Bücher der Lehre, 4 Mütter, 3 Väter, 2 Bundestafeln, 1 unser Gott, der im Himmel und auf Erden.

Also ebenfalls von 1—13 durchgezählt, und hier ist diese Zahl wohl begründet, denn 13 sind die Accidenzien Gottes. Ein merkwürdiges Zusammentreffen, aber doch auch nicht mehr. Dass das hebräische Gedicht, das zwischen 200—750 entstanden sein wird, die Anregung zu dem lateinischen Rhythmus gegeben hat, wie Herr Aschner annehmen möchte, kann ich trotz der Berührungen nicht glauben; abgesehen davon, dass dieser Mann von der hebräischen Sprache wohl kaum eine Ahnung gehabt hat, beschränkt sich die Aehnlichkeit doch nur auf die Zahl, die Form und der Inhalt weichen vollkommen ab. Und schliesslich trägt das lateinische Gedicht noch zu deutliche Spuren davon, dass es ursprünglich auf das 7. Tagewerk abgesehen war. Darauf möchte ich noch aufmerksam machen, dass die nach v. W. zugesetzten Strophen 8—13 viel mehr den mnemotechnischen Charakter tragen als die ursprünglichen.

Nachdichter den Sedulius benutzt. Diese lautet: 'Quarta die de sepulchro suscitavit Lazarum, cuius corpus iam fetebat ligatum sudarium' (die Ueberlieferung ist vielleicht des Reimes wegen beizubehalten, Dümmler korrigiert 'sudario') und Sedulius 16, 1 'Quarta die iam fetidus vitam recepit Lazarus'. Ferner ist garnicht zu verkennen, dass Theodofrid in seiner Schilderung der 6 Weltalter, Zeitschr. f. d. A. XXII, 423, das sechste frei nach Sedulius beschreibt. Es sind dieselben Wunder, die dieser bringt, 1. Auferweckung des Lazarus, Sedulius Strophe 16, 2. Stillung des Blutflusses, Sed. 17, 3. Speisung der 5000, darüber vgl. unten, 4. Heilung der Stummen, Lahmen, Blinden, Sed. 12 u. 18, 5. Hochzeit zu Kana, Sed. 13. Ebenfalls hierhin gehört ein auch nur bis L reichender Rhythmus in V_1 'Audite omnes versum', Dümmler, Rhythm. eccles. XVI, der seinem ganzen Charakter und Inhalte nach mit den aufgeführten zusammengestellt werden muss: wie in dem oben gedruckten Gedichte ist auf Herodes' Wüten, Anbetung der Magier, Josephs Flucht nach Aegypten besonderer Nachdruck gelegt. Str. 7 beginnt ebenfalls 'Gaudebant'. Dass Dümmlers Rhythm. eccl. n. II dieselbe Vorlage benutzt, glaube ich auch zu erkennen. Und schliesslich der Rhythmus 'Ama puer castitatem', Zeitschr. f. d. Alt. XXIV, 154. Ich hatte, ohne an Sedulius zu denken, beobachtet, dass auch dieses Gedicht zu den aufgeführten gehört. Auf Sedulius aufmerksam geworden, fand ich dann auch sofort die inhaltlichen Berührungen, Auferweckung des Lazarus quatriduanus, blutflüssiges Weib, Speisung der 5000 Mann. Einige andere rechne ich ebenfalls hierher, doch ist die Sache da nicht so klar.

Dieser Exkurs hat gezeigt, welchen Ansehens der Abecedarius des Sedulius sich erfreute, und lauter ganz alte Gedichte sind es, bei denen ich es nachweisen konnte. Diese alten Dichter stehen unter seinem Einflusse, er lehrt sie Abecedarien dichten, nicht das Bedürfnis des Mimen. Damit ist aber v. Winterfelds Theorie für diese Stücke als unbegründet nachgewiesen und somit ist ihr m. E. überhaupt der Boden entzogen, es mag wirklich z. T. müssige Spielerei gewesen sein. Und darum meine ich, wenn wir eine solche Sammlung in St. Gallen vorfinden, so ist sie mit bewusster Absicht geschaffen worden. Das ist früh geschehen, die um 800 geschriebene Hs. L setzt sie schon voraus. Natürlich war sie nicht abgeschlossen, einzelne Stücke oder auch ganze Partien wurden hinzugefügt, wie z. B. in der Pariser Hs. P

Angelberts versus 'De bella quae fuit acta Fontaneto' u. a.[1], aber den Grundstock setze ich weit vor 800 an. Wir gelangen also zu demselben Ergebnis, das v. Winterfeld mehrfach ausgesprochen hat, die 'Karolingischen' Rhythmen reichen in die frühkarolingische und sogar in die merovingische Zeit.

Aber ich glaube, wir können weiter kommen. Oben ist darauf aufmerksam gemacht, dass verschiedene dieser Gedichte eine gewisse Verwandtschaft mit einander aufweisen, und diese auf die Benutzung des Sedulius-Hymnus zurückgeführt. Doch das reicht nicht aus, auch sonst ist ein Zusammenhang zwischen ihnen zu erkennen, und auffallenderweise ist dies vor allem bei mehreren der in L erhaltenen der Fall. In dem Rhythmus P. Kar. II, 255, der mit Hraban nichts zu tun hat, heisst es Str. 3, 1 'Caritatem vocitavit dilectus apostolus deum verum' mit Beziehung auf 1. Joh. 4, 8 'Deus caritas est'. Ebenso heisst es P. Kar. I, 80, 10 'Karitatis quod est deus'. Beide Gedichte stehen in L. Selbstverständlich sind verwandt die Alphabete 'De malis' und 'De bonis sacerdotibus'. Deutlich ist es auch beim Höllenfahrtsrhythmus, gedruckt von v. Winterfeld Zeitschr. f. d. Alt. XLVII, 90. Dort klagen die Teufel Str. 4: '(Christus) mordit inferno morsuque deifico turmas inplicat et catervas demonum'. (Die Stelle ist gebildet nach Osee 13, 14 'Ero mors tua, o mors, morsus tuus ero, inferne'). Danach der in B u. L erhaltene Rhythmus 'A superna caeli parte' (Du Méril 1854 S. 282) Str. 21 'XPS momordit infernum morsuque deificum ('morsique' L; 'mirifico' B) laureatus cum triumphum reversus est ad solium'. Diese Stelle ist am augenfälligsten; doch wenn man genauer zusieht, erkennt man, dass die letzten 4 Strophen auch sonst durchaus von dem Höllenfahrtsrhythmus abhängig sind. Die näheren Nachweise wird die Ausgabe zu bringen haben. An diese Darstellung der Höllenfahrt erinnert dann wieder auch ein Passus aus einem andern in L überlieferten Rhythmus P. Kar. II, 252 'Gratuletur' Str. 10, 1 'virus pepulit chelydri (so Wattenbach, 'ilitri' die Hss.; auch bei Sedulius Carm. paschale I, 134 liest die Hs. A 'hilidros' für 'chelydros') et momordit inferos'.

---

1) So muss man nach dem jetzigen Befunde urteilen. Eine andere Frage ist es, ob nicht der Fabariensis, der jetzt in St. Gallen liegt, damit nur seiner alten Heimat wieder zugeführt worden ist oder wenigstens das Gedicht aus einem verschollenen Sangallensis entnommen hat.

Schlagend ist eine dritte Stelle, die v. Winterfeld schon ausgenutzt hat N. A. XXV, 383 (vgl. oben S. 632). In dem ersten von Dümmlers Rhythm. eccles., nur in B erhalten, lautet Str. 5:

Quinta die fecit deus magna mirabilia:
de quinque panes et duos pisces satiavit milia et
fragmenta quae remanserunt ter quaterni cofinos.

Nach meiner Ueberzeugung hat v. Winterfeld es wenigstens sehr wahrscheinlich gemacht, dass dieser Unsinn durch Str. 3 des in dem mit B verwandten L erhaltenen oben abgedruckten Rhythmus hervorgerufen wurde:

Cęlesti dono repletus fecit mirabilia:
de quinque panes et duos pisces satiavit milia.

Die beiden Gedichte stehen in Beziehung zu einander, und wenn v. Winterfeld recht hat, ist das Gedicht 'Angelus venit de cęlo' das ältere. Hat dieses die Worte geprägt? Es gibt noch ein drittes Gedicht, das fast denselben Wortlaut bringt. In dem Rhythmus 'Ama puer castitatem', Zeitschr. f. d. Alt. XXIV, 155 heisst es Str. 7:

Galilea quando venit mirabilia multa fecit:
de quinque panes et duos pisces saciavit multas gentes.

Wie oben schon bemerkt wurde, ist dies Gedicht ebenfalls wie die beiden eben besprochenen von Sedulius abhängig. Dazu ist dieselbe Sache mit denselben Worten behandelt, 'mirabilia fecit'; die Konstruktion 'de quinque panes' ist ja allerdings durchaus erlaubt, aber in einem anderen Rhythmus, der das Wunder behandelt (v. W. a. a. O. S. 384), steht doch 'de quinque panibus', und für 'satiavit', das hier an allen 3 Stellen erscheint, steht dort 'pavit', während an den betreffenden Stellen der Vulgata überall 'saturare' gebraucht ist[1]. An einer anderen Stelle wieder (Rheinau, vgl. Werner, Die ältesten Hymnensammlungen von Rheinau XIX, 6) begegnet 'dividere'. Es ist also garnicht daran zu zweifeln, dass die 3 Gedichte mit einander verwandt sind. Ich habe dies etwas breit ausgeführt, weil ich in einer Besprechung über diese Dinge der Ansicht begegnete, die Worte enthielten nichts Charakteristisches, mehrere Dichter, die den Vorgang in demselben Versmasse darstellen wollten, wären naturgemäss auf diesen Wortlaut verfallen. Ich kann das in

---

1) So auch in Notkers Ostersequenz 'Laudes salvatori': 'et saturavit quinque de panibus quina milia'. Dagegen Carmina Burana n. 26, 16: 'et ex quinque panibus multos satiavit'.

keinem Falle zugeben, das ist m. E. schon durch das 3 mal wiederkehrende 'mirabilia fecit' ausgeschlossen.

Eine andere Frage ist, ob es möglich sein wird das Original dieser Wendung nachzuweisen. Es gibt vielleicht auch da Fingerzeige. Die beiden ersten Stellen stehen sich näher, an beiden wird gesagt, er speiste Tausende, nicht etwa 5000; die dritte ist ein klein wenig freier, hier heisst es 'saciavit multas gentes'. Hat der Dichter 'milia' zu 'multas gentes' korrigiert oder umgekehrt? In einem Punkte ist er individueller als die beiden anderen, er bringt die Nachricht, dass das Wunder in Galilaea geschah. Damit vergleiche man Ev. Joh. 6, 1: 'Post haec abiit Iesus trans mare Galilaeae, quod est Tiberiadis'. V. 2 geht es dann weiter: 'sequebatur eum multitudo magna, quia videbant signa quae fiebant = mirabilia multa fecit', und dann folgt v. 5 das Speisungswunder. Der Mann hatte seine Bibel im Kopfe: wenn die Stelle einem anderen nachgedichtet wäre, warum dann das 'in Galilaeam venit'? Ich halte es darum für recht wahrscheinlich, dass wir hier das Original haben. Es wurde kopiert von dem Dichter des oben abgedruckten Rhythmus 'Angelus venit', dieser von Dümmlers Rhythm. I.

Aber die Sache geht noch weiter. Der Passus findet sich noch zum vierten Mal in dem Rhythmus des Theodofrid. Oben wurde schon darauf hingewiesen, dass er zur Gruppe dieser von Sedulius abhängigen Rhythmen gehört. Dort lautet nun Strophe 22:

Virtute[m] sua[m] suscetavit Lazarum,
a muliere abstulit profluvium,
de quinque panes saciavit populum
et loqui fecit mutos coram omnibus.

So glaube ich schreiben zu müssen, die Änderungen (Hs. V. 3 'panibus' und V. 4 'colloqui') werden durch den Vers gefordert. Es ist überraschend, setzen wir 'et duos pisces' hinzu, so haben wir den Vers, den wir schon 3 mal gefunden haben. Da, wie gesagt, das Gedicht auch sonst zu der besprochenen Gruppe gehört, so kann ich diese Uebereinstimmung nicht für Zufall halten. Aber wo ist die Priorität? Die Stelle ist höchst eigentümlich. Theodofrid gibt einen gedrängten Auszug aus Sedulius. Aber Zeile 3, das Speisungswunder, fand er dort nicht. Was veranlasste ihn dazu, dies hier einzuschieben statt der sonst noch bei Sedulius erwähnten Wunder? Ich meine, der Wortlaut gibt die Erklärung, er wurde durch ein Vorbild angeregt. Und damit stimmt auch der Inhalt der Stelle. Alle 4 Evangelien berichten, dass 5 Brote und 2 Fische vorhanden waren, und diese Version ist an den 3 anderen Stellen befolgt; o h n e die 2 Fische finden wir den Hergang nirgends berichtet. Soll man nun annehmen, dass Theodofrid (ebenso wie Notker) aus formalen Gründen die 2 Fische fortliess, die dann von den Verfassern der anderen Gedichte oder wenigstens von dem ältesten derselben sorgsam nachgetragen wurden, zumal sie ihm Theodofrids Elfsilber so schön zum Fünfzehnsilber, freilich mit Silbenzusatz, ergänzten? Ich denke, der Hergang war umgekehrt. Theodofrid hatte den Vers

De quinque panes et duos pisces saciavit milia (oder 'multas gentes')

gelesen oder gehört. Nun war es eine kleine Mühe diesen für seinen Gebrauch zurechtzustutzen; das von ihm gewählte Versmass stimmt ja in seiner zweiten Hälfte genau zum Fünfzehnsilber: wenn er aus dem ersten Teile 4 (oder in diesem Falle 5) Silben tilgte, so war auch hier Uebereinstimmung erzielt. Diese Annahme, dass Theodofrid der Nehmende war, erklärt das Verhältnis am zwanglosesten.

W i r h a b e n a l s o nach meiner Ansicht i n d e m R h y t h m u s 'A n g e l u s v e n i t d e c ę l o' (oder 'Ama puer castitatem') e i n G e d i c h t, d a s v o r T h e o d o f r i d l i e g t. Wenn dieser nun wirklich mit Theodofrid von Luxeuil, dem ersten Abte von Corbie, identisch ist, wie Dümmler Zeitschr. f. d. Alt. XXIII, 280 vermutet — und ich sehe nicht, was dagegen spräche; auch P. v. Winterfeld hat Dümmler zugestimmt —, so gewinnen wir für die Abfassung dieses Rhythmus einen Terminus ante quem und kommen somit tief ins 7. Jh. hinein. Es wird dadurch lediglich bestätigt, was schon öfter ausgesprochen ist. Und dann noch eins. Man sagt mit Recht, die Ueberlieferung dieser Rhythmen weist nach St. Gallen. Nun zeigt Theodofrid von Luxeuil (oder Corbie) Abhängigkeit von einem solchen Rhythmus, mithin wird man auch diesen dort in seiner Heimat zu suchen haben. Und ebenso die andern dazu gehörigen. 'A superna caeli parte' (Du Méril 1854 S. 282) ist mit 'Angelus venit de cęlo' verwandt, auch zeigen beide Abhängigkeit vom Hymnus des Sedulius, sie gehören deutlich zusammen. Dazu gesellt sich dann, wie oben gezeigt wurde, der Höllenfahrtsrhythmus, und dazu wieder 'Gratuletur omnis caro' (P. Kar. II, 252). Wir finden da also eine ganze Gruppe, die auf dieselbe Schule zurückgeht. Dazu kommen einige, bei denen es nicht so in die Augen fällt, die aber nach meinem Urteil auch hierher gerechnet werden müssen, 'Angelus domini Mariae nuntiat' (Dümmler n. II). 'Angelus domini' (Brower S. 83), 'Audite omnes versum verum' (Dümmler n. XVI). Und fast alle sind sie in der Hs. L erhalten, die aus St. Gallen stammt, und fast alle sind sie Abecedarien. Ist also Theodofrid Mönch von Luxeuil, so ergibt sich, dass L eine Sammlung — oder richtiger den Teil einer Sammlung — von Abecedarien repräsentiert, die in Luxeuil oder in der Atmosphäre von Luxeuil [1] gedichtet und gesammelt wurden. Dies Kloster war der Mittelpunkt der Dichtung solcher kirchlichen Rhythmen. Der Weg von dort nach St. Gallen war dann, wie Dümmler schon hervorhebt, leicht zu finden. So ist diese Sammlung nach St. Gallen gekommen und dort vervollständigt worden, und wenn das abecedarische Prinzip in diesem ersten Grundstock vorherrschte, so ist man diesem auch ferner treu geblieben; darum haben wir in B, der vollständigsten unter den Hss., diese unglaubliche Reihe von Abecedarien.

Ich sprach bisher nur von 3 Hss., BLF, deren Zusammengehörigkeit deutlich ist. Dazu kommen noch die 4 anderen, die teils dieselben, teils andere Rhythmen enthalten: V_1 V_2 P und Be = n. 455 der Berner Bibliothek. Das Verhältnis dieser 4 zu den vorhergehenden ist nun nicht nur so, dass sie ebenfalls einige der in jenen enthaltenen Gedichte bringen, sondern es ist evident, dass sie auf dieselbe Quelle, also die St. Gallener Sammlung, zurückgehen. Wenn wir z. B. in dem in V_1 B P L überlieferten Rhythmus De divite et paupere Lazaro 1, 2 lesen (v. Winterfeld, N. A. XXV, 392) 'Purpura et bysso induebatur, epulabat splendide' (von P allerdings eingerenkt), so erkennt man ohne weiteres, dass wir es hier mit einem schon in die gemeinsame Quelle eingedrungenen Zusatz aus der Vulgata zu tun haben und der Vers zu lesen ist: 'Purpura induebatur, epulabat splendide'.

---

1) Dazu stimmt es, dass in den zu dieser Gruppe gehörigen Gedichten so häufig das doch unzweifelhaft auf romanische Heimat hindeutende s impurum auftritt. Dadurch wird auch der Rhythmus von der Zerstörung Jerusalems hierher gewiesen. Soeben veröffentlichte W. Meyer Götting. Nachr. 1908 S. 213 aus der Berner Hs. 611 einen alten alphabetischen Rhythmus, der ebenfalls dies s impurum häufig hat. Inhaltlich ist allerdings eine solche Verwandtschaft nicht festzustellen wie zwischen den aufgezählten, es kann aber doch nicht leicht Zufall sein, wenn es dort v. 24 heisst 'Eva prodit ex latere' und im Höllenfahrtsrhythmus 1, 3 'Sponsaque casta prodiit ex latere'.

Ich spreche zunächst von V_1. Oben ist die Vermutung ausgesprochen, der Umstand, dass wir so unverhältnismässig viel Abecedarien unter den Rhythmen finden, beruhe weniger darauf, dass fast ausnahmslos solche gedichtet wurden, als darauf dass aus irgend einem Grunde diese von dem Sammler oder den Sammlern besonders bevorzugt wurden. Dagegen kann man anführen, dass sich in V_1 unter anderm ein alphabetischer Rhythmus auf Mailand findet: sollte man den in Verona über St. Gallen kennen gelernt haben? Der Einwurf erscheint berechtigt, ist aber nicht durchschlagend. Es ist selbstverständlich sehr wahrscheinlich, dass man das Gedicht in Verona direkt aus Mailand kennen lernte, das schliesst aber nicht aus, dass es in die S a m m l u n g in St. Gallen aufgenommen wurde. Wie steht es mit dem Planctus Caroli 'A solis ortu' P. Kar. I, 434? Gedichtet wurde er in Bobbio, wie man aus Str. 17 schliessen muss. Wenn er nun in der Veroneser Hs. V_1 steht, so sollte man auch hier annehmen, er wäre direkt von Bobbio nach Verona gebracht und dort in die Sammlung aufgenommen worden. Das ist aber nicht der Fall, er gehört in die St. Gallener Sammlung, denn er findet sich, von V_1 abgesehen, in B P und F, ausserdem in einer Trierer Hs., die zu den hier besprochenen in irgend einer Beziehung steht[1]. Warum soll es mit dem Rhythmus auf Mailand nicht ebenso gegangen sein wie mit dem aus Bobbio? Man könnte meinen, er würde sonst nicht so spurlos verschwunden sein, sondern sich in einer der anderen Hss. finden. Aber wer bürgt uns dafür, dass wir die ursprüngliche Sammlung rekonstruieren können? Es lässt sich sogar positiv nachweisen, wie so manches verloren gegangen sein muss. Der grosse Placidas-Rhythmus, Zeitschr. f. d. Alt. XXIII, 273, ist jetzt nur in V_1 erhalten. Darf man annehmen, dass er in der St. Gallener Hs. gestanden hat, oder muss man aus dem Schweigen der anderen Hss. schliessen, dass er erst in Verona zugefügt ist? Dümmler führt a. a. O. S. 264 aus, dass dies Gedicht im Wesentlichen nach dem in den Acta SS. heraus-

1) Es ist merkwürdig, wie von einer ursprünglich vorhandenen Sammlung allmählich einzelnes absplittert. In B fol. 18—21 stehen hinter einander 'Apparebunt ante summum' (irrtümlich hierher geraten, s. oben S. 630 und irrtümlich für rhythmisch gehalten; vgl. W. Meyer, Kl. Schr. II, 349) und 'Audax es vir iuvenis'. Diese beiden Stücke finden sich in einer Lorscher Hs. wieder, Paris Bibl. Nat. 16668 fol. 21 f. Und dies 'Audax es vir iuvenis' (später noch in die Cambridger Sammlung aufgenommen) zusammen mit dem erwähnten 'A solis ortu usque' steht wieder in der Trierer Hs.

gegebenen Leben des hl. Eustachius gefertigt ist. Die Bollandisten 'schöpften für ihre Ausgabe auch ex veteri codice abbatiae S. Galli (S. 107), der mit den übrigen fast wörtlich gleichlautend nur zuletzt eine abgekürzte Erzählung gibt (S. 113): dieselbe (S. 136) entspricht grösstenteils wörtlich den Strophen 37—44 unserer poetischen Bearbeitung'. Es ist Dümmler und ebenfalls Ebert, der ein Jahr darauf Zeitschr. f. d. Alt. XXIV, 149 sehr fördernde Beiträge zur Kritik des Rhythmus brachte, ganz entgangen, dass dies Stück der Vita nicht eine sehr eng benutzte Vorlage darstellt, wie sie meinten, sondern das Verhältnis umgekehrt ist: die scheinbar abgekürzte Erzählung ist der Schluss des Rhythmus selbst. Ich habe die Hs. hier untersuchen dürfen, die Tatsache ist zweifellos, dem Schreiber der St. Galler Vita war aus irgend einem Grunde die Vorlage ausgegangen, da nahm er sich einfach den Placidas-Rhythmus vor und schrieb die letzten Strophen als Ende der Vita Wort für Wort ab, sodass das Stück geradezu eine zweite, wertvolle Hs. vertritt. Diese Feststellung ist wichtig für die Geschichte der Rhythmen; wenn sich so bei einem Stück und zwar einem so umfangreichen nachweisen lässt, dass es in St. Gallen war, aber dann verschwunden ist, warum soll es nicht auch für andere angenommen werden können? Das wirft ein Licht auf die merkwürdige Tatsache, dass wir in allen Rhythmenhss. einzelnes finden, was in allen anderen fehlt; der Umstand, dass diese schweigen, darf uns nicht veranlassen das betreffende Gedicht der ursprünglichen Sammlung abzusprechen. Fehlen verschiedene Stücke, die in St. Gallen erhalten sind, doch überhaupt in diesen Hss., z. B. der von v. Winterfeld entdeckte Rhythmus des Königs Chilperich. So ist es auch mit den Rhythmen 'Ama puer castitatem' und 'Audite omnes versum verum magnumque' V_1 fol. 2 (gedruckt bei Dümmler, Rhythm. eccles. XVI, Dreves, Anal. hymn. XIX, 14), die zu der oben charakterisierten Gruppe gehören, die mir aus Luxeuil und Umgebung zu stammen scheint. — Ein anderer Fall: 'Hic est dies in quo Christi pretioso' lesen wir jetzt nur in V_1 fol. 51. Stammt das Gedicht nun aus St. Gallen oder ist es in Italien zugefügt worden? Das erstere ist der Fall, es stammt ohne Frage von dem Manne, der auch 'Congregavit nos in unum' dichtete, und diesen Rhythmus finden wir nun wieder in V_1 und B, er gehört zur St. Galler Sammlung, und da wird das Schwestergedicht nicht weit davon gewesen sein.

Wenn man also von dem oberitalienischen Sammelpunkt der Rhythmen gesprochen hat, so ist diese Bezeichnung mit Vorsicht aufzunehmen. Wie es sich bei diesen 4 scheinbar nur in V_1 erhaltenen Rhythmen zeigen liess, dass sie dem ursprünglichen Bestande angehören, so darf man dasselbe für die meisten Unica in V_1 vermuten.

Leider bin ich nun aber genötigt, dies reinliche Ergebnis selbst wesentlich einzuschränken. Wenn man von einem Gedichte es wahrscheinlich machen kann, dass es erst in Verona dazu gekommen ist, so muss man die Möglichkeit für jedes andere — sofern nichts Besonderes dawider spricht — ebenfalls zugestehen. Und ein solches Gedicht ist da, der Abecedarius auf den hl. Zeno 'Audiens principes audient populi'. Hier dürfte wohl kein Zweifel obwalten, dass der Rhythmus nicht erst über St. Gallen, sondern direkt in V_1 aufgenommen wurde. So ergibt sich: die Hauptmasse dieser rhythm. Gedichte kam aus St. Gallen, einiges, vermutlich sehr wenig, wurde in Verona zugefügt.

Noch ein Wort über Verona. Ich gebrauche wiederholt das Wort 'Sammlung', weniger weil ich es für eine glückliche Bezeichnung halte, als weil mir kein passenderes für eine nicht ganz klare Sache zur Verfügung steht. Ich stelle mir natürlich den Hergang nicht so vor, als ob eine starre 'Sammlung', meinetwegen eine Hs., aus St. Gallen nach Verona transportiert worden wäre, sondern nehme einen mehr oder minder regen litterarischen Verkehr zwischen den beiden Orten an, wobei St. Gallen der gebende Teil war und der vor allem durch die wandernden Iren vermittelt wurde. Und hier haben wir glücklicherweise einmal ein greifbares Datum. Der oben schon erwähnte Rhythmus auf Mailand ist bald nach 738 entstanden. Traube, Karol. Dichtung. S. 115[4] macht es wahrscheinlich, dass er unter Benutzung des kosmographischen Rhythmus (ed. Pertz, Abh. d. Berl. Akad. d. W. 1845 S. 264)[1] gedichtet ist. Dieser steht in L, St. Gallen 2 und 213, gehört also deutlich nach St. Gallen und zwar, wie ich vermute, zu der französischen Gruppe. Er muss demnach schon vor 738 von St. Gallen nach Oberitalien gewandert sein, wo er dann verschollen zu sein scheint, während z. B. der Planctus Caroli wohl fast 100 Jahre später diesen Weg gemacht hat.

Auch ein zweites ist wohl zu beachten. Man darf sich nicht vorstellen, dass diese 'Sammlung' nur auf

1) Jetzt im Programm des Kgl. Luisengymnasiums zu Berlin 1909.

rhythmische Gedichte beschränkt gewesen wäre, sondern es waren, wie es scheint, von Anfang an fremdartige, nichtrhythmische Bestandteile dabei, die gelegentlich wohl noch erweitert wurden. Schon die älteste Hs. L beginnt ja mit den Anfangsversen von 'Lingua prophetarum cecinit de virgine partum' (Venant. Fortunat. ed. Leo S. 371), und dass dies kein Zufall ist, scheint daraus hervorzugehen, dass in F der Schluss desselben Gedichtes, in 2 Stücke zerrissen, vorkommt. Und wenn in L an die Rhythmen sich Gedichte des Prudenz anschliessen, so finden wir solche auch in anderen Hss. Von 2 auch sonst sehr verbreiteten Gedichten des Fortunatus ist es deutlich, dass sie zum alten Bestande gehören: 'Pange, lingua, gloriosi' (Leo S. 27) steht in 4 Hss., V_1 B P Be, und 'Aspera conditio et sors inrevocabilis horae' (Leo S. 205) in V_1 V_2 B Be. Wie, aus welchem Grunde dies hineingeraten ist, kann man nicht wissen. Und ebenso was sonst noch etwa darin gestanden hat. Die gemeinsame Quelle sah also offenbar schon ähnlich aus wie die darauf zurückzuführenden Hss. V_1 B u. a., eine Anzahl rhythmischer Gedichte, darunter viel Abecedarien, vielleicht diese zusammengeschrieben, dazwischen, davor oder dahinter fand man Dichtungen des Prudenz, Boethius, Hymnen und dergleichen. Diese Sammlung, die in ihren ältesten Bestandteilen wohl aus Frankreich stammt, war nicht ein unveränderliches Corpus, sie wurde erweitert und ergänzt, teils schon in St. Gallen, teils in den daraus angefertigten Auszügen. Doch ist anzunehmen, dass, wie die angeführten Beispiele aus V_1 zeigen, die Hauptmasse schon zu dem St. Galler Corpus gehörte; wenn wir ein Gedicht jetzt nur in einer Hs. finden, so kann das oft nur Schuld der mangelhaften Ueberlieferung sein.

So steht die Sache. Ein Versuch das St. Galler Exemplar zu rekonstruieren verspricht deshalb geringen Erfolg. Doch ist es immerhin möglich bei einer grossen Anzahl von Gedichten zu zeigen, dass sie darin gestanden haben, denn, wenn sie in mehreren dieser Hss. sich finden, muss man dies doch annehmen. Sicher freilich ist es nicht, einige der Hss. zeigen deutlich nähere Verwandtschaft, es ist also leicht denkbar, dass das betreffende Gedicht nur in dieser Gruppe gestanden hat. Darüber unten Näheres.

Um eine Uebersicht zu gewinnen und eine Vorstellung von der Sammlung zu vermitteln, habe ich eine Tabelle angefertigt, die über die Verteilung der Gedichte auf die einzelnen Hss. Auskunft gibt. Aufgenommen sind sämtliche Rhythmen und Abecedarien, von andersartigen

Gedichten nur die, welche in mehreren Hss. stehen, also zum alten Bestande gehören. Ein Kreuz deutet an, dass das Gedicht in der betreffenden Hs. steht. S ist die St. Galler Hs. 2 vom Schreiber Winithar, C der Claromontanus 189 saec. IX, R ist vormals Reichenau, jetzt Cheltenham 18908, X andere z. B. Köln, Trier. Eingeklammert habe ich die nichtrhythmischen Gedichte. Zu Grunde gelegt ist die Brüsseler Hs. B, die leider die beiden ersten Lagen eingebüsst hat, aber doch noch am vollständigsten ist, die übrigen in der obenstehenden Reihenfolge. Ein fetter Buchstabe zeigt den Beginn einer neuen Hs. an, *α* bedeutet Abecedarius. Von oben nach unten gelesen gibt die Tabelle den Inhalt der Hss. an, quer die Verteilung der Gedichte auf die einzelnen Hss.

	B	V_1	V_2	L	P	Be	F	S	C	R	X
1. Anno tertio in regno	†		†		†						
2. Tertio in flore mundus . . .	†		†			†	†			†	†
3. Prima die dixit deus	†										
4. Angelus domini Maria *α* . . .	†			†							
5. A superna caeli parte *α* . . .	†			†							
6. Alta prolis sanctissime *α* . . .	†										
7. Adeptus quisque munere *α* . .	†										
8. (Audi me deus piissime) *α* . .	†										
9. Audi me deus peccatorem *α* .	†										
10. Age deus causam meam *α* . .	†										
11. A solis ortu cardine *α* . . .	†					†					
12. (Apparebunt ante summum) .	†										†
13. Audax es vir iuvenis *α* . . .	†										†
14. Audite omnes gentes *α* . . .	†										
15. Agnus et leo mitis *α*	†										
16. Apparebit repentina *α*. . . .	†					†					
17. Audi me deus de cęlo *α* . . .	†										
18. Alma fulget in caelesti *α* . .	†	†									
19. Alma vera ac preclara *α*. . .	†			†			†				
20. Aurora dicta sermone *α* . . .	†										
21. Amicus sponsi *α*	†										
22. Quique de morte	†				†				†		
23. (Qui cupis esse bonus qui) . .	†					†					
24. (O mortalis homo)	†					†					
25. Surrexit Christus a sopore . .	†						†				
26. (Pange lingua gloriosi) . . .	†	†			†	†					
27. Ante saecula et tempora *α* . .	†		†								
28. A solis ortu usque	†	†			†		†				†
29. Congregavit nos in unum . .	†	†									†
30. Gratuletur omnis caro	†			†			†				†
31. (Cantemus socii domino) . . .	†		†			†					
32. Canamus omnes	†										
33. Refulget omnis	†	†	†		†						†
34. Gloriam deo in excelsis . . .	†	†	†		†		†			†	†

	B	V_1	V_2	L	P	Be	F	S	C̣	R	X
35. Tristis venit ad Pilatum . . .	†				†						
36. (Aspera conditio)	†	†	†			†					
37. Fuit domini dilectus	†	†	†		†						†
38. Christus rex noster via lux . .	†				†						
39. Apostolorum gloriam (Beda) α	†										†
40. Homo quidam erat	†	†		†	†						
41. Insigne sanctum tempus . . .	†										
42. Audite omnes versum α . . .		†									
43. Audite versus parabole . . .		†							†		†
44. Ama puer castitatem α . . .		†									†
45. Alta urbs et spaciosa α . . .		†									
46. (Apostolorum passio)		†				†					
47. (Aeterna Christi munera) . . .		†				†					
48. Audi nos deus qui posuisti α .		†									
49. Audiens principes α		†									
50. Hic est dies in quo		†									
51. Respice de caelo deus		†									
52. Adonai magne α		†									
53. Beatus homo est		†			†						
54. Deus orbis reparator		†					†				
55. Ab aquilone venite α		†									
56. Amplum regalis α		†									
57. Andecavis abas		†									
58. Gracia excelsa regi		†									
59. Placidas fuit dictus		†									†
60. Audite omnes fines terre α . .		†									
61. (Sancte Paule pastor bone) . .		†			†						
62. Alexander puer magnus α . .			†								
63. Adpropinquat finis secli α . .			†								
64. (Dulcis amice bibe)			†								†
65. Arvi poli conditorem α . . .				†							
66. Asia ab oriente				†				†			†
67. Ante secula et mundi α . . .				†			†	†			
68. Angelus venit de caelo α . .				†							
69. Audite omnes canticum α . .				†							
70. Ad perennis vitae fontem α .				†							†
71. Aquarum meis quis α				†							†
72. Ad celi clara					†	†			†	†	†
73. Ad te deus gloriose α . . .					†						
74. Anima nimis misera α					†						
75. Totius mundi machinae . . .					†						
76. Rex regum dominans					†						
77. Mecum Timavi					†	†					†
78. (O stelliferi conditor orbis) . .					†	†					
79. (Bella bis quinis operatus) . .					†	†					
80. (Qui se volet esse potentem) .			†		†						
81. Hug dulce nomen					†						
82. Aurora cum primo mane α . .					†						†
83. (Quod chorus vatum venerandus)						†	†				
84. (Fit porta Christi pervia) . .						†	†				
85. (Aeterne rex altissime) . . .						†					
86. (Aurea luce et decore) . . .						†	†				

	B	V_1	V_2	L	P	Be	F	S	C	R	X
87. Avis haec magna α						†					
88. Sume plectrum						†					
89. Cantemus socii			†			†					
90. Qui signati estis Christo . . .						†					
91. (Quamvis se tyrio)			†			†					
92. (Eheu quae miseros)						†					
93. (O crucifer bone)			†			†					
94. Angelus domini							†				

Auf viele Fragen gibt diese Tabelle nun leider keine Auskunft. Vor allem sinnt man erfolglos darüber nach, nach welcher Regel die Auswahl vor sich gegangen ist. Ein Rhythmus findet sich in einer Hs., einer in 3, 4 und 5. Wie kommt das? Daran ist natürlich nicht zu denken, dass nur die Gedichte, die in mehreren Hss. stehen, den gemeinsamen Grundstock gebildet haben, oben ist für mehrere Stücke gezeigt, dass sie in St. Gallen gewesen sein müssen, ehe sie nach Verona kamen, jetzt aber finden wir sie nur in Oberitalien. Warum sind sie nicht auch in die anderen Hss. übergegangen? Ebenso wird es mit vielen andern gewesen sein. Aber nicht mit allen, denn bei einzelnen muss man bestimmt annehmen, dass sie erst nach der Abtrennung dazu gekommen sind; für manche Gedichte in P B und V halte ich es für sicher. Gewissheit ist für die meisten nicht zu erlangen.

Sehr auffallend ist eine Beobachtung. B hat dies Uebermass von Abecedarien, 19 im ganzen, von denen 17 hinter einander stehen, dagegen entbehren 17 von den in Betracht kommenden Gedichten dieses Schmuckes. In anderen Hss. ist das Verhältnis anders, in V_1 10 : 15, in P und Be noch viel ungünstiger. Und dazu beachte man, dass diese vielen Abecedarien zu einem grossen Teil Unica sind. Muss man da nicht annehmen, dass diese Abecedariensammlung erst von dem Schreiber von B oder dessen Quelle angelegt wurde und der gemeinsamen alten Quelle fremd war? Und doch würde man mit dieser Annahme irren. Unsere älteste Hs. L trägt ja schon denselben Charakter wie B, unter 12 Gedichten sind hier 9 Abecedarien, also sah um 800 die Sammlung schon ähnlich aus wie B. Und wenn man genauer zusieht, lässt sich diese Ungleichheit wohl auch erklären. Vergleicht man die in B und die in V_1 erhaltenen Rhythmen, so zeigt sich, wie mir scheint, ein nicht unbedeutender Unterschied. Den Abecedarien in

B ist fast allen das eigentümlich, was Dümmler mit dem — von Cassander entlehnten — Ausdruck Rhythmus ecclesiasticus hat sagen wollen. Diese sind in V_1 nicht in dem Masse vertreten wie in B, die wenigen, die V_1 aufgenommen hat, sind tatsächlich auch Abecedarien. Also für den nicht recht fassbaren Typus des Rhythmus ecclesiasticus ist die abecedarische Form fast vorgeschrieben, bei den anderen ist dies nicht in demselben Masse der Fall. Die verschiedenen Prinzipien, die für die Auswahl der Gedichte in den Hss. massgebend gewesen sind, haben also den Unterschied hervorgerufen.

Wesentlich klarer ist das Verhältnis bei der zweiten Veroneser Hs. V_2. Von den in dieser erhaltenen 8 Rhythmen finden sich nicht weniger als 6 auch in anderen Hss, und zwar alle 6 ebenfalls in B, und auch von den nicht rhythmischen Gedichten des Prudenz, Boethius u. s. w. in V_2 lesen wir die meisten in den anderen Hss. Nur zwei rhythmische Unica enthält V_2: 'Alexander puer magnus' und 'Appropinquat finis secli'. Der Erwähnung wert ist noch ein anderes Gedichtchen, 'Dulcis amice bibe' (P. Kar. I, 65, wo unsere Hs. vergessen ist). Dies haben wir in keiner der verwandten Hss., dagegen steht es in St. Gallen 573, der Hs., die auch das 'Alphabetum de bonis' und 'de malis sacerdotibus' erhalten hat, das, wie die Hs. L beweist, schon um 800 in St. Gallen war. Es wird doch wohl nicht Zufall sein, dass St. Gallen 573 einerseits 2 Gedichte enthält, die in L stehen, andererseits eins, das in V_2 aufgenommen ist.

Nicht unwichtig ist, was die Tabelle für P, die Hs. aus Limoges, lehrt. P. v. Winterfeld hat es, wie mir scheint, sehr wahrscheinlich gemacht, dass die Veroneser Sequenzenüberlieferung als ursprünglich italienisch, die Limousiner als aus Italien dorthin übertragen angesehen werden muss (N. A. XXV, 392 ff.). 'Ob damit auch etwas für die Geschichte der Verbreitung der Rhythmen gewonnen ist, wird noch zu untersuchen sein. Notwendig ist es nicht', meint er. Trotzdem scheint er sich dieser Ansicht zuzuneigen. Ich zweifle daran. Wenn die Rhythmen über Verona nach Limoges gelangt wären, so sollte man erwarten, dass sich irgendwelche Beziehungen zwischen diesen beiden Sammelpunkten fänden. Das ist nicht der Fall. V (d. h. V_1 und V_2) und P haben 5 Rhythmen gemeinsam, die finden sich aber auch sämtlich in anderen Hss., das beweist also nichts:

1 Fuit domini dilectus (P. Kar. I, 133) in P B V_1 V_2.
2 Gloriam deo P B V_1 V_2 F.

3 A solis ortu usque P B V_1 F.
4 Homo quidam erat dives P B V_1 L.
5 Anno tertio in regno P B V_2.

Hieraus ist also ein Beweis für näheren Zusammenhang von V und P nicht zu gewinnen, diese 5 Gedichte gehören der ursprünglichen Sammlung an. Das Gegenteil aber folgt daraus, dass in weiteren 5 Fällen P mit B und anderen Hss. stimmt, wo V ganz ausfällt:

1 Christus rex vita P B.
2 Quique de morte P B, dazu ein Claromontanus, der allerdings ein anderes Stück, 'Puer interfectus a colobre', mit V_1 gemeinsam hat.
3 Tristis venit ad Pilatum P B.
4 Mecum Timavi P Be und ein anderer Bernensis.
5 Ad coeli clara P Be, ein anderer Bernensis, der oben angeführte Claromontanus und ein Augiensis.

Ich denke, bei dieser Sachlage ist bis auf weiteres kein stichhaltiger Grund für die Annahme vorhanden, dass die Rhythmen aus St. Gallen über Oberitalien nach Limoges gewandert sind. Ja, dass die Rhythmenüberlieferung von der der Sequenzen getrennt werden muss, geht daraus hervor, dass schon zu einer Zeit, als die Sequenzendichtung in St. Gallen ihren Anfang nahm, in Limoges St. Galler Rhythmen bekannt waren, die Abecedarien 'De bonis' und 'De malis sacerdotibus'; sie stehen in L und Sangallensis 573, kommen also aus St. Gallen und sind in der Limousiner Hs. 145, Paris Bibl. Nat. 528, saec IX ex., erhalten. Eine zweite Möglichkeit wäre noch, dass direkte Beziehungen zwischen Limoges und der Heimat dieser beiden Gedichte bestanden hätten, doch scheint dies durch gemeinsame falsche Lesarten in L und P ausgeschlossen zu werden. Weniger beweisend für unsere Frage ist es, dass der nur in L überlieferte Höllenfahrtrhythmus auch in Limoges gewesen sein muss, da er offensichtlich in einer dortigen Sequenz (Dreves VII, n. 53) benutzt ist[1]. Nur eine Tatsache könnte man für engern Zusammenhang zwischen V und P anführen (abgesehen davon, dass in V und P der Hymnus 'Sancte Paule pastor bone' steht, der aber wohl auf eine andere Quelle zurückgeht), das ist die, dass wir in beiden allein ein ganz eigenartiges Machwerk finden, 'Beatus homo qui', ich glaube aber nicht, dass dies angesichts der

1) P. v. Winterfeld sagt, er sei auch in einer italienischen zitiert, ich kann aber nicht sagen, welche gemeint ist.

angeführten Tatsachen ausreicht, besondere Verwandtschaft von V und P nachzuweisen.

Schon oben habe ich darauf aufmerksam gemacht, dass sich gelegentlich von dem Hauptstamm kleine Splitter losgelöst haben. So finden sich in der schon erwähnten Clermonter Hs. C 3 Gedichte, die man der alten Sammlung zuschreiben muss: 1. 'De puero interfecto a colobre' C V_1 und ein Palatinus, 2. 'Quique de morte estis redempti' C P B, 3. 'Ad caeli clara' C Be, ein Bernensis und ein Augiensis.

Ueber die Berner Hs. 455, die Hagen in ihren wichtigsten Teilen in seinen 'Carmina medii aevi' veröffentlicht hat, sind noch ein paar Worte zu sagen. Auch sie enthält ausser vielen anderen eine Reihe von Gedichten, die zu der uns beschäftigenden Gattung gehören. Auf zahlreiche Hymnen und dergl. folgt fol. 14 ein ganz wunderbarer, nur hier erhaltener Abecedarius 'De accipitre et pavone'. Die Strophe besteht aus 5 rhythmischen Adoniern, und alle 5 beginnen mit der betreffenden Initiale, eine Spielerei, die sich mit der im Rhythmus VII bei Dümmler vergleichen lässt. Daran schliesst sich, wie in den Schwesterhss., Fortunats 'Pange lingua gloriosi' und 'Aspera conditio', dann der so beliebte Rhythmus von Jacob u. Joseph 'Tertio in flore'. Bei den folgenden ist auffallend, dass Be mehrfach mit B geht. Es scheint doch, als ob diese beiden Hss. in einem näheren Verwandtschaftsverhältnisse zu einander stehen als die Veroneser und Limousiner. Und dazu kommt F. Wie gesagt, hat Be vor den Rhythmen eine grosse Menge Hymnen und dergl., darunter fol. 2 hinter einander 'Quod chorus vatum venerandus olim' und 'Fit porta Christi pervia'; diese beiden Stücke stehen ebenfalls in F hinter einander, und bald dahinter findet sich als drittes gemeinsames Gedicht 'Aurea luce et decore roseo' Be fol. 6 u. F (Brower) S. 76. So scheint es, als hätten wir unter den 7 Hss. eine sich näher stehende Gruppe B Be F anzunehmen. Dazu würde L kommen, das durchaus zu B gestellt werden muss. Dies Ergebnis könnte man leicht noch durch die Kritik der Texte stützen, doch mag dies hier genügen. Dieser Gruppe stehen einerseits die oberitalischen, anderseits die Limousiner Hs. gegenüber. Näheres lässt sich, soweit ich sehe, vorläufig nicht eruieren.

Das Resultat ist etwas niederdrückend, denn ein klares Bild haben wir nicht gewonnen. Aber der Versuch musste einmal gemacht werden. Soviel scheint mir aber sicher zu sein: es muss in St. Gallen auffallend früh eine Sammlung solcher rhythmischen Gedichte angelegt sein, aber sie war nicht darauf beschränkt, von Anfang an gehörten Stücke aus Fortunat, Prudenz, Boethius dazu. Der Schatz wurde nicht ängstlich verschlossen gehalten, einzelne Gedichte werden bald weiter verbreitet worden sein, wie es von dem kosmographischen Rhythmus anzunehmen ist. Daneben sind auch wohl ganze Stücke der Hs. abgeschrieben worden, aber mit Auswahl. So kommt es, dass wir in allen hierher gehörigen Hss. einzelne Gedichte finden, deren Vorhandensein in St. Gallen wir voraussetzen müssen, während sie jetzt nur in einer Hs. stehen. Erschwert wird die Sachlage nun noch dadurch, dass die verschiedenen Hss. in ihrem Sonderleben einzelnes aufgenommen haben. Welche Grundsätze bei diesen Vorgängen obgewaltet haben, ist nicht zu erkennen. Aus welchen Quellen der Sammler schöpfte, ist ebenso unklar, nur ein glücklicher Zufall ist es, wenn es gelingt eine Gruppe festzunageln, wie oben mit der aus einem romanischen Lande, wohl Frankreich, stammenden geschehen ist. — Die Ueberlieferungsgeschichte der Rhythmen bietet gerade soviele Schwierigkeiten und Dunkelheiten wie ihre Textkritik.

IV.

Wenn selbst die älteste Hs. L schon durch mehr als ein Jahrhundert von der Entstehungszeit einzelner dieser Gedichte getrennt ist, so ist die Befürchtung naheliegend, dass die Ueberlieferung nicht fehlerfrei sein wird. Leider geht diese Befürchtung auch im vollsten Masse in Erfüllung; die Erhaltung dieser Gedichte ist erbärmlich. Was dabei möglich ist, zeigt v. Winterfelds Behandlung des ersten Dümmlerschen Rhythmus, der allein in B erhalten ist, (N. A. XXV, 381); ich halte seine Ausführungen trotz mancher Bedenken für richtig. Aber B ist verhältnismässig jung. Doch auch der soviel ältere Codex L ist nicht viel besser, wie ich an einem Beispiel zeigen will [1].

Dümmlers zweiter Rhythmus ist in den beiden, wie gezeigt, verwandten Hss. B und L erhalten. Die erste Strophe lautet in B

Angelus domini Mariae nuntiat:
spiritus sanctus super te veniat,
beata virgo et dei genetrix.

Die dritte Zeile wird nach jeder Strophe als Refrain wiederholt. L stimmt in der ersten Strophe zu B, hat

1) Auch hier kann ich wie bei dem Rhythmus von der Zerstörung Jerusalems ein kleines Stück aus v. Winterfelds Nachlass benutzen.

aber als Refrain stets: 'Hymnum dicamus de Christo domino'. Sonderbar ist nun aber, dass L am Schlusse der letzten Strophe von der ersten Hand den doppelten Refrain hat:

Hymnum dicamus de Christo domino,
beata virgo et dei genetrix,
hymnum cantemus.

Fragen wir nach dem Grunde dieser Abweichung, so wird er mit v. W. darin zu suchen sein, dass der Refrain 'beata virgo' eigentlich nur zu den Strophen 1—3 passt, die von Maria handeln, allenfalls zur ganzen Kindheitsgeschichte bis Str. 17, jedenfalls nicht zu den letzten 6 Strophen. Entweder hatten 4—23 (bezw. 18—23) von Anfang an den anderen Refrain 'Hymnum dicamus de Chr. d.' — was ich nach der Analogie des Refrains in anderen Gedichten, wo er meistens ebenso schlecht passt, für nicht wahrscheinlich halte —, oder ein verständiger Leser merkte die Unzulänglichkeit dieser Fassung und dichtete eine passendere Zeile, wiederholte aber am Schlusse gewissenhaft auch den ursprünglichen Refrain.

Von diesem Rhythmus lauten Str. 12—16 in B folgendermassen:

Magi occurrunt offerentes munera,
stellam sequentes, qui eos duxerat. Beata . . .
Nuntium ducunt ad regem impium,
Herodi dicunt, quod Christus natus est. Beata . . .
Omnia fecit in suo nomine,
ut liberaret deceptum hominem. Beata . . .
Postquam cognovit, quod Christus natus est,
tunc interfectio parvulorum facta est. Beata . . .
Quaerebat Herodes parvulos perdere,
infra a bimatu eos occidere.

In L lauten sie:

Magi occurrerunt offerentes munera,
sequentes stellam, qui eos adduxerat. Hymnum . . .
Nuntium dirigunt ad regem impium,
Herode nuntiant natum ih̄m xp̄m. Hymnum . . .
Omnia fecit in suo nomine,
ut a peccato liberaret hominem. Hymnum . . .
Postquam cognovit, quod Christus natus est,
tunc parvolorum interfector exstitit. Hymnum . . .
Querebat Herodes parvulos perdere,
a bimatu et infra eos occidere. Hymnum . . .

Man sieht sofort, dass L aus dem kunstvollen elfsilbigen Schema (vgl. darüber W. Meyer, Ges. Abh. I, 226) so gut oder schlecht es gehen will jambische Trimeter herausbringt. Zum Glück haben wir ja B, aber auch diese Hs. ist, wie es scheint, von diesem Fehler nicht ganz frei, 12, 1 ist auch in B jambischer Trimeter. Also in der gemeinsamen Vorlage BL stand der Trimeter

magi occurrunt offerentes munera.

(In L wurde daraus durch Schreibfehler dann noch 'occurrerunt'). Wahrscheinlich, so meint v. Winterfeld, war der in die gemeinsame Vorlage eingedrungene Silbenzusatz in 12, 1 die Veranlassung, dass ein an den verbreiteten jambischen Rhythmus gewöhnter Schreiber denselben nun eine Zeit lang durchführte, bis ihm der Atem ausging. Auch mir ist es wahrscheinlich, dass der Hergang so war, die gewöhnliche Phrase, die man immer wieder bei der Schilderung der Anbetung der Magier liest, ist nach der bekannten Psalmstelle 71, 10 'reges Tharsis et insulae munera offerent' 'munera offerre'; so konnte aus 'ferentes munera' leicht ganz absichtslos 'offerentes' werden und dann dieser weitere Wirrwar sich daran knüpfen. So ist L also hier schlechter als B, doch darf auch dieser Codex nicht als sichere Grundlage für die Rezension angesehen werden. Für L ergibt sich ferner, was ja an und für sich schon wahrscheinlich war, dass auch diese Hs. durch mindestens ein Zwischenglied von der Urhs. getrennt ist. Wahrscheinlich war dies bereits aus dem Grunde, weil das behandelte Gedicht nach meinem Gefühl zu der oben besprochenen Gruppe von Rhythmen gehört, die von Sedulius abhängig sind. Es ist schon verdächtig, das die 7te Strophe mit dem obligaten 'gaudebant' ('gaudet, gaudium') beginnt; viel mehr stimmt dazu aber noch der Inhalt; dasselbe Thema wird in derselben Weise behandelt, die Geburtsgeschichte ziemlich breit mit Magiern und Kindermord, dann wird noch ganz abrupt dies oder jenes erwähnt, es sind aber immer dieselben Fälle: Taufe, Hochzeit zu Kana, Erweckung des Lazarus, eventuell noch eine Heilung. Dann ist gewöhnlich das Alphabet glücklich bis zu Ende gebracht. In diesem Gedichte sind Taufe und Auferweckung des Lazarus gewählt, dazu aber kommt als Extraleistung für die letzte Strophe, die von Rechtswegen mit 'zelus, zelare' dergl. anfangen musste, 'Zachaeus'. Sicherlich war der Dichter darauf recht stolz. — Wenn ich also richtig urteile, so war damals, als L geschrieben wurde, dies Gedicht auch schon über 100 Jahre alt.

Hieran anknüpfend möchte ich noch einen Punkt berühren, für den L mir von einigem Nutzen zu sein scheint. Für einen Herausgeber ist die Frage schwer zu beantworten, geradezu peinigend, wie er den Text herstellen soll. Ueberliefert sind die Rhythmen schlecht, sehr schlecht, aber wie viel kommt auf Rechnung der Dichter, wieviel auf die der Schreiber? Wo findet man einen Massstab, was erlaubt ist, was nicht? E. Dümmler hat noch die überarbeitete Hs. von Limoges möglichst ausgenutzt, v. Winterfeld N. A. XXV, 393 empfiehlt das Prinzip, an zweifelhaften Stellen die unorthographische (und regelwidrige) Form vorzuziehen. Das ist zweifellos in einem gewissen Grade richtig, aber doch mit Auswahl anzuwenden. Wenn z. B. 3 Hss. B V_1 P schreiben 'paupere', L dagegen 'paupero', so ist nicht einzusehen, warum in 3 Hss. der Fehler korrigiert und nur in einer Hs. die echte Form stehen geblieben sein soll. Die Schreiber waren doch denselben Schwächen unterworfen wie die Dichter. Und mag man auch sagen, B und P sind jüngere Hss., in denen bei steigender Bildung solche Fehler ausgemerzt werden, so wird man dies Prinzip auf die Veroneser Hs. nicht anwenden dürfen. Also wo finden wir einen Massstab? In einzelnen Fällen ergibt ihn die kritische Behandlung der Gedichte; über den Gebrauch der Präpositionen z. B. gewinnt man ziemliche Klarheit. Vielfach, vor allem auch in metrischen Fragen, steht man aber vor einem Rätsel. Da gibt nun L einen kleinen Fingerzeig. Die 12 Rhythmen, die in dieser Hs. stehen, sind nämlich ganz verschieden überliefert. Während einige von Ungeheuerlichkeiten strotzen — mehrere Beispiele sind ja gegeben worden —, sind andere bedeutend korrekter überliefert, sodass manche gute Lesart aus L gewonnen werden kann. So erkennt man wenigstens das eine, L ist im allgemeinen nicht schuld an der grossen Verderbnis, der Schreiber schrieb ab, was ihm unter die Finger kam; war es ein schlechter Text, so gab er den ebenso getreulich wieder wie einen guten. Ich zweifle deshalb auch daran, dass es der Schreiber von L war, der das eben besprochene Gedicht in Trimeter umsetzte. Für die Kritik gewinnt man so doch wenigstens die Erkenntnis, dass diese grossen Korruptelen noch vor L, also der Quelle noch näher, liegen, mithin der Verdacht, dass die Dichter die Schuld tragen, sich steigert.

XIII.

Studien zu Cosmas von Prag.

I.

Von

Bertold Bretholz.

I. Ueber K. Heinrichs I. Feldzug nach Böhmen im Jahre 929.

Am Schluss des 35. Kapitels des ersten Buches Widukinds, das sich in seinem Hauptteil mit den Vorkehrungen K. Heinrichs I. gegen die 'barbaras nationes' und mit dem Kampf gegen Heveller und Daleminzier beschäftigt, geschieht auch einer Unternehmung Heinrichs nach Böhmen mit folgenden Worten Erwähnung: 'Post haec Pragam adiit cum omni exercitu, Boemiorum urbem, regemque eius in deditionem accepit; de quo quaedam mirabilia predicantur, quae quia non probamus, silentio tegi iudicamus. Frater tamen erat Bolizlavi, qui quamdiu vixit imperatori fidelis et utilis mansit. Igitur rex Boemias tributarias faciens reversus est in Saxoniam'.

In dieser Fassung lesen wir den Satz in der Ausgabe von Waitz in den MG. SS. III, 432 und von Kehr in den SS. rer. Germ., ed. 4 (1904), p. 43; aber auch Frechts erste Widukind-Ausgabe vom J. 1532 (p. 16) und die übrigen Editionen zeigen den nämlichen Text mit unwesentlichen Varianten. Von einer wichtigeren Abweichung in der Interpunktion spreche ich später.

Gleichwohl verursacht diese Stelle mancherlei Schwierigkeiten, die von Herausgebern und Bearbeitern sehr wohl bemerkt worden sind. Es ist vor allem aufgefallen, dass Widukind den Namen des Böhmenkönigs (recte Böhmenherzogs), der sich Heinrich in Prag unterwarf, nicht nennt; man nahm an, dass er ihn auch nicht gekannt habe[1]. Es kommt zwar auch sonst bei Widukind vor, dass er Personen, von denen er spricht, nicht mit Namen nennt[2]; aber gerade an dieser Stelle, wo er den Leser durch die

---

1) S. Waitz, Jahrbücher unter K. Heinrich I.[3] S. 126, N. 3 und anderwärts. 2) II, 3: 'percussitque Bolizlav fratrem suum'; III, 8: 'obsidebatur Bolizlavi filius'; III, 50: 'Naconem et fratrem eius'; III, 60: 'in fide Geronis filiique sui'; besonders dann III, 73, wo in der Schilderung der Ermordung des Nicephorus Phocas durch Johannes Tzimeske und Theophanu alle Namen fehlen.

Nachricht, von diesem böhmischen Fürsten verlauteten wunderbare Dinge, auf ihn besonders aufmerksam macht, wäre es — so möchte man glauben — Pflicht des Schriftstellers gewesen, den Namen nicht zu unterdrücken.

Man hat aber dieser Ungenauigkeit des Autors keine grössere Bedeutung beigelegt, weil man es für ganz selbstverständlich hielt, dass der nichtgenannte Böhmenfürst, gegen den Heinrich nach Prag zog, beziehungsweise der sich ihm daselbst unterwarf, niemand anderer gewesen sein könne, als der heilige Wenzel. Die Bemerkung: 'de quo quaedam mirabilia predicantur' liess scheinbar keine andere Erklärung zu. In diesem Sinne wurde Widukinds Bericht schon von mittelalterlichen Chronisten aufgefasst und wiedergegeben, von Sigebert von Gembloux und dem Annalisten Saxo, die nicht zögerten, in ihren auf Widukind beruhenden Darstellungen den in ihrer Vorlage, wie sie annahmen, nur vergessenen Namen 'Wenzel' einzufügen. Sigebert schreibt nämlich: 'Wencezlaus princeps Boemiae, a rege Henrico in Praga urbe obsessus, se et urbem regi dedit, et impositam Boemiae multam tributi solvit' [1]; beim Annalista Saxo lesen wir: 'Rex Pragam Boemiorum cum exercitu adiit, urbem et regem in dedicionem accepit, Boemios tributarios faciens reversus est in Saxoniam. Regnabat autem in Praga Wenezlaus deo et hominibus acceptus, qui inter cetera, que de ipso predicantur, mirabilia . . .' [2].

Es ist wichtig festzustellen, dass im Gegensatz zu diesen zwei Quellen, die ihre Kenntnis des Ereignisses doch nur aus Widukind schöpfen, ältere chronistische Notizen über diesen Feldzug nach Böhmen den Namen des böhmischen Fürsten, gegen den die Unternehmung gerichtet war, nicht kennen und nicht nennen. Ueberall heisst es bloss ganz allgemein: König Heinrich zog nach Böhmen oder gegen die Böhmen; Wenzels oder eines anderen böhmischen Fürsten geschieht dabei weder direkt noch indirekt Erwähnung [3].

So lange der kompilatorische Charakter der Chroniken Sigeberts und des Sächsischen Annalisten und ihr Abhängigkeitsverhältnis von Widukind noch nicht so allgemein bekannt war wie heute, konnte allerdings ihre so bestimmt auftretende Angabe, dass es Herzog Wenzel gewesen, gegen den sich Heinrichs Unternehmung richtete,

1) MG. SS. VI, 347, ad a. 930. 2) Ibid. p. 596, ad a. 928.
3) Vgl. Waitz, Jahrbücher unter K. Heinrich I. S. 125, N. 1. 2.

eine Berücksichtigung beanspruchen. So gesteht beispielsweise Balbin, der gelehrte böhmische Jesuit, ausdrücklich, dass er lange gezweifelt, ob man Widukinds Nachricht von einem Zuge K. Heinrichs I. nach Böhmen und von der Unterwerfung des dortigen Fürsten auf Wenzel oder auf Boleslaw beziehen solle. Der scheinbar so bestimmt auf Wenzel hinweisende Satz Widukinds 'de quo quaedam mirabilia predicantur' allein konnte ihn nicht bestimmen, die Frage zu entscheiden; aber vor Sigeberts Autorität streckte er die Waffen[1]. Da Sigebert in diesem Zusammenhang ausdrücklich Wenzel nennt, so ist auch Balbin überzeugt, dass es nicht Boleslaw, sondern Wenzel war, der sich König Heinrich I. in Prag unterwarf.

Wir aber dürfen wohl, wenn uns dieselben Zweifel kommen wie einstens Balbin, die Untersuchung unbekümmert um Sigebert oder den Annalista Saxo fortführen, denn ihre Einfügung des Namens Wenzel an dieser Stelle ist nichts als eine, wie man allerdings zugeben muss, sehr naheliegende Deutung, zu der sie durch Widukinds Bericht verleitet wurden.

Die Frage, ob diese Deutung und Auslegung auch richtig ist, wurde nach Balbin nicht wieder aufgeworfen. Dobner hat zwar Balbins und anderer Forscher Zweifel der Erwähnung wert erachtet, aber sie kurz abgefertigt[2]. Seither gilt es in der historischen Literatur als Tatsache, dass auch der heilige Wenzel vom deutschen König mit Krieg überzogen worden, dass er gekämpft hat, aber unterlegen ist, sich unterwerfen musste. Es gehört geradezu zum festen Bestand der Geschichte beider Fürsten, Heinrichs und Wenzels, dass sie einmal mit den Waffen in der Hand als Feinde einander gegenüber gestanden. Ob diese Annahme richtig ist, haben wir zu untersuchen.

Widukind verharrt in seinem Bericht auch weiterhin bei der anonymen Behandlung der Personen: 'Frater tamen erat Bolizlavi'. Unter der Voraussetzung, dass die Hauptperson in den beiden ersten Sätzen Wenzel ist, erscheint die Unterdrückung seines Namens an dieser Stelle noch auffälliger als früher, weil doch Widukind hier den Bruder des Fürsten Böhmens kennt und nennt; warum dann nicht

---

1) Epitome historica rerum Bohemicarum (1677) p. 23: 'Diu, fateor, dubius haesi, utrumne Wenceslaum an Boleslaum Henricus in deditionem acceperit? Sigebertus omnem mihi dubitationem exemit: Wenceslaus, inquit, princeps Bohemiae a rege Henrico obsessus . . .'.
2) Annales Bohemorum III, 556.

den Fürsten selber? Der Satz erweckt durchaus den Eindruck, als ob Boleslaw eine dem Leser bereits bekannte Person wäre; in Wirklichkeit ist aber von ihm direkt noch niemals vorher die Rede gewesen. Die Unklarheit des Zusammenhangs wird dann noch erhöht durch den unmittelbar folgenden Zusatz: 'qui quamdiu vixit imperatori fidelis et utilis mansit'. Die Frage, wer unter 'qui' gemeint sei, Wenzel oder Boleslaw, hat bis nun keine so einmütige Antwort erhalten, wie jene im ersten Satz; über diese Schwierigkeit ist man eigentlich nicht hinweggekommen.

Es läge nahe anzunehmen, dass sich das Relativum 'qui' auf Boleslaw, das letzte Substantivum, beziehe; aber auch die Beziehung auf das Subjekt des Hauptsatzes, auf 'frater' (also auf Wenzel) ist nicht nur grammatikalisch nicht ausgeschlossen, sondern wäre ganz korrekt. Allein in einem solchen Fall können rein grammatikalische Erwägungen nicht entscheiden; es handelt sich um den sachlichen und logischen Zusammenhang, um das, was der Schriftsteller folgerichtig nur gemeint haben kann.

Waitz machte als Editor Widukinds in den MG. SS. III (1839) durch eine Fussnote zum Wörtchen 'qui' ausdrücklich aufmerksam, dass darunter Wenzel verstanden werden müsse, wahrscheinlich von dem Gedanken geleitet, dass, da der ganze Bericht von Wenzel handle, auch diese wichtige sachliche Bemerkung nur der Hauptperson gelten könne[1]. Deshalb interpungierte er hier auch: 'Frater tamen erat Bolizlavi; qui quamdiu . . .' im Gegensatz zu den früheren Editoren, die vor 'qui' bloss Komma setzten, da sie es auf Boleslaw bezogen. Allein Waitz' Ansicht wurde von den meisten Forschern, die sich nachher mit dieser Stelle zu beschäftigen hatten, nicht angenommen und nicht geteilt.

Wattenbach 'berichtigte' in der Uebersetzung Widukinds in den Geschichtschreibern der deutschen Vorzeit (1. Aufl., 1852 S. V) noch im Vorwort die urspüngliche Uebersetzung auf S. 37, die gelautet hatte: 'Er war aber ein Bruder des Bolizlaw **und** blieb sein ganzes Leben hindurch dem Kaiser treu und gehorsam' dahin, dass sie

---

1) Die nämliche Ansicht spricht Waitz auch schon in Rankes Jahrbüchern des Deutschen Reichs unter der Herrschaft K. Heinrichs I. (1837) S. 91 aus, vermerkt aber schon in der Note die abweichende Auffassung Leutschs, der die Worte 'qui' etc. auf Boleslaw bezog, und fügt hinzu: 'In diesem Falle möchte man sie fast für ein Glossem aus III, p. 652 (d. h. Widukind l. III, c. 8) halten'.

heissen müsse: '. . . des Bolizlaw, welcher bis an sein Ende dem Kaiser treu und dienstbar blieb'. R. Köpke im Widukind von Korvei (1867) S. 16 stimmte Wattenbach zu, und Waitz akkommodierte sich schliesslich auch dieser Auffassung, interpungierte in der von ihm besorgten 3. Ausgabe Widukinds in den SS. rer. Germ. (1882): 'Frater tamen erat Bolizlavi, qui . . .' und äusserte sich auch in den Jahrbüchern unter Heinrich I. (1885[3]) S. 126, N. 6 in diesem Sinne über die Bedeutung der Stelle. Die gleiche Ansicht vertritt auch Kehr in der letzten (4.) Ausgabe Widukinds vom Jahre 1904, wie aus den Noten 10 und 11 auf S. 43 zu ersehen ist. Er hält es sogar Bachmann vor, dass er in seiner Geschichte Böhmens I, 129 den 'alten Irrtum' erneuernd die Worte 'qui quamdiu vixit imperatori fidelis et utilis mansit' auf Wenzel und Heinrich beziehe anstatt auf Boleslaw und Otto I. Die Annahme, dass unter 'qui' Boleslaw verstanden werden müsse, zwingt nämlich zu der weiteren Annahme, dass der 'imperator', den Widukind so plötzlich in seinem Bericht auftauchen lässt, Otto I. sei, denn nach landläufiger Chronologie hat Boleslaw nicht unter Heinrich I., sondern erst unter Otto I. regiert.

Ganz so Unrecht hatte aber Bachmann, wie auch seine Vorgänger, nicht, wenn er sich der Beziehung des Satzes 'qui quamdiu vixit . . .' auf Boleslaw nicht anschloss, denn man kann sich nicht verhehlen, dass die Stelle unter dieser Voraussetzung im höchsten Grade widerspruchsvoll und unverständlich ist. Das tritt noch deutlicher hervor, wenn wir in den anonymen Bericht die Namen nach der Wattenbach-Köpke Auffassung einsetzen. Er würde dann folgendermassen lauten, wobei ich mich an die Uebersetzung in den Geschichtschreibern halte: 'Nach diesem griff [Heinrich I.] Prag, die Burg der Böhmen, mit ganzer Macht an und zwang ihren König [Wenzel] zur Unterwerfung. Von diesem Könige [Wenzel] wird einiges wunderbare berichtet, was wir jedoch vorziehen mit Stillschweigen zu übergehen, da wir keine sichere Kunde davon haben. Er [Wenzel] war aber ein Bruder des Bolislaw, welcher [Bolislaw] bis an seinen Tod dem Kaiser [Otto I.] treu und gehorsam blieb. Also machte der König [Heinrich I.] Böhmen zinspflichtig und kehrte nach Sachsen zurück'.

Es ist gewiss mehr als auffallend, dass der Autor mit Nachrichten aus der Zeit Heinrichs und Wenzels beginnt, plötzlich auf Boleslaw und Otto überspringt und im Schlusssatz wieder auf die erstgenannten Personen zurückkommt, ohne aber mit Ausnahme Boleslaws einen einzigen

Namen zu nennen. Es ist unwahrscheinlich, dass er mitten in die Geschichte Heinrichs, dem das ganze erste Buch gewidmet ist, ein vereinzeltes Moment aus der Geschichte K. Ottos I., das Verhältnis eines Böhmenfürsten zu ihm betreffend, vorwegnimmt, ohne Otto zu nennen, ohne von ihm, dessen Geschichte erst mit dem zweiten Buche anfängt, bis dahin überhaupt noch gesprochen zu haben. Wenigstens in diesem Falle hätte er doch Otto mit Namen anführen müssen, wenn er plötzlich ausser allem Zusammenhang auf ihn zu sprechen kommt. Denn die Annahme, dass er eben durch den Wechsel im Ausdruck zwischen 'imperator' und 'rex' Otto von Heinrich unterscheiden wollte, hält nicht stand, da, wie Wattenbach in den Geschichtschreibern a. a. O. S. XII selbst dargetan hat, Widukind ganz nach antiker Weise sowohl Heinrich als Otto nach den Ungarnsiegen von ihren Heeren den Namen 'imperator' beilegen lässt. Es stimmt mit der allgemeinen Anwendung der Worte 'imperator' und 'imperium' bei Widukind, wenn er hier, wo er von der Unterwerfung und Dienstbarkeit eines böhmischen 'Königs (rex)' spricht, den deutschen Oberherrn als 'imperator' bezeichnet, mochte er sich darunter nun Heinrich oder Otto denken[1].

Man könnte zur Erklärung der Einfügung eines Faktums aus der Geschichte Ottos I. in die frühere Periode unter Heinrich I. eventuell auch hinweisen auf Widukinds berühmtes Bekenntnis (l. II, c. 28), man möge ihn nicht beschuldigen, die Zeiten untereinander vermengt zu haben, wenn er wegen der Verkettung der Ereignisse und Begebenheiten später geschehenes früherem voranstelle[2]. Köpke hat aber bereits nachgewiesen, dass sich diese Bemerkung wohl nur auf einen bestimmten Fall beziehe, und dieser Gesichtspunkt nirgend fest eingehalten sei. An unserer Stelle lag sicherlich keine solche Verkettung der Dinge vor, dass sich daraus die Einfügung des Satzes 'qui quamdiu vixit imperatori fidelis et utilis mansit' als notwendig ergab.

Uebrigens, das sind Eigentümlichkeiten des Autors, die verschieden gedeutet und verschieden eingeschätzt

---

1) Köpke a. a. O. S. 166 sagt: 'Derselbe also, der seinem Volke König war, kann bedingungsweise einem anderen Könige gegenüber Herr und Kaiser sein . . .'. Dieser Fall trifft eben hier zu, und deshalb ist es unrichtig, wenn Köpke a. a. O. S. 16 bemerkt, Widukind hätte Heinrich nicht in einem Atem 'imperator' und 'rex' nennen können. 2) 'Cum ergo causae causis et res rebus ita copulatae sint, ut sententiarum ordine discerni adeo non debeant, nemo me temporum vicissitudine accuset, dum posteriora anterioribus preposuerim gesta'.

werden können. Massgebend und entscheidend kann denn doch nur der sachliche Inhalt sein. Und die Behauptung, dass Boleslaw, so lange er lebte, K. Otto I. treu und dienstbar gewesen, konnte Widukind nicht niederschreiben, denn sie steht im offenen Widerspruch zu den tatsächlichen Verhältnissen und zu Widukinds eigener Darstellung der Beziehungen zwischen Boleslaw und Otto I.

Nur wenige Seiten später, im 3. Kapitel des zweiten Buches, das mit Ottos I. Regierung anhebt, erzählt Widukind von dem im Jahre 936 ausgebrochenen Krieg zwischen Boleslaw von Böhmen und den Sachsen und schliesst seinen Bericht mit den Worten: Und dieser Krieg währte bis in das vierzehnte Regierungsjahr des Königs Otto ('usque ad quartum decimum regis imperii annum'); und von da an blieb Boleslaw dem Könige treu und dienstbar ('ex eo regi fidelis servus et utilis permansit').

Die Kehrsche 4. Edition Widukinds begleitet diese Schlussbemerkung mit der Note: 'Eadem laus de Bolizlao iam supra (gemeint ist die Stelle I, 35) praemittitur'. Das ist zum mindesten nicht genau. Die beiden Texte harmonieren in einem wesentlichen Punkte nicht. In dem ersten Falle (I, 35) ist die Rede von lebenslänglicher Treue eines böhmischen Fürsten ('quamdiu vixit'), im zweiten (II, 3) von einem neubegründeten Treueverhältnis zwischen Boleslaw und Otto I. nach einem vierzehnjährigen Kriege, dessen letzte Phase und glücklichen Abschluss Widukind auch an einer späteren Stelle zum Jahre 950 ausführlich erzählt.

Man verstünde es auch nicht, weshalb Widukind das Verhältnis Boleslaws zu Otto I. zweimal und so unmittelbar nacheinander fast mit den nämlichen Worten und doch mit einem sehr wesentlichen Unterschied charakterisiert haben sollte, besonders da die Nachricht nur an der zweiten Stelle im logischen Zusammenhang steht, während sie an der ersten geradezu störend wirkt.

Dieser Mangel an Folgerichtigkeit in I, 35 wurde denn auch schon früher erkannt, und Köpke meinte, diesem Uebelstand dadurch abhelfen zu können, dass er annahm, der Satz: 'Frater tamen erat Bolizlavi, qui quamdiu vixit imperatori fidelis et utilis mansit' sei ein Einschiebsel, eine Glosse oder eine Randnotiz Widukinds, 'die ihn an eine abschliessende Redaktion von I, 35 erinnern sollte' [1]. Waitz hielt diese Erklärung für annehmbar [2], in der 4. Edition

---

1) Widukind von Korvei S. 16. 2) Jahrbücher unter K. Heinrich I. S. 126, N. 6.

Widukinds wurde Köpkes Vorschlag in der Anmerkung verzeichnet, ohne dass aber das Verhältnis im Text typographisch klar gemacht worden wäre.

Der Zusammenhang des ganzen Satzgefüges würde durch die Ausscheidung der Worte 'Frater — mansit' zweifellos hergestellt werden; es würde dann heissen: König Heinrich I. zog 929 mit Heeresmacht gegen Prag, dessen König sich ihm unterwarf. Von diesem Könige verlauteten wunderbare Nachrichten, die der Autor aber lieber übergehe, weil er keine genaue Kenntnis von ihnen habe. Nachdem König Heinrich Böhmen zinspflichtig gemacht, sei er nach Sachsen zurückgekehrt.

Man sieht, Köpke hat Recht, wenn er sagt: 'Ignoriert man (das Einschiebsel), so fügt sich alles klar und einfach'; allein ist man berechtigt an dem Texte Widukinds eine derartig gewaltsame Operation vorzunehmen? Köpke selbst hat schon bemerkt, dass die handschriftliche Ueberlieferung dagegen zu sprechen scheine, da in allen Codices die betreffenden Worte gleichmässig im Texte stehen. Er versucht auch, diesen Satz auf gleiche Stufe zu stellen mit vielen anderen Einschiebseln, die Widukind erst bei einer zweiten Redaktion in dem ursprünglichen Grundtext angebracht zu haben scheint. Allein diese Einschiebsel betreffen immer ganze Abschnitte, zusammenhängende Erzählungen, während es sich hier nur um einige Worte, um eine kurze Notiz handelt. Die Hauptschwierigkeit bei Köpkes Vorschlag liegt jedoch in etwas anderem. Ob wir den Satz: 'Frater tamen erat Bolizlavi, qui quamdiu vixit imperatori fidelis et utilis mansit' als zum ursprünglichen Text gehörig oder als Randnote ansehen wollen, immer bleibt er in der Auffassung, die ihm Wattenbach, Köpke und Kehr unterlegen wollten, sachlich unrichtig und unmöglich, steht im Widerspruch zu allem weiteren, was Widukind von den Beziehungen Boleslaws zum Reich unter K. Otto I. sonst erzählt. Boleslaw war nicht 'quamdiu vixit' Otto treu und dienstbar, dieses Verhältnis galt erst nach vierzehnjährigem Kampfe, seit dem Jahre 950, wie es Widukind an anderer Stelle ausdrücklich sagt. Auch berichtet er zum Jahre 945, dass Geiseln Boleslaws vor König Otto I. erschienen seien, die Widukind selber gesehen zu haben erklärt. Dieses Schauspiel hatte sich sichtlich seiner Erinnerung eingeprägt, es ist also nicht anzunehmen, dass er aus Ungenauigkeit oder Unwissenheit ein anderes Mal von der lebenslänglichen Treue Boleslaws gegen Otto I. gesprochen haben sollte. Die Worte 'qui quamdiu vixit imperatori fidelis et utilis mansit' können sich nicht auf Boleslaw und Otto I. beziehen; zum mindesten erscheinen sie hier so widersprechend und unverständlich, dass man prüfen muss, ob nicht eine andere Lösung möglich ist.

Versuchen wir vor allem Sinn und Zweck dieses Satzes: 'Frater — mansit' zu erfassen, der so unorganisch mit dem vorhergehenden und nachfolgenden Text verbunden zu sein scheint, dass man ihn, wie Köpke sagt, am liebsten 'ignorieren' möchte. Dabei störte Köpke noch besonders das Wörtlein 'tamen', das er als eine auffallend ungeschickte Ueberleitung von einem Satz zum anderen bezeichnete[1]. Allein ich glaube, dass gerade die auffallende Adversativ-Partikel 'tamen' den Weg zur Lösung weist. Durch sie und durch die ganze Stilisierung erhält der Satz den Charakter einer Berichtigung des vorhergehenden, oder wenigstens scheint er aufmerksam machen zu wollen, das vorhergehende nicht misszuverstehen.

'Das war aber der Bruder des Boleslaw, und dieser Bruder des Boleslaw war dem Kaiser zeitlebens treu und dienstbar', will der Autor durch diesen Satz sagen. Ist diese Auffassung richtig, dass Widukind mit diesen Worten die Absicht verfolgt, eine vorhergehende Unklarheit aufzuhellen, dann muss man diese Unklarheit in den beiden ersten Sätzen suchen; und da jeder für sich vollkommen verständlich und richtig zu sein scheint, so fragen wir vielleicht nicht ohne Grund, ob der Fehler nicht in der Verknüpfung beider Sätze, in der Beziehung beider auf ein und dasselbe Subjekt gelegen sein könne. Wir konstatierten schon früher, dass die namentliche Anführung Boleslaws im Satze 'Frater tamen erat Bolizlai' geradezu voraussetzt, dass von Boleslaw bereits die Rede war, eventuell ohne Namensnennung. Das könnte dann nur in jenem ersten Satze sein, in dem es heisst, dass sich dem Könige Heinrich I. in Prag ein Böhmenfürst unterwarf. Dachte Widukind hier an Boleslaw, so konnte er seiner im weiteren Verlaufe wie einer bereits angeführten Person gedenken. Der zweite Satz: 'de quo predicantur . . . .' bezieht sich grammatikalisch auf das Subjekt des ersten, also auf Boleslaw, während er sachlich natürlich nur auf Boleslaws Bruder Wenzel passt.

1) Widukind von Korvei S. 16: 'Viel einfacher war es, Wenzel unmittelbar zu nennen, als ihn in der ungeschicktesten Weise durch ein überleitendes "tamen" aus dem Namen seines Mörders und Nachfolgers erraten zu lassen'.

Der Fehler, der dem Autor unterlaufen ist, und auf den er noch rechtzeitig aufmerksam machen will, liegt also in folgendem:

Widukind erzählt im Anschluss an die Kämpfe Heinrichs I. gegen Heveller und Daleminzier von einer Unternehmung desselben gegen Böhmen, die mit der Unterwerfung des dortigen Landesfürsten, den er als König bezeichnet, abschloss. Ursache dieses Feldzugs, dessen Verlauf im einzelnen ist ihm ganz nebensächlich, davon spricht er nicht. Da erinnert er sich, im Zusammenhang mit dieser Unternehmung König Heinrichs von einem böhmischen Fürsten merkwürdige Nachrichten vernommen zu haben, glaubt den erstgenannten Fürsten, der sich unterworfen hat, mit diesem identifizieren zu können und fügt den Relativsatz an: 'de quo quaedam mirabilia predicantur . . .'. Noch im Schreiben besinnt er sich, dass diese beiden Fürsten von einander geschieden werden müssen, und fügt daher unverzüglich die Erklärung bei: Dieser Fürst, von dem die wunderbaren Dinge berichtet werden, war aber der Bruder jenes Fürsten (Boleslaws), von dem ich gesagt, dass er sich König Heinrich I. habe unterwerfen müssen, und war auch — anders als Boleslaw — dem Kaiser zeitlebens treu. Dann schliesst er seinen Bericht über den Feldzug Heinrichs gegen Böhmen, von dem allein er sprechen wollte, mit der kurzen Bemerkung ab, dass Böhmen zinspflichtig gemacht wurde und König Heinrich nach Sachsen wieder zurückkehren konnte.

Die beiden Sätze 'Post haec (rex Heinricus) Pragam adiit . . . regemque eius in deditionem accepit' und 'de quo quaedam mirabilia predicantur . . .' bezogen sich nach der ursprünglichen Fassung Widukinds auf ein und dasselbe Subjekt, allein der nächste Satz 'Frater tamen erat Bolizlavi . . .' stellt das Verhältnis allsogleich dahin richtig, dass in dem ersten Satz Boleslaw, in dem zweiten dessen Bruder Wenzel gemeint sei. Widukind bekennt gleichsam einen lapsus memoriae oder intellectus, indem er zwei Nachrichten ursprünglich auf eine und dieselbe Person bezog, während sie in Wirklichkeit von einander zu scheiden sind, die erste der Lebensgeschichte Boleslaws, die zweite der Wenzels angehört.

Als Widukind bald darnach (l. II, c. 3) wieder von Boleslaw und dessen Stellung zum neuen deutschen König Otto I. zu sprechen hatte, da lagen ihm die böhmischen Verhältnisse vollkommen klar, und er trug hier nur noch nach, was er eigentlich an der früheren Stelle hätte anführen sollen, dass Boleslaw der Mörder seines Bruders Wenzel gewesen. Er hatte ursprünglich wohl nicht die Absicht auf die inneren Zustände des Landes Böhmen einzugehen, ihm lag nur ob, die Taten seiner sächsischen Könige auch diesem Nachbar gegenüber festzustellen. Immerhin war es am Platze, da er an der ersten Stelle schon das Thema der inneren Vorkommnisse in Böhmen, soweit sie ihm bekannt geworden waren, berührt hatte, hier an der zweiten nicht unerwähnt zu lassen, wie dieser Slawenfürst, der sich gegen das Reich und den neuen mächtigen Herrscher erhob, zu seinem Throne gelangt sei. Keineswegs aber bezweckte der Autor damit, einen zeitlichen Zusammenhang zwischen den Ereignissen anzudeuten, die Ermordung Wenzels in den Regierungsbeginn Ottos I. zu verlegen, wie man angenommen hat.

Indem ich also zunächst dem Widukindschen Berichte in l. I, c. 35 diese Deutung gebe und noch zu prüfen haben werde, ob sich ihr keine ernsteren Schwierigkeiten entgegenstellen, glaube ich der Aufgabe überhoben zu sein, des weiteren ausführen zu müssen, dass es erlaubt ist, Widukind einen solchen Lapsus zuzuschreiben. 'Was in der Ferne vorgeht, berührt Widukind nur kurz und ist darüber auch wenig genau unterrichtet', urteilt Wattenbach in den Geschichtsquellen S. 365; 'Ein Beleg, wie einseitig er die Dinge auffasst, ist der Bericht über Heinrichs I. Zug gegen Böhmen . . .' — eben der, von dem wir sprechen — liest man bei Waitz Jahrbücher S. 6, N.; 'Widukind wusste nichts von dem, was jenseits des Rheins und des Thüringerwaldes geschah', sagt gelegentlich Hauck in der Kirchengeschichte III, 313.

Auch zur Geschichte Böhmens steht Widukind in keinem intimeren Verhältnis. Sein Interesse für diese beschränkt sich lediglich auf jene Episoden, da die beiden sächsischen Könige Heinrich I. und Otto I. mit Böhmen in kriegerische Verwicklungen gerieten. Das zeigen deutlich genug die wenigen Stellen seiner Chronik, in denen er auf Böhmen zu sprechen kommt.

L. I, c. 35 handelt von Heinrichs I. Zug nach Böhmen im J. 929; II, 3 von Boleslaws Angriff auf einen benachbarten mit den Sachsen im Bunde stehenden slawischen Fürsten, daraus der vierzehnjährige Krieg mit dem Reiche entstand; II, 40 erwähnt er die Geiseln Boleslaws, die vor Otto I. erschienen; III, 8 schildert er Ottos I. siegreichen Feldzug nach Böhmen im Jahre 950; III, 44 gedenkt er der Teilnahme böhmischer Krieger an der Lechfeldschlacht und III, 69 spricht er von der Unterstützung, die die Böhmen den Polen im Kampfe gegen den ehemaligen Sachsenherzog Wichmann angedeihen liessen.

Immer ist es die Geschichte des Sachsenlandes, seiner Heimat, die er erzählt, in die die böhmische nur hin und wieder hineinspielt; und nur in diesem Masse berücksichtigt er sie. Er kennt und nennt von böhmischen Fürsten bloss Boleslaw, weil dieser zur Zeit Ottos I. regierte und in Sachsen nicht unbekannt geblieben sein dürfte. Wenzel ist ihm nur noch der namenlose Bruder Boleslaws, auf dessen Geschichte er nicht weiter einzugehen für nötig hält, obwohl er mancherlei über ihn gehört haben muss, wie er selber zugesteht.

Einem Autor dieser Art, der überdies etwa vier Jahrzehnte nach diesen Ereignissen schrieb, darf man wohl das kleine Versehen zumuten, dass er zwei böhmische Fürsten, Brüder, die in der Herrschaft unmittelbar auf einander folgten, einen Augenblick lang verwechselte oder identifizierte, dass er im Konzipieren einen Denkfehler beging, den er allsogleich verbesserte.

Solche Verwechslungen oder richtiger gesagt falsche Identifizierungen widerfahren bekanntlich Widukind auch sonst, selbst bei Personen, deren Geschichte er aus guten Quellen und nicht, wie die Boleslaws und Wenzels, nur vom blossen Hörensagen kannte. Er hat (l. I, c. 16 u. 28) Karl II. den Kahlen und Karl III. den Dicken für eine und dieselbe Person gehalten, hat Ludwig, den Sohn Ludwigs des Deutschen, und Ludwig, den Sohn Arnulfs, verwechselt u. a. m., ohne auf seine Irrtümer überhaupt aufmerksam zu werden.

In unserem Falle hat Widukind die Verbesserung noch selber vorgenommen, wenn auch in einer Weise, bei der Missverständnisse nicht ganz ausgeschlossen waren. Vielleicht wären sie nie eingetreten, wenn die Ereignisse, um die es sich hier handelt, nicht auch in zeitlicher Hinsicht unbestimmt überliefert wären. Der Feldzug Heinrichs nach Böhmen wird in den Quellen bald zum Jahr 928, bald zu 929 oder zu 930 oder auch 931 gestellt; Widukind nennt überhaupt kein bestimmtes Jahr[1]. Eine Urkunde K. Heinrichs I., die man als Beleg dafür heranziehen wollte, dass das Jahr 929 den Vorzug verdiene, weil Heinrich am 30. Juni 929, wie man voraussetzte, am Hin-

1) Vgl. Waitz, Jahrbücher unter K. Heinrich I. S. 125, N. 1.

zug nach Böhmen oder schon am Rückzug aus Böhmen im bayrischen Orte Nabburg urkundete, ist nicht beweiskräftig, einmal weil der Aufenthalt Heinrichs daselbst auch mit anderen Vorkommnissen zusammenhängen kann, und dann, weil die Urkunde in Wirklichkeit das Jahresdatum 930 und die dazu gehörige Indiktionsziffer 3 nennt und nur das in der Datierung genannte Regierungsjahr Heinrichs für 929 spräche[1].

Allein die Frage nach dem richtigen Zeitpunkt dieser von so vielen Quellen verzeichneten Unternehmung Heinrichs gegen Böhmen tritt zunächst zurück vor einer anderen Erwägung chronologischer Natur. Wenn Heinrich bei seinem Einfall in Böhmen dort Boleslaw und nicht Wenzel als regierenden Fürsten antraf, dann müsste Wenzel zur Zeit dieses Kriegszugs, der in die Zeit von 928 bis 931 zu fallen scheint, bereits tot gewesen sein. Wir lesen aber als das fast unbestrittene Datum von Wenzels Märtyrertod in der neueren Geschichtsliteratur den 28. September 935. Ist diese Jahreszahl richtig, dann könnte Heinrichs Feldzug sich nicht gegen Boleslaw gerichtet haben, der bekanntlich zum böhmischen Thron erst gelangte, nachdem er seinen Bruder durch Mord beseitigt hatte.

Wenzels Todes tag ist durch alte Quellen, wie wir noch hören werden, und dann durch die kirchliche Tradition sicher überliefert; es ist der 28. September. Anders verhält es sich mit dem Todes jahr.

Als Dobner seine Annalen Böhmens schrieb, um Hayeks und der anderen böhmischen Chronisten Fabeln und Irrtümer richtig zu stellen, und sich wegen Wenzels Todesjahr zu äussern hatte, stand er vor einer scheinbar grossen Schwierigkeit. Die mittelalterlichen Chronisten und neueren Geschichtschreiber stimmten in diesem Punkte nicht nur nicht überein, sondern stellten Wenzels Tod zu den verschiedensten Jahren innerhalb des Zeitraumes von 925—939[2].

Dobner begnügte sich mit ihrer Aufzählung und verwarf sie alle, weil keines dieser Jahre — 925. 928. 929.

---

1) Vgl. Th. Sickel, Diplomata I, 54, n. 19; Waitz a. a. O. S. 126, N. 4. 2) L. c. III, p. 652: 'Vix in epocha alia tot tamque diversas tum nostrorum tum exterorum sententias est reperire, atque in anno martyrii s. Wenceslai; qui annus cum a nemine coaevorum consignatus fuisset, posteriores in opiniones etiam quatuordecim annorum spatio differentes recesserunt'.

937. 938. 939 — in einem zeitgenössischen Schriftsteller überliefert war. Selbst der einheimische Cosmas mit seiner ganz bestimmten Angabe '28. September 929' erschien ihm nicht genügend glaubwürdig, gehörte er denn doch erst dem beginnenden 12. Jh. an. Er hielt sich lieber an die Chronisten des 10. Jh., an Widukind und Thietmar. Nannten diese auch das Todesjahr nicht ausdrücklich, so schien doch indirekt aus ihrer Darstellung der Ereignisse ein Rückschluss auf den Zeitpunkt möglich. 'Numeris ipsis cum nuspiam a coaevis martyrii annum consignatum habeamus, ad eorum narrationes recurrendum est, ex iisque annus eruendus'[1]. Widukind und Thietmar gedenken der Ermordung Wenzels erst unter Otto I. und in solchem Zusammenhang, als ob das Ereignis gleich in den Beginn der Regierung gefallen wäre.

Nachdem nämlich Widukind sein zweites Buch mit der Wahl Ottos zu Aachen beginnt, in cap. 1 und 2 das festliche Mahl nach der Salbung in Anwesenheit der Bischöfe und Herzoge beschreibt und noch ihrer Verabschiedung vom neuen Herrscher gedenkt, fährt er im 3. Kapitel fort: 'Mittlerweile erhoben sich die Barbaren zu neuer Empörung, auch Bolizlav erschlug seinen Bruder, einen Christen und, wie man sagt, in der Furcht Gottes sehr eifrigen Mann, und da er den ihm benachbarten Häuptling fürchtete, weil dieser den Befehlen der Sachsen Folge leistete, erklärte er ihm den Krieg'[2]. Er erzählt des weiteren den Verlauf des Krieges zwischen Boleslaw und dem Häuptling, und wie daraus ein Kampf Boleslaws mit dem Reiche herauswuchs, der vierzehn Jahre dauerte.

Thietmar beginnt gleichfalls sein zweites Buch mit Ottos Krönung in Aachen und knüpft — in deutlicher Abhängigkeit von Widukind — daran ganz unvermittelt die Bemerkung: 'Ottos Glück trübte manch widriges Geschick. Denn der verruchte Bolizlav, der seinen eigenen Gott und dem Könige getreuen Bruder, den Böhmenherzog Ventizlav, erschlug, widerstand Otto I. lange Zeit tapfer . . .'[3].

---

1) L. c. p. 654. 2) 'Interea barbari ad novas res moliendas desaeviunt, percussitque Bolizlav fratrem suum, virum Christianum et, ut ferunt, Dei cultura religiosissimum, timensque sibi vicinum subregulum . . .'. Man beachte den Wechsel der Zeiten, Praesens und Perfectum, den Widukind hier anwendet und der in der obigen deutschen Uebersetzung (Wattenbachs) nicht berücksichtigt erscheint; es hätte wohl richtiger heissen müssen: 'Mittlerweile erhoben sich . . ., Bolizlav hatte seinen Bruder erschlagen . . . und da er fürchtete . . .'. 3) L. II,

Man darf vielleicht sagen, dass die Fassung sowohl bei Widukind als bei Thietmar die Vorstellung erweckt, dass Wenzels Ermordung durch Boleslaw in die Regierungszeit Ottos I. fallen könne; ob aber Dobner berechtigt war, kurzweg zu behaupten: 'Uterque (sc. Widukind und Thietmar) vero luculenter innuit, eodem anno, quo Otto in regem electus et Aquisgrani in regem unctus est, S. Wenceslaum a fratre Boleslao caesum' [1], scheint mehr als zweifelhaft. Man muss sich vor allem vor Augen halten, dass Thietmar den Widukind gekannt und benutzt hat, also in seiner Auffassung bereits beinflusst war; seine für die Gleichzeitigkeit beider Ereignisse scheinbar noch mehr charakteristische Textierung ('fratrem Deo ac regi perimens fidelem') fällt daher weniger in die Wagschale als die Widukinds. Dessen Worten kann man aber einen chronologischen Wert nicht beimessen. Die Erwähnung von Wenzels Ermordung geschieht nicht um ihrer selbst willen, sie dient ihm nur zur Charakteristik Boleslaws, des Gegners Ottos I.

Gewiss hätte auch Dobner auf dieses vermeintliche Zeugnis kein solches Gewicht gelegt, wenn ihn nicht eine andere Quellennachricht in dem Glauben bestärkt hätte, dass 936 das richtige Todesjahr seine müsse. Er kannte eine Urkunde vom Jahre 1357, aus der zu ersehen war, dass damals in der Olmützer Kirche an jedem Mittwoch (feria IV) beim S. Wenzelsaltar eine Messe 'ob memoriam passionis eiusdem sancti' gelesen wurde. Er folgerte daraus, dass Wenzels Todestag ein Mittwoch gewesen sei, und da der gut bezeugte Monatstag des Todes Wenzels, der 28. September, im Jahre 936 tatsächlich auf einen Mittwoch fiel, glaubte er seine Annahme ganz gesichert.

Sie fristete gleichwohl in der Literatur nur ein sehr kurzes Leben. Zwar Palacky acceptierte sie in seiner ersten (deutschen) Ausgabe der Geschichte Böhmens (I, 1844, S. 208, N. 14) mit Hinweis auf Dobner, 'anderer Gründe zu geschweigen'. Aber Palacky hat dann selber dazu beigetragen, dass man das Jahr 936 fallen liess, weil es sich als unmöglich und unrichtig erwies. Er hat auf

---

c. 2: 'Huius prospera multa turbabant adversa. Nam Boemorum ducem Ventizlavum Bolizlavus nefandus fratrem Deo ac regi perimens fidelem restitit multo tempore audacter et postea devictus est a rege viriliter; fratri suimet Heinrico Bawariorum duci ad serviendum traditus est'. Ereignisse eines 14jährigen Krieges sind hier in einen einzigen kurzen Satz zusammengezogen. 1) Annales Bohemorum III, 654.

die beiden slawischen Wenzelslegenden, die mittlerweile in Russland aufgefunden worden waren, aufmerksam gemacht, in denen beiden als Wenzels Todestag ein Montag angegeben erscheint, und in deren einer auch das Monats- und Jahresdatum — der 28. September 929 —, wenn auch mit einer kleinen leicht zu verbessernden Verschreibung, genannt wird[1]. Die eine kürzere slawische Legende meldet nämlich, dass Wenzel seine Seele ausgehaucht habe, als der Montag zu dämmern begann. Die andere, sogenannte Wostokowsche Legende, erzählt die Vorgänge am Tage vor dem Morde mit der Zeitangabe, dass dies ein Sonntag und zugleich der Tag der heiligen Cosmas und Damian (27. Sept.) gewesen sei; tags darauf fiel Wenzel, das war also der 28. September und ein Montag.

Selbstverständlich verdiente das Tagesdatum (Montag) der beiden Legenden den Vorzug vor dem Mittwoch der Dobnerschen unklaren Urkunde vom Jahre 1357. Der Wochentag Montag stimmte aber mit dem Monatstag 28. September nicht im Jahre 936, sondern im Jahre 935. So trat denn an die Stelle des von Dobner eruierten Jahres 936 das unmittelbar vorhergehende Jahr 935, das übrigens schon im 18. Jh. Pubitschka als das Todesjahr Wenzels zu verteidigen versucht hatte[2]. R. Köpke und Palacky führten dann das Jahr 935 von neuem in die allgemeine Literatur ein[3], Büdinger erklärte: 'kein Datum kann besser bezeugt sein, als es nunmehr der Todestag

---

1) Palacky in Časopis českého Musea XI (1837), 406 ff. über die Wostokowsche Legende, deren Zeitangaben er aber hier entschieden zurückweist (S. 415—417); und in Abhandlungen der böhm. Gesellschaft der Wissenschaften 5. Folge, II (1843), S. 38 über die kürzere (Preiss'sche) Legende, woselbst er deren chronologische Daten, Angabe, dass der Todestag ein Montag gewesen, als glaubwürdig erklärt. — Beide Legenden findet man bei Wattenbach, Slawische Liturgie in Böhmen, Abh. der hist.-philos. Gesellschaft in Breslau I, 1857, S. 234—240; die Wostokowsche in deutscher, die Preiss'sche in lateinischer Uebertragung. Die Originaltexte in Fontes rer. Bohem. I, 125 f. 127—134. — In der Wostokowschen Legende lautet das Todesdatum: 'Erschlagen aber wurde Wenceslaw im J. 6337, in der 2. Indiktion, dem 3. Cyclus, am 28. Tage des September'. Das Jahr der Weltära muss aber heissen 6437, dem das Jahr n. Chr. G. 929, die Indiktion 2, und die Konkurrente 3 entspricht, doch muss man den Jahresbeginn nicht vom 1. September, sondern von der Weihnachtsepoche rechnen. 2) Chronologische Geschichte Böhmens II, 300—310 in langer Beweisführung. 3) Rankes Jahrbücher des deutschen Reichs unter K. Otto I. (1838) S. 7.

des h. Wenzel am 28. September 935 ist'[1]; es wurde seither fast überall als unanfechtbar angesehen[2].

Und dennoch war die Schlussfolgerung, wenn es nicht das Jahr 936 sei, so müsse es 935 sein, vorschnell. Die Tagesdaten, die die beiden Legenden für Wenzels Tod angeben, der Wochentag Montag und der Monatstag September 28 stimmen nämlich nicht nur für das Jahr 935, sondern ebenso für 929. Während aber das Jahr 935 von keinem alten Schriftsteller als Wenzels Todesjahr genannt erscheint, sagt vor allem der böhmische Chronist Cosmas l. I, c. 17 ausdrücklich: 'Im Jahre des Herrn 929, am 28. September, erlitt der h. Wenzel, Herzog der Böhmen, in der Stadt Bolezlav den Martertod von der Hand seines Bruders'[3].

Unmittelbar zuvor erklärt Cosmas, dass er in Bezug auf die Nachrichten und Erzählungen, die er bereits vorgebracht, 'Jahr und Zeit nicht habe erforschen können'[4]. Mit Ausnahme der einen Jahreszahl 894, zu der er l. I, c. 14 Boriwois Taufe und Swatopluks Tod meldet, fehlt denn auch bisher in seiner Darstellung jede chronologische Angabe. Man wird ihm also das Zeugnis nicht versagen dürfen, dass er sich über Wert und Bedeutung von Zeitdaten im klaren war und dass er dieses erste genaue Datum in seiner Chronik, den Todestag Wenzels, mit einer gewissen Ueberlegung niedergeschrieben haben dürfte. Es ist ferner auch kaum zu glauben, dass sich Cosmas in diesem Datum sollte geirrt haben. Er lebte seit dem Jahre 1074 am Prager Dom, wo Wenzel drei Jahre nach seinem Tode — nach Cosmas am 4. März 932 — seine letzte Ruhestätte fand; dort wurde er Domherr und Domdechant, beschloss dort am 21. Oktober 1125 sein Leben. Dass man aber an der Grabesstätte, im Domkapitel, auf der Prager Burg schon im 11. Jh. das richtige Jahr des unter so merkwürdigen Umständen erfolgten Todes Wenzels nicht sollte gewusst haben, wäre wohl die unwahrschein-

---

1) Zur Kritik altböhmischer Geschichte (in der Zeitschrift für die österr. Gymnasien 1857, Heft VII) S. 24, N. 38. 2) Ich verweise bloss auf Palackys tschechische Ausgabe der Geschichte Böhmens, auf Dümmler, K. Otto d. Grosse S. 50, Bachmann, Geschichte Böhmens I, 130 u. a. m. 3) 'Anno dom. inc. DCCCCXXVIIII, quarta Kal. Octobris sanctus Wencezlaus dux Boemorum fraterna fraude martirizatus Bolezlau in urbe intrat perpetuam celi feliciter aulam' in allen Hss. übereinstimmend. 4) L. I, c. 15 i. f. (in c. 16 stehen bloss die leeren Jahreszahlen 895—928) 'non enim scire potuimus, quibus annis sint gesta sive temporibus'.

liebste Annahme, die man auszusprechen erst wagen könnte, wenn man unzweifelhafte Beweise dafür zu erbringen in der Lage wäre. Wahrlich nur der allerbestimmteste und glaubwürdigste urkundliche Beleg für ein anderes Jahr könnte einen Historiker veranlassen, Cosmas' klare Angabe über Bord zu werfen. Das gibt es aber in der ganzen Literatur nicht, wohl aber findet die Cosmas'sche Ueberlieferung durch andere Quellen Unterstützung. Vor allem in der schon erwähnten chronologischen Notiz der Wostokowschen Legende, die trotz des Schreibfehlers 6337 statt 6437 deutlich auf das Jahr 929 hinweist, und ferner in der Legende Christians, von der zwei Hss. deutlich schreiben: 'Migravit victrix ad dominum IIII. Kl. Octobr. celo gaudente, terra plorante, anno dom. inc. DCCCCXXVIIII', andere zwei in Korrektur die Jahreszahlen 928 und 939 zeigen[1].

Das durch Cosmas überlieferte Todesdatum Wenzels, der 28. September 929, behauptete denn auch lange Zeit sein Uebergewicht und Vorrecht vor den übrigen Zahlen, die daneben aufgetaucht waren; viele böhmische und auch fremde Chronisten haben sich daran gehalten, auch Hayek noch[2]. Erst seit Dobners und Palackys Zeiten ist Cosmas' Angabe ganz in Misskredit gefallen, und lediglich aus dem Grunde, weil sie mit Widukinds Bericht unvereinbar schien. Wurde Wenzel, wie man aus Widukind herauslas, noch im Jahre 929 von König Heinrich bekriegt und besiegt und blieb er dann noch 'so lange er lebte dem Könige treu und dienstbar', so konnte er nicht am 28. September 929 ermordet worden sein.

Anders stellt sich die Sache, wenn unter dem von Heinrich bekriegten König aber Boleslaw zu verstehen ist; die Schwierigkeiten des Widukindschen Berichtes heben

1) Vgl. hierüber J. Pekar, Die Wenzels- und Ludmilalegenden und die Echtheit Christians (1906) S. 115. 259 u. s. Auch er verteidigte dort und in den früheren Abhandlungen das Jahr 929 als Wenzels Todesjahr auf Christians Autorität hin. Allein seine Behauptung, Cosmas habe das Jahr von Christian übernommen, ist durchaus willkürlich; der umgekehrte Fall, dass Christian die Jahreszahl bei Cosmas gelesen, ist ebenso möglich wie auch eventuell die Unabhängigkeit beider Autoren in diesem Punkte. — Auffallend ist ja, dass Christian sonst niemals das Todesjahr seiner Personen nennt; er begnügt sich mit dem Tagesdatum oder mit der Angabe des Alters des Verstorbenen. — Dass Christian die Jahreszahl 929 überliefere, wussten auch schon Dobner Annales III, 573 und Pubitschka II, 232. 297 und sagten es ausdrücklich. 2) Vgl. die Zusammenstellungen bei Pubitschka a. a. O. S. 230, Dobner l. c.

sich, wenn wir vom Cosmas'schen Todesdatum des h. Wenzel als festen sicheren Punkt ausgehen.

Vor allem gleich der merkwürdige Widerspruch, über den man bis nun nie hinwegkam, indem man Widukind zumuten musste, er habe einmal (l. I, c. 35) Boleslaw 'quamdiu vixit', ein zweites Mal (l. II, c. 3) erst von einem bestimmten Zeitpunkt an, 'ex eo', dem deutschen Könige treu und dienstbar sein lassen. Es ist eben in dem einen Fall das Verhältnis Herzog Wenzels zu K. Heinrich I., in dem anderen das Herzog Boleslaws zu K. Otto I. gemeint.

Man hat es ferner wiederholt vermerkt, wie auffallend es sei, dass im Gegensatz zu den historischen Quellen die reiche Legendenliteratur über Wenzel von einem Zwiespalt zwischen ihm und dem deutschen Könige Heinrich nichts wisse. Im Gegenteil, Christian betont vielmehr ausdrücklich das freundschaftliche Verhältnis beider Fürsten zu einander und charakterisiert es mit den Worten: 'cui felix isdem amicus iungebatur assidue' [1].

Es hat schliesslich stets grosse Schwierigkeiten bereitet, es einigermassen verständlich zu machen, weshalb es wohl zwischen Wenzel und Heinrich zu einem Kampfe gekommen sein soll. Bei den älteren Autoren bis auf Pubitschka und Dobner kann man hierüber die weitschweifigsten Deduktionen lesen. Auch Palacky schob in Ermangelung einer besseren Erklärung den Grund auf die von Widukind berichtete Thankmarfehde, die aber in Wirklichkeit mit Böhmen nichts zu tun hat. Waitz hat es bereits aufgegeben, nach einer Motivierung dieser kriegerischen Unternehmung des deutschen Königs zu forschen; und auch der letzte Biograph Wenzels, Kalousek, gesteht nach Aufstellung einer ganz unwahrscheinlichen Hypothese zu, dass von den eigentlichen Ursachen nichts bekannt sei [2]. Neuerlich hat man wieder darauf hingewiesen, dass es für Heinrich I. notwendig war, die deutsche Vorherrschaft über Böhmen wiederherzustellen [3],

---

1) Pekař a. a. O. S. 259, N. 4: 'Auffallend ist, dass keine Wenzelslegende von diesem Kriegszug gegen Prag etwas weiss'. Er versucht dann doch, beide Nachrichten, die Widukinds vom Feldzug Heinrichs gegen Wenzel (wie auch er annimmt) und die Christians von den freundschaftlichen Beziehungen beider Fürsten zu einander irgendwie zu vereinigen, bemerkt aber schliesslich: 'Uebrigens ist es immerhin möglich, dass die Nachricht Widukinds verworren ist und zum Jahre 930 gehört'. Auch diese Annahme ist überflüssig. 2) Obrana knízete Václava svatého, Prag 1901, S. 11. 3) Bachmann, Geschichte Böhmens I, 128.

ohne dass man aber hätte angeben können, wann diese vorher gebrochen worden wäre.

Wenzels Regierungszeit, seine sichtbare Hinneigung zum deutsch-bayrischen Nachbar, sein friedfertiger frommer Sinn machen es ganz unwahrscheinlich, dass es unter ihm zu kriegerischen Verwickelungen gekommen sei[1].

Anders gestaltet sich das Bild, wenn wir annehmen, dass die mit der Ermordung Wenzels zusammenhängenden inneren Wirren den Bayernherzog gemeinsam mit dem deutschen Könige veranlasst haben, der neuen Gefahr, die sich hier den kirchlichen und politischen Ambitionen Bayerns entgegenstellte, rechtzeitig und kräftig entgegenzutreten. In Wenzel war nicht nur der legitime Landesfürst ermordet worden, er war auch ein treuer Christ und Anhänger Bayerns; Bayerns Einfluss auf dieses Nachbarland hatte durch seinen Tod einen schweren Schlag erlitten. Wenzels Ermordung bildete den äusseren Anlass für den Einmarsch Heinrichs I. in Prag. Wahrscheinlich erfolgte er ziemlich bald nach dem Ereignis, nach dem 28. September 929, im Oktober oder November, aber immerhin kommen wir so ziemlich an das Jahresende, und es ist nicht unverständlich, wenn der Zug in den westlichen Quellen auch zum Jahre 930 gesetzt erscheint. Doch da auch die Jahre 928 und 931 irrtümlich genannt werden, kann auch bei 930 ein Schreibfehler der Chronisten vorliegen. Beachtenswerter dürfte sein, dass die von Widukind unabhängigen Quellen keinen Fürsten von Böhmen nennen, gegen den die Unternehmung sich richtete. König Heinrich I. zog eben nach Prag in die Hauptstadt des Landes, das damals eines eigenen Fürsten entbehrte. Wenzel war tot, Boleslaw nicht anerkannt, solange er nicht die Bestätigung des deutschen Königs zur Uebernahme der Herrschaft besass.

Das ganze Verhältnis Böhmens zum Reich erscheint in anderem Lichte, wenn wir den Widukindschen Bericht richtig auffassen, aber auch die Gestalten Wenzels und Boleslaws. Doch das auszuführen gehört in das Gebiet der darstellenden Geschichte Böhmens.

---

1) Der Zug Arnulfs von Bayern nach Böhmen im J. 922, von dem die Quellen kurz berichten (s. Waitz, Jahrbücher S. 67 f.), ist gleichfalls nicht als eine Unternehmung gegen Wenzel aufzufassen, sondern eher zu seiner Unterstützung, da er eben erst 921 als Kind das Erbe seines Vaters angetreten hat.

II. Die 'urbs Businc' bei Thietmar, l. VIII, c. 19 (= VII, 12).

Die bekannte Erzählung von dem Brautraub Judits aus dem Kloster zu Schweinfurt durch den Premysliden-prinzen Bretislaw von Böhmen beschliesst Cosmas mit der Zeitangabe: 'Rapta est autem virgo Iudita anno dom. inc. 1021' (l. I, c. 41). Diese Jahreszahl gilt jedoch, seit jeher könnte man fast sagen, als unrichtig und unmöglich. Auch in diesem Falle liesse sich eine Tabelle zusammenstellen, innerhalb deren Grenzen 972 und 1031 die verschiedentlichsten Jahre für dieses Ereignis mit Beschlag belegt wären. Es genügt aber hier mit Uebergehung älterer Historiker die Ansichten seit Pubitschka und Dobner zu verzeichnen, da die moderne böhmische Geschichtschreibung zumeist auf den kritischen Beobachtungen und Bemerkungen dieser beiden Forscher beruht und weiter zu bauen versucht hat.

Pubitschka ist für das Jahr 1027 eingetreten. Er gibt keine bestimmten Gründe an, sagt vielmehr ausdrücklich, 'ob ich mich gleich nicht wagen darf: ein gewisses Jahr aus den folgenden (d. h. von 1027 bis 1031) zu bestimmen', ihm erscheint eben 'das gegenwärtige 1027. Jahr wegen den Zusammenhang viel natürlicher zu seyn', als etwa 1026, das noch Hayek annahm. Gegen beide Zeitansätze, 1026 und 1027, wandte sich aber mit Entschiedenheit Gelasius Dobner[2]. Nach seiner Ansicht war in diesen Jahren der polnische Staat noch allzu furchtbar ('formidolosa'), als dass die Böhmen es hätten wagen können, an eine Eroberung Mährens zu schreiten, und der Raub Judits folgt gemäss der Darstellung Cosmas' der Eroberung Mährens erst nach. Dobner verlegt daher die Besitznahme des Landes Mähren in das Jahr 1030 und Judits Raub in das Ende desselben oder in das Jahr 1031, Ansichten, die übrigens auch schon vor Dobner, wie er selber anführt, von Dubravius und Stranski geäussert worden waren.

Dieser Grundgedanke Dobners: der Raub Judits erfolgte erst nach der Eroberung Mährens durch die Premysliden und diese kann nicht vor dem deutsch-polnischen Krieg der Jahre 1028 und 1029 angesetzt werden, daher muss die Cosmas'sche Zeitangabe 1021 für das erstere Ereignis um etwa ein Jahrzehnt hinaus-

---

1) Chronologische Geschichte Böhmens III (1773), 262. 2) Annales Bohemorum, Pars V (1777), p. 145 sqq. 171 sqq.

geschoben werden, beherrscht die gesammte weitere Literatur über diese Frage, von Palacky bis auf Bachmann.

Palacky [1], der in dieser ganzen Partie noch mit den unter dem Namen 'Monsé'sche Fragmente' bekannten falschen Urkunden des Codex diplomaticus Moraviae operiert [2], spricht davon, dass 'noch vor Ende Juni 1029' der neuen 'Herzogin' Judit in Mähren gehuldigt worden sei. Dudik [3], vollkommen im Schlepptau Dobners, deduziert weitläufig, dass Mährens Eroberung 'nur' 1029 erfolgt sein kann, die Heirat aber 1030, und vermeint seine Ansicht durch den Hinweis auf die von Cosmas überlieferte Nachricht, dass Bretislaws und Judits erster Sohn im Jahre 1031 geboren wurde, besonders zu stützen. Krones hat — wie schon Huber bemerkte: 'ohne Angabe des Grundes' — anfangs die Eroberung Mährens 1030—1031 verlegen wollen [4], später bekannte aber auch er sich zum Jahr 1029 [5], das im Anschluss an so viele Vorgänger auch Huber [6], Bresslau [7], ich selber [8], Bachmann [9] u. a. übernommen haben [10].

Die Voraussetzung, dass Mähren vor dem Jahre 1029 den Polen von den Böhmen nicht entrissen worden sein kann, ist aber, weit davon entfernt zwingend zu sein, bisher von keiner Seite begründet, ja nicht einmal näher geprüft worden; denn wenige Landesgeschichten leiden unter dem Banne der Tradition so sehr wie die Böhmens. Es ist nicht meine Absicht, an dieser Stelle den Nachweis zu führen, dass nichts der Annahme entgegensteht, dass

---

1) Geschichte von Böhmen I (1844), 273 f.; aber ebenso auch noch in der mehrfach veränderten (III.) tschechischen Ausgabe v. J. 1876, I, 298. 2) Büdinger, Oesterreichische Geschichte S. 346, N. 2, wurde noch während des Druckes auf die Unzuverlässigkeit dieser auch von ihm verwerteten Urkunden aufmerksam und erklärte daher in einer Note seine diesbezüglichen Ausführungen im Texte als 'problematisch'. Die Eroberung Mährens verlegt er in das Jahr 1029. 3) Allgemeine Geschichte Mährens II, 165 ff. 4) Handbuch der Geschichte Oesterreichs II, 32. 5) Grundriss der österreichischen Geschichte I, 225. 6) Geschichte Oesterreichs I, 168. 7) Jahrbücher unter Konrad II. I, 267. 278 ff., der merkwürdigerweise Dudiks Argumentation, die doch nur in einer Wiederholung Dobners besteht, als 'durchschlagend' bezeichnet. 8) Geschichte Mährens I, 177, N. 1; doch habe ich, wie die Stilisierung der Note beweist, schon damals gezweifelt, ob die Korrektur der durch Cosmas überlieferten Jahreszahl 1021 und die Verlegung der Eroberung Mährens ins Jahr 1029 berechtigt ist. 9) Geschichte Böhmens I, 197. 10) Ich erwähne noch Tomek, der in seiner Geschichte Böhmens (1865) S. 50 und in der Geschichte Prags I (1856), 122 (ebenso in der tschechischen II. Ausgabe, I (1892), 114) die Eroberung Mährens in das Jahr 1028 setzt.

Mährens endgültige Eroberung durch die Premysliden, die von Bayern unterstützt wurden, in die Jahre 1018 bis 1021 falle. Es ist dies eine rein historische Untersuchung, die in erster Linie für die Geschichte des Landes Mähren die grösste Bedeutung hat und anderwärts erscheinen wird. Doch spielt in der Untersuchung jene Stelle aus Thietmar, die im Titel angeführt wurde, eine wesentliche Rolle, und der Versuch einer richtigen Erklärung dieser Stelle möge, da er aus Cosmas-Studien erwachsen ist, hier seine Veröffentlichung finden.

Thietmar spricht a. a. O. von Kaiser Heinrichs II. Kämpfen gegen den Polenherzog Boleslaw Chrabry im Sommer 1015[1]. Er schildert den Vormarsch an die Oder und wie der Kaiser von mehreren Seiten, auf deren militärische Unterstützung er rechnete, im Stiche gelassen wurde, auch von dem Böhmenherzog Udalrich. Aber nicht etwa aus Treulosigkeit. Denn Thietmar schreibt hierüber: 'Auch Udalrich, der mit den Bayern zum Kaiser hätte kommen sollen, unterliess es aus verschiedentlichen Ursachen. Obgleich nun diese [scil. Bayern und Böhmen] den Kaiser nicht begleiteten, so leisteten sie doch treuen Dienst in ihrer Nachbarschaft. Udalrich griff nämlich eine grosse Stadt namens Businc an, nahm daselbst nicht weniger als tausend Männer, Weiber und Kinder nicht mitgerechnet, gefangen, zündete sie an und kehrte als Sieger heim. Der Markgraf Heinrich von der Ostmark, der erfahren hatte, dass die Krieger Boleslaws nahe bei ihm Beute gemacht hatten, verfolgte sie sofort mit den Bayern, [tötete] achthundert nach starkem Widerstand und nahm ihnen alle Beute wieder ab'[2].

---

1) Vgl. Hirsch-Bresslau, Jahrbücher unter Heinrich II. III, 18 ff.

2) L. VIII, c. 19, SS. rer. Germ. (= VII, 12 MG. SS. III): 'Othelricus quoque, qui cum Bawariis ad cesarem venire debuit, ob multas causarum qualitates dimisit. Et quamvis hii imperatorem non comitarentur, tamen fidele servitium sua vicinitate ostendunt. Namque Othelricus quandam urbem magnam Businc dictam petiit et in ea non minus quam mille viros absque mulieribus et liberis capiens, incendit eandem et victor remeavit. Heinricus autem Orientalium marchio cum Bawariis, comperiens Bolizlavi milites iuxta se predam fecisse, protinus insequitur et ex hiis fortiter resistentibus octingentos [occidit] predamque omnem resolvit'. — In den Geschichtschreibern d. deutschen Vorzeit, Bd. 39 (2. Aufl., 1892), S. 282 wird der erste Satz übersetzt: 'Auch Othelrich, der mit den Bayern zum Kaiser stossen wollte, entliess dieselben aus vielerlei Gründen'. Ich glaube, 'dimisit' hat hier den Sinn etwa wie 'omisit'. Denn abgesehen davon, dass bei 'dimisit' ein Objekt 'eos' zu erwarten wäre, hätte der zweite Satz keinen Zusammenhang mit dem vorigen; es

Eine befriedigende Erklärung des Ortsnamens 'Businc' ist bisher nicht gegeben worden. Zeissberg, der sich am gründlichsten mit dieser Periode beschäftigt hat[1], verzeichnet die bis dahin ausgesprochenen Vermutungen: Bautzen (Lappenberg in den MG. SS. III, 842), Bunzlau am Bober (Lelewel), Beuthen (Worbs), enthält sich aber selber einer bestimmten Ansicht sowie jeder Kritik der genannten Namen, liess also die Frage unentschieden. Hirsch hingegen hat die Beziehung auf Beuthen, Schwiebus oder Bunzlau a. B. abgelehnt und sich ohne Zögern für die Identifizierung von Businc mit Bautzen entschieden, ohne allerdings seine Annahme zu begründen[2]. Ihm folgen dann mehr oder weniger bestimmt Giesebrecht[3], Dudik[4], der Uebersetzer des Thietmar in den Geschichtschreibern u. a.[5]. Allein Kurze, der letzte Herausgeber Thietmars in den SS. rer. Germ., bemerkte ganz richtig, dass man an Bautzen nicht denken könne, da dieses bekanntlich damals und speziell auch bei Thietmar 'Budusin' hiess[6]. Er hätte aber noch hinzufügen sollen, dass Thietmar die ihm gut bekannte Stadt Bautzen niemals als 'quandam urbem' bezeichnet hätte. Kurzes neue Vermutung aber, dass 'Businc' vielleicht 'Posnitz vicus Silesiae prope Jägerndorf' sein könne, erscheint schon deshalb nicht zutreffend, weil Thietmar den Ort als 'quandam urbem magnam' charakterisiert und auch sprachlich wegen der verschiedenen Endungen -inc und -nitz (nic) die beiden Namen nicht zusammen zu bringen sind.

Auf rein philologisch-etymologischem Wege ist die Frage auch nicht zu lösen. Wir müssen uns zuvor darüber klar werden, warum und wodurch Herzog Udalrich ab-

---

heisst ja ausdrücklich, dass 'hii', also Bayern und Böhmen, trotzdem sie nicht zum Kaiser zogen, treue Dienste geleistet haben. Auch scheint es mir ausgeschlossen, dass Udalrich zum Kaiser ziehende bayrische Hülfstruppen zurückschickt oder entlässt. Im Gegenteil, er hätte mit den Bayern zum Kaiser ziehen sollen, allein die gefährliche Lage an den böhmischen und bayrisch-österreichischen Grenzen verhinderte beide, dem kaiserlichen Befehle nachzukommen. 1) Die Kriege K. Heinrichs II. mit Herzog Boleslaw I. von Polen, in SB. der phil.-hist. Klasse der kais. Akademie der Wissenschaften in Wien LVII (1868), S. 406, N. 2. 2) Jahrbücher unter Heinrich II. III, 20, N. 1. 3) Geschichte der deutschen Kaiserzeit II[5], 133. 4) Allgemeine Geschichte Mährens II, 130, N. 1. 5) Auch H. Oesterley, Histor.-geograph. Wörterbuch des deutschen Mittelalters, verzeichnet unter Bautzen die Form 'Businc'. — Palacky, Geschichte von Böhmen I (1844), S. 263 schreibt 'Businc(?)', in den späteren tschechischen Ausgaben 'Busink'. 6) Thietmar spricht in seiner Chronik fünfmal von Bautzen.

gehalten wurde, zum deutschen Kaiser zu ziehen, beziehungsweise auf was für einem Schlachtfelde er mit den Polen zu kämpfen hatte. Es bedarf aber kaum eines detaillierten Nachweises, sondern nur der aufmerksamen Lektüre Thietmars und Cosmas, um zu erkennen, dass der Kampf zwischen Polen und Böhmen um Mähren stand, was ich in anderem Zusammenhange darzulegen haben werde. In Mähren drang Herzog Udalrich ein, hier ist Businc zu suchen und in der im südöstlichen Mähren gelegenen Stadt Bisenz auch unschwer zu finden. Wir brauchen nur die vom 14. (da der Name dieser Stadt öfters genannt zu werden anfängt) bis zum 19. Jh. vorherrschende Schreibweise Bysenz anzuwenden, um zu sehen, dass der letztere Name nichts ist, als die durch das Gesetz des Umlauts verwandelte Form des alten 'Businc' [1].

Die älteste Erwähnung des Ortes in einer unanfechtbaren, heute noch im Original erhaltenen Urkunde vom Jahre 1237 bietet uns die Form 'Bizenze' [2], also die Uebergangsform von Businc zu Bisenz. In dieser hochwichtigen Urkunde eines mährischen Herzogs ist Bisenz allerdings nur Ausstellungsort; in einer anderen aus dem Jahre 1231, die aber bloss in den Registern P. Gregors IX. abschriftlich erhalten ist, wird Bisenz als Vorort einer Provincia in Mähren bezeichnet [3]. Diese Anhaltspunkte können uns vorläufig genügen, um es glaubhaft zu finden, dass Bisenz auch schon zweihundert und fünfzehn Jahre früher als 'magna urbs' auftaucht, in einer Zeit also, aus der nicht nur noch kein einziger mährischer Ortsname nachweisbar ist, sondern in der die Geschichte Mährens sich bisher überhaupt als eine tabula rasa darstellte.

Den Nachweis, welche Bedeutung diese Erklärung des Namens Businc für die Geschichte Mährens und auch für die Reichsgeschichte besitzt, behalte ich mir, wie bemerkt, für einen anderen Ort vor.

1) Ganz in derselben Weise durch Umlaut entstandene deutsche Ortsnamen mit i(ue) und e an Stelle älteren u — i findet man mit Hülfe Oesterleys in grosser Anzahl; ich führe nur beispielsweise an: Rugia — Rügen, Putina — Puetten, Rudino — Ruethen, Pubila — Pichel, Buggin — Buecken u. s. w. 2) Cod. dipl. Morav. II, 328, n. CCLXXXIII. 3) Ebda. S. 231, n. CCX; auf die drei Urkunden von 1214 und 1223 (ebda. S. 75, n. LXIV, S. 148, n. CXLVI und S. 149, n. CXLVII), die sich auf Bisenz beziehen, gehe ich nicht ein, weil die Quelle, der sogen. Codex Tischnovicensis, nicht aufzufinden ist, und die sämtlichen dieser Quelle entstammenden Urkunden vor und nach Boczek niemandem bekannt geworden sind.

XIV.

Die Nithard-Interpolation
und die
Urkunden- und Legendenfälschungen
im
St. Medardus-Kloster bei Soissons.

Von

Ernst Müller.

Nithards vier Bücher Geschichten gelten mit Recht als eins der ansprechendsten Erzeugnisse frühmittelalterlicher Geschichtschreibung. Sie bilden die gleichzeitige[1] Hauptquelle für jene wichtigen Ereignisse, die den für alle Folgezeit grundlegenden Uebergang vom Gesamtreiche Karls des Grossen zum System der abendländischen Einzelstaaten herbeiführten. Nimmt der Verfasser auch eingestandenermassen einen Parteistandpunkt ein, so wird der geschichtliche Wert seines Werkes dadurch nur wenig beeinträchtigt, wie der Vergleich mit den übrigen, freilich viel dürftiger fliessenden Quellen lehrt. Denn Nithard war nicht nur ein tapferer Krieger und einsichtiger Staatsmann, er war vor allem ein lauterer, ernster Charakter, und sein Werk spiegelt in seiner schlichten Sachlichkeit und strengen Wahrhaftigkeit seinen Geist deutlich wieder. Was ihn aber unserem Empfinden besonders nahe bringt und worin er unter den frühmittelalterlichen Geschichtschreibern fast vereinzelt dasteht, ist seine auf eigener Lebenserfahrung beruhende durchaus weltliche Geistesrichtung. Er schaut die Dinge des Lebens, wie sie sind, nicht durch die Brille klösterlicher Gelehrsamkeit, geistlicher Befangenheit, kirchlicher Voreingenommenheit. Es wäre verkehrt, ihm religiöses Gefühl abzusprechen, denn als gläubigen, frommen Christen erweisen ihn seine Worte mehrfach[2]. Doch alles eigentlich Kirchliche lag seinem Gesichts- und Interessenkreise fern, und seine Weltanschauung tritt in seinem Werke als durchaus laienmässig aufs vorteilhafteste zu Tage[3].

---

1) Vgl. unten S. 689. 2) Vgl. Meyer von Knonau, Ueber Nithards vier Bücher Geschichten S. 88. 3) Vgl. Wattenbachs Geschichtsquellen I[7], 233. 235. Mit diesem Charakterbilde steht seine spätere Stellung als Abt von St.-Riquier nicht im Widerspruch; er wird, ohne in den geistlichen Stand einzutreten, in diesem Kloster den Hafen gesucht haben, in den aus den Stürmen des Lebens einzulaufen er sich gesehnt hatte (vgl. die Vorrede des 4. Buches und unten S. 685), und hat auch dann noch die Gelegenheit zu tüchtiger weltlicher Wirksamkeit mit Freuden ergriffen, wie sein Tod auf dem Schlachtfelde zeigt (vgl. meine Praefatio zur 3. Ausgabe in den SS. rerum Germ. p. VI—VIII).

Um so mehr muss in Erstaunen setzen, dass er, dessen Gebiet im Leben wie in der Geschichtserzählung neben dem Kriege ziemlich ausschliesslich die Politik ist, und der sich sonst in seiner Darstellung oft so kurz fasst, einem Vorgange wie der Heiligenüberführung im St. Medardus-Kloster bei Soissons so grosse Aufmerksamkeit schenkt. Im zweiten Kapitel des dritten Buches berichtet er: König Karl (der Kahle) zog in grosser Eile von Beauvais nach Langres, um dort noch rechtzeitig zur Zusammenkunft mit seinem Bruder Ludwig (dem Deutschen) einzutreffen. Unterwegs kam er durch Soissons; da gingen ihm die Mönche von Saint-Médard entgegen und baten ihn, die Ueberführung ihrer Heiligenleiber in die bald vollendete neue Kirche vorzunehmen. Karl hatte jetzt nichts Eiligeres zu tun als zu verweilen[1] und ihre Bitte zu erfüllen und belud in aller Ehrfurcht seine königlichen Schultern mit den Gebeinen von nicht weniger als 26 Heiligen, die der Bericht mit Ausnahme der sechs Brüder des heiligen Florian einzeln nennt. Doch nicht nur den geistlichen Bedürfnissen der Mönche erwies der König Entgegenkommen; er betätigte ihnen seine Geneigtheit auch dadurch, dass er in der Sorge für ihr leibliches Wohl dem Kloster eins seiner Güter zum Geschenke machte.

Mit den sie umrahmenden Kriegszügen und politischen Verhandlungen hat diese, mit warmer Teilnahme auf die Einzelheiten eingehende Ueberführungsgeschichte nicht die geringste Berührung. So muss wohl der Gegenstand selbst den Verfasser mächtig angezogen haben. Vielleicht wollte er sich die Gelegenheit nicht entgehen lassen, seinen König, für dessen Recht seine ganze Schrift so nachdrücklich eintritt, auch im Lichte kirchlicher Ergebenheit, frommer Heiligenverehrung vorzuführen; von diesem Glanze musste dann ein Strahl auf den gläubigen Berichterstatter zurückfallen. Wäre dem wirklich so, dann bedürfte das Urteil über Nithards weltliche Lebensanschauung dringend der Berichtigung, dann überragte er in dieser Beziehung wenig den Durchschnitt geistlicher Geschichtschreiber.

Noch für eine andere geistliche Anstalt zeigt Nithard in seinem Werk eine mit seiner Geschichtserzählung zusammenhanglose, regere Teilnahme. In der seine Herkunft

---

1) Schon Meyer von Knonau fiel der Widerspruch dieses längeren Verweilens zur von Nithard mehrfach betonten Eile des Zuges auf, vgl. S. 32. 101, N. 156.

behandelnden Stelle (Buch IV, Kap. 5) berichtet er einiges über die Entwickelung des Klosters St.-Riquier während der Abtzeit seines Vaters Angilbert. Verbanden ihn etwa ähnliche persönliche Beziehungen, deren Art uns unbekannt geblieben ist, mit St.-Médard? Für diese Annahme könnte man geltend machen, dass seine Mutter Bertha im Jahre 824 diesem Kloster eine Schenkung machte[1]. Sonst wissen wir über ein solches Verhältnis nichts, vielmehr spricht ein gewichtiger Umstand dagegen.

Das Kloster des heiligen Medardus bei Soissons ist eine für die Geschichte Ludwigs des Frommen bedeutsame Stätte. Hier wurde der Kaiser nach seiner Absetzung im Jahre 833 von seinem Sohne Lothar gefangen gesetzt, und hier fand jene öffentliche Kirchenbusse statt, durch die ihm die Möglichkeit genommen werden sollte, je wieder auf den Thron zu steigen[2]. Dass Nithard in seinem die Grundzüge der Entwickelung klar wiedergebenden Ueberblick über die Regierung Ludwigs diese tiefste Demütigung des Kaisertums übergeht, ist auffällig; noch merkwürdiger wäre es, wenn er es getan hätte, obwohl der Schauplatz dieses Ereignisses ihn persönlich interessierte.

Wollte man also annehmen, Nithard habe ganz gegen seine uns sonst bekannte Veranlagung mit dieser Erzählung der üblichen Heiligenverehrung seiner Zeit seinen Zoll dargebracht, so könnte man sich doch schwer erklären, aus welchem Grunde er dabei der königlichen Schenkung ausdrücklich gedacht hätte. Mit der Translation hatte diese nur zeitlichen Zusammenhang, dagegen zu der von uns vorläufig angenommenen allgemeinen Tendenz des Ueberführungsberichtes geringe und zu der vom Verfasser sonst ausschliesslich dargestellten politischen Geschichte gar keine Beziehung. Denn eine Landschenkung an ein Kloster war ein so regelmässig wiederkehrendes, selbstverständliches Ereignis, dass es weder als Beispiel für die Frömmigkeit eines Herrschers genügt hätte, noch an und für sich erwähnenswert gewesen wäre. Wir stehen also vor einer doppelten Schwierigkeit: der erste Teil der Stelle, die Ueberführungsgeschichte, passt schlecht zu dem, was wir sonst über Nithards Veranlagung wissen; der zweite Teil, der Schenkungsbericht, passt nicht zur Eigenart seines

---

1) Vgl. unten S. 693. 2) Vgl. L. Halphen, La pénitence de Louis le Pieux à St.-Médard de Soissons, in Université de Paris, Bibl. de la fac. des Lettres XVIII (1904), 177 sqq.

Werkes. Und doch gehören beide Teile zusammen; was sie verbindet, ist das Interesse des Klosters. Nur ein Mann, dem dieses am Herzen lag, kann die Stelle verfasst haben. Zu der Annahme, dass Nithard dieses Interesse wahrgenommen habe, sahen wir keinen Anlass, vielmehr spricht die Tendenz gegen ihn. Dagegen wären alle Schwierigkeiten behoben, wenn der Nachweis gelänge, dass die Stelle gar nicht Nithard, sondern einem Angehörigen des Klosters ihre Entstehung verdanke.

Zur Prüfung dieser Frage müssen wir auf die Ueberlieferung des Werkes eingehen. Die einzige erhaltene Hs. der Historien Nithards ist zu Ende des 10. Jh. im Kloster St.-Médard bei Soissons geschrieben worden. Diese für unsere Untersuchung hochbedeutsame Tatsache ist zwar nicht unmittelbar überliefert, doch ist der Schluss aus zwei Zusätzen zu dem ursprünglichen Texte in Verbindung mit dem von unserer Stelle gebotenen Schriftbilde zwingend.

Die Hs. enthält ausser Nithards Werke noch die Jahrbücher Flodoards von Reims. In deren Berichte zum Jahre 948 [1], auf Blatt 39, setzt eine andere Hand aus dem Anfange des 11. Jh. ein. Die beiden auf St.-Médard weisenden Zusätze gehören zum Flodoard-Texte der älteren Hand, die auch Nithards Werk geschrieben hat. Auf Blatt 28 steht gegenüber der Stelle, die von der Ernennung des Dekans Ingrann von St.-Médard zum Bischof von Laon (932) berichtet, ein 'Nota' [2]. Ein sachlicher Zusatz findet sich auf Blatt 22 zur Nachricht von der Königseinsetzung Herzog Rudolfs von Burgund im Jahre 923. Der Ort derselben 'apud urbem Suessonicam' wird zwischen den Zeilen in wenig späterer Schrift durch die Angabe 'in monasterio sancti Medardi' genauer bezeichnet [3]. Wird dieser Zusatz durch sein Fehlen in den anderen Flodoard-Hss. als Interpolation erwiesen, so dürfte er doch nicht unglaubwürdig sein. Dass der Gegenkönig Rudolf wirklich in der Kirche des Klosters sich weihen liess, das auf Königsgut gegründet und mit einer Königspfalz verbunden war, ist, wenn auch durch andere Quellen nicht beglaubigt, um so wahrscheinlicher, als der damalige Laienabt von St.-Médard, Graf Heribert II. von Vermandois, sein Anhänger war. Das dritte auf St.-Médard als Entstehungs-

1) Nach gütiger Mitteilung des Herrn Phil. Lauer in Paris.
2) Vgl. Lauers Ausgabe in der Collection de textes p. 54, deren Introduction p. XXXVI, und schon vorher C. Couderc in den Mélanges Julien Havet p. 722. 3) Lauer l. c. p. 14.

ort der Hs. weisende Zeichen ist der Schriftbestand der Translationsgeschichte[1]. Ich gebe ihn, ohne die Spalten- und Zeilenabteilung der Hs. zu berücksichtigen, hier wieder.

Text. Erste Hand Ende des 10. Jh.	Rechter Rand. Dritte Hand 11. Jh.
Quod ut Karolus cognovit, praefatum iter accelerare coepit. Cumque Suessonicam peteret urbem, monachi de Sancto Medardo occurrerunt illi deprecantes, ut corpora sanctorum Medardi, Sebastiani, Gregorii, Tiburcii, Petri et Marcellini, Marii, Marthae, Audifax et Abacuc, Honesimi, Meresme et Leocadie, ⌈⌊ et iam tunc maxima ex parte aedificata erat, transferret. Quibus acquiescens inibi mansit et, uti postulaverant, beatorum corpora propriis humeris cum omni veneratione transtulit; insuper et villam quae Bernacha dicitur rebus eiusdem ecclesiae per aedictum addidit. His ita peractis Remensem urbem petiit.	⌈ Mariani, Pelagii et Mauri, Floriani cum sex fratribus suis, Gildardi, Sereni et domni Remigii Remorum archiepiscopi / Rotomagorum archiepiscopi Unterer Rand. Zweite Hand Ende des 10. Jh. ⌊ in basilicam, ubi nunc quiescunt

Der mit 'Cumque Suessonicam peteret urbem' beginnende und mit 'His ita peractis' schliessende Translationsbericht steht also nicht fortlaufend im Texte, sondern ist aus einem dem Texte einverleibten Teile und zwei von verschiedenen Händen auf verschiedenen Rändern hinzugefügten Zusätzen zusammengeflickt. Im Texte stehen

1) Zwei andere, äusserlich nicht mehr erkennbare Zusätze zu Nithards Texte bezeichnete ich in der Ausgabe p. 1, N. g und p. 40, N. a. Wenn E. Schröder in einer Besprechung derselben im Anzeiger für Deutsches Altertum XXXI (1907), 145 sagt: 'Es ist für mich höchst anstössig, die beiden Schreiberzusätze . . ., die selbstverständlich als solche erkannt sind, ohne jede Markierung im Wortlaut einer kritischen Ausgabe zu lesen', so bemerke ich dazu, dass der zweite Zusatz überhaupt erst von mir erkannt und vielleicht garnicht unbedingt sicher als solcher anzusprechen ist (vgl. unten S. 689, N. 1).

zunächst die Worte 'Cumque — Leocadie'; die folgenden Heiligennamen 'Mariani — Remigii Rotomagorum archiepiscopi' dagegen sind von einer Hand des 11. Jh. auf dem rechten Rande eingetragen, wobei der ursprüngliche Titel zu 'domni Remigii': 'Remorum archiepiscopi' ausradiert, jedoch noch zu erkennen geblieben, und durch den daruntergesetzten 'Rotomagorum archiepiscopi' ersetzt ist. Die Fortsetzung: 'in — quiescunt' steht gleichfalls nicht im Texte, sondern ist von einer der Textschrift fast gleichzeitigen Hand auf dem unteren Rande hinzugefügt. Alles folgende steht dann wieder fortlaufend im Texte [1].

Ein derartiger Schriftbefund ist wenig geeignet, einer inhaltlich auffälligen Stelle Vertrauen zu erwecken. Allerdings erscheint der zweite Zusatz: 'in — quiescunt' zunächst gutartig. Er gehört notwendig in das Satzgefüge hinein, da der Satz: 'et — erat' sonst des Subjektes entbehren würde; er könnte also vom Textschreiber aus Versehen ausgelassen und von einem nahezu gleichzeitigen Verbesserer nachgetragen sein. Dabei ist jedoch zu beachten, dass solche groben Versehen wie das Auslassen ganzer Sätze bei dem im allgemeinen sorgfältigen Abschreiber sonst nie vorkommen, sodass der Verdacht entsteht, er habe an dieser Stelle nur deshalb einen Fehler begangen, weil ihm hier die Vorlage fehlte, weil er diesen Abschnitt überhaupt frei erfand. Der erste Zusatz wird schon durch seine spätere Schrift verdächtig, und die Hinzufügung von dreizehn neuen Heiligen zu der bereits vorhandenen gleichen Anzahl kann man wohl nicht mehr als Ausfüllung einer von

---

1) Die Kenntnis dieses Schriftbestandes verdanke ich der Vergleichung der Hs., die Herr H. Lebègue in Paris für die neue Ausgabe hergestellt hat, einer älteren, in den Sammlungen der MG. befindlichen, die Ph. Jaffé einst zu eigenem Gebrauche gemacht hatte, und einer Nachprüfung durch den Kollegen Herrn Dr. Ernst Perels. Bereits Nithards erster Herausgeber Pithou machte ihn, wenn auch teilweise unrichtig und ungenau, durch Klammern äusserlich erkennbar und wies auf Tilgungen und Zusätze einer späteren Hand im Texte und auf dem Rande hin (P. Pithoeus, Annal. et hist. Franc. SS. coaet. XII, 2. Ausg. Frankf. 1594, p. 466); seine Warnung wurde jedoch überhört. Duchesne und die auf ihm beruhenden Ausgaben sowie die älteren der MG. drucken die Stelle ganz anstandslos. Erst A. Holder machte in seiner die Aeusserlichkeiten der Hs. sonst peinlich genau wiedergebenden Ausgabe auf den Zusatz des unteren Randes, aber auch nur auf diesen, aufmerksam. Die zu Beginn des 15. Jh. in St.-Victor in Paris entstandene Abschrift lässt den Zusatz des rechten Randes ebenso wie die Strassburger Eide fort, vgl. Couderc l. c. p. 723 sq.

dem Abschreiber irrtümlich gelassenen Lücke, sondern nur als tendenziöse, dem ursprünglichen Texte fremde Zutat betrachten.

Nithard beendete sein Geschichtswerk vor Abschluss des Vertrages von Verdun (August 843); das letzte Kapitel scheint kurz nach dem zuletzt genannten Datum des 20. März 843 geschrieben zu sein. Den das zweite Buch beschliessenden Bericht über die Schlacht bei Fontenoy-en-Puisaye fasste er seiner eigenen Angabe nach am 18. Oktober 841, also knapp vier Monate nach dem Ereignis ab. Für die Niederschrift der den fraglichen Aufenthalt zu Soissons Ende August 841 behandelnden Stelle ergeben sich also die Zeitgrenzen vom Herbste 841 bis zum Frühjahr 843, und wahrscheinlich ist auch dieses Kapitel nur wenige Monate nach den darin erzählten Geschehnissen abgefasst worden. Die Worte: 'in basilicam, ubi nunc quiescunt, et iam tunc maxima ex parte aedificata erat' aber machen den Eindruck, von einem dem Ereignis zeitlich ganz fernstehenden, nicht von einem gleichzeitigen Geschichtschreiber herzurühren. Nithard setzt die Gegenwart seiner Niederschrift zur Vergangenheit der Begebenheit sonst nie in solcher Weise in Beziehung[1]. Wollte man trotzdem das 'nunc' des ersten Satzteiles auf die Zeit unmittelbar nach der Translation beziehen, was wenig Sinn gäbe, so kann doch der Satz frühestens nach vollständiger Vollendung des Kirchbaues geschrieben sein. Leider sind wir über die Baugeschichte der Klosterkirche nicht genügend unterrichtet, um hier eine Frühgrenze aufrichten zu können[2]. Um zu einem entscheidenden Ergebnisse zu

---

1) Abgesehen von der Stelle IV, 1: 'Aquis palatium, [quod tunc sedes prima Frantiae erat], petentes', in der ich eben deshalb einen Schreiberzusatz erblicke, vgl. oben S. 687, N. 1. 2) Ueber den Gewölben der noch heute vorhandenen Krypta erstanden und verfielen im Laufe der Jahrhunderte vier Kirchen. Den ersten merowingischen Bau liess Ludwig der Fromme nach der im Jahre 826 erfolgten Ueberführung des heil. Sebastian niederreissen, da er die jetzt herbeiströmenden unzählbaren Scharen von Wundergläubigen nicht mehr zu fassen vermochte. Die Vollendung und Weihe der neuen, prächtigen Kirche erlebte er nicht mehr; im Jahre 886 wurde sie von den Normannen in Brand gesteckt; vgl. Mühlbacher, Reg. imp. I, n. 1733 (1686) c, und im übrigen [Odilonis] monachi sermones tres, I. De sancto Medardo, Migne, Patrol. Lat. CXXXII, 651, A, B und Bethmann im Archiv der Ges. VIII, 74 f. — Eug. Lefèvre-Pontalis, Etude sur la date de la crypte de St.-Médard de Soissons, Congrès archéol. de France LIV (1887), Paris, Caen 1888, p. 323 sq., meint, der neue Ausbau der Krypta anlässlich des Baues Ludwigs des Frommen sei gegen 830 vollendet gewesen, und will dafür die Stelle der Annales S. Medardi Suession. zum Jahre 839, SS. XXVI,

gelangen, müssen wir vielmehr die fragliche Stelle noch genauer untersuchen.

Zunächst betrachten wir noch etwas ihre Stilisierung. In dem Satze: 'et iam tunc maxima ex parte aedificata erat' fehlt das Subjekt 'quae', ein Fehler, der dem Abschreiber zur Last fallen könnte. An Stelle von 'Suessonica urbs' gebraucht Nithard wenige Zeilen vorher die Form 'Suessionis'; die Worte: 'Cumque Suessonicam peteret urbem' finden ihr Gegenstück in dem unmittelbar vorhergebenden: 'ut . . . Lingonicam peteret urbem'. Der Ausdruck 'per edictum' findet sich im dritten Kapitel des ersten Buches von der Uebertragung Alamanniens an Karl[1]; 'acquiescens' steht auch im fünften Kapitel des zweiten Buches[2]. Die Uebergangsformel 'His ita peractis' leitet gleicherweise das die fragliche Stelle enthaltende Kapitel ein. Die Formen 'cumque' für 'cum', 'inibi' für 'ibi', 'uti' für 'ut' in der Bedeutung 'wie', sind Nithard ganz geläufig, ebenso die Verbindung mit 'qui dicitur'. Dagegen lässt sich eine Verbindung wie 'monachi de Sancto Medardo' und der Gebrauch von 'res' in der Bedeutung 'Besitz' bei ihm sonst nicht nachweisen. Diese stilistischen Unterschiede genügen natürlich nicht, die Annahme eines anderen Verfassers zu rechtfertigen, eher könnte man, wenn andere zwingendere Gründe für einen solchen sprechen, sagen, er habe absichtlich und nicht un-

---

520: 'Ipse (sc. Karolus Calvus) enim mutare fecit corpora sanctorum Medardi et Sebastiani et Gregorii et aliorum et ponere in criptas sexto Kalendas Septembris', verwerten, deren Inhalt er, da der Verfasser gern unter einem Jahre ungenau viele Ereignisse mehrerer benachbarter Jahre zusammenstelle, auf das Jahr 831 beziehen zu dürfen glaubt. Das ist jedoch ganz ausgeschlossen. Da vorher vom Tode Ludwigs des Frommen und der Nachfolge seiner drei Söhne, ja sogar schon von dem späteren Kaisertume Karls des Kahlen die Rede ist, gehört das Ereignis sicher der Regierungszeit Karls an (im Jahre 831 war er erst acht Jahre alt!). Da die Tagesangabe in den zeitlichen Zusammenhang des Translationsberichtes Nithards hineinpasst, scheint der Annalist dasselbe Begebnis im Auge gehabt, aber sich ganz irrig vorgestellt zu haben. Wir kommen auf diese Frage am Schlusse noch zurück. — Die Stelle in der von Bertha, der Schwester Ludwigs des Frommen, ausgestellten Urkunde von 824: 'ad basilicam, quam tum in honore sanctae Trinitatis et sanctae Mariae omniumque sanctorum construxisti (sc. Hilduinus)', bezieht sich auf eine Nebenkirche.

1) Meyers von Knonau, a. a. O. S. 94, N. 41, Rückschluss von III, 2 auf die Auslegung dieses Ausdrucks wird hinfällig, wenn diese Stelle nicht von Nithard herrührt; doch dürfte seine Deutung aus anderen Gründen (vgl. S. 92, N. 7 und Th. Sickel, Acta reg. et imp. Karol. I, 187) vor der E. Dümmlers den Vorzug verdienen. 2) p. 18, l. 31 der Ausgabe.

geschickt Nithardsche Wendungen seinem Machwerk einverleibt.

So muss die Entscheidung von einer inhaltlichen Untersuchung der Stelle kommen. Gingen wir von einem auf allgemeineren Erwägungen beruhenden Zweifel an ihrer Echtheit aus, so prüfen wir sie jetzt in ihren sachlichen Einzelheiten, d. h. wir untersuchen den Besitz des Klosters einerseits an Reliquien, anderseits an dem Gute Bernacha.

Die Geschichte des St. Medardus-Klosters bei Soissons ist noch nicht geschrieben worden. Von den Stadtgeschichten geht die in den Jahren 1663 und 1664 in zwei Bänden erschienene 'Histoire de la ville de Soissons' von Claude Dormay auf die Klostergeschichte näher ein, ohne indes für unsere Zwecke viel Brauchbares beizubringen; die späteren von Le Moine (1771), Henri Martin et Paul Lacroix (1837) und Leroux (1839) berücksichtigen sie nur nebensächlich. Dagegen widmete der Abbé L. V. Pécheur in den einzelnen Büchern seiner inhaltreichen und, wenn auch nicht überall sehr kritischen, doch als Stoffsammlung brauchbaren 'Annales du diocèse de Soissons' (10 Bände, Soissons 1863—95) dem Kloster St.-Médard zahlreiche Abschnitte, für die er auch handschriftliche Quellen und Bearbeitungen benutzte. Dass es bisher weder eine Klostergeschichte[1] noch auch nur ein Urkundenbuch von St.-Médard gibt, dürfte mit der Lückenhaftigkeit seiner frühmittelalterlichen Ueberlieferung zusammenhängen, die durch die Schicksale des Klosters, seine Zerstörung durch die Normannen im Jahre 886, die Belagerungen und Plünderungen der Stadt im 2. und 4. Jahrzehnte des 15. Jh., seine Plünderung durch die Truppen Kaiser Karls V. im September 1544, seine Verwüstung durch die Hugenotten im September 1567 und die Ereignisse der grossen Revolution verschuldet ist. Späten und, wenigstens für die frühere Zeit, sehr dürftigen Jahrbüchern steht eine recht lückenhafte und schlechte Urkunden-Ueberlieferung gegenüber. Da diese neben der heiligengeschichtlichen Litteratur hauptsächlich für unsere Untersuchung in Frage kommt, beginnen wir mit einem Ueberblick über die älteren Urkunden bis zum Ende des 9. Jh., soweit sie gedruckt vorliegen. Scheint dieser auch

1) Wenigstens keine gedruckte; mehrere ältere handschriftlich gebliebene Darstellungen sind mir unzugänglich.

vom eigentlichen Gegenstande etwas abzuführen, so dürfte er doch nicht unnützlich sein, zumal, soweit ich sehe, die älteren Urkunden noch nirgends vollständig zusammengestellt sind, und ich die Gelegenheit benutzen möchte, einige neue diplomatische Ergebnisse vorzutragen, ohne indes überall auf abschliessende Beurteilung Anspruch zu erheben.

Die Mehrzahl der Klosterurkunden sind nicht urschriftlich, sondern in verderbten späteren Texten überliefert; aber auch inhaltlich sind viele Stücke, wenn nicht erwiesene Fälschungen, doch mehr oder weniger stark verunechtet. Dass ein so bedeutendes Kloster von den Merowinger-Königen mit Urkunden begabt worden ist, kann keinem Zweifel unterliegen; erhalten ist keins dieser Diplome. Die angeblich ältesten Urkunden sind vielmehr zwei Papstprivilegien, Johanns III. vom Jahre 562 (Jaffé, Reg. pont. Rom., ed. II, n. 1039) und Gregors I. von 593 (l. c. n. 1239), plumpe Fälschungen, die uns nicht weiter zu beschäftigen brauchen[1]. Karl der Grosse

---

1) Wenn man in einem Briefe des Bischofs Aegidius von Evreux an Papst Alexander III., Bouquet, Rer. Gall. et Franc. SS. IX, 961, n. CCCXCVIII, als auf dem Konzile zu Reims im Jahre 1131 geschehene Aussage des Bischofs Gaufrid von Châlons, früheren Abtes von St.-Médard, liest: 'quod, dum in ecclesia b. Medardi abbatis officio fungeretur, quemdam Guernonem nomine ex monachis suis in ultimo confessionis articulo se falsarium fuisse confessum et inter cetera, quae per diversas ecclesias figmentando conscripserat, ecclesiam b. Audoeni et ecclesiam b. Augustini de Cantuaria adulterinis privilegiis sub apostolico nomine se munisse lamentabiliter poenitendo asseruit; quin et ob mercedem iniquitatis quaedam se pretiosa ornamenta recepisse confessus est et ad b. Medardi ecclesiam detulisse', so kommt man auf den Gedanken, dass dieser Massenfälscher schwerlich sein eigenes Kloster mit seinen Trugwerken verschont haben wird; der Zweck der von ihm eingestandenen Fälschungen, Befreiung der einzelnen Klöster von der Unterordnung unter die bischöfliche Amtsgewalt, spielt ja auch in den unechten Bullen von St.-Médard die Hauptrolle. Doch gebe ich hier nur einer beiläufigen Vermutung Raum, ohne die Frage nach dem Urheber dieser Fälschungen weiter zu untersuchen. — Der im sechsten Jahrzehnt des 12. Jh. schreibende Verfasser der unten zu besprechenden Wundergeschichten der heil. Gregor und Sebastian kannte offenbar eine Urkunde auf den Namen Gregors, vgl. Catal. cod. hagiogr. bibl. reg. Brux., pars I, t. II, 242, n. 6: 'destruens quae beatus papa Gregorius constituerat . . . . Cur mea meorumque antecessorum confundis decreta?' In der kürzeren Fassung heisst es nur: 'b. Gregorius, qui decreta dederat', Acta SS. Mart. II, ed. III, p. 940 A. — Da gleichzeitige Nachrichten über mittelalterliche Urkundenfälscher an sich ein gewisses Interesse beanspruchen, benutze ich die Gelegenheit, noch auf ein älteres derartiges Zeugnis hinzuweisen. Auf dem in St.-Médard abgehaltenen Konzile des Jahres 853 beschuldigte Karl der Kahle einen Diakon der Reimser Kirche namens Ragamfrid, 'quod praecepta falsa regio nomine compilasset'. Da Fluchtverdacht gegen ihn vorlag, wurde ihm vom Konzile

bestätigte dem Kloster in der Zeit zwischen 769 und 774 die von König Clothar verliehene Immunität (DK. 75). Seine Tochter Bertha, Nithards Mutter, überwies am 14. Januar 824 Abt Hilduin zu Gunsten des Klosters für das Seelgedächtnis ihres Vaters und ihr eigenes das Gut Bernogellus, jetzt Berneuil-sur-Aisne (Canton Attichy, Oise)[1]. Die Urkunde, durch die Ludwig der Fromme der Abtei das Kloster Choisy-au-Bac übertragen haben soll, erklärte Mühlbacher (n. 842 [816]) für eine Fälschung aus dem Anfange des 10. Jh.; wir müssen in späterem Zusammenhange noch eingehend auf sie zurückkommen. Ein Diplom, durch das Karl der Kahle am 21. Sept. 871 dem Kloster ausser einer Reihe Güter auch die königliche Münze in Soissons geschenkt haben soll[2], wird dadurch nicht besser beglaubigt, dass es aus der Urkunde Ludwigs des Frommen die Arenga, die weder für Ludwig noch für Karl kanzleigemäss ist, und einen Teil der Dispositio aus einer früheren Urkunde Karls übernahm.

Diesem urschriftlich erhaltenen Diplome fehlt leider die Datierung, doch lässt es sich zeitlich genauer einreihen, als bisher versucht worden ist. Aus der Art der Erwähnung Karlmanns, des Sohnes Karls des Kahlen[3], folgt, dass die Urkunde ausgestellt ist, bevor ihm seine Abteien genommen wurden, was im Jahre 870 geschah[4]. Daher kann die zusammen mit einem Sohne genannte Gattin des Königs nur Hirmintrud sein[5]; denn Richildis, die Karl der Kahle am 22. Januar 870 heiratete[6], hatte nur einen, im Jahre 875 zu früh geborenen und bald nach der Taufe verstorbenen Sohn[7]. Es ergibt sich

---

die Entfernung aus dem Reimser Sprengel untersagt, bevor er sich von der Beschuldigung gereinigt oder aber Genugtuung geleistet hätte, Mansi, Concilia XIV, 981, Canon VI. 1) Bouquet VI, 661. Die Jahrbücher des Klosters berichten zum Jahre 814 über die Schenkung von Vic-sur-Aisne durch Bertha, SS. XXVI, 519; doch beruht diese Nachricht wohl nur auf einem Missverständnisse der im Zusammenhange mit dem Orte geschehenen Erwähnung der Kaisertochter in der unten zu besprechenden Urkunde König Odos. 2) Bouquet VIII, 628 sq.; Verleihung des Münzrechtes ist an sich in dieser Zeit schon denkbar, vgl. H. Brunner, Deutsche Rechtsgesch. II, 242 und Mühlbacher n. 959 (928). 3) 'Proque salute coniugis ac prolis . . . . nostro quoque ac coniugis et prolis nostrae anniversariis . . . . Insuper ex prefatis aliis villis termino nativitatis dilectissimi filii Carolomanni plenariam refectionem habeant et post ipsius obitum diem nativitatis transferant in diem depositionis'. 4) Ann. Bertiniani, SS. rer. Germ. p. 109. 5) Unter dem Sohne des Königspaares muss der später genannte Karlmann verstanden werden, der bekanntlich noch zwei ältere Brüder hatte. 6) Ann. Bertin. p. 108. 7) l. c. p. 126.

also als Spätgrenze der Todestag der Hirmintrud, 6. Okt. 869[1]. Karlmann trat 854 in den geistlichen Stand[2], wir wissen nicht, wo, ob etwa von vornherein in St.-Médard; 866 wird er zum ersten Male als Abt dieses Klosters genannt[3]. In der Urkunde wird er nicht als Abt bezeichnet, erscheint aber als zum Kloster in nahen Beziehungen stehend. Somit ergeben sich für die Urkunde die Jahre 854 und 869 als Zeitgrenzen, die mit Sicherheit nicht weiter einzuengen sind[4]. Sie regelt die Zuweisung und Verteilung bestimmter Klostereinkünfte an die Mönche (im Gegensatze zum Abte und den Klosterämtern). Ihr teilweise verstümmelter Text lässt sich aus drei späteren Urkunden, in die er zu einem grossen Teile überging, mehrfach ergänzen und richtigstellen, nämlich aus der Bestätigung des Konzils von Douzy 871[5], der diese benutzenden Bulle Johanns VIII. vom 2. Januar 876 (Jaffé² 3033) und dem Diplome Ludwigs des Stammlers von 878[6]. Dass die Papsturkunde den angeführten Satz über Karlmann unverändert übernahm, der im Jahre 876 längst geblendet im Reiche Ludwigs des Deutschen sich aufhielt[7], könnte zunächst auffallen, doch macht sie durchaus den Eindruck der Echtheit.

Die Urkunde Ludwigs des Stammlers vom 8. Februar 878[8], welche gleichfalls die Konzilsbestätigung benutzte und auf die Johanns VIII. Bezug nimmt, ist nach Form und Inhalt verfälscht; ihr Protokoll beruht jedoch auf echter Vorlage, wahrscheinlich einer einfachen Bestätigung der Originalurkunde Karls des Kahlen. Auffällig ist nur in der Korroboration: 'de bulla nostra assignari iussimus' statt des gewöhnlichen: 'anuli nostri

1) p. 107. 2) p. 44. 3) p. 83. 4) Pécheur, Annales I, 470 sqq., setzt sie ins Jahr 870 und bestimmt die meisten Ortsnamen. 5) (D. Mich. Germain), Hist. de l'abbaye royale de Notre-Dame de Soissons, Paris 1675, p. 432 sqq. 6) Der Druck von J. Tardif, Monuments historiques p. 135, n. 212, ist zu ergänzen bez. zu verbessern: S. 135, Z. 3 v. u. ff.: 'proque salute coniugis ac prolis atque statu regni nostri totiusque sanctae ecclesiae liberius sine penuria alicuius rei valerent exorare, ex reditibus abbatiae praedictorum sanctorum res usibus et stipendiis ipsorum necessarias deputaremus et deputatas' . . .; S. 136, Z. 16 v. u.: 'monachis alternatim impertiant'; Z. 11 v. u.: 'Medardi et sancti Sebastiani'; Z. 2 v. u.: 'et luminaria exhiberi ecclesiae sanctae Sophiae inferiori et sanctae Trinitatis superiori'. 7) Vgl. Mühlbacher n. 1493 (1451) d und 1498 (1456) c. 8) Bouquet IX, 416 setzt sie, offenbar mit Rücksicht auf die Indiktion XII, in das Jahr 879; doch dürfte dem Regierungsjahr I. in Verbindung mit der Tatsache, dass der König das Weihnachtsfest 877 in St.-Médard feierte (Ann. Bertin. p. 140), der Vorzug zu geben sein.

impressione', was aus dem Diplome Ludwigs des Frommen übernommen sein könnte[1]. Der übernommene Text der Urkunde Karls des Kahlen ist an zwei Stellen sachlich abgeändert. Die Urkunde Ludwigs fügt in dem Güterverzeichnisse 'Bernoilum'[2] hinter 'Cauciacum' ein. Dementsprechend lässt sie in dem späteren, Einkünfte aus dieser als königlich bezeichneten Villa verschreibenden Satze der Vorurkunde diese Bezugsquelle fort und verkürzt die Stelle über die Jahresfeier für Karlmann, sodass der Satz entsteht: 'Insuper ex praefatis aliis villis in dilectissimi fratris nostri Carolomanni anniversario et Berthae amitae nostrae et luminaria adhiberi ecclesiae sanctae Sophiae inferiori et sanctae Trinitatis superiori'. Kann man dessen ersten Teil zur Not durch die letzten Worte des vorhergehenden Satzes: 'ipsi monachi refectiones accipiant' ergänzen, so schwebt dagegen der Infinitiv 'adhiberi' ganz in der Luft. Während man die Verkürzung des auf Karlmann bezüglichen Satzes als für das Jahr 878 zeitgemäss betrachten könnte, erscheint die Bernoilus betreffende Veränderung schon wegen dieser ihrer stilistischen Ungeschicktheit sehr verdächtig. Dasselbe gilt in noch höherem Masse von den gegen die Aebte gerichteten Sätzen, insbesondere von dem, wie in der Urkunde Ludwigs des Frommen, auf etwas spätere Zeit weisenden Leiheverbote, sowie von der Androhung ewiger Strafen für die Uebertreter.

Die Urkunde vom 23. Juni 887, in der Kaiser Karl III. dem Kloster die königliche Villa Donchéry (Arrond. Sedan, Ardennes) schenkte, zweifelte Mühlbacher (n. 1754 [1707]) in ihrer Echtheit an, vielleicht ging er aber in seinem Verdachte etwas zu weit. Die Schilderung der Normannennot passt doch vortrefflich in die Zeit sieben Monate nach der Verwüstung des Klosters hinein. Für dessen Besitz an Donchéry ist, was Mühlbacher übersehen hat, das nächst erhaltene Zeugnis die anscheinend unanfechtbare Urkunde des deutschen Königs Heinrichs II. vom 5. Mai 1005 (DH. II. 96), durch die er dem Kloster die Errichtung eines Marktes in diesem Orte gestattete, nicht erst die um das Jahr 1039 entstandene Wunderaufzeichnung[3], die sich auf die im Jahre 1037 geschehene

1) Vgl. unten S. 704, N. 5. 2) Die Identität dieses Gutes mit dem im Jahre 824 von Bertha geschenkten Bernogellus ergibt sich aus der Verbindung mit dem Jahresgedächtnisse der Tante des Königs. 3) SS. XV, 771 sqq.; vgl. Anal. Boll. XXIII, 266.

Entfremdung und bald darauf erfolgte Rückgabe des Besitzes durch Herzog Gozelo von Lothringen bezieht. Die Sätze, in denen Mühlbacher eine fälschende Tendenz gegen den Abt zu Gunsten der Mönche erblickte, haben in der Originalurkunde Karls des Kahlen ein, wenn auch noch nicht so weit ausgeführtes, Gegenstück und finden ihre Erklärung vielleicht in der Tatsache, dass das Kloster damals und noch die ersten drei Viertel des 10. Jh. hindurch unter der Bedrückung von Laienäbten zu leiden hatte[1]. Eine formelle Verunechtung der Urkunde soll damit nicht geleugnet werden.

Die König Odo zugeschriebene Urkunde vom Jahre 893[2] ist eine Fälschung, anscheinend ohne echte Vorlage. Verdächtig macht sie u. a. der Titel "rex Francorum', die Reimprosa der Narratio und überhaupt die ganze Stilisierung, soweit sie nicht auf die Originalurkunde Karls des Kahlen zurückgeht. Auch die Uebereinstimmungen mit den Urkunden Ludwigs des Frommen und Ludwigs des Stammlers sprechen eher gegen ihre Echtheit[3].

An diesen Ueberblick über die älteren Klosterurkunden schliessen wir die Erörterung über die von Nithard genannte Villa Bernacha an. Während man früher allgemein dieses Gut auf Braine (Arrond. Soissons) deutete, erblickt man es neuerdings in dem jetzigen Berny-Rivière (Canton Vic-sur-Aisne)[4]. Der Ort wird zum ersten Male von Fredegars Fortsetzer zum Jahre 754 als königliche Pfalz Bernacus genannt[5]. Die diese Stelle benutzenden Metzer Jahrbücher bieten die Form Brennaco, die zu der falschen Bestimmung den Anlass gegeben haben wird[6]. Sonst ist der Ort nur noch in der Originalurkunde

---

1) Vgl. Gallia christiana IX, 413; Pécheur I, 470. 519. 596; schon über Karlmann hatten sich die Mönche bei dessen Vater Karl dem Kahlen beschweren müssen, MG. Epp. VI, 1 (1902), 179, n. 25 II. 2) Böhmer, Reg. Karol. n. 1892. 3) Die Jahrbücher des Klosters, SS. XXVI, 520, geben ihr Regest zum Jahre 898. Pécheur, der I, 504 ihre Ortsnamen bestimmt, versteht mit Recht unter Cusiacum das jetzige Cuizy-en-Almont (Canton Vic-sur-Aisne), vgl. auch H. Martin I, 243 und A. Matton, Dictionn. topogr. du départ. de l'Aisne, Paris 1871, p. 90. Dagegen ist 'abbatia S. Stephani de Cauciaco' dieser Urkunde, ferner Cauciacum der Ludwigs des Frommen, Cautiacum der Karls des Kahlen und der Konzilsbestätigung (die sie ausschreibenden Urkunden Johanns VIII. und Ludwigs des Stammlers haben 'Cauciacum') sowie der Translatio Odilos, SS. XV, 388 l. 16, auf Choisy zu beziehen. 4) Vgl. A. Matton l. c. p. 26; A. Longnon, Atlas hist. de la France, Texte p. 62; sprachliche Bedenken äusserte auch Spruner-Menke, Handatlas, Vorbem. S. 34; leider ist die alte Deutung noch in der neuen Nithard-Ausgabe p. 54 stehen geblieben. 5) Fredegarii Contin. c. 37 (120), SS. rer. Merov. II, 183; Mühlbacher n. 73 (71) g. 6) Ann. Mettenses priores, rec. B. de Simson, p. 46.

Karls des Kahlen nachweisbar, wo er unter der Namensform 'Berneius' als bereits im Klosterbesitze befindlich erscheint, sowie in den sie benutzenden Urkunden des Konzils, Johanns VIII. und Ludwigs des Stammlers. Der Annahme, dass Karl der Kahle in einer früheren Urkunde die Villa Berny dem St. Medardus-Kloster geschenkt habe, steht also nichts im Wege; vielmehr beruft sich die Konzilsurkunde geradezu auf ein solches Diplom[1], und Joh. Mabillon scheint es noch gekannt zu haben. In dem von ihm überlieferten Regeste[2] wird allerdings die Schenkung oder Rückgabe der Villa Berniacus[3] mit der Vollendung und Weihe der neuen Kirche in Verbindung gebracht, nicht mit der nach der fraglichen Stelle Nithards eine Weile vorhergehenden Heiligenüberführung. Da das von ihm genannte Klosterkartular seitdem verloren gegangen ist und die Urkunde auch in anderer abschriftlicher Ueberlieferung sich nicht auffinden lässt[4], ist leider über ihre Echtheit und ihren etwaigen Zusammenhang mit Nithards Berichte nichts zu ermitteln.

Wir betrachten nunmehr den Reliquienbesitz des Klosters, indem wir uns auf die von Nithard genannten Heiligen beschränken und im wesentlichen ihre Reihenfolge bei ihm einhalten. Jede geistliche Anstalt hatte das Bestreben, ihre Heiligengeschichte möglichst reich zu gestalten, und die Mönche von St.-Médard können, wenn man erwägt, wie sie mit ihrer urkundlichen Ueberlieferung umgingen, für ihre Legenden von vornherein keine besondere geschichtliche Glaubwürdigkeit in Anspruch nehmen. Den folgenden Ueberblick auf erzählende Quellen fremden Ursprungs aufzubauen, ist nur in Ausnahmefällen möglich, und die heiligengeschichtliche Litteratur des Klosters geht sehr bald in Legendenfälschung über.

Dass der Leib des heiligen Medardus in dem auf seinen Namen begründeten Kloster ruhte, wissen wir aus

1) 'Berneius videlicet ex conditione, sicut in praecepto suo continetur, per quod eamdem villam ex fisco rei publicae ad eamdem casam tradidit'. 2) Ann. ord. s. Bened. II, 621, l. XXXII, § XXXIII: 'Exstat in chartario eiusdem loci Carolinum hac de re (vorhergeht Nithards Bericht) diploma, in quo Ludovicus augustus ampliorem ibidem basilicam vetere disiecta ad excipiendas sancti Sebastiani reliquias inchoasse dicitur, quam Carolus ait se absolvisse ac curasse dedicari villa Berniaco aliisque eidem coenobio traditis aut potius restitutis'. 3) Nach Pécheur II, 212 sq. war sie bereits eine Schenkung Clothars III. (656—70), eine Angabe, die ich nicht nachprüfen kann. 4) Herr Ph. Lauer hatte die Güte, in den Sammlungen A. Girys nach ihr zu suchen.

Gregor von Tours[1]. Ueber die Ueberführung der irdischen Reste des heil. Sebastianus, des römischen Märtyrers unter Diokletian, berichten die fränkischen Reichsannalen zum Jahre 826. Es ist die bekannte Stelle[2], auf Grund deren G. Monod[3] unter Zustimmung des letzten Herausgebers Fr. Kurze[4] diesen Teil der Annalen dem Erzkaplan Hilduin, der u. a. auch in St.-Médard Abt war, als Verfasser zugeschrieben hat. Ohne auf die an die Verfasserschaft der Reichsannalen sich knüpfenden schwierigen und vielerörterten Fragen einzugehen, müssen wir doch das eine festhalten, dass für die Abfassung dieser, ein Ereignis der örtlichen Kirchengeschichte mit einer im Rahmen der Reichsannalen ganz ungewöhnlichen Breite und eifrigster Anteilnahme behandelnden Stelle nur eine dem Kloster St.-Médard nahestehende Person in Frage kommen kann[5].

---

1) Hist. Franc. IV, 19 und Liber in gloria confess. c. 93, SS. rer. Merov. I, 156. 807 sq. 2) SS. rer. Germ. p. 171 sq.; wir geben ihren Wortlaut weiter unten, wo wir noch einmal auf sie zurückkommen müssen. 3) In Mélanges Julien Havet, Paris 1895, p. 57—65, und Etudes critiques sur les sources de l'histoire Caroling. I (Bibl. de l'école des hautes études CXIX), Paris 1898, p. 136—42; vgl. H. Bloch in Gött. gel. Anz. 163 (1901), 882. 4) l. c. p. VI, N. 10. p. 171, N. 1. 5) Schon Odilo, SS. XV, 379, sagte: 'Agenardus . . . inter alia, quae annotino cursu dictabat, non inoperosum duxit mortalia acta inmortali astipulatione roborare'. Mit Recht bemerkt Monod, Etudes p. 139: 'Ce style échauffé et redondant, qui jure avec la simplicité concise des Annales, ne s'explique que par l'intervention d'une passion personnelle'. Eine Interpolation ist ausgeschlossen, da die Stelle nicht nur in der in St.-Médard entstandenen Hs. C 2, sondern auch in allen anderen steht. — Man darf vielleicht zweifeln, ob Papst Eugen wirklich den ganzen echten Leib des Heiligen an Abt Hilduin verschenkt hat. Schon Ado von Vienne sagt in seiner Chronik, SS. II, 321, nur ein Teil desselben sei nach Soissons gekommen, und nach Odilo c. 37 zweifelte der benachbarte Bischof von Laon die Echtheit des Geschenkes an, soll freilich bald eines Besseren belehrt worden sein. In Rom aber waren die Reliquien des Defensor ecclesiae das ganze Mittelalter hindurch und darüber hinaus Gegenstand gläubiger Verehrung. Papst Gregor IV. (827—44) soll nach dem Berichte des Liber pontificalis (ed. L. Duchesne II, 74) die Gebeine der heiligen Märtyrer Sebastianus, Gorgonius und Tiburtius aus ihren Katakombengräbern in die gregorianische Kapelle der Peterskirche überführt haben; Honorius III. weihte im Jahre 1218 in der Sebastianuskirche an der Via Appia, einer der sieben grossen Basiliken Roms, diesem Heiligen einen Altar, und in ihrer Krypta war sein Grab noch zu Beginn des 16. Jh. ein verehrtes Heiligtum, vgl. Acta SS. Jan. II, ed. III, 622. 623. 626 und H. Grisar S. J., Die römische Sebastianuskirche und ihre Apostelgruft im Mittelalter. Verzeichnis der Heiligtümer und Ablässe der Basilika von 1521, Röm. Quartalschrift IX (1895), 409 ff., besonders S. 424. 451. 455. 456. Wir brauchen die Frage nach der Echtheit und Vollständigkeit der nach Soissons überführten Gebeine nicht weiter zu erörtern und können uns an der durch den

In der späteren heiligengeschichtlichen Litteratur des Klosters ist der Name des heil. Sebastian gewöhnlich mit dem des heil. Gregorius verbunden. Für eine gleichzeitige Ueberführung der Gebeine des Papstes Gregors I., des Grossen, oder wenigstens eines Teiles derselben von Rom nach Soissons fehlt indessen jedes Zeugnis fremden Ursprungs; vielmehr bieten die Reichsannalen ein gewichtiges Argumentum e silentio dagegen. Sie ist an sich nicht sehr wahrscheinlich, und die Päpste haben stets den Anspruch erhoben, den Leib ihres grossen Vorgängers in Rom zu verwahren. Von Gregor IV. wurden seine Gebeine in das Innere der Peterskirche an eine neue Stätte überführt, über ihnen ein Altar errichtet und eine Kapelle geweiht und prunkvoll ausgestattet; wir haben darüber den kurzen Bericht des Diakons Johannes[1] und den ausführlichen des Liber pontificalis[2]. Spätere Ueberführungen fanden statt unter Pius II. im Jahre 1464, unter Klemens VIII. (1592—1605) und Paul V. im Jahre 1606[3], und noch heute befindet sich in den Grotte vecchie eine Grabschrift Gregors des Grossen[4]. Die Entscheidung dieser wohl ein allgemeineres Interesse beanspruchenden Frage muss die Prüfung der Glaubwürdigkeit der Quellen von Soissons erbringen.

Die erste Urkunde, die den heil. Gregor in Verbindung mit St.-Médard nennt, ist das Diplom König Odos; wie geringe Beweiskraft es besitzt, sahen wir bereits. Die Bezeichnung des Klosters als 'monasterium sanctorum Medardi et Sebastiani ac Gregorii papae' kehrt 150 Jahre später in einer anscheinend echten Urkunde König Heinrichs I. vom 25. Dezember 1047 wieder[5]. In der Zwischenzeit ist aber auch die Heiligenlegende im

---

Bericht der Reichsannalen verbürgten Tatsache genügen lassen, dass der Papst sie für den Sebastianusleib ausgab. Es handelt sich ja für uns zunächst weniger um die Echtheit von Reliquien als um die Glaubwürdigkeit der auf sie bezüglichen Berichte. Wenn, wie im vorliegenden Falle, annähernd gleichwertige Quellenzeugnisse einander widersprechen, entzieht sich die sachliche Echtheit gerade bei Reliquien vielfach der sicheren Beurteilung. Ganz ähnlich wie beim heil. Sebastian liegt der Fall beim heil. Gorgonius, der doch im Jahre 765 in das Kloster Gorze bei Metz überführt worden sein soll (Translatio SS. IV, 238 sqq.); über Tiburtius vgl. weiter unten. 1) Vita s. Gregorii M. IV, 80, Mabillon, Acta SS. ord. s. Bened. I, 487. 2) Vgl. oben S. 698, N. 5. 3) Nach den Acta SS. Mart. II, 125. 4) Vgl. C. M. Kaufmann, Das Kaisergrab in den vatikanischen Grotten, München 1902, S. 42, N. 83, n. 125. 5) Fr. Soehnée, Catal. des actes d'Henri I. roi de France, Bibl. de l'école des hautes études CLXI, n. 75.

Kloster entsprechend weitergebildet worden. Den Grund dazu legte der Mönch Odilo in seiner im ersten Drittel des 10. Jh. verfassten Translatio s. Sebastiani. Die Urteile über den Quellenwert dieser Schrift gehen ziemlich weit auseinander. Während B. v. Simson sie für höchst unzuverlässig hielt, ist ihr letzter Herausgeber O. Holder-Egger für eine etwas günstigere Beurteilung eingetreten; sie ist nach ihm keineswegs ganz unglaubwürdig, doch mit grosser Vorsicht zu benutzen[1]. Wattenbachs Urteil sucht, nicht eben glücklich, zu vermitteln[2]: 'Nicht allzu zuverlässig, aber doch für die Zeit Ludwigs des Frommen nicht unwichtig'. Mir scheint Odilo nicht zu verdienen in Schutz genommen zu werden. Er schrieb etwa ein Jahrhundert nach dem Ereignis und benutzte ausser den von ihm zitierten Reichsannalen einen Bericht des Propstes Rodoin an Abt Hilduin: 'Enimvero superest hodietenus in cartofilacio nostro cedula Rodoini ad memorabilem Hilduinum abbatem transmissa, in qua numerosa plurimum capitulatione virtutum eius insignia breviata personaliter habentur inserta. Quorum summa in conum redacta surgit in milibus quattuor centum septuaginta'. Will man diese Stelle genau auslegen, so erstreckte sich diese Aufzeichnung nur auf die Wunder, nicht auf die Ueberführungsgeschichte[3], eine Teilung, die sich in der heiligengeschichtlichen Litteratur ja häufig findet. Und sollte die letztere Glaubwürdigkeit beanspruchen können, so müsste sie schon in ihrer Anknüpfung an bekannte Ereignisse zuverlässiger sein. Grundlage der ganzen Erzählung ist eine Romreise des Abtes Hilduin zur Zeit Papst Eugens II., die nachweislich nie stattgefunden hat[4]. Die bei dieser Gelegenheit angeblich angeknüpften Freundschaften mit römischen Geistlichen und die ihnen deshalb jetzt zu verdankende Förderung gehören also auch in das Gebiet freier Erfindung; und die Namen dieser Männer stehen bis auf wenige Ausnahmen schon in den Reichsannalen[5]. Die schliesslich zur Einwilligung des Papstes führenden Verhandlungen werden in umständlicher Breite, um den Wert der Reliquien ins Ungemessene zu steigern, absichtlich als höchst schwierig und langwierig geschildert; überall macht sich in den Reden diese Tendenz, und manchmal ziemlich naiv, bemerkbar. Und trotz allem Phrasenschwalle ist

---

1) SS. XV, 378. 2) Geschichtsquellen I[7], 218, N. 1. 3) Vgl. Holder-Egger l. c. p. 377 sq. 4) Vgl. Holder-Egger l. c. p. 380, N. 4. 5) Das fiel auch Holder-Egger auf, l. c. p. 378, N. 1.

diese langatmige Darstellung ziemlich verschwommen, sie entbehrt der Gegenständlichkeit und der frischen Farbe der Tatsächlichkeit. Die vielen Worte können den Leser nicht darüber hinwegtäuschen, dass der Verfasser eigentlich nichts Tatsächliches weiss, und Odilos starke Betonung der Schwierigkeit der Abfassung im Vorwort[1], in der man wohl mehr als die üblichen Bescheidenheitsphrasen zu erblicken hat, ist ganz erklärlich, wenn er sich das alles aus den Fingern saugen musste.

Sehr bezeichnend ist nun die Einführung des heil. Gregor in diese dem heil. Sebastian gewidmete Schrift. In dem ganzen Werke ist ausschliesslich von dem letzteren die Rede mit Ausnahme von zwei Stellen. Im 15. Kap. wird kurz erzählt, wie Rodoin und die Seinen gewissermassen zum Danke für die Ueberlassung des heil. Sebastian unter Bestechung der Wächter der Peterskirche, 'pia fraude laudabiles', gleich noch die Gebeine eines zweiten Heiligen, des Papstes Gregors I., stehlen und entführen. Dementsprechend erscheint dann in dem im 37. Kap. berichteten Wunder der heil. Gregorius neben dem heil. Medardus an der Seite des heil. Sebastianus. Sonst geschieht seiner jedoch in der ganzen Ueberführungs- und Wundergeschichte neben letzterem gar keine Erwähnung.

Soll man wirklich glauben, dass ein nächtlicher Einbruch in die Peterskirche und die Oeffnung und Beraubung eines berühmten Papstgrabes so leicht zu bewerkstelligen war? Warum wandten die Mönche von Soissons so unendliche Mühe auf, den heil. Sebastian zu erwerben, wenn die Ueberreste eines anderen, nicht unbedeutenden Heiligen so leicht zu erlangen waren? Und verdiente der Doctor ecclesiae neben dem römischen Märtyrer von Odilo so kurz abgetan zu werden? Ein Verteidiger Odilos könnte erwidern, er habe vorsichtige Zurückhaltung geübt wegen Rodoins Verschwiegenheitseides[2] und mehr noch wegen der Unerhörtheit des Vorganges, dessen man sich nicht allzu laut zu rühmen für klug hielt. Ein Ankläger wird, wohl mit mehr Recht, darin die zum ersten Male noch

---

1) Darin finden sich Gedankenanklänge an Nithards Vorreden, vgl. z. B. p. 379, l. 14: 'minime spernendo imperio' mit: 'imperio haudquaquam malivole contempto', SS. rer. Germ. p. 27, l. 35. 2) Zu diesem schon an sich zu denken gebenden Motive bildet ein Gegenstück z. B. Kaiser Arnulfs angebliches Schweigeversprechen in der in St.-Emmeram zu Regensburg gefälschten Translatio s. Dionysii, N. A. XV, 344, vgl. H. Grisar S. J. in Zeitschr. für kath. Theol. XXXI (1907), 1 ff.

zaghaft und schüchtern vorgetragene Begründung einer frechen Lüge erblicken.

In dem Streite um die irdischen Reste Gregors des Grossen ist Rom für den Besitzer zu halten, solange nicht St.-Médard den Erwerb glaubwürdig nachweist. Odilos spätes Zeugnis erscheint dazu nicht beweiskräftig genug. Auf ihm beruht die weitere Ausgestaltung der gregorianischen Legende innerhalb des Klosters, und wenn sie endlich auch von fremder Seite Anerkennung fand[1], so kann das nicht als Beweis für ihre Wahrheit gelten. Anzunehmen, nur ein Teil der Reliquien des heil. Gregor sei nach Frankreich überführt worden, der andere in der Peterskirche verblieben, wie das die Acta Sanctorum[2] und A. Theiner[3] tun, heisst die Frage nicht lösen, sondern ihrer Schwierigkeit aus dem Wege gehen[4].

Die letzten Kapitel von Odilos Schrift (43 ff.) handeln von den Beziehungen Kaiser Ludwigs des Frommen zu dem neuen Klosterheiligen Sebastian. Aus ihnen hebt sich das 44. Kapitel durch seine Form ab. Es bietet keine Erzählung wie die ganze übrige Schrift, sondern gibt sich als Bericht des Kaisers selbst in direkter Rede. Es ist die sog. 'Conquestio domni Chludovici imperatoris et augusti piissimi de crudelitate et defectione et fidei ruptione militum suorum et de horrendo scelere filiorum suorum in sui deiectione et depositione patrato', eine wenig zutreffende[5] und unvollständige Bezeichnung, denn wenn man schon diese von zwei Hss. vorangeschickte Ueberschrift zur Benennung verwenden wollte, müsste man auch die über dem zweiten Teile des Kapitels in einer der beiden Hss. stehende: 'De auxilio sancti martiris Sebastiani expetito et sibi experto et de revelatione obitus sui' zu vollständiger Kennzeichnung des Inhaltes hinzufügen. Dass der Kaiser eine solche Rede, wie sie ihm hier in den Mund gelegt wird, tatsächlich nie gehalten haben kann, geht zur Genüge schon daraus hervor, dass der Vortragende genau weiss, er werde in seinem Leben das Kloster nicht mehr wiedersehen, und von den Mönchen den letzten Ab-

---

1) Vgl. weiter unten. 2) Mart. II, 125. 3) Baronii Ann. eccles. XIV (1868), 128. 4) Der Fall liegt hier ganz anders als beim heil. Sebastian; denn es handelt sich hier darum zuerst die Glaubwürdigkeit des einen Quellenberichtes zu prüfen. Dieser Prüfung darf man nicht vorgreifen durch einen Erklärungsversuch, der nur erlaubt ist, wenn gegenüber einander widersprechenden gleichwertigen Zeugnissen die ue en r versagt, vgl. oben S. 698, N. 5. 5) Vgl. Holder-Egger Q c.ll p. [illegible]

schied nimmt[1]. Diese sog. Conquestio ist auch von Odilos Werk abgesondert überliefert in zwei Hss., in einer ganz, in der anderen teilweise; beide sind jedoch jünger als die Hss. des ganzen Werkes. Die Frage, ob dieser Bericht gleich dem übrigen, ihn umgebenden Texte erst von Odilo abgefasst[2] oder älter und von ihm seiner Schrift nur einverleibt ist[3], hängt mit der anderen nach seinem Wert als Geschichtsquelle eng zusammen. Und wie in der Beurteilung Odilos, zweien sich auch hier die Ansichten. Holder-Egger nimmt Abfassung durch einen wohlunterrichteten, dem Kloster angehörigen Zeitgenossen an, v. Simson dagegen spricht ihm jede Glaubwürdigkeit ab und bezeichnet ihn geradezu als Fälschung[4]. Holder-Egger hat zweifellos Recht, wenn er die bis dahin herrschende Auffassung als harmloser Stilübung[5] bekämpfte und absichtliche Mache feststellte zu dem Zwecke, den heil. Sebastian[6] und sein Kloster durch die ihnen angeblich seitens des Kaisers dargebrachte Verehrung zu verherrlichen. Dadurch aber wird der Bericht keineswegs glaubwürdiger, und dieselbe Zweckrichtung kennzeichnet ja das ganze, wenig erfreuliche Werk Odilos. 'Memorandi caesaris Chludowici qualis quantave circa sanctum devotio fuerit' (c. 43) ist das Thema der letzten Kapitel Odilos sowohl wie der Conquestio[7]; letztere führt aus, wie es kam, dass der Kaiser sein angebliches Gelübde, im St. Medardus-Kloster seine letzte Wohn- und Ruhestätte zu suchen, nicht ausführen konnte. Auch stilistische Aehnlichkeiten könnte man anführen; so entspricht dem 'His ad votum fruitus caesar' (388, 30) Odilos das 'nullo consolatore fruitus' (389, 8) der Conquestio, und die besonders den Schluss der letzteren

---

1) Vgl. Holder-Egger p. 378, n. 4. 2) Dies ist die Meinung der Histoire littér. de la France VI, 174. 3) Das scheint der Uebergangssatz zunächst anzudeuten: 'Quid autem fuerit, quod ita eum rogasse praemisimus, series subsequens, immo idem in serie secretissimum suum enarret sacramentum'. 4) Jahrbücher des fränk. Reichs unter Ludwig dem Fr. II, 48, N. 9. 5) Wattenbachs Geschichtsquellen I[7], 232; E. Dümmler, Gesch. des Ostfränk. Reiches I[2], 84, N. 4; Mühlbacher n. 925 (896) f.; wenig bestimmt urteilt Molinier, Les sources de l'hist. de France I, 236, n. 767: 'peut dater du IX. siècle, n'a que peu de valeur'; v. Simson a. a. O. betonte schon die absichtliche Hervorhebung der Anhänglichkeit des Kaisers an das Kloster. 6) Um diesen, nicht um den heil. Medardus handelt es sich hier. 7) Vgl. deren Stellen p. 388, l. 48: 'me illum locum diligere plurimum'; 390, 5: 'quia saepenumero in huiuscemodi privatis seu publicis eius praepotens auxilium fueram expertus'; 390, 34: 'sanctum illum locum me amavisse plurimum dixi'; 391, 9: 'quos (sc. fratres) dilexeram unice'.

durchsetzende Reimprosa findet in Odilos 45. Kapitel ihre Fortsetzung. Lässt sich die Frage, ob auch die Conquestio von Odilo herrührt, vielleicht nicht sicher entscheiden, so hat das keine grosse Bedeutung mehr: die Mache ist hier dieselbe wie dort, und eine Verwertung als Geschichtsquelle hier wie dort so gut wie ausgeschlossen. Die Einzelheiten der Conquestio verwarf schon Mühlbacher als Fabeleien[1], und wer möchte etwa die Erzählung Odilos vom Schuldbekenntnisse der Kaiserin Judith (c. 43) als geschichtlich beglaubigt betrachten[2]? Die alte Klosterüberlieferung ist hier wie dort zu stark sagenhaft entstellt, als dass sich das Wahre vom Falschen noch scheiden liesse.

Noch einem Punkt in Odilos Erzählung von den Beziehungen des Kaisers zum Kloster müssen wir unsere Aufmerksamkeit zuwenden, dem Bericht über Ludwigs des Frommen Geschenke (Kap. 43). Sie bestanden in einem goldenen Kelch, einem Evangelienbuche, das noch heute vorhanden ist[3], einem goldenen Rauchfass, einer 'vasta olei amphora ad luminaria concinnanda', der staatlichen Münze[4] und endlich in der Abtei 'Cautiacum ad templi fabricam spatiandam', die er 'praecepto regiae auctoritatis, ne a quolibet temerario abriperetur, cum obtestatione et anathematis innodatione anuli sui inpressione signato roboravit'. Eine solche Urkunde Ludwigs des Frommen, freilich ohne eine derartige Bannandrohung, ist nun wirklich erhalten; Mühlbacher (n. 842 [816]) erklärte sie jedoch für eine Fälschung aus dem Anfange des 10. Jh., d. h. der Zeit, in der Odilo schrieb, und erblickte ihren Zweck darin, den Besuch des Kaisers im Kloster urkundlich zu beglaubigen, eine Tendenz, die zur Zweckrichtung der letzten Kapitel von Odilos Schrift vortrefflich passt. Mühlbacher hat denn auch bereits auf Odilo hingewiesen; wir werden jedoch bei eingehenderer Untersuchung der Urkunde einen noch engeren Zusammenhang feststellen können.

Wie Mühlbacher mit Recht bemerkt, stammt das Eingangsprotokoll und die Korroboration[5] aus echter Vorlage, die von Ludwig dem Frommen allein, also in der

---

1) Deutsche Gesch. unter den Karol. S. 390 f. 2) Von sagenhaften und erdichteten Einzelheiten in Odilos Schrift spricht Mühlbacher Reg. n. 842 (816). 3) Vgl. SS. XV, 388, N. 1. 4) Wir erinnern uns hier der verfälschten Urkunde Karls des Kahlen vom Jahre 871, vgl. oben S. 693. 5) Am nächsten steht sie denen in M. 556 (537), 682 (662) und 706 (685); dass die Ankündigung der Bullierung keinen Verdachtsgrund abgeben kann, hat H. Bresslau, Archiv für Urkundenforsch. I, 355 ff., erwiesen; vgl. oben S. 694 f.

Zeit von 814 bis 825 oder von 830—833 (vor 834 wegen der Devotionsformel) ausgestellt sein muss, während er im Jahre 827, unter dem die Urkunde des Itinerars wegen eingereiht ist, zusammen mit Lothar urkundete. Daher kann auch die Datierung, deren unkanzleimässiges Inkarnationsjahr 821 nicht zur Indiktion V. passt, während ein Regierungsjahr nicht angegeben ist, und deren Ortsangabe: 'in monasterio sancti Medardi et sancti Sebastiani martyris Suessionensis' den Heiligenbesitz des Klosters aufdringlich betont, nicht echt sein. Abgesehen von den an echtes Formular anklingenden, aber möglichenfalls ebenso gut aus einer späteren Urkunde übernommenen Pertinenz- und Uebertragungsformeln ist auch der Text recht ungeschickt zurechtgemacht[1]. Wann nun die Abtei Choisy wirklich in den Besitz von St.-Médard gelangt ist, lässt sich nicht mehr feststellen; wir wissen nur, dass sie in der zweiten Hälfte der Regierung Karls des Kahlen Klosterbesitz war[2]. Das in der Urkunde gegen den Abt gerichtete Verbot, sie weiter zu verleihen, und die Bestimmung über eine für den Gottesdienst ausreichende Mönchszahl weisen in ihren tatsächlichen und rechtlichen Voraussetzungen aus der Zeit Ludwigs des Frommen heraus in Zustände um die Wende des neunten zum zehnten Jh., als St.-Médard Besitz weltlicher Grossen geworden war[3].

Die Beobachtung, dass der erzählende Teil der Fälschung in dem Bestreben, die Verehrung des heil. Sebastian durch den Kaiser zu schildern, mit der Zweckrichtung der letzten Kapitel Odilos und der Conquestio übereinstimmt, führt uns zu noch genauerer Betrachtung der Arenga und Narratio der Urkunde; und da ergibt sich die merkwürdige Tatsache einer, teilweise wörtlichen, Uebereinstimmung mit dem Berichte der fränkischen Reichsannalen über die Ueberführung dieses Heiligen. Die von dem Werte der Schenkungen an Ruhestätten von Heiligen handelnde Arenga[4] begegnet in keinem anderen Diplome Ludwigs des Frommen und ist für diesen besonderen Zweck frei erfunden worden[5]. Den ersten Teil der Narratio aber stellen wir dem Berichte der Reichsannalen gegenüber.

---

1) Eine Publikationsformel fehlt ihm; vgl. ferner unten S. 707, N. 4. 2) Aus dessen früherer Urkunde, vgl. oben S. 696, N. 3. 3) Vgl. oben S. 696, N. 1. 4) Sie findet sich auch in der verfälschten Urkunde Karls des Kahlen, vgl. oben S. 693. 5) Vgl. unten S. 706, N. 1.

Ann. regni Franc. a. 826.

Dum haec aguntur, Hildoinus abbas monasterii sancti Dionisii martyris Romam mittens adnuente precibus eius Eugenio sanctae sedis apostolicae tunc praesule ossa beatissimi martyris Christi Sebastiani accepit et ea apud Suessonam civitatem in basilica sancti Medardi collocavit. Ubi dum adhuc inhumata in loculo, in quo adlata fuerant, iuxta tumulum sancti Medardi iacerent, *tanta signorum ac prodigiorum* multitudo claruit, tanta virtutum *vis in omni genere sanitatum per* divinam gratiam in nomine eiusdem beatissimi martyris enituit, ut a nullo mortalium eorundem miraculorum aut numerus conprehendi aut varietas verbis valeat enuntiari. Quorum quaedam tanti stuporis esse narrantur, ut humanae inbecillitatis fidem excederent, nisi certum esset, dominum nostrum Iesum Christum [1], pro quo idem beatissimus martyr passus esse dinoscitur, omnia quae vult facere posse per divinam omnipotentiam, in qua illi omnis creatura in caelo et in terra subiecta est.

M. 842 (816).

Igitur cum industria atque instantia venerabilis Hilduini abbatis monasterii sancti Medardi sacrique palatii nostri archicapellani corpus beatissimi ac pretiosissimi martyris Christi Sebastiani per auctoritatem et largitionem domni Eugenii apostolici, spiritualis patris nostri, ab urbe Roma apud Suessionem civitatem in monasterio sancti Medardi confessoris Christi, quod vir venerabilis Hilduinus abba tempore praesenti regere cognoscitur, fuisset translatum, *tanta* ibi *signorum ac prodigiorum vis in omni genere sanitatum per* eiusdem gloriosissimi martyris merita coruscavit, ut merito ad venerationem illius cunctorum fidelium corda moverentur.

Der Urkundenfälscher benutzte also den Bericht der Reichsannalen. Diese selbe Stelle aber rückte Odilo in den seinem Werke als Vorrede dienenden Brief an den

1) Hieran scheint die Arenga: 'certumque est Christum' anzuklingen.

Dekan Ingrann ein[1]. Da erscheint im Hinblick auf das über Odilos Verhältnis zu der Fälschung Vorausgeschickte der Schluss nicht zu gewagt, in ihm deren Urheber zu erblicken[2]. Wenn wir daher jetzt noch weitere Uebereinstimmungen der Urkunde mit dem Berichte der Translatio s. Sebastiani feststellen, so können wir diese nicht mehr bloss im Sinne einer Benutzung des Urkundentextes durch Odilo, sondern in dem gemeinsamer Herkunft von demselben Verfasser verstehen. So ist mit dem Schlusse der Narratio und dem Anfange der Dispositio: 'Qua de re cum et nos orandi gratia ad memoratum locum venissemus et ecclesiam ob venerationem sancti Medardi praefatique praeclarissimi Christi martyris Sebastiani a fundamentis construere et ornare[3] atque ministeria aurea gemmisque ornata ad missarum sollemnia celebranda conferremus, placuit nobis propter opus supra memoratum perficiendum et ad luminaria concinnanda sustentationemque pauperum atque hospitum receptionem' etc., Odilos Angabe über die Bestimmung der urkundlichen Schenkung: 'ad templi fabricam spatiandam', sein Bericht über die Einzelgeschenke des Kaisers und darin die Wendung 'ad luminaria concinnanda'[4] zu vergleichen.

Wahrscheinlich verfolgte Odilo bei der Herstellung der Urkunde ausser dem, wenn man so sagen darf, idealen Zwecke der Heiligenverehrung auch einen rein praktischen. Die in ihr enthaltenen Verbote legen im Zusammenhange mit der von ihm in seinem Regeste beigefügten Bannandrohung die Vermutung nahe, dass zu seiner Zeit die Abtei Choisy als Lehen vergäbt worden war und damit ihrer kirchlichen Bestimmung und zugleich dem Eigentume

---

1) Die diese Stelle einführenden Worte (vgl. schon oben S. 698, N. 5) sind bekanntlich das einzige, späte und von der neueren Forschung übereinstimmend abgelehnte Zeugnis für Einhards ('Agenardus cognomento Sapiens, ea qui tempestate habebatur insignis') Verfasserschaft an den Reichsannalen ('Gesta caesarum Karoli Magni et filii ipsius Hludowici'). In der aus St.-Médard stammenden Hs. des 10. Jh., die wohl Odilo vorlag (jetzt Petropolitanus F. IV, 4, vgl. SS. rer. Germ., Einhardi Vita Karoli M., ed. V, p. XVIII: A 3) folgen auf die 'Vita et conversatio gloriosissimi imperatoris Karoli . . . edita ab Eginardo sui temporis impense doctissimo necnon liberalium experientissimo artium viro' die Reichsannalen; so ist Odilos Irrtum erklärlich; vgl. Wattenbachs GQ. I[7], 219. 2) Schon Sickel, Acta Karol. II, 422, nahm einen Mönch des 10. Jh. als Verfasser an. 3) Hier fehlt ein Verbum, etwa 'coepissemus'. 4) Vgl. oben S. 704. Für die mangelhafte Stilisierung der Urkunde bezeichnend ist die doppelte Wiederholung der Zweckangabe 'ad lumin. concinn. — atque hosp. recept.' und das zweimalige: 'ad memoriam beatissimi martyris Christi Sebastiani'.

von St. Médard entfremdet zu werden drohte. Um dieser Entwicklung zu steuern, sollte wohl die Fälschung den Klosterbesitz als möglichst alt und urkundlich beglaubigt und die herrschenden Zustände als rechtswidrig erweisen[1].

Ist es uns gelungen den Mönch Odilo als Urkundenfälscher zu entlarven, so wird diese Erkenntnis auch dem Rufe des Legendenschreibers weiteren Abbruch tun müssen. Auf dem Grunde, den er gelegt hatte, entwickelte sich die gregorianische Klosterlegende. Ihre weitere Ausbildung fand ihren Niederschlag in zwei im 12. Jh. entstandenen, nahe mit einander verwandten Aufzeichnungen über Wunder der heil. Gregor und Sebastian, deren eine in den Acta Sanctorum aus einer Hs. von Corbie abgedruckt ist[2], während die andere, etwas längere, im zweiten Bande des Brüsseler Bollandistenkataloges nach einer aus Marchiennes (Dép. Nord) stammenden Hs. veröffentlicht worden ist[3]. Wir brauchen auf die einzelnen, teilweise recht naiven, aber ganz ergötzlichen Wundergeschichten nicht näher einzugehen[4], zumal wir auf eine derselben noch zurückkommen, berühren jedoch zwei Punkte.

Gegen Ende des zweiten Jahrzehnts des 12. Jh. hatte Abt Guibert von Nogent seine berühmte Schrift 'De pignoribus sanctorum' verfasst, in der er, seiner im tiefsten

---

1) Diese Auffassung deckt sich im wesentlichen mit der von A. Dopsch im Apparate der Karolinger-DD.-Abteilung der MG. angedeuteten, nur dass er ebenso wenig wie seine Vorgänger den Schluss auf Odilo als Fälscher zog. 2) Mart. II, 939 sqq. Sie ist auch in einer jetzt in der Bibliothek von Douai aufbewahrten, aus Anchin stammenden Hs. des 12. Jh. enthalten, wenn auch durch einen Prolog, im Anfang und stilistisch auch sonst erweitert, vgl. Anal. Boll. XX, 408 sq.; die Kenntnis ihrer drei ersten auf den heil. Gregor bezüglichen Bestandteile ist wohl zweifellos durch den gleich zu erwähnenden Abt Goswin dorthin vermittelt worden. 3) Catal. cod. hagiogr. bibl. reg. Brux., pars I, t. II (1889), 237 sqq.; Abt Ingrann von St.-Médard (1148—67) war vorher in Marchiennes Abt gewesen, vgl. Ann. S. Med. Suess., Bouquet XII, 278 sq.; vielleicht schenkte er diesem Kloster später die Hs. — Kap. 1—9 sind auch in einer Rouener Hs. des 12. Jh. in anderer Reihenfolge und mit abweichenden Lesarten überliefert, vgl. Anal. Boll. XXIII, 265 sqq.; Kap. 2 steht auch in einer Reimser Hs. des 13. Jh. mit abweichenden Lesarten; vgl. den Cat. cod. hag. Lat. bibl. nat. Paris. III, 178 sqq., dessen Bearbeiter irrten, wenn sie diese beiden Wundergeschichten als unveröffentlicht bezeichneten, ein Versehen, das in der Biblioth. hagiogr. Lat. p. 1094, n. 7547 exc. berichtigt wurde. 4) Die beiden Aufzeichnungen ergänzen sich gegenseitig in ihren Erzählungen. Die Nummern 1, 9 und 10 der kürzeren finden in der längeren nichts Entsprechendes; sonst entsprechen die Nummern 2—8 der ersteren den Nummern 2, 7, 6, 5, 14—18, 18, 19 der Hs. von Marchiennes; die übrigen Nummern der letzteren haben kein Gegenstück in der ersteren.

Wunder- und Aberglauben befangenen Zeit[1] um Jahrhunderte vorauseilend, die Grundzüge für eine vernünftige und würdige Heiligenverehrung entwickelte[2]. Im einzelnen richtete er seine Ausführungen gegen die Mönche von St.-Médard, die behaupteten, einen Zahn Christi zu besitzen, und denen er ob ihrer betrügerischen Reliquiensucht, ihres Hochmutes und ihrer Habgier harte Worte sagte[3]. Für ihre Verstocktheit bezeichnend ist nun, dass trotzdem in der um das Jahr 1158[4] verfassten Aufzeichnung verschiedene, angeblich durch diesen heil. Zahn bewirkte Wunder erzählt werden[5]. In dem ersten derselben, das mit dem von Guibert[6] bekämpften grosse Aehnlichkeit hat, wird dessen Hauptbeweisgrund gegen die Echtheit als Einwand der königlichen Hofkapläne[7] angeführt, aber natürlich durch das Wunder glänzend widerlegt.

Selbstverständlich gingen diese Wunderaufzeichnungen von der Voraussetzung aus, der heil. Gregor sei zusammen mit dem heil. Sebastian nach St.-Médard überführt worden. Doch hielt es der Verfasser nicht für überflüssig, Ungläubige zu bekämpfen und eben durch jene dem Heiligen zugeschriebenen Wunder eines Besseren zu belehren[8]. Zu den Leugnern gehörten vor allem die Bewohner von Rom,

1) Vgl. für Deutschland Wattenbachs GQ. II[6], 246 ff. 2) Vgl. Ab. Lefranc in Etudes d'hist. du Moyen-Age dédiées à Gabriel Monod p. 285 sqq. 3) Migne, Patrol. Lat. CLVI, 651: 'Dum ecclesiam vestram peregrinis opibus vultis attollere et de vestro statu longe nobiliora, longe ab aliis excellentiora iactare, ad id extremae vesaniae ad vestri sensus reprobi cumulum erupistis, ut non solum, quod dictu nefarium aestimatur, dici tamen operae pretium est, prophetica dicta, sed ipsum dominum Iesum mendacii velitis accersere'. — l. c. 666: 'Quaestum autem ex sanctorum vel circumlatione vel ossium eorum ostensione quaerere quam profanum sit, discite, si velitis acque sanctos avaritiamque taxare'. — Damit vergleiche man in diesen Wunderaufzeichnungen die Furcht des Abtes von St.-Médard vor übler Nachrede, Catal. p. 247, n. 18 und ähnlich Acta SS. p. 940 F. 4) Vgl. Catal. p. 245, N. 1; die kürzere Aufzeichnung versetzt allerdings die Pest (n. 6) bereits in das Jahr 1126, was auf 1156 führen würde. 5) l. c. 238, n. 1, 243 sqq., n. 9—13. 6) Migne l. c. 662. 7) Cat. l. c. p. 238 n. 1, vgl. Migne l. c. 651 sqq. 8) Acta SS. l. c. p. 939 E: 'Primum, quod occurrit, est de b. Gregorio, cui primatus debetur suae praerogativa sedis; hoc autem contra illos, qui non credunt illum Francorum penetrasse fines, eo quod fuerit natione Romanus et quia non fuit postulatus a rege, sed a Romanis, qui extrahentes de loco, in quo iacuerat, arte vendiderunt legatis, venditus legatis, quos rex direxerat'; p. 941 E: 'Unde et veraciter affirmabat (sc. episcopus) b. Gregorium vere esse in loco isto et, ut verbis eius utar: Si, inquit, omnes Romani cum iuramento affirmarent b. Gregorium non esse nobis a deo datum in Galliis, quotquot iurassent, ego non metuerem iurare esse periuros'.

zu den Zweiflern auch die neidischen Mönche von St. Crispin und Crispinian in Soissons.

Schliesslich setzten sich die Mönche des St.-Medardus-Klosters vermöge ihrer Hartnäckigkeit durch. Ihre Ansprüche fanden, wenn auch erst allmählich, endlich auch bei Aussenstehenden Anerkennung. Als der als Hersteller verfallener Klosterzucht bekannte Abt Goswin von Anchin noch Klosterprior in St.-Médard war, also vor dem Jahre 1131, erschien ihm einst während einer Krankheit der heil. Gregor und heilte ihn; 'quod autem acciderat tam abbati Gaufrido quam quibusdam claustralium voluit non tacere, quatenus de miraculi perpetratione, de superborum confusione, qui dicerent Gregorium non esse in loco illo, de exaltatione suae ecclesiae hilariores redderentur'[1]. Einige Jahrzehnte später erkannte kein Geringerer als Thomas Becket von Canterbury die Echtheit der gregorianischen Reliquien des St.-Medardus-Klosters an. Bevor er zu Pfingsten des Jahres 1166 seinen Bannstrahl gegen König Heinrich II. und seine Anhänger schleuderte, begab er sich nach Soissons, um sich zu dem bevorstehenden Kampfe durch Gebet an dem vermeintlichen Grabe des Begründers und Schirmherrn seiner Kirche zu stärken[2]. Dem heil. Gregor dem Grossen schrieb man dann auch im Kloster dessen angebliche Exemption vom Bistume Soissons zu und fälschte auf seinen Namen jenes Privileg, dessen Echtheitsfrage im 17. Jh. den Gegenstand eines Bellum diplomaticum bildete[3].

Die Erörterung über die Heiligen Tiburtius bis Abacuc verschieben wir bis zum Schluss und wenden uns jetzt dem heil. Onesimus[4] zu. Er war Bischof von Soissons und starb wahrscheinlich ums Jahr 360. Seine sogen. Vita

1) Vita Goswini abb. Aquicinct. I, 20, Acta SS. Mart. II, 942; vgl. Wattenbachs GQ. II[6], 175 f.; Molinier, Les sources de l'hist. de France II, 168, n. 1766. 2) Epist. Iohannis Sarisberiensis ad Bartholomaeum episc. Exoniensem, J. C. Robertson, Materials for the history of Thomas Becket archbishof of Canterbury, V (London 1881), 382, n. CXCIV: 'Archiepiscopus vero noster in procinctu ferendae sententiae constitutus iter arripuerat ad urbem Suessionum orationis causa, ut beatae virgini, cuius ibi memoria celebris est, et beato Drausio, ad quem confugiunt pugnaturi, et beato Gregorio Anglicanae ecclesiae fundatori, qui in eadem urbe requiescit, agonem suum precibus commendaret . . . . Archiepiscopus vero, cum in praefatis sanctorum memoriis triduo pernoctasset, die proxima post ascensionem versus Vizilliacum properabat, ut ibi in die pentecostes in regem et suos anathematis sententiam daret'. 3) Vgl. Pécheur l. c. VI, 413/9 und oben S. 692, N. 1. 4) In der Nithard-Hs. heisst er Honesimus.

ist in einer angeblich noch dem 9. Jh. angehörenden Hs.[1] überliefert und dürfte kaum älter sein. Sie stammt unzweifelhaft von einem Mönche des Klosters St.-Médard und ist vielmehr eine in Reimprosa abgefasste Predigt, bestimmt, am Geburtstage des Heiligen verlesen zu werden. Aus dieser späten Quelle ergibt sich zunächst nur, dass man zur Zeit ihrer Abfassung behauptete, die Ueberreste des Heiligen im Kloster zu verwahren[2]; ob mit Recht, ist nicht zu entscheiden, doch dürfte eine gewisse Wahrscheinlichkeit dafür vorliegen, zumal von anderer Seite kein Anspruch auf sie erhoben zu sein scheint.

Betreffs der Heiligen Meresma bis Florianus können wir uns kurz fassen. Während ich die erstere überhaupt nicht nachzuweisen vermag[3], ist es bei Marianus, Pelagius und Maurus fraglich, welche von den verschiedenen gleichnamigen Personen gemeint sind. Wir können uns hier mit der Feststellung begnügen, dass für keinen der etwa in Betracht kommenden Heiligen das Vorhandensein von Reliquien im St.-Medardus-Kloster durch unparteiische Zeugnisse beglaubigt ist. Auch für Leocadia[4] und Florianus[5] fehlt es an solchen.

---

1) Gallia christ. IX, 334. 2) Acta SS. Maii III, 203: 'dum beatissimorum patrum annua recoluntur solennia, | maxime quorum sacra gratulamur praesentia |. Adest igitur nobis dilectissimi | natalitius dies patroni nostri sancti Onesimi, | cuius vitae gesta vel miracula, | licet aut nimia vetustate temporum consumpta | aut desidia scribentium recordationi posterorum non sint tradita' | etc. — Als Quelle für die Anfänge der Kirche von Soissons und die ersten Bischöfe wird angegeben: 'ut antiquiora annalium tradunt monumenta'. — p. 204: 'Sepultus est autem in ecclesia s. Georgii martyris extra confinia civitatis Suessonicae citra fluvium Axonae in fisco Croviaco in vico, qui postea nomine s. Medardi dictus atque insignitus habetur'. — p. 205: 'Diligenter eius amplectamur praesentiam corporis'. — Diese Sätze kennzeichnen die späte Entstehung der Schrift und ihren Mangel an schriftlicher Ueberlieferung und erweisen in ihrem Zusammenhange die Klosterangehörigkeit des Verfassers. Beiläufig sei bemerkt, dass einige Stellen mit solchen des Sermo II (De sanctis Medardo et Gildardo), Migne, Patrol. Lat. CXXXII, 634 sqq. wörtlich übereinstimmen; vgl. Acta SS. l. c. 204 C: 'Quibuscumque enim in tribulationis succurrebat angustia — multa illi pariebant incrementa virtutum', mit Migne l. c. 636 C; ferner 204 E: 'O quot sibi cruces conscivit — et mens deo devota vacabat orationibus', mit Migne 635 D, und 204 F: 'Iam enim inter supernos cives emicat — pretiosa gemma coruscat', mit Migne 639 A. 3) Pécheur l. c. V, 51 bezeichnet sie als Schwester des heil. Medardus. 4) Ihr Leib soll beim Beginne der Sarazeneneinfälle aus Spanien überführt worden sein; die angeblichen Reliquien wurden um das Jahr 1194 (1196) nach Vic-sur-Aisne gebracht und 1219 gestohlen, aber wiedergefunden, ein Ereignis, das der dortige Prior, spätere Grossprior von St.-Médard, Gautier von Coincy, in einem seinen 'Miracles de la

Der heil. Gildardus war Bischof von Rouen, starb nach dem Jahre 511 und wurde in der später nach ihm benannten Marienkirche daselbst beigesetzt. Unter Karls des Kahlen Regierung wurden dann seine Ueberreste nach St.-Médard überführt, im Jahre 1090 jedoch sein rechter Arm samt dem Haupte des heil. Romanus, einem grossen Teile des Körpers des heil. Remigius und Reliquien des heil. Serenus u. a.[1] nach Rouen und zwar in das Kloster St.-Ouen zurückgeführt. Ueber die erste Ueberführung haben wir einen Bericht aus St.-Médard, über die Rückführung einen aus St.-Ouen. Letzterer benutzte offenbar ersteren in dem die erste Ueberführung betreffenden Abschnitt und erkannte jedenfalls deren Tatsächlichkeit an. Dass man gegen Ende des 11. Jh. im Kloster St.-Ouen, also auch wohl allgemein in Rouen, die Ueberreste des Heiligen in St.-Médard suchte, lässt sich immerhin als Zeugnis für die Zuverlässigkeit der Ueberführungsgeschichte von Soissons verwerten, und dazu stimmt gut, dass die Originalurkunde Karls des Kahlen unter den Klosterheiligen auch Gildardus nennt[2]. Der Bericht aus St.-Médard ist im Jahre 1889 von Albert Poncelet S. J. neu herausgegeben worden[3], und der gelehrte Bollandist hat sich auch um seine kritische Würdigung bemüht, freilich nicht mit vollem Erfolge. Die Translatio setzt mit jener angeblichen Romreise des Abtes Hilduin ein, erzählt von der Ueberführung der Heiligen Sebastianus und Gregorius, kurzum benutzt offensichtlich Odilos Schrift, die, wenn auch namenlos, geradezu als Quelle angeführt wird[4]. Sie kann also

---

Sainte Vierge' einverleibten Gedichte schilderte, vgl. die Ausgabe von Poquet (Paris 1857) p. 107 sqq. 5) Ueber die Leidensgeschichte dieses palästinischen Märtyrers und seiner Genossen vgl. Anal. Boll. XXIII, 292 sqq.

1) Acta SS. Oct. X, 8: 'Caput scilicet ambrosium b. Romani et brachium dextrum b. Gildardi et de reliquis artubus, magnam quoque partem corporis b. Remigii et reliquias b. Medardi et ss. Innocentium sanctique Sereni confessoris et s. Bandaridi episcopi et confessoris'. 2) Dass dies an sich kein vollgiltiger Beweis für die Echtheit der betr. Reliquien ist, ergibt sich ohne weiteres aus der Erwähnung des Tiburtius in demselben Zusammenhange, eines Heiligen, auf den wir weiter unten zu sprechen kommen. Die beiden Stellen lauten: 'voluntate sanctorum Medardi confessoris Christi necne germani sui atque confessoris dei Gildardi atque incliti martiris Sebastiani'; diese Stelle steht auch in der verfälschten Urkunde Karls von 871. Die andere Stelle: 'in translatione sanctorum Tiburtii et Gildardi' fehlt bezeichnenderweise in der die Urkunde Karls hier sonst ausschreibenden Bulle Johanns VIII., die nur die heil. Medardus und Sebastianus nennt. 3) Anal. Boll. VIII, 389 sqq. 4) l. c. p. 402, l. 26: 'ab ipsis monachis legitur adhortatus fuisse'.

frühestens in den letzten zwei Dritteln des 10. Jh. abgefasst sein[1], und dazu stimmt, dass ihre älteste Hs. dem Ende des 10. oder dem Anfange des 11. Jh. angehört; Reimprosa findet sich auch hier. Aus ihrem Inhalt ist hervorzuheben, dass die Abgesandten des St.-Medardus-Klosters durch die Bitte der Bürger von Rouen sich bestimmen liessen, den Schädel des heil. Gildardus zurückzulassen[2], dafür aber den des heil. Romanus und den Körper des heil. Remigius, die beide in Rouen Bischöfe gewesen waren, eintauschten[3].

Diese Ueberführung verlegt der Bericht mit klaren Worten in die Zeit der Regierung Karls des Kahlen nach dem Tode Ludwigs des Frommen[4]; Poncelet dagegen glaubt sie in die Jahre 838—40 setzen zu sollen. Nun gibt die Translatio zwei Tagesdaten an: Den Plan zur Ueberführung fasste der König am Feste des heil. Medardus, dem 8. Juni[5], die Ankunft der Reliquien im Kloster erfolgte am 16. desselben Monats[6]. Ist diese Frist auch knapp, so gibt doch Poncelet ihre Möglichkeit zu[7]. Eine Jahresangabe findet sich überhaupt nicht, Poncelet aber betrachtet das Jahr 841 als Spätgrenze, da nach Nithards Erzählung Ende August dieses Jahres eine neue Ueberführung durch Karl den Kahlen, der Umzug aller Heiligen des Klosters, darunter auch des Gildardus, Serenus und Remigius in die neue Kirche stattgefunden habe. Dass der König so kurz nacheinander zwei Translationen in demselben Kloster beigewohnt habe, ist ihm nicht wahrscheinlich, und deshalb verlegt er die erste, entgegen der ausdrücklichen Angabe der Quelle, in die Lebenszeit Ludwigs des Frommen, und zwar in deren letzte Jahre nach der Königsweihe Karls, die doch bekanntlich keine sachliche Bedeutung hatte. Wenn man den Tagesangaben dieser späten Ueberlieferung

1) Poncelet kommt zu keinem sichern Urteil über ihre Entstehungszeit, da er ihre Abhängigkeit von Odilo nicht erkannt hat. 2) Natürlich wird auch dieses Heiligen Wert ins Fabelhafte gesteigert: l. c. p. 404, l. 22 sqq.: 'cives loci illius . . . paene ad bella commovebantur'; l. 27 sqq.: 'Primoribus siquidem regionis illius contradicere non valentibus, nam territi fuerant, ne cum gravi impetu regia super eos manus inferretur ac sic omnis illa regio devastaretur'; erwähnt sei auch die Bezeichnung des Klosters als 'coenobium sanctorum Medardi et Sebastiani atque papae Gregorii, quod in honore beatissimae dei genitricis Mariae consecratum est', l. c. p. 405, l. 16 sqq. 3) l. c. p. 405, l. 5—10. 4) l. c. p. 403, l. 12 sqq.: 'obeunte piissimo Cludovico caesare ac pro obitu suo Francis ingerente maximum maerorem luctus principatum regni nobilissimus suscepit filius supradicti principis Carolus'. 5) l. c. p. 403, l. 22 sqq. 6) p. 405, l. 20. 7) p. 392.

überhaupt Glauben schenken will, und anderseits Nithards Bericht für echt hält, bliebe nichts übrig, als die Anwesenheit des Königs in Soissons für den 8. Juni 841 anzunehmen. Diese Folgerung wird jedoch ausgeschlossen durch sein bekanntes Itinerar: es war die dritte Woche vor der Entscheidungsschlacht bei Fontenoy-en-Puisaye; bereits am 21. standen die Heere bei Auxerre einander gegenüber [1]. Eine der beiden Voraussetzungen dieses Schlusses muss also irrig sein; wir glauben beweisen zu können, dass die Nithard zugeschriebene Erzählung gefälscht ist [2], und gewinnen damit für die Jahresdatierung der Ankunft des heil. Gildardus weiteren Spielraum, wenn anders es sich überhaupt verlohnt, über den Zeitpunkt eines so zweifelhaft überlieferten Ereignisses sich den Kopf zu zerbrechen.

Remigius oder Remedius, Sohn Karls Martell, starb im Jahre 771 als Bischof von Rouen. Wenn der Schreiber des Nithard-Textes Remigius zuerst als Erzbischof von Reims bezeichnete [3], d. h. unter ihm den im Jahre 532 verstorbenen berühmten Apostel der Franken verstehen wollte, so hat man das, da er sich sofort selbst berichtigte, wohl als harmloses Versehen aufzufassen, nicht als einen, gleich wieder fallengelassenen Versuch zu weiterer Legendenfälschung. Die Ueberführung der Ueberreste des Rouener Bischofs nach St.-Médard ist, wie wir bereits sahen, durch dieselben beiden, aus verschiedenen Klöstern stammenden Translationsberichte ebenso weit beglaubigt, wie die des heil. Gildardus, die des heil. Serenus dagegen, eines wohl im 7. Jh. lebenden Priesters, nur durch die spätere aus St.-Ouen.

Für den Verbleib der Ueberreste der noch zu behandelnden römischen Märtyrer Tiburtius, Petrus und Marcellinus, sowie der persischen Märtyrerfamilie Marius, Martha, Audifax und Abacuc besitzen wir in Einhards Translatio ss. Marcellini et Petri eine anschauliche und zuverlässige Quelle [4]. Er erzählt darin, Abt Hilduin habe seinen Boten auf die Reise nach Rom einen seiner Priester mitgegeben, der für das Kloster St.-Médard

---

1) Vgl. N. A. XXXIII, 203. 2) Auf den Wert der Angabe der Jahrbücher des Klosters kommen wir unten noch zu sprechen. 3) Vgl. oben S. 687 f.; die Angabe der Nithard-Ausgabe S. 31, Z. 26: 'quod rectum erat', ist irrig. 4) Eine bemerkenswerte Studie über sie hat kürzlich Marg. Bondois als CLX. Band der Bibl. de l'école des hautes études veröffentlicht, vgl. N. A. XXXIII, 233, n. 20.

die Reliquien des heil. Tiburtius dort erwerben sollte. Dieser habe zweimal vergeblich nach ihnen gesucht und nur seinen Staub bei den Gebeinen der heil. Marcellinus und Petrus gefunden. Dafür habe er den Boten Einhards einen grossen Teil dieser letzteren entwendet. Diese Reliquien seien dann vorübergehend in St.-Médard aufbewahrt, schliesslich jedoch Einhard von Hilduin wieder zurückerstattet worden. Zusammen mit den Heiligen Marcellinus und Petrus seien im Jahre 827 auch Reliquien der heil. Marius, Martha, Audifax und Abacuc nach Seligenstadt gelangt [1].

Soweit Einhards Bericht, an dessen Glaubwürdigkeit zu zweifeln kein Anlass vorliegt. In St.-Médard behauptete man nichtsdestoweniger, die Gebeine dieser sieben Heiligen zu besitzen. In Bezug auf den heil. Tiburtius fand dieser Anspruch bereits in der Originalurkunde Karls des Kahlen seinen Niederschlag [2], während die sie hier sonst ausschreibende Bulle Johanns VIII. sich wohl hütete, die Mär von der Ueberführung des römischen Märtyrers nach Soissons anzuerkennen. Um diesem Anspruch eine weitere Grundlage zu verschaffen, fertigte später ein Mönch in St.-Médard eine der denkbar plumpsten Fälschungen an. Er nahm Einhards Translatio her und änderte sie einfach für seine Zwecke passend ab. An die Stelle der Boten Einhards traten die Hilduins, an die Stelle von dessen Erzählung der vergeblichen Nachforschungen nach dem heil. Tiburtius der Bericht über seine Auffindung, u. s. w. So entstand die berüchtigte 'Translatio ss. Tiburtii, Marcellini et Petri et aliorum ad S. Medardum' [3], die schon Papebroch als Fälschung erwies. Ihre älteste Hs. behandelt die Ueberführung der sieben Heiligen, die in derselben Reihenfolge wie bei Nithard aufgezählt werden, während die etwas jüngere zweite Hs. noch verschiedene andere namhaft macht.

Einhard war eine am Hofe Ludwigs des Frommen bekannte und angesehene Persönlichkeit, und ebenso wie die Ueberführung seiner Heiligen [4] werden seine Verhand-

---

1) III, 12, SS. XV, 252. 2) Vgl. oben S. 712, N. 2. 3) Herausgegeben von O. Holder-Egger, SS. XV, 391—5. 4) Ann. regni Franc. a. 827, SS. rer. Germ. p. 174: 'Corpora beatissimorum Christi martyrum Marcellini et Petri de Roma sublata et Octobrio mense in Franciam translata et ibi multis signis atque virtutibus clarificata sunt'. Nahmen wir oben S. 698 als Verfasser des Berichtes über die Ueberführung des heil. Sebastian nach St.-Médard eine dem Kloster nahestehende Person in Anspruch, so ist in dieser offenbar von derselben herrührenden Stelle die

lungen mit Hilduin über die Rückgabe der in Folge der Nichtauffindung des Tiburtius gestohlenen Reliquien in weiteren Kreisen bekannt geworden sein, zumal er diese Vorgänge bald darauf schriftlich darstellte. Da ist es doch höchst unwahrscheinlich, dass die Mönche von St.-Médard dreizehn Jahre später gewagt hätten, vor dem Sohne Ludwigs des Frommen auf den Besitz dieser Reliquien Anspruch zu erheben, noch unwahrscheinlicher, dass Ludwigs Neffe Nithard diesen Anspruch in seinem Geschichtswerke stillschweigend anerkannt hätte. Bedarf es nach unserer Feststellung des wirklichen Reliquienbesitzes des Klosters, seiner viel weitergehenden Ansprüche und der durch sie hervorgerufenen Legendenfälschungen noch eines weiteren Beweises für die Unechtheit der Nithard-Stelle, so ist er in ihrem sachlichen und zeitlichen Zusammenhange mit dieser Fälschung gegeben [1]. Die Nithard-Hs. aus St.-Médard entstammt dem Ende des 10. Jh., die älteste, in St.-Médard entstandene Hs. der Translatio dem Anfange des 11.; eine Hand des 11. Jh. fügte auf dem Rande der Nithard-Hs. weitere Heiligennamen hinzu, eine gleichzeitige vermehrte die Heiligennamen der Translatio. Da liegt die Vermutung nahe, in dem Verfasser der letzteren den Verfälscher des Nithard-Textes zu erblicken [2]. Der dieses Werk für sein Kloster abschreibende Mönch konnte der Versuchung nicht widerstehen, die Gelegenheit der einzigen Erwähnung der Stadt Soissons zur Einschmuggelung eines Beleges für die Reliquien- und Besitzansprüche seines Klosters zu missbrauchen. Und das gelang ihm so vortrefflich, dass, obwohl schon der äussere Schriftbestand der Stelle, wie wir sahen, einen sehr verdächtigen Eindruck macht, bisher niemand die Verfälschung des vielgelesenen und viel behandelten Werkes erkannt hat [3].

---

ungenaue und vielleicht absichtlich zweideutige Ortsangabe 'in Franciam' und der Ausdruck 'sublata' gegenüber der päpstlichen Genehmigung dort (vgl. oben S. 706) beachtenswert. 1) Es liegt hier ein bemerkenswertes Beispiel vor, wie wichtig für kritische Zwecke unter Umständen die Aufnahme einer an sich ganz wertlosen Fälschung in eine grosse Quellensammlung wie die Monumenta Germaniac werden kann. 2) Da die Nithardhs. erst zu Ende des 10. Jh. geschrieben und interpoliert ist, würde die Richtigkeit dieser Annahme einen weiteren Beweisgrund gegen die Verfasserschaft Odilos an dieser Translatio abgeben. Auffällig ist, dass Mühlbacher (Reg. n. 842 [816]) trotz Papebroch und Holder-Egger sie diesem noch zuschreibt und Bouquet als Druck anführt. Bemerkt sei noch, dass die Fälschung auch die angebliche Ueberführung des heil. Gregor zusammen mit dem heil. Sebastian erwähnt. 3) Leise Bedenken äusserte schon Cl. Dormay l. c. I, 348. Vgl. auch oben S. 688, N. 1.

Diese Verfälschung leistete denn auch den Mönchen von St.-Médard die Dienste, die ihr Urheber mit ihr bezweckte: Der angebliche Ueberführungsbericht Nithards wurde eine Waffe in dem Kampfe für die Echtheit der gregorianischen Reliquien des Klosters. Er findet sich in den beiden Wunderaufzeichnungen des 12. Jh., deren apologetische Tendenz wir bereits kennen lernten, wörtlich benutzt. Wir rücken diese Stellen hier ein, um zu sehen, wie während der inzwischen verflossenen anderthalb Jahrhunderte die Legende den dürftigen Bericht der Fälschung mit weiteren Einzelheiten umsponnen und bereichert hatte. Es heisst in der längeren Fassung der Aufzeichnungen[1]:

'Karolo imperatore civitatem Lingonum properante cum maximo archiepiscoporum Francigenarum ac Theutonorum comitatu obviam occurrunt Sancti Medardi monachi subnixis precibus imperatorem deprecantes, ut corpora sanctorum martyrum, confessorum ac virginum in crypta requiescentia, omni veneratione digna, ad excelsiora monasterii loca, quod piae memoriae Ludovicus imperator suus pater iam ex parte aedificaverat, deveheret. Quorum precibus pius rex inclinatus invitat archiepiscopos et episcopos, quo se ad locum dedicandum cryptae praepararent. Quo peracto imprimis detulerunt Ebbo Remorum archiepiscopus, Rothardus Suessionensium episcopus, Robertus Treverorum archiepiscopus, Henricus Virdunensium episcopus corpora sanctorum Medardi et Gildardi. Postea rex Karolus et Aldricus ecclesiae Senonicae metropolitanus, Ionas Aurelianensis episcopus, Rengarius Noviomensis episcopus sanctorum Sebastiani et papae Gregorii corpora detulere. Quibus advenientibus praedictorum corpora sanctorum Medardi et Gildardi cunctis videntibus cesserunt partibus et in societate eos receperunt propria, ubi divina cotidie exhibentur mysteria ad laudem domini nostri Iesu Christi. Quo viso rex miraculo laudans deum in sanctis suis dixit[2]. . . . . Et sicut praediximus, beatorum corpora propriis humeris serenissimus imperator cum omni veneratione transtulit et insuper villas quae nuncupantur Carisiacus, Tomacus, Archas in pago Tellao cum omnibus appendiciis et Bernacam rebus eiusdem

1) Catal. Bruxell. II, 239, n. 2; die Ueberlieferung der Rouener Hs. des 12. Jh. (vgl. oben S. 708, N. 3) muss als ungedruckt hier unberücksichtigt bleiben. 2) Die hier folgenden Worte können, als für unsere Zwecke bedeutungslos, fortbleiben.

ecclesiae per edictum addidit sub anathemate et astipulamine LX episcoporum, qui dedicationi cryptae affuerant. His ita peractis Remensem urbem petiit'.

Die gesperrt gedruckten Stellen sind der Nithardhs. entnommen. Von den in der Interpolation genannten Heiligen werden wie in der anderen Fassung nur Medardus, Gildardus, Sebastianus und Gregorius genannt. Doch hat die Reimser Ueberlieferung des 13. Jh.[1] hinter 'requiescentia' folgenden Einschub: 'scilicet Sebastiani, Tiburtii, mille martiris(?), Petri, Marcellini, Mariani, Pelagii, Mauri, Proti, Iacincti, Abdonis et Sennis, Marci et Marcelliani, Marii, Marthae, Audifax et Abbacuc, Floriani cum VII^{tem}(!) fratribus suis, Gregorii, Sereni, Onesimi, Medardi, Gildardi, Romani, Remigii, Leocadiae et Medrismae et aliorum plurimorum sanctorum'.

Hier finden sich also nicht nur alle in den Nithard-Text interpolierten, sondern noch acht weitere Heilige genannt, von denen (die gesperrt gedruckten) sechs mit den in der zweiten Hs. der Translatio ss. Tiburtii, Marcellini et Petri hinzugefügten übereinstimmen. Erweitert ist unser Bericht gegenüber dem Nithard zugeschriebenen, abgesehen von dem sogen. Wunder, hauptsächlich durch die Nennung dreier weiterer Villen und durch die Erwähnung der Beteiligung einer Anzahl Bischöfe. Von diesen stimmen allerdings die Namen Roberts von Trier 931—56, Heinrichs von Verdun 1117—29, Aldrichs von Sens 828—36 und Rantgars von Noyon 825—29 durchaus nicht zum Jahre 841, eine zeitliche Verwirrung, die an sich schon die Glaubwürdigkeit dieser Erzählung in Frage stellen würde. Die Bischofsliste der anderen Fassung kommt der Wahrheit näher, insofern als sie für den Trierer Erzbischof den Namen Theutgaud (847—68) zur Wahl stellt und für den Verduner Bischof den richtigen Namen Hilduin anführt. Wenn man annehmen dürfte, diese Aufzeichnung habe für die Bischofsnamen der ersteren die Quelle gebildet, so könnte die Nennung Heinrichs von Verdun in jener durch Missverständnis der für die Bischöfe von Soissons und Verdun je zwei Namen anführenden Stelle dieser entstanden sein. Wir geben jetzt auch die andere Fassung, die sich

---

1) Catal. Paris. III, 180, n. 2; sie gibt auch das Jahr 841 an, hat aber schlechtere Lesarten.

in ihrem Wortlaute von der Nithard-Interpolation weiter entfernt als die erstere[1].

'Sanctorum Sebastiani et Gregorii corporibus positis in crypta inferiori structura ecclesiae in dies regum devotione surgebat in altum . . . . . et dignum erat, ut promoto in altum templi fastigio ipsi etiam exaltarentur a terra, et multa sanctorum martyrum corpora, confessorum atque virginum in crypta eadem quiescentium iuxta eos pariter elevarentur, quod et factum est; et audi quomodo. Rex Carolus, qui nomen imperatoris et virtutem obtinuit, ad Lingonensem urbem properans aliquanto post iter agebat, et sequebatur eum multitudo magna de sublimibus eius, quia caussa inerat, quae citabat eos, et regis praeceptum evocaverat multos; immo voluntas dei eminentior erat, quatenus plures viderent signum futurum super eis qui elevandi erant. Exceptis enim maioribus terrenae reipublicae principibus tamquam Salomonem fere sexaginta fortes ex fortissimis Israel comitatum regis tunc ambierunt[2], omnes episcopi aut archiepiscopi de imperio eius et regno. Et ecce nunc tempus acceptabile: egredientes fratres de coenobio s. Medardi Suessionensis accesserunt ad regem orantes pro exaltatione sanctorum a loco et pro dedicatione cryptae. Placuit imperatori votum pro eo, quod pater illius Ludovicus excelsiora fabricae illius aliquantulum ipse porrexerat[3] et beatum [se putabat] rex, quod glebae sanctissimae in labores sui patris introducerentur. Invitabantur episcopi, archiepiscopi sollicitabantur, vocati sunt omnes, et excusavit se nemo. Primum igitur duo archiepiscopi cum duobus episcopis ad superiora ecclesiae sanctissimos fratres Medardum et Gildardum in suis sedibus extulerunt, ipse videlicet Embo(!) Remensis archiepiscopus, qui cum Roberto, Thietgaudo vel Theutgando(!) Trevirensi archiepiscopo sarcinam sanctam ex una parte portare meruit et Suessionensi et Virdunensi Botherdo(!) vel Henrico, Hilduino vel Alduino episcopis, similiter ut facerent in parte altera, sortem dedit. Secundum autem non prorsus est dissimile huic, quod ad corpora beatissimorum Sebastiani et Gregorii transferenda imperator devotus supposuit humerum suum ad portandum et factus est in prima fronte tanquam ex episcopis unus cum Aldrino(!) episcopo Senonensi; Ionas vero episcopus

---

1) Acta SS. Mart. II, 939 sqq.; die oben S. 708, N. 2 namhaft gemachte Ueberlieferung aus Anchin können wir als ungedruckt nicht berücksichtigen. 2) Vgl. Cant. 3, 7. 3) Lies 'provexerat'. Red.

Aurelianensis et Rengarius Noviomensis portantes post tergum adiuverunt eos. Nec defuit favor divinus in ascensu sanctorum; cunctis enim videntibus fratres, qui praelati erant, sese in partem miserunt et advenientibus illis tamquam honorabilibus amicis ascendendi superius dederunt locum. Mirabilia ista non sunt occultata a filiis hominum propter privilegia donorum usque hodie permanentium, quae videlicet larga manus imperatoris tunc dedit ad credulitatem posterorum et in signum huius virtutis, cui sane non contradicetur; potens est enim deus hoc fecisse, qui facere potuit omnia. Sequens testimonium, quod illi viderunt et nos audivimus, hoc testatur. Nam rebus rite dispositis rege properante in viam suam illi remanserunt in loco sancto suo miraculis adhuc coruscantes'.

Zum Schlusse betrachten wir die Nachrichten der um die Mitte des 13. Jh., anscheinend von dem Grossprior Gobert von Coincy verfassten[1] Jahrbücher des Klosters über die Reliquienüberführungen[2]:

'826· Corpora sanctorum Sebastiani et Gregorii et quorundam aliorum sanctorum a Roma delata sunt in ecclesiam beati Medardi Suessionensis tempore Eugenii pape et Ludovici Pii imperatoris.

828. Corpora sanctorum Marcellini et Petri Roma delata sunt in ecclesia (!) beati Medardi Suessionensis tempore Eugenii pape et Ludovici'.

Wir sehen also auch hier Anspruch auf die heil. Gregorius, Marcellinus und Petrus erhoben. Die Stelle zum Jahre 839[3] behandelt eine Translation aus Karls des Kahlen Regierungszeit. Es liegt nahe, eine irrtümliche Vorstellung von derselben bei dem späten Annalenschreiber zu vermuten, denn es ist kaum anzunehmen, dass der im Jahre 827 begonnene Neubau Ludwigs des Frommen nach dem Jahre 840 erst bis zur Vollendung der Krypta gelangt gewesen sein sollte. Wahrscheinlicher ist, dass es sich nicht um die Niederlegung der Reliquien in der Krypta, sondern um ihre Erhebung und Heraufführung aus derselben in die bald vollendete neue Kirche handelte, also um denselben Vorgang, den die Nithard-Interpolation darstellt und die Wunderaufzeichnungen mit der Weihe der Krypta in Verbindung bringen. Neu und zunächst auffällig

1) Vgl. L. Delisle in der Hist. littér. de la France XXXII, 235—7. 2) Ann. s. Medardi Suession., SS. XXVI, 519 sq. 3) Vgl. oben S. 689, N. 2.

wäre dann die Zeitangabe des 27. August: An diesem Tage des Jahres 841 könnte Karl der Kahle auf seinem Zuge von Beauvais nach Langres sehr wohl wirklich in Soissons geweilt haben[1]. Indessen konnte ein geschickter Benutzer der Nithardhs. dieses Datum sich wohl unschwer selbst herausrechnen. Glaubt man jedoch trotzdem in der Tagesangabe einen Rest alter guter Ueberlieferung erblicken zu müssen, so könnte man annehmen, König Karl habe tatsächlich am 27. August 841 in St.-Médard an einer Ueberführung von Reliquien teilgenommen, es habe sich jedoch dabei nur um solche der heil. Medardus und Sebastianus, allenfalls noch des heil. Onesimus gehandelt. Die Frage der Nithard-Interpolation würde durch eine solche Annahme nicht berührt werden. Ist es aus inneren Gründen sehr unwahrscheinlich, dass Nithard überhaupt von der Heiligenüberführung berichtet habe, so kann er es, wie sich aus unserer Untersuchung des wirklichen Reliquienbestandes des Klosters ergeben hat, sicher nicht in der ihm untergeschobenen Form, unter Nennung dieser Anzahl von Heiligen, getan haben. Da in dem Translationsberichte ein für das Ganze unentbehrlicher und ebenso wie seine Fortsetzung inhaltlich auf eine viel spätere Entstehungszeit weisender Satzteil erst durch eine andere Hand auf dem unteren Rande nachgetragen ist, werden wir dem ganzen Abschnitte, wie er uns vorliegt — abgesehen natürlich von der Vermehrung der Heiligennamen im 11. Jh. —, eine Entstehung erst zu Ende des 10. Jh. zuweisen müssen. Und da hier bereits die Namen der heil. Gregorius, Tiburtius, Petrus und Marcellinus, Marius, Martha, Audifax und Abacuc, Meresma, Leocadia vorkommen, so kann es sich nach allem Vorausgeschickten nicht um einen harmlosen Schreiberzusatz, dem ein wirkliches geschichtliches Ereignis zu Grunde liegt, sondern nur um eine, in der Sache möglicherweise auf einen nicht mehr herauszuschälenden echten Kern zurückgehende Fälschung handeln, die hoffentlich für immer aus dem Texte der Ausgaben verschwindet. Was an ihrer Stelle im Nithard-Texte ursprünglich gestanden hat, ist nicht mehr zu erraten; vielleicht ist zwischen 'praefatum iter accelerare coepit' und 'Remensem urbem petiit' nur eine Konjunktion ausgefallen.

Wir haben die Legendenbildung des nordfranzösischen Klosters bis ins 13. Jh., wo die heiligengeschichtliche Litte-

---

1) Vgl. Meyer von Knonau a. a. O. S. 142.

ratur fast alle Bedeutung als Geschichtsquelle verliert, verfolgt und ein Nebeneinandergehen und gelegentliches Ineinandergreifen von Urkunden- und Legendenfälschungen festgestellt. Zugleich haben wir Nithards wertvolles Werk, von dem unsere Untersuchung ausging, von einem entstellenden mönchischen Zusatze befreit und für seinen trefflichen Verfasser jene frische weltliche Unbefangenheit gerettet, in der man ein Erbteil des Grossen Karl erblicken möchte.

XV.

Studien zu Tholomeus von Lucca.

Von

B. Schmeidler.

III. Zur Wiederherstellung der Gesta Florentinorum.

Mit der Untersuchung der Gesta Lucanorum und ihrer uns erhaltenen Ableitungen betraten wir ein fast unbearbeitetes Feld, selbst die Veröffentlichung der Bongischen Cronichette ist ziemlich unbeachtet geblieben, — über die von Tholomeus benutzte Chronik der Hauptstadt von Toscana, die Gesta Florentinorum, ist eine nicht unbeträchtliche Literatur[1] vorhanden, und man könnte eine eigene Abhandlung schreiben[2], wollte man zusammenstellen, wer sich von Wüstenfeld und Scheffer-Boichorst an bis zu Santini der Ergründung des Problems gewidmet hat, und abmessen, was ein jeder dafür geleistet hat, ob er auf dem richtigen Wege war oder nicht. Gegen Florenz, die Wiege der Renaissance, vermochte die stille Landstadt Lucca nicht aufzukommen, so wenig im 19. Jh. wie schon im 14. Denn charakteristisch für die Gesta Florentinorum ist nicht nur die Fülle der Untersuchungen, die auf sie verwandt worden ist, sondern auch die Fülle des Materials, das für solche Untersuchungen zur Verfügung steht, der Ableitungen, die in früher Zeit aus den Gesta geflossen sind. Scheffer-Boichorst arbeitete mit Tholomeus von Lucca, Villani[3], Simone della Tosa[4], Paolino Pieri[5] und

---

1) Hauptsächlich zu nennen sind: Scheffer-Boichorst, Anonymi Gesta Florentinorum, Archiv XII, 427—468, Florentiner Studien S. 221 ff. O. Hartwig, Quellen und Forschungen zur ältesten Geschichte der Stadt Florenz II, 241 ff. (Die Gesta Florentinorum und deren Ableitungen und Fortsetzungen). H. Simonsfeld, Ueber das Verhältnis des Tolomeo von Lucca zu den älteren Florentiner Chroniken, N. Archiv VIH, 386—396. Ueber die Arbeit von Santini siehe weiter unten. 2) Der Umfang der Arbeit wäre ungebührlich angewachsen, wenn ich auf die Ansichten der Vorgänger hätte Bezug nehmen oder mich auf Widerlegung einzelner Behauptungen einlassen wollen. Ich muss die Leser dieses Aufsatzes, der aus einer umfassenden Vergleichung einer grossen Anzahl z. T. sehr umfangreicher Texte erwachsen ist, bitten, in höherem Masse, als dies sonst vielleicht bei Quellenuntersuchungen notwendig ist, die vorgetragenen Ansichten durch eigene Vergleichungen nachzuprüfen. 3) Ed. Gherardi Dragomanni, Firenze 1844/45. 4) Manni, Cronichette antiche, Firenze 1733, p. 128 sqq. 5) Cronica di Paolino Pieri Fiorentino ed. Adami, Roma 1755.

dem sogenannten Pietro Corcadi[1], Hartwig fügte die Chronik des codex Neapolitanus[2] und Pseudo-Brunetto Latini[3] hinzu und lenkte wenigstens die Aufmerksamkeit auf das Diario des Anonymus im cod. Magliabechianus XXV, 19, Santini veröffentlichte die Ableitung des cod. Magliabech. XXV, 505. Es gibt fast keine Chronik von Florenz und Toscana seit dem 14. Jh., die nicht in mehr oder weniger direkter Ableitung Text aus den Gesta Florentinorum enthielte, und ich will aus allen diesen Chroniken gleich hier noch die des Giovanni Sercambi[4] hervorheben, dessen Text für eine Frage der folgenden Untersuchungen einige Bedeutung haben wird.

Wenn wir heute in der Lage sind, den Wert der alten Ableitungen aus den Gesten und der neueren Arbeiten über sie endgültig zu beurteilen, zu einer Rekonstruktion der Gesten selber vorzudringen, so gebührt das Hauptverdienst daran der Arbeit von Pietro Santini, Quesiti e ricerche di storiografia Fiorentina[5]. Er untersuchte eine grosse Anzahl von Chroniken und Chronikenfragmenten in den Florentiner Bibliotheken und wählte schliesslich die des cod. Magliabech. XXV, 505 als diejenige aus, die am meisten Aehnlichkeit mit den von Tholomeus benutzten Gesten aufweise, deren Wortlaut am besten bewahrt habe. Er wies darauf hin, dass die engste Uebereinstimmung zwischen dieser Chronik und den Annalen des Simone della Tosa sowie der Chronik des Anonymus im cod. Magliab. XXV, 19 bestehe, sodass diese drei Werke bei jeweilig verschiedenen Auslassungen und Fehlern uns in ihrer Gesamtheit den vollen Umfang und an sehr vielen Stellen den ursprünglichen und genauen Wortlaut der Gesta Florentinorum bieten. Er bestätigte den schon von Hartwig gezogenen Schluss, dass sie ursprünglich in italienischer Sprache geschrieben wären und so auch dem Th. vorgelegen hätten, fixierte wie H. ihren Anfang auf 1080 und ihren Endpunkt gegen ihn auf ca. 1270—1280.

Jeder, der auf einer beliebigen und nur kurzen Strecke die Vergleichung der drei Texte unter einander und mit Th. von Lucca durchführt, sieht sogleich, wie sehr Santini im Ganzen das Richtige getroffen hat, fühlt den festen

1) Baluze-Mansi, Miscellanea IV (Lucca 1764), 98 sqq. 2) Neapel Bibl. nazionale cod. XIII, F 16. 3) Hartwig, Quellen und Forschungen II, 211 ff. 221 ff.; Pasquale Villari, I primi due secoli della storia di Firenze II (Firenze 1894), 195—269. 4) Fonti per la storia d'Italia. Ed. Bongi, T. I. 5) Firenze 1903.

Boden eines dreimal fast genau im Wortlaut gleichen Textes unter sich; die drei Werke weichen kaum mehr von einander ab, als es bisweilen verschiedene Hss. eines und desselben nicht sehr gut überlieferten Werkes zu tun pflegen. Auf den ersten Blick lehrt die Vergleichung, dass der von Hartwig veröffentlichte Text des cod. Neapolitanus keineswegs diese einfachen, ursprünglichen Gesten bietet, sondern das Werk in einer schon vielfach überarbeiteten und veränderten Gestalt, sodass es für die Herstellung des Textes nur noch geringe Dienste leisten kann. Immerhin, sind wir einmal in der Lage, den Wert oder Unwert eines Textes so genau zu bestimmen, festzustellen, welches der ursprüngliche Wortlaut ist und was nicht, so ist wohl vor allem die Frage naheliegend und berechtigt: welchem Zweck dienen dann noch weitere Ausführungen zu schon so vielen über ein dem Anschein nach erledigtes Thema? Was ist noch für wissenschaftlicher Gewinn aus weiteren Erörterungen zu erwarten? Diese Fragen will ich gleich jetzt beantworten. Die genaue Uebereinstimmung dreier Texte, die aber daneben doch auch nicht wenige Verschiedenheiten aufweisen, ermöglicht den Versuch einer Rekonstruktion der Gesten, einer vollständigen Wiederherstellung des alten, ursprünglichen Textes. Ein solcher Versuch ist berechtigt und nützlich angesichts der weiten Verbreitung der Gesten in der späteren toscanischen Historiographie; die Kritik jedes einzelnen dieser Geschichtswerke ist erleichtert und auf eine feste Grundlage gestellt, wenn es einem zuverlässigen Text der Gesta selbst gegenübergestellt werden kann, statt dass sich jeder Benutzer eines solchen Werkes diesen Text im einzelnen Falle erst selbst wieder herstellen muss; diese Wiederherstellung ist aber geradezu notwendig zur richtigen Beurteilung und ausreichenden Bearbeitung des Textes der Annalen des Th., dem ja diese Studien in erster Linie gewidmet sind. Wiederherstellung des Textes der Gesten und die dafür notwendige Erörterung des Textwertes der einzelnen Ableitungen sind also der eine Zweck der folgenden Ausführungen. Der andere, damit ja eng zusammenhängende, ist die Entscheidung einiger kritischer Fragen, die Santini noch nicht oder nicht in der richtigen Weise gelöst hat, hauptsächlich über den Endpunkt, aber auch über den Anfang der Gesta Florentinorum. Dass die in Frage stehenden Ableitungen der Gesten nach 1280 keine oder nur ganz spärliche Uebereinstimmungen aufweisen ('il che farebbe pensare a una scarsissima continuazione dei Gesta, come seconda fonte comune'), wie Santini p. 14 meint, entspricht durchaus nicht den Tatsachen. Z. B. Simone della Tosa und das Diario haben noch von 1280 — 1297 grössere Absätze gemeinsam, wie bereits Hartwig[1] bemerkte; ob man diese Uebereinstimmung freilich ohne Weiteres auf Rechnung der Gesten selbst setzen kann, bedarf erst noch der Untersuchung. Und nicht minder als der Endpunkt ist der Anfang der Gesten zweifelhaft. O. Holder-Egger veröffentlichte Stücke aus einer Florentiner Papst- und Kaiserchronik in lateinischer Sprache[2], die sich mehrfach auf eine Cronica Florentinorum beruft; aus der Uebereinstimmung dieser Zitate mit Giovanni Villani vom Jahre 992 an schloss er, dass die G. Flor. bis ins 10. Jh. hinaufgereicht hätten. Auch mit dieser Frage werde ich mich im Folgenden beschäftigen müssen.

Die Texte, die ich der folgenden Untersuchung hauptsächlich zu Grunde lege und dabei stets mit den Ziffern der ihnen bei dieser Aufzählung gegebenen Nummern bezeichne, sind

1) die von Santini herausgegebene Cronichetta des cod. Magliab. XXV, 505[3].

2) Die Annalen des Simone della Tosa.

3ª) Die dem Diario des unbekannten Florentiners vorhergehende Chronik im cod. Magliab. XXV, 19[4].

3ᵇ) Die Chronik des Textes 3ª in der Hs. der Biblioteca Marciana Nazionale, Mss. italiani, Cl. VI, n. 270[5].

4) Die von F. Roediger herausgegebene 'Cronachetta di Firenze 1110—1273' des cod. Magliab. II. II, 39[6].

5) Obwohl der cod. Neapolitanus, wie bemerkt, die Gesta Florentinorum in einer vielfach überarbeiteten Ge-

1) Quellen und Forschungen II, 268. 2) N. Archiv XVII, 511—518. 3) Von mir in Florenz kollationiert, wobei sich aber nur wenige Verbesserungen ergaben. 4) Unveröffentlicht; die Hs. ist beschrieben von Gherardi in den Documenti di storia Italiana VI, 283 sqq.; die in Betracht kommenden Teile habe ich in Florenz im Frühjahr 1906 kollationiert bezw. abgeschrieben. 5) Unveröffentlicht; die Hs. wurde für mich nach Berlin gesandt und hier von mir benutzt. Sie stammt aus dem Anfang bis 1. Hälfte des 14. Jh.; die G. Flor. beginnen mitten im Text des Jahres 1188, die Hs. bricht unvollständig im Jahre 1315 ab. Teile des Textes sind veröffentlicht bei Isidoro del Lungo, Dino Compagni e la sua Cronica II passim; s. Hartwig, Eine Chronik von Florenz in den Jahren MCCC—MCCCXIII (Halle 1880), Vorbemerkung. 6) Firenze 1888. Da ich erst nachträglich auf diese Veröffentlichung aufmerksam wurde, habe ich keine Kollation der Hs. genommen und arbeite nur mit dem Druck.

stalt enthält, wird es sich dennoch als notwendig erweisen, ihn in einigen Fragen zur Entscheidung mit heranzuziehen, wobei die Chronik des Paolino Pieri (P) und des sogenannten Pietro Corcadi (C) aushülfsweise mitzubenutzen sind. Desgleichen wird zur näheren Charakteristik und Bestimmung von 1 die Chronik des Giovanni Sercambi (S) dienen.

Die Methode, die bei den folgenden Untersuchungen zu befolgen ist, kann natürlich nur die sein, dass lediglich ganz schlagenden und auffallenden wörtlichen Uebereinstimmungen eine Beweiskraft beigemessen werden kann. Wenn dies an sich bei allen Quellenuntersuchungen selbstverständliche Voraussetzung ist oder sein sollte, so wird doch in diesem Falle besondere Vorsicht am Platze sein, wo bereits der Vorwurf erhoben worden ist, es werde mit den G. Flor. ein magnum mare historiarum[1] konstruiert, dem jegliche Bestimmtheit und Begrenzung zu mangeln drohe und dem unterschiedslos Notizen mehrerer Quellen und verschiedener Provenienz zugeschoben würden. Um auch dem nicht eingearbeiteten Leser ein Urteil über die Sachlage zu ermöglichen und klarzulegen, wie weit die wörtliche Uebereinstimmung geht, setze ich zunächst die bekannte Notiz des Jahres 1080 aus den drei Texten, die soweit zurückgehen, hierher:

1.	3a.	5.
Nell' anno MLXXX. a dì X. uscente Luglo il secondo Arrigho inperadore venne a Firençe ad oste, essendo inchoronato in questo anno; e levossene a modo di schonfitto Arrigho inperadore.	MLXXX. dì X. a l'uscita di Luglio il secondo Arrigho inperadore venne a oste a Firençe, essendo coronato in questo anno; levossene a modo di schonfita.	Nel MLXXX. lo detto Arrigo venne a oste a Firenza a dì XXI. di Luglo, e levossene a modo di sconfitta.

Und aus der Zeit, wo unsere sechs wichtigsten Ableitungen vorhanden sind, vergleiche man das Jahr 1197:

1.	2.	4.
MCLXXXXVII. Il detto Arrigho mori del mese d'Ottobre. In questo anno fue rifatto San Miniato da' terraçani. E' Fiorentini richonperorono Monte	MCLXXXXVII. Lo detto Arrigo imperadore morio in Palermo d'Ottobre. In quest' anno fue disfatto San Miniato da' terraçani. E Firenze ricompero Monte Gros-	Nel 1198. Il detto Arrigo imperadore mori in Palermo del mese d'Ottobre. Et quest' anno fu disfatto San Miniato pe' terrazani. E' Fiorentini richom-

1) Simonsfeld, N. Archiv VIII, 395 f.

1.	2.	4.
Grossoli. In questo anno fu pace in tutta Talya.	soli. E 'n quell' anno fue pace in tutta Talia. Era consolo di Firenze Compagno Arrigucci.	perorono Monte Grossoli. Et questo anno fu pacie in tutta Italia. Era consolo di Firenze Conpaggnio Arrighucci della Tosa.
3a.	**3b.**	**5.**
MCLXXXXVII. Mori lo 'nperadore Arigho detto im Palermo del mese d'Ottobre. E in questo anno fu pacie in tuta Talia.	MCLXXXXVII. Il detto Arigo, fi. de Frede. imperadore, morie in Palermo del mese de Ottobre. Et in questo anno fue disfatto Sanminiato da' terraçani. Et Firençe ricompero Monte Grossoli. Et in questo anno fu pacie per tutta Ytalia. Et era consolo Conpagno Arrigucci.	Nel MCLXXXXVII. fue disfatta la terra di Sancto Miniato del Tedesco da' terrazani, e Firenze compero Montegrossoli. In questo anno fue pace per tutta Italia.

Führt man bis auf Weiteres nur solche Stellen, die in dieser ganz unzweifelhaften Weise fast wörtlich übereinstimmen, auf die gleiche Quelle der G. Flor. zurück, so finde ich die letzte unzweifelhafte Uebereinstimmung zwischen einer grösseren Reihe von Texten zum Jahre 1278, wo folgende Texte vertreten sind:

1.	2.
MCCLXXVIII. Del mese d'Agosto il re Ridolfo della Magna fu eletto re di Raona, schonfisse lo re di Buemmia a Vienna nella Magna. E fu morto lo detto re di Buemmia, e fue morta e presa quasi tutta la sua gente.	MCCLXXVIII. Di XXVI. d'Agosto il re Ridolfo della Magna eletto imperadore isconfisse il re di Buemme, e a quella sconfitta fu presa e morta quasi tutta la sua gente.
3a.	**3b.**
Del mese d'Agosto i re Ridolfo della Magna ischonfisse lo re di Bucme, effu morta e presa la maggiore parte della giente sua.	Del mese d'Agosto i re Ridolfo della Magna a di XXVI. d'Agosto sconfisse il re de Buemme. Et fue presa et morta quasi tutta la sua gente.

4 hat bereits 1273 aufgehört, 5 ist hier nicht unbeträchtlich erweitert und verändert, die Uebereinstimmung von 1, 2, 3a und 3b ist dagegen nicht zu verkennen. Gleich aber zum Jahre 1279 liegt die Sache wesentlich anders; da steht der Bericht über den Frieden des Kardinals Latinus, den Santini S. 14 f. noch den Gesten zuzurechnen scheint. Ein Bericht darüber fehlt in 3a (und natürlich 4), in 3b steht er nicht an seiner Stelle

hinter 1278, sondern mitten im Bericht von 1282. Stellt man zuerst 1 und 3b zusammen, so ist gar keine Uebereinstimmung mehr zu finden:

1.	3b.
MCCLXXVIIII. Alla signoria di messer Schorta dalla Porta messer lo cardinale frate Latino, legato di messer lo papa, fece fare del mese d'Ottobre la pace tra 'l conte Alessandro e'l conte Napoleone a San Ghirigoro al ponte Rubaconte; e non s'atenne. Quel medecimo anno, giuovedi a di XVIII. di Gennaio, alla signoria di messer . . lo papa diede la sententia generale della pace tra' Guelfi e Ghibellini di Firenze; e presente tutto el popolo si baciorono in boccha i sindachi delle dette parti e fecono pace.	MCCLXXVIIII. D'Ottobre il die de Sancto Luca se cominciaro a cresciere et a murare Sancta Maria Novella, et colui, che ne puose la prima pietra, fue il cardinale Latino, ch'era in quello tempo in Firençe per fare pacie tra Guelfi et Ghibellini, et fecela. Ed aveano i detti frati a quello tempo una chiesa che non parea loro che convenisse; ma al parere[1] delle piu genti assai era grande et horrevole per gli loro fatti.

Bei 2 ist hier an den von anderen bereits geführten Nachweis[2] zu erinnern, dass er vielfach Villani ausschreibt; auch wenn er in seiner Ueberlieferung der Gesten eine Notiz über den Frieden des Kardinals Latinus gefunden haben sollte — was man mit Rücksicht auf die Tatsache, dass 3ª nichts darüber hat, 3ᵇ an ungehöriger Stelle einen von 1 gänzlich abweichenden Text, noch bezweifeln kann —, so sieht man doch, dass er jedenfalls hier auch Villani benutzt hat, aus folgender Gegenüberstellung:

2.	Vill. VII, 56.
MCCLXXVIII. Venne il cardinale Latino in Firenze e fue d'Ottobre, e fece tutte le paci tra Guelfi e Ghibellini, e tutte le speziali chiunque le volle addomandare. E andogli in contro il carroccio e armeggiatori assai. Ed in questo mese lo dì di S. Luca si comincio a fondare la chiesa nuova di S. Maria Novella de' frati Predicatori in Firenze.	. . il detto papa providde e confermo la detta sentenza, e ordino paciaro e legato . . . . frate Latino cardinale, . . il quale . . giunse in Firenze . . a di 8. del mese d'Ottobre, gli anni di Cristo 1278, e da' Fiorentini fu ricevuto a grande onore e processione, andandogli in contro il carroccio e molti armeggiatori; e poi il detto legato il dì di santo Luca vangelista . . . fondo e benedisse la prima pietra della nuova chiesa di Santa Maria Novella de' frati Predicatori.

Welches nun auch für 2 neben Villani die Quelle für 1279 gewesen sein mag, man sieht, von einer Wortübereinstimmung mit 1 oder 3ᵇ — 5 ist beträchtlich umfangreicher

1) 'pare' Hs. 2) Scheffer-Boichorst, Florentiner Studien S. 238 f.

und wieder ganz anders —, also überhaupt von einem Zusammenstimmen der verschiedenen Texte ist zum Jahre 1279 und von da an weiterhin nicht mehr die Rede. Die letzte deutliche Uebereinstimmung aller oder der Mehrzahl der Texte findet sich 1278, und hier ist demgemäss zunächst das Ende der Gesta Florentinorum anzusetzen.

Wir haben also nunmehr den Text unserer Quelle in den sechs genannten Ueberlieferungen vor uns, vom Jahre 1080, in welchem die meisten und die am weitesten zurückgehenden Texte beginnen, und das daher vorläufig als Anfangsjahr gelten mag, an bis zum Jahre 1278. Die nächste Aufgabe für denjenigen, der den vollen, ursprünglichen Text der Gesten wiederherstellen will, ist die, zu untersuchen, welches Verhältnis zwischen den einzelnen Ueberlieferungen obwaltet. Gehen sie alle unabhängig von einander auf den Urtext der Gesten selbst, oder durch welche Mittelglieder gehen sie auf ihn zurück? Diese Fragen müssen notwendigerweise erledigt werden, wenn man entscheiden will, welcher Wert den einzelnen Texten bei den doch vielfach vorkommenden Abweichungen und Unterschieden jeweilig beizulegen ist.

Man könnte sich ja nun dem Ziele durch Untersuchung des Gesten-Textes selbst von 1080—1278, durch Zusammenstellung der besonderen Uebereinstimmungen und Abweichungen in den verschiedenen Ueberlieferungen zu nähern versuchen; aber dieser Weg ist sehr umständlich, mühselig und — bei den vielfach willkürlichen Veränderungen und dann wieder zufälligen Gleichheiten der Texte — nicht einmal sehr sicher, wie sich jeder, der die Untersuchung vielleicht ein Stück weit zu führen versucht, überzeugen kann. Viel kürzer und auch sicherer ist das Verfahren, dass man diejenigen Texte, die auch über das Jahr 1278 hinaus noch Uebereinstimmungen und Gleichheiten aufweisen, zusammenstellt und je für sich untersucht. Unser Text 1 reicht bis 1321, 2 bis 1346, 3^a in dem einschlägigen Teile bis 1341, 3^b bei unvollständiger Hs. bis 1315, 4 bis 1273, 5 bis 1308. Solche Texte nun, die über 1278 hinaus noch Uebereinstimmungen zeigen, müssen den jeweilig letzten Bearbeitern, die alle mehr oder weniger geraume Zeit nach Abschluss der eigentlichen G. Flor. anzusetzen sind, noch mit gleichen Fortsetzungen vorgelegen haben, und von Texten mit gleichen Fortsetzungen ist ohne weiteres anzunehmen, dass sie auf jeweils dasselbe Exemplar der Gesten zurückgehen, in welches diese Fortsetzung ursprünglich eingetragen wurde. Es sind also die unmittelbar an 1278 sich anschliessenden Fortsetzungen das einfachste und beste Mittel, um auch die Texte der Gesten selbst zu unterscheiden und zu bestimmen.

Von solchen unmittelbaren Fortsetzungen lassen sich in unseren 5 Texten — 4 kommt nicht in Betracht, weil schon 1273 endend — drei feststellen. Es hat eine gemeinsame Fortsetzung 1 mit der Chronik des Giovanni Sercambi, von 1281—1287, ferner 2 mit den beiden 3, wobei 3ª und 3ᵇ noch vielfach über 2 hinaus miteinander übereinstimmen; endlich 5 mit P und C. Es ist zunächst das Vorhandensein dieser drei Fortsetzungen nachzuweisen, und sodann zu untersuchen, welche gemeinsamen Abweichungen von den anderen Exemplaren etwa auch schon der Gesten-Text von 1080—1278 in solchen zusammengehörigen Ueberlieferungen aufweist.

Die dem Giovanni Sercambi und 1 gemeinsame, in anderen Ueberlieferungen nicht enthaltene Fortsetzung von 1281—1287 erweisen folgende Vergleichungen:

1.	S.
MCCLXXXI. . . . . E in quello anno messer Bertoldo, ch'era conte in Romagna, fece oste generale sopra i Forlivesi e'l conte da Monte Feltro; ebbevi gente di tutte le cittadi di Lonbardia e di Toschana da parte della chiesa; guastarolla intorno intorno. Et in questo anno i Sanesi Ghibellini e messer Nicchola Bonsignore, ch'erano tornati per pace, facendo venire di Maremma e di Valdarno loro amistade, la notte sentendo venire l'amista capitano nella terra la battagla. Fuene chacciati per forza, e morivi uno fratello di Tello da Prato.	L'anno di MCCLXXXI. . . . E in quell' anno mess. Bertoldo delli Orsini, ch'era per lo papa conte di Romagna, fecie hoste sopra Forli, et fuvi gente di tucte le cipta di Lombardia e di Toschana e parte della chieza, e guastarono tucto d'intorno. E in quell anno di Luglo li Ghibellini da Siena e mess. Nicola Bonsignore erano tornati per pacie. E facendo venire in nella terra di Valdarno et di Maremma loro amici comminciono in Siena bactaglia e funo ischacciati per forza fuori di Siena, et alquanti ne funno morti.
. . . .	. . . .
MCCLXXXVII. Gl'Aretini andarono ad oste a Caprese del mese d'Aprile e fecono uno castello, lo quale avea nome Trecciano, e tornarono a chasa.	L'anno di MCCLXXXVII. . . E in quell' anno Arezzo ando a Chapresa, che e uno chastello e chiamossi . . . . .

1 und S haben aber nicht nur diese gleiche Fortsetzung, sondern auch im Texte von 1080—1278 gleiche Fehler und Auslassungen. Beiden fehlt z. B. im Jahre 1230 eine Anzahl Namen, besonders aber in den 60er Jahren des 13. Jh. sind beide beträchtlich kürzer als 2, 3a und 3b. Die Frage, welche Fassung die bessere und ursprüngliche ist, wird nachher zu erörtern sein; zunächst setze ich einmal die

Texte des Jahres 1265 von 1 und S einerseits, 2, 3 (a und b) und Th. andererseits hierher, in denen deutlich zu Tage tritt, dass 1 und S hier in gleicher Weise kürzer sind als die anderen:

1.

MCCLXV. Del mese di Maggio Carlo conte di Provenza passo per mare a Roma e fue fermo sanatore di Roma. E in questo anno del mese di Luglio lo re Manfredi ando a oste presso a Roma a ponte a Cciperano. E'l Febraio vegnente el re Carlo usci fuori ad oste ed ebbe Sangermano. Ando al ponte Benevento e abocchossi con re Manfredi, e conbatterono, e fu schonfitto e're Manfredi.

S.

L'anno di MCCLXV. . . E in quell' anno Charlo conte di Pruenza passo a Roma per mare e fu facto sanatore. E quell' anno venne lo re Manfredi al ponte a Ciperana di Giugno, e lo Ferraio sequente lo dicto Charlo conte andò a hoste alla cipta d'Agnano et a Sangermano et ebbe Agnano per forza e Sangermano per tradimento. E quinde re partio e venne al ponte Benevento. E quine s'agiunse con lo re Manfredi, e fu tra loro grande bactaglia, e fu sconficto e morto lo re Manfredi.

S hat eine Reihe von Zusätzen, die in keiner anderen Bearbeitung wiederkehren, aber auch eine Anzahl mit 1 gemeinsamer Auslassungen, wenn man 2, 3 (a und b) und Th. heranzieht:

2.

MCCLXV. Del mese di Maggio Carlo conte di Provenza passò per mare a Roma e fue fermo di Roma sanatore. Ed in questo anno del mese di Dicembre vennono i suoi cavalieri di Francia e di Proenza per Lombardia ed andarne a Roma. Ed in questo anno del mese di Giugno e di Luglio il re Manfredi andò ad oste presso a Roma al ponte a Ceperano. Ed in questo anno il re Carlo con tutta sua gente uscio ad

3a[1].

MCCLXV. Del mese di Maggio Carlo conte di Provença e fratello[2] de re di Francia venne[3] a Roma e fu fermo sanatore di Roma. E[4] del mese di Dicenbre vennero i chavalieri di Francia e di Proença per Lonbardia e vennero[5] a Roma al detto Charlo[6]. [Et[7] in questo anno del mese de Giugno et de Luglo ando il re Manfredi a Cepparano a oste al ponte]. MCCLXV. Del mese di Febraio Carlo conte di Proença ando[8]

Thol. A.

Postea eodem anno venit dominus Karolus comes Provincie per mare Romam, sua vero militia venit per Lombardiam, et fuit factus Rome sanator. Eodem anno venit Manfredus çum exercitu magno ad pontem Ciperiani. Tunc exivit ei obviam Karolus cum sua militia et abstulit ei pontem predictum et castrum Sancti Germani. Manfredus vero recoligit se cum sua gente expedita versus Beneventum, quem Karolus ibidem insequitur.

---

1) Die Varianten geben den Text 3b, doch sind rein orthographische weggelassen. 2) 'e frat. — Francia' fehlt. 3) 'per mare passo'. 4) 'Et in questo anno'. 5) 'et andarono'. 6) 'al d. Ch.' fehlt. 7) Das Eingeklammerte aus 3b, 3a hat es ausgelassen. 8) Statt 'MCCLXV — ando' hat 3b: 'Et in questo medesimo anno il re Karlo del mese de Febraio con tutta sua gente usci'.

2.

oste ed ebbe San Germano, ed andòe fra la Puglia colla sua oste, ed al[1] Ponte a Benivento s'abboccò col re Manfredi, e combattero, e fue isconfitto il re Manfredi con tutta sua gente il sezaio Venerdi di Febbraio, e fue morta della gente sua assai, e'l detto re Manfredi si morio. Anche in questo tempo ebbe Carlo sotto se tutta Puglia e Terra di Lavoro e Nociera e la più parte di Cicilia.

3a.

ad oste sopra[2] re Manfredi ed[3] ebbe sengnioria, ando fralla Puglia con tutta sua gente al ponte a Benevento, e[4] i re Manfredi si gli fecie alo contro, e ivi conbaterono, e fu ischonfitto i re Manfredi ella sua giente[4] el seçano venerdi di Febraio, e morivi re Manfredi effu soterrato a chapo del ponte a Benevento. E Charlo[5] fu chiamato re di Cicilia e di Puglia e di Chalavria e chiamossi re Charlo primo.

Thol. A.

. . . Sicque Manfredus cum sua gente obcubuit et in bello moritur, factaque est de sua militia et populo magna strages. Et eodem anno rex Karolus totam habuit Apuliam et Terram Laboris.

Diese Stelle ist auch besonders deswegen wichtig und von mir hier wiedergegeben, weil Simonsfeld[6] behauptet hatte, dass Th. zum Jahre 1265 eine andere Quelle, den sogen. Brunetto Latini, mit den G. Flor. gemischt habe, ebenso wie 2; dass z. B. die Erwähnung von Ceperano auf diese zweite Quelle, nicht auf die Gesten, zurückzuführen sei. Die Uebereinstimmung von 4 Texten, die alle Ceperano erwähnen, und besonders die wörtliche Uebereinstimmung von 2 und 3b, erweist wohl deutlich den Sachverhalt und ursprünglichen Wortlaut der Gesten. Ausserdem zeigt die Stelle deutlich eine Uebereinstimmung von Th. mit den Texten 2 und 3, man kann bereits aus ihr den Schluss ziehen, dass 1 und S gegen 2 und 3 nicht nur kürzer, sondern auch verkürzt sind.

Die zweite Gruppe von Texten, die über 1278 hinaus Uebereinstimmungen aufweisen, und zwar bis 1297 bezw. 1299, ist 2 mit den beiden 3. Wenn nun die Texte 3^a und 3^b veröffentlicht wären, so wäre es für jedermann sehr einfach, durch die Vergleichung mit 2 den Text sowohl der G. Flor. von 1080—1278, wie er in dieser Gestalt gelautet hat, wie auch den der Fortsetzung von 1281—1299 durch Vergleich festzustellen, und es wären

1) 'e dal' Manni. 2) 'sopra — Manfredi' fehlt. 3) 'et ebbero Sangermano'. 4) Statt 'e i re — ella sua giente' hat 3b: 'et ivi s'abbocco collo re Manfredi et conbatte collui et sconfisselo con tutta sua gente. E questo fu il'. 5) Der letzte Satz heisst in 3b: 'E lo re Karlo ebbe tutta Pogla ale sue comandamenta'. 6) N. A. VIII, 392.

keine weiteren Erörterungen auf diesem Gebiet mehr notwendig. Indem aber nur 2 bekannt ist, ergibt sich eine unangenehme Komplikation. 2 hat, wie bereits bemerkt, vielfach Villani benutzt; Villani hat aber, wie weiter unten zu beweisen ist, dieselbe Fassung der G. Flor. und dieselbe Fortsetzung vor sich gehabt, die in 2, 3^a und 3^b vorliegt und von der durch 1 und S repräsentierten Fassung vielfach ganz erheblich abweicht. Wer also nur 1 (mit S), 2 und Villani kennt und weiss, dass 2 die Villanische Chronik ausgeschrieben hat, wird an vielen Stellen von 2 notwendig schliessen müssen, dass hier Villanischer Text oder zum mindesten eine Kompilation von Villani mit dem Gesten-Text bezw. der Fortsetzung vorliege. Durch den Vergleich mit 3^a und 3^b aber, die nirgends und an keiner Stelle von Villani abhängig sind, ergibt sich, dass 2 vielfach wörtlich mit 3^a und 3^b gegen kleine Abweichungen von Villani zusammenstimmt, dass also in 2, 3^a und 3^b dieselbe Fassung und dieselbe Fortsetzung der Gesten vorliegen, die auch Villani benutzt, aber in seinem freieren Stile vielfach verändert hat. Zum Beweise vergleiche man folgende Stelle:

2.	3b[1].	Vill. VII, 98.
MCCLXXXIIII. . . E in questo anno del mese di Settembre i Fiorentini *si puosono* co' Lucchesi e' Pistolesi e' Sanesi e Volterrani e San Gimignano e Colle per fare guerra sopra Pisa. E questa postura fu co' Genovesi di fare eglino guerra per mare e noi per terra. E a dì X. di Novembre uscirono *tutti Fiorentini* di Pisa *salvo quelli, che vi vollono istare a loro rischio.* E passato questo termine i Fiorentini mandaro secento cavalieri per fare guerra a' Pisani dalla parte di Volterra e pigliarono assai loro castella.	MCCLXXXIIII°. De Septembre i Fiorentini *se puoseno* co' Lucchesi, Pistolesi, Sanesi et Pratesi, Volterra, San Gimignano et Colle et co' Genovesi per fare guerra a Pisa per terra et per aqua. Et a di X. de Novembre ne furon fuori *tutti i Fiorentini,* che vi stavano, *se non fu che ve se volle rimanere per suo rischio.* E passato questo termine si mandarono VI^C cavalieri a fare guerra a Pisa da la parte de Volterra et piglarono assai castella del Pisano.	1284. . . . Nel detto anno del mese di Settembre i Fiorentini feciono lega . . co' Lucchesi e' Sanesi e' Pistolesi e' Pratesi e' Volterrani e Sangimignano e Colle insieme co' Genovesi sopra la città di Pisa a fare guerra; i Fiorentini coi detti Toscani per terra, e' Genovesi per mare. E' Fiorentini, ch'erano in Pisa, se ne partirono a dì 10. di Novembre per comandamento del comune di Firenze; e mandarono i Fiorentini dalla parte di Volterra seicento cavalieri a fare guerra a' Pisani . . . e presono molte castella di quelle de' Pisani.

1) 3^a hat diesen Absatz frei verändert.

Auf solche Weise stimmt 2 vielfach wörtlich zu 3^a oder 3^b oder zu beiden gegen den nahe verwandten, aber stets leicht verändernden Villani. Man kann also in 2 nur durch stete Heranziehung von 3^a und 3^b die aus Villani genommenen Sätze und Abschnitte von dem ursprünglichen Textbestand der Gesten von 1080 bis 1278 und der Fortsetzung von 1281 bis 1299 sondern.

Danach lässt sich nunmehr das Verhältnis der drei Texte 2, 3^a und 3^b zu einander leicht feststellen. Sie haben von 1281 an eine gleiche Fortsetzung der Gesten, die aber in 3^a und 3^b gegen die in 2 noch vermehrt und erweitert ist; die Uebereinstimmungen zwischen 2 und 3^a enden im Jahre 1297, zwischen 2 und 3^b im Jahre 1299. Im allgemeinen stimmt 3^b stets näher zu 3^a als zu 2 und hat, wie bemerkt, beträchtliche Stücke Text mit 3^a über 2 hinaus gemeinsam, speziell eine weitere Fortsetzung über 1299, wo alle Uebereinstimmung mit 2 aufhört, hinaus, soweit bekannt, bis 1313 bezw. 1315[1]. Da trotz dieser nahen Zusammengehörigkeit von 3^a und 3^b Stellen nicht fehlen, an denen 3^b Lesarten und ganze Sätze mit 2 gegen 3^a gemeinsam hat, so ist in solchen Fällen anzunehmen, dass 2 und 3^b den Text der gemeinsamen Vorlage bieten, der in 3^a ausgelassen oder verändert ist. Zur Veranschaulichung setze ich das Anfangsjahr der Fortsetzung 1281 und die beiden Endjahre 1297 bezw. 1299 in den drei Texten hierher:

2.	3a.	3b.
NCCLXXXI. Alla signoria di messer Giacomino da Rodiglia di Reggi lo 'mperadore Ridolfo della Magna confermato per	MCCLXXXI. Mori papa Nicola, e in questo anno fu facto papa messer Simone del Corso Franceschо e puosesi nome papa Martino e fu chiamato in Viterbo. MCCLXXXI. Del mese d'Aghosto i Luchesi arsono Pescia. Et in questo anno lo 'nperadore Ridolfo eletto per baroni della Mangnia e	MCCLXXXI. Morie papa messer Giacatamo, ch' ebbe nome papa Nicola. Et in questo anno fue fatto papa in Viterbo messer Simone del Torso Franciescho et ebbe nome papa Martino. Et in questo anno di XXV. d'Agosto i Luchesi arsono Pescia. Et in questo anno lo imperadore Ridolfo al-

1) 3^a ist von 1300 bis 1313 veröffentlicht von O. Hartwig, Eine Chronik von Florenz in den Jahren MCCC—MCCCXIII. (Halle 1880), und von mir in diesen späten Teilen nicht mehr untersucht. 3^b bricht 1315 bei fehlendem Schluss der Hs. unvollendet ab, stimmt bis 1313 ziemlich genau zu 3^a. Ob sich daraufhin überhaupt das Ende der Uebereinstimmung, also der Schluss des ursprünglichen Werkes, feststellen lässt, muss bis auf Weiteres dahingestellt bleiben.

2.

la chiesa di Roma si mando suo vicaro in Toscana, che facessero le sue comandamenta. Per la qual cosa niuna la fece salvo che Pisa e San Miniato, e la stava il detto vicaro dello 'mperadore Ridolfo. Et in questo anno i Luchesi arsono Pescia di Val di Nierole e uccisono tutti gli uomini e le femmine.

. . . .

MCCLXXXXVII. . . Ed in questo anno venne in Firenze un legato a predicare la croce sopra i Colonnesi, che contastavano la chiesa di Roma per differenze che aveano con papa Bonifazio VIII. E predicando in Firenze ci vennono novelle, che' Colonnesi aveano rubato il tesoro della chiesa venendo da Alagna a Roma. E allora molte persone pigliarono la crocie.

3a.

confermato per la chiesa mando suo vichario in Toschana, perche i Toschani facessero la sua fedelta. Per la qual chosa niuna terra la fecie salvo che Pisa e Sa Miniato.

della[1] Cholonna avieno tolti i danari, che 'l papa vi facieva venire d'Alangnia a Roma. Siche alloro le piu persone pigliarono la crocie.

3b.

lecto per quegli de la Magna et confermato per la chiesa mando suo vicaro in Toscana, che facessero le sue fedelta, et neuna terra le fecie salvo che Pisa et San Miniato, et lae stava il decto vicaro. Et de Firençe era signore messer Giachomino da Rodilglia da Reggi.

MCCLXXXXVI. ℞. Venne in Toscana per legato messer Matteo d'Acquasparta per predicare la crocie sopra quegli della Colonna, perocche vennero in differentia cholla chiesa de Roma et con papa Bonifazio. Et in questo predicare venne una novella, che quegli della Cholonna aveano tolti denari, che 'l papa facea venire d'Allagna a Roma. Siche allora piu persone piglarono la crocie.

2.

MCCLXXXXVIIII. Del mese di Maggio fue pace tra' Genovesi e Viniziani e Pisani, e diedero i Pisani ai Genovesi DC migliaia di livre di Pisani per conpiere la detta pace. Ed in questo anno del detto mese fue preso messer Monfiorito da Trevigi podesta di Firenze. Preserlo i Priori colla famiglia loro per certe trabalderie e cose isconce che facea, e fue messo in pregione, e che quindi non dovesse uscire, se non pagasse XXVIII miglia di lire; e molti Fiorentini ne furono condannati per le trabalderie.

3b.

MCCLXXXXVIIII. Del mese de Maggio fue pacie tra' Genovesi et Veneçiani et Pisani. E diedero i Pisani a' Genovesi per conpiere la pacie tra loro et Genovesi VI^{m} libre de' Pisani.

Detto anno del mese de Maggio fue preso messer Monfiorito podesta de Firençe con tutta sua[2] famigla per certe ree opere c'avea fatte in Firençe, et fue messo in pregione, et che de pregione non dovesse mai uscire, se non pagasse prima XXVIII^{M} de libre de . . .[3].

---

1) In 3^{a} fehlen Blatt 14—16, Text von 1288—1297 enthaltend. Blatt 17 beginnt mit 'della Cholonna'. 2) 'su' Hs. 3) 'pic̄' oder 'p̷ic̄' (undeutlich), könnte 'piccoli' oder 'Paricini' heissen.

Noch ein kleiner Satz über den Bau der neuen Mauern 1299 ist in 2 und 3^b fast identisch. Das Verhältnis der drei Texte zu einander ist danach klar. Ihnen allen liegt ein gleicher Text der G. Flor. mit einer Fortsetzung von 1281—1299 zu Grunde, 3^a und 3^b benutzen ihn in einer abermals veränderten, erweiterten und fortgesetzten Fassung.

Nach diesen Feststellungen können wir nunmehr endgültig die Frage nach dem Wert des Gesten-Textes in 1 und S einerseits, 2, 3^a und 3^b andererseits erledigen. Bereits das Jahr 1265 zeigte Uebereinstimmungen des Th.-Textes mit 2, 3^a und 3^b, die vermuten liessen, dass Th. eine diesen Texten ähnliche Fassung der G. Flor. gehabt habe. Zu demselben Schluss führen die Texte des Jahres 1269, die ich aus erwähnten Gründen wieder hier abdrucke:

1.

MCCLXVIIII. Alla signoria di Malatesta andarono i Sanesi col chonte Guido Novello con alquanti Ghibellini e colla masnada Tedescha di Pisa, del mese di Giugno, andarono ad oste a Colle; e furono sconfitti i Ghibellini il dì di san Bartolo, rechossene in Firenze il charoccio de' Senesi.

5.

Nel MCCLXIX. li Sanesi col conte Guido Novello e co' Ghibellini di Toscana e con grande masnada di Tedeschi e Spagnuoli e altra gente vennero a oste sopra Colle di Valdelsa, li quali erano MCCCC chavalieri et VIII mila pedoni. E Gianbertaldo vicario in Toscano per lo re Karlo con CCC chavalieri franceschi e colla compagna di Toscana cavalcarono a Colle, ello die di sancto Bartholomeo di Giugno li Sanesi levandosi da campo la mattina per tempo, li Franceschi e li Fiorentini, che erano quasi VII cento chavalieri, uscirono di Colle, e . . . li Sanesi furo sconfitti e morti e presi molti . . . lasciando con una loro carrocetta tutti loro arnesi.

2.

MCCLXVIIII. Alla signoria seconda di Malatesta da Rimine i Sanesi col conte Guido Novello e co' Ghibellini di Firenze e colla masnada Tedesca e co' Pisani del mese di Giugno puosono il campo a

3a[1].

MCCLXVIIII. Del mese di Giugno[2] alla secondo[3] singnioria di Malatesti di Rimino i Sanesi col chonto Guido Novello e chon Ghibellini di Firençe e co masnada Tedescha e Pisana vennono[4] a oste

Vill. VII, 31.

Gli anni di Cristo 1269 del mese di Giugno i Sanesi . . . col conte Guido Novello, colle masnade de' Tedeschi e Spagnuoli e con gli usciti Ghibellini di Firenze e dell' altre terre di Toscana e colla forsa

---

1) Die Varianten, mit Vernachlässigung der rein orthograph. und grammatikalischen, aus 3^b. 2) 'Del — Giugno' hinter 'Pisana' wie in 2. 3) 'secondo' (so 3^a) fehlt. 4) 'usciro fuori et puosero canpo a'.

2.	3a.	Vill. VII, 31.
Colle a la badia a Spugnole, e vegnendo la novella in Firenze vi cavalco Giambertaldo vicario per lo re Carlo in Toscana con alquanti suoi cavalieri e colla cavalleria Fiorentina e giunsevi la domenica notte; e il lunedi prossimo s'abboccarono insieme. Il dì di san Barnaba i Sanesi levaro il campo, e' Franceschi co' Fiorentini percossono loro addosso, ed ebbergli sconfitti e morti e presi la maggior parte.	a Cholle di [1] Val d'Elsa e puosoro canpo alla badia a Spungniole [2], e vegniendo la novella in Firençe venerdi, e sabato prossimo [3] Gianbertaldo vichario de re Charlo in Toschano colla [4] masinata sua e cholla chavalleria di Firençe chavalcharono a Cholle e giunsovi la domenicha notte; e i lunedi prossimo s'abocharono il dì [5] di san Bartolo di Giungnio, e' Sanesi levaro il chanpo, e' Franceschi e Fiorentini perchosono loro adosso [6] e sconffissogli, e furo morti e presi [7] la magior parte di loro [8].	de' Pisani . . . si vennono ad oste al castello di Colle di Valdelsa . . . E postisi alla badia a Spugnole, e venuta in Firenze la novella il venerdi sera, il sabbato mattina messer Gianbertaldo vicario del re Carlo per la taglia di Toscana si parti di Firenze colle sue masnade . . . giunsono in Colle la cavalleria la domenica sera . . . Il lunedi mattina vegnente, il dì di santo Barnaba di Giugno, sentendo i Sanesi la venuta della cavalleria di Firenze si levarono da campo . . . . . ruppono e sconfissono i Sanesi e loro amista, onde molti ne furono morti e presi.

Bei dieser Gegenüberstellung stimmt überall 2 zu 3^a und 3^b gegen Villani, auch in kleinen Aeusserlichkeiten; 'e vegnendo la novella in Firenze' haben 2 und 3, 'e venuta in Firenze la novella' Villani. Nur das Datum 'il dì di san Barnaba' hat 2 aus Villani herübergenommen statt 'di san Bartolo'. Es erweist sich also als ganz sicher, dass 2 hier keinen kompilierten, erweiterten Text bietet, sondern seine Vorlage, so wie er sie fand, in allem Wesentlichen wiedergab. Diese Vorlage, die wir die Fassung B der G. Flor. nennen können, war beträchtlich umfangreicher als die Vorlage von 1 und S, die wir A nennen; 5 ist gegen B gleichfalls stark gekürzt, dann aber mit anderem Stoff wieder sehr erweitert; es repräsentiert eine dritte Fassung C. Mit diesen Texten vergleiche man nun Thol. B: 'MCCLXVIIII. . . Eodem anno, ut in Gestis Florentinorum et Lucanorum scribitur, Senenses cum comite Guidone Novello et cum militia Theotonica ac aliquibus Tuscie Ghibellinis et Pisanis fecerunt exercitum contra Collem [9];

---

1) 'di Val — canpo' fehlt. 2) 'Spungna'. 3) 'pr.' fehlt. 4) 'con alquanti suoi cavalieri et con la cav.' wie 2. 5) 'il dì — Giungnio' fehlt. 6) 'adosso' fehlt. 7) 'et fuvi presa et morta'. 8) 'della gente di loro'. 9) 'Collem Vallis Else' Th.-A.

quod cum audisset dominus Iohannes Bertaldi, qui pro rege Karolo in Tuscia vicarius erat, venit illuc cum militia Gallicana et Florentinorum, pugnaveruntque eis acriter valde. Ultimo vero subcubuerunt Senenses cum suis, et maior pars exercitus fuit occisa et capta'. Man kann nicht sagen, dass Th. der Fassung B der Gesten hier so wörtlich entspricht, wie er sonst oft mit dieser Quelle übereinstimmt, wohl aber, dass unter allen Fassungen der Gesten eben B hier noch am besten zu ihm passt. Unter anderm weist er eine Wendung auf, die nur die Texte B haben: 'E vegnendo la novella in Firenze . . Gianbertaldo . . cavalcarono' haben 2 und 3; 'quod cum audisset dominus Iohannes Bertaldi . . venit illuc' Th.-B. Nimmt man dazu die genaue Uebereinstimmung von Th. mit der Fassung B in den Jahren 1265 und vor allem 1268[1], so sieht man, dass Th. eine Rezension der G. Flor. vor sich hatte, der unter allen erhaltenen die Fassung B am nächsten steht.

Ein weiterer Umstand, der für die Güte der Fassung B spricht, ist ihre innere Beschaffenheit. Sie zeichnet sich in diesen Jahren durch eine gewisse Ausführlichkeit der Erzählung, durch Hervorhebung auch unwichtiger Momente der Entwickelung aus, sodann durch eine ganz genaue Chronologie. Freitag kommt die Nachricht nach Florenz, Sonnabend bricht der Vikar auf, Sonntag Abend ist er in Colle di Val d'Elsa, Montag ist die Schlacht. Vergleicht man diese Erzählung und solche der nächst liegenden Jahre mit den fast durchweg kürzeren Fassungen A und C, so sieht man, dass unbedingt B hier die ursprüngliche Fassung hat, jene Kürzungen sein müssen. Ein späterer — etwa der Verfasser der Fortsetzung in B von 1281 bis 1299 — konnte unmöglich zu einer kürzeren Fassung dieses verhältnismässig unwichtige Detail hinzufügen, weil er es nach 20—30 Jahren kaum mehr wissen konnte; aus dieser Art der Erzählung spricht zweifellos der Zeitgenosse.

Das tritt auch in der stilistischen Fassung der Texte von c. 1265 an zu Tage. Im Gegensatz zu der bis dahin ganz unpersönlichen Ausdrucksweise der Gesten tritt von nun an gelegentlich die erste Person in der Erzählung auf. 1266 heisst es in 2: 'E in questo anno ci vennono . . . e tornaronci' ('tornarci' 3[b]). 1267 in 4: 'il re Carlo ci venne in Firençe'; in 3a: 'stetteci piu de due mesi. 1274

1) Von Simonsfeld N. A. VIII, 393 f. einander gegenübergestellt.

in 1. 2. 3[b]: 'tornarono alla nostra leggie'. Haben an dieser Erscheinung ausser den Texten B auch 1 und 4 Anteil, so tritt sie doch am meisten in B auf; der Schluss ist wohl naheliegend, dass B die nunmehr veränderte, persönlich gewordene Ausdrucksweise der Gesten am getreuesten bewahrt hat, während in 1 und 4 nur mehr gelegentliche Spuren davon geblieben sind.

Man kann nunmehr zusammenfassend von der Fassung B feststellen, dass sie seit der Mitte der 60er Jahre des 13. Jh. eine bis dahin noch nicht beobachtete Fülle und Reichhaltigkeit der Erzählung aufweist, dass sie vornehmlich die zur gleichen Zeit auch in anderen Texten einsetzende Art der Erzählung in der ersten Person bewahrt hat, dass sie allein eine Reihe von Wendungen des Th.-Textes wiedergibt. Wenn ihr trotzdem Th. nicht mehr in allem so wörtlich wie früher entspricht, so liegt dies daran, dass Th., wie fast alle anderen Ableitungen, die jetzt ausführlicher werdenden Erzählungen der Quelle kürzte. Allen Kompilatoren, in deren Werken uns die Gesten erhalten sind, passte der kurze, annalenhafte Stil der früheren Teile der Quelle besser für ihre Zwecke, als die letzten, ausführlich erzählenden Partien, und indem sie, jeder selbständig, kürzten, gehen ihre Werke von c. 1265 an stärker auseinander als bisher, ohne doch je den Ursprung aus der gemeinsamen Quelle zu verleugnen. Man kann nicht soviel beweisen, dass die Fassung B nun gerade in jedem Satze und in jeder Wendung wortgetreu die ursprünglichen G. Flor. auch in diesen letzten Partien überliefert hat, wohl aber dies, dass sie ihnen sehr viel näher steht und sehr viel besser ist als irgend eine andere bekannte Fassung oder Ueberlieferung.

Man sollte meinen, dass zwei im Wesentlichen von einander unabhängige Fassungen der Gesten, die je in mehreren Exemplaren vertreten sind, genügen müssten, um durch Vergleich der Texte zu einer vollständigen oder jedenfalls allen wesentlichen Erfordernissen genügenden Wiederherstellung des Urtextes zu führen. Aber es lässt sich zeigen, dass die eine Voraussetzung dieser Argumentation, dass nämlich die Fassungen A und B ganz unabhängig von einander seien, nicht stimmt. Zum Jahre 1249 weisen die Texte der Fassung C, der cod. Neapolitanus (5), Paolino Pieri (P) und der sogenannte Pietro Corcadi (C) wichtige Uebereinstimmungen mit Th. auf, die in allen anderen Texten fehlen:

1.

MCCXLVIIII. Del mese di Maggio i Fiorentini andarono ad oste a Capraia e vinsorla per forza e presono huomini delle maggiori chase e gl' uomini di Firenze, ove ando lo 'nperadore Federigho, ch' allora era in Fucecchio, e menoglene in Puglia.

2.

MCCXLVIIII. Del mese di Maggio andaro i Fiorentini a oste a Capraia e vinserla per forza e presono la maggiore parte de' gran Guelfi di Firenze. Ed era lo 'mperadore Federigo allora in Fucecchio e mando per essi e mandolline in Puglia in pregione, e poi gli fece tutti guastare.

3a[1].

MCCXLVIIII. I Fiorentini andarono ad oste a Chapraia, che[2] v'erano entro gran parte de' Guelfi di Firençe, et presola[3] per força, e[4] ebono a pregione la giente dentro e uccisogli, e arquanti Guelfi ne meno lo 'nperadore in Puglia.

4.

Nel 1249. I Fiorentini andarono a osste à Capraia di Maggio e presonla per forza, e presesi le case de' Guelfi e degl' uomini di Firenze. Ello 'mperadore Federigo gle ne meno in Puggla.

Dagegen vergleiche man:

Th. B.

A. D. MCCXLVIIII, ut in Gestis Florentinorum continetur, imperator Fredericus . . . vadit versus Caprariam et obsidet eam, ubi erant nobiles Florentini Guelfi expulsi de Florentia; ibi etiam comes Rodulfus dominus castri. Inter expulsos autem dominus Raynerius Ginghene de Bondalmontibus et multi alii.

P.

MCCXLIX. . . . i Guelfi presero Capraia . . . al quale castello i Ghibellini incontanente fuoro d'intorno del mese di Maggio et puosersi ad oste. Lo 'mperadore Federigo . . . venne vi et tanto vi stette l'assedio, che presero Capraia per forza . . . . . Et de' migliori della Guelfa parte fuorono presi, sicome fu il conte Ridolfo da Capraia, messer Rinieri Zinghere de' Bondelmonti, messer Petri de' Bustichi, et altri assai de grandi di Firenze Guelfi . . .

5.

Nel MCCXLVIIII. . . . E in quello . . . anno allo intrante del mese di Marzo, essendo i Guelfi entrati in Capraia, li Fiorentini ello re Federigo . . . v'andarono ad oste e assediarla d'intorno e del mese di Maggio . . . la vinsero e preseno gli huomini, che v'erano dentro, che v'avea huomini di tutti li maggiori casati de' Guelfi di Firenze . . . lo conte Ridolfo di Capraia e Rinieri Zingane de' Bondelmonti . . .

Eine genauere wörtliche Uebereinstimmung zwischen Th. und den Italienern vermisst man auch hier, und das kann nicht weiter Wunder nehmen, da ich noch beweisen werde, dass die Gesten in P und 5 nur in einer, wenigstens in 5

1) Die Varianten aus 3b. 2) 'che — di Firençe' fehlt 3b. 3) 'vinsonla' 3b. 4) 'Et preson la maggiore parte de le case de' Guelfi o due de' Guelfi, et lo imperadore gle ne meno in P.' 3b.

bereits mehrfach, überarbeiteten Gestalt vorliegen. Aber soviel ergibt sich ganz klar aus dem Vergleich, dass die Fassungen A und B der Gesten, sowie auch der Text 4, hier gemeinschaftlich eine Lücke aufweisen, dass sie also nicht ganz unabhängig von einander sein können. Bedenkt man dagegen, dass dies der einzige Fehler ist, den sie gemeinsam haben, dass an vielen anderen Stellen bald die eine, bald die andere Ueberlieferung den besten Text hat; ferner dass sie Fortsetzungen haben, die nachweislich noch im 13. Jh. endeten; dass sie fast überall — in sich und durch sich berichtigt — aufs genaueste zu Th. passen und den einfachsten und besten Text aller italienischen Ableitungen bieten, so kommt man zu dem Schlusse, dass dieser Fehler auf Rechnung eines Exemplars der Gesten zu setzen ist, auf das A, B und 4 zurückgehen, und zwar eines sehr alten Exemplars, das den vollständigen und unverderbten Text enthielt bis auf die eine, unbeabsichtigte Auslassung im Text des Jahres 1249. Ich nenne dieses Exemplar, an dessen mehr oder weniger bearbeiteten Text unabhängig von einander die Fortsetzungen der Fassungen A und B gefügt wurden, I, und habe nun, bevor ich als abschliessendes Resultat dieser Erörterungen den Stammbaum der Ableitungen gebe, nur noch weniges über die Texte der Fassung C hinzuzufügen.

Diese Fassung und mit ihr der cod. Neapolitanus (5), auf den Hartwig besonderes Gewicht legte, bieten die G. Flor. in stark überarbeiteter Gestalt. Dies im Einzelnen nachzuweisen, ist durchaus unnötig, es kann sich Jeder davon überzeugen, der 5 oder P mit 1—4 nur in wenigen Absätzen vergleicht. Die Notwendigkeit, die Fassung C zur Vergleichung mit heranzuziehen, beruht überhaupt nur auf der soeben nachgewiesenen Tatsache, dass A und B nicht ganz unabhängig von einander sind, C aber eine ursprüngliche, eigene Ueberlieferung darstellt, die daher immer einmal etwas vom Inhalt oder selbst Wortlaut der Gesten bewahrt haben kann, was in A und B verloren gegangen ist. Im einzelnen liegen die Verhältnisse zwischen den Texten der Fassung C so, dass P mit 5 und Corc. bis zum Jahre 1299 Uebereinstimmungen aufweist, dann nur noch eigenen, unabhängigen Text bringt; schon vorher aber bieten 5 und Corc. übereinstimmend mit einander vielfachen Text über P hinaus, und stimmen alsdann noch bis 1308 überein, wo 5 aufhört. Es ist also sehr unwahrscheinlich, was Hartwig[1] annimmt, dass P die Chronik 5 vor sich gehabt, aber die Vorlage willkürlich von 1300 an verlassen habe; vielmehr hatte er eine Gestalt der Gesten vor sich, die sich aus der Uebereinstimmung seines Textes mit 5 und Corc. erkennen und wiederherstellen lässt und aller Wahrscheinlichkeit nach doch eben nur bis 1299 gereicht haben wird. Diese Fassung wurde alsdann nochmals überarbeitet — z. B. durch weiteren Text aus Martin vermehrt — und bis 1308 fortgesetzt; in dieser, also mehrfach überarbeiteten, Gestalt liegen uns die Gesten in 5 und Corc. vor.

Ich fasse nunmehr die bisherigen Erörterungen über die behandelten Ableitungen und ihr Verhältnis zu einander in der folgenden schematischen Uebersicht zusammen:

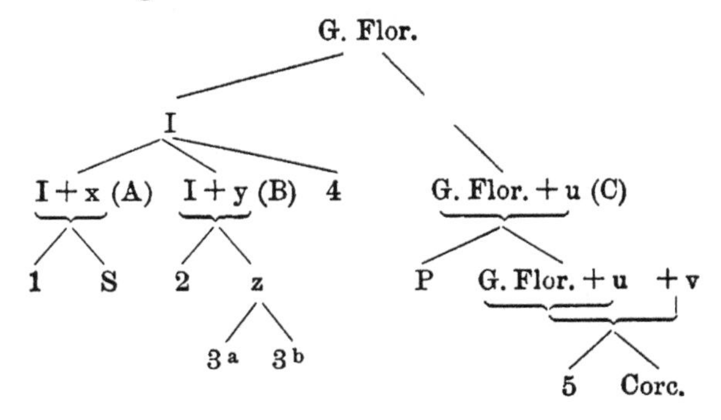

Hier bedeutet x die Fortsetzung von I von 1281—1287, y die Fortsetzung von I von 1281—1299, z die wiederum fortgesetzte und vermehrte Vorlage von 3^a und 3^b; u ist die in den Texten der Fassung C auftretende, oben nicht weiter behandelte Fortsetzung von 1281—1299, v der weitere gemeinschaftliche Text in 5 und Corc. bis 1308.

Für das Verfahren bei Herstellung des Textes ergeben sich daraus nach den bisherigen Darlegungen die Grundsätze, dass man für die Zeit bis ca. 1265 die Texte 1) von 3^a, 3^b und 2 (nach Ausscheidung der Villanischen Zusätze); 2) von 1 (mit S); 3) von 4 mit einander vergleicht und durch gegenseitiges Abwägen erst den Text dieser drei Ueberlieferungszweige, dann von I herstellt. Die Hinzuziehung von C und Th. lehrt dann, wie weit dieser Text als vollständige Wiederherstellung des Originaltextes gelten kann; wo das beweisbar nicht der Fall ist, wie 1249, gibt

1) Quellen und Forschungen II, 260. 267 f.

es kein weiteres Mittel, zu dem Wortlaut des alten Gesten-Textes vorzudringen, wenn auch der Inhalt sich stets wird ziemlich unanfechtbar feststellen lassen. Von 1265 an sind die Texte 3^a, 3^b und 2 (ohne die aus Villani genommenen Zusätze) zu Grunde zu legen und 1 und 4 nur für die Sätze, die sie ebenso bieten, aushilfsweise, nicht als im Ganzen gleichwertige Fassungen heranzuziehen. Man kann hier, wo nur ein Grundexemplar und Zweig der Ueberlieferung vorliegt, den Urtext nur mehr annäherungsweise, nicht mit der bisherigen Sicherheit des Wortlautes wiederherstellen.

In den vorhergehenden Ausführungen scheint ein Punkt noch näherer Ausführung und Bestätigung zu bedürfen, die Frage nach dem ursprünglichen Schluss der Gesten. Die Berührungen der verschiedenen Fassungen miteinander und mit Th. auch nach 1278 sind so eng, dass bisher niemals gegen die ziemlich allgemein verbreitete Annahme [1] einer weiterreichenden Quellenverwandtschaft ernstlich begründete Einwände [2] erhoben worden sind, und ich selbst erst nach längerem Schwanken mich für die oben dargelegte Ansicht entschieden habe. Zur Beseitigung naheliegender Einwände scheint es mir darum notwendig, wenigstens an einem Beispiel darzulegen, warum ich nach 1278 bei allen stofflichen Berührungen der verschiedenen Fassungen keine Quellenverwandtschaft mehr annehme.

Zum Jahre 1286 berichtet Th. B: 'Eodem anno Senenses cum amicitia partis Tuscie fecerunt exercitum ad Podium Sancte Cecilie, ubi congregati fuerunt omnes Gebellini de Senis et comitatu, et obsederunt locum per VI menses et ultra, et hoc fuit in profunda hyeme, adiuvantibus eos Aretinis, sed non potuerunt [capere [3]]. Tandem quadam nocte fugerunt, sed non sic, quin caperentur ex eis ultra C, qui omnes fuerunt suspensi preter quattuor nobiles, qui de speciali gratia fuerunt decapitati'. Ueber dieselbe Sache berichten vier unserer grundlegenden Texte,

1) Scheffer-Boichorst (Florentiner Studien S. 241) nahm als Endjahr der Gesten etwa 1303 an, Hartwig (Forschungen II, 269) 1299 oder 1300; Davidsohn (Forschungen IV, 359) das Jahr 1307. 2) Wenn Santini die Gesten ca. 1270—1280 enden liess, so übersah er dabei die nach 1278 noch so zahlreichen Uebereinstimmungen zwischen den Exemplaren der verschiedenen Fassungen. Seine an sich richtige Ansicht ist also nicht ausreichend, eher sogar falsch begründet. Simonsfeld, der auch die Gesten ca. 1280 schliessen liess, nahm darum doch weitere Quellenverwandtschaft zwischen den verschiedenen untersuchten Schriftstellern an, nur auf Grund einer neuen Quelle, nicht mehr der Gesten. 3) Von mir ergänzt, fehlt in den Hss.

nämlich 1, 2, 3^b und 5, ausserdem noch Sercambi und Giovanni Villani VII, 110. Ich stelle zunächst die quellenverwandten 1 und S nebeneinander:

1.	S.
MCCLXXXV. Del mese di Novenbre fu preso lo Poggio di Santa Cicilia per lo veschovo d'Arezzo e' Ghibellini di Siena. E Guelfi di Siena con tutta la parte Guelfa di Toschana andarono ad oste a Poggio di Santa Cicilia e stettervi V mesi ad oste ed ebberlo lo dì della domenicha di Luglio, che n'andarono di notte; e lli forestieri e lli terraçani furono presi, e inpiccharne LX.	MCCLXXXV. ... E in quell' anno li Ghibellini di Siena c'l vescovo d'Arezzo preseno lo Poggio di Santa Cicilia. Allora Siena e' Guelfi di Toschana v'andarono a hoste e stectenvi mesi VI et ebbelo la domenicha di ulivo, perciò che v'andarono di notte; e de' Fiorentini e terrazani Ghibellini ne funo apicchati LX.

Die beiden Texte sind abwechselnd fehlerhaft, lassen sich aber vollständig durch einander emendieren; die wörtliche Uebereinstimmung und die Verwandtschaft sind nicht zu verkennen. Dagegen ist der Bericht des Th. mit diesem ganz entschieden nicht verwandt. Er stellt seine Erzählung zu 1286, 1 und S zu 1285; er fügt hinzu, es sei ein strenger Winter gewesen; er lässt 100 von der Besatzung der Burg gefangen und alle bis auf vier gehängt werden; jene Texte sprechen nur von 60; er bemerkt, dass jene vier geköpft wurden, was durch andere Berichte bestätigt wird, in 1 und S steht es nicht. 1 und S einerseits, Th. andererseits berichten über dieselbe Sache, aber nicht nach der gleichen Vorlage. Ueber dieselben Vorgänge berichtet weiterhin 2[1] und zwar, wie der Vergleich ergibt, nach Villani VII, 110; 3^a hat nichts über die Sache, 3^b einen von 2 durchaus abweichenden Bericht; es folgt daraus, dass die 2, 3^a und 3^b gemeinsame Vorlage über diese Ereignisse nichts enthielt. Vergleicht man endlich den Bericht von 3^b, den ich hier folgen lasse, mit dem von 5 bei Hartwig II, 286, so sieht man, dass auch zwischen ihnen an Quellenverwandtschaft nicht zu denken ist, dass ausser 1 mit S weder die Italiener untereinander, noch Th. mit einem der Italiener verwandt ist. Die Stelle in 3^b heisst: 'Detto anno (1285) de Novembre intrarono V^C buoni fanti Ghibellini del contado Fiorentino et Senese in uno castello nel contado di Siena, ch'a nome Poggio a Sancta Cicilia. Et inmantanente v'andarono a oste i Sanesi popolo et cavalieri et de

1) Manni S. 165.

Firençe cavalieri et assediarlo tutto intorno. Et gittavanvi entro trabucchi assai et fecero grande defesa. Ed ala fine d'Aprile uno sabato d'ulivo se n'usciron fuori de notte, ma funne pero assai presi et morti. Et a quegli che funno presi, qual fu taglata la testa, quale inpiccato in Siena. Et 'l castello fu disfatto et rapianate le mura'.

In dieser Weise könnte man noch eine Reihe von Fakten und Berichten, die von Th. und den Florentinern erzählt werden, durchgehen und nachweisen, dass an eine Verwandtschaft aller Texte über die oben bezeichneten Spezialfortsetzungen hinaus nicht zu denken ist. Aber ich fürchte, es möchte der Vergleichungen bereits jetzt zu viel sein. Wer die hier gegebenen, aus natürlich viel mehr Vergleichungen gewonnenen Annahmen des Weiteren nachprüfen will, stelle einerseits 5 mit P und Corc. zusammen, aus denen man leicht den gemeinsamen Kern und zu Grunde liegenden Wortlaut herausschälen kann, und andererseits 1 und S (2 ist, solange 3^a und 3^b nicht bekannt sind, unbrauchbar), und er wird bald erkennen, wie bald dieser, bald jener Bericht eine Tatsache, ein Ereignis mehr erzählt, bald auch dasselbe ein wenig abweichend, wie sich vielfach selbständige Ansichten und Urteile geltend machen. Statt einer Quellenverwandtschaft ist eine ganz andere, für die Florentiner Geistesgeschichte ungleich bedeutsamere Tatsache zu erschliessen: unmittelbar nach dem Erscheinen der G. Flor. und vielleicht in Folge desselben muss in Florenz eine bedeutende Belebung des geschichtlichen Interesses zu Tage getreten sein. Die unmittelbar an die Gesten sich anschliessenden Fortsetzungen behandeln unabhängig von einander, aber offenbar durchaus gleichzeitig und in oft sehr detaillierter Erzählung, die sich gegenseitig vielfach aufs beste ergänzt und verdeutlicht, die Ereignisse der 80er und 90er Jahre des 13. Jh. in Florenz. An Stelle der oft beklagten Dürftigkeit der früheren Florentiner Annalistik tritt seit ca. 1280 eine Reichhaltigkeit der Ueberlieferung, die uns viel deutlichere und konkretere Bilder der Ereignisse liefert als es bis dahin der Fall ist.

Zum Abschluss dieser Erörterung über den Schluss der Gesten bleibt nunmehr noch zu untersuchen, wie sich Th. dazu und zu den weiteren Fortsetzungen in den 80er und 90er Jahren verhält. Er zitiert die Gesten zum letzten Male 1271 bei Gelegenheit des Todes König Enzios. Es ist merkwürdig, dass seine Annalen von 1271—1278 fast gar keine Uebereinstimmung mehr mit den Gesten aufweisen, und wo einmal ein entschiedener Anklang vorzuliegen scheint, da ist Th. durchaus verwirrt. 1275 sagt er (B): 'Eodem tempore Gregorius Florentie moram contrahit quasi II mensium et ibidem tractat de bono statu civitatis, postmodum inde recedens venit Arctium ibique infirmatus migravit ad Dominum . . .'. Es scheinen hier folgende zwei Stellen der Gesten in ganz unklarer Weise mit einander vermischt zu sein, die ich in der Fassung 2 wiedergebe: 'MCCLXXIII. Di XIII. anzi Luglio venne in Firenze papa Ghirigoro e istettevi piu de due mesi e trattoe pace tra Guelfi e Ghibellini'. Und 'MCCLXXV. . . . Ed in questo anno di XIIII. anzi Gennaio torno papa Ghirigoro per lo ponte Rubaconte e andonne ad albergare alla badia a Ripole e non entro nella città. Tornava allora del concilio da Leone sopra Rodano e morio ad Arezzo di X. di Gennaio'. Angesichts der Uebereinstimmung der guten italienischen Texte glaube ich diese Tatsache am ehesten so erklären zu können, dass Th. ein fehlerhaftes, zum Schluss verderbtes, vielleicht auch unvollständiges Exemplar der Gesten hatte [1], nicht etwa so, dass die Gesten in einer noch früheren Gestalt wirklich schon um 1271 aufgehört hatten. Was aber die weiteren Jahre in den Annalen bis 1303 betrifft, so ist es sicherlich möglich und mir auch wahrscheinlich, dass Th. für die von ihm erzählten Florentiner Ereignisse eine schriftliche Quelle hatte. Er berichtet über eine ganze Reihe sowohl speziell florentinischer als auch allgemeinerer Ereignisse, die alle in ganz ähnlicher Weise in den erwähnten Fortsetzungen der G. Flor. behandelt sind, und die Th. schwerlich nur aus dem Gedächtnis und aus eigener Kunde niedergeschrieben hat. Aber wir können seine Fassung mit keiner der uns überlieferten Florentiner Chroniken in allen Einzelheiten identifizieren — z. T. wohl auch in Folge des Umstandes, dass er an manchen Stellen ganz offensichtlich auch aus eigenem Wissen berichtet — und können nach dem bisher bekannten Material über die Provenienz seiner diesbezüglichen Nachrichten gar nichts mit Sicherheit aussagen. Nur dies möchte man vermuten, dass seine Vorlage in diesen Jahren nicht eine Fortsetzung der G. Flor. war; denn soviel kritischen Scharfsinn, um zu

1) Th. schrieb erst ca. 25 Jahre nach Abschluss der Gesta, wird also schwerlich ein Exemplar von unverderbter und ganz unveränderter Fassung gehabt haben; über eine unzweifelhafte Verderbnis siehe weiter unten.

erkennen, dass die ursprüngliche Quelle — die wir nach ihm G. Flor. nennen — nur bis 1271 bezw. 1278 reichte, das übrige aber spätere Fortsetzung war, darf man doch bei ihm so wenig wie bei einem anderen Schriftsteller des Mittelalters voraussetzen; warum sollte er also seit 1271 die G. Flor. nicht mehr als seine Quelle nennen, während er z. B. die G. Luc. noch 1295 zitiert?

Ein offenkundiger Fehler in dem Gesten-Exemplar des Th. lässt sich z. B. im Jahre 1115 nachweisen. Er erzählt da nach den G. Luc. von dem Brande von Florenz und bemerkt dazu (nur in B): 'Acta tamen Florentinorum de igne nullam faciunt mentionem'. Es ist so sicher, wie nur etwas sein kann, dass die Gesten 1115 und 1117 Notizen über zwei Brände in der Stadt brachten, die sich aus der fast wörtlichen Uebereinstimmung der Texte 1. 2. 3ª. 4. 5 mit voller Sicherheit herstellen lassen. In dem Exemplar des Th. müssen diese Notizen gefehlt haben.

Es bleibt als letzte kritische Frage die nach dem Anfang der Gesten zu erörtern. O. Holder-Egger veröffentlichte[1] aus einer Florentiner Hs. der Laurentiana (Gaddiani 177 chart. saec. XV in 4⁰) Stücke aus einer kurzen (Papst- und) Kaiserchronik bis auf Adolf von Nassau, in der sich von Otto III. an verschiedene Florentiner Lokalnachrichten eingestreut finden, für die sich der Autor zweimal auf eine 'cronica Florentinorum' beruft. Da sich diese Nachrichten sämtlich bei Giovanni Villani, z. Th. auch bei Th., im cod. Neapolitanus (5) und in den Ann. Florentini II, die, wenn nicht direkte Quelle für die Gesten, so Ableitung aus derselben Quelle sind, wiederfinden, so schloss Holder-Egger, dass diese 'cronica Florentinorum' mit den Gesten identisch sei, dass wir in dieser Kaiserchronik eine neue und die einzige Ableitung aus den Gesten vor uns haben, die einige Nachrichten derselben auch aus dem 10. Jh. bewahrt hat, während alle anderen Ableitungen frühestens 1080 beginnen. Ich kann mich dieser Ansicht nicht anschliessen[2]. Denn wenn es sicherlich richtig ist, dass der Autor für seine wenigen Florentiner Nachrichten nur eine Quelle benutzt hat, so kann man z. B. folgende Notiz in den Gesten nicht unterbringen: 'A. D. MCCVIII. Florentini, qui sub regimine

---

1) N. Archiv XVII, 511—518. 2) Auch Santini S. 36 (37), N. 1 bemerkt von dieser Chronik: 'parrebbe piuttosto un tardivo plagio di Martino, del Villani e di altri cronisti'.

consulum civitatem regebant, primum elegerunt potestatem forensem, qui ius redderet civile et criminale, ut et ipsi ad regimen civitatis vacare possent ab aliis expediti; qui fuit Gualfredoctus de Mediolano'. Die Gesten haben in ihrer ganz einfachen Ausdrucksweise nur: 'MCCVII. Era il primo podesta Gualfredotto da Melano il primo anno' (2), oder: 'MCCVII. Ch' era podesta Gualfredotto de Melana, lo primo anno' (3^b). Die Reflexion unseres Autors findet sich bei Villani V, 32 und ist von dort auch in 2 als Zusatz eingedrungen, den Gesten gehörte sie nicht an. Noch eine andere Stelle zeigt, dass unser Autor die Gesten in einer bereits überarbeiteten Gestalt benutzte. 1177 sagt Th.: 'Eodem anno, ut in Gestis Florentinorum scribitur, Uberti de Florentia cum consulibus guerram movent, et duravit annis duobus'. Dem entspricht fast genau 1: 'E in questo anno comincio la guerra tra' consoli di Firenze e gl' Uberti e basto due anni'. In 3^a und 4 fehlt der Satz, 3^b ist noch nicht vorhanden, 2 in diesem Jahre stark mit Villani kompiliert. In 5 heisst der Satz: 'E in questo anno comincio la guerra tra' consoli, che erano allora in Firenze, e li Uberti, e basto due anni'. Und dementsprechend in unserer Chronik: 'MCLXXVII. . . . inceptum fuit Florentie primum bellum civile, quod fuit inter consules qui civitatem regebant et illos de Ubertis, que antiqua styrps'. Der einfachen Aussage der Gesten, die eine Partei in dem Zwist seien die Konsuln gewesen, setzte ein Späterer erläuternd hinzu, das sei das damalige Stadtregiment, und unser Autor hat diesen späteren Zusatz. Wenn er aber nicht die alten Gesten hatte, und da wir gesehen haben, dass unmittelbar nach Erscheinen der Gesten eine lebhafte geschichtschreiberische Tätigkeit in Florenz entstand, so kann das Material, das unser Autor über die sonstigen Ableitungen der Gesten hinaus mit Villani gemeinsam hat, irgend welchen anderen Quellen entstammen, die die 'cronica Florentinorum' unseres Autors ebenso wie Villani benutzt hat, dass dies gerade die Gesten waren, ist durchaus nicht notwendig. Man kann dieselben nach den guten und zuverlässigen Ableitungen mit Sicherheit nur bis zum Jahre 1080 zurückverfolgen und dort beginnen lassen.

Wir stehen am Ende unserer Ausführungen. Es ist danach möglich, die G. Flor. in den angegebenen Grenzen und Sicherheitsgraden wiederherzustellen, und so ist auf diesem Gebiete der Grund für die Kritik bezw. eine kritische Ausgabe einer grossen Gruppe von toscanischen

Chroniken des 14. Jh. gelegt; es ergab sich ferner ein Beitrag zur Geschichte der Florentiner Geschichtschreibung am Ende des 13. Jh. Im folgenden will ich die gewonnenen Ergebnisse in einem Beispiel zur Kritik des Giovanni Villani verwerten.

Anhang.

Giovanni Villani und die Gesta Florentinorum.

Scheffer-Boichorst bediente sich einst vielfach des Textes von Villani, um die Tatsache der ehemaligen Existenz der G. Flor. zu erweisen. Man hat inzwischen erkannt, dass Villani sein Werk aus sehr vielen Quellen kompiliert und dieselben dann stets vielfach verändert und durch eigene Betrachtungen erweitert hat, sodass er zur wörtlichen Rekonstruktion eines so einfachen, alten Annalenwerkes wie die G. Flor. nichts ausmachen kann. Hartwig wies dann nach [1], dass Villani die G. Flor. in der Fassung des cod. Neapolitanus benutzt hat. Aber mit dieser Feststellung ist das Verhältnis von Villani zu den G. Flor. und ihren Fortsetzungen keineswegs abgetan. Vielmehr lässt sich erweisen, dass er sie ausser in der Fassung 5 noch benutzt hat in einer Quelle, die der in 2, 3^a und 3^b vorliegenden Rezension angehörte.

Von dem Text 2 ist bekannt und bereits oben bemerkt, dass er ausser der Vorlage I + y auch Villani benutzt und ausgeschrieben hat. Es ist also bei ihm stets zu erwägen, lässt sich aber auch durch die Vergleichung mit 3^a und 3^b jedesmal mit untrüglicher Sicherheit feststellen, ob er allein der mit 3^a und 3^b gemeinsamen Vorlage oder auch bezw. ausschliesslich der Villanischen Chronik folgt. Demgemäss ist zur Grundlage der gesamten Untersuchung der Text von 3^a und 3^b zu nehmen.

Zum Jahre 1284 vergleiche man:

3^a.	3^b.
MCCLXXXIIII° del mese d'Aprile si mandarono i Pisani in Sardingnia XXX ghalee e una nave, ove andava sue il conte Façio per chapitano, e queste ghalee si trovarono chol armata di Gienovesi e chonbaterono, e' Pisani non poterono reggiere la battaglia; si chome	MCCLXXXIIII. D'Aprile mandarono i Pisani in Sardigna XXX galee et una nave, dove andava il conte Fatio per capitano, et queste galee si trovaron choll' armata de' Genovesi et conbattenno, et Pisani non poteno reggiere la battagla; si como huomini vinti si se partinno,

1) Quellen und Forschungen II, 260—265.

3a.

uomini vinti si partirono, e fu presi di loro la meta, effu preso il conte Façio, e furono menati in Gienova.

3b.

et furonne presi di loro bene la meta, et fuvi preso il conte Fatio, et tutti furon menati presi in Genova et messi in pregione a Terçana.

2.

MCCLXXXIIII. Del mese d'Aprile mandaro i Pisani in Sardigna XXX galee ed una nave grossa, dov' andava suso il conte Fazio per capitano delle tutte galee; e del detto mese si trovaro co' Genovesi, e quivi furo isconfitti i Pisani da' Genovesi, e fue preso il conte Fazio con tutti gli altri.

Vill. VII, 91.

. . . accrebbe a' Pisani . . . l' anno 1284, mandando in Sardigna il conte Fazio loro grande cittadino con armata di trenta galee e una nave grossa, i Genovesi si scontrarono con loro . . . e combatterono con loro in mare . . . Alla fine i Genovesi isconfissono i Pisani e presono il detto conte Fazio con molti buoni cittadini di Pisa e presono bene la metà delle dette galee e menarsele co' pregioni in Genova.

Villani hat den in der Hauptsache gleichlautenden Text von 2, 3^a und 3^b frei verändert, 2 kann zumal im Anfang nicht von Villani abhängig sein; dagegen hat 2 den Schluss frei gekürzt und 'nave grossa' vielleicht[1] aus Villani übernommen. Villani hat übereinstimmend mit 3^b 'bene la meta', andererseits fehlen auch ihm die allein in 3^b sich findenden Worte 'et messi in pregione a Terçana'. Mit 3b hat Villani charakteristische Eigentümlichkeiten gemein, z. B. 1258, VI, 65: 'podestà di Firenze messer Jacopo Bernardi di Porco' = 'messer Jacopo Bernardo Orlandi di Porco' in 3^b gegen 'messer Jacopo di Bernardo d'Orlando Rosso' in 2 und 'messer Jacopo Bernardi' in 3^a. Ferner hat Villani mit 3^b grosse Stücke des Textes über 3^a und 2 hinaus gemeinsam, z. B.:

3^b.

MCCLXXXIIII°. Et in questo anno di V. di Giugno vegnendo a Napoli l'armata . . . e fu menato in Missina et messo in Tagliagrifone. . . . Et a di VIII. di Giugno giunse in Napoli, che venia de Proença, il re Carlo con LV legni et III navi armate . . . E questa armata et quella ch'era in Napoli si partiro[2] di VII. ançi Luglo et

Vill. VII, 93.

Negli anni di Cristo 1284. a dì 5. del mese di Giugno . . . . venne nel porto di Napoli . . . e furono messi in pregione in Messina nel castello di Mattagrifone . . . . . . VII, 114. . . . lo re Carlo . . . con cinquantacinque galee armate e con tre navi grosse . . . . . . giunse a Napoli a dì 8. di Giugno . . . si fece lo re compiere di armare colle

---

1) Es ist auch denkbar, dass 3^a und 3^b es gleichmässig fehlerhaft ausgelassen, 2 und Vill. es richtig aus der Vorlage übernommen haben.
2) 'partito' meine Abschrift.

3b.	Vill. VII, 93.
fuorono LXXV legni et andaronne in Calura. Et il re se parti de Napoli per andare in Brandiçio.	galee ch' egli avea menate infino in settantacinque galee, e partissi di Napoli a dì 23. di Giugno; l' armata mandò verso Messina, e il re Carlo n' andò per terra a Brandizio.

Trotz dieser vielfachen und genauen Uebereinstimmung kann Villani nicht 3^b selbst zur Vorlage gehabt haben. Denn einmal stimmt er gelegentlich mit 3^a gegen 3^b überein, wie an folgender Stelle:

Vill. VII, 106.	3^a.	3^b.
1285. a dì 24. di Marzo morì papa Martino in Perugia . . . . E poi la domenica appresso primo d'Aprile . . . 1286 fu eletto e fatto papa	MCCLXXXVI. di XXIIII. di Març o mori papa Martino in Perugia, ella domenicha a primo d'Aprile fu fato papa	MCCLXXXVI. Di VII. al' uscita di Març o in Perugia mori papa Martino, primo di de Aprile fu fatto papa . . .

Sodann aber hört die Uebereinstimmung zwischen Vill. und 2 einerseits, Vill. und $3^{a.b}$ andererseits 1297 bezw. 1299 auf. Nach 1299 findet sich zwischen Vill. und $3^{a.b}$ bei vielfacher Gleichheit der erzählten Ereignisse keine erhebliche wörtliche Uebereinstimmung mehr. Es ist nicht einzusehen, warum Vill. die Vorlage von 1299 ab hätte ganz verlassen sollen; frei bearbeitet und stark erweitert hat er sie auch vorher schon, seine nunmehr immer reicher einsetzende eigene Kenntnis war kein Grund, die Vorlage ganz bei Seite zu schieben. Also hatte er weder 3^a noch 3^b, sondern die Vorlage von beiden und von 2, die bis 1299 fortgesetzte Fassung B der Gesten.

Nach dieser Feststellung ermöglicht sich nunmehr ein Urteil über den Wert von 3^a und 3^b im Verhältnis zu ihrer gemeinsamen Vorlage. Wir sahen schon oben S. 737, dass 3^b viele Sätze mit 2 gemeinsam hat, die in 3^a fehlen; dasselbe Ergebnis hatte jetzt die Vergleichung mit Villani, mit dem 3^b in ganzen Absätzen übereinstimmt, die 3^a fehlen. Da weder 2 noch Villani von 3^b abhängig sind, so ergibt sich, dass in 3^a grössere Stücke der Vorlage ausgelassen sind, die 3^b erhalten hat, dass 3^b für eine vollständigere Ueberlieferung, nicht für eine erweiterte Bearbeitung der gemeinsamen Quelle zu gelten hat.

Danach stellt sich das Verhältnis der besprochenen Texte in folgendem Schema dar:

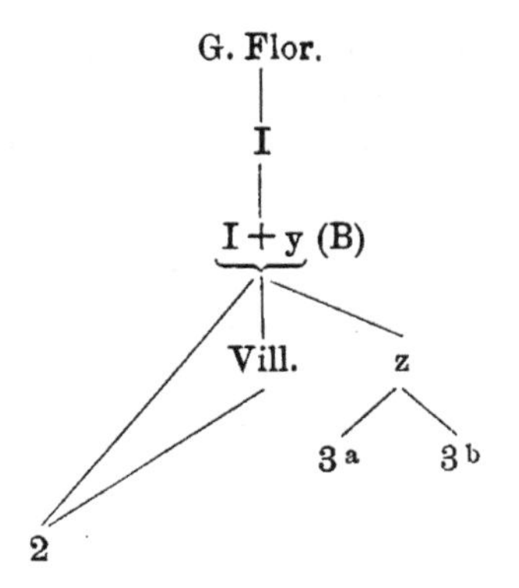

Oben habe ich bereits bemerkt, dass Hartwig die Benutzung der Chronik des cod. Neapol. (5) durch Villani nachgewiesen hat. Zur Bestätigung setze ich hierher eine der nicht wenigen Stellen, an denen Vill. die beiden Fassungen und Fortsetzungen der G. Flor. in einander verarbeitet und miteinander verschmolzen hat:

Vill. VII, 93.	3b.	5.
Negli anni di Cristo 1284. a dì 5. del mese di Giugno	Et in questo anno di V. de Giugno	Nel MCCLXXXIIII. di VIII. di Giugno
messer Ruggeri di Loria ammiraglio del re d'Araona venne di Cicilia con quarantacinque tra galee e legni armati	vegnendo a Napoli l'armata de Cicilia, ch'erano XLV galee,	Roggieri del Lori amiraglio di Piero d'Araona con molte galee armate
. . . e . . . venne nel porto di Napoli colla detta armata gridando . . . e domandando battaglia . . .		venne per mare infine al porto di Napoli e ivi rinchiese di battaglia lo principe Carlo figlio di re Karlo,
'l prenze figliuolo del re Carlo, ch'era in Napoli con tutta la sua baronia . . .	il prençe figlio del re Carlo, ch'era a Napoli, con trenta galee	
veggendosi cosi oltraggiare da' Ciciliani e Catalani, a furia sanza ordine o provvedimento montarono in galee . . .	recandosi a onta questa venuta de Cecilia monto in su queste XXX galee . . .	lo quale principe entrato in mare nelle sue galee . . .
Il prenze rimaso alla battaglia con la metà delle sue galee . . .	et fedirono a' Ciciliani con l'una meta de' legni, si che l'altra meta no pote sostenere.	
tosto furono isconfitti e presi con nove delle loro galee.		fuoro sconfitti e presi ne fuoro VIIII galee.

Villani wird durch 3^b und 5 noch nicht vollständig gedeckt, er hat ausser ihnen viele andere Quellen benutzt; aber er weist charakteristische Angaben und Bestandteile des Wortlauts abwechselnd von beiden Chroniken auf, er hat sie hier miteinander verschmolzen, an anderen Stellen jede einzeln für sich benutzt. Sein Verhältnis zu den Gesten veranschaulicht demnach dies Schema:

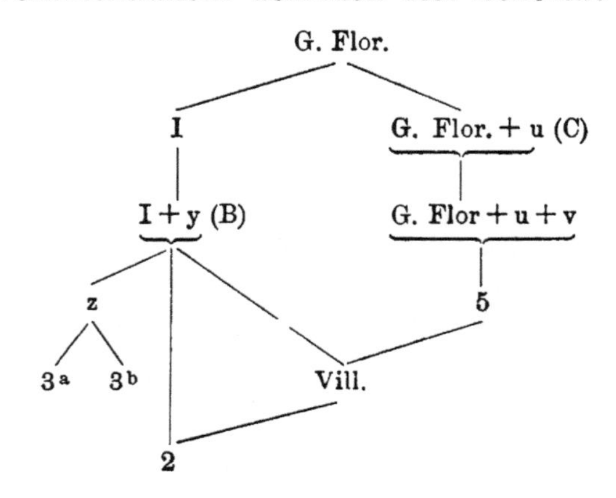

XVI.

Miscellen.

Zu Johannes Scottus und zur Bibliothek Fuldas.

Von M. Manitius.

E. K. Rand hat kürzlich in seinem vortrefflichen Buche Johannes Scottus (München 1906) S. 3—27 (vgl. besonders S. 18 f.) den in einigen Hss. überlieferten anonymen Kommentar zu den Opuscula sacra des Boethius (Hss. S. 28 ff., Ausgabe S. 30—80) dem Johannes Scottus in überzeugender Weise beigelegt. Zu dem evidenten Beweis Rands kann nun noch, um den letzten Zweifel zu beseitigen, die urkundliche Bestätigung gegeben werden. Sie findet sich im Katalog von Fulda aus saec. XVI. Dieser ist zwar jung, aber schon eine flüchtige Durchsicht lehrt, dass er hauptsächlich sehr alte Bestände registriert [1], zu denen im Laufe der Zeit nicht eben sehr viel hinzugekommen ist; denn das ergibt sich ohne weiteres aus den nicht häufigen Namen späterer Schriftsteller. Man könnte sogar die Behauptung aufstellen, dass die Vermehrungen vom 10. bis 16. Jh. numerisch bei weitem nicht den ursprünglichen Bestand des 9. Jh. erreichen, ein deutliches Zeichen für den regen wissenschaftlichen Betrieb im karolingischen Zeitalter und für das spätere niedrige Niveau des Klosters in dieser Beziehung. Dies Verzeichnis hat aus einer Hs. des Marburger Staatsarchivs C. Scherer in Beihefte zum Centralblatt f. Bibliothekswesen XXVI, 89—111 neu herausgegeben, und hier findet sich Rep. 4 Ordo 4 S. 96 die Aufschrift 'Ioannis super Boetium de trinitate. fol. hic liber est mancus et mutilus'. Da ein Erklärer dieses Werkes mit dem Namen Johannes weder vor Gilbertus Porretanus noch aus späterer Zeit ausser dem grossen irischen Gelehrten bekannt ist, so muss sich die Aufschrift auf diesen beziehen. Schwieriger dürfte die Identifizierung

1) Wichtig ist in dieser Beziehung der reiche Bestand an Hraban-Hss.

der alten Fuldaer Hs. mit einer heute bekannten sein. Zunächst lässt sich soviel sicher sagen, dass jene das Werk separat überliefert hat, wie Rands CMEFP. Einen weiteren Fingerzeig gewährt die Angabe des Bibliothekars, dass die Hs. verstümmelt war, was nach Rand S. 29 nur bei C der Fall zu sein scheint. Ob der Fuldensis noch weiteres enthielt, lässt sich nicht genau sagen, da der Katalog keineswegs alle in jeder Hs. vorhandenen Werke aufführt. Aber schon aus dem Umstande, dass im Fuldensis der Autorname an der Spitze vermerkt war — denn im 16. Jh. hätte wohl kein Bibliothekar das seltene Werk erkannt — ergibt sich wohl, dass die Fuldische Ueberlieferung seitwärts von der uns bekannten steht. Aus diesem Eintrag geht aber auch hervor, dass die Hs. zu einer Zeit kopiert wurde, in der der irische Gelehrte noch nicht aus dem Gedächtnis entschwunden war. Man kommt somit zu einer neuen, allerdings verlorenen Ueberlieferung, und man sieht, dass auch spätere Kataloge zur Aufhellung literarischer Fragen beitragen können. Ich rechne jetzt zu diesen wichtigen späteren Stücken die Kataloge von Altzelle 1514 [1], vortrefflich erläutert und herausgegeben von L. Schmidt, Neues Archiv für sächs. Geschichte XVIII, von Blois 1518, herausg. von H. Omont, Anciens inventaires et catalogues etc. I, und den oben erwähnten Fuldaer Katalog. Ich werde demgemäss diese Stücke bei bald zu gebenden Nachträgen zu meinem Aufsatz 'Geschichtliches aus mittelalterlichen Bibliothekskatalogen' (N. A. XXXII, 647) heranziehen.

Ich knüpfe hier noch einige Bemerkungen zum Katalog von Fulda an. Wie oben bemerkt, sind die Vermehrungen aus späterer Zeit sehr spärlich gewesen, wenn man von einigen Rechtsbüchern absieht. So findet sich einmal Nicolaus de Lyra S. 100 (VI, 4, 7) und einmal Thomas v. Aquino (S. 99; VI, 2, 3) erwähnt. Mit Ausnahme der ganz wenigen Drucke [2] ist überhaupt das jüngste Buch der Liber caelestium revelationum b. Brigittae ducissae Suetiae S. 102 (VII, 4, 5). Kein einziges humanistisches Werk wird als Hs. verzeichnet, und die grosse Seltenheit von Papierhss. (S. 105 IX, 2, 12; 106 IX, 4, 10; 107 X, 1, 9) spricht deutlich für das Alter der registrierten Bestände. Vielfach herrscht übrigens Uebereinstimmung der Buchtitel mit den Lorscher Katalogen, was sowohl bei der

1) Er ist für die deutsche Historiographie von grosser Bedeutung.
2) Albertus Magnus und Aventin VIII, 4, 16; Quadragesimale des Johann Gritsch IX, 2, 10; Catholicon des Johannes de Janua X, 1, 1.

Theologie als auch bei den klassischen Autoren hervortritt. Sonderbarerweise fehlt bei den letzteren Sueton, dessen Ueberlieferung ja von Fulda ausgeht; dafür sind aber Seltenheiten wie die Grammatik Julians von Toledo (103 VIII, 1, 18), Columella (106 IX, 3, 17), Mallius Theodorus[1] (104 VIII, 3, 11) vorhanden. Anderes, wie Tacitus' Annalen und Germania oder Gellius mag durch Humanisten vorher abhanden gekommen sein. Dagegen gibt der Katalog die theologische Bibliothek wohl in ihrer alten Unversehrtheit wieder. Sie ist von solcher Reichhaltigkeit, dass sich nur Lorsch, nicht aber Corbie mit ihr messen kann. Hier sind viele Seltenheiten zu verzeichnen, wie Hermae Pastor VI, 3, 9, Tertullians Apologeticum IX, 4, 6, die Uebersetzung von Hesychius' Leviticuskommentar VII, 4, 4, die Traktate des Gaudentius VI, 3, 12 (sonst nur in Corbie), Maxentius' Dialog contra haereticos VI, 2, 6 (da hier Fulgentius vorausgeht und Cochlaeus den Maxentius nach einer Nürnberger Fulgentiushs. veröffentlichte, so war diese vielleicht eine Abschrift des Fuldaer Exemplars), Apponius' Kommentar zum Hohenliede VI, 4, 10. Endlich erwähne ich die Notiz S. 102 VII, 4, 11 'Orosii glossa in Danielem', weil sie einiges Licht zu der Nachricht des Anon. Mellicensis 69 (S. 78 Ettl.) 'Orosius venerabilis, ut putatur, episcopus scribit inter alia commentum in librum duodecim prophetarum' zu bringen scheint. Denn unzweifelhaft sind diese beiden Personen identisch, und es würde sich für jenen Kommentar ein bedeutender Umfang ergeben, wenn die Glosse zu Daniel in einem eignen Bande in Fulda verwahrt wurde. An Origenes-Uebersetzungen war Fulda nach diesem Katalog besonders reich, und auch Cyprian wird mehrmals erwähnt, wobei man doch am ersten an Kopien aus karolingischer Zeit denken möchte[2].

---

1) So ist nämlich statt 'Malli et Isidori' zu lesen. S. 106 IX, 3, 19 ist 'pomo' zu halten und nicht mit Scherer 'somno' zu lesen, vgl. Rom 1375 (Ehrle, Hist. bibl. Rom. pont. I, 542, n. 1357; Canterbury s. XIII —XIV (Edward, Memoirs of libr. I, 176, n. 290) und Bordesholm 1488 (Merzdorf, Biblioth. Unterhaltungen II, 37, E 13). S. 96 IV, 2, 17 ist 'compli' = 'cons phi' (consol. philosophiae) zu lesen. S. 98 VI, 1, 7 ist 'm. achulpi' (magistri a.) zu lesen; der Name begegnet in alten Aufschriften als Arculphus, Asculphus, Agulfus, Artulphus, Achulfus, Artulsus, Arnulfus, Archelfus, Arnolfus. S. 95 IV, 1, 23 ist 'Bacch[i]arii' richtig, desgleichen S. 97 IV, 4, 15. Es ist der aus Augustins Zeit bekannte spanische Mönch, der Brief an Januarius ist die Schrift de reparatione lapsi und IV, 1, 23 entspricht Becker 128, 46; die von Scherer S. 111, Anm. 17 vorgebrachten Konjekturen sind also irreführend. 2) Der S. 106 IX, 4, 21 erwähnte 'Liber Simonis' ist jedenfalls der im Amplon. O 12 f. 59 und O 10 f. 83 mit zwei Werken vertretene Simon Dacus.

Alchvine ist nicht so reich bedacht, wie in dem wichtigen Fragment Becker 13; es fehlt nämlich die wichtige Hs. B. 13, 20, wo dem Alchvine auch ein Gedicht in Cantica canticorum beigelegt wird, und 21, wo seine Grammatik neben anderem stand. Neu aber ist in unserm Verzeichnis S. 96 IV, 2, 15 'Alcuinus super cathegorias Aristotelis'. Dies Werk ist sonst nicht bekannt, wenn es nicht mit seinem Dialog de dialectica identisch ist, in dem über die Kategorien nach Pseudo-Augustin gehandelt wird. Aus den ungemein zahlreichen Hraban-Hss. des Katalogs ergibt sich, dass Hraban auch Auszüge aus den Briefen des Hieronymus veranstaltet hat (S. 95 IV, 2, 5) und Excerpte aus verschiedenen Autoren de deo zusammentrug (S. 95 IV, 1, 18). Singulär und wichtig ist die Aufschrift S. 94 III, 3, 6 'Rabanus de arte grammatica', die ich sonst nirgends gefunden habe. Auch Sedulius Scottus war in Fulda vertreten, man besass (S. 101 VII, 1, 9) die 'Collectauea Sedulii in epistolas Pauli' und (S. 107 X, 1, 17) 'Commentarius in grammaticam Eutichii'. Endlich erwähne ich als einzig bekannte Aufschriften S. 95 IV, 1, 22 'Beringosus abbas de s. cruce', womit Abt Berengoz von St. Maximin gemeint ist, und S. 108 X, 2, 41 'Calculatio Hergerii'; hierunter ist das von Alberich v. Trois-Fontaines zu 990 (MG. SS. XXIII, 775) erwähnte Werk 'regule numerorum super abbacum Gerberti' des Heriger v. Lobbes zu verstehen, das im Monac. 14689 s. XII f. 98 steht. Was Scherer S. 112, Anm. 88 zu der Aufschrift anführt, ist hiernach zu streichen.

Zum Gelübdebuch von St. Gallen.

Von Aloys Schulte.

Der Codex ist gleichzeitig zweimal herausgegeben worden: von Arbenz in den Mitteilungen z. vaterl. Gesch. (St. Gallen) XIX, 140—162 und von Piper in den MG., Libri confraternitatum p. 111—35. In beiden Fällen ist aber nicht das wertvolle Verzeichnis im St. Galler UB. II, 299. von 895 herangezogen worden, das eine vollständige Aufzählung des damaligen Konventes enthält. Das sind 42 Priester, 24 Diakone, 15 Subdiakone und 20 Mönche. Alle sind innerhalb der einzelnen Gruppen nach der Reihenfolge im Gelübdebuche aufgeführt, also nach der Profess. Die heutige Reihenfolge des Gelübdebuches ist aber gestört und die Herausgeber hätten sich dieses Hilfsmittel die Lücken festzustellen nicht entgehen lassen sollen. Auf einen Ternio folgt ein einzelnes Blatt (S. 13. 14), dann ein Binio und dann ein einzelnes Blatt (S. 23/24). Der erste Priester Hartmuot eröffnet S. 13 (MG. S. 123, 1) und bis zum Schlusse der Seite 14 finden sich die 6 ersten Priester und ausserdem der erste Diakon. Seite 15/16 setzen diese Liste aber nicht fort, erst Seite 17 kehrt zu der Urkundenliste zurück, lässt also eine Lücke: 6 Priester fehlen, kein Diakon. Der 13—29. Priester einschliesslich Sindolf, der 2—6. Diakon einschliesslich Thrudpret und der 2. Mönch finden sich auf den Seiten 17 und 18. Es folgt abermals eine Lücke, denn die Seiten 19 und 20 beginnen mit dem 40. Priester (Adalpret), dem 22. Diakon (Elispret), dem 10. Subdiakon (Bonifacius) und dem 7. Mönche, sie bringen alle folgenden Namen. Derjenige, der zuletzt Profess abgelegt hat, war der Mönch Wichran (I, 394, 7). Die im Gelübdebuch fehlenden Namen der Mönche haben auch Goldast nicht mehr vorgelegen.

Es stehen also auf folgenden Blättern:

	13/4	verl.	15/16	verl.	17/18	zusammen
Mönche	6	6	17	10	3	42
Diakone	1	—	5	15	3	24
Subdiak.	—	—	—	9	6	17
Mönche	—	1	1	4	14	20

Es ergibt sich also, dass damals im Allgemeinen alle Mönche in langsamer Folge Subdiakon, Diakon und dann Priester wurden.

Was die Ueberlieferung der Hs. anbetrifft, so ist ihr heutiger Zustand:

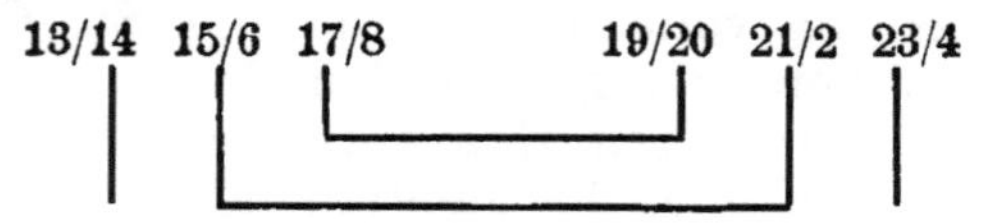

Früher muss er wohl so ausgesehen haben:

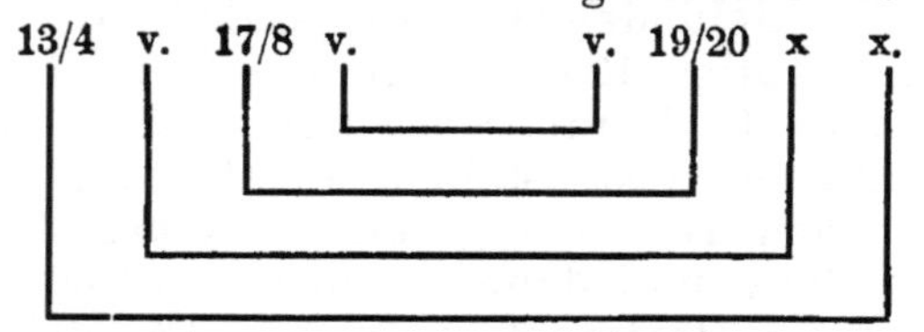

vielleicht lag zwischen 17/18 und 19/20 auch nur ein Einzelblatt.

Die Lage von Dubin.

Von B. Schmeidler.

Helmold I, 62[1] berichtet im Jahre 1147 vor Aufbruch des Kreuzheeres gegen die Wenden: 'Audiens igitur Niclotus, quia congregandus esset in brevi exercitus ad destruendum eum, convocavit universam gentem suam et cepit edificare castrum Dubin, ut esset populo refugium in tempore necessitatis'. In Kap. 65[2] ist dann ausführlich die Belagerung von Dubin erzählt. Von demselben Kreuzzug, gleichfalls über die Belagerung von 'Dobinum, insigne piratica oppidum', bringt Saxo Grammaticus Buch 14[3] eine längere Erzählung. Ueber die Lage dieses Dubin[4] sind zwei noch heute einander gegenüberstehende Meinungen aufgestellt worden. F. Lisch, der wohlunterrichtete Kenner der mecklenburgischen Geschichte, begründete eingehend die Meinung[5], dass Dubin am Nordende des Schweriner Sees auf dem sogenannten Wallberge, zwischen dem Schweriner See und einem kleinen Nebensee, genannt die Döpe, gelegen habe. Nach bereits vorangehenden Andeutungen der früheren Literatur stellte dann Lappenberg in einer Note zu Helmold[6] die Meinung auf, dass Dubin an der Ostseeküste in der Wismarer Bucht gegenüber der Insel Lieps bei Poel zu suchen sei. Während nun die grössere Anzahl der Forscher zunächst Lisch folgte, entschied sich zuletzt W. Bernhardi[7] für die Ansicht von Lappenberg, nach ihm ebenso Waitz in seiner Ausgabe des Saxo Grammaticus[8] und E. Sackur im Index zum XXIX. Bande Scriptores.

---

1) SS. rer. Germ. ed. 2. p. 118. 2) Ebenda S. 122 f. 3) MG. SS. XXIX, 87. 4) Dies ist nach dem Nachweis von Lisch in der sogleich anzuführenden Abhandlung S. 126 ff. 130, N. 3 die sprachlich richtige, alte Form, doch hat Helm. a. a. O. selbst auch die Form 'Dobin'. 5) Jahrbücher des Vereins für Mecklenburgische Geschichte und Altertumskunde V, 123—134; ebenda VII, 174 f. 6) MG. SS. XXI, 58, N. 72. 7) Konrad III. S. 566, N. 2, wo zugleich die ältere Litteratur genannt ist. 8) A. a. O. S. 87, N. 2.

Da diese Ansicht somit gegenwärtig wohl als die vorherrschende gelten kann[1], mir aber als ganz unannehmbar erscheint, wie ich bereits in einer Anmerkung zu meiner Helmoldausgabe[2] angedeutet habe, ist es wohl gerechtfertigt, wenn ich die Frage hier nochmals erörtere und meine a. a. O. aufgestellte Meinung ausführlicher begründe.

Lappenberg führt als Grund für seine Entscheidung zwei Urkunden[3] an, Mecklenburgisches UB. I, N. 100 und 202, aus den Jahren 1171 und 1211. Es sind die bekannte Stiftungsurkunde des Bistums Schwerin durch Heinrich den Löwen und die Bestätigung Kaiser Ottos IV. In beiden heisst es: 'insulam Zuerin adiacentem . . . et aliam insulam prope Dobin, que Libiz (Lipiz) dicitur'. Nun gibt es zwei Inseln Lieps, die bereits erwähnte bei Poel in der Wismarer Bucht und eine andere im nördlichen Zipfel des Schweriner Sees. Lappenberg entschied sich für die in der Wismarer Bucht, ein ganz unmöglicher Gedanke. Die genannten Urkunden zählen die Güter des Schweriner Bistums auf, und zwar[4] 'prope Zuerin duas villas, Ranpen[5] et Lyzcowe[6], que mutato nomine Alta-villa vocatur, et insulam Zuerin adiacentem[7] usque ad rivulum et aliam insulam prope Dobin, que Libiz dicitur'. Lieps und Dubin werden danach unter lauter Besitzungen am und im Schweriner See selbst genannt. Aus dieser wohlgeordneten Reihe sollte die Güteraufzählung plötzlich, ganz unvermittelt, ohne auch nur eine Andeutung davon zu machen, auf die entfernte Insel Lieps an der Ostseeküste überspringen, in ein Gebiet, das nach allen sonst bekannten Nachrichten überhaupt ausserhalb[8] der Grenzen und des Sprengels des Bistums lag? Der Gedanke ist nicht ernsthaft diskutierbar, und der letzte Bearbeiter dieser Dinge, F. Salis, hat sich betr. Libiz denn auch ohne Schwanken für Lieps im Schweriner See entschieden. Gilt dies zunächst nur für Lieps, so kommt für Dubin noch weiter hinzu, dass kein Name einer Oertlichkeit irgendwelcher Art bei Lieps in der Wismarer Bucht bekannt ist, der sprachlich auch nur entfernt mit Dubin zusammengebracht werden könnte;

---

1) Hauck, KG. Deutschlands, 3/4. Aufl. IV, 606, N. 4 lässt die Frage unentschieden. 2) S. 118, N. 2. 3) Weitere urkundliche Belege s. bei Lisch a. a. O. S. 132 f. 4) Urk. von 1171. 5) Die Erklärung der folgenden Namen gebe ich nach F. Salis, Die Schweriner Fälschungen, Archiv für Urkundenforschung I, 273—354. Ranpen ist danach Rampe dicht am Ostufer des Schweriner Sees. S. die Uebersichtskarte bei Salis. 6) Hundorf am westlichen Seeufer. 7) Kleine Schelfe. 8) Siehe die erwähnte Karte bei Salis.

Lisch dagegen hat für seine Insel Lieps im Schweriner See nicht nur den heute 'Döpe' genannten See[1] in der Nähe, sondern kann auch noch nachweisen, dass derselbe im Jahre 1356 'parvum stagnum iuxta Døben', also nach einer Oertlichkeit[2] Döben hiess.

Auch Lappenberg hätte sich wohl niemals für seine Ansicht entschieden, wenn er nicht einen zweiten, scheinbar viel besseren Grund dafür gehabt hätte, den er zwar nur eben andeutet, den aber Bernhardi a. a. O. als letztes entscheidendes Moment für Lieps in der Wismarer Bucht anführt: das ist der Bericht von Saxo. Ihn müssen wir genauer analysieren und dafür teilweise hersetzen. Saxo erzählt den Ursprung des Kreuzzuges und fährt dann fort: 'Kanutus ac Sueno . . . iunctis viribus Sclaviam petunt, Germanis ex condicto diversam eius invadentibus plagam. Iuti Kanuto duce, Hetbienses Suenone hostilem occupant portum. Superveniunt . . . prioremque classem, prout cuique locus patebat, sua circumincludunt. Occurrunt in littore Saxones, et ipsi vindicandae religionis cupientissimi, miliciae socii Danis futuri. Mox Dobinum, insigne piratica oppidum, ab utroque circumsidetur exercitu, omni Danica multitudine preter paucos classis custodes navigia relinquente. Quorum raritate cognita Rugiani primam obsessis opem inimicae classis oppressione porrigere statuunt'. Es folgt eine längere Schilderung von Seekämpfen mit den Rügenern. 'Interea Danis obsidionem arcentibus eorum classis piratico bello nunciatur oppressa. Hac fama revocati, correptis navium reliquiis, Rugianos . . . portu propellunt'.

Aus dieser Schilderung geht wohl ziemlich deutlich hervor, dass Saxo sich Dubin am Meere liegend gedacht hat. Es ist ein 'insigne piratica oppidum', die Dänen treffen sich mit den Sachsen 'in littore', sie verlassen die Schiffe, um, wie man nach dem Zusammenhange annehmen muss, sogleich gemeinsam mit jenen zur Belagerung zu schreiten, die Rügener endlich suchen den Belagerten durch

1) Richtiger 'Döwe' oder 'Düwe'. 2) Dass dies eine bewohnte Ortschaft gewesen sei, von der man demgemäss noch irgend welche Spuren müsse nachweisen können, wie Bernhardi in der angeführten Note verlangt, ist durchaus nicht notwendig. Nach Helm. ist Dubin nur ein castrum, eine leere Wallburg, die Niclot damals zuerst baut, nicht ein bereits bestehender, bewohnter Ort, den er befestigt. Wenn Saxo Dobin ein 'insigne piratica oppidum' nennt, so ist darauf bei der gleich nachzuweisenden Unklarheit seiner Vorstellungen über diese Dinge und Ereignisse gar kein Gewicht zu legen. Vgl. übrigens Lisch a. a. O. VII, 174 f.

Bekämpfung der feindlichen Flotte Hilfe zu bringen. Hätten wir nur Saxos Bericht, so müssten wir ohne Zweifel annehmen, dass die erzählten Ereignisse sich auf einem einzigen Schauplatz an der Meeresküste abgespielt hätten.

Mit Saxos Erzählung muss man aber Helmold Kap. 65 vergleichen. Da heisst es[1]: 'obsederunt Dubin atque Dimin et fecerunt contra eas machinas multas[2]. Venit quoque Danorum exercitus et additus est his qui obsederant Dubin, et crevit obsidio'. Bei einem Ausfall der Belagerten können die Deutschen den Dänen nicht helfen 'propter interiacens stagnum'. Stagnum ist nicht zu interpretieren vermittelst einer ganz fern liegenden Urkunde[3] als Ostsee, sondern vermittelst Helmold II, 5 ('ad interiora stagni' = des Kummerower Sees) als ein Landsee[4]. Helmold erzählt nicht eben viel von der Belagerung von Dubin — von der von Demmin, nach der sich das Kapitel seltsamerweise[5] nennt, weiss er garnichts —, aber es ist dennoch ein schwerwiegender Umstand, dass in seiner Erzählung nicht mit einem Wort vom Meer die Rede ist. Denn er ist ein so gewandter und überlegter Erzähler, dass wir ihm nicht zutrauen dürfen, dass er wesentliche und entscheidende Umstände der Ereignisse, die er überhaupt erzählt, ausgelassen hätte. Er weiss, dass ein 'Danorum exercitus' an der Belagerung beteiligt war, und sollte nicht gewusst haben, dass eine Flotte dabei war, dass die Rügener hinzukamen und grosse Kämpfe mit der dänischen Flotte ausfochten? Ich halte Helmold weder für so ununterrichtet, noch so gedankenlos, dass er dergleichen nicht gewusst oder nicht erzählt hätte. Die Erzählung Saxos und Helmolds kann sich meiner Meinung nach unmöglich auf denselben Schauplatz beziehen, und es gibt bei Saxo zwei Anhaltspunkte, die diese Annahme begünstigen. Er erzählt, die Dänen hätten bis auf wenige die Flotte verlassen, nach

---

1) A. a. O. S. 122. 2) Das ist 1. Mach. 11, 20, wo nur 'eam' statt 'eas' steht. 3) Bei Sartorius, Urkundl. Geschichte der Hanse II, 215, auf die sich Lappenberg SS. XXI, 60, N. 86 beruft. 4) Geographisch wird man ihn am besten als die Döpe interpretieren und annehmen, dass ein Teil des Kreuzheeres nördlich (die Dänen) von der Landenge der Wallberge, der andere (die Deutschen) südlich davon lagerte und die Burg berannte. War dann vielleicht das Ostufer der Döpe wegen sumpfiger Beschaffenheit oder aus anderen Ursachen unwegsam, so kann man sich ganz klar vorstellen, wie der eine Teil des Kreuzheeres dem anderen nicht zu Hilfe kommen kann 'propter interiacens stagnum'. 5) Die Kapitelüberschriften rühren wahrscheinlich nicht von Helmold her; vgl. meine Ausgabe, Praef. p. XXI, N. 2.

seiner Meinung, um sogleich am Ufer die Belagerung zu beginnen. Wie aber, wenn sie weiter über Land gezogen wären, und die Flotte allein zurückgelassen hätten? Das legen doch die weiteren Ausdrücke nahe: 'classis nunciatur oppressa. Hac fama revocati'. Wenn sie angesichts ihrer Flotte am Ufer lagen, was brauchen sie die Meldung von der Niederlage, was hat eine fama da für Platz, warum müssen sie zurückkehren? Saxos Wortlaut stimmt hier sehr wenig zu den ihn beherrschenden Vorstellungen, und es tritt offenbar ganz unwillkürlich (wohl nach dem von Saxo benutzten Material) an dieser Stelle eine ganz andere Vorstellung zu Tage, nach der das dänische Belagerungsheer eine beträchtliche Strecke von der Flotte, die es aus Dänemark an die mecklenburgische Küste gebracht hatte, entfernt war. Dann hat man zwei Kriegsschauplätze zu unterscheiden, einerseits Dubin und seine Belagerer, andererseits die Ostseeküste und die daselbst von den Rügenern angegriffene dänische Flotte. Saxo hat diese zwei Dinge selbst nicht unterschieden, gleichwohl gibt sein Bericht die Möglichkeit an die Hand, diese Scheidung vorzunehmen.

Zunächst nur die Möglichkeit, nicht die Notwendigkeit. Aber nun fasse man alle Gründe zusammen. 1) Eine Oertlichkeit Dubin in der Wismarer Bucht ist nirgends und niemals nachzuweisen, nur eine Insel Lieps. 2) Die Insel Lieps 'prope Dobin' in den von Lappenberg herangezogenen Urkunden kann unmöglich die in der Wismarer Bucht, muss notwendig die im Schweriner See sein. 3) In der Nähe dieser letzteren Insel Lieps gab es noch im 14. Jh. einen Ortsnamen Döben, der dicht dabei gelegene kleine Landsee heisst noch heute die Döpe. 4) Der Bericht von Saxo, das Hauptargument für die Ansicht Lappenbergs, zeigt innere Widersprüche, die sich als Vermengung zweier nicht zusammengehöriger Ereignisreihen deuten und dadurch erklären lassen. So bleibt kein Grund für Dubin an der Wismarer Bucht, während sich für Dubin am Schweriner See noch weitere bisher nicht angeführte Gründe geltend machen lassen.

Vor Aufbruch des Kreuzheeres beginnt Niclot 'edificare Dubin, ut esset populo refugium in tempore necessitatis'. Und dafür wählt er, nach Lappenberg, einen Ort an einem äussersten Zipfel seines Landes, in der westlichsten, dem Feinde zugekehrten Ecke? Für ein refugium für die Obotriten wäre der Platz wohl so ungeeignet wie möglich gewesen[1]. Ferner: sämtliche bekannten Wendenburgen liegen an Landseen, in Sümpfen, am Zusammenfluss zweier Flüsse, keine am Meer. Für die typische Lage der Wendenburgen ist an der Wismarer Bucht kein Ort bekannt und wohl kaum einer vorhanden, die Landzunge zwischen Schweriner See und der Döpe erfüllt in geradezu idealer Weise alle Bedingungen, die die Wenden an einen Ort bei Anlage einer Burg stellten.

Daraus ergibt sich nun im Ganzen für die Darstellung des Wendenkreuzzuges die Folgerung, dass eine Kombinierung der Berichte von Helmold und Saxo, die die Belagerung von Dubin und die dänisch-rügenschen Seekämpfe unmittelbar miteinander verbindet, falsch ist[2], dass man scharf zwei vollständig getrennte Kriegsschauplätze, die Belagerung von Dubin und die Seekämpfe der dänischen Flotte mit den Rügenern, zu unterscheiden hat.

Ich darf diese Erörterungen nicht schliessen, ohne zu bemerken, dass die meisten der hier angeführten Gründe bereits von Lisch a. a. O. beigebracht oder wenigstens angedeutet worden sind. Da trotzdem die Mehrzahl der modernen Forscher sich gegen ihn entschieden hat oder wenigstens die Frage für ungelöst erklären zu müssen meinte, sind die obigen Ausführungen wohl dennoch nicht ganz nutzlos gewesen.

---

1) Ueber die Gunst der geographischen und strategischen Lage von Dubin am Schweriner See s. Lisch a. a. O. V, 134. 2) Bernhardi selbst hat sich in seiner Schilderung der Ereignisse sehr vorsichtig ausgedrückt und nirgends direkte Verbindung und Einheitlichkeit der Kämpfe zu Lande und zur See behauptet, aber auch nirgends ihre Zweiheit hervorgehoben, sondern überall eine unbestimmte, nach keiner Seite sich deutlich entscheidende Ausdrucksweise gewählt. Obwohl er Saxos Bericht als entscheidendes Argument dafür verwendet, dass Dubin am Meere gelegen habe, hat er die sich daraus ergebenden Schwierigkeiten wohl empfunden und auf solche indirekte Weise berücksichtigt. Hauck hat wohl aus den gleichen Gründen auf die Benutzung des Berichtes von Saxo ganz verzichtet und nur nach Helmold die Belagerung von Dubin geschildert.

Zur Beurteilung des neuen, Gert van der Schuren zugeschriebenen Fürstenspiegels.

Von Wilhelm Levison.

G. Kentenich hat oben S. 505 ff. einen 'Fürstenspiegel' herausgegeben, der dem Utrechter Bischof Rudolf von Diepholz (1432—55) gewidmet ist, und dessen Verfasser im Dienste des Herzogs Adolf II. von Cleve und der Mark († 1448) gestanden hat. Der Herausgeber sucht die Person des Verfassers aber noch genauer zu bestimmen und erkennt in ihm Gert van der Schuren, den durch seine Clevische Chronik bekannten Geheimschreiber des Herzogs. Ich will die Möglichkeit der Zuweisung nicht unbedingt bestreiten; dennoch bedarf die Frage einer erneuten Erwägung, da die Worte, welche Kentenich vor allem bestimmten an Gert zu denken, doch wesentlich anders zu beurteilen sind, die Worte 'ad perpetuam memoriam tam praesentium quam etiam futurorum', deren 'kanzleimässige' Fassung auf Beziehungen zum Clevischen Sekretariat und damit auf die Verfasserschaft Gerts van der Schuren schliessen liess. Der Schluss ist aber hinfällig, da die Worte nicht dem unbekannten Verfasser angehören, sondern aus der Märkischen Chronik Levolds von Northof[1] entnommen sind:

Levold S. 2.	Kentenich S. 507.
Nobili viro, domino suo carissimo, domino Engelberto comiti de Marka, Levoldus de Northof — — terram vestram et	Illustri *viro*, reverendo in Christo patri ac *domino* N. episcopo Traiectensi, *domino suo* generoso ac praecipue dilecto, N. humilis venerator et servus ecclesiam *vestram, terram et*

1) Ich benutze die Ausgabe von Tross (Hamm 1859), in deren Text vielfach die im Anhang mitgeteilten Lesarten von Hss. einzusetzen sind; vgl. auch N. A. XXXII, 385 ff.

Levold S. 2.	Kentenich S. 507.
subditos cum Dei timore et iustitia fideliter gubernare. Amen.	subditos vestros cum Dei timore ac iusticia feliciter gubernare. Amen.
Christi nomine invocato, ex speciali affectione, quam ad vos et ad vestrum comitatum de Marka semper habui, ad perpetuam memoriam tam presentium quam etiam futurorum, eorum presertim, qui honoris et status eiusdem comitatus zelatores existunt, de comitibus de Marka — —.	Christi nomine invocato, ex speciali affectione, quam ad vos et ecclesiam vestram aliquo tempore habui, ad perpetuam memoriam tam praesentium quam etiam futurorum, eorum praesertim, qui honoris et status eiusdem ecclesiae vestre zelatores existunt, de his primo, quae ecclesiam vestram respiciunt — —.

Doch nicht nur diese Worte gehen auf Levold zurück, wohl die Hälfte der neuen Schrift ist mehr oder minder wörtlich aus dem Anfang von dessen Werk (S. 2—30 der Ausgabe von Tross) entlehnt, dessen Einleitung bekanntlich eine Art von Fürstenspiegel darstellt. Diente sie unserem Verfasser als Hauptquelle, so ist es kein Zufall, dass er einmal die Grafschaft Mark als Beispiel heranzieht (S. 517), und wenn er den selbstsüchtigen Beamten der Gegenwart die der guten alten Zeit mit ihrer Uneigennützigkeit gegenüberstellt, 'ut reperio in cronicis quibusdam non modernis' (S. 511), so ist es eben die Märkische Chronik (S. 20), die er auch hier benutzt und im Auge hat. Bereits in den Wendungen der Adresse lehnt er sich, wie die oben gegebene Zusammenstellung zeigt, an Levold an, um ihn dann bis zur Mitte von S. 513 mit kleinen Zusätzen und mancherlei Abstrichen auszuschreiben, während die folgenden drei Seiten von Levold unabhängig sind. Noch einmal hat dieser dann in der 2. Hälfte von S. 516 und dem grösseren Teil von S. 517 als Quelle gedient; endlich die letzten drei Seiten tragen wieder einen selbständigen Charakter. Der Verfasser hält sich durchweg an die Ordnung seiner Vorlage, nur dass er (S. 517) die Zitate aus Lucas und Aristoteles von Seite 28 umstellt und erst an einige Zeilen von Seite 30 anfügt, indem er damit die Entlehnungen aus Levold beschliesst. Wie weit er im einzelnen den Vorgänger ausgeschrieben hat, kann hier nicht näher dargelegt werden, oder der grösste Teil der Schrift müsste noch einmal zum Abdruck gelangen; wer sie benutzen will, wird gut daran tun, die Vorlage zu vergleichen. Hält der Verfasser sich auch in weitem Umfang an deren Wortlaut, so ist er doch kein gedankenloser Abschreiber. Er liebt es wohl durch kleine, sachlich belanglose Zusätze die Darstellung zu erweitern, wie z. B. S. 510 in dem Satze: '[Maxime] periculosum est ponere administratores officiorum [seu in quocumque regimine dominorum], qui Deum non timent nec conscientiam [de huiusmodi factis] habent', nur die eingeklammerten Worte sein Eigentum sind; hier und da spinnt er etwa einen Gedanken Levolds weiter aus. Er steht dem Utrechter Bischof ferner als der Märkische Chronist seinem Grafen, zeigt denn auch grössere Unterwürfigkeit; mehr als einmal ersetzt er die einfache Anrede 'vos' durch 'vestra magnificentia'. Schrieb Levold für einen weltlichen Territorialherrn, so der anonyme Verfasser für einen Bischof, was natürlich mancherlei Aenderungen veranlassen musste; Levolds dringende Mahnung, die Grafschaft bei der Erbfolge nicht zu teilen, waren bei dem geistlichen Fürstentum gegenstandslos und blieben daher bei Seite bis auf einige Worte, die in ganz anderem Sinne Verwendung fanden, und andererseits war ein geistlicher Fürst auf Standespflichten hinzuweisen, die zu erwähnen Levold bei einem weltlichen Herrn keinen Anlass hatte. Er streicht auch Angaben über Personen, auf die näher einzugehen wohl für den Vorgänger (S. 16, 18), aber nicht mehr für ihn einen Sinn hatte; er benutzt eigene Erfahrungen wie die am Burgundischen Hofe gemachten Beobachtungen (S. 513 f.) und berücksichtigt die besonderen Verhältnisse des Utrechter Bistums (S. 510).

Wenn eine Antwort auf die Frage nach der Person des Verfassers überhaupt möglich ist, so wird man vor allem die Sätze und Abschnitte betrachten müssen, die nicht auf Levold zurückgehen. Danach scheint es mir doch höchst wahrscheinlich, dass ein Geistlicher diese Blätter geschrieben hat. Der Verfasser erweitert die Worte seines Vorgängers wohl durch Bibelverse (S. 509. 511 f.) und Stellen aus Augustin (S. 512. 517), wie auch in den grösseren selbständigen Abschnitten (S. 513—516, 517—520) Belesenheit in den Kirchenvätern und der theologischen Literatur sich in den Zitaten aus Ambrosius, Augustin, Gregor dem Grossen, Beda, Bernhard von

Clairvaux und Jakob von Padua bekundet. Am bezeichnendsten scheint mir aber der Gegenstand des Schlussteils. Der Verfasser beendet (S. 517) seine Entlehnungen aus Levold mit der Begründung, dass er das Land des Bischofs zu wenig kenne und nicht über Dinge schreiben wolle, von denen er nichts wisse; er schliesst diese mehr oder minder politischen Erörterungen auch, so darf man wohl hinzufügen, weil die Einleitung seiner Vorlage ausgenutzt oder doch für ihn nicht weiter verwendbar war. Nur einen Abschnitt fügt er noch an, wie er bereits vorher angekündigt hat (S. 513), über den Nutzen des Messehörens und überhaupt den Wert der Messe. So ist es mir doch zweifelhaft, ob man an einen doch wesentlich weltlich gerichteten Mann in der Stellung Gerts van der Schuren als Verfasser denken darf. Freilich die Abhängigkeit von Levold würde nicht gegen ihn sprechen; hat Gert auch für sein Hauptwerk vielleicht nur einen Deutschen Auszug der Märkischen Chronik benutzt, nicht deren ursprünglichen Text[1], so ist dieser doch um die Mitte des 15. Jh. am Niederrhein und im besonderen in Xanten bekannt gewesen[2].

---

1) Vgl. meine Bemerkungen, N. A. XXXII, 405, N. 2. 2) Eb. S. 405.

Register.

Bearbeitet von E. Perels.

A.

C. S. auch K.

D.

E.

F.

G.

H.

I. J.

K.

L.

M.

N.

O.

P.

Q.

R.

S.

T.

W.

Verzeichnis der Verfasser

der in den Nachrichten erwähnten Bücher und Aufsätze.

[Die Ziffern gehen auf die Nummern der Nachrichten].

Die Chiffren
unter den Nachrichten dieses Bandes haben folgende Bedeutung:

A. H. Adolf Hofmeister.
A. W. Albert Werminghoff.
B. B. Berthold Bretholz.
B. Kr. Bruno Krusch.
B. Schm. Bernhard Schmeidler.
E. C. Erich Caspar.
E. M. Ernst Müller.
E. P. Ernst Perels.
E. St. Elias Steinmeyer.
H. Br. Harry Bresslau.
H. H. Hans Hirsch.
H. W. Hans Wibel.
J. W. Jakob Werner.
K. Str. Karl Strecker.
K. Z. Karl Zeumer.
M. Kr. Mario Krammer.
M. T. Michael Tangl.
O. H.-E. Oswald Holder-Egger.
R. S. Richard Salomon.
W. L. Wilhelm Levison.

Lightning Source UK Ltd.
Milton Keynes UK
UKHW021328171218
334146UK00014B/998/P